# LE GUIDE DE L'AUTO<sub>MC</sub> 2008

**Rédacteur en chef**
Denis Duquet
**Journalistes et photographes :**
Guy Desjardins, Gabriel Gélinas, Robert Jetté,
Antoine Joubert, Sylvain Raymond
**Fondateur du** *Guide de l'auto*
Jacques Duval
**Conception et production**
L'équipe de LC Média Inc
**Coordination éditoriale**
Alain Morin
**Révision et correction :**
Hélène Paraire
**Administration et ventes :**
Frédéric Couture, Simon Fortin, Jean Lemieux

Les marques de commerce *Le Guide de l'auto, Le Guide de l'auto Jacques Duval* et les marques associées sont la propriété de

3755 Place de Java, suite 190
Brossard Qc J4Y 0E4
Tél. : 450-444-5773

Site Internet : www.leguidedelauto.com

Catalogage avant publication de Bibliothèque et Archives nationales du Québec et Bibliothèque et Archives Canada

Duquet, Denis

Le guide de l'auto
ISSN 0315-9205
ISBN 978-2-89568-350-6

1. Automobiles - Achat. 2. Automobiles - Catalogues. I. Gélinas, Gabriel. II. Titre.

HD9710.A2D8        629.222    C86-030714-X

**Remerciements**
Les Éditions du Trécarré reconnaissent l'aide financière du gouvernement du Canada par l'entremise de Programme d'aide au développement de l'industrie de l'édition (PADIÉ) pour ses activités d'édition. Nous remercions la Société de développement des entreprises culturelles du Québec (SODEC) du soutien accordé à notre programme de publication.

ISSN 0315-9205
ISBN 978-2-89568-350-6

Dépôt légal – Bibliothèque et Archives nationales du Québec, 2007

Imprimé au Canada

Les Éditions Trécarré
Groupe Librex Inc.
La Tourelle
1055, boul. René-Lévesque Est
Bureau 800
Montréal (Québec) H2L 4S5
Tél. : 514 849-5259
Téléc. : 514 849-1388

Distribution au Canada
Messageries ADP
2315, rue de la Province
Longueuil (Québec) J4G 1G4
Tél. : 450 640-1234
Sans frais : 1 800 771-3022

# LE GUIDE NUMÉRO 1 DEPUIS 42 ANS

**Denis DUQUET**  **Gabriel GÉLINAS**  **Alain MORIN**

# LE GUIDE DE L'AUTO MC 2008

ÉDITIONS DU TRÉCARRÉ

*Le Guide de l'auto* désire remercier les personnes et les organisations dont les noms suivent et qui ont apporté leur précieuse collaboration à la réalisation du présent *Guide de l'auto*

Martine Bélanger
Claudie-Anne Brien
Karine Carrier
Mathieu Dextradeur
François Dubois
Gabrielle Goyer
Véronique Lauzon
Kim Malchewski
Gilles Oliver
Annie Rhéaume
L'équipe des Éditions Trécarré
L'équipe de Québécor St-Jean
L'équipe de Photosynthèse

**PARTICIPANTS AUX MATCHS COMPARATIFS:**

Martine Bélanger, Louis Bergeron, Claudie-Anne Brien, Karine Carrier, Nathalie De Passillé, Jacques Delorme, Jacques Desmarais, Mathieu Dextradeur, François Dubois, Robert Gariépy, Jean-Christophe Gaudreault-Fortier, Gabrielle Goyer, Robert Jetté, Andrew Jetté, Jean-Paul Jodoin, Antoine Joubert, Éric Lachapelle, Jean-Georges Laliberté, Véronique Lauzon, Kim Malczewski (et famille), Fanny Morin, Gilles Olivier, Martin Phaneuf, Sylvain Raymond, Annie Rhéaume, Benoît Syrcos

**POUR LEUR COLLABORATION, MERCI À:**

Henri Adm (Subaru Laval), Bob Austin (Rolls-Royce), Maurice Barchicha (Popular Audi), Barbara Barrett (Jaguar, Land Rover), André Beaucage (Suzuki Canada), Denis Bellemarre (Mercedes-Benz Canada), Josianne Bétit (Mitsubishi Canada), Umberto Bomfa (Ferrari Québec), Marc-André Bouchard, Paul Boyer (Des Sources Chrysler), Rick Bye (Porsche Canada), Lyne Callaghan (Mazda Canada), Marc-André Casavant (Mazda Canada), JoAnne Caza (Mercedes-Benz, Maybach, Smart), Nicole Chambers (Subaru Canada), Eva Cheng (Mercedes-Benz Canada), Doug Clark (Audi Canada), Alexandra Cygal (Nissan Canada), Phil d'Agostino (Auto Service Park Royal), Sabrina Damico (Ferrari Québec), Sophie Desmarais (Mitsubishi Canada), Alain Desrochers (Mazda Canada), Rob Dexter (BMW Canada), Sandy DiFelice (Honda Canada), Roch Dupont (Des Sources Chrysler), Daniel Duquet, David Duquet, Bernard Durand (John Scotti Auto), Stephen Dutile (Services Spenco), Susan Elliott (Mitsubishi Canada), Erin Farquharson (Marshall-Fenn Communications), Kevin Ferah (Services Spenco), Christine Flynn (Volvo Laval), Jochen Frey (BMW Canada), Terry Grant (BMW Laval), ElaineGriffin (Subaru Canada), Jacques Guertin (Sanair), Cristina Guizzardi (Lamborghini), Rania Gurguis (Mazda Canada), Mario Hamel (Kia Canada), Chad Heard (Marshall-Fenn Communications), Christine Hollander (Ford Canada), Richard Jacobs (Honda Canada), Jan-Äke Jonsson (Saab), Terry Kerr (Daimler Chrysler Canada), Mike Kurnik (Suzuki Canada), Daniel Labre (Chrysler Canada), Jules Lacasse (Hyundai Canada), Tony LaRocca (General Motors du Canada), Ghyslain Lavallée (Garage Roch Lavallée & fils), John Lindo (Nissan Canada), Kevin Marcotte (BMW Canada), Richard Marsan (Subaru Canada), Virginie Martel (Nissan Canada), Tom McPherson (Hyundai Canada), Doug Mepham (Volvo Canada), Nadia Mereb (Honda Canada), Jonathan Morin, Nathalie Nankil (General Motors du Canada), Stéphane Narbonne (Parkway Plaza), Cort Neilsen (Kia Canada), Ziad Nezhra (Cité Mitsubishi), Roberto Oruna (Audi Canada), Robert Pagé (General Motors du Canada), Luc Paquette (Hyundai Canada), Antony Paulozza (Pirelli Canada), Normand Primeau (Seitz Communication), Melissa Prince (Nissan Canada), Patrick Quintal (Saturn Granby), Kim Ricard (Mazda Canada), Jacinthe Rioux (Arbour Volkswagen), Kathryn Ruhland (Toyota Canada), Stuart Y.Schorr (Chrysler Canada), John Scotti (John Scotti Auto), Paul Seitz (Seitz Communication), Joel Siegal (Bentley Montréal), Marie-Claude Simard (Subaru Canada), Stephen Spence (Services Spenco), Patrick St-Pierre (Volkswagen Canada), Donna Trawinski (Nissan Canada), Paul Vaillancourt (Torchia Communications), Rebecca Wu (Toyota Canada), Alex Yandle (BMW Canada), Greg Young (Mazda Canada), Karen Zlatin (Mercedes-Benz Canada)

**ET À CES PERSONNES SANS QUI LES MATCHS COMPARATIFS N'AURAIENT PAS EU LIEU:**

Club Quad Coureurs des Bois de St-Amable, Jacques Guertin (Sanair), famille Kirschhoff (Mécaglisse), François-Charles Sirois (Trioomph), Vince Lougham (Circuit Mont-Tremblant)

# RÉALISTE OU
# POLITIQUEMENT CORRECT ?

Il semble que la rectitude politique soit plus que jamais à l'ordre du jour dans le secteur de l'automobile. Avec un battage médiatique à l'échelle mondiale concernant le réchauffement de la planète ainsi que la responsabilité qui nous incombe à nous les automobilistes de contribuer à la réduction du $CO_2$, plusieurs sont devenus plus catholiques que le pape et voudraient que toute la planète roule en bicyclette ou en véhicule électrique.

Pour ces mêmes personnes, la Toyota Prius est la solution à tous les maux et le Hummer le responsable de tous nos malheurs. Si vous allez consulter les essais de ces deux véhicules dans les pages de cet ouvrage, vous réaliserez que la vérité n'est pas nécessairement tranchée en noir ou blanc. Il y a plusieurs nuances à apporter et de nombreuses zones grises existent entre le noir et le blanc.

*Le Guide de l'auto* est un ouvrage de référence, de consultation et d'évaluation. Notre rôle n'est pas de juger exclusivement en fonction de l'environnement, mais plutôt d'évaluer le parc automobile de notre continent. Pas question d'éliminer un modèle jugé trop offensant ou d'en promouvoir un autre dont l'image est mieux acceptée par certains.

Cette année encore, nous revenons avec de l'information susceptible de mieux vous informer quant à tous les aspects d'évaluation d'un véhicule. De plus, nous mettons en évidence ceux dont la cote de consommation est le plus en harmonie avec le désir de réduire les gaz à effet de serre. Par contre, en 2008, les nouveautés dans le domaine des véhicules hybrides ont été assez rares. À l'exception de la Saturn Aura Hybride qui reprend le groupe propulseur de la Vue Green Line. Par ailleurs, Mercedes-Benz a commercialisé ses nouveaux moteurs diesels Bluetec qui contribueront de façon marquée à réduire la consommation de carburant, et par conséquent la production de $CO_2$. Audi et Volkswagen ont annoncé qu'ils commercialiseraient des véhicules avec ce moteur Bluetec au cours de 2008. Et nous avons profité de la mise en marché du Jeep Grand Cherokee à moteur diesel pour le comparer à son vis-à-vis à moteur Hemi.

Toujours au chapitre des comparaisons, compte tenu de l'ardeur du marché pour ces modèles, nous avons passé au crible les VUS compacts présentement sur le marché. Ils sont presque aussi pratiques que les gros modèles, leur consommation s'avère plus raisonnable et leur agrément de conduite est remarquable. Un autre match nous a permis d'évaluer cinq modèles multisegments aux prix abordables, et capables de remplir de multiples tâches, le tout en consommant assez peu de carburant.

Malgré l'engouement mondial pour les véhicules moins puissants, moins polluants et plus écologiques, les lancements de modèles sportifs ont été particulièrement nombreux. D'ailleurs, la couverture de cet ouvrage met en vedette la spectaculaire Audi R8, l'une des plus élégantes automobiles de l'histoire et l'une des meilleures sportives sur le marché. Et pour souligner les 60 ans de Ferrari, nous avons soumis une Ferrari à un tour de piste rapide sur le mythique Circuit du Mont-Tremblant. Cette rencontre entre deux légendes du monde automobile a permis d'en apprendre autant sur la voiture que sur la piste. Une expérience fort intéressante que nous voulions réaliser depuis quelques années.

Enfin, pour faire plaisir aux mordus de voiture d'exception et ils sont nombreux, Gabriel Gélinas a eu le plaisir de piloter la nouvelle Mercedes-McLaren SLR Roadster sur les autobahns allemandes. Partagez son expérience en lisant ce texte.

Avant de terminer, je m'en voudrais de ne pas souligner l'arrivée sur le marché des nouvelles générations de deux des modèles qui ont fortement marqué les dernières décennies, soit la fourgonnette de Chrysler et la Honda Accord.

Finalement, cet ouvrage ne serait pas possible sans la collaboration d'un grand nombre de personnes qui partagent toutes la même passion : vous informer de ce qui se passe dans ce monde souvent décrié, mais combien merveilleux, qu'est celui de l'automobile. Et vous remarquerez en consultant le *Guide* que nous avons une autre recrue : Antoine Joubert est nouveau au *Guide*, mais c'est un chroniqueur compétent qui n'a pas peur d'exprimer ses opinions. Bienvenue à bord, Antoine !

Donc, cette année encore, bonne lecture et bonne route !

**Denis Duquet**

**8**

# Performante en tout temps

**Chez Ultramar et UltraConfort,** jusqu'à

## 2,5 %
de remise sur vos achats*

**Partout ailleurs,** jusqu'à

## 1,25 %
de remise sur vos achats*

**Remise de**

## 20 $
en essence**

## Demandez votre carte Ultramar MasterCard†
### sur ultraperformance.ca

## ACURA

| | |
|---|---|
| CSX man | 26,770 $* |
| CSX Premium man | 29,046 $* |
| CSX Premium Navi | 32,960 $* |
| CSX Type S | 34,402 $* |
| MDX | 53,869 $* |
| MDX Tech | 58,607 $* |
| MDX Elite | 63,757 $* |
| RL | 65,817 $* |
| RL Elite | 71,585 $* |
| RDX | 42,230 $* |
| RDX Tech | 46,350 $* |
| TL | 43,775 $* |
| TL Navi | 46,968 $* |
| TL Type S man | 47,689 $* |
| TSX man | 37,183 $* |
| TSX Navi man | 40,067 $* |

## ASTON MARTIN

| | |
|---|---|
| DB9 Coupe man | 225,956 $* |
| DB9 Coupe auto | 232,651 $* |
| DB9 Volante man | 244,496 $* |
| DB9 Volante touchtronic | 252,736 $* |
| V8 Vantage | 147,058 $* |
| Vanquish S | 354,140 $* |

## AUDI

| | |
|---|---|
| A3 2.0T man | 33,800 $ |
| A3 3.2 quattro | 45,700 $ |
| A4 2.0T FWD man | 35,350 $ |
| A4 2.0T quattro man | 40,900 $ |
| A4 2.0T quattro SE man | 42,150 $ |
| A4 2.0T Avant quattro | 42,350 $ |
| A4 2.0T Avant quattro SE | 43,600 $ |
| A4 3.2 quattro | 49,500 $ |
| A4 3.2 Avant quattro | 50,950 $ |
| A4 2.0T Cabriolet FWD | 55,350 $ |
| A4 3.2 Cabriolet quattro | 67,750 $ |
| A5 | n.d. |
| A6 3.2 | 63,600 $ |
| A6 3.2 Avant | 66,500 $ |
| A6 4.2 | 75,600 $ |
| A8 4.2 | 100,106 $* |
| A8L 4.2 | 104,401 $* |
| A8L W12 | 175,924 $* |
| Q7 3.5 | 9,800 $ |
| Q7 4.2 | 77,600 $ |
| R8 man | 139,000 $ |
| R8 auto R-tronic | 150,500 $ |
| RS4 quattro man | 94,200 $ |
| S4 quattro man | 70,400 $ |
| S4 Avant quattro man | 71,850 $ |
| S4 Cabriolet quattro man | 83,100 $ |
| S5 | n.d. |
| S6 | 101,900 $ |
| S8 | 133,591 $* |
| TT Coupé 2.0T FWD auto | 50,600 $ |
| TT Coupé 3.2 quattro man | 59,600 $ |
| TT Roadster 2.0T FWD auto | 53,600 $ |
| TT Roadster 3.2 quattro man | 63,900 $ |

## BENTLEY

| | |
|---|---|
| Arnage R | 316,200 $* |
| Arnage T | 347,100 $* |
| Azure | n.d. |
| Brooklands | n.d. |
| Continental GT | 245,130 $* |
| Continental GT Speed | n.d. |
| Continental Flying Spur | 245,130 $* |
| Continental GTC | 272,940 $* |

## BMW

| | |
|---|---|
| M Coupé | 70,967 $* |
| M Roadster | 71,997 $* |
| Série 3 Berline 323i | 36,668 $* |
| Série 3 Berline 328i | 42,230 $* |
| Série 3 Berline 328xi | 44,908 $* |
| Série 3 Berline 335i | 51,397 $* |
| Série 3 Berline 335xi | 54,075 $* |
| Série 3 Coupé 328i | 44,908 $* |
| Série 3 Coupé 328xi | 47,483 $* |
| Série 3 Coupé 335i | 53,148 $* |
| Série 3 Cabriolet 328i | 57,989 $* |
| Série 3 Cabriolet 335i | 68,289 $* |
| Série 3 Touring 328xi | 46,453 $* |
| Série 5 528i | 59,900 $ |
| Série 5 528xi | 62,500 $ |
| Série 5 535i | 68,900 $ |
| Série 5 535xi | 71,500 $ |
| Série 5 535xi Touring | 73,600 $ |
| Série 5 550i | 82,900 $ |
| Série 5 M5 | 113,300 $ |
| Série 6 Coupé 650i | 104,545 $* |
| Série 6 Cabriolet 650i | 114,845 $* |
| Série 6 Coupé M6 | 132,149 $* |
| Série 6 Cabriolet M6 | 142,449 $* |
| Série 7 750i | 111,755 $* |
| Série 7 750Li | 118,553 $* |
| Série 7 760Li | 179,735 $* |
| X3 3.0i | 46,659 $* |
| X3 3.0si | 52,427 $* |
| X5 3.0si | 63,757 $* |
| X5 4.8i | 75,705 $* |
| Z4 3.0i | 55,517 $* |
| Z4 3.0si | 62,727 $ |

## BUGATTI

| | |
|---|---|
| Veyron | 1,500,000 $ |

## BUICK

| | |
|---|---|
| Allure CX | 26,495 $ |
| Allure CXL | 28,885 $ |
| Allure CXS | 34,395 $ |
| Allure Super | 38,765 $ |
| Enclave CX | 40,895 $ |
| Enclave CXL | 48,295 $ |
| Enclave CX (AWD) | 43,895 $ |
| Enclave CXL (AWD) | 51,295 $ |
| Lucerne CX | 31,790 $ |
| Lucerne CXL | 34,120 $ |
| Lucerne CXS | 44,800 $ |

## CADILLAC

| | |
|---|---|
| CTS 2.8L V6 | 37,095 $ |
| CTS 3.6L V6 | 41,581 $* |
| CTS-V | 73,032 $* |
| DTS | 53,415 $ |
| Escalade (AWD) | 76,960 $ |
| Escalade ESV (AWD) | 80,515 $ |
| Escalade EXT (AWD) | 72,175 $ |
| SRX V6 | 46,695 $ |
| SRX V8 | 60,300 $ |
| STS V6 | 57,910 $ |
| STS V8 | 68,880 $ |
| STS-V | 102,955 $ |
| XLR | 98,995 $ |
| XLR-V | 115,140 $ |

## CHEVROLET CAMIONS

| | |
|---|---|
| Avalanche LS (2RM) | 40,020 $ |
| Avalanche LT (2RM) | 41,545 $ |
| Avalanche LS (4RM) | 43,265 $ |
| Avalanche LT (4RM) | 44,790 $ |
| Avalanche LTZ (4RM) | 54,375 $ |
| Colorado LS à cabine classique (2RM) | 21,135 $ |
| Colorado LT à cabine classique (2RM) | 23,185 $ |
| Colorado LS à cabine classique (4RM) | 24,940 $ |
| Colorado LT à cabine classique (4RM) | 26,880 $ |
| Colorado LS à cabine allongée (2RM) | 23,260 $ |
| Colorado LT à cabine allongée (2RM) | 25,230 $ |
| Colorado LT à cabine allongée (4RM) | 27,060 $ |
| Colorado LT à cabine allongée (4RM) | 28,925 $ |
| Colorado LT à cabine double (2RM) | 29,255 $ |
| Colorado LT à cabine double (4RM) | 34,255 $ |
| Equinox LS | 26,870 $ |
| Equinox LS (TI) | 29,625 $ |
| Equinox LT | 29,620 $ |
| Equinox LT (TI) | 32,320 $ |
| Equinox Sport | 33,045 $ |
| Equinox Sport (TI) | 35,745 $ |
| HHR LS | 19,855 $ |
| HHR LT | 21,185 $ |
| Silverado 1500, à cabine classique caisse régulière (2RM) | 23,520 $ |
| Silverado 1500, à cabine classiqu caisse longue (4RM) | 27,420 $ |
| Suburban 1500 LS (2RM) | 48,455 $ |
| Suburban 1500 LT (2RM) | 50,195 $ |
| Suburban 1500 LS (4RM) | 52,095 $ |
| Suburban 1500 LT (4RM) | 53,995 $ |
| Suburban 1500 LTZ (4RM) | 66,995 $ |
| Tahoe LS (2RM) | 45,455 $ |
| Tahoe LT (2RM) | 47,155 $ |
| Tahoe LS (4RM) | 49,225 $ |
| Tahoe LT (4RM) | 50,995 $ |
| Tahoe LTZ (4RM) | 64,595 $ |
| TrailBlazer LT1 (4RM) | 39,695 $ |
| TrailBlazer LT3 (4RM) | 44,695 $ |
| TrailBlazer SS (4RM) | 52,655 $ |
| Uplander LS | 24,390 $ |
| Uplander LT1 | 26,460 $ |
| Uplander LT2 | 29,490 $ |
| Uplander LS allongé | 27,620 $ |
| Uplander LT1 allongé | 28,775 $ |
| Uplander LT2 allongé | 32,615 $ |

## CHEVROLET

| | |
|---|---|
| Aveo berline LS | 12,995 $ |
| Aveo berline LT | 15,495 $ |
| Aveo 5 portes LS | 12,995 $ |
| Aveo 5 portes LT | 15,495 $ |
| Cobalt coupé LS | 15,175 $ |
| Cobalt coupé LT | 17,675 $ |
| Cobalt coupé Sport | 22,595 $ |
| Cobalt berline LS | 15,175 $ |
| Cobalt berline LT | 17,675 $ |
| Cobalt berline Sport | 22,595 $ |
| Corvette Coupé | 69,500 $ |
| Corvette Cabriolet | 81,610 $ |
| Corvette Z06 | 91,685 $ |
| Impala LS | 25,695 $ |
| Impala LT | 27,195 $ |
| Impala LTZ | 30,695 $ |
| Impala SS | 35,475 $ |
| Malibu | n.d. |
| Optra 5 portes LS | 14,395 $ |
| Optra 5 portes LT | 17,245 $ |
| Optra familiale LS | 15,395 $ |
| Optra familiale LT | 18,445 $ |

## CHRYSLER

| | |
|---|---|
| 300 RWD | 30,400 $* |
| 300 Touring RWD | 31,895 $* |
| 300 Limited RWD | 35,295 $* |
| 300C AWD | 48,525 $* |
| 300C SRT8 | 52,695 $* |
| Aspen Limited | 49,995 $* |
| Crossfire Coupe | 39,995 $* |
| Crossfire Coupe Limited | 48,050 $* |
| Crossfire Cabriolet Limited | 51,900 $* |
| Pacifica FWD | 34,995 $* |
| Pacifica Touring FWD3 | 37,595 $* |
| Pacifica Limited AWD | 46,795 $* |
| PT Cruiser Classic | 20,895 $* |
| PT Cruiser Touring | 25,395 $* |
| PT Cruiser Cabriolet Touring | 29,695 $* |
| PT Cruiser Cabriolet GT | 32,909 $* |
| Sebring Cabriolet LX | 29,995 $ |
| Sebring Cabriolet Touring | 33,995 $ |
| Sebring Cabriolet Limited | 38,995 $ |
| Town & Country Touring | 35,995 $ |
| Town & Country Limited | 42,895 $ |

## DODGE

| | |
|---|---|
| Avenger SE | 21,995 $ |
| Avenger SXT | 24,095 $ |
| Avenger R/T | 28,895 $ |
| Avenger R/T AWD | 30,895 $ |
| Caliber | 15,995 $* |
| Caliber SXT | 17,995 $* |
| Caliber R/T FWD | 21,995 $* |
| Caliber SRT4 | 24,995 $ |
| Charger SE RWD | 28,695 $* |
| Charger SXT RWD | 32,595 $* |
| Charger R/T RWD | 38,995 $* |
| Charger SRT8 | 46,395 $* |
| Dakota ST 4X2 Crewcab | 28,295 $* |
| Dakota SLT 4X2 Crewcab | 33,195 $* |
| Durango SLT | 43,295 $* |
| Grand Caravan SE | 26,495 $ |
| Grand Caravan SE Stow n Go | 28,795 $ |
| Grand Caravan SXT | 30,495 $ |
| Magnum | 29,395 $* |
| Magnum SXT RWD | 32,795 $* |
| Magnum R/T RWD | 40,295 $* |
| Magnum SRT8 | 47,195 $* |
| Nitro SE 4X2 | 23,595 $* |
| Nitro SE 4X4 | 26,495 $* |
| Nitro SLT 4X4 | 30,395 $* |
| Ram 1500 ST Cab Reg 4X2 | 26,995 $* |
| Ram 1500 SLT Cab Reg 4X2 | 30,610 $* |
| Ram Mega SXT 4X2 | 37,340 $* |
| Ram 1500 Quad SLT 4X4 | 40,195 $* |
| Ram 1500 Quad SRT 2X4 | 35,085 $* |
| Viper SRT10 Coupe | 99,600 $ |
| Viper SRT10 Roadster | 98,600 $ |

## FERRARI

| | |
|---|---|
| 599 GTB Fiorano F1 | 425,600 $* |
| 612 Scaglietti F1 | 390,570 $* |
| F430 | 256,595 $* |
| F430 F1 | 274,258 $* |
| F430 Spider | 296,595 $* |
| F430 Spider F1 | 314,258 $* |
| F430 Scuderia | 350,000 $* |

## FORD

| | |
|---|---|
| Edge SE | 33,989 $* |
| Edge SE (TI) | 36,049 $* |
| Edge SEL | 37,079 $* |
| Edge SEL (TI) | 39,139 $* |
| Escape XLS | 23,999 $ |
| Escape XLT | 25,399 $ |
| Escape XLT V6 | 26,499 $ |
| Escape XLT (4RM) | 27,799 $ |
| Escape XLT V6 (4RM) | 28,899 $ |
| Escape Limited | 34,499 $ |
| Escape Hybrid | 31,499 $ |
| Escape Hybrid (4RM) | 33,899 $ |
| Expedition XLT 4X4 | 46,499 $ |
| Expedition Eddie Bauer | 54,299 $ |
| Expedition Eddie Bauer Max | 56,799 $ |
| Expedition Limited | 57,299 $ |
| Expedition Limited Max | 59,799 $ |
| Expedition King Ranch | 60,699 $ |
| Expedition King Ranch Max | 63,199 $ |

PUR RAFFINEMENT

**Voici l'Enclave de Buick.** Le véhicule multisegment de prestige le plus raffiné qui soit. Ses lignes extérieures sont fluides et sa silhouette, exceptionnelle. À l'intérieur, le souci du détail se reflète dans chaque élément. Ce symbole de raffinement offre également une meilleure économie d'essence que tout autre VUS huit places*. À partir de 40 895 $**, vous pouvez maintenant faire place au luxe abordable.

BuickEnclave

**enclave.gm.ca**

| | |
|---|---|
| Explorer XLT V6 | 41,399 $ |
| Explorer XLT V8 | 42,899 $ |
| Explorer Eddie Bauer V6 | 47,499 $ |
| Explorer Eddie Bauer V8 | 48,999 $ |
| Explorer Limited | 52,899 $ |
| Explorer Sport Trac 4X2 XLT 4.0L | 32,099 $ |
| Explorer Sport Trac 4X2 XLT 4.6L | 33,599 $ |
| Explorer Sport Trac 4X2 Limited 4.0L | 36,099 $ |
| Explorer Sport Trac 4X2 Limited 4.6L | 37,599 $ |
| Explorer Sport Trac 4X4 XLT 4.0L | 35,199 $ |
| Explorer Sport Trac 4X4 XLT 4.6L | 36,699 $ |
| Explorer Sport Trac 4X4 Limited 4.0L | 39,199 $ |
| Explorer Sport Trac 4X4 Limited 4.6L | 40,699 $ |
| F150 XL 4X2 | 23,689 $ |
| F150 STX 4X2 | 24,822 $* |
| F150 XLT 4X2 | 26,264 $ |
| F150 FX4 4X2 | 36,976 $* |
| F150 Super Cab STX 4X2 | 31,620 $* |
| F150 Super Cab XLT 4X2 | 33,474 $* |
| F150 Super Cab FX2 Sport 4X2 | 35,931 $* |
| F150 Super Cab Lariat 4X2 | 41,199 $* |
| F150 Super Crew XLT 4X2 | 34,813 $* |
| F150 Super Crew Lariat Chrome 4X2 | 43,553 $* |
| F150 Super Crew King Ranch 4X2 | 46,761 $* |
| F150 Super Crew Harley Davidson 4X2 | 47,580 $* |
| Focus | n.d. |
| Fusion SE | 23,899 $ |
| Fusion SE V6 | 27,299 $ |
| Fusion SE V6 (TI) | 29,299 $ |
| Fusion SEL | 25,899 $ |
| Fusion SEL V6 | 28,899 $ |
| Fusion SEL V6 (TI) | 30,899 $ |
| Mustang Coupé | 24,799 $ |
| Mustang Convertible | 28,899 $ |
| Mustang GT Coupé | 33,999 $ |
| Mustang GT Convertible | 38,099 $ |
| Ranger XL 4X2 | 15,399 $ |
| Ranger XL Super Cab 4X2 | 16,499 $ |
| Ranger XL Super Cab 4X4 | 19,499 $ |
| Ranger Sport Super Cab 4X2 | 17,299 $ |
| Ranger Sport Super Cab 4X4 | 21,799 $ |
| Ranger XLT Super Cab 4X2 | 21,299 $ |
| Ranger XLT Super Cab 4X4 | 24,299 $ |
| Ranger FX4 Super Cab 4X4 | 25,099 $ |
| Shelby GT500 Coupe | 54,299 $ |
| Shelby GT500 Convertible | 58,399 $ |
| Taurus SEL | 30,899 $ |
| Taurus SEL (TI) | 33,399 $ |
| Taurus Limited | 36,699 $ |
| Taurus Limited (TI) | 39,199 $ |
| Taurus X SEL | 33,999 $ |
| Taurus X SEL (TI) | 35,999 $ |
| Taurus X Limited | 39,999 $ |
| Taurus X Limited (TI) | 41,999 $ |

## GMC

| | |
|---|---|
| Acadia SLE | 36,495 $ |
| Acadia SLT | 42,885 $ |
| Acadia SLE (TI) | 39,495 $ |
| Acadia SLT (TI) | 45,885 $ |
| Canyon SL à cabine classique (2RM) | 21,235 $ |
| Canyon SLE à cabine classique (2RM) | 23,285 $ |
| Canyon SL à cabine classique (4RM) | 25,135 $ |
| Canyon SLE à cabine classique (4RM) | 27,075 $ |
| Canyon SL à cabine allongée (4RM) | 27,255 $ |
| Canyon SLE à cabine allongée (4RM) | 29,120 $ |
| Canyon SLE à cabine multiplace (2RM) | 29,355 $ |
| Canyon SLE à cabine multiplace (4RM) | 34,450 $ |
| Envoy SLE (4RM) | 39,995 $ |
| Envoy SLT (4RM) | 44,995 $ |
| Envoy Denali (4RM) | 51,755 $ |
| Sierra 1500 SLE, à cabine classique, caisse standard (2RM) | 28,395 $ |
| Sierra 1500 SLE, à cabine classique, caisse longue (4RM) | 32,845 $ |

| | |
|---|---|
| Sierra 1500 SLT, à cabine allongée, caisse longue (4RM) | 44,225 $ |
| Sierra 1500 Denali, à cabine multiplace, caisse courte (4RM) | 52,615 $ |
| Yukon SLE (2RM) | 45,895 $ |
| Yukon SLT (2RM) | 51,695 $ |
| Yukon SLE (4RM) | 50,095 $ |
| Yukon SLT (4RM) | 56,055 $ |
| Yukon Denali (TI) | 66,295 $ |
| Yukon XL SLE (2RM) | 48,855 $ |
| Yukon XL SLT (2RM) | 54,695 $ |
| Yukon XL SLE (4RM) | 52,995 $ |
| Yukon XL SLT (4RM) | 58,955 $ |
| Yukon XL Denali (TI) | 68,795 $ |

## HONDA

| | |
|---|---|
| Accord | n.d. |
| Accord Hybrid | n.d. |
| Civic Berline DX man | 17,489 $* |
| Civic Berline LX man | 21,249 $* |
| Civic Berline EX man | 23,103 $* |
| Civic Coupé DX man | 17,695 $* |
| Civic Coupé LX man | 21,609 $* |
| Civic Coupé EX man | 23,566 $* |
| Civic Coupé SI | 27,171 $* |
| Civic Hybrid | 27,038 $* |
| CR-V LX | 28,531 $* |
| CR-V LX (4RM) | 30,591 $* |
| CR-V EX | 33,578 $* |
| CR-V EX-L | 35,638 $* |
| CR-V EX-L Navi | 38,522 $* |
| Element LX (2RM) | 25,290 $ |
| Element EX (2RM) | 28,090 $ |
| Element EX (4RM) | 30,390 $ |
| Element SC | 29,990 $ |
| Honda Fit DX man | 15,429 $* |
| Honda Fit LX man | 17,901 $* |
| Honda Fit Sport man | 20,167 $* |
| Odyssey LX | 34,299 $* |
| Odyssey EX | 38,007 $* |
| Odyssey EX-L | 41,200 $* |
| Odyssey Touring | 49,543 $* |
| Pilot LX (2RM) | 36,820 $ |
| Pilot LX (4RM) | 39,820 $ |
| Pilot SE | 43,990 $ |
| Pilot SE-L | 45,520 $ |
| Pilot EX-L | 46,690 $ |
| Ridgeline LX | 35,820 $ |
| Ridgeline EX-L V6 | 40,520 $ |
| Ridgeline EX-L Navi | 45,220 $ |
| Ridgeline EX-L SR | 41,720 $ |
| S2000 | 52,118 $ |

## HUMMER

| | |
|---|---|
| H2 SUT | 70,395 $ |
| H2 SUV | 72,295 $ |
| H3 SUV | 40,995 $ |

## HYUNDAI

| | |
|---|---|
| Accent GS 3 portes man | 13,900 $* |
| Accent GS 3 portes Sport man | 16,681 $* |
| Accent GS 3 portes Premium man | 17,196 $* |
| Accent GS 3 portes SR man | 20,389 $* |
| Accent GL berline man | 14,724 $* |
| Accent GL berline Comfort man | 16,063 $* |
| Accent GLS berline man | 17,505 $* |
| Azera GLS | 36,045 $* |
| Azera Limited | 39,341 $* |
| Elantra GL man | 16,063 $* |
| Elantra Comfort man | 18,535 $* |
| Elantra GL Comfort Plus man | 19,874 $* |
| Elantra Sport man | 21,213 $* |
| Elantra GLS | 23,788 $* |
| Entourage GL | 30,895 $* |
| Entourage GL Comfort | 32,955 $* |

| | |
|---|---|
| Entourage GLS | 36,766 $* |
| Entourage GLS Cuir | 38,311 $* |
| Santa Fe 2.7 GL FWD man | 26,775 $* |
| Santa Fe 3.3 GL FWD | 29,144 $* |
| Santa Fe 3.3 GL FWD Premium 7 places | 32,234 $* |
| Santa Fe 3.3 GL AWD Premium 7 places | 34,088 $* |
| Santa Fe 3.3 GLS AWD | 35,324 $* |
| Santa Fe 3.3 GLS AWD 7 places | 37,075 $* |
| Sonata GL | 24,303 $* |
| Sonata GL V6 | 27,084 $* |
| Sonata GLS | 27,702 $* |
| Sonata GLS V6 | 28,732 $* |
| Sonata GLS V6 Premium | 30,174 $* |
| Tiburon GS man | 19,565 $* |
| Tiburon GS Sport man | 21,934 $* |
| Tiburon GT man | 26,260 $* |
| Tiburon GT Limited man | 29,865 $* |
| Tucson GL 2.0 FWD man | 21,831 $* |
| Tucson GL 2.7 FWD V6 | 27,187 $* |
| Tucson GL 2.7 4WD V6 | 29,556 $* |
| Tucson GL 2.7 4WD V6 | 31,719 $* |
| Veracruz GLS | 41,195 $* |
| Veracruz Limited | 47,375 $* |

## INFINITI

| | |
|---|---|
| FX35 | 56,547 $* |
| FX45 | 64,684 $* |
| G35 Berline | 41,190 $* |
| G35x Berline (TI) | 44,692 $* |
| G35 Berline Sport | 48,194 $* |
| G37 Coupé | n.d. |
| M35 | 58,092 $* |
| M35x (TI) | 61,697 $* |
| M45 | 67,980 $* |
| M45 Sport | 75,602 $* |
| QX56 | 80,855 $* |

## JAGUAR

| | |
|---|---|
| S-Type 3.0 | 62,000 $* |
| S-Type 4.2 | 75,200 $* |
| S-Type R | 86,400 $* |
| XJ 8 | 85,000 $* |
| XJ Vanden Plas | 93,000 $* |
| XJ R | 101,000 $* |
| XJ R Portfolio | 130,500 $* |
| XJ Super V8 | 118,000 $* |
| XK Coupé | 103,000 $* |
| XK R Coupé | 117,000 $* |
| XK Cabriolet | 113,000 $* |
| XK R Cabriolet | 140,500 $* |
| X-Type 3.0 | 45,000 $* |
| X-Type Familiale 3.0 | 49,000 $* |

## JEEP

| | |
|---|---|
| Commander Sport | 40,675 $* |
| Commander Limited | 51,320 $* |
| Compass Sport | 18,535 $* |
| Compass North | 20,914 $* |
| Compass Limited | 23,232 $* |
| Grand Cherokee Laredo | 39,444 $* |
| Grand Cherokee Limited | 49,806 $* |
| Grand Cherokee Overland | 53,333 $* |
| Grand Cherokee SRT8 | 49,007 $* |
| Liberty Sport | 29,242 $* |
| Liberty Limited | 33,099 $* |
| Patriot Sport FWD | 17,505 $* |
| Patriot North FWD | 19,884 $* |
| Patriot Limited FWD | 23,108 $* |
| Wrangler X | 20,595 $* |
| Wrangler Sahara | 27,377 $* |
| Wrangler Rubicon | 29,134 $* |
| Wrangler Unlimited X | 25,632 $* |
| Wrangler Unlimited Sahara | 29,437 $* |

| | |
|---|---|
| Wrangler Unlimited Rubicon | 31,194 $* |

## KIA

| | |
|---|---|
| Amanti | 37,195 $ |
| Magentis LX | 21,895 $ |
| Magentis LX auto | 23,095 $ |
| Magentis LX V6 | 24,195 $ |
| Magentis LX Premium | 25,095 $ |
| Magentis LX V6 Luxe | 27,995 $ |
| Rio EX man | 13,595 $ |
| Rio EX auto | 14,745 $ |
| Rio EX Convenience man | 15,395 $ |
| Rio EX Convenience auto | 16,545 $ |
| Rio5 EX man | 13,995 $ |
| Rio5 EX auto | 15,145 $ |
| Rio5 EX Convenience man | 15,995 $ |
| Rio5 EX Sport man | 18,295 $ |
| Rondo LX | 19,995 $ |
| Rondo EX | 22,095 $ |
| Rondo EX 7 places | 22,895 $ |
| Rondo EX Premium | 24,095 $ |
| Rondo EX V6 | 23,095 $ |
| Rondo EX V6 7 places | 23,895 $ |
| Rondo EX V6 Luxury | 26,095 $ |
| Sedona LX | 29,795 $ |
| Sedona EX | 32,795 $ |
| Sedona EX Power | 34,795 $ |
| Sedona EX Luxe | 38,195 $ |
| Sorento LX | 32,495 $ |
| Sorento LX Luxe | 38,995 $ |
| Spectra LX man | 15,995 $ |
| Spectra LX auto | 17,195 $ |
| Spectra LX Convenience man | 18,195 $ |
| Spectra LX Convenience auto | 19,395 $ |
| Spectra LX Premium | 20,525 $ |
| Spectra5 LX man | 16,495 $ |
| Spectra5 LX auto | 17,695 $ |
| Spectra5 LX Convenience man | 18,695 $ |
| Spectra5 LX Convenience auto | 19,895 $ |
| Spectra5 SX man | 21,175 $ |
| Spectra5 SX auto | 22,375 $ |
| Sportage LX 2RM man | 21,695 $ |
| Sportage LX Convenience 2RM man | 23,895 $ |
| Sportage LX Convenience 2RM auto | 25,095 $ |
| Sportage LX Convenience 4RM man | 25,895 $ |
| Sportage LX V6 2RM auto | 27,235 $ |
| Sportage LX V6 4RM auto | 29,235 $ |
| Sportage LX V6 Premium 4RM | 30,935 $ |

## LAMBORGHINI

| | |
|---|---|
| Gallardo Superleggera | 327,128 $* |
| Murciélago | 432,456 $* |
| Murciélago Spyder | 453,056 $* |
| Murcielago LP640 | 459,236 $* |

## LAND ROVER

| | |
|---|---|
| LR2 SE | 44,900 $ |
| LR3 V6 SE | 59,730 $* |
| LR3 V8 SE | 65,405 $* |
| LR3 HSE | 71,328 $* |
| Range Rover HSE | 103,927 $* |
| Range Rover Supercharged | 125,042 $* |
| Range Rover Sport HSE | 80,649 $* |
| Range Rover Sport Supercharged | 97,232 $* |

## LEXUS

| | |
|---|---|
| ES 350 Base | 44,187 $* |
| ES 350 Premiu | 48,204 $* |
| ES 350 Ultra Premium Navi | 56,238 $* |
| GS 350 | 61,543 $* |
| GS 350 Luxe | 64,427 $* |
| GS 350 Luxe et Navi | 68,547 $* |
| GS 350 AWD | 67,208 $* |

| | |
|---|---|
| GS 350 AWD Navi | 71,328$* |
| GS 350 AWD Premium Navi | 74,933$* |
| GS 430 | 73,439$* |
| GS 430 Navi | 77,559$* |
| GS 430 Premium | 84,666$* |
| GS 450h | 79,207$* |
| GX 470 | 70,195$* |
| GX 470 Ultra Premium | 78,435$* |
| IS 250 | 37,647$* |
| IS 250 Premium cuir | 44,136$* |
| IS 250 Sport | 47,535$* |
| IS 250 AWD | 43,415$* |
| IS 250 AWD Premium cuir | 47,123$* |
| IS 250 AWD Luxe navi | 55,569$* |
| IS 350 | 50,625$* |
| IS 350 Sport | 55,569$* |
| IS 350 Luxe Navi | 61,749$* |
| LS 460 | 88,992$* |
| LS 460 Premium | 92,597$* |
| LS 460 Technology | 103,309$* |
| LS 460 L | 101,661$* |
| LS 460 L Ultra Premium | 107,738$* |
| LS 460 L Premium Grand Touring | 108,356$* |
| LS 460 L Technology | 113,815$* |
| LS 460 L Executive | 126,381$* |
| LS 600h L | 132,000$ |
| LS 600h L Executive | 158,700$ |
| LX 570 | n.d. |
| RX 350 Cuir | 51,550$ |
| RX 350 Luxe | 54,500$ |
| RX 350 Touring | 58,750$ |
| RX 350 Premium | 56,550$ |
| RX 350 Ultra Premium | 64,200$ |
| RX 400h Premium | 64,118$* |
| RX 400h Ultra Premium | 72,821$* |
| SC 430 | 96,048$* |
| SC 430 Pebble Beach | 99,138$ |

## LOTUS

| | |
|---|---|
| Elise | 60,307$ |
| Exige S | 78,275$* |

## LINCOLN

| | |
|---|---|
| Mark LT 4X4 | 56,340$* |
| MKX | 43,671$* |
| MKX (TI) | 45,731$* |
| MKZ | 38,999$ |
| MKZ (TI) | 40,999$ |
| Navigator Ultimate 4X4 | 73,299$ |
| Navigator Max | 76,299$ |

## MASERATI

| | |
|---|---|
| Gran Turismo | 139,900$ |
| Quattroporte | 151,822$ |
| Quattroporte Sport GT | 163,681$* |
| Quattroporte Executive GT | 165,490$* |

## MAYBACH

| | |
|---|---|
| 57 | 339,500$ US |
| 57S | 375,000$ US |
| 62 | 389,000$ US |
| 62S | 430,000$ US |

## MAZDA

| | |
|---|---|
| CX-7 GS | 32,095$ |
| CX-7 GS (4RM) | 34,095$ |
| CX-7 GT | 35,295$ |
| CX-7 GT (4RM) | 37,295$ |
| CX-9 GS | 39,995$ |
| CX-9 GT | 46,825$ |
| Mazda3 berline GX man | 16,895$ |
| Mazda3 berline GS man | 20,095$ |
| Mazda3 berline GT man | 22,945$ |
| Mazda3 Sport GS man | 21,095$ |
| Mazda3 Sport GT man | 23,495$ |
| MazdaSpeed3 | 31,095$ |
| Mazda5 GS man | 19,995$ |
| Mazda5 GT man | 22,895$ |
| Mazda6 GS man | 24,495$ |
| Mazda6 GS V6 man | 27,195$ |
| Mazda6 GT man | 30,395$ |
| Mazda6 GT V6 man | 33,295$ |
| Mazda6 Sport GS man | 26,395$ |
| Mazda6 Sport GS V6 man | 28,695$ |
| Mazda6 Sport GT man | 31,395$ |
| Mazda6 Sport GT V6 man | 33,895$ |
| MX-5 GX man | 28,195$ |
| MX-5 GS man | 31,350$ |
| MX-5 GT man | 34,500$ |
| RX-8 GS | 37,295$ |
| RX-8 GT | 40,495$ |
| Série B2300 Cab simple SX 4X2 man | 14,995$ |
| Série B3000 Cab allongée DS 4X2 man | 18,645$ |
| Série B4000 Cab allongée DS 4X2 auto | 23,445$ |
| Série B4000 Cab allongée SE 4X4 man | 22,375$ |
| Tribute GX | 23,450$ |
| Tribute GX V6 | 24,605$ |
| Tribute GX V6 (4RM) | 27,005$ |
| Tribute GS | 27,150$ |
| Tribute GT | 32,150$ |

## MERCEDES-BENZ

| | |
|---|---|
| B200 | 29,900$ |
| B200 Turbo | 33,900$ |
| C300 | 41,000$ |
| C300 4Matic | 44,700$ |
| C350 | 47,900$ |
| C350 4Matic | 50,100$ |
| CL550 | 131,900$ |
| CL600 | 185,000$ |
| CL63 AMG | 158,000$ |
| CL65 AMG | 236,500$ |
| CLK350 coupé | 68,100$ |
| CLK350 cabriolet | 77,000$ |
| CLK550 coupé | 82,400$ |
| CLK550 cabriolet | 91,400$ |
| CLK63 AMG cabriolet | 117,900$ |
| CLS550 | 93,200$ |
| CLS63 AMG | 128,000$ |
| E300 4Matic | 65,800$ |
| E320 Bluetec | 68,100$ |
| E350 4Matic berline | 74,500$ |
| E350 4Matic familiale | 77,300$ |
| E550 4Matic | 85,300$ |
| E63 AMG | 121,100$ |
| G500 | 111,900$ |
| G55 AMG | 152,450$ |
| GL320 CDI | 71,500$ |
| GL450 | 82,500$ |
| GL550 | 91,000$ |
| ML320 CDI | 61,400$ |
| ML350 | 59,900$ |
| ML550 | 74,900$ |
| ML63 AMG | 97,500$ |
| R320 CDI | 65,000$ |
| R350 | 63,500$ |
| R550 | 78,200$ |
| S550 4Matic | 123,000$ |
| S600 | 183,000$ |
| S63 AMG | 149,500$ |
| S65 AMG | 229,500$ |
| SL550 | 135,000$ |
| SL600 | 181,500$ |
| SL55 AMG | 177,000$ |
| SL65 AMG | 248,000$ |
| SLK280 | 60,500$ |
| SLK350 | 67,000$ |
| SLK55 AMG | 87,500$ |

## MINI

| | |
|---|---|
| Cooper Classic | 23,639$* |
| Cooper | 26,677$* |
| Cooper Clubman | n.d. |
| Cooper Cabriolet | 32,548$* |
| Cooper S | 31,518$* |
| Cooper S cabriolet | 37,698$* |

## MITSUBISHI

| | |
|---|---|
| Eclipse GS | 25,998$ |
| Eclipse GTP | 34,298$ |
| Eclipse Spyder GS | 32,298$ |
| Eclipse Spyder GTP | 37,298$ |
| Endeavor SE (2RM) | 37,078$* |
| Endeavor SE (4RM) | 40,168$* |
| Endeavor LTD | 44,288$* |
| Galant ES | 25,748$* |
| Galant LS | 29,353$* |
| Galant Ralliart | 36,048$* |
| Lancer DE | 16,598$ |
| Lancer ES | 19,698$ |
| Lancer Evo X | n.d. |
| Lancer GTS | 21,698$ |
| Outlander LS (2RM) | 26,263$* |
| Outlander LS (4RM) | 27,808$* |
| Outlander XLS | 33,988$* |

## NISSAN

| | |
|---|---|
| 350Z Coupé Grand Touring M6 | 51,292$* |
| 350Z Roadster M6 | 55,206$* |
| Altima 2.5 S man | 25,130$* |
| Altima 3.5 S | 29,662$* |
| Altima 3.5 SE man | 31,104$* |
| Altima Hybrid | 33,988$* |
| Altima Coupé 2.5 S man | 27,798$ |
| Altima Coupé 3.5 SE man | 31,398$ |
| Armada LE | 63,298$ |
| Frontier XE King Cab 4X2 man | 25,181$* |
| Frontier SE King Cab 4X4 man | 30,640$* |
| Frontier NISMO King Cab 4X4 | 34,142$* |
| Frontier SE Crew Cab 4X2 | 32,597$* |
| Frontier LE Crew Cab 4X2 | 40,940$* |
| Frontier NISMO Crew Cab 4X4 | 40,425$* |
| Maxima 3.5 SE 5 places | 38,108$* |
| Maxima 3.5 SE 4 places | 43,773$* |
| Maxima 3.5 SL | 42,743$* |
| Murano SL FWD | 40,271$* |
| Murano SL AWD | 42,331$* |
| Murano SE | 50,056$* |
| Pathfinder S V6 | 38,298$ |
| Pathfinder SE V6 | 42,998$ |
| Pathfinder LE V8 | 49,298$ |
| Quest 3.5 S | 33,473$* |
| Quest 3.5 S | 38,108$* |
| Quest 3.5 SE | 48,408$* |
| Rogue S | n.d. |
| Rogue S (TI) | n.d. |
| Rogue SL | n.d. |
| Rogue SL (TI) | n.d. |
| Sentra 2.0 man | 17,302$* |
| Sentra 2.0 S man | 20,083$* |
| Sentra 2.0 SL | 24,718$* |
| Sentra 2.5 SE-R2 | 3,482$* |
| Sentra 2.5 SE-R Spec V | 25,027$* |
| Titan King Cab XE 4X2 | 33,498$ |
| Titan King Cab SE 4X2 | 36,598$ |
| Titan King Cab PRO-4X 4X4 | 41,998$ |
| Titan King Cab LE 4X4 | 46,798$ |
| Titan Crew Cab XE 4X4 | 39,498$ |
| Titan Crew Cab SE 4X4 | 42,698$ |
| Titan Crew Cab PRO-4X 4X4 | 44,698$ |
| Titan Crew Cab LE 4X4 | 51,498$ |
| Versa 1.8 S Hatchback man | 14,598$ |
| Versa 1.8 SL Hatchback man | 17,398$ |
| Versa 1.8 SL Hatchback CVT | 18,698$ |
| Versa 1.8 S man | 15,448$* |
| Versa 1.8 SL man | 18,126$* |
| Xterra S man | 34,863$* |
| Xterra Off-Road man | 37,644$* |
| Xterra SE | 38,983$* |

## PONTIAC

| | |
|---|---|
| G5 coupé | 15,595$ |
| G5 coupé SE | 18,095$ |
| G5 coupé GT | 22,595$ |
| G5 berline | 15,595$ |
| G5 berline SE | 18,095$ |
| G5 berline GT | 22,595$ |
| G6 berline | 23,395$ |
| G6 berline SE | 23,995$ |
| G6 berline GT | 28,595$ |
| G6 berline GXP | 35,975$ |
| G6 coupé GT | 28,595$ |
| G6 coupé GXP | 35,975$ |
| G6 cabriolet GT | 35,995$ |
| G8 | n.d. |
| Grand Prix | 26,230$ |
| Grand Prix GXP | 36,760$ |
| Montana SV6 | 25,060$ |
| Montana SV6 Uplevel 2 | 29,490$ |
| Montana SV6 allongé | 27,930$ |
| Montana SV6 allongé Uplevel 2 | 32,465$ |
| Solstice | 27,670$ |
| Solstice GXP | 35,800$ |
| Torrent | 27,575$ |
| Torrent GT | 30,265$ |
| Torrent GXP | 33,665$ |
| Torrent (TI) | 30,295$ |
| Torrent GT (TI) | 32,975$ |
| Torrent GXP (TI) | 36,375$ |
| Vibe | 19,210$ |
| Wave berline | 12,995$ |
| Wave berline SE | 15,495$ |
| Wave 5 portes | 12,995$ |
| Wave 5 portes SE | 15,495$ |

## PORSCHE

| | |
|---|---|
| 911 Carrera103,721 $x | |
| 911 Carrera Cabriolet | 118,244$* |
| 911 Carrera S | 118,244$* |
| 911 Carrera S Cabriolet | 132,767$* |
| 911 Carrera 4 | 111,961$* |
| 911 Carrera 4 Cabriolet | 126,484$* |
| 911 Carrera 4S | 126,484$* |
| 911 Carrera 4S Cabriolet | 141,007$* |
| 911 GT3 | 151,719$* |
| 911 GT3 RS | n.d. |
| 911 Targa 4 | 122,673$* |
| 911 Targa 4S | 137,196$* |
| 911 Turbo | 175,821$* |
| Boxster | 65,508$* |
| Boxster S | 79,619$* |
| Cayenne | 60,667$* |
| Cayenne S | 80,855$* |
| Cayenne Turbo | 128,029$* |
| Cayman | 71,688$* |
| Cayman S | 85,799$* |

## ROLLS-ROYCE

| | |
|---|---|
| Phantom | 343,351$* |
| Phantom EWB | 397,065$* |
| Phantom Drophead Coupé | 407,000$ |

## SAAB

| | |
|---|---|
| 9-3 Sport | 35,950$ |
| 9-3 Aero Sport | 43,990$ |

**13**

|  |  |
|---|---|
| 9-3 SportCombi | 37,550 $ |
| 9-3 Aero SportCombi | 45,690 $ |
| 9-3 Cabriolet | 54,390 $ |
| 9-3 Aero cabriolet | 58,990 $ |
| 9-5 berline | 43,900 $ |
| 9-5 SportCombi | 45,500 $ |
| 9-7x | 49,295 $ |
| 9-7x V8 | 52,805 $ |

## SATURN

|  |  |
|---|---|
| Astran.d. | |
| Aura XE | 25,355 $ |
| Aura XR | 31,320 $ |
| Outlook XE | 34,155 $ |
| Outlook XR | 38,480 $ |
| Outlook XE (TI) | 37,155 $ |
| Outlook XR (TI) | 41,430 $ |
| Sky | 33,125 $ |
| Sky Red Line | 38,380 $ |
| Vue XE | 25,193 $ |
| Vue XR | 29,201 $ |
| Vue Red Line | 33,522 $ |
| Vue Hybrid | n.d. |
| Vue XE (TI) | 29,145 $ |
| Vue XR (TI) | 31,585 $ |
| Vue Red Line (TI) | 35,906 $ |

## SMART

|  |  |
|---|---|
| Fortwo Coupé Pure | n.d. |
| Fortwo Coupé Passion | n.d. |
| Fortwo Cabriolet Pure | n.d. |
| Fortwo Cabriolet Passion | n.d. |

## SUBARU

|  |  |
|---|---|
| Forester 2.5X | 26,995 $ |
| Forester 2.5XS | 31,295 $ |
| Forester 2.5XS Premium | 34,995 $ |
| Forester 2.5XT | 37,795 $ |
| Impreza berline 2.5i | 20,695 $ |
| Impreza berline 2.5i Sport | 23,195 $ |
| Impreza berline WRX | 32,995 $ |
| Impreza 5 portes 2.5i | 21,595 $ |
| Impreza 5 portes 2.5i Sport | 24,895 $ |
| Impreza 5 portes WRX | 33,895 $ |
| Legacy berline 2.5i | 26,995 $ |
| Legacy berline 2.5i Touring | 29,195 $ |
| Legacy berline 2.5i Limited | 35,395 $ |
| Legacy berline 2.5GT | 40,295 $ |
| Legacy berline 2.5GT spec.B | 44,995 $ |
| Legacy familiale 2.5i | 27,995 $ |
| Legacy familiale 2.5i Touring | 30,195 $ |
| Legacy familiale 2.5GT | 41,795 $ |
| Outback 2.5i | 30,995 $ |
| Outback 2.5i Touring | 33,695 $ |
| Outback 2.5i Limited | 38,995 $ |
| Outback 2.5XT | 42,895 $ |
| Outback 3.0R | 38,995 $ |
| Outback 3.0R Premier | 45,995 $ |
| Tribeca | 41,995 $ |
| Tribeca Limited | 45,195 $ |
| Tribeca Premier | 52,495 $ |

## SUZUKI

|  |  |
|---|---|
| Grand Vitara JA man | 25,595 $ |
| Grand Vitara JA auto | 26,895 $ |
| Grand Vitara JX man | 27,145 $ |
| Grand Vitara JX auto | 28,445 $ |
| Grand Vitara JLX auto | 29,745 $ |
| Grand Vitara JLX-L auto | 30,745 $ |
| Swift+ man | 13,995 $ |
| Swift+ auto | 15,095 $ |
| Swift+ S man | 16,295 $ |
| Swift+ S auto | 17,395 $ |
| SX4 5 portes man | 17,195 $ |
| SX4 5 portes auto | 18,295 $ |
| SX4 5 portes JX man | 18,695 $ |
| SX4 5 portes JX auto | 19,795 $ |
| SX4 5 portes JX AWD man | 20,695 $ |
| SX4 5 portes JX AWD auto | 21,795 $ |
| SX4 5 portes JLX AWD man | 22,695 $ |
| SX4 5 portes JLX AWD auto | 23,795 $ |
| SX4 Berline | n.d. |
| XL-7 JX FWD 31,925 $ xXL-7 JX AWD | 33,985 $* |
| XL-7 JLX FWD | 35,015 $* |
| XL-7 JLX AWD | 37,075 $* |

## TOYOTA

|  |  |
|---|---|
| 4Runner SR5 V6 | 41,169 $* |
| 4Runner SR5 V8 | 48,101 $* |
| 4Runner Limited V6 | 51,459 $* |
| 4Runner Limited V8 | 54,173 $* |
| Avalon XLS | 41,840 $ |
| Camry LE | 26,574 $* |
| Camry LE V6 | 30,282 $* |
| Camry XLE V6 | 38,548 $* |
| Camry SE man | 27,403 $* |
| Camry SE auto | 28,789 $* |
| Camry SE V6 | 32,970 $* |
| Camry Hybride | 32,960 $* |
| Corolla CE man | 15,785 $ |
| Corolla CE auto | 16,785 $ |
| Corolla Sport man | 21,135 $ |
| Corolla Sport auto | 22,180 $ |
| Corolla LE | 21,900 $ |
| FJ Cruiser V6 man | 30,725 $ |
| FJ Cruiser V6 auto | 31,725 $ |
| Highlander V6 | 39,650 $ |
| Highlander V6 SR5 | 41,900 $ |
| Highlander V6 Sport | 46,200 $ |
| Highlander V6 Limited | 49,900 $ |
| Highlander Hybrid | 46,196 $* |
| Highlander Hybrid Limited | 55,280 $* |
| Matrix man | 17,200 $ |
| Matrix auto | 18,200 $ |
| Matrix TRD man | 21,415 $ |
| Matrix TRD auto | 22,365 $ |
| Matrix XR man | 21,465 $ |
| Matrix XR auto | 22,510 $ |
| Prius | 32,218 $* |
| RAV4 (4RM) | 30,282 $* |
| RAV4 V6 (4RM) | 32,857 $* |
| RAV4 Limited (4RM) | 34,294 $* |
| RAV4 Limited V6 (4RM) | 34,701 $* |
| RAV4 Sport V6 (4RM) | 38,182 $* |
| Sequoia Limited V8 | 67,053 $* |
| Sienna CE 7 places | 32,136 $* |
| Sienna CE 8 places | 33,413 $* |
| Sienna CE 7 places (TI) | 38,213 $* |
| Sienna LE 7 places | 37,966 $* |
| Sienna LE 8 places | 38,409 $* |
| Sienna LE 7 places (TI) | 42,508 $* |
| Sienna XLE 7 places (TI) | 52,916 $* |
| Solara SLE V6 | 36,975 $ |
| Solara SLE V6 Cabriolet | 39,900 $ |
| Tacoma Access Cab 4X2 man | 23,443 $* |
| Tacoma Access Cab V6 4X4 man | 30,679 $* |
| Tacoma X-Runner Access Cab 4X2 man | 32,806 $* |
| Tacoma Double Cab V6 4X4 man | 33,511 $* |
| Tundra Cab régulière 4X2 4,7 litres | 26,013 $* |
| Tundra Cab régulière 4X2 5,7 litres | 30,890 $* |
| Tundra Cab double 4X2 4,7 litres | 33,408 $* |
| Tundra Cab double 4X4 5,7 litres | 39,140 $* |
| Tundra Cab double LTD 4X4 4,7 litres | 47,596 $* |
| Tundra Cab double LTD 4X4 5,7 litres | 49,141 $* |
| Tundra CrewMax 4X4 5,7 litres | 42,910 $* |
| Tundra CrewMax LTD 4X4 5,7 litres | 53,514 $* |
| Yaris Hatchback CE 3 portes man | 13,987 $* |
| Yaris Hatchback CE LE 3 portes man | 14,600 $* |
| Yaris Hatchback CE C 3 portes man | 16,526 $* |
| Yaris Hatchback RS 3 portes man | 17,386 $* |
| Yaris Hatchback RS B 3 portes man | 18,921 $* |
| Yaris Hatchback LE 5 portes man | 15,357 $* |
| Yaris Hatchback LE B 5 portes man | 17,057 $* |
| Yaris Hatchback RS 5 portes man | 18,143 $* |
| Yaris Hatchback RS B 5 portes man | 19,379 $* |
| Yaris Berline man | 14,966 $* |
| Yaris Berline B man | 15,893 $* |
| Yaris Berline C man | 17,124 $* |
| Yaris Berline D man | 18,082 $* |
| Yaris Berline E man | 18,087 $* |

## VOLKSWAGEN

|  |  |
|---|---|
| EOS 2.0T man | 37,175 $ |
| GLI 2.0T | 32,175 $* |
| Golf City | 15,347 $* |
| GTI 2.0T 3 portes man | 29,575 $ |
| GTI 2.0T 5 portes man | 30,575 $ |
| Jetta 2.5 man | 23,475 $ |
| Jetta 2.0T man | 28,975 $ |
| Jetta City | 17,201 $* |
| New Beetle 2.5 convertible man | 27,795 $ |
| New Beetle 2.5 man | 22,775 $ |
| Passat berline 2.0T man | 30,975 $ |
| Passat berline 3.6 4motion | 48,075 $ |
| Passat familiale 2.0T man | 32,475 $ |
| Passat familiale 3.6 4motion | 49,775 $ |
| Rabbit 2,5 3 portes man | 20,175 $ |
| Rabbit 2,5 5 portes man | 21,675 $ |
| Touareg 2 V6 | 49,975 $ |
| Touareg 2 V8 | 64,775 $ |

## VOLVO

|  |  |
|---|---|
| C30 2.4i man | 27,495 $ |
| C30 2.4i auto | 28,995 $ |
| C30 2.4i SR man | 28,995 $ |
| C30 2.4i SR auto | 30,495 $ |
| C30 T5 man | 31,995 $ |
| C30 T5 auto | 33,495 $ |
| C30 T5 SR man | 33,495 $ |
| C30 T5 SR auto | 34,995 $ |
| C70 T5 man | 56,795 $ |
| C70 T5 auto | 58,295 $ |
| S40 2.4i man | 31,495 $ |
| S40 2.4i auto | 32,995 $ |
| S40 2.4i SR man | 32,995 $ |
| S40 2.4i SR auto | 34,495 $ |
| S40 T5 SR man | 37,495 $ |
| S40 T5 SR auto | 38,995 $ |
| S40 T5 SR AWD man | 39,995 $ |
| S40 T5 SR AWD auto | 41,495 $ |
| S60 2.5T | 40,995 $ |
| S60 2.5T SR | 42,495 $ |
| S60 2.5T SR AWD | 45,995 $ |
| S60 T5 SR man | 47,995 $ |
| S60 T5 SR auto | 49,495 $ |
| S80 3.2 SR AWD | 54,995 $ |
| S80 V8 SR AWD | 64,995 $ |
| V50 2.4i man | 32,995 $ |
| V50 2.4i auto | 32,995 $ |
| V50 2.4i SR man | 34,495 $ |
| V50 2.4i SR auto | 35,995 $ |
| V50 T5 SR man | 38,995 $ |
| V50 T5 SR auto | 40,495 $ |
| V50 T5 SR AWD man | 41,495 $ |
| V50 T5 SR AWD auto | 42,995 $ |
| V70 | n.d. |
| XC70 | n.d. |
| XC90 3.2 | 50,995 $ |
| XC90 3.2 SR | 52,495 $ |
| XC90 3.2 SR 7 places | 56,895 $ |
| XC90 3.2 Sport SR | 57,945 $ |
| XC90 3.2 Sport SR 7 places | 60,395 $ |
| XC90 V8 SR | 65,995 $ |
| XC90 V8 SR 7 places | 68,295 $ |
| XC90 V8 Sport SR | 69,195 $ |
| XC90 V8 Sport SR 7 places | 71,495 $ |

NOTE : les prix identifiés avec un * sont des prix estimés, soit le prix de 2007 augmenté de 3 %. Il ne s'agit pas d'une liste exhaustive. Pour plus de renseignements, veuillez contacter le concessionnaire. Les manufacturiers peuvent changer leur prix sans préavis.

# UN ADN. UNE COMPAGNIE.

**LES AMATEURS DE VROUM-VROUM** N'ONT JAMAIS ÉTÉ SI BIEN SERVIS. Plus que jamais, Mazda offre une gamme de véhicules axés autant sur les dernières tendances en matière de design que sur les avancées technologiques les plus novatrices. Des véhicules qui ont tous l'ADN d'une voiture sport et qui procurent un plaisir de conduite inégalé. Voilà pourquoi Mazda aujourd'hui est à la fine pointe du dernier cri automobile. Mais un succès comme celui-là n'aurait pas été possible sans l'appui indéfectible de nos concessionnaires. Ce sont eux en effet qui optimisent l'expérience client de nos acheteurs… avant même qu'ils ne prennent la route. Et qui renforcent encore davantage le côté électrisant de nos véhicules dans l'esprit des mordus du volant. Si bien que les conducteurs Mazda sont souvent tentés de faire « vroum-vroum » en s'engageant sur une autoroute ! Alors passez vite chez votre concessionnaire; il se fera un plaisir de vous faire vivre l'expérience Mazda dans ce qu'elle a de plus excitant.

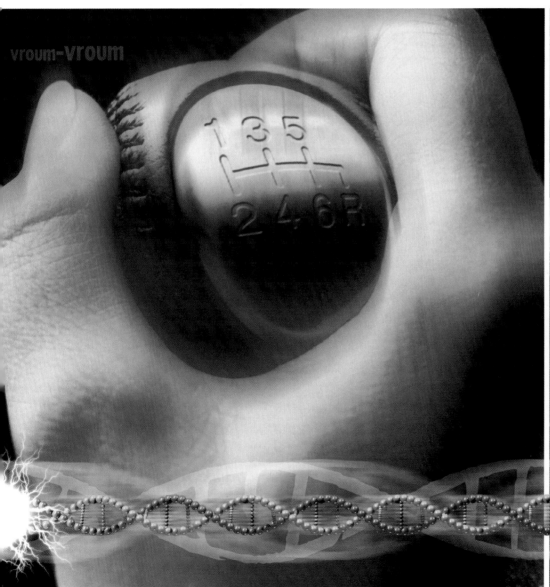

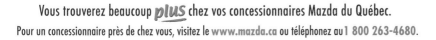

## LES MEILLEURES... COMME LES PIRES

Comme le veut la tradition (débutée l'année passée!), le *Guide de l'auto* répertorie les véhicules qui consomment le moins dans quelques catégories populaires et, juste pour faire se sentir coupable ceux qui les possèdent, les véhicules qui consomment le plus. Ces données de consommation, de même que celles utilisées pour la partie «essai» du présent *Guide*, proviennent de la brochure Énerguide de Transport Canada. À noter que nous prenons les chiffres de la colonne «ville», qui représentent mieux la réalité du conducteur moyen. Et quand nous le pouvons, nous prenons la mesure de la boîte manuelle.

Cette année nous avons ajouté une nouvelle donnée à la liste. Ainsi, nous mentionnons clairement les véhicules éco énergétiques qui méritent un rabais fiscal à leur propriétaire. Ces rabais s'inscrivent dans le cadre du programme ÉcoAuto de Transport Canada. Pour plus de renseignement sur ce programme et sur une foule de renseignements des plus pertinents, visitez le site www.tc.gc.ca. Au Québec, il existe un programme pour le remboursement de la TVQ sur plusieurs véhicules hybrides. Vous en apprendrez bien plus sur www.revenu.gouv.qc.ca. Dans ce cas comme dans le celui du programme fédéral, consultez votre comptable. C'est lui qui aura le fin mot de l'histoire! Quant aux véhicules choisis ou ignorés par Transport Canada ou Revenu Québec, vous pouvez ne pas être d'accord... mais nous n'y pouvons rien.

**Voiture économique**

Cette année, le sigle du pistolet à essence revient pour vous aider à identifier les véhicules qui consomment peu (moins de 9,0 litres aux cent kilomètres), donc qui sont plus «verts». Curieusement, malgré les prix élevés de l'essence, seulement quelques pictogrammes ont été octroyés.

**1 TOYOTA PRIUS**
4 l/100 km
Remise gouvernementale : 1 500 $

# LES PLUS ÉCONOMIQUES TOUTES CATÉGORIES

**2 SMART**
4, 5 l/100 km

**3 HONDA CIVIC HYBRID**
4,7 l/100 km
Remise gouvernementale : 2 000 $

**4 TOYOTA CAMRY HYBRID**
5,7 l/100 km
Remise gouvernementale : 1 500 $

**5 FORD ESCAPE HEV**
6,4 l/100 km
Remise gouvernementale : 2 000 $

# TABLEAU DES STATISTIQUES

## SOUS-COMPACTES

| | | |
|---|---|---|
| **1 SMART** | 4,5 l/100 km | |
| **2 TOYOTA YARIS** | 6,9 l/100 km | Remise gouvernementale : 1 000 $ |
| **3 HONDA FIT** | 7,3 l/100 km | |
| **3 MINI COOPER** | 7,3 l/100 km | Remise gouvernementale : 1 000 $ |
| **4 HYUNDAI ACCENT** | 7,4 l/100 km | |
| **4 KIA RIO** | 7,4 l/100 km | |
| **5 NISSAN VERSA** | 7,9 l/100 km | |

## COMPACTES

| | | |
|---|---|---|
| **1 TOYOTA PRIUS** | 4 l/100 km | Remise gouvernementale : 1 500 $ |
| **2 HONDA CIVIC HYBRID** | 4,7 l/100 km | Remise gouvernementale : 2 000 $ |
| **3 TOYOTA COROLLA** | 7,1 l/100 km | Remise gouvernementale : 1 000 $ |
| **4 HONDA CIVIC** | 7,8 l/100 km | |
| **5 NISSAN SENTRA** | 8,3 l/100 km | |

## CABRIOLETS ET ROADSTERS

| | |
|---|---|
| **1 MINI COOPER CABRIOLET** | 4,5 l/100 km |
| **2 MAZDA MX-5** | 6,9 l/100 km |
| **3 CHRYSLER SEBRING CABRIOLET** | 7,3 l/100 km |
| **4 AUDI A4 CABRIOLET** | 7,3 l/100 km |
| **5 VOLKSWAGEN EOS** | 7,4 l/100 km |

# TABLEAU DES STATISTIQUES

## INTERMÉDIAIRES

1. **NISSAN ALTIMA HYBRID** — 5,6 l/100 km — Remise gouvernementale : 1 500 $
2. **TOYOTA CAMRY HYBRID** — 5,7 l/100 km — Remise gouvernementale : 1 500 $
3. **NISSAN ALTIMA** — 8,9 l/100 km
4. **HONDA ACCORD** — 9,1 l/100 km
5. **AUDI A3 2,0T** — 9,3 l/100 km

## VUS COMPACTS

1. **FORD ESCAPE HYBRID** — 6,4 l/100 km — Remise gouvernementale : 2 000 $
2. **TOYOTA HIGHLANDER HYBRID** — 7,7 l/100 km — Remise gouvernementale : 1 000 $
3. **JEEP PATRIOT 2,4 MAN** — 9 l/100 km — Remise gouvernementale : 1 000 $
4. **TOYOTA RAV4** — 10,1 l/100 km
5. **HONDA CR-V** — 10,2 l/100 km

## ET LES PIRES...

1. **LAMBORGHINI MURCIELAGO** — 25,9 l/100 km
2. **BUGATTI VEYRON** — 24,0 l/100 km
3. **FERRARI 612 SCAGLIETTI** — 22,8 l/100 km
4. **BENTLEY ARNAGE** — 22,3 l/100 km
5. **LAMBORGHINI GALLARDO SPYDER** — 21,8 l/100 km

# Ça c'est de la carte...

www.monsieurmuffler.com        1 888 9MOTRIX

## Aucun intérêt*
## Paiements différés*

* Détails et formulaires d'adhésion disponibles
dans les ateliers Monsieur Muffler

# DONNÉES TECHNIQUES

Afin de mieux comprendre les informations chiffrées qui accompagnent chaque essai, voici quelques explications supplémentaires.

## MODÈLE À L'ESSAI
Il s'agit du véhicule testé pour le compte-rendu routier. La fiche présente les données de ce véhicule.

## POIDS
Le poids, en kilos, du modèle essayé. Il s'agit du poids brut du véhicule (*curb weight*), ce qui correspond au poids du véhicule en ordre de marche (incluant un plein d'essence, l'huile à moteur, le lave-glace, l'antigel, etc)

## COUSSINS DE SÉCURITÉ
Cette année, nous indiquons la quantité de coussins dont était équipée notre voiture d'essai. En général, lorsqu'il y en a deux, ils sont frontaux. S'il est écrit 4, c'est que le véhicule possède deux coussins frontaux et deux latéraux. 6 veut généralement dire que le véhicule recèle de deux coussins frontaux, deux latéraux et de rideaux qui, souvent, couvrent autant les occupants avant qu'arrière. Les voitures haut de gamme ont quelquefois davantage de coussins gonflables.

## DIAMÈTRE DE BRAQUAGE
Diamètre du plus petit cercle que peut suivre un véhicule quand il tourne. Il s'agit d'une donnée très utile si on doit circuler souvent dans des lieux étroits.

## CAPACITÉ DE REMORQUAGE
Cette donnée est fort importante pour quiconque désire accrocher une remorque à son véhicule. Cependant, cette donnée varie passablement selon le moteur, la transmission et le nombre de roues motrices. Il faut aussi prendre en considération le fait que la remorque soit équipée ou non de freins. On ne doit jamais se fier uniquement à la donnée inscrite dans la fiche technique et il faut IMPÉRATIVEMENT vérifier avec son concessionnaire avant de faire installer un mécanisme de remorquage.

## MOTEUR
Il s'agit du moteur qui équipait notre voiture d'essai. Les autres moteurs sont aussi mentionnés plus bas. Sont inscrits, pour le moteur principal : la disposition physique des cylindres et leur nombre, le type d'alimentation, la cylindrée, la course et l'alésage ainsi que le nombre de soupapes.

## PUISSANCE
La puissance est exprimée en chevaux (ch) suivie, entre parenthèses, de son équivalence internationale en kilowatts (kW). Le régime auquel cette puissance est développée est aussi mentionné.

## COUPLE
Le couple est toujours exprimé en livres-pied (lb-pi) suivi, entre parenthèses, de son équivalence internationale en newton-mètre (Nm). Le régime auquel ce couple maximal est généré est aussi mentionné.

## MOTEUR ÉLECTRIQUE
Lorsque le modèle essayé est équipé d'un moteur hybride, cette rubrique indique la puissance et le couple du moteur électrique seulement.

Il faut, dans certains cas, additionner cette puissance et celle du moteur à essence pour obtenir la puissance totale. Nous mentionnons aussi le type de relation existant entre les deux moteurs (en série, en parallèle, etc).

## TRANSMISSION
Tout d'abord, nous vous précisons le type de rouage d'entraînement du véhicule essayé. Vous saurez si ce véhicule est une traction (roues motrices à l'avant), une propulsion (roues motrices à l'arrière), une transmission intégrale (passe de deux à quatre roues motrices sans l'intervention du conducteur) ou un 4x4 (passe de deux à quatre roues motrices selon la volonté du conducteur) ou 4RM (toujours en mode 4x4). Ces informations sont suivies du type de boîte de vitesses, manuelle ou automatique, ainsi que du nombre de rapports. Les autres transmissions disponibles sont aussi mentionnées.

## ACCÉLÉRATION DE 0 À 100 KM/H
Temps nécessaire, exprimé en seconde, pour atteindre la vitesse de 100 km/h à partir de l'arrêt complet.

## REPRISE DE 80 À 120 KM/H
Temps nécessaire, exprimé en seconde, pour passer de 80 à 120 km/h. Cette mesure est réalisée en quatrième rapport avec une boîte de vitesses manuelle à moins d'indication contraire. Pour une voiture dotée d'une transmission automatique, le levier de vitesses demeure à la position D.

## FREINAGE DE 100 À 0 KM/H
Distance franchie par un véhicule pour décélérer d'une vitesse de 100 km/h à l'arrêt complet.

## CONSOMMATION (LITRES AU 100 KM)
Cette année, pour plus de cohésion, nous utilisons uniquement les données de Transport Canada. À noter que pour une consommation moyenne, nous prenons la consommation «ville» de Transport Canada, ce qui correspond assez fidèlement à une utilisation normale «ville/route».

## AUTONOMIE
Selon nos calculs (consommation par rapport à la contenance du réservoir), la distance approximative que l'on peut parcourir avec un plein. Il s'agit d'une donnée théorique et tenter de parcourir le nombre de kilomètres indiqué pourrait mener à la panne sèche!

## ÉMISSIONS DE CO2
La société étant de plus en plus sensibilisée aux problèmes dus à la pollution et à l'effet de serre, nous avons décidé d'inclure cette donnée dans nos fiches techniques. Elle provient du guide de consommation de carburant (Energuide) publié par Ressources naturelles Canada, un «must» par les temps qui courent.

## CATÉGORIE
Autrefois, il y avait les grosses autos, les moyennes autos et les petites autos. Aujourd'hui, c'est infiniment plus compliqué et il n'est pas rare qu'un modèle soit disponible en plusieurs configurations différentes. Cette donnée est indiquée pour aider le consommateur à s'y retrouver et ainsi mieux comparer les modèles d'une même catégorie.

## GARANTIES

Nous indiquons les deux principales garanties. La première représente la garantie de base, dite «pare-chocs à pare-chocs» pour un maximum d'années et un maximum de kilométrage. Elle se termine à la première des deux limites atteintes. La seconde couvre le groupe motopropulseur : le moteur et les autres éléments des rouages d'entraînement. Cette garantie est souvent plus généreuse que celle de base. Là encore, elle se termine à la première des deux limites atteinte.

## DANS LA MÊME CATÉGORIE

Dans cette rubrique, nous répertorions les modèles qui se situent dans la même catégorie que le véhicule essayé. Sont pris en considération différents paramètres tels que le prix, les dimensions et la puissance du moteur. Le bon sens nous aide aussi à l'occasion.

## DU NOUVEAU EN 2008

En quelques mots, nous vous indiquons les principales nouvelles caractéristiques du véhicule.

## VERDICT (SUR 5)

## AGRÉMENT DE CONDUITE

Départage les véhicules ennuyeux et ceux qui nous ont passionnés.

## FIABILITÉ

Indications fournies à la suite de l'évaluation de plusieurs données.

## SÉCURITÉ

Cette cote est établie en fonction des qualités de la voiture en matière de sécurité active et passive. La sécurité active est la capacité du véhicule à éviter un accident. La sécurité passive respecte les prescriptions des autorités gouvernementales nord-américaines.

## QUALITÉS HIVERNALES

Cote la plus simple à établir et aussi la plus cruciale pour les automobilistes du Québec. Les véhicules à traction intégrale et la plupart des 4x4 sont mieux adaptés, tandis que les grandes sportives doivent patienter pendant cette saison. Cette évaluation tient également compte du dégivreur et du chauffage.

## ESPACE INTÉRIEUR

Note l'espace disponible dans l'habitacle et son utilisation prévue par les concepteurs.

## CONFORT

L'insonorisation, la suspension, les sièges, l'efficacité de la climatisation, voilà autant d'éléments évalués dans cette catégorie.

Dans le but d'alléger les différents textes du *Guide de l'auto,* seul le masculin est utilisé et englobe le féminin.

### VÉHICULE D'ESSAI

| | |
|---|---|
| Version : | Limited |
| Emp/Lon/Lar/Haut(mm) : | 2 780/4 740/1 862/1 720 |
| Poids : | 2 053 kg |
| Coffre/Réservoir : | 978 à 1 909 litres / 78 litres |
| Nombre de coussins de sécurité : | 4 |
| Suspension avant : | indépendante, bras inégaux |
| Suspension arrière : | essieu rigide, ressorts hélicoïdaux |
| Freins av./arr. : | disque (ABS) |
| Antipatinage/Contrôle de stabilité : | oui / non |
| Direction : | à crémaillère, assistée |
| Diamètre de braquage : | 11,3 m |
| Pneus av./arr. : | P245/65R17 |
| Capacité de remorquage : | 2 948 kg |

### MOTORISATION À L'ESSAI

| | |
|---|---|
| Moteur : | V8 de 5,7 litres 16s atmosphérique |
| Alésage et course : | 99,5 mm x 90,9 mm |
| Puissance : | 330 ch (246 kW) à 5 000 tr/min |
| Couple : | 375 lb-pi (509 Nm) à 4 000 tr/min |
| Rapport poids/puissance : | 6,22 kg/ch (8,45 kg/kW) |
| Système hybride : | aucun |
| Transmission : | intégrale, automatique 5 rapports |
| Accélération 0-100 km/h : | 7,9 s |
| Reprises 80-120 km/h : | 6,0 s |
| Freinage 100-0 km/h : | 40,8 m |
| Vitesse maximale : | 200 km/h |
| Consommation (100 km) : | ordinaire, 16,5 litres |
| Autonomie (approximative) : | 473 km |
| Émissions de $CO_2$ : | 6 816 kg/an |

### GAMME EN BREF

| | |
|---|---|
| Échelle de prix : | 41 095 $ à 56 295 $ |
| Catégorie : | utilitaire sport intermédiaire |
| Historique du modèle : | 3ème génération |
| Garanties : | 3 ans/60 000 km, 5 ans/100 000 km |
| Assemblage : | Détroit, Michigan, É-U |
| Autre(s) moteur(s) : | V8 4,7l 245ch/295lb-pi (15,6 l/100km) |
| | V6 3,7l 210ch/235lb-pi (14,2 l/100km) |
| | V8 6,1l 420ch/420lb-pi (19,1 l/100km) SRT-8 |
| | V6 3,0l 215ch/376lb-pi (12 l/100km) Diesel |
| Autre(s) rouage(s) : | aucun |
| Autre(s) transmission(s) : | aucune |

### DANS LA MÊME CATÉGORIE

Chevrolet Trailblazer - Chrysler Aspen - Dodge Durango - Ford Explorer - GMC Envoy - Jeep Commander - Kia Sorento - Nissan Pathfinder - Toyota 4Runner

### DU NOUVEAU EN 2008

Nouveau moteur diesel

### NOS IMPRESSIONS

| | |
|---|---|
| Agrément de conduite : | 🚗 🚗 🚗 🚗 ½ |
| Fiabilité : | 🚗 🚗 🚗 ½ |
| Sécurité : | 🚗 🚗 🚗 🚗 |
| Qualités hivernales : | 🚗 🚗 🚗 🚗 |
| Espace intérieur : | 🚗 🚗 🚗 🚗 |
| Confort : | 🚗 🚗 🚗 🚗 |

### LE CHOIX DE L'ÉQUIPE

Laredo Diesel

# LES PREMIERS DE CLASSE 2008

## SOUS-COMPACTES

### EN LICE

*Chevrolet Aveo*
*Honda Fit*
*Hyundai Accent*
*Kia Rio*
*Nissan Versa*
*Pontiac Wave*
*Smart Fortwo*
*Suzuki Swift +*
*Toyota Yaris*

**#1** HONDA FIT

**#2** NISSAN VERSA

**#3** TOYOTA YARIS

## COMPACTES

### EN LICE

*Acura CSX - Chevrolet Optra*
*Chevrolet Cobalt - Chevrolet HHR*
*Chrysler PT Cruiser*
*Dodge Caliber - Ford Focus*
*Honda Civic - Hyundai Elantra*
*Kia Spectra - Kia Rondo*
*Mazda3 - Mazda5*
*Mercedes-Benz Classe B*
*Mitsubishi Lancer*
*Nissan Sentra*
*Pontiac G5 - Pontiac Vibe*
*Saturn Astra*
*Subaru Impreza*
*Suzuki SX-4*
*Toyota Corolla - Toyota Matrix*
*Volkswagen Rabbit*
*Volkswagen New Beetle / Cabrio*

**#1** MAZDA3

**#2** HONDA CIVIC

**#3** VOLKSWAGEN RABBIT

## INTERMÉDIAIRES

TOYOTA CAMRY # 1

SATURN AURA #2

MAZDA6 #3

### EN LICE

*Buick Allure*
*Chrysler Sebring*
*Dodge Avenger*
*Ford Fusion*
*Honda Accord*
*Hyundai Sonata*
*Kia Magentis*
*Mazda6*
*Mitsubishi Galant*
*Nissan Altima*
*Pontiac G6*
*Saturn Aura / Chevrolet Malibu*
*Subaru Legacy / Outback*
*Toyota Camry*
*Toyota Prius*
*Volkswagen Passat*
*Volvo S40*

## BERLINES GRAND FORMAT

CHRYSLER 300C # 1

DODGE CHARGER / MAGNUM

Ex-æquo

CHEVROLET IMPALA #2

FORD TAURUS #3

### EN LICE

*Buick Lucerne • Chevrolet Impala*
*Dodge Charger / Magnum*
*Chrysler 300C • Ford Taurus*
*Hyundai Azera • Kia Amanti*
*Mercury Grand Marquis*
*Nissan Maxima • Pontiac Grand Prix*
*Toyota Avalon*

**25**

# LES PREMIERS DE CLASSE 2008

## BERLINES SPORT PLUS DE 35 000 $

**# 1**

BMW SERIE 3

### EN LICE
*Acura TL*
*Audi A4*
*BMW Série 3*
*Cadillac CTS*
*Infiniti G35*
*Jaguar X-Type*
*Lexus IS*
*Mercedes-Benz Classe C*
*Saab 9-3*
*Volvo S60*

**# 2** MERCEDES-BENZ CLASSE C

**# 3** CADILLAC CTS

---

## BERLINES GRAND LUXE MOINS DE 70 000 $

**# 1**

BMW SERIE 5

### EN LICE
*Acura RL*
*Audi A6*
*BMW Série 5*
*Cadillac DTS*
*Cadillac STS*
*Infiniti M*
*Jaguar S-Type*
*Lexus GS*
*Lincoln Town Car*
*Mercedes-Benz Classe E*
*Nissan Maxima*
*Saab 9-5*
*Volvo S80*

**# 2** MERCEDES-BENZ CLASSE E

**# 3** AUDI A6

MERCEDES-BENZ CLASSE S #1

## BERLINES GRAND LUXE
## PLUS DE 70 000 $

### EN LICE

Audi A8 / A8L
Bentley Arnage
Bentley Continental Flying Spur
BMW Série 7
Jaguar XJ8
Lexus LS460
Maserati Quattroporte
Mercedes-Benz Classe CL
Mercedes-Benz Classe CLS
Mercedes-Benz Classe S
Rolls-Royce Phantom

AUDI A8 / A8L #2

BMW SERIE 7 #3

---

MAZDASPEED3 #1

## BERLINES ET COUPÉS SPORT
## DE MOINS DE 35 000 $

### EN LICE

Acura CSX Type S
Acura TSX
Dodge Caliber SRT4
Ford Focus
Honda Civic Si
Hyundai Tiburon
Jetta GLI
MazdaSpeed3
Mini Cooper
Mitsubishi Eclipse
Nissan Sentra SE-R
Subaru Impreza WRX
Volkswagen GTI
Volvo C30

HONDA CIVIC SI #2

VOLKSWAGEN GTI #3

# LES PREMIERS DE CLASSE 2008

## CABRIOLETS, ROADSTERS ET GT

# #1

PORSCHE BOXSTER / CAYMAN

### EN LICE
*Audi TT*
*BMW Z4*
*Chrysler Crossfire*
*Ford Mustang*
*Honda S2000*
*Infiniti G37 Coupe*
*Lotus Elise*
*Mazda MX-5*
*Mazda RX-8*
*Mini Cooper S*
*Mercedes-Benz SLK*
*Nissan 350Z*
*Pontiac Solstice*
*Porsche Boxster / Cayman*
*Saab 9-3 Cabriolet*
*Saturn Sky*
*Toyota Solara*
*VW EOS*
*VW New Beetle Cabrio*

#2 AUDI TT

#3 BMW Z4

---

## VOITURES SPORTS ET CABRIOLETS DE 65 000 $ ET PLUS

# #1

FERRARI F430

### EN LICE
*Audi R8*
*Aston Martin DB9*
*Aston Martin Vanquish*
*Bugatti Veyron*
*BMW Serie 6 - BMW M3*
*BMW M5 - BMW M6*
*Cadillac XLR*
*Chevrolet Corvette / Z06*
*Dodge Viper*
*Ferrari F430*
*Ferrari 599*
*Ferrari 612*
*Jaguar XK*
*Lamborghini Gallardo*
*Lamborghini Murciélago*
*Lexus SC 430*
*Lotus Elise*
*Maserati Gran Turismo*
*Mercedes-Benz CLK*
*Mercedes-Benz SL*
*Porsche 911*

#2 PORSCHE 911

#3 AUDI R8

28

MITSUBISHI OUTLANDER # 1

## UTILITAIRES SPORT COMPACTS

### EN LICE
*Acura RDX - BMW X3*
*Chevrolet Equinox*
*Dodge Nitro - Ford Escape*
*Honda CR-V*
*Hyundai Santa Fe*
*Hyundai Tucson*
*Hummer H3 - Jeep Liberty*
*Jeep Compass - Jeep Wrangler*
*Kia Sorento - Land Rover LR2*
*Mazda Tribute*
*Mitsubishi Outlander*
*Nissan Xterra - Nissan Rogue*
*Saturn VUE*
*Subaru Forester / XT*
*Subaru Outback*
*Suzuki Grand Vitara*
*Suzuki XL-7*
*Toyota RAV4*
*Toyota FJ Cruiser*
*Volkswagen Tiguan*

HONDA CR-V # 2

SATURN VUE # 3

MERCEDES-BENZ CLASSE M # 1

## UTILITAIRES SPORT MOYEN FORMAT

### EN LICE
*Acura MDX*
*Audi Q7 - BMW X5*
*Chevrolet TrailBlazer*
*Dodge Durango*
*Ford Explorer*
*GMC Envoy*
*Honda Pilot*
*Jeep Commander*
*Jeep Grand Cherokee*
*Kia Sorento - Land Rover LR3*
*Land Rover Range Rover / Sport*
*Lexus GX470*
*Mercedes-Benz Classe GL*
*Mercedes-Benz Classe M*
*Mitsubishi Endeavor*
*Nissan Pathfinder*
*Porsche Cayenne*
*Saab 9-7x*
*Toyota 4Runner*
*Volkswagen Touareg*
*Volvo XC 90*

BMW X5 # 2

ACURA MDX # 3

29

## FOURGONNETTES #1

DODGE GRAND CARAVAN /
CHRYSLER TOWN & COUNTRY

**EN LICE**

Chevrolet Uplander
Dodge Grand Caravan /
Chrysler Town & Country
Honda Odyssey
Hyundai Entourage
Kia Sedona
Nissan Quest
Toyota Sienna

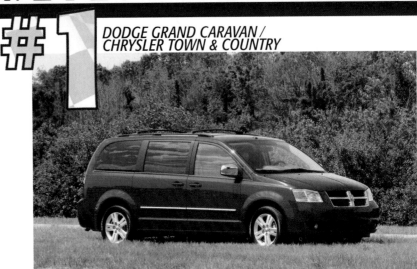

#2 HONDA ODYSSEY

#3 TOYOTA SIENNA

## MULTIFONCTIONS #1

BUICK ENCLAVE / GMC ACADIA / SATURN OUTLOOK

**EN LICE**

Buick Enclave / GMC Acadia /
Saturn Outlook
Cadillac SRX
Chrysler Pacifica
Ford Edge
Ford Taurus X
Hyundai Veracruz
Infiniti FX35 / 45
Lexus RX350 / 400h
Lincoln MKX
Mazda CX-7
Mazda CX-9
Mercedes-Benz Classe R
Nissan Murano
Subaru Tribeca
Toyota Highlander
Volvo XC 70

#2 MAZDA CX-7

#3 HYUNDAI VERACRUZ

# VOITURE DE L'ANNÉE

## VOLVO C30

### EN LICE
*Audi A5*
*Audi TT - Audi R8*
*Bentley Continental GTC*
*BMW Série 1 - Cadillac CTS*
*Chevrolet Malibu*
*Dodge Avenger - Dodge Viper*
*Ford Taurus - Honda Accord*
*Infiniti G37 Coupe*
*Maserati Gran Turismo*
*Mercedes-Benz Classe C*
*Mercedes-Benz Classe CL*
*Mitsubishi Lancer*
*Rolls-Royce Drophead Coupé*
*Saturn Astra*
*Smart*
*Subaru Impreza*
*Suzuki SX-4 berline*
*Volvo C30*

## CAMIONNETTE, UTILITAIRE SPORT OU FOURGONNETTE DE L'ANNÉE

## SATURN VUE

### EN LICE

*Dodge Grand Caravan /*
*Chrysler Town & Country*
*Ford Escape / Mazda Tribute*
*Ford Taurus X*
*Hyundai Veracruz*
*Jeep Liberty*
*Land Rover LR2*
*Mazda CX-9*
*Nissan Rogue*
*Saturn Vue*
*Toyota Highlander*
*Volvo V70 / XC70*

32

# TOYO TIRES

*Team* TOYO

## ... la maîtrise
### c'est l'affaire des pneus!

# AUDI R8
# SPECTACULAIRE !

Audi entre dans le segment du marché le plus exigeant avec sa voiture sport à moteur central R8. Quatre ans après le dévoilement de la voiture-concept Le Mans Quattro, la version de série, la R8, lancée au Salon de l'auto de Paris en septembre 2006 fait son entrée sur notre marché. Inspirée des légendaires voitures de course R8 qui ont remporté la course des 24 Heures du Mans à cinq reprises et inscrit 62 victoires en 79 départs, la R8 de route est l'une des plus impressionnantes nouvelles venues à faire ses débuts en ce millésime.

## LA TECHNIQUE

La carrosserie d'une voiture de sport doit être légère et rigide. Un faible poids permet d'atteindre des performances supérieures tandis que la rigidité constitue la base même de la tenue de route. La carrosserie ASF (Audi Space Frame) en aluminium offre ces conditions optimales. La coque de l'Audi R8 pèse seulement 210 kg. Elle est composée de profilés d'aluminium extrudés, de pièces de tôle en aluminium et de pièces

moulées extrêmement complexes ; elle est assemblée par un cordon de soudure d'une longueur de 99 mètres. Elle tient en place grâce à 782 rivets de poinçonnage et 308 vis autotaraudeuses.

La R8 est construite à l'usine de Neckarsulm en Allemagne et une bonne partie de son assemblage est réalisé à la main. En plus, un système de mesure au laser contrôle au dixième de millimètre près 220 points sur chaque carrosserie et un

scanneur examine la qualité de chaque assemblage au micron près.

Le moteur représente bien entendu le cœur de toute voiture sport. Le moteur huit cylindres est non seulement très compact, mais son régime maximal est de 8 250 tr/min et sa puissance de 420 chevaux. Détail à souligner, ce V8 est lubrifié par l'entremise d'un carter sec (dry sump). Cette caractéristique propre aux moteurs de course

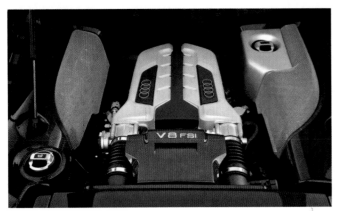

permet un montage très bas du moteur dans le châssis et garantit une alimentation régulière en huile, même dans des conditions de conduite extrêmes, par exemple sur un circuit.

Les performances sont impressionnantes : la R8 accélère de 0 à 100 km/h en seulement 4,6 secondes, qu'elle soit équipée d'une boîte de vitesses mécanique ou d'une boîte séquentielle R-tronic. La barre des 200 km/h est atteinte en 14,9 secondes et ce n'est qu'à 301 km/h que la force de propulsion du moteur est équilibrée par la résistance au roulement et à l'air.

À ce chapitre, les aérodynamiciens ont dessiné une carrosserie qui génère une portance négative, contrairement à bon nombre d'autres voitures de sport. Cela assure une conduite stable à grande vitesse. Le becquet se déployant à haute vitesse et surtout le dessous de la caisse entièrement caréné avec des diffuseurs intégrés ont permis de parvenir à ce résultat.

La boîte de vitesses de l'Audi R8 dispose de six rapports sélectionnés par un embrayage manuel ou automatiquement par la boîte R tronic. Celle-ci est une nouveauté. Elle intervient plus vite qu'un conducteur avec les palettes au volant. Grâce au Launch Control, la R tronic réalise sans effort des départs foudroyants qui évoquent la course automobile.

La transmission intégrale permanente Quattro garantit un surplus de traction et de sécurité. Le système a été adapté au moteur central et sa répartition optimale des charges sur essieux est de 44 pour cent à l'avant et de 56 pour cent à l'arrière.

Finalement, le système Audi Magnetic Ride adapte les caractéristiques du châssis en millièmes de secondes en fonction de la route et du style de conduite du pilote. Et si jamais les choses se corsent, la R8 est équipée pour ralentir avec quatre disques de frein, chacun ralentit par six pistons. Les disques en céramique disponibles en option permettent d'accroître encore les performances.

## QUEL STYLE !

L'équipe de stylistes qui avait signé auparavant la voiture de course a également conçu la R8 pour la route. Cette voiture est une première pour Audi avec son moteur central. Les proportions sont marquées par la cabine placée loin à l'avant et par le compartiment moteur clairement séparé, situé derrière. Le « sideblade » (les ailettes latérales montées sur la carrosserie),

caractérise la vue latérale de l'Audi R8. Au-delà de sa fonction de guidage d'air, il met en valeur la position du moteur.

À part sa silhouette, elle propose la calandre *Single Frame* utilisée sur tous les modèles de la marque. Mais, pour la première fois, les quatre anneaux sont placés sur le capot et non pas sur la calandre. Les lignes plutôt sobres mais toujours très précises sont typiquement Audi. Le galbe élancé du pavillon, la ligne qui va de la jupe avant en passant par les passages de roue et les flancs à l'arrière et qui revient de l'autre côté est caractéristique de la marque. Ce loop englobe les prises d'air ainsi que les projecteurs et les feux arrière.

Soulignons au passage que la R8 sera la première voiture de série à être équipée en option de projecteurs à technologie intégralement DEL.

Ces sources de lumière offrent un énorme avantage pratique. À une température de couleur de 6000 degrés Kelvin, le projecteur DEL est très proche de la lumière du jour, beaucoup plus que le projecteur au xénon ou que le projecteur halogène. Les conducteurs sont beaucoup moins sujets à la fatigue visuelle lorsqu'ils roulent de nuit.

## INTÉRIEUR SONGÉ

L'époque des voitures ultrasportives dotées d'un habitacle spartiate est bel et bien révolue. L'habitacle de cette voiture combine l'atmosphère d'une auto de course automobile à celle d'une auto de grand luxe. L'élément caractéristique est ce grand arceau qui renferme le volant et les instruments tout en associant étroitement le conducteur et la voiture.

Quelle que soit la taille du conducteur et du passager, ces derniers bénéficient d'une position confortable et d'une habitabilité très satisfaisante pour un véhicule équipé d'un moteur central. Les montants avant étroits permettent de disposer d'un champ de vision optimal vers l'avant et sur les côtés.

Le compartiment à bagages est un élément important, même sur une voiture de cette catégorie. Le volume sous le capot avant est de 100 litres. Même deux sacs de golf peuvent être rangés derrière les sièges.

Les surfaces du poste de conduite et des revêtements de portes sont doublées et ornées de surpiqûres. Les possibilités de personnalisation sont variées : fini piano laqué noir, fibre de carbone, cuir dans des coloris diversifiés et la liste ira en s'étoffant au fil des années.

Toujours au chapitre du confort, mentionnons le système audio de 140 watts, un système antivol, le climatiseur automatique et le système d'information du conducteur avec compteur de tours de circuit sont de série. Les sièges sport sont revêtus d'une combinaison d'alcantara et de cuir et les pneus de 18 pouces sont montés sur des jantes en aluminium coulé.

Bref, avec la R8, Audi fait des débuts remarqués dans le monde des voitures de sport de luxe et ses concurrents potentiels devront en tenir compte.

**Jean Léon**

## EN RÉSUMÉ :
AUDI R8

### Carrosserie :
* Carrosserie *Audi Space Frame* en aluminium
* Portance aérodynamique pour une stabilité sur route élevée
* Dimensions : longueur 4,43 m, largeur 1,90 m, hauteur 1,25 m, empattement 2,65 m.
* Moteur central
* Volume du compartiment à bagages : 100 L à l'avant et 90 L derrière les sièges
* Première voiture au monde équipée de projecteurs DEL

### Performances :
* Accélération 0-100km/h : 4,6 secondes
* Vitesse maximale : 301 km/h

### Moteur :
* V8 à régimes élevés avec 309 kW (420 ch), 430 Nm(317lb-pi) de 4500 à 6000 tr/min
* Injection d'essence FSI
* Lubrification à carter sec pour un centre de gravité bas et une utilisation ultrasportive

### Boîte de vitesses et transmission :
* Boîte mécanique six vitesses
* Boîte séquentielle R tronic (en option)
* Transmission intégrale permanente Quattro
* Répartition des charges 44% à l'avant - 56% à l'arrière

### Châssis :
* Trains avant et arrière à doubles bras transversaux
* Système d'amortissement Audi Magnetic Ride (en option)
* Roues de 18 ou 19 pouces
* Disques de freins en céramique (en option, ultérieurement)

# LES PROTOTYPES

ACURA · ARTEGA · AUDI · BERTONE · BMW · BUICK · CHEVROLET · CHRYSLER · DODGE · FERRARI
FIORAVANTI · FORD · HOLDEN · HONDA · HYUNDAI · ITALDESIGN GUIGIARO · JAGUAR · JEEP · KIA · KTM · LADA
LEXUS · LINCOLN · MAZDA · MERCEDES-BENZ · NISSAN · RINSPEED · TATA · TOYOTA

# ACURA
## ADVANCED SPORT CAR CONCEPT

Personne n'a oublié la très belle Acura NSX, produite entre 1990 et 2005 et développée, à l'époque, par nul autre que le grand pilote Ayrton Senna. Cette Acura Advanced Sport Car, présentée à Detroit en janvier 2007, remplacera la NSX. Quand? Ça reste à déterminer. Tout comme la position du V10 (à l'avant ou central?). Même si la version production n'a pas encore été dévoilée, Acura laisse entendre que la mécanique de cette voiture puisera à même les composantes de F1. L'Acura Advanced Sports Car a été dessinée par l'équipe du Acura Design Center de Californie. Selon les designers, ce concept démontre la fusion entre technologie avancée et émotions fortes. Pour nous, simples consommateurs, elle est belle!

# ARTEGA
## GT

La toute nouvelle marque allemande Artega a fait son entrée dans le monde sélect des voitures de haute performance au Salon de Genève, en mars dernier. L'œuvre de Henrik Fisker, autrefois chez Aston Martin, ressemble un peu à une Porsche Carrera mais en beaucoup plus petit. En fait, l'Artega GT est à peine plus longue qu'une Chevrolet Aveo! Mais puisqu'on lui a inséré un V6 de 300 chevaux associé à une boîte mécanique à six rapports, les performances ne devraient pas trop être en retrait! Artega parle d'un 0-100 en moins de cinq secondes. La production serait d'à peu près 500 unités par année et le prix de détail d'environ 100 000 $ l'unité...

Au moment d'écrire ces lignes, Audi étudiait la possibilité que la TT Sportclub Quattro prenne le chemin de la production en très petite série. Ce roadster pur et dur recevrait alors un quatre cylindres 2,0 litres turbo, comme sur la A3 mais dont la puissance serait portée à 300 chevaux. Une transmission S-Tronic relaierait la puissance aux quatre roues via le réputé rouage intégral Quattro. Les freins seront en céramique. Le concept Sport Club apporte plusieurs solutions aérodynamiques. On note des portières sans poignée, un pare-brise très bas et aucun pilier ne vient rompre la courbure. Le tableau de bord est aussi très différent de celui de la TT actuellement en production.

# TT SPORTCLUB QUATTRO
## *AUDI*

Non sans surprise, c'est au Salon de l'auto de Shanghai que Audi a choisi de dévoiler son concept Cross Coupé Quattro. À bien y penser, non, ce n'est pas surprenant puisque le marché chinois se développe à un rythme effréné et qu'une marque de prestige comme Audi y est très populaire. Le Cross Coupé reprend les caractéristiques esthétiques de la gamme Audi avec, entre autres, la grille avant si familière. Du côté de la mécanique, Audi fait appel à un tout nouveau quatre cylindres diesel de 2,0 litres de 204 chevaux et 295 livres-pied de couple. Pour diminuer les émanations toxiques, on a eu recours au système Bluetec. Attendez-vous à voir le Cross Coupé en production un de ces quatre!

# CROSS COUPÉ QUATTRO
## *AUDI*

# BERTONE
## BARCHETTA

Pour célébrer dignement ses 95 ans, la firme Bertone a présenté, au dernier Salon de Genève, cette mignonne voiture. La vénérable entreprise italienne s'est servie d'une autre italienne (Fiat Panda) comme base pour créer sa Barchetta. En passant, Barchetta pourrait se traduire par «barquette» ou «petit bateau». Dans le contexte automobile, il s'agit d'une petite voiture décapotable à deux places. Un roadster, quoi! Techniquement, on en sait très peu, sinon que les pneus sont de 20". Bertone a entrepris ses activités en 1912 alors que Giovanni Bertone, 28 ans, ouvrait un atelier de construction et de réparation de carrioles.

# BMW
## CS

Chaque année nous apporte son lot de concepts extrêmes. La BMW CS fait partie de cette catégorie mais, dans ce cas, il s'agit d'un compliment! Cette voiture, d'un esthétisme exquis, est un coupé quatre portes, un peu comme la CLS de Mercedes-Benz. Construite sur le châssis de la série 7 mais plus imposante en termes de dimensions, la rumeur dit que la CS recevra un V12 de 6,0 litres, dérivé du V10 qui anime présentement les M5 et M6. La production semble assurée pour la CS puisque, après la CLS de Mercedes-Benz, Aston Martin avait dévoilé une superbe Rapide et Porsche la Panamera. Il est même probable que la CS reprenne l'appellation Série 8 qui nous avait fait rêver, il y a quelques années.

La marque américaine Buick fait un tabac... en Chine! C'est sans aucun doute la raison pour laquelle GM a dévoilé sa Buick Riviera Concept au Salon de Shanghai. En y regardant bien, la Riviera ressemble plus à un concept asiatique qu'américain, avec ses lignes douces et élancées et ses portes à ouverture de type papillon. Et c'est normal puisqu'elle a été dessinée en Chine par le bureau de design opéré par GM et le constructeur chinois, SAIC. Il se pourrait même que ce design influence les futures Buick. Nous verrons. Côté mécanique, on parle d'un moteur hybride. Si jamais la Riviera atteignait le stade de la production (ce qu'elle a déjà fait en Amérique pendant plusieurs années!), il est plus que probable qu'elle ne retienne que bien peu de choses du concept. Dommage.

## RIVIERA CONCEPT
# BUICK

Au dernier Salon de New York, Chevrolet a dévoilé pas un, pas deux mais trois concepts, tous dessinés aux studios de design en Corée du Sud. Pour vous y retrouver, la Trax est la voiture orangée, la Groove est la noire et la Beat est verte. Ces très petites voitures affichent des personnalités différentes. La Trax se veut un multisegment urbain avec sa transmission intégrale et moteur 1,0 litre à essence. Alors que la Trax est un véhicule à cinq portes, la Beat en comporte trois. Étant la plus sportive des trois, elle serait propulsée par un quatre cylindres 1,2 litre turbocompressé. La Groove, pour sa part, se targue d'être la plus pratique et serait pourvue d'un moteur diesel 1,0 litre. Si ces véhicules vont en production, la Smart aura de la compétition!

## TRAX, GROOVE, BEAT
# CHEVROLET

# CHEVROLET
## VOLT

La Chevrolet Volt, que personne n'avait vue venir, a été présentée au Salon de Detroit. La particularité de la Volt consiste en une motorisation hybride de type *plug in*, c'est-à-dire à brancher dans une prise domestique. Avec une batterie lithium-ion bien chargée et des conditions de route et de conduite optimales, la Volt pourrait parcourir jusqu'à 65 km par jour sans avoir recours à l'essence. Si le besoin se faisait sentir, un moteur 1,0 litre à essence turbocompressé prendrait la relève et ramènerait les gens à la maison tout en rechargeant les batteries. L'énergie pourrait aussi être fournie par de l'éthanol ou une pile à hydrogène. Le développement des batteries demeure la pierre d'achoppement du projet.

# CHRYSLER
## NASSAU

Alors que l'Amérique commence à réclamer des voitures plus petites (moins grosses serait plus juste!), Chrysler dévoilait, au Salon de Detroit, la Nassau, plus imposante que la 300C pourtant pas des plus sveltes. La Nassau, que certains trouvent jolie alors que d'autres sont plus réservés, est construite sur une plate-forme de Mercedes-Benz CLS. Au fait, même si Daimler-Benz vient de se départir de Chrysler, il y aura encore, comme par le passé, une collaboration entre les deux entreprises. Un peu à l'image de la CLS, la Nassau propose quatre portes mais adopte le style d'un coupé. C'est très tendance par les temps qui courent. La Nassau roule sur des roues de 21" et se déplace grâce à un V8 Hemi de 6,1 litres. L'habitacle se veut des plus luxueux.

Les Mazda MX-5, Saturn Sky et Pontiac Solstice vont peut-être devoir travailler plus dur si jamais Dodge mettait sa Demon en production! Reprenant un nom du passé (délaissé suite à des pressions de groupes religieux), la Demon est un roadster deux places présenté par Dodge comme une Viper abordable. Puisqu'il s'agit d'un produit Dodge, il serait surprenant que la version de production se traîne les pneus. Pour l'instant, la fiche technique préliminaire parle d'un quatre cylindres 2,4 litres de 172 chevaux et 165 livres-pied de couple. La puissance serait acheminée aux roues arrière via une manuelle à six rapports. Avec un poids d'environ 1 200 kilos, la Demon devrait se déplacer! Les dimensions générales seraient approximativement celles de la MX-5. Allez gens de Dodge, on met ça en production! Et vite!

## DEMON
# DODGE

Bon, d'accord, ce n'est pas une voiture. Mais pourquoi se limiter, bon sang! Un bateau de course aux couleurs de Ferrari, ça ne se rencontre pas à tous les coins de rue! Ce bateau de course, de catégorie GT est propulsé par un moteur de Ferrari F430 (V8 4,3 litres) légèrement modifié pour répondre à une utilisation nautique. C'est sur le majestueux lac de Come que cette « embarcation » a battu deux records mondiaux en Endurance Groupe B Classe S1 et S2. Dans la catégorie 1 100 kg, son pilote, Eugenio Molinari (71 ans!), a réussi une vitesse moyenne de 123,3 km/h. Dans la catégorie 1 450 kg, on parle d'une vitesse moyenne de 122 km/h. Les moteurs Ferrari sont utilisés dans des bateaux depuis 1953.

# FERRARI

# FIORAVANTI
## THALIA

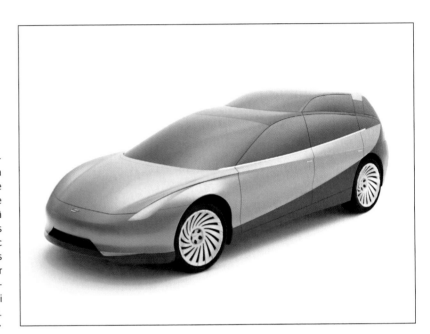

Ce concept, plus original qu'esthétique, se veut LA solution de l'avenir, selon Fioravanti. Remarquez qu'on l'a déjà entendu celle-là. Et souvent! Même si la partie mécanique n'a pas été dévoilée, la Thalia a été conçue pour recevoir une technologie hybride, soit une pile à combustible. Les batteries seraient logées sous les sièges arrière, ce qui abaisserait le centre de gravité (donc améliorerait la tenue de route). Mais, surtout, les piles seraient bien protégées en cas de choc. Pour pouvoir insérer les batteries sous les sièges arrière, il faut, évidemment, les surélever. D'où l'excroissance sur le toit, ce qui permettrait aux occupants de jouir d'une bonne visibilité.

# FORD
## AIRSTREAM

Pour célébrer les 75 ans de Airstream, important fabricant américain de véhicules récréatifs, Ford a profité du Salon de Detroit pour présenter son Airstream. Ce qui lie les deux entreprises? Les deux ont commencé grâce à deux leaders (Henry Ford et Wally Byam) qui désiraient améliorer les moyens de transport. Les véhicules Airstream se distinguent surtout à cause de leur forme ovoïde et de leur carrosserie en aluminium. Le concept Ford Airstream fait de même. Si l'extérieur semble futuriste, vous devriez voir l'intérieur! Les sièges pivotants sont groupés autour d'une colonne qui diffuse des images (de foyer lors de la démonstration!) Sur le côté droit, une grande porte s'ouvre en deux parties. La propulsion serait assurée par un ensemble hybride (électricité de type *plug in* et hydrogène)

Si le nom Interceptor ne vous dit rien, sachez que vous en rencontrez très souvent. Il y en a même peut-être déjà eu un stationné derrière votre véhicule... Le nom Interceptor est utilisé sur les voitures de police de Ford! Les dirigeants de Ford n'ont donc pas eu à chercher très loin lorsqu'est venu le temps de baptiser le concept dévoilé à Detroit. Alors que la tendance est aux voitures plus petites et moins gourmandes en énergie, Ford y allait de ce concept très gros, très macho, très puissant, très tout en fait! La partie avant de l'Interceptor, très massive, risque de ne pas plaire à tous mais la partie arrière, plus subtile (tout est relatif...), nous semble mieux réussie. Le moteur est un V8 Cammer de 5,0 litres développé par la division course de Ford. Il fonctionne à l'éthanol 85 (85% d'éthanol, 15% d'essence), et exploite pas moins de 400 chevaux. Et d'après le son de ce moteur, ces chevaux sont bien présents!

## INTERCEPTOR
# FORD

Nostalgie, quand tu nous tiens! Toutefois, le coupé rétro Holden EFIJY, ne fait pas que jeter un regard particulier sur le modèle FJ de 1953, considéré comme une icône en sol australien. C'est d'abord et avant tout un exercice de style, dans lequel les ingénieurs et designers se sont appliqués, de concert avec une vingtaine de fournisseurs de pièces, à concevoir et à fabriquer conjointement un nouveau modèle, à l'intérieur de délais très courts. Le tout en éliminant les impondérables qui ne cessaient de causer des retards dans la production. Avec ses formes ahurissantes, son châssis de Corvette et son V8 de 45 chevaux, cette dernière a su attirer les regards au dernier Salon de l'auto de Detroit.

## EFIJY
# HOLDEN

www.leguidedelauto.com

47

GUIDE DE L'AUTO 2008

# HONDA
## FCX

En 2002, Honda présentait un premier exemplaire de la CFX, une voiture fonctionnant à l'hydrogène. Au dernier Salon de l'auto de Detroit, Honda dévoilait un autre concept, appelé lui aussi CFX. Afin de ne pas confondre, considérons ce dernier prototype comme étant la CFX 2. La CFX n'était pas vraiment une grosse voiture mais, pour pouvoir loger les piles à combustible et tous les éléments, le plancher devait être passablement surélevé. Or, les immenses progrès réalisés ces dernières années ont permis d'abaisser considérablement la CFX 2. Les réservoirs d'hydrogène sont désormais 20% plus petits et 30% plus légers tout en embarquant la même quantité de gaz.

# HONDA
## REMIX

Voici l'interprétation de Honda d'un *hatchback* sport trois portes deux places. Le Remix, conçu par la filière américaine de recherche et de développement de Honda sous la supervision du jeune Ben Davidson, montre des lignes fluides et sa couleur aluminium suggère la légèreté. La partie arrière, surtout, fait preuve d'originalité tandis que tous les feux sont plus petits que la moyenne. Ce véhicule pourrait recevoir un quatre cylindres dont la puissance serait relayée aux roues avant par une transmission manuelle à six rapports. Nous parlons au conditionnel puisque le Remix est uniquement une étude de style.

Après l'étude de style du MicroBus de Volkswagen qui avait passé bien près de se rendre en production, voici que Honda y va de son coup de crayon. Puisque la marque japonaise a déjà mis sur le marché, avec succès, un véhicule aussi bizarre que l'Element, personne n'est étonné par le Step Bus! D'aucuns lui trouvent des ressemblances avec le Scion Xb (marque appartenant à Toyota aux États-Unis). Quoi qu'il en soit, le Step Bus propose beaucoup d'espace habitable pour une carrosserie somme toute petite mais plutôt haute. Moteur central (!), roues arrière motrices (comme les vrais autobus) et portes avant coulissantes au menu.

## STEP BUS
# HONDA

Ce 4x4 aux formes déconvenues (on dirait un acarien automobile) s'appelle Hellion, ce qui pourrait se traduire en français par chahuteur. Si la carrosserie étonne, l'habitacle se veut de la même facture. Les sièges baquets comportent un espace de rangement qui devient, au besoin, un sac à dos. On y retrouve même l'Internet sans fil! Pour faire bouger cet insecte de la route, car le Hellion n'est pas fait pour les virées *off-road* trop sérieuses, les ingénieurs de Hyundai ont pensé à un V6 diesel de 3,0 litres de 236 chevaux et à une boîte automatique à six rapports. La dénomination HCD-10 provient de Hyundai Concept Design. Le Hellion est le dixième de la série.

## HCD-10 HELLION
# HYUNDAI

# HYUNDAI
## GENESIS

Il y a des concepts qui n'en sont pas. À preuve, la Hyundai Genesis. Cette coréenne grand format devrait être commercialisée d'ici peu. Et cette fois, Hyundai s'attaque à du gros gibier tel que Mercedes-Benz Classe S, Audi A8, BMW série 7 et autres voitures de prestige. Pour faire face à la musique, Hyundai parle d'un V8 de 4,6 litres développant de plus de 300 chevaux et autant de couple, jumelé à une transmission automatique ZF à six rapports et roues arrière motrices. Bien entendu, tout ce que vous pouvez imaginer en frais d'équipement destiné à rehausser le confort ou le niveau de sécurité sera présent. La Hyundai Stellar n'est plus qu'un mauvais souvenir…

# ITALDESIGN GUIGIARO
## MUSTANG

La plus baby-boomer des américaines, la Ford Mustang, a été revue et corrigée par le designer italien Guigiaro. L'idée de revoir la célèbre Mustang trottait déjà dans la tête de Fabrizio Guigiaro, fils de Giorgetto, lorsqu'il rencontre, en 2005, J. Mays le designer en chef de Ford. Ce dernier n'est pas contre l'idée, bien au contraire! Un peu plus large et plus courte que le modèle de production, la Mustang Guigiaro semble plus trapue. Côté mécanique, on parle d'un V8 4,6 litres surcompressé de 500 chevaux. La transmission manuelle ne compte, curieusement, que cinq rapports. La Mustang Guigiaro roule sur des pneus Vredestein de 20" tandis que les freins proviennent de chez Brembo.

Italdesign et Guigiaro ont profité du Salon de Genève pour présenter ce très joli concept. Cette super sportive reçoit le moteur V12 à hydrogène de la récente BMW 7 Hydrogen. La Vad.Ho ne possède pas de volant mais plutôt deux manettes de jeu. Le siège du conducteur et le pédalier font partie d'une seule unité mais les deux s'ajustent selon le gabarit du pilote. Puisque tous les éléments sont de type *by wire*, c'est-à-dire que toutes les informations sont transmises par ondes et non par fils ou câbles, il sera possible d'adapter la conduite à gauche ou à droite sans aucun problème. En passant, Vad.Ho réfère à Vadò, zone industrielle de Moncalieri (Italie) qui accueille le siège social d'Italdesign Guigiaro.

## VAD.HO
# _ITALDESIGN GUIGIARO_

La mode est au coupé quatre portes haut de gamme. Mercedes-Benz avait lancé le bal avec sa très belle CLS. Aston Martin, Porsche et BMW ont immédiatement suivi en présentant chacun un concept. Jaguar entre dans la danse avec la sulfureuse X-CF. D'ailleurs, il existe une forte ressemblance entre cette dernière et la Rapide d'Aston Martin… Selon Ian Callum, directeur du design de la marque anglaise vendue, la X-CF représente les lignes des Jaguar de demain. Classique comme toujours, mais résolument tournée vers le XXIe siècle, cette C-FX (C pour Concept) présente un habitacle *high-tech* qui sera, si production il y a, beaucoup moins flyé. Le moteur est un V8 de 420 chevaux.

## X-CF
# _JAGUAR_

## JEEP
### TRAILHAWK

Prenez un Jeep Wrangler et donnez-lui le toit d'un Dodge Magnum et vous obtiendrez un Jeep Trailhawk! Basé sur le châssis d'un Wrangler Unlimited, le Trailhawk se veut beaucoup plus convivial sur la route que ce dernier tout en conservant ses qualités hors route. Ce véhicule à quatre places ne possède pas de pilier B (entre les vitres des portes avant et arrière). Pourrait-on alors parler d'un *hard-top*? Certains se rappellent-ils les fameux T-Top d'il y a 20 ou 25 ans? Le Trailhawk reprend le même thème. Et vu de haut, il s'agit vraiment d'un T puisque le hayon arrière se poursuit très loin sur le toit, permettant ainsi le transport d'objets hauts, un peu à l'image du GMC Envoy XUV d'il y a quelques années.

## KIA
### KUE

On ne peut pas dire que le Kia Kue (prononcez «quiou») n'a pas de gueule! Bâti sur un châssis monocoque, ce multisegment, un peu plus long que le Sorento, n'est qu'un concept mais son design influencera les modèles à venir. Le document de presse ne parle que d'un véhicule à quatre places, ce qui semble bien peu face à la tendance actuelle (même si, la plupart du temps, il n'y a qu'une ou deux personnes dans le véhicule!). Côté performance, on n'a pas pris de risques. Tant qu'à mettre un moteur, mettons-en un qui ait du punch... Un V8 de 4,6 litres qui développe 400 chevaux et autant de couple devrait faire l'affaire!

Si KTM est inconnu des amateurs d'automobiles, c'est loin d'être le cas chez les motocyclistes. Voilà que le réputé manufacturier autrichien de motos se lance dans l'automobile avec la X-Bow. Mais attention. Plutôt que de risquer gros avec une voiture ordinaire, KTM a choisi, avec raison, de créer une hybride moto/auto. Ce très bel engin bénéficie des dernières technologies mises au point par KTM pour la course. La X-Bow compte sur un moteur Audi TFSI (moteur à essence à injection directe alimenté par turbo et refroidisseur intermédiaire) de 220 chevaux pour éclater le 0-100 en 3,9 secondes. La transmission manuelle compte six rapports. La production de 100 voitures de préproduction devrait commencer bientôt dans les usines de Dallara (ex F1). Amenez-nous une X-Bow « tu-suite » !

## X-BOW
## *KTM*

Ben non, Lada n'est pas morte ! Même que le manufacturier russe a présenté, au Salon de Genève, un concept pas piqué des vers. Il s'agit du Concept C qui, s'il n'en tient qu'au dossier de presse de Lada (aussi mal traduit que leurs voitures étaient mal assemblées à une certaine époque !), la C sera bientôt mise en production pour l'Europe. On prévoit une version trois portes à hayon, comme sur la photo, une berline, une familiale et même une fourgonnette (un monospace, comme disent les cousins français). Les moteurs iraient de 1,6 à 2,0 litres. La toute nouvelle plate-forme est développée en partenariat avec Belinda Stronach… pardon Magna International !

## C-CONCEPT
## *LADA*

# LEXUS
## LF-A II

Présenté à la presse pour la première fois en 2005, le concept LF-A de Lexus est revenu encore plus fort au Salon de Detroit 2007. Dessinée d'après les préceptes de la philosophie L-Finesse (si nous avions quatre pages, nous pourrions vous expliquer…), cette Lexus de très haute performance serait, selon les dirigeants de la marque, très près de la production. V10 de plus de 500 chevaux et au-delà de 320 km/h sont promis. Côté dimensions, la LF-A est à quelques millimètres près plus longue qu'une Prius et à peine plus haute qu'une Lamborghini. Amenez-nous là pour un essai, pour qu'on se sacrifie, encore une fois…

# LINCOLN
## MKR

Depuis le retrait du marché de la Lincoln Town Car (qui n'est disponible que pour les flottes de véhicules), la gamme ne présente que des versions luxueuses de certains produits Ford (MKX, MKZ, Mark LT et Navigator). Au dernier Salon de Detroit, Lincoln dévoilait le concept MKR. Pour la partie avant, les concepteurs ont créé une calandre qui, au début, surprend (c'est le moins qu'on puisse dire!) mais qui donne du caractère à la voiture. Côté moteur, Ford annonce un V6 3,5 litres Twinforce de 415 chevaux fonctionnant à l'éthanol E85. Il est fort possible que la MKR connaisse les joies de la production, mais il est certain que plusieurs éléments visuels et techniques seront revus «à la baisse».

L'an dernier, Mazda a introduit trois concepts qui, sans être totalement différents, reprennent, chacun à leur façon, la vision du futur chez le constructeur nippon. Le Hakaze représente ce que pourrait être un multisegment Mazda d'ici quelques années. Développé par l'équipe de designers de Francfort en Allemagne, le Hakaze reprend, avec un peu plus de millimètres ici et là, les dimensions de la Mazda3. Il reprend aussi les lignes générales du Mazda Sassou, dévoilé en 2005 et s'adresse, selon les dirigeants de Mazda, aux amateurs de *kite surfing* (surf avec un cerf-volant) qui y trouveront assez d'espace pour y loger tout leur équipement. Connexion Internet, caméra numérique intégrée, boutons de commandes affleurants, autant d'éléments qui sauront ravir les jeunes.

## HAKAZE
## MAZDA

Pour avoir une idée de ce que pourrait avoir l'air les produits Mazda en 2020, une équipe de designers, basée au MNAO (Mazda North American Operations) a créé le concept Nagare. Pour s'assurer d'un design global, un seul directeur, Laurens Van den Acker, supervise les bureaux de Californie, d'Allemagne et du Japon. Dans le cas du Nagare, le design a primé la technique. Pourtant, les documents de presse font état d'un possible moteur rotatif alimenté par hydrogène. Vous serez surpris d'apprendre que des RX-8 fonctionnant à l'essence ou à l'hydrogène roulent déjà au Japon. Le Nagare se veut un quatre places et le conducteur est installé en plein centre, un peu comme sur une monoplace.

## NAGARE
## MAZDA

## MAZDA
### RYUGA

Si le concept Nagare pouvait être comparé à de la haute couture, le Ryuga, en contrepartie, fait plutôt partie de la catégorie prêt-à-porter. Ce n'est pas nous qui le disons, c'est Mazda! Le design du premier était, toujours selon Mazda, une émotion qui commençait à prendre forme. Le Ryuga pousse cette émotion du côté de la production en lui greffant des attributs plus fonctionnels, surtout au niveau de l'habitacle et de la mécanique. Les côtés, agrémentés de plusieurs lignes sculptées à même la carrosserie, sont inspirés des jardins japonais karesansui. Un quatre cylindres 2,5 litres FlexFuel E85 (éthanol) est prévu, de même qu'une transmission automatique à six rapports.

## MERCEDES-BENZ
### OCEAN DRIVE

En janvier 2007, le Salon de l'auto de Detroit n'a renversé personne. Quelques modèles valaient le coup mais bien peu soulevaient les passions. Pourtant, il y a toujours un concept qui se démarque, qui « fesse dans l'dash »! Cette année, c'est à la Mercedes-Benz Ocean Drive que revient cet honneur. Basé sur la série S, ce concept est un cabriolet quatre portes, une configuration qu'on n'avait pas vue, si notre mémoire ne défaille pas, depuis la Lincoln Continental (1961-1967). D'une rare élégance, ce cabriolet se recouvre d'un toit en toile. Il semble que les éventuels problèmes de structure, engendrés par la configuration particulière de la voiture, soient résolus puisque Mercedes-Benz a récemment dévoilé son intention de produire, en petite série bien évidemment, l'Ocean Drive.

Possédant à peu de choses près les dimensions du tout nouveau Rogue, le Bevel, un concept purement stylistique, mais politiquement incorrect, s'adresse au mâle en mal d'activités. L'habitacle compte trois «zones» d'activité. La première se déclare la zone confort (le coin du conducteur), la deuxième se nomme technologie et déploie plusieurs commandes et écrans qui renseignent le conducteur sur l'état de la mécanique (aucunement dévoilée par Nissan). Cette partie sert aussi de coin de divertissement. Enfin, la troisième zone se situe dans la partie utilitaire. En plus d'être modulable, cette partie est particulièrement adaptée pour les animaux de compagnie. C'est vrai qu'un homme, ça ne peut pas rester seul longtemps…

## BEVEL
# NISSAN

On a tous un oncle ou un cousin qui collectionne les grille-pains à trois tranches ou qui peut interpréter l'*Hymne à l'amour* en pétant. Les constructeurs automobiles, eux, ont Rinspeed. Au Salon de Genève, ce «fucké» du style et génie de la provocation a présenté la eXasis. Pour fêter le 30ᵉ anniversaire de Rinspeed, quoi de mieux qu'une voiture tout de plastique transparent ? Pour l'occasion, le créateur suisse s'est associé à la firme allemande Bayer MaterialScience AG qui, en 1967, avait produit une voiture tout en plastique (sauf le moteur, la transmission et les pneus, bien entendu!). La eXasis est mue par un deux cylindres de 750 cm³ de 150 chevaux accouplé à un rouage intégral. Performances garanties pour un véhicule d'à peine 750 kilos.

## EXASIS
# RINSPEED

www.leguidedelauto.com                    GUIDE DE L'AUTO 2008

57

## TATA
### ELEGANTÉ

Le plus grand constructeur automobile en Inde (et apparemment deuxième plus grand constructeur d'autobus au monde!), Tata, profitait du dernier Salon de Genève pour présenter son nouveau concept Eleganté. Si le style peut sembler «élégant», les données techniques ne renversent rien. Moteurs quatre cylindres à essence et diesel entre 1,4 et 2,0 litres et V6, transmissions automatique ou manuelle à six rapports, voilà, en gros, tout ce que l'on sait sur cette Eleganté. Un peu à l'image des véhicules chinois, la Eleganté ne remportera pas de prix de design, de finition… ni de traduction de ses document de presse! Juste un exemple: «À part d'avoir accordé aux règles de la sécurité, des mérites budgétaires et des standards de l'émission, des autre caractéristiques s'incluent un système navigataire, régulateur automatique de vitesse, un blue tooth integer, un miroir chaude (sic), etc.»

## TOYOTA
### FT-HS

Ce concept de Toyota, présenté au Salon de Detroit en janvier 2007 aurait bien pu, à l'instar de certaines Mustang du temps, s'appeler California Special! En effet, ce concept a été réalisé par le centre de recherche et de design de Toyota de Californie (aussi appelé CALTY) et le Advanced Product Strategy Group (traduction très libre: centre de produits technologiques), aussi basé en Californie. Un V6 de 3,5 litres est relié à un système hybride électrique qui développerait quelque 400 chevaux. Un peu plus courte qu'une Corolla 2007, la FT-HS est un coupé 2+2 à roues arrière motrices. Une partie du toit s'enlève pour mieux profiter de la nature.

ÉQUIPÉ POUR ROULER
MERCREDI 19H00

# VOLVO
## XC60

Les concepts ne sont pas toujours des élucubrations de designers qui désirent impressionner la galerie, le parterre et la cour en faisant le trottoir. Plusieurs véhicules vus dans les salons automobiles préfigurent le design de demain de la marque. C'est le cas de la Volvo XC60 qui représente la future génération des XC (les XC70 et XC90 sont sur le marché depuis déjà un certain temps). La partie avant conserve la bande en diagonale traversant la calandre. Par contre, à l'arrière, l'épaulement des côtés, si cher à Volvo, est carrément amené à un niveau jamais atteint. Et, si vous voulez notre humble avis, c'est du plus bel effet. L'habitacle se drape d'un high-tech qui ne survivra assurément pas à la production. Pour ce concept, on parle d'un V6 3,2 litres fonctionnant au bioéthanol.

# WEISMANN
## ROADSTER ET GT

Weismann, une petite firme allemande fondée en 1985 par deux frères, construit ses voitures à la main. Depuis quelques années, elle connaît une forte augmentation de sa production. En 2006, par exemple, l'entreprise a vendu 143 voitures. Elle propose deux modèles qu'elle peut modifier aux goûts des acheteurs. Dans son portfolio, on retrouve la GT, un coupé Grand Tourisme et la Roadster. Ce dernier est fabriqué depuis 1993 tandis que le coupé GT ne l'est que depuis 2005. Les Weismann reçoivent des moteurs BMW. Alors qu'on parle de six cylindres 3,0 et 3,2 pour le Roadster, le modèle GT a droit à un V8 de 4,8 litres. Les prix varient de 94 000 à 114 000 euros (environ 140 000 et 170 000 $ CA)

# LA MEILLEURE PLACE POUR

# VOIR
# COMPARER
# MAGASINER

**ÉDITION 2008**
**18 AU 27 JANVIER**

**ÉDITION 2009**
**16 AU 25 JANVIER**

**www.salonautomontreal.com**

**PALAIS DES CONGRÈS DE MONTRÉAL**

# CONCOURS DE DESIGN PEUGEOT 2007

Plusieurs concours de design automobile sont organisés chaque année. Dans *Le Guide de l'auto 2007*, nous vous présentions celui du Salon de l'auto de Los Angeles. Cette année, nous lorgnons du côté de l'Europe, chez Peugeot plus précisément, alors que le constructeur français tenait son quatrième concours de design. Voici les trois premières places. Et si vous n'êtes pas d'accord avec ces choix, ne nous blâmez pas. Appelez plutôt Peugeot! En passant, ces véhicules n'existent pas ailleurs que sur le papier... c'est quelquefois mieux comme ça. Pour de plus amples informations: www.peugeot-concours-design.com

# PEUGEOT
## ALLSCAPE

Gustavo Ferrero, du Venezuela, a remporté le troisième prix avec son Allscape, un véhicule hybride (essence, gaz naturel) qui compte un moteur électrique dans chaque roue, le dotant ainsi de quatre roues motrices. En plus de proposer une transmission séquentielle à sept rapports, le Allscape a droit à un châssis ultraléger fait de fibre de carbone/aluminium. Dans l'habitacle, on retrouve un ordinateur ainsi que des jauges analogiques, question de garder un œil sur le rendement du moteur. Aussi, à la vue du conducteur, une console «géographique» présentant un compas, un altimètre et un horizon artificiel, comme dans les avions!

# TROUVEZ VOTRE VÉHICULE DE RÊVE

COMPARATIFS • NOUVELLES • FORUMS • ESSAIS ROUTIERS • PHOTOS • VIDÉOS • BLOGUES
VÉHICULES NEUFS ET D'OCCASION • RÉPERTOIRE DES CONCESSIONNAIRES • SALONS DE L'AUTO

Le meilleur véhicule pour acheter
ou vendre votre voiture.

Le site automobile de canoe.ca

# PEUGEOT
## N-JOOY

Cette drôle de petite bibitte à boules est la création de Wesley Saikawa du Brésil. Le N-Jooy (prononcé en anglais, cela donne «enjoy» ou en français «appréciez») est inspiré des anciennes F1, d'où l'unique siège placé à l'extrémité arrière. Les quatre sphères servant de roues peuvent diriger la voiture dans n'importe quelle direction. Elles peuvent même la faire pivoter sur elle-même. Chaque sphère est mue par un moteur indépendant relié à un ordinateur central qui analyse chaque mouvement du véhicule pour lui donner une adhérence maximale. Comme son nom l'indique, c'est le plaisir de piloter qui a été au centre de ce design.

# PEUGEOT
## FLUX

Le grand vainqueur, Mihai Panaitescu, 20 ans, est étudiant en design à l'I.E.D. de Turin. Il nous a donné le Flux, une expression à ne pas prendre au pied de la lettre… En fait, le Flux tient son nom du courant électrique qui traverse un champ. Quotidiennement, tel un flux, nous passons de la vie privée au travail (si j'ai bien compris…). Ce véhicule pour le moins futuriste (ils le sont tous, remarquez!) peut explorer les plages, grimper des routes montagneuses ou simplement servir de moyen de transport entre le travail et la maison. La carrosserie est faite de plastique, de polyuréthane, d'aluminium et de métal. Pour se déplacer, le Flux compte sur un moteur alimenté par hydrogène. Le réservoir est placé sous le capot avant.

DIESEL VS ESSENCE · MATCH COMPARATIF PETITS VUS · MATCH COMPARATIF BOÎTES DE RANGEMENT

# LES ÉCOLOGISTES

Ah, ces damnés Américains ! N'êtes-vous pas tanné de vous faire offrir des véhicules qui répondent d'abord aux mœurs et désirs de nos voisins du Sud ? Et bien, moi, oui ! Au Québec, on raffole des *hatchback*, eux pas. Résultat, finies les Focus, Civic et autres compactes bien aimées de cette configuration. Et c'est la même chose en ce qui concerne les voitures familiales, les sportives ou même les fourgonnettes. Les Américains nous dictent quoi conduire, parce qu'ils possèdent un marché immensément plus grand que le nôtre et que plusieurs constructeurs n'osent pas déranger leurs habitudes…

Du côté des moteurs diesel, c'est aussi la même chose. Ces chers Américains n'aiment pas ce type de moteur et n'ont que faire des avantages qui l'accompagnent. À preuve, Volkswagen, qui commercialisait les Golf et Jetta, peinait à vendre aux États-Unis

# SERONT CONFONDUS

15 % de ces modèles, lorsque munis d'un moteur TDI. Chez nous, c'était pratiquement du un pour un, diesel versus essence. N'est-ce pas révélateur?

Aujourd'hui, il y a toutefois un constructeur nord-américain qui ose défier son principal marché en installant dans un véhicule souvent mitraillé des yeux par les écologistes, un moteur turbo diesel de dernière technologie. En effet, la société Chrysler propose depuis quelque temps un moteur issu des coffres de Mercedes-Benz (le même que celui des modèles 320 CDI de Classe E, M, R et GL) dans son bien connu Jeep Grand Cherokee. Il s'agit d'un six cylindres turbocompressé de 3,0 litres, lequel développe 215 chevaux et surtout, un impressionnant 376 lb-pi de couple à seulement 1 600 tr/min.

Ainsi, afin d'évaluer ce que Chrysler appelle son Greenest Jeep Ever (le Jeep le plus vert), nous avons cru bon de le comparer au Grand Cherokee à essence, muni du fameux V8 HEMI de 5,7 litres. Nous avons donc parcouru par une chaude journée printanière quelques 400 kilomètres en ville, en campagne, sur l'autoroute et sur des sentiers non asphaltés, de façon à constater les pour et les contres de chacun de nos prétendants.

D'abord, il nous a fallu faire le plein des deux véhicules pour mesurer la consommation d'essence exacte en de pareilles conditions. Chanceux, nous sommes tombés du premier coup sur une station-service vendant du carburant diesel. Car pour les non-initiés, sachez que plus de la moitié des postes d'essence ne commercialisent pas de ce type de carburant. Le pompiste visiblement surpris

de constater que je me garais vis-à-vis de la pompe verte s'est immédiatement approché pour me faire part de mon erreur. Bien sûr, le son du moteur lui aura ensuite fait comprendre que lui, spécialiste des voitures, était dans l'erreur! Nous avons donc rempli les véhicules et sommes partis pour la journée.

Les deux véhicules, des modèles Limited ultra-équipés, n'avaient pratiquement aucune différence en matière d'esthétisme et d'équipement, hormis la couleur de la carrosserie. Ironiquement, c'est le modèle équipé du moteur HEMI qui était peint en vert, alors que le diesel affichait un rouge plus scintillant. Entre les deux, il n'y avait donc que le moteur diesel qui faisait varier la facture. Et cette différence, elle n'était que de 1 500 $, le modèle HEMI étant le moins cher. Bien

sûr, le moteur diesel à lui seul coûte beaucoup plus cher, si on le compare à un Grand Cherokee à moteur V6, mais dans notre cas, le surplus n'était pas si astronomique.

## LE RENDEMENT

Première constatation, le moteur diesel est très performant. On se demande même s'il n'est pas aussi puissant que le V8 HEMI, qui propose pourtant 115 chevaux supplémentaires. Le test d'accélération devient donc indispensable. Placés côte à côte, les deux véhicules décollent et atteignent environ 70 km/h en de même temps. Toutefois, passé ce cap, le V8 prend le dessus, les chevaux pouvant alors s'exprimer. Le Grand Cherokee à moteur Hemi est plus impressionnant lors des reprises, mais n'a rien à lui envier à basse vitesse.

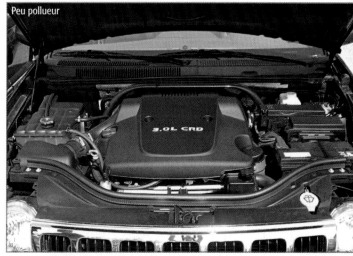

Peu pollueur

Cela signifie également que le moteur diesel excelle dans l'art du remorquage, comme en témoignent les chiffres stipulés par le constructeur. En effet, ce Jeep est capable de remorquer des charges pouvant atteindre 7 200 livres (3 266 kilos). Mais il est tout de même stupéfiant de constater que le moteur diesel, grâce à un couple incroyable, est capable d'un tel *punch*. Les données accumulées se soldent par un 0-100 km/h en 8,9 secondes et par un 80-120 km/h en 8,1 secondes. Du côté du HEMI, c'est 7,7 secondes pour le 0-100 km/h, et 6 secondes pour le 80-120 km/h.

Étonnamment souple, le moteur diesel ne l'est évidemment pas autant que le V8. Cependant, il se fait facilement oublier et ne résonne pas comme un tracteur, ce que plusieurs craignent. Également, les inconvénients généralement attribuables aux moteurs diesel sont ici inexistants. Aucune fumée noire, aucune odeur désagréable ni de vibrations qui vous donnent l'impression d'être atteint du Parkinson. À vitesse de croisière, il est difficile de savoir quel moteur se cache sous le capot tant ce diesel est discret. Un certain ronronnement se fait entendre en accélération, alors que le couple prend le dessus sur la puissance.

### LA CONSOMMATION

Je me souviens d'une froide semaine hivernale où on m'avait confié une Grand Cherokee à moteur HEMI, aux fins d'essais. Ma moyenne cumulée en ce qui concerne la consommation d'essence avait oscillé autour de 21 litres aux 100 kilomètres. Vous comprendrez que le résultat obtenu lors de notre randonnée, de 16,2 litres aux 100 kilomètres, m'a presque impressionné! Bien sûr, le véhicule est aujourd'hui muni d'un système de désactivation des cylindres qui permet une meilleure économie, mais un HEMI demeure un HEMI!

Pollueur

En revanche, je dois admettre que les 13,7 litres engloutis par notre prétendant diesel m'ont énormément déçu. Et je n'y comprenais rien, puisque j'avais obtenu six mois auparavant, lors de l'essai d'un M-Benz ML320 CDI équipé du même moteur, un résultat de 10,4 litres aux 100 kilomètres. Quel est donc le problème? me disais-je. Il m'aura fallu deux mois pour comprendre, puisque juste avant de rédiger ce texte, j'ai cru bon de reprendre le volant d'un Grand Cherokee diesel et de refaire essentiellement le même trajet que lors de notre journée test. Par temps similaire, j'ai obtenu une cote de 11,1 litres aux 100 kilomètres. Euh… pourquoi? Et pourquoi le Mercedes avait-il consommé encore moins? La réponse est dans le kilométrage qu'affichaient les véhicules au moment de l'essai. Notre Grand Cherokee participant au test n'avait que 980 kilomètres de parcourus dans sa courte carrière, alors que le second essayé récemment affichait 4 800 kilomètres. Quant au Mercedes, un peu plus de 9 000 kilomètres étaient indiqués au compteur. C'est donc dire que la période de rodage est passablement longue et qu'au cours des six premiers mois, le propriétaire d'un Grand Cherokee diesel constatera une diminution constante de sa consommation.

### LE COÛT DU CARBURANT

En sachant que le Grand Cherokee diesel peut consommer entre 10 et 11 litres aux 100 kilomètres, nous sommes en mesure de constater que l'économie de carburant par rapport au moteur HEMI est environ de 35 à 40 %. Au moment de l'essai, le carburant se vendait à 102,9¢ alors que le diesel était à 99,4¢. L'économie financière demeurait intéressante en raison de la consommation inférieure, mais pas vraiment en raison du coût du litre de carburant. Toutefois, comme vous l'avez sans doute remarqué, le prix de l'essence fluctue follement. Ce n'est pas

Très pollueur

le cas du diesel. Le coût du litre de diesel reste sensiblement au même niveau tandis que le litre d'essence peut facilement passer de 99,9¢ à 123,9¢. Pour ceux qui ont des hypothèques, c'est en quelque sorte comme si vous compariez un taux fixe à un taux variable. Et ne serait-ce que pour cet élément, il est intéressant de pouvoir budgéter un montant pour son essence avec le diesel, ce qui est beaucoup plus ardu avec l'essence.

### VRAIMENT PLUS VERT?

Il semble que oui. Autrefois, les moteurs diesel étaient de gros pollueurs. Et ça se sentait! Toutefois, les diverses technologies ont permis de mieux filtrer les émanations de ce type de moteur, de manière à les rendre aussi propres, sinon plus, que les moteurs à essence. Dans ce cas-ci, on ne profite pas de la technologie

Bluetec développée conjointement par plusieurs manufacturiers européens. Ce procédé, qui consiste à rendre les émanations encore plus « pures » pourrait cependant être intégré à plusieurs modèles, puisque le système de filtration est localisé de façon externe. Quoi qu'il en soit, notre Jeep Grand Cherokee diesel pollue à peine plus qu'un Jeep Patriot à moteur quatre cylindres, rejetant dans l'atmosphère une moyenne annuelle de 5 778 kilos de $CO_2$. Ce n'est donc pas le plus vert des Jeep, mais pas loin!

Chose certaine, ce diesel n'a rien de comparable en matière d'émanations polluantes avec le plus vorace des Grand Cherokee, qui pour une courte période de notre essai, nous a rendu visite. En effet, une version SRT8 de 415 chevaux s'est jointe au groupe, le temps d'un diner et d'une

séance de photos. Ce dernier, ultraperformant, se situe dans le top 3 des VUS les plus pollueurs de notre marché. Peut-on ainsi dire que le Grand Cherokee diesel est présent pour excuser les dommages causés par son grand frère?

### L'AVENIR

Les nouvelles semblent bonnes chez Chrysler jusqu'à présent. En effet, plus de la moitié des Grand Cherokee vendus au Canada depuis l'arrivée de la version diesel sont équipés de ce moteur. C'est donc dire que la demande pour ce type de motorisation est bel et bien présente. Bien sûr, le Grand Cherokee n'est pas un véhicule à gros volume, mais il serait très probable de voir apparaître ce moteur dans d'autres véhicules de la marque, dans un avenir rapproché. À quels véhicules peut-on penser? Au duo Nitro/Liberty, mais aussi aux grandes berlines et familiales 300, Magnum et Charger. Chose certaine, l'avenir du diesel chez Chysler n'ira qu'en grandissant. Et à la suite des résultats obtenus avec cet essai, on ne peut que s'en réjouir.

**Antoine Joubert**

**73**

# LES VUS COMPACTS

Les VUS compacts sont les véhicules les plus *hot* de l'heure. Pardons, je reformule ma phrase avant de recevoir les reproches d'Hélène, notre correctrice d'épreuves attitrée. Je disais donc, ces véhicules sont ceux qui suscitent le plus d'intérêt auprès des acheteurs. Cette catégorie était déjà en effervescence il y a deux ans alors que nous avions réuni une bonne brochette de ces modèles. Mais les choses ont bien changé depuis. En effet, dans le cadre du match de l'édition 2008, pas moins de sept des onze modèles participants sont apparus sur le marché il y a moins d'un an, et cinq d'entre eux ont été commercialisés au printemps 2007. Ce sont les Ford Escape, Mazda Tribute, Mitsubishi Outlander, Jeep Patriot, Saturn Vue.

Bref, cette relève a affronté avec brio les quelques vétérans en lice, notamment le Subaru Forester qui avait dominé les deux derniers affrontements du genre. C'était le doyen du groupe suivi dans l'ordre des Hyundai Tucson, Suzuki Grand Vitara, Pontiac Torrent et le Toyota Rav4. Une sélection fort intéressante en somme, et compte tenu du nombre de nouveaux arrivants, la table était mise pour un nouvel affrontement.

Cette fois, les essayeurs participants en ont eu pour leur argent, car nous avons consacré une journée entière à la conduite sur route et une autre visant à évaluer le caractère pratique et les qualités en conduite tout-terrain de ces VUS essentiellement conçus pour une utilisation sur la route, mais capables quand même de sortir des sentiers

# MIS À L'ÉPREUVE

battus. Mais puisque les gens les achètent presque exclusivement en raison de leur polyvalence, ce sont ces qualités qui ont été évaluées en tout premier lieu. Dans un classement à part attaché en annexe, nous avons également dressé un palmarès des modèles un peu plus spécialisés en utilisation tout-terrain. Par exemple, le Jeep Patriot est plus à l'aise dans les graviers et la boue qu'un Honda CR-V, délibérément conçu comme un multisegment et non comme un VUS. Ceci afin de vous fournir une évaluation encore plus complète. À propos, le sentier de conduite hors route utilisé était assez difficile pour des véhicules à vocation urbaine et tous ont franchi les obstacles les plus redoutables. Aucun n'est demeuré enlisé ou a dû contourner un obstacle.

Et avant d'entrer dans le vif du sujet, je tiens à remercier toutes les personnes qui ont participé à ce match et qui ont découvert avec moi certaines des plus belles routes de la province situées en Montérégie, plus particulièrement dans la région de Beauharnois et d'Hemmingford.

Assez bavardé, place au test!

Ultramar, fier partenaire du *Guide de l'Auto 2008*

# 1<sup>ER</sup> MITSUBISHI OUTLANDER

## LA CONFIRMATION

Plusieurs de mes confrères, et moi le premier, avaient haussé les sourcils lorsque l'Outlander s'était classé au second rang suite à notre match de la catégorie dans l'édition 2006 de cet ouvrage. La compagnie était quasiment en perdition à l'époque et l'Outlander en avait surpris plusieurs. Sa silhouette, son moteur bruyant, mais nerveux, et ses qualités sous toutes les conditions lui avaient permis de devancer de grosses pointures. Cette fois, c'est la toute récente version revue et corrigée qui a pris le dessus. Non seulement la plate-forme est-elle toute nouvelle, mais l'arrivée d'un moteur V6 sous le capot, d'une boîte automatique à six rapports et d'un rouage intégral avec démultipliée lui ont permis de se démarquer. Il faut également ajouter que la silhouette rajeunie, la présentation de l'habitacle ainsi que l'ingénieux hayon

arrière modulaire lui ont permis de grappiller des points presque partout. Notre modèle d'essai était équipé d'un système audio fort puissant qui a séduit les quelques mélomanes du groupe. En contrepartie, son ridicule siège de troisième rangée n'a pas été tellement apprécié. Les multiples pièces de plastique de la planche de bord ont aussi reçu des commentaires négatifs. Parmi les autres bémols, soulignons un freinage qui aurait pu être plus progressif et une direction lourde. Par contre, nous avons roulé sur des routes sinueuses à souhait et les gens ont bien aimé le comportement général de cette Mitsubishi qui a toujours été à la hauteur.

L'Outlander prouve hors de tout doute qu'il est l'un des leaders de la catégorie en tant que véhicule de route, mais il a également bien fait en conduite hors route en raison de son rouage

efficace et d'une garde au sol plus élevée. Ce n'est pas sans raison si ce constructeur en a fait le fer de lance de sa nouvelle poussée commerciale en compagnie de la Lancer.

Comme le soulignait Yvan Fournier dans ses commentaires : «Son équilibre général, sa robustesse et ses performances me l'ont fait placer en tête de liste. L'ancien modèle était bien, mais celui-ci est nettement supérieur.»

# 2<sup>E</sup> HONDA CR-V

## NOUVELLE VOCATION

Alors qu'il s'était classé au quatrième rang de notre dernière confrontation, le CR-V nouveau et amélioré grimpe sur la seconde marche du podium. Et cette place n'est nullement usurpée. D'ailleurs, toutes les personnes qui l'ont conduit ont été impressionnées par le comportement vraiment plus sportif et plus «voiture» que les autres véhicules de ce match. Le centre de gravité plus bas, la direction plus précise et une suspension essentiellement calibrée pour la route en ont fait le champion de la conduite. Le roulis de caisse était presque

négligeable tandis que le moteur quatre cylindres était adéquat. Cependant, plusieurs ont déploré le fait de ne pas avoir de moteur V6 sous le capot. Il faut dire que cette remarque est facile à faire lorsqu'on se contente de rouler pendant une journée et que l'on n'a pas à s'arrêter fréquemment pour faire le plein. Les performances du moteur quatre cylindres sont de peu inférieures à celles affichées par un moteur V6, mais c'est largement compensé par une meilleure économie de carburant. Toujours au chapitre de la motorisation, la boîte automatique à cinq rapports accomplit du bon travail. Par contre, le moteur

n'a que 166 chevaux et il doit tourner plus vite pour soutenir le tempo. Et si ce nombre d'équidés convient à une promenade avec une seule personne à bord, il n'est pas certain qu'il sera sans

reproches avec quatre occupants et leurs bagages. Soulignons au passage que Honda n'offre plus de boîte manuelle sur le CR-V.

Parmi les points forts du CR-V, plusieurs ont souligné la qualité de la finition, l'excellente position

de conduite et l'ergonomie générale. D'autres se sont plaints de la sécheresse de la suspension et ont moins aimé le volant par rapport à celui du Outlander par exemple. Enfin, les places arrière ont été jugées correctes en fait de confort mais un peu justes en fait d'espace.

Le mot de la fin revient à Jean-Georges Laliberté: «En un mot, net progrès par rapport à la précédente version déjà très compétente avec un style très chic et moins utilitaire qui ravira les jeunes métrosexuels.»

# 3<sup>E</sup>   SATURN VUE

## LA PLUS ÉLÉGANTE

**U**n produit General Motors qui termine au troisième rang d'un match comportant plus de 10 véhicules, il y a belle lurette que cela ne s'était pas vu! Règle générale, les véhicules de GM se tenaient dans les bas-fonds du classement. Cette toute nouvelle incarnation du VUE a été jugée par la majorité comme étant la plus élégante du lot. Et force est d'admettre que toutes ces personnes n'ont pas tort. Même si le reste était minable, elle se vendrait presque uniquement en raison de sa silhouette. Mais ce n'est heureusement pas le cas et elle était l'une des concurrentes les mieux équilibrées de ce

match. Il semble qu'on a enfin compris chez GM que la qualité paie et que les acheteurs en ont marre des plastiques durs et des finitions à la diable. Ce Saturn est non seulement très élégant, mais il est bien construit et la qualité de ses matériaux dans l'habitacle en a surpris plusieurs, dont certains se demandaient si ce véhicule provenait bien de chez GM. En revanche, le faux bois des appliques était plus faux que faux, mais c'est quand même fort réussi dans l'ensemble. Les sièges sont confortables et seront appréciés lors de longues randonnées, mais ils sont relativement bas et leur support latéral est moyen.

Le moteur V6 de la version précédente provenait de chez Honda et n'avait rien à se reprocher, mais celui de l'édition 2008 sort des ateliers de GM et il soutient fort bien la comparaison. Ce moteur V6 de 3,6 litres produit 250 chevaux et il ne s'incline que devant le Rav4 à ce chapitre. Il est couplé à une excellente boîte à six rapports. Nous sommes loin des moteurs poussifs à soupapes en tête auxquels ce manufacturier tenait mordicus, et des boîtes automatiques à quatre rapports, fort solides, mais un peu dépassées en 2008.

Bref, ce Saturn est le fruit de la compagnie General Motors et c'est rassurant pour l'avenir.

Cette division est sur une lancée météorique et ses produits sont là pour le prouver. Il faudra que certains abandonnent leurs préjugés face aux produits de ce constructeur qui a fait des progrès spectaculaires au cours des trois dernières années, du moins dans sa division Saturn.

Gilles Olivier a traité le Vue de «véhicule le plus européen du groupe» et il a bien apprécié son équipement, sa tenue de route et sa finition. Bref, cette nouvelle venue devrait faire sa place au soleil et charmer un grand nombre d'acheteurs. Il faut ajouter qu'elle peut être livrée avec un autre moteur V6, un 3,5 litres moins intéressant, et un quatre cylindres également.

# 4ᴱ
## TOYOTA RAV4

### LE BON ÉLÈVE

Il est rare que les véhicules fabriqués par Toyota se retrouvent dans le premier tiers d'un classement. La qualité est là, la fiabilité assurée et la valeur de rachat prévue rassurante, mais ce sont généralement des véhicules trop politiquement corrects et un peu ennuyants qui se font dépasser par des modèles plus pointus, offrant un meilleur agrément de conduite et une présentation plus dynamique. Cette quatrième position s'explique tout simplement par les qualités générales du Rav4 qui est équipé pour faire tout bien et avec facilité. Non seulement son moteur V6 3,5 litres de 269 chevaux, le plus puissant de tout le groupe, permet de bonnes accélérations mais il convient bien au rouage intégral. Celui-ci est fort bien adapté à la conduite hors route avec ses aides électroniques au pilotage comme le réducteur de vitesse de pente. Nous sommes loin du Rav4 de la première génération qui avait de la difficulté à suivre les autres et dont le comportement hors route était à peine adéquat!

Bref, chez Toyota on a pris les moyens pour se hisser au niveau des meilleurs. Par contre, comme la plupart des autres produits de ce constructeur, l'habitacle est quelque peu anonyme et toute chose est à sa place, mais le design de l'ensemble est assez ennuyeux, merci. Bien entendu, la finition est impeccable bien que certains plastiques durs pourraient être remplacés par un matériau plus convivial. Enfin, la majorité a souligné que le volant ressemblait à celui d'une Corolla des années soixante-dix, ce qui n'est pas flatteur. De plus, les avis sont partagés quant à ce hayon arrière ancré du côté droit de la caisse et qui peut devenir un inconvénient en certaines circonstances. En outre, la roue de secours est boulonnée sur cette portière arrière, ce qui l'alourdit et la rend plus difficile à ouvrir et

fermer. D'ailleurs, il faudra de bons bras pour abaisser cette roue en cas de crevaison.

Sur la route, son comportement général s'est révélé correct bien que le dosage de l'accélérateur soit un peu trop sensible, ce qui risque de causer des surprises en certaines circonstances. Comme le souligne si justement Robert Gariépy : «Une valeur sûre. Un produit superbe, homogène et puissant (quel couple moteur!) qui possède une excellente valeur de revente.»

# 5ᴱ
## SUBARU FORESTER

### LA GLISSADE

Le champion de notre dernière confrontation dégringole au cinquième rang et personne ne devrait être surpris car, tout excellente

soit-elle, cette Subaru n'a pas connu de changements depuis des lunes, et ça commence à se faire sentir à tous les points de vue qu'il s'agisse du design, de l'habitacle et même du comportement hors route.

Il faut de plus préciser avant de l'oublier que le Forester était le seul véhicule doté d'une boîte manuelle. Et contrairement à ce qu'on serait porté à croire, ça ne l'a pas aidé. Le rouage

intégral de Subaru fait meilleure figure avec l'automatique et le point de friction de l'embrayage du modèle essayé ne convenait pas toujours à certains de nos essayeurs. Il suffit de regarder ce VUS pour comprendre les notes qui lui ont été décernées en fait de design. Comme ironisait l'un de nos essayeurs, c'est le véhicule à ne pas amener à une réunion de m'as-tu-vu!

Par contre, comme tous les produits de cette marque, la qualité de la finition et des matériaux est impeccable. Et il faut mettre en lumière la durabilité et la solidité de la mécanique. Règle

générale, les acheteurs conservent longtemps leur Forester.

Face à une multitude de nouveaux modèles, les origines un peu plus lointaines du véhicule se sont fait sentir. D'un autre côté, il maintient son agilité en conduite hors route tout en étant fort à l'aise sur les chemins sinueux de l'arrière-pays. Le Forester était avec le Honda CR-V le plus à l'aise dans ce genre de conditions. Ses qualités s'apprécient au fil des kilomètres et elles ont parfois de la difficulté à se mettre en valeur au cours d'un essai de quelques heures. Jean-Paul Jodoin

souligne que «le moteur 4 cylindres boxer de 2,5 litres est performant mais bruyant. La transmission intégrale est l'une des meilleures du lot. Enfin, cette Subaru est assez confortable mais le coffre arrière est de capacité moyenne».

# 6<sup>E</sup>  SUZUKI GRAND VITARA

## CORRECT MAIS PAS MEILLEUR

Ce titre est une traduction on ne peut plus libérale de l'expression anglaise *close but no cigar.* Qui signifie qu'on est presque là, mais pas tout à fait et c'est justement le cas de cette Suzuki. En effet, sa silhouette est moderne,

élégante même, mais on ne peut s'empêcher d'observer des ressemblances avec tel ou tel modèle vendu par les autres constructeurs. C'est bien, mais c'est générique et ça manque d'originalité. Et on aurait pu se passer de greffer le pneu de rechange sur la porte arrière à battant.

Déjà qu'on lui trouvait des similitudes avec le RAV4 de Toyota, on en a mis une couche en copiant le pneu de secours! Ce n'est pas laid et plusieurs doivent juger cette disposition fort élégante, mais disons que notre groupe d'essayeurs n'a pas été séduit. Le tableau de bord est bien

disposé, moderne et la finition est bonne. Par contre, les appliques en similibois tentent de donner une touche de luxe à l'ensemble, mais c'est raté. Ça peut marcher dans certains États du sud des États-Unis ou quelque part ailleurs au Canada, mais je doute que les Québécois craquent pour ce luxe factice.

Le Grand Vitara est propulsé par un moteur V6 de 2,7 litres d'une puissance de 185 chevaux. Il est couplé à une boîte automatique à cinq rapports. Ce moteur n'est pas particulièrement performant et on se demande toujours où est passée la dizaine de chevaux qui semble avoir été portée disparu dès la naissance de ce modèle. Mais si les

performances sont moyennes tout au plus, la tenue de route est correcte bien que certains essayeurs se soient plaints d'une suspension qui fait sentir sa présence au passage de trous et de bosses... Par contre, ils ont presque unanimement louangé les sièges avant et la position de conduite. Mais ils ont moins apprécié les sièges de la troisième rangée qui sont plus symboliques qu'autre chose.

Jean-Christophe Gaudreault résume le sentiment général du groupe quant à cette Suzuki : « Le style de la Suzuki ne passera pas à l'histoire, mais son dessin est harmonieux et aisément reconnaissable. Une fois assis, on constate que les

bancs sont confortables et procurent un excellent support latéral. La planche de bord est assez ordinaire mais efficace, et les matériaux de l'habitacle sont solides et agréables au toucher. »

# 7<sup>E</sup> FORD ESCAPE

## SIMPLE MAQUILLAGE

À ce jour, ce sont les modèles entièrement remodelés cette année qui se sont disputé les premières places. L'Escape ne suit pas cette tendance bien qu'il ait été « complètement transformé pour 2007 », s'il faut croire les communiqués de la compagnie. Mais, en fait, les changements sont purement esthétiques. La carrosserie a été modifiée de même que le tableau de bord. En outre, la palette des couleurs a été révisée. Il est vrai que la nouvelle mouture de l'Escape marque un pas en avant, mais il s'agit d'un tout petit pas. Ce qui n'en fait pas un mauvais véhicule pour autant. Mais comme la mécanique et la plate-forme étaient tout juste dans la bonne moyenne, l'agrément de conduite est demeuré mitigé. En fait, les changements les plus notables sont ceux apportés au tableau de

bord. C'est presque aussi relevé que dans une berline et on n'a pas l'impression d'être devant un VUS lorsqu'on monte à bord. Plusieurs ont même souligné que Ford avait accompli d'énormes progrès en fait de couleur de caisse et d'agencement de coloris dans l'habitacle.

Mais si les gens ont apprécié la nouvelle silhouette et l'habitacle, les commentaires ont été moins enthousiastes concernant l'agrément de conduite, la tenue de route et les performances qui sont à peine dans la bonne moyenne. Le véhicule ne fait rien de mauvais, mais rien d'extraordinaire non plus. C'est le genre de VUS qu'on achète pour le prix, pour sa polyvalence et sans doute parce qu'on possédait déjà un produit Ford et qu'il est avantageux de le remplacer par un autre véhicule de la même marque. De plus, certains essayeurs ont manifesté quelques inquiétudes quant à

l'éventuelle fiabilité de la mécanique de ce Ford. Enfin, personne ne s'est enthousiasmé pour ce véhicule aux notes plus ou moins passables, ce qui explique sa position. Par contre, ses prestations en conduite hors route sont de nature à rassurer celles et ceux qui veulent faire une balade en forêt.

Kim Malczewski pour sa part s'attendait à mieux : « Je trouve l'Escape très beau et les matériaux intérieurs sont corrects, mais sans plus. Je suis particulièrement déçue par le moteur : il est bruyant et peu performant. »

# 8<sup>E</sup> MAZDA TRIBUTE

## UN POINT DE DIFFÉRENCE

La Mazda doit concéder un maigre point au Ford Escape et il faut parler de match égal. Ce classement si serré n'est pas le fruit du hasard ou d'un caprice de notre équipe qui aurait décerné ses points aléatoirement. C'est tout simplement que le Tribute est en tout point semblable à la Ford, car les deux se partagent la même plate-forme, les mêmes moteurs et transmission en plus de provenir de la même usine! Cette fois, la logique est respectée alors qu'un rien les sépare au classement. Lors de leur dernière confrontation, la Ford avait dépassé sa sœur jumelle de plusieurs points, une situation pour le moins curieuse. Cette année, personne n'a été dupe. Il faut dire en outre que le Tribute évalué en 2006 n'a jamais semblé être dans le coup...

Par contre, la silhouette et la présentation intérieure du Tribute m'ont paru moins originales que par le passé et quasiment identiques à celle du Ford. Quoi qu'il en soit, il faut concéder que le tableau de bord est élégant et pratique.

Soulignons au passage que la palette de couleurs Mazda pour ce véhicule est presque tout aussi «artistique» que celle de l'Escape.

Le moteur V6 3,0 litres se contente de 200 chevaux, ce qui est tout de même assez modeste par rapport à celui du Outlander qui en compte 20 de plus, ou encore au V6 3,5 litres du Rav4 avec 269 chevaux, sans oublier la Saturn Vue avec 250 chevaux. Et encore, ce moteur 3,0 litres propose des accélérations et des reprises dans la bonne moyenne, mais rien pour écrire à sa mère. D'autant plus que la boîte automatique ne fait rien pour arranger les choses. Tout dans cette dernière est dans la moyenne, rien de bon, rien de mal.

En fait, il est curieux de constater la perception des gens en faveur d'une marque japonaise par rapport à une américaine. En général, c'est la nippone qui l'emporte. Cette fois, dans le cadre de deux matchs consécutifs de cette catégorie dans le *Guide*, c'est la Mazda qui écope. Et de peu. À Hiroshima, on doit bien se jurer que la prochaine

fois on ne confiera pas le développement de son remplaçant à Ford. Bien qu'il ne souffre d'aucun défaut majeur sauf d'un manque de panache et de personnalité, ce Tribute est sans contredit le véhicule Mazda qui est le moins compétent dans sa catégorie, les autres produits de cette marque étant tous en tête de peloton. Chaque famille a son mouton noir...

Pour Martin Phaneuf, cette Mazda est: «Une copie conforme du Ford Escape. La différence majeure entre les véhicules essayés fut l'absence de GPS, par rapport au Ford. Le tout est remplacé par une radio à boutons minuscules qui ne sont pas faciles d'utilisation.»

# 9<sup>E</sup> HYUNDAI TUCSON

## DÉJÀ VIEUX?

Il semble qu'il n'y a pas si longtemps de cela, ce Hyundai faisait ses débuts sur le marché. Pourtant, cela fait déjà quatre ans, et dans une catégorie où les nouveaux venus se succèdent à un train d'enfer, ça ne pardonne pas. Le problème de ce Hyundai est d'être légèrement en dessous de la moyenne à presque tous les

niveaux. La silhouette jugée correcte il y a deux ans est maintenant évaluée comme étant un peu trop discrète. Et l'habitacle avec ses plastiques grisâtres n'a pas mérité les meilleurs commentaires... Il faut aussi savoir que si le petit moteur V6 2,7 litres de 173 chevaux semble bien adapté de prime abord à cette catégorie, il est souvent obligé de travailler fort pour suivre le rythme,

surtout lors de notre randonnée sur des routes secondaires. La personne qui en héritait devait s'activer, d'autant plus que la boîte automatique à quatre rapports hésite et est fréquemment prise au dépourvu. Ceci se manifeste également par une consommation plus élevée que la moyenne du groupe.

Par contre, tous ont louangé sa douceur de roulement et une tenue de route sans surprise. Bref, un véhicule sans histoire dont le prix de détail suggéré, son équipement et une réputation de fiabilité de plus en plus grandissante seront autant d'arguments en mesure de convaincre bien des acheteurs. Et il ne faut pas oublier de souligner que le Kia Sportage est similaire à quelques détails près. D'ailleurs, lors du match précédent, c'était le Sportage qui avait mérité le troisième rang. Cette fois, c'est une dégringolade de six places !

Sans vouloir nous porter à la défense de ce Hyundai, son classement ne signifie pas qu'il faille l'éliminer de votre liste. La concurrence est devenue tout simplement plus forte qu'auparavant.

Mais tous ne l'ont pas maltraité par leurs commentaires. Robert Jetté, l'un des essayeurs, lui a accordé d'assez bonnes notes, son jugement est le suivant : « En fait de rapport qualité-prix, le Tucson est difficile à battre. Son moteur fournit une performance honnête et le confort est étonnant, en plus, il est bien équipé. »

# 10<sup>E</sup> PONTIAC TORRENT

## RIEN À FAIRE !

Je ne sais pas si c'est la perception négative des gens envers la majorité des produits GM ou l'incapacité de ce constructeur à développer des produits qui ne soutiennent pas la comparaison avec la concurrence, mais nous voilà avec un autre produit GM en queue de peloton... Et sans que personne de notre groupe — formé d'une dizaine d'essayeurs — se soit consulté, les faibles notes se sont abattues sur ce Pontiac. En fait, dans les commentaires et les classements individuels, le Torrent est passé à la bastonnade, façon polie et bien élevée pour dire qu'on l'a « passé au cash » ! Rien ne semblait être correct sur ce véhicule. L'auteur de ces lignes n'est pas nécessairement d'accord avec cette attitude, mais il ne sert à rien d'inviter un groupe d'essayeurs pour ensuite modifier son jugement. Bien que le tableau de bord ne me paraisse pas si mauvais que cela, on a parlé de présentation insipide, tandis que les sièges ont été qualifiés de « fauteuils de salon » et que le comportement routier a été jugé aseptisé. Inutile de préciser que le moteur V6 de 3,4 litres avec ses 184 chevaux ne s'est pas attiré beaucoup de commentaires favorables. Au moins, la boîte de vitesses automatique à cinq rapports a été épargnée et on l'a estimée correcte.

Nathalie de Passillé a été l'une des moins virulente à propos de notre pauvre Torrent. Dans ses notes, elle a souligné que le confort était douteux, que certaines commandes étaient bizarres; mais la tenue de route a reçu la note «bonne». Nathalie n'a pas beaucoup aimé la disposition du tableau de bord. Alors, imaginez les commentaires des autres! Tant que son véhicule sera accueilli de cette façon, la partie sera loin d'être gagnée pour GM... Il est certain qu'il y a une bonne part de perception dans cette évaluation et que la majorité de nos participants conduisent des européennes ou des japonaises. Mais comme le Saturn Vue a quasiment remporté cette évaluation, on peut dire que ce constructeur semble au moins capable de rejoindre une clientèle intéressée par les voitures importées.

À l'usage, le Torrent se révélera un véhicule pratique, solide, de faible consommation et d'entretien économique en plus d'être confortable. Il est vrai que sa mécanique date quelque peu, mais elle est sans problème.

# 11<sup>E</sup> JEEP PATRIOT

## LE CALIBERCOMPASSPATRIOT?

Il semble que la direction de DaimlerChrysler ait été affectée d'une fièvre la poussant à multiplier les modèles. Il est vrai qu'il est bon de partager les plates-formes et la mécanique entre plusieurs modèles, mais cela peut prêter à confusion. C'est ainsi qu'à partir de la Dodge Caliber, qui est également offerte en version intégrale, les dirigeants ont opté pour deux modèles Jeep, le Compass et le Patriot. La silhouette du Compass est plus ou moins similaire à celle de la Caliber, et ce véhicule cible les clients qui veulent rouler en ville au volant d'une Jeep. Pour ce qui est du Patriot, il s'agit d'une version Trail Rated du Compass. Ce qui signifie que la garde au sol est plus élevée et que le rouage d'entraînement Freedom Drive est mieux adapté à la conduite hors route. En outre, il est même possible de commander un groupe d'accessoires hors route.

Malheureusement pour Jeep, ni la silhouette, ni l'habitacle et encore moins le comportement routier n'ont impressionné personne. Le Patriot est le nouveau modèle qui hérite du plus mauvais classement. La silhouette fait songer à un produit ayant été lancé il y a plus d'une décennie, tandis que l'habitacle a perdu des points en raison de la piètre qualité des plastiques et de la finition. Plusieurs ont eu la sensation d'être dans un mini-Hummer. Il faut souligner toutefois que l'habitacle est sans doute l'un des plus polyvalents qui soient. Mais la plus grande déception a été le rendement du moteur quatre cylindres de 2,4 litres qui était bruyant et semblait toujours peiner à la tâche. Ceci est dû en grande partie à une transmission CVT peu efficace. Par contre, la bonne nouvelle, c'est que ce Jeep est agile comme une chèvre de montagnes lorsqu'on pointe le nez du véhicule dans un sentier accidenté. Le Patriot inscrit à notre test s'est comporté avec aplomb dans le petit sentier assez mal en point qui a servi de piste d'essai pour notre évaluation hors route. Mais si vous prévoyez surtout circuler en ville, le Compass de la même division pourrait s'avérer un meilleur choix. Jeep aurait dû concentrer ses efforts sur un seul modèle au lieu de diviser ses énergies.

Le résultat final aurait été sans doute plus impressionnant...

Éric Lachapelle résume bien l'opinion générale à propos du Patriot: «La grande déception du groupe! L'intérieur n'a rien d'intéressant, le rétroviseur donne l'impression d'être dans l'indicatif régional voisin, les supports des sièges avant sont très visibles lorsqu'on est assis en arrière. Côté performance, seule une ligne droite illimitée nous permettrait de penser à un dépassement... À moins d'être un mordu du style Jeep, rien ne justifie l'achat de ce véhicule.»

Fier partenaire

## CONCLUSION

## VOUS AVEZ LE DERNIER MOT !

Nous avons beau tenter d'évaluer les véhicules de façon la plus complète et la plus impartiale qui soit, il est important de rappeler que ce classement est en fonction d'une utilisation idéalisée et favorisant surtout l'agrément de conduite et la polyvalence. Par exemple, si notre jugement avait privilégié la conduite hors route, il est certain que le Jeep Patriot aurait grimpé dans le classement. Par contre, les Mitsubishi Outlander et Toyota Rav4 auraient conservé leur rang.

En fait, le meilleur choix demeure celui qui correspond à votre budget, à vos goûts et à vos besoins.

Quoi qu'il en soit, la tradition voulant que le plus récent modèle ait toujours l'avantage sur ceux qui sont sur le marché depuis quelque temps s'est révélée vraie une fois de plus, puisque les trois premiers au classement — Mitsubishi Outlander, Honda CR-V et Saturn Vue — sont sur le marché depuis quelques mois. Et après un règne qui a duré plus d'une décennie, le Subaru Forester n'a pas été en mesure de résister à cette vague de jeunesse. Son cinquième rang est le témoignage de ses qualités intrinsèques qui lui permettent encore aujourd'hui d'être quand même parmi les meilleurs de la catégorie. Et si le Ford Escape et le Mazda Tribute se partagent les septième et huitième rangs, ils représentent toujours une bonne valeur. Leur carrosserie redessinée cette année les remet au goût du jour. Par contre, une plate-forme quelque peu vieillotte les a pénalisés.

Parmi les véhicules participants, le Toyota Rav4 est sans doute l'un des plus équilibrés et le plus complet. Par contre, sa silhouette austère, son habitacle relativement banal et certains détails d'aménagement l'ont relégué non loin de la dernière marche du podium. La meilleure surprise a été le Saturn Vue qui termine au troisième rang et qui nous prouve par son élégance, son confort et ses performances que GM est toujours capable de produire de bons véhicules. Il a été devancé par le Honda CR-V qui revient en force cette année. Considérablement modifié afin d'améliorer son comportement routier et d'offrir un agrément de conduite plus relevé que précédemment, il a été de loin le meilleur du lot à ce sujet. Par contre, il s'est incliné devant le Mitsubishi Outlander dont les capacités en conduite hors route ont fait la différence.

En terminant, les déceptions ont pour nom Hyundai Tucson, Jeep Patriot et Pontiac Torrent. Pour diverses raisons, ils ont perdu des points dans des catégories importantes et cela les a expédiés en queue de peloton. Mais comme le soulignait un participant, aucun de ces véhicules n'est mauvais, il y en a qui sont meilleurs que les autres, c'est tout.

Donc à vous de décider lequel choisir. C'est votre prérogative !

**Denis Duquet**

*Le Guide de l'auto* tient à souligner la collaboration de la Banque Nationale par l'entremise de sa carte Ultramar MasterCard pour l'aide apportée lors de la tenue de ce match comparatif. Le professionnalisme dont les gens de la Banque Nationale et de Ultramar ont fait preuve nous a grandement facilité la tâche.

## FICHE TECHNIQUE

| | Ford Escape | Honda CR-V | Hyundai Tucson | Jeep Patriot | Mazda Tribute | Mitsubishi Outlander | Pontiac Torrent | Saturn Vue | Subaru Forester | Suzuki Grand Vitara | Toyota Rav4 |
|---|---|---|---|---|---|---|---|---|---|---|---|
| Empattement (mm) | 2 618 | 2 620 | 2 630 | 2 635 | 2 618 | 2 670 | 2 857 | 2 707 | 2 525 | 2 640 | 2 660 |
| Longueur (mm) | 4 437 | 4 518 | 4 325 | 4 411 | 4 443 | 4 640 | 4 795 | 4 576 | 4 485 | 4 470 | 4 600 |
| Largeur (mm) | 1 806 | 1 820 | 1 830 | 1 756 | 2 065 | 1 800 | 1 814 | 1 850 | 1 735 | 1 810 | 1 815 |
| Hauteur (mm) | 1 720 | 1 680 | 1 730 | 1 669 | 1 720 | 1 680 | 1 703 | 1 704 | 1 590 | 1 695 | 1 745 |
| Poids (kg) | 1 574 | 1 613 | 1 609 | 1 501 | 1 589 | 1 720 | 1 713 | 1 962 | 1 445 | 1 680 | 1 667 |
| Cap. coffre (litres) | 827 à 1877 | 1 011 à 2064 | 667 à 1886 | 652 à 1535 | 827 à 1877 | 422 à 2056 | 1 012 à 1 900 | 752 à 1540 | 818 à 1826 | 690 à 1970 | 1 015 à 2074 |
| Cap. remorquage (kg) | 1 588 | 680 | 907 | 450 | 1 588 | 1 588 | 1 588 | 1 588 | 1 087 | 1 360 | 1 587 |
| # cylindres | V6 | 4L | V6 | 4L | V6 | V6 | V6 | V6 | 4L | V6 | V6 |
| Cylindrée | 3,0 | 2,4 | 2,7 | 2,4 | 3,0 | 3,0 | 3,4 | 3,6 | 2,5 | 2,7 | 3,5 |
| Puis. (ch à tr/min) | 200 à 6 000 | 166 à 5800 | 173 à 6000 | 172 à 6000 | 200 à 6000 | 220 à 6250 | 185 à 5200 | 250 à 6500 | 173 à 6000 | 185 à 6000 | 269 à 6200 |
| Couple (lb-pi à tr/min) | 193 à 4850 | 161 à 4200 | 178 à 4000 | 165 à 4400 | 193 à 4850 | 204 à 4000 | 210 à 3800 | 243 à 4400 | 166 à 4400 | 184 à 4500 | 246 à 4700 |
| Transmission | auto 4 | auto 5 | auto 4 | CVT | auto 4 | auto 6 | auto 5 | auto 6 | man 5 | auto 5 | auto 5 |
| Freins avant | disques | disques | disques | disques | disques | disques | disques | disques | disques | disques | disques |
| Freins arrière | tambours | disques | disques | disques | tambours | disques | disques | disques | disques | tambours | disques |
| Pneus | P225/65R17 | P225/65R17 | P235/60R16 | P215/65R17 | P235/70R16 | P225/55R18 | P235/60R17 | P235/60R17 | P215/60R16 | P225/70R16 | P225/65R17 |
| Garde au sol (mm) | 205 | 185 | n/d | 205 | 215 | 215 | 201 | 200 | 205 | 200 | 190 |
| Consommation (litres aux cent km) | 12,5 | 10,7 | 12,3 | 10,7 | 12.5 | 12,2 | 12,6 | n/d | 10,6 | 9,5 | 11,1 |
| Prix modèle à l'essai *prix approximatif | 35 805 | 29 700* | 28 700* | 28 710 | 32 150 | 32 998* | 32 475* | 31 000* | 30 000* | 30 000* | 33 690* |

## ÉVALUATION

| | | Ford Escape | Honda CR-V | Hyundai Tucson | Jeep Patriot | Mazda Tribute | Mitsubishi Outlander | Pontiac Torrent | Saturn Vue | Subaru Forester | Suzuki Grand Vitara | Toyota Rav4 |
|---|---|---|---|---|---|---|---|---|---|---|---|---|
| **Style / 20 pts** | | | | | | | | | | | | |
| Extérieur | 10 | 6,71 | 7,53 | 5,77 | 6,27 | 6,27 | 7,44 | 5,59 | 7,53 | 5,57 | 6,45 | 6,56 |
| Intérieur | 10 | 6,61 | 7,55 | 5,69 | 6,2 | 6,45 | 7,63 | 5,35 | 6,89 | 5,41 | 6,53 | 6,28 |
| **Carrosserie / 60 pts** | | | | | | | | | | | | |
| Finition intérieure et extérieure. | 10 | 6,36 | 7,64 | 6,39 | 6,5 | 6,44 | 7,12 | 5,77 | 7,09 | 6,35 | 6,85 | 6,75 |
| Qualité des matériaux | 10 | 6,27 | 7,55 | 6,35 | 6,18 | 6,3 | 7,24 | 5,77 | 6,77 | 6,35 | 6,71 | 6,93 |
| Coffre (accès/volume) | 10 | 6,68 | 7,52 | 6,85 | 6,23 | 6,64 | 7,23 | 6,77 | 6,16 | 5,94 | 6,25 | 6,64 |
| Espaces de rangement | 10 | 6,68 | 6,62 | 5,82 | 6,12 | 6,5 | 6,91 | 6,21 | 6,48 | 6,18 | 6,68 | 7,02 |
| Astuces et originalité (innovation intéressante, gadget hors série) | 10 | 5,12 | 6,82 | 4,8 | 5,91 | 5,3 | 6,12 | 4,85 | 6,21 | 4,86 | 5,41 | 5,18 |
| Équipement | 5 | 3,63 | 4,28 | 3,42 | 3,17 | 3,56 | 4,11 | 3,27 | 3,73 | 3,29 | 3,32 | 3,42 |
| Tableau de bord | 5 | 3,19 | 3,75 | 3,17 | 3,11 | 3,14 | 3,85 | 2,77 | 3,4 | 2,78 | 3,18 | 3,28 |
| **Confort / 40 pts** | | | | | | | | | | | | |
| Position conduite/volant/sièges av. | 10 | 6,86 | 7,2 | 6,71 | 6,77 | 6,53 | 7,64 | 6,41 | 6,55 | 6,98 | 7,16 | 6,91 |
| Places arr. (espace 2 ou 3 pers.) | 10 | 6,23 | 6,97 | 6,39 | 6,09 | 6,14 | 6,45 | 6,48 | 6,27 | 6,12 | 6,64 | 6,12 |
| Ergonomie (facilité d'atteindre les commandes et lisibilité des instruments) | 10 | 6,62 | 6,91 | 6,68 | 6,3 | 6,45 | 7,12 | 6,35 | 7,25 | 6,73 | 6,64 | 6,91 |
| Silence de roulement | 10 | 6,75 | 7,5 | 6,5 | 6,44 | 6,59 | 7,07 | 7 | 7,45 | 6,41 | 6,71 | 7,06 |
| **Conduite / 160 pts** | | | | | | | | | | | | |
| Moteur (rendement, puissance, couple à bas régime, réponse. agrément) | 30 | 18,27 | 19,36 | 18,4 | 16,95 | 18,27 | 21,7 | 18 | 19,86 | 18,67 | 19,14 | 20,6 |
| Transmission (passage des rapports, étagement, rétrocontact, levier, agrément) | 30 | 19,63 | 20,69 | 18,9 | 17,49 | 19,45 | 21,86 | 18,73 | 19,22 | 18,82 | 19,14 | 20,27 |
| Tenue de route | 30 | 19,26 | 21,59 | 19,27 | 18,85 | 18,54 | 21,35 | 18,99 | 20,01 | 21,23 | 20,14 | 21,36 |
| Direction (précision, *feedback*, braquage) | 25 | 17,11 | 19,05 | 16,5 | 16,93 | 17,29 | 18,65 | 17,06 | 17,11 | 17,91 | 17,77 | 18,55 |
| Freins (endurance, sensations, performances) | 25 | 15,65 | 17,41 | 16,15 | 16,18 | 16,2 | 17,97 | 16,93 | 17,18 | 17,05 | 16,68 | 17,93 |
| Confort de la suspension | 20 | 15,55 | 16,82 | 15,14 | 15,69 | 15,91 | 16,81 | 15,65 | 16,68 | 16,37 | 15,69 | 16,82 |
| **Sécurité / 30 pts** | | | | | | | | | | | | |
| Visibilité | 10 | 6,64 | 6,21 | 5,94 | 5,86 | 6,36 | 6,55 | 5,95 | 6,35 | 6,86 | 6,3 | 6,38 |
| Rétroviseurs | 10 | 8,44 | 8,44 | 7,75 | 8,03 | 8,53 | 8,41 | 8,25 | 7,94 | 8,05 | 8,02 | 8,35 |
| Nombre de coussins de sécurité | 10 | 10 | 10 | 10 | 10 | 10 | 10 | 8 | 10 | 8 | 10 | 10 |
| **Performances mesurées / 90 pts** | | | | | | | | | | | | |
| Reprises | 30 | 24 | 25 | 26 | 22 | 25 | 27 | 28 | 29 | 24 | 23 | 30 |
| Accélération | 30 | 23 | 25 | 26 | 22 | 25 | 27 | 28 | 29 | 25 | 23 | 20 |
| Freinage | 30 | 27 | 30 | 22 | 22 | 28 | 25 | 24 | 23 | 26 | 24 | 24 |
| **Rapport qualité / prix / 100 pts** | | | | | | | | | | | | |
| Agrément de conduite | 30 | 21,26 | 23,77 | 20,36 | 20 | 20,54 | 24,54 | 19,26 | 21,91 | 23,4 | 22,7 | 22,76 |
| Choix des essayeurs | 50 | 43 | 50 | 40 | 44 | 41 | 48 | 39 | 49 | 44 | 45 | 47 |
| Valeur pour le prix | 20 | 12,36 | 12,8 | 13,82 | 12,18 | 12 | 13,73 | 11,42 | 13,46 | 12,33 | 11 | 12,91 |
| **Total** | 500 | 358,88 | 393,98 | 350,77 | 343,45 | 358,40 | 394,50 | 349,83 | 381,50 | 360,66 | 360,11 | 375,99 |
| **Classement :** | | 7 | 2 | 9 | 11 | 8 | 1 | 10 | 3 | 5 | 6 | 4 |

## CAPACITÉ DE CONDUITE HORS ROUTE

| | Ford Escape | Honda CR-V | Hyundai Tucson | Jeep Patriot | Mazda Tribute | Mitsubishi Outlander | Pontiac Torrent | Saturn Vue | Subaru Forester | Suzuki Grand Vitara | Toyota Rav4 |
|---|---|---|---|---|---|---|---|---|---|---|---|
| Les plus douées | | | | X | | X | | X | | X | X |
| Capacités moyennes | X | | X | | X | | X | | X | | |
| Passe mais avec précautions | | X | | | | | | | | | |

# UNE NOUVELLE CATÉGORIE EST NÉE !

**A**u début, l'automobile était simplement fonctionnel. Puis, un jour, le plaisir est apparu. Pourquoi se contenter d'un moyen de transport du point A au point B alors qu'on pourrait passer par C, juste pour le fun ?

Peu à peu, l'automobile, toujours utilitaire puisqu'elle rend de grands services, devient agréable à conduire. Si les premiers stations-wagons, apparus quasiment avec la naissance de l'automobile, sont destinés à un usage purement commercial, en peu de temps les gens commencent à les utiliser pour les besoins familiaux.

Les années 60 et 70 sont marquées par le station wagon, que l'on n'appelle pas encore familiale. Combien de personnes aux tempes grisonnantes se rappellent, avec nostalgie, les vacances à Old Orchard, l'arrière du *station* rempli jusqu'au toit ! Mais les enfants étant ce qu'ils sont, l'envie de se démarquer de leurs géniteurs est plus forte que la logique. Au courant des années 70, la fourgonnette prend la relève. La nouvelle mode consiste à modifier sa fourgonnette selon la personnalité de son propriétaire. On s'en sert pour le travail, du camping ou, la plupart du temps, du *necking*...

Au début des années 80, se promener en familiale équivaut à crier à l'univers que vous êtes un triste mononcle ou une vieille matante. Et la mode des fourgonnettes, considérées trop grosses par plusieurs, s'estompe rapidement. C'est alors que Chrysler dévoile en 1984, l'auto beaucoup un nouveau type de véhicule, entre la familiale démodée et la fourgonnette en voie de devenir tout aussi démodée. Même si la formule est déjà connue en Europe, le succès nord-américain est immédiat et tout le monde veut être vu au volant de son Dodge Caravan.

Mais la fourgonnette perd du terrain au début des années 2000. Aujourd'hui, plusieurs jeunes parents ne veulent pour rien au monde promener leur progéniture dans un véhicule de mononcle ou de matante ! D'ailleurs, le marché de la fourgonnette est de plus en plus restreint même si les ventes sont encore suffisantes pour que Chrysler, le pionnier de la catégorie, y présente une nouvelle génération cette année.

Pour être de son temps, il faut désormais un VUS, un véhicule qui promet les escapades les plus folles tout en offrant assez d'espace pour la petite famille. Car on a de moins en moins d'enfants mais on veut les amener au bout du monde... une fin de semaine sur deux ! Mais les VUS ne se sont pas adaptés pour toutes les utilisations. Pour résoudre cet épineux problème de société, on retrouve d'un côté, des véhicules mulitsegments, qui allient la traction supérieure de l'intégrale, l'utilité d'une familiale, le confort d'une automobile et le prix d'un véhicule luxueux ! De l'autre côté, il y a un créneau qui se développe rapidement, celui que nous appellerons aujourd'hui, «les boîtes de rangement». Ces véhicules citadins, de mesures plus réservées, revêtent des dimensions entre la fourgonnette et le *hatchback* traditionnel, tout en proposant un espace intérieur surprenant. Exit la traction intégrale... pour l'instant !

La première de ces «boîtes de rangement» est la Chrysler PT Cruiser, suivie de peu par le duo Toyota Matrix/Pontiac Vibe. Quelques années plus tard, le Chevrolet HHR apparaît. Puis Mazda et Mercedes-Benz y vont de leur interprétation avec, respectivement, la 5 et la B200. L'année dernière, Kia nous présentait la Rondo. Dans cette nomenclature, il ne faut pas oublier le Honda Element qui, s'il diffère de par ses lignes extérieures, tombe en plein dans cette catégorie.

Avec l'arrivée de la Rondo, *Le Guide de l'auto* a cru bon de voir de quoi il en retournait. Étant donné que les Toyota Matrix et Pontiac Vibe sont entièrement revus cette année et qu'ils n'étaient pas encore dévoilés au moment du match, nous avons préféré les écarter. Une autre absence remarquée, celle de la Chrysler PT Cruiser. Il y a de ces bizarreries dans la vie ! Alors que les choses vont de mal en pis pour Chrysler, les autorités de cette entreprise ont décliné notre offre tout en nous proposant un... Jeep Compass ! Avaient-ils peur de terminer bon derniers ou ont-ils simplement manqué de jugement ?

Trêve de présentations, place à notre match comparatif des «boîtes de rangement».

mécanisme se chargera de le faire pour vous (ou, plus probablement, pour vos enfants). Et n'ayez crainte, si un petit se mettait la main là où il ne faut pas, la porte ne se refermerait pas. Parmi les autres commentaires, notons que « la Mazda5 est un beau véhicule, raffiné et élégant. Quel design ! », Robert Gariépy.

Même si elle ne fait plus tourner les têtes autant qu'auparavant, la Mazda5 demeure, à la suite de ce match, la reine incontestée de cette nouvelle catégorie. Apparue sur le marché en 2006, cette minifourgonnette (un titre attribué, à tort, à l'ensemble des fourgonnettes) avait connu un départ fulgurant. Quelques problèmes de jeunesse, rapidement et habilement réglés par la marque nipponne n'ont en rien entaché sa réputation.

Dans un match comparatif entre véhicules servant à transporter la marmaille et son bataclan, il est indéniable que l'espace de chargement est sérieusement pris en compte. Pourtant, la Mazda5 possède l'un des plus petits ! « Le coffre est pratiquement inexistant lorsque la troisième rangée de sièges est relevée », Claudie-Anne Brien. Ce qui, selon nous, mais pas selon la logique pure et simple, est

absurde ! Plus il y a de gens dans le véhicule, plus il faut d'espace ! Certaines entreprises fabriquent des contenants spécialement adaptés au toit des automobiles en manque d'espace. Il faut cependant savoir que la Mazda5 a réussi à engouffrer 12 boîtes (17″ de long x 8,5″ de profond x 12″ de haut) alors que deux autres modèles en ont accueilli que 11. Il ne faut pas toujours se fier aux chiffres des fiches techniques qui ne disent pas forcément tout ! Par contre, « les rangements sous les bancs de la deuxième rangée sont une bonne idée », Karine Carrier. Les sièges sont faciles à basculer et leur accès, d'après plusieurs personnes, s'avère des plus avenants. D'ailleurs, « les portes arrière sont faciles à fermer par des enfants », Kim Malczewski. Il faut noter que la version GT que nous avait prêtée Mazda possédait un mécanisme d'assistance à la fermeture des portes coulissantes. Donc, même si une porte n'est pas parfaitement fermée, ce

Sur la route, ça manque un peu de moteur. Il est vrai que nous avions la version avec boîte automatique. Avec la manuelle, ce trait de caractère est moins perceptible. Par contre, la nature même d'un véhicule à trois rangées de sièges voulant qu'on transporte beaucoup de personnes ou de bagages, ce manque de puissance peut devenir cruel, surtout dans les côtes. Un peu plus de pep et la Mazda5 n'en serait que plus agréable à conduire. Lors de notre journée, le quatre cylindres 2,3 litres de 153 chevaux a bu 10,7 litres à tous les 100 km. Avec l'arrivée de la boîte automatique à cinq rapports, la consommation devrait diminuer un peu. La Mazda5 est un véhicule bien né et ses autres qualités occultent le manque de puissance. La direction est agréable car elle procure un bon *feedback*, le freinage sûr et la tenue de route presque sportive. En fait, elle se montre agile et maniable.

La Mazda5 n'a tout de même pas remporté toutes les premières places de notre match comparatif : elle est arrivée deuxième au chapitre du style, derrière la Mercedes-Benz B200. Et, malgré un comportement routier inspiré, elle s'est inclinée dans la section « conduite », encore une fois, contre sa germanique concurrente. Mais là où elle se reprend, c'est au niveau du rapport qualité-prix. Cette section du classement est très importante car elle détermine quel véhicule les gens auraient le plus envie de posséder. Et, d'après les résultats, c'est avec la Mazda5 qu'ils aimeraient le mieux vivre en couple…

## Mercedes-Benz B200            *Malgré son moteur*

L a Mercedes-Benz B200, présentée en 2006 (la même année que la Mazda5) est une exclusivité canadienne en Amérique du Nord. Bien qu'elle soit distribuée en Europe, en Asie et dans quelques pays africains, nos amis américains la trouvent trop petite. Mais puisque nos cousins «outre 45e parallèle» commencent à réfléchir un tout petit peu à la survie de la planète, permettons-nous d'espérer... Quoi qu'il en soit, la B200 s'est frottée sans faillir face aux quatre autres concurrentes de notre match. Après la surprise initiale des gens, surpris de constater qu'une Mercedes s'abaissait au niveau d'une catégorie prolétaire, les barrières sont tombées.

Les barrières étaient peut-être tombées mais le nom Mercedes-Benz demeurait toujours là, en filigrane. «Les gens découvrent cette Mercedes qui n'a pas l'air d'une vraie Mercedes...», Robert Gariépy. Au chapitre du style, il faut croire que ne pas avoir l'air d'une Mercedes est un avantage puisqu'elle a remporté cette catégorie! Plusieurs personnes ont souligné la qualité des plastiques et le sérieux de la finition de la carrosserie. L'accès à l'habitacle est assez particulier à cause du plancher, très élevé. Il faut savoir qu'il s'agit d'un plancher «en sandwich» qui accueillera le moteur et la transmission en cas d'impact frontal majeur. Chez Mercedes, on ne badine pas avec la sécurité. Parmi les éléments moins appréciés «le levier du «cruise control» Wouache!», Louis Bergeron. En effet, Louis, il est très facile d'invertir ce levier et celui des clignotants. Après quelques ratés et autant de gros mots, on s'y fait.

La convivialité demeure l'un des objectifs principaux de ce créneau de véhicules. La B200 ne fait pas fausse route en présentant plusieurs espaces de rangement et un coffre qui, malgré qu'il soit l'un des plus petits, est

modulaire. Il est même possible d'abaisser ou de relever le plancher du coffre! Et de tout le lot, la B200 était la seule à offrir un cache-bagages! Mais cet élément de sécurité devient un élément de frustration pour les parents de jeunes enfants «puisqu'il faut enlever le cache-bagages pour pouvoir atteindre l'attache pour le siège de bébé et ensuite remettre le cache-bagages en place», Kim Malczewski.

Sur la route, le manque de puissance du moteur a fait l'unanimité. Il s'agit d'un quatre cylindres 2,0 litres qui développe 134 chevaux. En revanche, la B200 fut la moins gourmande de la journée avec une moyenne de 7,1 litres aux cent kilomètres. La version Turbo aurait éliminé le problème de puissance (193 chevaux) mais son prix plus élevé l'aurait disqualifié. Aussi, «l'accélérateur est bizarre», Annie Rhéaume.

C'est qu'il s'agit d'un accélérateur électronique qui demande un certain temps avant d'entrer en action. Lorsqu'on appuie légèrement sur cette pédale, il ne se passe tout d'abord rien. Puis la voiture avance lentement. Les premières expériences avec cet accélérateur sont, effectivement, bizarres! De plus, plusieurs essayeurs ont noté que le moteur était très bruyant en accélération.

Le sentiment de solidité qu'on éprouve au volant de la B200 en a impressionné plus d'un. Pourtant, bien peu d'essayeurs en ont fait leur premier choix, lui préférant la Mazda5. Il s'agit sans doute d'une question de perception. Une petite Mercedes-Benz semble encore un peu tabou! Par contre, certains ne sont pas de cet avis. «Sa solidité, son comportement routier et sa longévité anticipée me la feraient acheter», Denis Duquet.

## *Paradoxe sur roues*

# Honda Element

# #3

Au début, nous ne savions pas si nous devions inclure le réfrigérateur mobile de Honda... En regardant la fiche technique, nous nous sommes rendu compte que ce véhicule, qui ne passe pas inaperçu même s'il est sur le marché depuis 2003, répondait parfaitement à la catégorie que nous avons appelée « les boîtes de rangement ». Pour l'occasion, Honda nous avait préparé un Element SC. Le moteur est le même que dans les autres versions mais les roues de 18" font une certaine différence. L'Element SC est une traction, c'est-à-dire que les roues motrices sont situées à l'avant.

Le Honda Element mis à notre disposition en a séduit plus d'un... et refroidi plus d'un ! « Design intéressant, différent des autres modèles », Mathieu Dextradeur. « Boîte à la mode en Californie, mais ici ? », Louis Bergeron. L'accès à bord est facile mais le confort des sièges n'a pas fait l'objet de commentaires très flatteurs... Surtout les sièges arrière, qu'il est possible de relever pour dégager un espace de rangement franchement impressionnant. Mais à quel prix ? « Les sièges sont beaucoup trop lourds pour être manipulés par une seule personne », Karine Carrier. De plus, lorsqu'ils sont relevés, ils bloquent la vue trois quarts arrière. Au moins, il est facile d'attacher un siège d'enfant. Le plancher du coffre est fait de plastique résistant et facilement lavable. Par contre, il faut attacher les objets qu'on transporte puisqu'ils se promènent allègrement, au gré des courbes, des freinages et des accélérations... Parlant d'objets dans le coffre, mentionnons que l'Element a engouffré pas moins de 17 boîtes, le meilleur résultat de la journée !

Le tableau de bord a, lui aussi, ses amateurs et ses détracteurs. La position du levier de vitesse, placé sur une protubérance au centre de la planche de bord, n'a pas fait l'unanimité. Quant au volant, plusieurs essayeurs auraient aimé que son déplacement vers le haut soit plus important. « Le volant semble toujours trop bas », Fanny Morin. Si jamais quelqu'un se plaignait du dégagement pour la tête, il s'agirait sans doute d'un joueur de basket assis sur deux bottins de téléphone de la ville de New York !

En conduite, le Honda Element réserve peu de surprises. Son quatre cylindres de 2,4 litres de 166 chevaux et sa transmission automatique à cinq rapports n'ont pas soulevé les passions mais n'ont pas été décriés non plus. Ce moteur n'est pas reconnu pour sa consommation de chameau mais, curieusement, lors de notre journée d'essai, il n'a consommé que 8,5 litres aux cent kilomètres, soit la deuxième meilleure moyenne, après la B200. En revanche, il était bruyant en accélération. Le court rayon de braquage a, par contre, été quelquefois souligné... de même que la sensibilité aux vents latéraux. Deux essayeurs ont mentionné qu'ils avaient l'impression de conduire un camion malgré la douceur de roulement. Il faut dire que la direction affichait un certain flou au centre, ce qui peut accentuer l'impression « camion ».

Malgré son côté pratique et ludique, le prix de plus de 31 000 $ du Honda Element lui enlève un peu de son attrait. Il s'agissait du deuxième véhicule le plus dispendieux, après le très sobre Mercedes-Benz B200. Mais « la qualité et la fiabilité Honda rendent ce véhicule attrayant », Denis Duquet.

89

## *Kia Rondo*     *La nouveauté n'est pas toujours suffisante*

Avant de tenir un match comparatif, un peu comme des enfants à l'approche de Noël, nous tentons de deviner le résultat final. Il arrive, à l'occasion, que nous voyions juste. Dans le cas présent, nous avions cru que la Rondo aurait mieux figuré. Ce qui prouve qu'il n'y a rien comme un match comparatif pour bien évaluer les véhicules par rapport à leurs compétiteurs.

La Rondo est le plus récent véhicule de Kia. Et c'est un peu à cause d'elle que nous avons tenu notre match. Les commentaires des essayeurs sont des plus flatteurs mais quelque chose n'a pas cliqué. «Ne déclenche pas de grandes passions», Mathieu Dextradeur. «Véhicule très ordinaire», Annie Rhéaume, ne sont que quelques-uns des commentaires recueillis.

Pourtant, la Rondo a remporté la section réservée aux performances. Comme quoi, la puissance n'est pas tout! La Rondo était la seule voiture du lot à posséder un V6. Il s'agissait d'un 2,7 litres de 182 chevaux. Ce moteur était le plus assoiffé du groupe avec ses 12,2 litres aux cent kilomètres. Un quatre cylindres de 2,4 litres et 162 chevaux est livré d'office. La transmission automatique à cinq rapports avec mode manuel ne s'est pas attiré

de commentaires négatifs. Au chapitre de la conduite, encore une fois, les impressions sont mitigées. «Un peu lourdaude en virage et en manœuvres rapides», Robert Gariépy. «La conduite de la Rondo m'a agréablement surprise», Claudie-Anne Brien. Le retour d'information du volant a quelquefois été louangé tandis que certains ont trouvé les suspensions un peu dures. La visibilité ne cause aucun problème.

La Kia Rondo n'a gagné aucune des sections du match mais n'en a pas perdu non plus, même si, quelquefois, elle chauffait les fesses du Chevrolet HHR pour la dernière place! C'est le cas, entre autres, pour le style. Pourtant, personne ne l'a trouvée laide. Mais personne n'a capoté sur son allure! C'est surtout la partie arrière qui a été la moins appréciée. Question de goût, finalement. Dans l'habitacle, rien n'est parfait mais rien n'est raté. «Les sièges arrière (deuxième rangée)

sont aussi confortables que ceux à l'avant», Fanny Morin. Par contre, à l'arrière, il manque un peu d'espace. Il faut aussi noter que la Rondo proposait une troisième rangée de sièges. Ces sièges d'appoint, et nous insistons sur le terme «d'appoint», ne sont guère pratiques tout en grugeant plusieurs litres de chargement. Notre famille de service a trouvé que les sièges d'enfant s'installaient facilement. Lorsque la troisième rangée de sièges est cachée dans le plancher, le coffre devient fort logeable et bien organisé. On retrouve un bel espace de rangement sous le tapis.

Malgré de nombreuses qualités, la Rondo de Kia n'a pas su tirer son épingle du jeu. Au chapitre du «choix des essayeurs», elle est d'ailleurs arrivée en avant-dernière position. Et pourtant, les commentaires de tous sont flatteurs! Les chiffres sont implacables, dit-on…

# Chevrolet HHR

Du côté du moteur, personne n'a été jeté sur le derrière. «Le HHR manque de puissance», Claudie-Anne Brien. Dire que GM nous avait prêté une version LT, avec moteur quatre cylindres Ecotec de 2,4 litres de 175 chevaux… Claudie-Anne se serait sans doute endormie s'il avait fallu que nous essayions un modèle LS muni d'un 2,2 litres de149 chevaux! La transmission automatique à quatre rapports fait un excellent boulot mais un ou deux rapports supplémentaires aideraient à diminuer la consommation. Celle-ci ne brille pas particulièrement avec ses 11,2 litres aux cent kilomètres. Le comportement routier n'est pas très inspirant non plus, mais il n'y a rien pour aller se plaindre à l'OPC! On ne peut, toutefois, passer sous silence les freins à disque à l'avant et à tambours à l'arrière alors que tous les autres modèles avaient droit à des disques aux quatre roues.

Le pauvre Chevrolet HHR s'est fait malmener durant notre match. Aussi bien le dire tout de suite, il a été déclassé sur tous les points sauf celui de la conduite alors qu'il est arrivé avant-dernier. Son style qui le rend si particulier n'a pas su conquérir tous les cœurs. En fait, seulement deux personnes, les deux plus âgées (oups, j'allais écrire les deux plus vieilles !) ont apprécié son style rétro. «Un côté rétro qui ne vient pas me chercher», Mathieu Dextradeur. Plusieurs ont noté que la visibilité n'était pas terrible, à cause des vitres latérales plutôt étroites. «Les petites fenêtres et le pare-brise donnent l'impression d'être enfermés», Martine Bélanger. Le design, ça se paye !

Au chapitre de la carrosserie (finition, qualité des matériaux, accès au coffre, etc.), le HHR a encore perdu des points. «Des plastiques moins durs l'auraient sans doute aidé à gagner une place au classement général», Denis Duquet. Et si l'extérieur du HHR se veut explosif, l'habitacle n'a pas hérité des mêmes gènes et se montre très sobre. Le confort des sièges n'a impressionné personne.

Des cinq voitures comparées, le HHR (Heritage High Roof – l'héritage du toit haut !) possédait l'ouverture de hayon la plus petite. Et son espace de chargement n'est pas des plus intéressants. En effet, tout comme la Mercedes-Benz B200, nous n'avons pu faire entrer que 11 boîtes de rangement. Le plancher du coffre, en plastique dur, peut devenir une tablette surélevée. Jolie trouvaille. On retrouve aussi de petits bacs de rangement dissimulés sous le plancher. Mais c'est surtout au chapitre de la sécurité que le HHR a perdu des plumes. Alors que tous les autres véhicules possédaient six coussins gonflables chacun, le Chevrolet n'en comptait que deux. Peu importe le modèle, les rideaux sont optionnels.

Le Chevrolet HHR, même s'il termine dernier, n'est pas un véhicule à dédaigner. Si le style rétro vous plait et que vous n'avez pas besoin d'un espace de chargement ultravaste, ce véhicule pourrait amplement vous satisfaire. Mais lorsqu'il est comparé directement avec les autres, les limites de son développement sont plus évidentes.

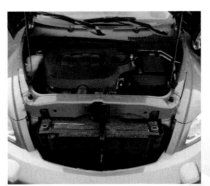

# LES MULTISEGMENTS «BOÎTES DE RANGEMENTS»

Les résultats enregistrés ne disent pas toujours tout. Même si le Chevrolet HHR s'est classé dernier, il est loin d'être un mauvais véhicule. Le HHR a perdu beaucoup de points au chapitre de la finition intérieure et extérieure qui ne faisait carrément pas le poids face à des voitures comme la Mercedes-Benz B200 ou la Mazda5. Ce Chevrolet pourrait toujours se défendre grâce à son prix, le plus bas du lot mais, lorsqu'on constate qu'il est à peine 200$ de moins que celui de la Mazda5 qui, elle, a terminé première, cet élément ne tient plus. Par contre, une jolie version Panel du HHR, parfaite pour les entrepreneurs, est présentement offerte.

La Kia Rio fut la déception du match. Nous aurions vraiment cru qu'elle se hisserait en meilleure position. Au début, nous étions même déçus que Kia nous prête une version à moteur V6 étant donné que tous les autres véhicules possédaient un moteur quatre cylindres. Mais puisque la marque coréenne respectait nos deux critères (35 000$ max et transmission automatique), nous ne pouvions leur en tenir rigueur. Prise séparément, la Kia Rondo a beaucoup à offrir. Elle est, par exemple, la seule à afficher sept places. En plus, son comportement routier n'est pas à dédaigner. Son physique n'est pas déplaisant mais le design de son habitacle fait très générique. Un bon produit Kia, somme toute.

Le Honda Element, de son côté, présente un espace de chargement étonnamment grand mais le confort des places arrière laisse à désirer (c'est le moins qu'on puisse dire!) et la modularité, si chère aux publicités de Honda, ne s'obtient qu'au prix de grands efforts physiques. Parlant de physique, on aime celui du Element ou on le déteste! Nos essayeurs ont été très partagés! Sa mécanique, peu performante, lui a valu de finir au dernier rang de l'importante partie du match consacrée aux performances mesurées.

## FICHE TECHNIQUE

| | Chevrolet HHR | Honda Element | Kia Rondo | Mazda 5 | Mercedes-B B200 |
|---|---|---|---|---|---|
| Empattement (mm) | 2 628 | 2 575 | 2 700 | 2 750 | 2 778 |
| Longueur (mm) | 4 475 | 4 298 | 4 545 | 4 610 | 4 270 |
| Largeur (mm) | 1 757 | 1 815 | 1 820 | 1 755 | 1 777 |
| Hauteur (mm) | 1 720 | 1 788 | 1 650 | 1 630 | 1 604 |
| Poids (kg) | 1 455 | 1 629 | 1 592 | 1 549 | 1 400 |
| Cap. coffre (litres) | 674 à 1 574 | 691 à 2 888 | 185 à 2 083 | 112 à 1 256 | 544 à 1 530 |
| Cap. remorquage (kg) | 454 | 680 | n.d. | non | 1 500 |
| # cylindres | 4L | 4L | V6 | 4L | 4L |
| Cylindrée | 2,4 | 2,4 | 2,7 | 2,3 | 2,0 |
| Puis. (ch à tr/min) | 175 à 6 200 | 166 à 5 800 | 182 à 6 000 | 153 à 6 500 | 134 à 5 750 |
| Couple (lb-pi à tr/min) | 165 à 5 000 | 161 à 4 500 | 182 à 4 000 | 148 à 4 500 | 136 à 3 500 |
| Transmission | auto 4 | auto 5 | auto 5 | auto 4 | auto 5 |
| Freins | disq./tamb. | disques | disques | disques | disques |
| Pneus | 215/50R17 | 225/55R18 | 225/50R17 | 205/50R17 | 205/55R16 |
| Consommation durant l'essai (litres aux cent km) | 11,2 | 8,5 | 12,2 | 10,7 | 7,1 |
| Prix modèle à l'essai | 25 920 | 31 100 | 25 995 | 26 125 | 31 400 |

**92**

Curieusement, même si aucun essayeur ne s'est enflammé pour le style de la Mercedes-Benz B200, c'est elle qui a terminé première à ce niveau! Comme quoi une ligne sobre et bien étudiée vaut mieux que des flaflas qui se démoderont demain matin. Même au chapitre de la conduite, alors que tous ont décrié son manque de puissance, elle a pris la première position. Merci à sa direction précise et, surtout, à son châssis d'une rare efficacité. En termes de sécurité, c'est encore la B200 qui vole la vedette.

Notre grande gagnante, la Mazda5, possède de si belles qualités dynamiques que son moteur, un peu trop juste, ne l'a pas pénalisée. Cette Mazda a six places et beaucoup d'espaces de chargement… mais pas les deux à la fois! Elle a remporté la catégorie «Carrosserie et habitacle» grâce à son design, certes, mais aussi à cause de ses plastiques de qualité et du sérieux de son assemblage. Si les essayeurs avaient eu le choix d'un véhicule pour retourner à la maison le soir du match, la plupart auraient opté pour la Mazda5.

Ce type de match est souvent cruel pour certains véhicules mais, comme mentionné précédemment, cela ne veut pas dire qu'ils sont mauvais. C'est juste que la concurrence fait mieux et, généralement plus, pour le prix. Et le prix le plus bas n'est pas toujours le plus bas lorsqu'on examine les tenants et les aboutisants.. Alors, consommateurs, établissez vos priorités et un budget (à ne pas dépasser, évidemment!) et magasinez votre future «boîte de rangement»!

## ÉVALUATION

| | | Chevrolet HHR | Honda Element | Kia Rondo | Mazda 5 | Mercedes-B B200 |
|---|---|---|---|---|---|---|
| **Style / 20 pts** | | | | | | |
| Extérieur | 10 | 6,3 | 6,7 | 6,8 | 8,5 | 8,5 |
| Intérieur | 10 | 6,8 | 7,5 | 6,3 | 7,3 | 8,5 |
| | | | | | | |
| **Carrosserie et habitacle / 120 pts** | | | | | | |
| Finition intérieure | 10 | 6,3 | 7,8 | 5,4 | 8,8 | 7,7 |
| Finition extérieure | 10 | 6,7 | 6,6 | 6,4 | 7,2 | 9 |
| Qualité des matériaux | 20 | 13,7 | 14,8 | 13,8 | 16,3 | 17,3 |
| Coffre (accès/volume) | 20 | 14,8 | 16,5 | 14,5 | 14,7 | 14,3 |
| Espaces de rangement habitacle | 20 | 12,5 | 16,8 | 15,8 | 16,1 | 12,8 |
| Astuces et originalité (innovation intéressante, gadget hors série) | 10 | 14 | 16,3 | 15,6 | 17 | 15,5 |
| Équipement | 10 | 6,7 | 8,7 | 7,2 | 8,5 | 8,7 |
| Tableau de bord | 5 | 6 | 8,4 | 6,7 | 7,5 | 9,1 |
| | | | | | | |
| **Confort / 30 pts** | | | | | | |
| Position conduite/volant/sièges av. | 10 | 5,8 | 7,7 | 7,4 | 9,3 | 7,7 |
| Places arr. (espace, confort, etc) | 10 | 6,7 | 6,3 | 7 | 7,3 | 8,4 |
| Ergonomie (facilité d'atteindre les commandes et lisibilité des instruments) | 10 | 6,1 | 8,4 | 7,4 | 7,3 | 7,4 |
| | | | | | | |
| **Conduite / 130 pts** | | | | | | |
| Moteur (rendement, puissance, couple à bas régime, réponse. agrément) | 20 | 14,8 | 13 | 16 | 13,8 | 13,9 |
| Transmission (passage des rapports, étagement, rétrocontact, levier, agrément) | 20 | 16,3 | 13,1 | 16 | 17,2 | 16,2 |
| Direction (précision, feedback, braquage) | 20 | 12,8 | 16,5 | 12,8 | 16,3 | 17,3 |
| Tenue de route | 20 | 15,5 | 15,8 | 15,2 | 14 | 17,3 |
| Freins (endurance, sensations, performances) | 20 | 12,5 | 12,3 | 12,8 | 13,8 | 13,9 |
| Confort de la suspension | 20 | 15,4 | 15,7 | 15,7 | 16,3 | 17 |
| Silence de roulement | 10 | 8 | 8,3 | 8,8 | 8,5 | 8,8 |
| | | | | | | |
| **Sécurité / 30 pts** | | | | | | |
| Visibilité | 10 | 5,8 | 7,8 | 8,5 | 7,6 | 9,1 |
| Rétroviseurs | 10 | 8,2 | 9 | 8,3 | 9,3 | 9 |
| Nombre de coussins de sécurité | 10 | 3,5 | 10 | 10 | 10 | 10 |
| | | | | | | |
| **Performances mesurées / 60 pts** | | | | | | |
| Reprises | 20 | 19 | 15 | 20 | 17,5 | 19,5 |
| Accélération | 20 | 20 | 16 | 19 | 19 | 18 |
| Freinage | 20 | 18 | 20 | 19 | 19 | 19 |
| | | | | | | |
| **Rapport qualité / prix / 110 pts** | | | | | | |
| Valeur pour le prix | 20 | 14,2 | 16,7 | 17,7 | 19 | 17 |
| Agrément de conduite | 40 | 23,7 | 35,7 | 33,7 | 38,2 | 35 |
| Choix des esseyeurs | 50 | 33 | 41,6 | 36 | 48,2 | 39,6 |
| | | | | | | |
| **Total** | 500 | 353,1 | 399 | 389,8 | 423,5 | 415,5 |
| **Classement :** | | 5 | 3 | 4 | 1 | 2 |

MERCEDES-BENZ SLR McLAREN · FÊTONS FERRARI

# MERCEDES-BENZ SLR McLAREN

## À PLUS DE 300 KILOMÈTRES/HEURE
# SUR L'AUTOBAHN

Puissance : 626 chevaux.
Vitesse maximale : 332 kilomètres/heure.
Construction : fibre de carbone.
Prix : 495 000 dollars américains.

Bienvenue à bord de la nouvelle Mercedes-Benz SLR McLaren Roadster, une voiture qui est tellement rapide qu'elle est capable de parcourir une distance équivalente à la longueur d'un terrain de football à chaque seconde…

Après avoir construit 1 100 exemplaires de la SLR McLaren depuis son lancement sur le marché en 2003, Mercedes-Benz a décidé de produire une version cabriolet de sa supervoiture qui est directement inspirée de son implication en Formule Un. Tout comme le coupé, le modèle cabriolet sera assemblé à l'usine McLaren de Formule Un à Woking en Angleterre. Cette nouvelle voiture fait elle aussi un usage exhaustif de matériaux de pointe comme la fibre de carbone qui est utilisée pour construire le châssis monocoque, de même que le plastique renforcé de fibre de carbone qui sert à la réalisation de la carrosserie et des très belles portières de type Gullwing. Pour ce qui est du style, le roadster reprend les éléments du coupé : même très long capot avec la pointe en flèche et la forme très stylisée du pare-chocs avant qui évoque le museau et l'aileron de la McLaren de Formule Un, et mêmes ouvertures latérales sur les flancs de la voiture où l'on retrouve également les tubulures d'échappement. Mais bien que le style soit partagé avec le coupé, le roadster reçoit plus de 500 pièces qui sont soit inédites ou encore modifiées, comme le toit rétractable qui n'est pas composé de panneaux rigides qui sont en vogue à l'heure actuelle, mais qui est plutôt traditionnel et fait de toile. Cependant, le conducteur doit d'abord déverrouiller manuellement la

**97**

# MERCEDES-BENZ SLR McLAREN

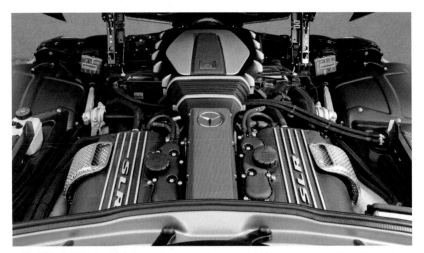

poignée localisée à la jonction du toit et du pare-brise pour ensuite soulever légèrement le toit souple avant que le mécanisme d'ouverture électrique ne prenne le relais pour le replier et le ranger derrière les sièges. Dans une voiture de 495 000 dollars américains, on se serait attendu à mieux qu'un mécanisme semblable à celui d'une Volkswagen New Beetle Cabriolet... Toutefois, on peut se consoler en pensant que le roadster est capable d'une vitesse maximale de 332 kilomètres/heure avec le toit en place, un retrait de seulement 2 kilomètres/heure par rapport au coupé, et que ce toit souple est incroyablement rigide puisqu'il ne subit qu'une déflexion de 1 millimètre à vitesse maximale.

## VIVE L'ALLEMAGNE !

Glissez-vous dans les sièges moulés en plastique renforcé de fibre de carbone et habillés de cuir, et appuyez sur le bouton du démarreur qui est placé sur le pommeau du levier de vitesse pour mettre en marche le V8 AMG de 5,5 litres suralimenté par compresseur. Le moteur répond instantanément avec un grondement staccato qui ne laisse aucun doute quant à la suite des évènements. En accélérant brutalement, les roues arrière patinent pendant un bref moment alors que la traction asservie

s'active pour harnacher les 626 chevaux et se transformer en système de départ automatisé qui livre une motricité phénoménale. Le son du moteur est absolument féroce, mais il est typique de la suralimentation par compresseur, ce qui fait que la bande sonore n'est pas celle d'un V12 qui hurle sa joie avec une gamme de notes très élevées, mais plutôt celle d'un son plus guttural de type « braaaaaat-braaaaaat », et la poussée vers l'avant semble sans fin tandis que l'on passe les rapports. La barre des 100 kilomètres/heure est atteinte en 3,8 secondes, celle des 200 kilomètres/heure en 10,9 secondes et l'indicateur de vitesse annonce les 300 kilomètres/heure en 30,8 secondes. C'est ce scénario qui s'est matérialisé par un beau samedi matin sur un tronçon pratiquement désert et sans limites de vitesse d'une autobahn située non loin de Francfort. Comme le toit souple était replié, je peux vous certifier qu'à cette vitesse-là, on cesse d'entendre le moteur et que le seul son qui est perceptible est celui des molécules d'air qui tentent de contourner la voiture dans un déferlement assourdissant…

### LA TENUE DE ROUTE D'UNE GT

De retour sur les routes de campagne de la vallée du Rhin, la SLR Roadster démontre beaucoup d'aplomb dans les virages. Toutefois, elle ne peut faire fi du fait qu'il s'agit d'une voiture dont le moteur est logé à l'avant et qui est passablement lourde. À 1825 kilos, la SLR Roadster est loin d'être un poids plume malgré toutes ses composantes en fibre de carbone. Aussi, même si le moteur est monté très bas et derrière l'axe des roues avant afin de donner une répartition des masses de 50,5 pour cent à l'avant et de 49,5 pour cent à l'arrière, la SLR McLaren Roadster affiche ce comportement caractéristique des voitures dont le moteur est à l'avant et qui ne sont pas aussi agiles qu'une authentique sportive à moteur central. La SLR roadster appartient donc à cette sous-catégorie exclusive des coupés et cabriolets hyperperformants de type GT qui peuvent être utilisés presque tous les jours sans que conducteur et passager n'aient à faire de compromis côté confort. En effet, les modèles SLR sont équipés d'une boîte automatique avec paliers de commande au volant, de systèmes de chauffage/climatisation automatiques, de sièges chauffants et d'une multitude d'équipements à commande électrique. Il y a même une chaîne audio développée conjointement avec la firme spécialisée Bang & Olufsen de même qu'un système de navigation assisté par satellite. Quoique l'écran qui

# MERCEDES-BENZ SLR McLAREN

permet d'interagir avec ces deux derniers dispositifs soit justement celui de la chaîne audio, il est tellement petit que l'usage du système de navigation est pratiquement impossible. Le volume du coffre est de 272 litres pour le Coupé et d'un peu plus de 200 pour le Roadster, ce qui est amplement pour un week-end à deux.

Ce qui fait le charme de la SLR, Coupé ou Roadster, c'est qu'il s'agit de voitures qui offrent le potentiel de performance d'une supervoiture, tout en étant faciles à conduire. Bien sûr, il faut composer avec une consommation élevée, j'ai enregistré une moyenne de 24,7 litres aux 100 kilomètres, mais cela ne dérangera pas trop la clientèle visée qui est par ailleurs assurée d'une certaine exclusivité puisque le Roadster ne sera produit qu'à 500 exemplaires par année.

*Gabriel Gélinas*

# CÉLÉBRONS LES
# 60 ANS DE FERRARI !

**VOITURE MYTHIQUE — CIRCUIT LÉGENDAIRE**

Pour souligner les 60 ans de Ferrari, nous avons organisé avec la précieuse et généreuse collaboration de Ferrari Maserati Québec et le Circuit du Mont-Tremblant un essai pour le moins exclusif : un tour rapide de ce circuit mythique au volant d'une Ferrari de production, une F430. Probablement l'une des voitures de sport la plus agréable à piloter à haute vitesse sur un circuit de course. Gabriel Gélinas, l'un des coauteurs du *Guide*, s'est prêté de bonne grâce à cet exercice.

Gabriel connaît la piste du Circuit Mont-Tremblant comme le fond de sa poche pour y avoir enseigné à l'École de pilotage Jim Russell pendant plusieurs années en plus d'être présentement instructeur-chef du Challenge Trioomph. Il ne s'est pas fait prier pour s'exécuter.

Nous croyons que c'était le meilleur moyen de rendre hommage à cette marque mythique qui fait tant vibrer les passionnés. Deux légendes se conjuguent pour mettre en scène une expérience que beaucoup de personnes aimeraient réaliser. Voici donc, en moins de deux minutes, un tour du circuit afin de pouvoir partager avec vous l'une des grandes expériences dans la vie d'un automobiliste: piloter une auto arborant le « *cavalino rampante* ».

**EN PISTE !**
Nous avons donc enregistré les propos de Gabriel à la suite de cet essai on ne peut plus spécial. Je lui cède la parole.

**Denis Duquet**

**Gabriel Gélinas:** «En partant de la ligne départ/arrivée, on a une accélération franche jusqu'au virage numéro un. Ce virage est l'un des plus délicats du circuit parce que c'est un «virage aveugle». On plonge vers le point d'entrée et ensuite on monte un raidillon jusqu'au point de corde où il y a une petite dépression. Lorsqu'on a refait le circuit, on a atténué cette dénivellation mais il y en a toujours une. C'est un virage que je prends en quatrième.

Un détail en passant, avant d'aborder le point d'entrée, je freine doucement et progressivement car la voiture est déjà en appui et on est déjà en train de tourner même si on n'est pas vraiment au point d'entrée. Il est important de ne pas lever le pied dans cette courbe. Il faut accélérer franchement et jusqu'au point de corde et de l'autre côté. La voiture devient alors un peu légère et je crois qu'elle s'est quelque peu tassée lors de mon tour rapide.

En passant, la F430 est l'une des meilleures voitures, si ce n'est pas la meilleure, pour faire ce genre d'exercice. Elle est du moins aussi

**105**

bonne que la 911 GT3 ou la 911 Turbo. Son équilibre est vraiment parfait et surtout, elle est plus facile à conduire que l'ancienne F 360 Modena qui, dans le virage numéro un, exigeait du doigté. La F430 est très stable dans ce genre de situation.

Le virage suivant est le virage du Diable qui se prend aussi en quatrième et avec un très léger freinage, à peine, juste pour placer le nez de la voiture, et ensuite on appuie sur l'accélérateur, car on négocie ce virage en accélérant ou à une vitesse constante.

Vient le premier freinage important avant les «esses». Je rétrograde en 3ᵉ pour la première partie qui est le virage à droite, et je m'arrange pour monter sur le vibreur avec la roue droite du véhicule au point de corde qui est assez loin dans le virage. Après, je freine en rétrogradant en deuxième pour la seconde partie de cet enchaînement qui est un virage à gauche. Là, c'est une accélération franche en troisième et même si je ne suis pas rendu à la limite du régime moteur je monte en quatrième avant d'aborder le virage six, car c'est plus efficace de faire un changement de rapport anticipé (*short shift*) pour s'engager dans ce virage à gauche, à long rayon et très rapide. Ce serait une erreur de l'amorcer en troisième et devoir changer de vitesse avant la sortie du

virage. Il est plus facile et plus pratique sur le plan du pilotage de le prendre en quatrième d'entrée de jeu.

La boîte F1 de la voiture est très rapide et très fonctionnelle. Ça fonctionne simplement, il y a deux paliers sur le volant. Celui de droite permet de passer aux rapports supérieurs et celui de gauche aux rapports inférieurs. C'est un système électrohydraulique et il n'y a pas de pédale d'embrayage. Cette boîte synchronise donc le régime du moteur (blip) pour coïncider de façon optimale avec l'engament du rapport inférieur, et c'est particulièrement efficace sur cette voiture.

Le virage six se prend à gauche, en quatrième. Puis on s'aligne vers le virage sept qui est un autre virage délicat. C'est une courbe à droite qui est «aveugle» alors qu'on ne voit pas le point de corde lorsqu'on tourne le volant et on voit encore moins la sortie... Il y a une petite descente à partir du point de corde et l'inclinaison de la piste devient négative, c'est-à-dire que le virage est en dévers entre le point de corde et le

point de sortie. Et en plus, il y a une légère dépression au point de corde.

Cela fait pas mal de choses dans un virage! Je rétrograde en troisième et passe le point de corde pour ensuite engager la quatrième à la sortie avec pleine puissance. On a même le temps de se mettre en cinquième avant d'arriver au virage huit, un long virage à droite avec double point de corde. Et pour cela, il y a un freinage très important. On rétrograde jusqu'en troisième. À la sortie du huit, on passe la cinquième et on se met au milieu de la piste pour aller chercher le point de corde par-dessus le dos-d'âne qui est un léger virage à gauche. On se retrouve le long de la longue ligne droite arrière qui est l'endroit le plus rapide sur le circuit. Il faut ensuite freiner fort avant d'entrer dans le virage dix. On rétrograde alors jusqu'en troisième. Ce léger virage à droite est négocié en troisième avant d'accélérer vers le virage Gulch, une courbe à gauche et c'est ensuite la courte montée vers le pont. Le freinage en haut de la côte est très court et très intense, car une fois en haut de ce raidillon le point de corde est long puisqu'il

fait environ 3,6 m (12 pieds). Au début, les néophytes croient que c'est uniquement un virage à 90 degrés, mais c'est plus serré que cela. C'est pratiquement un virage en «u». Bon, pas tant que ça, mais presque !

On tient la corde pour ensuite accélérer à fond, passer en troisième pour négocier le «Kink» qui est un léger coude (*dog leg*) vers la droite. Cela ne pose aucun problème et on passe en quatrième vitesse. Puis, on arrive à «Namerow», l'endroit le plus lent du circuit avec une zone de freinage qui est raccourcie car elle est en montée. On rétrograde immédiatement en deuxième. Le virage «Namerow» se prend maintenant à la vitesse de l'éclair. Car lorsque le circuit a été refait, c'est sans doute l'endroit qui a été le plus changé. Il est beaucoup plus en épingle qu'il l'était précédemment. Avant, c'était un virage à rayon croissant, la zone entre le point d'entrée et le point de corde était assez courte, mais quand même plus longue que présentement. Aujourd'hui, c'est comme une épingle, si l'on veut.

On sort du «Namerow» et on enclenche la troisième. On s'aligne vers «Paddock Bend» qui est un virage beaucoup plus serré que sur l'ancien circuit.

C'est le virage à gauche avant la ligne de départ et d'arrivée. On le prend en troisième, puis on passe la quatrième avant la ligne de départ/arrivée.

Voilà, vous avez complété le tour du circuit !

## LE CIRCUIT MONT-TREMBLANT : ANCIEN ET NOUVEAU

Le nouveau circuit conserve beaucoup des caractéristiques de l'ancien. Je dirais que le revêtement de l'ancien circuit était tellement abrasif qu'on usait prématurément les pneumatiques, dans le jargon des courses, on disait que l'on «brûlait» les pneus. Par contre, lorsqu'il pleuvait, ce revêtement favorisait une meilleure adhérence.

Cela étant dit, le nouveau circuit permet quand même de rouler plus rapidement. Avec la présence des nouveaux vibreurs, il est possible de se positionner sur ceux-ci pour tirer tout le potentiel de la piste.

C'est un circuit difficile et technique, mais tellement agréable à piloter ! Le plus beau compliment qu'il a reçu a été la réaction des pilotes de la série Champ Car qui découvraient ce circuit pour la première fois et qui ont été emballés par son côté technique et le plaisir qu'ils avaient à y rouler. Il y a deux endroits qui sont ardus : l'enchaînement du virage un et du Diable, et le virage sept. Les zones de dégagement sont limitées en raison de la rivière. Ce sont deux endroits où tu roules vite et il faut faire attention de ne pas sortir de piste.

## LA F430 ET LE CIRCUIT

C'est une voiture remarquablement bien équilibrée. Il est très facile d'interagir avec ce bolide et de le placer au millimètre près dans les virages et d'en contrôler le dérapage. Il est vrai que le manettino situé sur le volant laisse le choix de plusieurs niveaux d'intervention ou de non-intervention des différents systèmes d'assistance électronique au pilotage. Pour ce genre de circuit, je préfère le réglage Race qui est plus doux et qui permet quand même de «sentir» la voiture et de la faire glisser un petit peu. Par contre, si tes glissades sont trop accentuées, tu deviens moins rapide. J'essaie donc d'être le plus propre possible.

La conduite de la F430 est très différente de celle de la 911 Turbo parce que le moteur de la Porsche est en porte-à-faux arrière tandis que celui de la F430 est central et l'équilibre est hallucinant. Pour aller s'éclater sur un circuit, il n'y a pas grand-chose de mieux ! Elle est plus agile que les autres Ferrari et le positionnement de son moteur optimise le pilotage.

Comparée à la Lamborghini Gallardo, la Ferrari est plus neutre car la Lamborghini est à rouage intégral et elle affiche toujours un sous-virage. La F430 est un scalpel qui découpe les virages. Et le son du moteur de la F430 est exceptionnel. On pourrait l'acheter presque uniquement pour sa sonorité ! »

# FERRARI F430

**Tour de piste**
**Circuit Mont-Tremblant**

| Tour de piste | Section | Temps par section |
|---|---|---|
| | 1 | 0'15,5" |
| | 2 | 0'12,5" |
| | 3 | 0'100,2" |
| | 4 | 0'130,3" |
| | 5 | 0'23,1" |
| | 6 | 0'19,6" |
| Temps | 1'55,4" | |
| Vitesse moyenne | 124,42 km/h | |

## Le Circuit Mont-Tremblant :

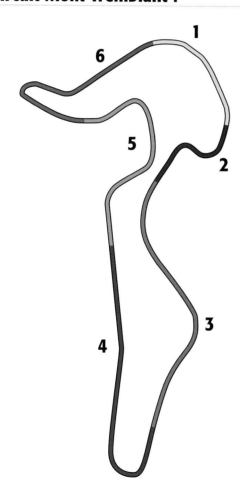

### Le Circuit Mont-Tremblant :
Inauguré : 3 août 1964
Longueur : 4,26 km
Largeur moyenne : 11 mètres

### Ferrari F430
Lancée au Salon de l'auto de Paris en 2005
Moteur : Position centrale
8 cylindres en V 90 degrés, bloc et culasse en aluminium
Cylindré : 4 308 cc
Taux de compression : 11.3-1
Puissance : 490 ch à 8 500 tr/min
Couple : 343 lb-pi à 5 250 tr/min
Lubrification par carter sec : 10 litres d'huile

### Performances usine :
0-100 km/h : 4,1 secondes
0-100 km/h : 5,1 secondes
(accélération sans monter le moteur en régime)
Vitesse de pointe (usine) : 315 km/h

### AUTRES DONNÉES
**Accélérations et reprises / Circuit**

| Vitesse (km/h) | |
|---|---|
| 0-60 | 02,8 |
| 0-100 | 05,1 |
| 30-50 | 00,8 |
| 50-70 | 00,8 |

**DIVERS**

| | |
|---|---|
| Vitesse maximale : | 210,6 km/h |
| Vitesse moyenne : | 124,42 km/h |
| Force G maximale : | 1.19 G |

NDLR :- *Le Guide de l'auto* tient à remercier tout particulièrement Sabrina Damico, Umberto Bonfa, de Ferrari Maserati Québec et Vince Loughran du Circuit Mont-Tremblant pour leur aide et leur collaboration. Sans eux, cet essai n'aurait pu se réaliser.

**109**

BMW · HONDA · HYUNDAI · KIA · MAZDA · NISSAN · VOLKSWAGEN

Présent sur nos routes depuis sept ans, BMW propose un X5 de deuxième génération avec des dimensions plus généreuses mais en conservant la vocation plus sportive du modèle. Le nouveau X5 a beau mesurer 7,4 pouces de plus en longueur, il ne paraît pas pour autant tellement plus gros que le modèle précédent, et même s'il a également gagné du poids dans la refonte, il a cependant conservé ses aptitudes pour la conduite sportive.

# BMW X5
## RAPIDE ET AGILE

Le modèle 4.8i, qui a fait l'objet d'un essai à long terme par l'équipe du *Guide de l'auto*, hérite du V8 de 4,8 litres et 350 chevaux qui a remplacé le moteur à 4,4 litres du modèle antérieur. Jumelé au rouage intégral xDrive et à une boîte automatique à six rapports qui peut être commandée en mode manuel et qui change les rapports 50 pour cent plus rapidement que celle du modèle précédent, le groupe motopropulseur du X5 4.8i s'avère très performant avec un chrono de 6,8 secondes pour le sprint de 0 à 100 kilomètres/heure. Côté consommation, j'ai été surpris de réaliser une moyenne de 16,3 litres aux 100 kilomètres, soit un litre de moins que la consommation d'une Audi Q7 à moteur de 4,2 litres ayant une puissance égale. La refonte du X5 a également permis aux concepteurs d'opter pour une nouvelle suspension avant ainsi qu'une suspension arrière optimisée pour améliorer à la fois le confort et la tenue de route en conduite sportive qui demeure la carte maîtresse du nouveau X5.

Pour le nouveau modèle 2007, BMW offre une configuration à sept passagers, ce que nous n'avons pas retenu, compte tenu du fait que la troisième rangée de sièges ne convient qu'à des personnes de très petite taille. Nous avons plutôt choisi la configuration classique à cinq passagers. Parmi les options ajoutées à notre

modèle d'essai, on compte l'ensemble «Sport» qui comprend, entre autres, les roues en alliage de 19 pouces ainsi que le volant sport à trois branches (2 500 dollars), de même que l'ensemble «Activity» incluant les marchepieds en aluminium, le sac à skis, le compartiment de rangement dissimulé sous le plancher du coffre et les lave-phares (1 300 dollars). De plus, notre X5 était équipé de l'ensemble «Premium» qui regroupe les sièges confort avec support lombaire et le système audio haut de gamme LOGIC 7 avec 16 haut-parleurs et système DSP (2 900 dollars). Également au programme: l'ensemble «Dynamic Handling» renfermant la direction active et le système «Adaptive Drive» qui agit à la fois sur les amortisseurs et les barres antiroulis afin d'optimiser la tenue de route et de réduire le roulis en virage (4 700 dollars). Le prix de notre X5 4.8i est donc passé de 73 500 à 84 900 dollars. De tous ces équipements, seuls les marchepieds en aluminium sont à proscrire, surtout pour la conduite en hiver, car ils ne sont pas assez larges pour offrir un support adéquat et que l'on a toujours tendance à salir ses pantalons en montant ou descendant du véhicule. De plus, la neige et la glace s'y accumulent parfois, ce qui oblige à dégager les marchepieds avant d'ouvrir les portières, manœuvre qui peut s'avérer difficile lorsque le balai à neige est justement à l'intérieur du véhicule…

Après 13 500 km au compteur, les seuls bémols que nous avons notés relèvent de l'électronique qui semble être éprouvée par temps très froid. Ainsi, lors d'un démarrage à moins 25 degrés, le moteur ne fonctionnait pas correctement et m'a donné l'impression que l'allumage ne se faisait pas sur les huit cylindres, ou que du gel était survenu dans les canalisations d'essence. Il m'a cependant suffi de couper le contact et de redémarrer pour que le véhicule fonctionne normalement. Mis à part cet épisode isolé, rien n'a fait défaut au cours de notre essai et le X5 4.8i s'est toujours avéré à la hauteur des défis que nous lui avons lancés, tout en offrant un agrément de conduite supérieur à la hauteur de nos attentes.

**Gabriel Gélinas**

| BMW X5 | |
|---|---|
| Début de l'essai : | octobre 2006 |
| Fin de l'essai : | mai 2007 |
| Kilomètres parcourus : | 13 500 km |
| Consommation moyenne : | 16,3 litres au 100 km |
| Ennuis mécaniques : | aucun |
| Intégrité de la carrosserie : | excellente |
| Autres commentaires : | agrément de conduite élevé |

Depuis la lutte contre le réchauffement de la planète et la course à la réduction des gaz à effet de serre, les voitures hybrides ont la cote. Il y a bien sûr la Toyota Prius que le grand public associe immédiatement avec les véhicules hybrides, mais il y a aussi la Honda Civic qui est une voiture hybride qui permet également de lutter contre le réchauffement climatique. Sa mécanique moins complexe que la Toyota la place souvent au second rang dans l'esprit des gens, mais ce sont les résultats qui comptent et pas nécessairement la sophistication de la mécanique.

# HONDA CIVIC HYBRIDE
## UNE SOLUTION SIMPLE

**A**vec la disparition de la Honda Accord à moteur hybride en 2008, la Civic est la seule représentante du genre chez Honda. Au cours des derniers mois, nous avons eu l'occasion de soumettre une Civic Hybride à un essai d'un peu moins de 4 000 kilomètres. Ce qui a été suffisant pour dresser un bilan assez juste de cette voiture.

En tout premier lieu, personne ne s'est plaint du comportement routier de cette voiture ni de son manque de performance. Ce n'est pas une sportive, mais elle est un peu plus véloce que la Prius et elle est une meilleure routière, et ce, par une bonne marge. Il est vrai que les deux ne sont pas dans la même catégorie, mais à ce chapitre, la Honda laisse la Toyota dans son sillage. Cette Civic écologique est propulsée par un moteur quatre cylindres de 1,3 litre produisant 103 chevaux. La technologie employée est le IMA (pour Integrated Motor Assist), qui comprend un moteur électrique qui intervient pour donner

de meilleures performances. Mais contrairement à la Prius, la voiture ne peut rouler uniquement en mode électrique. Bref, le moteur électrique d'appoint est intégré entre le moteur et une transmission à rapports continuellement variables. Cette même transmission demande un certain temps d'adaptation, car les rapports sont complètement transparents et certains essayeurs nous ont parlé d'un moteur « qui tournait dans le beurre ».

Il est certain que cette Civic n'est pas destinée aux conducteurs ayant le pied trop pesant. Les impatients de notre groupe n'ont pas tellement apprécié, mais ceux qui sont plus sensibles aux problèmes écologiques ont bien aimé cette petite japonaise plus verte que la moyenne. Et ils ont surtout aimé les arrêts à la pompe qui sont passablement espacés. La moyenne enregistrée a été de 5,6 kilomètres aux 100 km, ce qui est quand même digne de mention. Aux fins de

référence, une Civic ordinaire affiche une consommation de 8,5 litres aux 100 km.

Pour terminer cet essai étalé sur plus de deux mois, soulignons que la première personne qui s'était portée volontaire pour conduire cette Hybride ne l'a jamais retournée à l'équipe ! Bref, elle a tellement aimé son expérience et l'économie de carburant qui en découlait qu'elle a fait le test à elle seule. Ou presque ! Comment lui reprocher ?

**Denis Duquet**

| HONDA CIVIC HYBRIDE | |
|---|---|
| Début de l'essai : | juin 2006 |
| Fin de l'essai : | juillet 2006 |
| Kilomètres parcourus : | 3 834 km |
| Consommation moyenne : 5,6 litres au 100 km | |
| Ennuis mécaniques : | aucun |
| Intégrité de la carrosserie : | excellente |
| Autres commentaires : économe en carburant | |

**113**

Cette année, nous avons essayé plusieurs véhicules Hyundai dans le cadre d'essais plus ou moins prolongés. Après avoir accepté de participer à notre programme d'essais étalés sur plusieurs mois, le représentant du manufacturier a jonglé avec les modèles, de telle sorte que nous avons roulé en Elantra pendant environ neuf semaines, entrecoupées de cinq semaines en Santa Fe. Nous nous interrogeons encore quant au bien-fondé de cette politique, croyant que ces prêts écourtés avaient pour effet de masquer une fiabilité problématique à long terme. Ce qui est peu probable puisque des essais antérieurs répartis parfois sur plus d'une année ont toujours abouti sur un bilan positif. Avec ce bémol, voici tout de même ces deux demi-essais.

# HYUNDAI ELANTRA
# POLITIQUE DES PETITS PAS !

L'Elantra dorée qui nous a été prêtée représentait un bon compromis entre les modèles de haut de gamme et ceux de base, plus dépouillés. Avec sa boîte automatique, la climatisation et des roues en alliage, personne ne s'est plaint qu'elle n'était pas assez équipée. Cette berline est dotée d'une suspension arrière indépendante, tandis que les freins ABS et le système de répartition électronique du freinage sont de série. Les freins à disque sont aux quatre roues et six coussins de sécurité font partie de tous les modèles offerts.

Sa silhouette a été jugée passablement anonyme par tous ceux qui l'ont conduite, mais ces mêmes personnes ont apprécié son habitabilité aussi bien pour les places arrière qu'à l'avant où les sièges ont été déclarés confortables, mais manquant de support latéral. Quant au tableau de bord, un commentaire résume bien l'impression générale : élégant et pratique. Tous les essayeurs ont bien aimé que les commandes soient à la portée de la main, ainsi que les cadrans indicateurs bleus. De plus, les trois gros boutons des commandes de la climatisation ont obtenu de bonnes notes. Les deux fiches 12 volts dans le vide-poche avant ont été estimées pratiques,

car elles ont servi à alimenter notre système de mesure des données et notre ordinateur en même temps ! Pour ce qui est du coffre, nous avons pu y caser toutes sortes d'objets.

Le moteur quatre cylindres 2,0 litres produit 138 chevaux et bénéficie du calage des soupapes continuellement variable. Ce qui a permis au moteur de réduire sa consommation d'essence. Celle-ci a été de 7,2 litres aux 100 km au cours de cet essai qui s'est déroulé sur une distance de 4895 km. Et ceci, avec une transmission automatique à quatre rapports. Un rapport de plus aurait permis de réduire la consommation encore plus et de diminuer le silence dans l'habitacle.

Malgré des pneumatiques jugés « à être remplacés le plus rapidement possible », le comportement routier a reçu la note « correcte » en dépit d'une direction manquant de précision et passablement déconnectée de la route. Par contre, cette suspension plus souple qu'autre chose est confortable et permet de rouler sans trop de désagrément sur les routes atroces de la Belle Province. Ajoutons que l'un des essayeurs, adepte du régulateur de croisière, a accordé de bonnes notes à cet accessoire.

Finalement, au chapitre de la fiabilité, rien à déclarer. Il est vrai que ces tests écourtés ne sont sans doute pas représentatifs, mais rien à signaler concernant l'intégrité de la caisse, les éléments de l'habitacle ou encore de la mécanique. Un peu rugueux au début de l'essai, le moteur est devenu un peu plus discret.

Bref, compte tenu du prix de détail suggéré de l'Elantra, le rapport qualité-prix est incontestablement l'élément le plus positif suite à cet essai.

**Denis Duquet**

## HYUNDAI ELANTRA

| | |
|---|---|
| Début de l'essai : | juin 2007 |
| Fin de l'essai : | début août 2007 |
| Kilomètre parcouru : | 4895 km |
| Consommation moyenne : | 7,2 litres au 100 km |
| Ennuis mécaniques : | aucun |
| Intégrité de la carrosserie : | excellente |
| Autres commentaires : | simple et confortable |

# HYUNDAI SANTA FE
## LE PRÉFÉRÉ DE MADAME

Comme mentionné en introduction, dans le cadre de la politique pour le moins originale de Hyundai de jouer avec ses voitures à long terme comme si c'était une succession d'essais de moyenne durée, le Santa Fe est venu s'intercaler entre deux périodes de test avec l'Elantra. Compte tenu des circonstances, ce véhicule a été conduit par un seul essayeur et la dame qui s'est prêtée à cet essai est revenue enchantée de son expérience. À une exception près, car le feu arrière de la voiture a été brisé dans le stationnement d'un centre commercial, courtoisie d'un conducteur qui n'a pas laissé sa carte de visite... Donnons le bénéfice du doute à cette personne et souhaitons qu'elle n'ait pas réalisé qu'elle avait légèrement endommagé notre Hyundai.

Lancé l'an dernier, le Santa Fe se classe dorénavant dans la catégorie des intermédiaires en raison de dimensions plus importantes, en plus d'offrir sur commande une version avec une troisième rangée de sièges. D'ailleurs, la longueur hors tout de ce nouveau venu surpasse de 17,5 cm celle d'un Tucson tandis que l'empattement a progressé de 8 cm, ce qui a facilité l'installation d'une troisième rangée de sièges. Il faut ajouter que le Santa Fe est plus large de 4,5 cm et plus haut de 6,5 cm. Il n'est donc pas surprenant que notre essayeuse ait qualifié l'habitacle de spacieux. En outre, les confortables places arrière laissent un excellent dégagement pour les jambes, la tête et les coudes. En revanche, comme c'est toujours le cas, la troisième rangée de sièges convient davantage à de petites personnes.

Les passagers occasionnels ont beaucoup apprécié l'espace disponible mais avec des réserves pour la troisième rangée... Le contraire nous aurait vraiment surpris.

Les commentaires concernant le style ont également été élogieux. Madame a rejeté du revers de la main les critiques qui reprochaient à cette Hyundai d'avoir un devant de Toyota Rav4 et le derrière du VW Touareg. Elle a bien aimé cette silhouette pas trop agressive et l'a déclaré « cute ». Verdict partagé par les membres de sa famille.

Le tableau de bord a lui aussi obtenu de bonnes notes, principalement l'éclairage bleuté des cadrans indicateurs. Parmi les autres remarques positives concernant le tableau de bord, il y a les boutons de commande de la climatisation, faciles à actionner, tandis que le petit écran d'affichage LCD a été jugé correct bien que parfois difficile à lire.

Mais les meilleures notes ont été décernées au moteur V6 de 3,3 litres de 242 chevaux et à sa boîte automatique à cinq rapports. Notre version d'essai était équipée de la transmission intégrale à fonctionnement automatique. Même si cette caractéristique n'a pas été utilisée lors de l'essai, il est possible de verrouiller le couple dirigé vers les roues avant et arrière dans une proportion 50-50. Les notes du carnet de bord font mention d'accélérations rapides, de boîte de vitesse souple et de consommation raisonnable. Celle-ci a été enregistrée à 10,6 litres aux 100 km alors que celle annoncée par le constructeur est de 8,4 litres aux 100 km.

Parmi les éléments positifs les plus appréciés, il faut noter la douceur de roulement et la stabilité générale de ce véhicule. À son volant, notre essayeuse d'occasion était enchantée d'avoir l'impression de conduire une grosse berline et non pas un VUS intermédiaire. Elle a fait peu de cas de la direction engourdie, mais elle a trouvé les dimensions un peu encombrantes en conduite urbaine et surtout durant les manœuvres de stationnement.

Bref, en plus d'une fiabilité sans faille, notre collaboratrice n'avait que des compliments pour ce Hyundai. Mieux encore, elle voulait s'en acheter un ! Et c'est là qu'elle a découvert le plus gros défaut du Santa Fe, du moins à ses yeux : un prix de détail assez corsé. Dernier commentaire dans le carnet de bord : « Pas surprenant que je le trouvais si agréable à conduire : à ce prix, on ne peut s'attendre à autre chose... »

**Denis Duquet**

| HYUNDAI SANTA FE | |
| --- | --- |
| Début de l'essai : | mai 2007 |
| Fin de l'essai : | juin 2007 |
| Kilomètres parcourus : | 2 435 km |
| Consommation moyenne : | 10,6 litres au 100 km |
| Ennuis mécaniques : | aucun |
| Intégrité de la carrosserie : | excellente |
| Autres commentaires : | confortable, spacieuse prix élevé (voir texte) |

**115**

Pour l'une des rares fois dans l'histoire du *Guide de l'auto*, une voiture faisant l'objet d'un essai à long terme est traitée dans deux éditions différentes. Et c'est le cas de la Spectra 5 en raison de circonstances pour le moins rocambolesques qui nous ont permis de prolonger notre essai de quelques mois.

# KIA SPECTRA 5
## PERDUE ET RETROUVÉE

## DE BONNES NOTES

Règle générale, les essais à long terme des véhicules ne durent que six mois, douze mois au maximum. Mais pour des raisons trop complexes à expliquer, la compagnie Kia Canada a perdu ce véhicule de vue et notre Spectra 5 a de beaucoup dépassé les limites de nos essais habituels. Avec pour résultat qu'elle a été remisée dans le stationnement pendant quelques mois en attendant un mot du manufacturier. Celui-ci s'est finalement manifesté et nous avons mis un point final à cette épopée après 18 mois.

C'est à l'automne 2005 que la Spectra 5 s'est joint à notre flotte d'essai. Lors de notre premier contact, tous ont souligné que la Spectra 5 était réussie sur le plan esthétique. Peu importe qu'il s'agisse de la berline ou du *hatchback*, l'habitacle est identique et le tableau de bord est plus pratique qu'autre chose. Heureusement que le volant à quatre branches de type sport vient donner un peu plus de pep à l'ensemble. Et si les sièges sont confortables et offrent un support latéral correct, les tissus utilisés ont tendance à retenir la poussière et les éléments de tout genre... Enfin, certains les trouvent trop fermes, mais c'est une simple question de goût. La configuration de la Spectra 5 permet de transporter des objets plus encombrants, et une fois les dossiers du siège arrière abaissés, la capacité de chargement est de beaucoup supérieure avec 1 494 litres.

En général, plus on conduit une auto, plus il est facile de trouver à redire. Pourtant, au fil de cette épopée, le carnet de bord contenait plus d'éléments positifs que de critiques. La majorité des personnes qui ont pris le volant de notre Kia à très long terme ont été impressionnées par le confort, le comportement général de la voiture de même que la qualité de la finition. Le moteur quatre cylindres de 2,0 litres produisant 138 chevaux a été jugé rugueux et bruyant lorsque trop fortement sollicité. Malgré tout, il se débrouille assez bien autant en fait d'accélérations et de reprises tandis que sa consommation de carburant est correcte avec une moyenne observée de 8,6 litres aux 100 km. La boîte de vitesses manuelle à cinq rapports est bien étagée, bien que la précision du levier de sélection pourrait être un peu meilleure.

Sur la route, les accélérations sont dans la bonne moyenne alors qu'il faut un peu plus de dix secondes pour boucler le 0-100 km/h. Le comportement routier est satisfaisant et la stabilité sur la grand-route est bonne pour une voiture de cette taille. Il faut ajouter que la présence d'un essieu arrière indépendant augmente le niveau de confort sur mauvaises routes. Par contre, la voiture est passablement sous-vireuse lorsqu'elle est poussée et l'agrément de conduite en souffre. La Spectra est à son meilleur quand on roule avec souplesse. D'autant plus que la monte pneumatique ne se prête pas à une conduite agressive et les pneus

quatre saisons se sont avérés être des trois saisons. D'ailleurs, la personne qui a roulé une partie de l'hiver avec cette monte pneumatique en avait long à dire...

Et après ces mois d'essai et de remisage, seul le moteur des essuie-glaces a rendu l'âme, victime d'un conducteur trop paresseux pour nettoyer le pare-brise suite à une chute de verglas. Avec pour résultat qu'il a fallu remplacer ledit moteur. Enfin, le panneau de la trappe à essence n'a pas résisté à la main virile d'une personne qui ne connaissait pas les limites de sa force. Soit dit en passant, le coût de remplacement de cette pièce dépasse les deux cents dollars! C'est assez cher pour une petite plaque en plastique. Pour le reste, tout s'est déroulé sans anicroche.

Bref, le bilan général de la Spectra 5 est positif dans l'ensemble.

**Denis Duquet**

| KIA SPECTA 5 | |
| --- | --- |
| Début de l'essai : | mars 2005 |
| Fin de l'essai : | mars 2007 |
| Kilomètres parcourus : | 15 895 km |
| Consommation moyenne : | 8,6 litres au 100 km |
| Ennuis mécaniques : | moteur essuie glaces, trappe à essence brisée |
| Intégrité de la carrosserie : | excellente |
| Autres commentaires : | voiture polyvalente, capable de tout faire ou presque |

Déclarée véhicule de l'année par *Le Guide de l'auto 2007*, nous étions quelque peu anxieux de savoir si la CX-7 allait tenir ses promesses à long terme. Ce VUS urbain à caractère sportif a devancé ses rivales pour ce titre aussi bien en raison de sa silhouette réussie que par son agrément de conduite. Toutefois, il est fréquent que ces véhicules coup de cœur se révèlent décevants au fil des jours, des semaines et des mois.

# MAZDA CX-7
# DIGNE DE SON TITRE

Notre test a débuté en novembre 2006 et nous avions accumulé plus de 12 295 kilomètres au 6 août 2007. Ce qui nous permet d'avoir une assez bonne idée de la qualité de sa conduite et de sa fiabilité.

## UNE SILHOUETTE QUI SÉDUIT

Avant de parler de sa conduite, il est intéressant de souligner la réaction des gens face à la silhouette de notre CX-7 d'essai. Au fil des mois, elle a été l'objet de commentaires élogieux quant à son apparence. Et si ces mêmes personnes avaient pu monter à bord, leur verdict à propos de l'habitacle aurait été tout aussi positif.

La qualité des matériaux est bonne et, à ce jour, leur résistance à l'usure est excellente tout comme la finition. Les commandes de la climatisation sont faciles d'accès tandis que les buses de ventilation à volets se sont révélées efficaces. Il faut toutefois ajouter un bémol en raison du tableau d'information placé en partie supérieure de la planche de bord qui n'est pas facile à consulter, surtout en plein jour. Heureusement que les trois cadrans indicateurs principaux sont simples à lire. La capacité de chargement est bonne et les sièges arrière sont moyennement confortables en raison d'un dossier un peu trop droit.

## MOTEUR SPORTIF

Le comportement routier relativement sportif de la CX-7 est assuré par une motorisation à caractère sportif. Cette dernière est empruntée à la défunte Mazdaspeed6 puisque le moteur est un quatre cylindres 2,3 litres turbo à injection directe appelé DISI, pour Direct Injection Sport Induction. Ce système assure une combustion plus complète du carburant et un taux de compression plus élevé. Une seule transmission est offerte, soit une boîte automatique à six rapports. Il est également important de préciser que la transmission intégrale de type Torsen est optionnelle même sur la version de base. Pas besoin donc de choisir la version «ultra tout équipée» pour en bénéficier.

Cette mécanique assez sophistiquée a connu un parcours sans faute à une exception près. Le témoin lumineux «Check engine» s'allumait de façon intermittente. Nous avons eu beau ne rouler qu'au super, fortement recommandé d'ailleurs, puis vérifier à l'infini le bouchon du réservoir d'essence, le témoin lumineux réapparaissait de temps en temps. Une visite chez le concessionnaire a permis de remédier à la situation par le remplacement d'un capteur qui était défectueux. Pour le reste, rien d'autre à signaler.

## AGRÉABLE ET PRATIQUE

En conduite, le moteur est silencieux et d'une grande souplesse. De bonnes notes sont aussi accordées à la transmission dont les passages de rapports s'effectuent avec grande douceur. Les accélérations et les reprises sont presque similaires à celles d'une berline sport de puissance égale. À cela s'ajoute une direction précise, directe et dont l'assistance est bien dosée.

Au fil des mois, plusieurs de mes confrères se sont plaint dans leurs articles de la consommation de ce moteur qui a dépassé la moyenne les 14 litres aux 100 km dans plusieurs cas. Pourtant, tout au long de nos quelque 12 000 km, la moyenne observée a été de 12,1 litres aux 100 km et cela en incluant les mois d'hiver. Ce qui est excellent compte tenu du poids du véhicule et de la puissance du moteur.

Voilà donc un véhicule fort bien équilibré aussi bien sur le plan de la mécanique que de la conduite. Bref, cette Mazda a su défendre son titre de véhicule polyvalent en 2007

**Denis Duquet**

| MAZDA CX-7 | |
|---|---|
| Début de l'essai : | novembre 2006 |
| Fin de l'essai : | en cours |
| Kilomètres parcourus : | 12 295 km |
| | (6 août 2007) |
| Consommation moyenne : | 12,1 litres au 100km |
| Ennuis mécaniques : | témoin «check engine» |
| | allumé |
| Intégrité de la carrosserie : | sans faute |
| Autres commentaires : | polyvalence, |
| | style et plaisir |

**117**

Depuis plus de deux mois, l'équipe du *Guide de l'auto* fait un essai à long terme de la Nissan Sentra 2008. En 2007, Nissan complètement changé la Sentra, la faisant passer d'une allure morne à une silhouette aux lignes épurées qui rappellent celles de ses grandes sœurs, l'Altima et la Maxima. Pour 2008, il était normal que Nissan n'apporte aucun changement à sa berline compacte qu'est la Sentra, outre l'addition très attendue des modèles sport SE-R et SE-R Spec V.

# NISSAN SENTRA
## UNE HISTOIRE DE COUSSINS

**P**ersonnellement, le nouveau style de cette Sentra ne m'a pas enchanté au début, je trouve qu'il confère un style trop massif à cette petite auto. Ce n'est pas le cas de ma copine qui la qualifie de «mignonne» et de «super belle».

L'intérieur est spacieux spécialement grâce au levier de vitesse se situant à même le tableau de bord, une tendance de plus en plus populaire chez les fabricants de petits véhicules. L'espace ainsi gagné nous donne droit à un accès facile aux porte-verres. La banquette arrière peut se coucher de façon 60/40 tandis que le coffre se divise en deux par l'entremise d'un système appelé «Divide-N-Hide» qui permet le stockage de différents objets sans qu'ils se promènent pendant les trajets.

Au chapitre de la visibilité c'est quelque peu décevant. Les piliers A compromettent suffisamment la visibilité en virage pour que le conducteur (celui qui écrit ce texte à tout le moins) ait à déplacer la tête, surtout en milieu urbain, afin de bien voir les obstacles qui pourraient surgir, notamment aux intersections. La visibilité arrière est désavantagée par la hauteur du coffre et la dimension des piliers C.

La Sentra n'est certainement pas le véhicule le plus excitant à conduire. La direction est molle et on retrouve un peu la même impression lorsqu'on freine. La pédale est spongieuse et

semble inactive lors de freinages normaux, ce qui n'est, évidemment, pas le cas. Le système ABS, lui, m'a impressionné pas sa transparence et son efficacité. En accélération continue, le moteur se fait extrêmement bruyant surtout à partir de 90 km/h. Et si vous laissez l'accélérateur au plancher, l'aiguille du compte-tour se stabilise à environ 6500 tours/minute et ne descendra pas, tant que vous ne le relâcherez pas. Cet effet est l'œuvre de la transmission CVT (transmission continuellement variable) dont est équipé notre modèle d'essai. Sur autoroute, le moteur ne vous importunera pas de sa pollution sonore tant que vous ne le réveillerez pas.

En virage, la suspension nous fait valser sur une nouvelle chanson intitulée Guimauve… À des vitesses raisonnables, le véhicule se dirigera là où vous le voulez, mais prenez une courbe légèrement trop vite et un effet de sous-virage se fera sentir.

Pendant les 2400 km parcourus au moment d'écrire ces lignes, 275 litres d'essence ont été consommés. L'ordinateur du tableau de bord affiche une consommation de 11 l/100 km, ce qui s'avère assez juste. Il faut dire que la Sentra a été utilisée plus souvent en ville que sur autoroute et que dans la ville en question (Sherbrooke), elle se retrouvait plus souvent inclinée qu'à l'horizontale et que je n'ai pas toujours été doux avec l'accélérateur…

Pendant la durée de l'essai, aucun problème mécanique ou de fiabilité n'est venu nous importuner. En fait, le véhicule a été inutilisable durant quelques jours à cause d'un problème technique. Notre Sentra avait été accidentée avant le début de notre essai à long terme et les coussins gonflables avaient dû être remplacés. Les techniciens avaient «simplement» oublié de fixer le moyeu du volant, où se trouvent le coussin gonflable et les commandes de la radio et du régulateur de vitesse. Tant que le problème n'a pas été réglé, nous n'avons pu conduire la voiture pour des raisons évidentes de sécurité. Les boulons nécessaires ont finalement été replacés et nous avons pu jouir de nouveau de notre Nissan Sentra 2,0S.

Jonathan Morin

| NISSAN SENTRA 2,0S | |
| --- | --- |
| Début de l'essai : | juin 2007 |
| Fin de l'essai : | en cours |
| Kilomètres parcourus : | 2 480 km |
| Consommation moyenne : | 11,4 litres au 100km |
| Ennuis mécaniques : | moyeu du volant a dû être fixé plus solidement |
| Intégrité de la carrosserie : | excellente |
| Autres commentaires : | bruyante en accélération, confortable, châssis solide |

Les choses ne sont plus comme elles étaient chez Volkswagen. Dans l'édition du *Guide de l'auto* 2007, nous avions souligné l'audace de Volkswagen de lancer le cabriolet Eos avec son toit rigide articulé nécessitant un système électromécanique sophistiqué, alors que cette même compagnie avait un passé récent assez lamentable en fait de fiabilité.

# VOLKSWAGEN RABBIT
## SIX SEMAINES DE PLAISIR

Sous l'ancien régime, la direction de Volkswagen aurait haussé les épaules en marmonnant que j'étais un vieux radoteur et un incompétent. Mais sous le nouveau régime, on a réagi plus positivement. Même s'il ne s'agissait pas d'une Eos, Patrick Saint-Pierre, le responsable de relations avec la presse, a contacté le *Guide* et proposé que l'on fasse l'essai de la nouvelle Rabbit pendant une couple de mois afin de nous démontrer la fiabilité des nouveaux modèles Volkswagen.

L'essai s'est déroulé du début décembre 2006 jusqu'à la fin de janvier 2007 et nous avons franchi un peu moins de 3 000 km. Curieusement, une semaine après en avoir pris possession, l'un de mes fils est venu faire un tour à la maison et m'a demandé s'il pouvait essayer la voiture pendant quelques jours. Ce fut pratiquement la dernière fois que nous avons vu la Rabbit avant la fin de l'essai!

Et il m'a quasiment fallu utiliser mon autorité paternelle pour récupérer la voiture. Mes appels demeuraient sans réponse, mes courriels semblaient atterrir dans le nirvana et j'ai l'impression que mes deux ou trois visites à son domicile l'ont poussé à faire le mort en laissant la porte verrouillée et en éteignant toutes les lumières. Bon, d'accord, j'exagère

(un tout petit peu), mais il a vraiment apprécié cette allemande. Était-ce à cause de la précision de la direction, de la vivacité du moteur 2,5 litres de 150 chevaux ou de l'incroyable tenue de route? Allez donc savoir! Ce sont autant d'éléments en mesure de plaire aux personnes aimant conduire.

Bref, la Rabbit de la nouvelle génération a conservé toutes les qualités routières qui ont rendu la Golf si populaire, mais sans afficher ce manque de fiabilité chronique qui a fait dire à tant de personnes : « Jamais je m'achèterai une autre Volkswagen »

Même si cet essai s'est déroulé sur une courte période, le kilométrage parcouru et les rigueurs de l'hiver ont permis de le corser. Au chapitre de la fiabilité, rien d'important à signaler, sauf la commande du ventilateur de la climatisation qui a cessé de fonctionner en position intermédiaire, et ce, le matin du dernier jour de l'essai. Pour le reste, ce ne fut que du positif à quelques exceptions près. Par exemple, notre essayeur principal a pesté contre les balais d'essuie-glace qui doivent être en position centrale pour être soulevés afin de faciliter le déneigement, tandis que la position du bouchon du réservoir de liquide lave-glace a mérité de mauvaises notes. Mais

comme le soulignait notre essayeur principal alias mon fils aîné David : « Cette voiture est tellement agréable à conduire que je me fiche que les glaces latérales baissent toutes seules et que la chaufferette refuse de fonctionner, même par 40 degrés au-dessous de zéro. » Heureusement pour lui, rien de cela n'est arrivé et si VW Canada ne m'avait pas rappelé pour retourner la Rabbit à la date prévue, je suis certain que je ne l'aurais pas revue davantage. Et pour une fois, un père et son fils étaient du même avis : cette Volkswagen est fort agréable à conduire en plus d'être pratique et confortable. Et elle semble avoir retrouvé le chemin de la fiabilité.

**Denis Duquet**

| VOLKSWAGEN RABBIT | |
|---|---|
| Début de l'essai : | décembre 2006 |
| Fin de l'essai : | février 2007 |
| Kilomètres parcourus : | 2 945 km |
| Consommation moyenne : | 10,2 litres au 100km |
| Ennuis mécaniques : | commande de la soufflerie |
| Intégrité de la carrosserie : | excellente |
| Autres commentaires : | agrément de conduite supérieur, habitacle confortable |

119

ACURA · ASTON MARTIN · AUDI · BENTLEY · BMW
BUGATTI · BUICK · CADILLAC · CHEVROLET
CHRYSLER · DODGE · FERRARI · FORD · HONDA
HUMMER · HYUNDAI · INFINITI · JAGUAR · JEEP
KIA · LAMBORGHINI · LAND ROVER

LEXUS · LINCOLN · LOTUS · MASERATI · MAYBACH
MAZDA · MERCEDES-BENZ · MINI · MITSUBISHI
NISSAN · PONTIAC · PORSCHE · ROLLS-ROYCE
SAAB · SATURN · SMART · SUBARU · SUZUKI
TOYOTA · VOLKSWAGEN · VOLVO

# LA TYPE-S, UNE Si QUATRE PORTES ?

Lancée en exclusivité sur le marché canadien à l'automne 2007, la CSX est largement calquée sur la plus récente génération de la Honda Civic, et cette compacte de luxe s'est récemment enrichie d'une nouvelle version à vocation sportive qui reçoit l'emblème Type-S, symbole des voitures plus performantes chez Acura. La division des voitures de luxe de Honda a donc décidé d'emboîter le pas à plusieurs constructeurs concurrents en proposant cette nouvelle variante plus typée afin de rejoindre et de fidéliser une clientèle plus jeune, et plus portée sur l'agrément de conduite.

Lorsque vient le temps de concevoir une version plus performante d'un modèle, les constructeurs automobiles emploient presque tous la même recette à des degrés différents. Alors que certains se contentent d'ajouter un aileron arrière, des roues en alliage et des emblèmes distinctifs, d'autres y vont plus en profondeur en apportant des modifications substantielles. C'est cette dernière approche qui a été privilégiée par Acura, la version Type-S de la CSX se démarquant par l'adoption de suspensions plus fermes et d'une motorisation plus évoluée. Par ailleurs, la CSX Type-S remplace la récente RSX Type-S (retirée du catalogue en 2007) comme modèle de performance d'entrée de gamme pour la marque.

## LE MOTEUR DE LA Si

C'est le 4 cylindres i-VTEC de 2,0 litres et 197 chevaux qui a été retenu pour animer la version la plus performante de cette berline sport. Ce moteur se distingue par sa haute voltige pour ce qui est des révolutions-moteur, en développant sa pleine puissance à sa limite de révolutions fixée à 7 800 tours/minute. Un simple calcul permet d'ailleurs de préciser que ce moteur déploie presque 100 chevaux par litre de cylindrée, ce qui témoigne de son degré de sophistication sur le plan technique. Ainsi, il se démarque du 2,0 litres de la CSX ordinaire par l'adoption d'arbres à cames de calibrations plus évoluées, de ressorts de soupapes plus fermes, d'un taux de compression plus élevé, ainsi que de bielles et d'un vilebrequin plus rigides, entre autres. Ce moteur est exclusivement jumelé à une boîte manuelle à six rapports, une boîte automatique n'étant pas disponible sur ce modèle sport, ainsi qu'à un différentiel à glissement limité qui permet une meilleure motricité en sortie de virage.

Les suspensions ont également été revues par les concepteurs qui ont opté pour l'ajout de barres antiroulis plus rigides, et de ressorts plus fermes. Par ailleurs, la CSX habituelle fait appel à une boîte manuelle à cinq vitesses ou à une boîte automatique à cinq rapports avec commandes de passage des rapports au volant.

Sur papier, tous ces éléments annoncent une belle réussite sur le plan de la motricité et de la tenue de route, mais au volant, il faut malheureusement composer avec une monte pneumatique d'origine qui limite sérieusement le potentiel de performance de la voiture, ainsi qu'avec un système de contrôle électronique de la stabilité plutôt intrusif qui doit être désactivé afin d'exploiter au mieux les capacités de la CSX Type-S. Comme c'est souvent le cas chez Acura, on propose un groupe moto-propulseur évolué, des suspensions plus fermes, mais on gâte la sauce

**FEU VERT**
Moteur performant, qualité de finition,
boîte manuelle bien étagée,
bonne tenue de route

**FEU ROUGE**
Prix relativement élevés, style très semblable à la Honda Civic,
pneumatiques moyens,
voiture peu représentative de la marque

**122**

en dotant la voiture de pneus toutes saisons qui sont carrément décevants sur pavé sec, sans parler du fait qu'ils sont médiocres en hiver. À mon avis, il aurait plutôt fallu équiper cette voiture d'une monte d'origine performante, puisque la très grande majorité des acheteurs se procurent des pneus d'hiver, de toute façon. En proposant la CSX Type-S avec des quatre saisons, Acura force l'acheteur à acquérir à la fois des pneus d'été performants et des pneus d'hiver, du moins s'il veut profiter pleinement de sa voiture.

## HABITACLE COSSU ET ÉQUIPEMENT COMPLET

Sur la CSX Type-S, l'acheteur a droit à des sièges en cuir affichant le logo Type-S en relief, à des pédales métalliques de même qu'à un éclairage ambiant rouge. De plus, la chaîne audio de 350 watts compte sept haut-parleurs et le système de navigation assisté par satellite fonctionne avec reconnaissance des commandes vocales en français ainsi qu'en anglais. Il est à noter que sur la CSX ordinaire, ces équipements sont proposés en ensembles d'options. Pour ce qui est de la sécurité, la CSX est équipée de série de six coussins gonflables (dont deux rideaux latéraux), ainsi que de sièges avant à appuie-têtes actifs afin de réduire les blessures causées à la nuque lors d'un impact par l'arrière.

Il ne faudrait pas non plus oublier la CSX régulière que plusieurs considèrent, non sans raison, comme une Honda Civic plus luxueuse et plus performante. Ce modèle s'avère plus silencieux et offre une douceur de roulement plus grande que la Civic.

Malgré le fait que la Type-S soit la version la plus évoluée et la plus performante de la gamme des CSX, je suis d'avis que les vrais amateurs de performances préféreront conduire la MazdaSpeed3 ou la Volkswagen GTI, qui sont à la fois plus performantes et dont le prix est semblable. Par contre, ces deux rivales risquent de coûter plus cher que la CSX pour ce qui est des primes d'assurances, une dépense qui revient chaque année, et qui est un facteur non négligeable pour une clientèle plus jeune...

**Gabriel Gélinas**

## VÉHICULE D'ESSAI

| | |
|---|---|
| Version : | Premium |
| Emp/Lon/Lar/Haut(mm) : | 2 700/4 544/1 752/1 435 |
| Poids : | 1 310 kg |
| Coffre/Réservoir : | 341 litres / 50 litres |
| Nombre de coussins de sécurité : | 6 |
| Suspension avant : | indépendante, jambes de force |
| Suspension arrière : | indépendante, multibras |
| Freins av./arr. : | disque (ABS) |
| Antipatinage/Contrôle de stabilité : | oui / oui |
| Direction : | à crémaillère, assistance variable |
| Diamètre de braquage : | 10,0 m |
| Pneus av./arr. : | P205/55R16 |
| Capacité de remorquage : | non recommandé |

## MOTORISATION À L'ESSAI

| | |
|---|---|
| Moteur : | 4L de 2,0 litres 16s atmosphérique |
| Alésage et course : | 86,0 mm x 86,0 mm |
| Puissance : | 155 ch (116 kW) à 6 000 tr/min |
| Couple : | 139 lb-pi (188 Nm) à 4 500 tr/min |
| Rapport poids/puissance : | 8,45 kg/ch (11,49 kg/kW) |
| Système hybride : | aucun |
| Transmission : | traction, manuelle 5 rapports |
| Accélération 0-100 km/h : | 8,5 s |
| Reprises 80-120 km/h : | 7,5 s |
| Freinage 100-0 km/h : | 42,5 m |
| Vitesse maximale : | 195 km/h |
| Consommation (100 km) : | ordinaire, 8,7 litres |
| Autonomie (approximative) : | 575 km |
| Émissions de $CO_2$ : | 3 696 kg/an |

## GAMME EN BREF

| | |
|---|---|
| Échelle de prix : | 25 990 $ à 33 400 $ (2007) |
| Catégorie : | berline compacte |
| Historique du modèle : | 2$^{ième}$ génération |
| Garanties : | 4 ans/80 000 km, 5 ans/100 000 km |
| Assemblage : | Alliston, Ontario, Canada |
| Autre(s) moteur(s) : | 4L 2,0l 197ch/139lb-pi (10,2 l/100km) Type S |
| Autre(s) rouage(s) : | aucun |
| Autre(s) transmission(s) : | automatique 5 rapports / manuelle 6 rapports |

## DANS LA MÊME CATÉGORIE

Chevrolet Cobalt - Honda Civic - Hyundai Elantra - Nissan Altima - Mazda MazdaSpeed3 (CSX Type S) - Volkswagen GTI (CSX Type S)

## DU NOUVEAU EN 2008

Modèle CSX Type-S, contrôle de stabilité standard sur CSX, sièges en cuir standard

## NOS IMPRESSIONS

| | |
|---|---|
| Agrément de conduite : | 🚗 🚗 🚗 |
| Fiabilité : | 🚗 🚗 🚗 🚗 |
| Sécurité : | 🚗 🚗 🚗 🚗 |
| Qualités hivernales : | 🚗 🚗 🚗 ½ |
| Espace intérieur : | 🚗 🚗 🚗 ½ |
| Confort : | 🚗 🚗 🚗 🚗 |

## LE CHOIX DE L'ÉQUIPE

Premium

Photos : Denis Duquet

# ACURA MDX

# TROP SOPHISTIQUÉ ?

Plusieurs d'entre vous seront certainement intrigués par la présence d'un point d'interrogation dans le titre. Mais si vous me suivez dans mon raisonnement, vous trouverez une réponse à cette question. Il est certain que la pertinence du renouvellement du MDX s'imposait résolument. Après avoir été la référence de la catégorie pendant des années, cet utilitaire commençait à mal cacher son âge et les ingénieurs de cette division de Honda ont mis les bouchées doubles pour combler le retard.

Mais avant de parler du nouveau modèle apparu à l'automne 2007, il est intéressant de savoir que la version précédente s'est révélée d'une ennuyante fidélité. Deux collègues de travail ont opté pour des MDX identiques après s'être lassés du manque de fiabilité de leur BMW, une Série 3 et un X5. Le résultat : rien à signaler comme on est en droit de s'y attendre avec un produit Acura.

**PLUS D'AUDACE**

Les stylistes d'Acura deviennent de plus en plus audacieux. Après le conservatisme sans histoire du premier MDX, cette nouvelle version se démarque surtout en raison de sa grille de calandre bien en évidence qui est sans aucun doute la signature visuelle de ce VUS, sans pour autant faire l'unanimité. De plus, les feux arrière avec LED intégrés et la lunette arrière fortement arrondie sont deux autres traits de caractère visuel. Du moins en photo, car lorsqu'on est en sa présence, l'ensemble est assez sobre pour ne pas dire fade. Il ne possède pas encore ce petit quelque chose qui fait tourner les têtes. Par contre, c'est équilibré, élégant et… discret.

Le tableau de bord respecte les normes esthétiques en vigueur avec un écran LCD en plein centre, dominant les commandes de climatisation qui sont placées immédiatement en dessous. Un centre d'information comprenant un affichage sur deux lignes, placé juste sous cet écran, nous indique les différents réglages de climatisation choisis à l'aide de touches placées sur le pourtour. Elles surplombent les commandes du système audio regroupées dans un espace triangulaire de couleur titane, comme le veut la tendance actuelle. Le système audio est ambiophonique et propose deux lecteurs DVD, un pour l'audio et le vidéo et l'autre pour le système de navigation. Celui-ci est très intuitif et d'une grande facilité d'utilisation. Je n'ai nullement la prétention de m'y connaître dans ce domaine et, croyez-moi, si je suis capable de l'opérer sans problème, tout le monde le peut !

Comme l'exigent la catégorie et le public, les occupants des places arrière peuvent visionner films et vidéos sur un écran LCD placé derrière les sièges avant. Toujours au chapitre de la disposition des places, elles sont constituées de deux baquets avant, d'une banquette arrière 60/40 permettant d'accommoder confortablement deux adultes ou trois enfants, tandis que la troisième banquette de type 50/50 est réservée pour accueillir deux personnes sur de courtes distances. À souligner également la qualité des matériaux et de la finition, ainsi que de plusieurs pièces de la carrosserie en aluminium, notamment le capot.

**FEU VERT**
Moteur puissant, rouage intégral sophistiqué, finition impeccable, équipement complet, groupe d'options intéressant

**FEU ROUGE**
Prix corsé, grille de calandre controversée, agrément de conduite mitigé, troisième rangée exiguë, boîte cinq rapports

124

## DÉLUGE TECHNO

Mais le point fort de cette nouvelle Acura est sa fiche technique qui est étoffée comme pas une ou presque. Il est bien certain que les ingénieurs ont raffiné la plate-forme en la rendant plus rigide, et ils ont de plus concocté une suspension réglable constituée d'amortisseurs à action modulable offerts sur le groupe d'options sport.

Le plus impressionnant demeure toutefois le moteur V6 3,7 litres d'une puissance de 300 chevaux, ce qui en fait le moteur V6 atmosphérique le plus puissant sur notre marché, du moins au moment d'écrire ces lignes. Il est couplé à une boîte automatique séquentielle à cinq rapports dotée également du système de contrôle de pente. Il est néanmoins curieux qu'une boîte à six rapports ne fasse pas partie de ce déluge technologique. Par contre, la présence du rouage intégral Super Handling All-Wheel Drive compense aisément.

Emprunté à la berline de luxe RL, ce mécanisme propose une répartition intelligente du couple afin d'obtenir une meilleure traction en plus d'intervenir lorsque la voiture dérape dans un virage. Alors que les autres systèmes font appel aux freins pour redresser le véhicule, c'est la distribution du couple aux roues qui permet adhérence et performance. Des tests effectués sur le sec et sur la neige m'ont convaincu de l'efficacité de ce système.

Malgré toutes ces qualités, la conduite du MDX n'est pas une expérience transcendante. Le véhicule tient bien la route, accélère comme si on avait un V8 sous le capot, tandis que le comportement sur chaussée enneigée est rassurant. Par contre, si vous vous attendez à une expérience de conduite pointue, vous risquez de demeurer sur votre appétit... La sophistication de ce MDX est sans doute trop poussée car elle gomme trop efficacement les sensations de conduite. Un peu comme le fait le Lexus RX350. Si vous recherchez sophistication, silence de roulement et fiabilité, vous serez comblé.

**Denis Duquet**

### VÉHICULE D'ESSAI

| | |
|---|---|
| Version : | Technologique |
| Emp/Lon/Lar/Haut(mm) : | 2 750/4 844/1 994/1 733 |
| Poids : | 2 069 kg |
| Coffre/Réservoir : | 419 à 2 364 litres / 79,5 litres |
| Nombre de coussins de sécurité : | 6 |
| Suspension avant : | indépendante, jambes de force |
| Suspension arrière : | indépendante, multibras |
| Freins av./arr. : | disque (ABS) |
| Antipatinage/Contrôle de stabilité : | oui / oui |
| Direction : | à crémaillère, assistance variable |
| Diamètre de braquage : | 11,4 m |
| Pneus av./arr. : | P255/55R18 |
| Capacité de remorquage : | 2 268 kg |

### MOTORISATION À L'ESSAI

Pneus d'origine MICHELIN

| | |
|---|---|
| Moteur : | V6 de 3,7 litres 24s atmosphérique |
| Alésage et course : | 90,0 mm x 96,0 mm |
| Puissance : | 300 ch (224 kW) à 6 000 tr/min |
| Couple : | 275 lb-pi (373 Nm) à 5 000 tr/min |
| Rapport poids/puissance : | 6,9 kg/ch (9,36 kg/kW) |
| Système hybride : | aucun |
| Transmission : | intégrale, automatique 5 rapports |
| Accélération 0-100 km/h : | 9,0 s |
| Reprises 80-120 km/h : | 6,8 s |
| Freinage 100-0 km/h : | 42,4 m |
| Vitesse maximale : | 198 km/h |
| Consommation (100 km) : | super, 13,8 litres |
| Autonomie (approximative) : | 576 km |
| Émissions de CO2 : | 5 808 kg/an |

### GAMME EN BREF

| | |
|---|---|
| Échelle de prix : | 52 300 $ à 61 900 $ (2007) |
| Catégorie : | utilitaire sport intermédiaire |
| Historique du modèle : | 2ième génération |
| Garanties : | 4 ans/80 000 km, 5 ans/100 000 km |
| Assemblage : | Alliston, Ontario, Canada |
| Autre(s) moteur(s) : | aucun |
| Autre(s) rouage(s) : | aucun |
| Autre(s) transmission(s) : | aucune |

### DANS LA MÊME CATÉGORIE

Audi Q7 - BMW X5 - Buick Enclave - Cadillac SRX - Infiniti FX35/45 - Jeep Grand Cherokee - Land Rover LR3 - Lexus RX 350/400h - M-Benz Classe M - Saab 9-7x - Volkswagen Touareg - Volvo XC90

### DU NOUVEAU EN 2008

Aucun changement majeur

### NOS IMPRESSIONS

| | |
|---|---|
| Agrément de conduite : | 🚗 🚗 🚗 ½ |
| Fiabilité : | 🚗 🚗 🚗 🚗 🚗 |
| Sécurité : | 🚗 🚗 🚗 🚗 |
| Qualités hivernales : | 🚗 🚗 🚗 🚗 🚗 |
| Espace intérieur : | 🚗 🚗 🚗 🚗 |
| Confort : | 🚗 🚗 🚗 🚗 |

### LE CHOIX DE L'ÉQUIPE

Base

Photos : Acura

# VISION DU LUXE

Il est toujours intéressant d'analyser comment les constructeurs japonais perçoivent les voitures de luxe. Si Lexus a pendant des années copié Mercedes et si Infiniti à ses débuts, s'est inspiré de Jaguar, la division Acura s'est inspirée de… Honda. Ce qui explique sans doute pourquoi cette division ne bénéficie pas du même prestige que les deux autres luxueuses marques nippones, mais c'est quand même Acura qui a le dernier mot en surpassant les deux autres au chapitre des ventes. Et la RL est typique de cette approche maison.

Curieusement, les décideurs de chez Acura deviennent de plus en plus conservateurs au fur et à mesure que le véhicule affiche un prix élevé. Par le passé, il a toujours semblé que le modèle RL ne servait que de balise de prix aux autres modèles moins onéreux. Vous bénéficiez d'une technologie de pointe, d'un confort assuré, mais pas de design spectaculaire, pas de performances ultra-sportives ou encore pas de moteur V8. Après tout, chez Honda, donc Acura, on ne cesse de nous répéter qu'un moteur V6 bien conçu est tout aussi valable qu'un moteur V8. D'ailleurs, nombreux sont les acheteurs qui reprochent à la RL de ne pas posséder de moteur V8. Mais, chez Acura, une berline haut de gamme ne se limite pas au nombre de cylindres!

## DISCRÉTION ASSURÉE

Pour décrire la silhouette de la RL, un seul mot nous vient à l'esprit : sobriété. Un peu comme l'Audi A8 qui semble avoir été dessinée pour passer inaperçue, cette Acura est sobre, trop sobre aux yeux de plusieurs. Elle ne possède pas de rainures latérales encastrées comme la TL ou encore de grille de calandre genre coup de poing à la MDX. C'est élégant et sobre, comme si les stylistes avaient ciblé une clientèle aux tempes grises! Et l'habitacle est de même cuvée. Bien

entendu, le cuir de sièges est de la meilleure qualité possible, le bois des appliques du tableau de bord est des plus fins, tandis que les autres matériaux utilisés sont également ce qu'il y a de mieux. Par contre, la planche de bord est à l'image de la carrosserie… En fait, seule l'argentée console verticale et centrale se démarque du reste.

Sobriété ne signifie pas conservatisme alors que l'équipement de série est plutôt complet : les sièges sont chauffants ou climatisés selon la saison, le système à commande vocale est parmi les plus sophistiqués qui soient, et l'écran LCD au centre de la planche de bord affiche les informations du système de navigation par satellite et sert à afficher la vue que nous donne la caméra de recul. Aux États-Unis, la navigation par satellite vous informe même des embouteillages et propose des itinéraires alternatifs. Au Canada, cette option est inexistante puisqu'aucune institution n'offre ces informations.

Les sièges avant sont confortables et leur support supérieur à la moyenne des voitures asiatiques. Les places arrière ne conviennent pas tellement à de grandes personnes car le dégagement pour la tête est limité.

**FEU VERT**
Rouage intégral efficace, finition impeccable, équipement complet, système de navigation sophistiqué, tenue de route saine

**FEU ROUGE**
Direction trop assistée, habitabilité moyenne, absence de V8 pour certaines personnes, important diamètre de braquage

## INTÉGRALE ORIGINALE

Si le design de la silhouette est conservateur, ce n'est pas la même chose pour la mécanique qui est fort originale. Et cette originalité ne tient pas à un moteur d'un concept unique en son genre, mais plutôt à une transmission intégrale appelée SH-AWD pour Super Handling-All Wheel Drive. Cette fois, on a combiné le rouage aux quatre roues à un mécanisme de répartition du couple qui joue le rôle de système de stabilité latérale. Comme les autres mécanismes du genre, le couple est transmis aux roues arrière quand une perte d'adhérence est détectée. L'originalité du mécanisme est due au couple supplémentaire qui est employé pour remettre la voiture dans le droit chemin lorsqu'il y a une perte de contrôle. Au lieu d'utiliser les freins comme élément redresseur, c'est le couple dirigé vers la roue opposée au sens du dérapage qui entre en action. L'hiver dernier, Acura a organisé une séance d'essai au centre Mécaglisse dans la région de Lanaudière, et nous avons expérimenté ce système à souhait. Il faut également ajouter que le système SH-AWD a été installé sur les MDX et RDX lancés l'an passé.

Il semble que la RL a servi de véhicule de développement et d'introduction de nouveaux éléments mécaniques, notamment ce rouage intégral et le moteur V6 de 3,5 litres adapté sur d'autres produits Acura, dont la TL S-Type. Justement, si plusieurs réclament un moteur V8 sur la RL, ce 3,5 litres ne se débrouille pas trop mal avec ses 290 chevaux. Il est vrai que les accélérations ne sont pas aussi percutantes que si une plus grosse cylindrée ronronnait sous le capot, mais avec un temps de moins de huit secondes pour boucler le 0-100 km/h, ce n'est pas vilain non plus. Et puisque ce moteur ne déteste pas les régimes élevés, il est certain que son rendement peut être amélioré en jouant de la boîte manumatique et en maintenant le régime plus élevé que la moyenne. Si vous vous contentez de laisser le levier de vitesse en position D, ce sera correct mais sans plus.

Le comportement routier est sain et la rigidité de la plate-forme pourrait en remontrer à des allemandes bien nées, mais la RL cache bien son jeu en filtrant un peu trop le *feedback* de la route et en nous offrant une insonorisation trop poussée. Ce qui éponge quelque peu les sensations de conduite. Que voulez-vous ? On est discret ou on ne l'est pas !

**Denis Duquet**

Photos : Acura

### VÉHICULE D'ESSAI

| | |
|---|---|
| Version : | Elite |
| Emp/Lon/Lar/Haut (mm) : | 2 800/4 917/1 847/1 452 |
| Poids : | 1 829 kg |
| Coffre/Réservoir : | 371 litres / 73 litres |
| Nombre de coussins de sécurité : | 6 |
| Suspension avant : | indépendante, bras inégaux |
| Suspension arrière : | indépendante, multibras |
| Freins av./arr. : | disque (ABS) |
| Antipatinage/Contrôle de stabilité : | oui / oui |
| Direction : | à crémaillère, assist. variable électronique |
| Diamètre de braquage : | 12,1 m |
| Pneus av./arr. : | P245/50R17 |
| Capacité de remorquage : | non recommandé |

### MOTORISATION À L'ESSAI

Pneus d'origine MICHELIN

| | |
|---|---|
| Moteur : | V6 de 3,5 litres 24s atmosphérique |
| Alésage et course : | 89,0 mm x 93,0 mm |
| Puissance : | 290 ch (216 kW) à 6 200 tr/min |
| Couple : | 256 lb-pi (347 Nm) à 5 000 tr/min |
| Rapport poids/puissance : | 6,31 kg/ch (8,59 kg/kW) |
| Système hybride : | aucun |
| Transmission : | intégrale, automatique 5 rapports |
| Accélération 0-100 km/h : | 7,9 s |
| Reprises 80-120 km/h : | 6,6 s |
| Freinage 100-0 km/h : | 37,0 m |
| Vitesse maximale : | 225 km/h |
| Consommation (100 km) : | super, 12,9 litres |
| Autonomie (approximative) : | 566 km |
| Émissions de CO2 : | 5 184 kg/an |

### GAMME EN BREF

| | |
|---|---|
| Échelle de prix : | 63 900 $ à 69 500 $ |
| Catégorie : | berline de luxe |
| Historique du modèle : | 4ème génération |
| Garanties : | 4 ans/80 000 km, 5 ans/100 000 km |
| Assemblage : | Saitama, Japon |
| Autre(s) moteur(s) : | aucun |
| Autre(s) rouage(s) : | aucun |
| Autre(s) transmission(s) : | aucune |

### DANS LA MÊME CATÉGORIE

Audi A6 - BMW Série 5 - Cadillac STS - Jaguar S-Type - Mercedes-Benz Classe E - Lexus LS460 - Lincoln MKZ - Volvo S80

### DU NOUVEAU EN 2008

Aucun changement majeur

### NOS IMPRESSIONS

| | |
|---|---|
| Agrément de conduite : | 🚗 🚗 🚗 ½ |
| Fiabilité : | 🚗 🚗 🚗 🚗 |
| Sécurité : | 🚗 🚗 🚗 🚗 ½ |
| Qualités hivernales : | 🚗 🚗 🚗 🚗 🚗 |
| Espace intérieur : | 🚗 🚗 🚗 🚗 |
| Confort : | 🚗 🚗 🚗 🚗 ½ |

### LE CHOIX DE L'ÉQUIPE

Base

# LE NOUVEAU CRÉNEAU

Lancé sur le marché canadien l'an dernier le RDX reprenait la formule développée par la marque haut de gamme de Honda avec la EL puis maintenant la CSX, soit celle de créer un véhicule très bien équipé, et mettant l'emphase sur le luxe mais avec des dimensions plus compactes. C'est donc presque un nouveau créneau qui a ainsi été développé par Acura, et le RDX affronte directement le X3 de BMW.

Au premier coup d'œil, la filiation avec le MDX d'Acura devient rapidement évidente, les deux véhicules arborant une calandre surdimensionnée et des lignes similaires. Toutefois, le RDX a été élaboré sur la base d'une plate-forme aux dimensions réduites qui sert également de point de départ pour le CR-V de Honda. Toujours sur le plan technique, le RDX fait appel à une motorisation plus évoluée qui adopte la turbocompression pour son moteur 4 cylindres de 2,3 litres et qui développe ainsi 240 chevaux et 260 livres-pied de couple. Jumelé à une boîte automatique à cinq rapports qui offre la possibilité de sélectionner manuellement le passage des vitesses avec paliers au volant, ce moteur laisse entrevoir un bon potentiel de performance.

Néanmoins, cette puissance est en quelque sorte gommée par le poids relativement élevé du RDX qui ne pèse que 246 kilos de moins que le MDX qui est de plus grande taille. Les accélérations sont correctes avec un chrono de 8,5 secondes pour le sprint de 0 à 100 kilomètres/heure, mais on s'attendait à un peu plus de « punch » de la part du groupe motopropulseur à la lecture de la fiche technique, surtout lorsque l'on considère le fait que le turbo développé conjointement par Honda et Aisin est à géométrie variable et peut donc entrer en action sans délai.

## UN DEGRÉ ÉLEVÉ DE SOPHISTICATION TECHNIQUE

Par ailleurs, il faut souligner l'impeccable travail de la boîte automatique ainsi que du rouage intégral qui permet de varier automatiquement la répartition de la puissance qui est de 90 pour cent aux roues avant en temps normal jusqu'à 70 pour cent à l'arrière si les conditions d'adhérence l'exigent. Il est important de préciser que ce rouage n'autorise pas le conducteur à sortir des sentiers battus et de partir à l'aventure, puisqu'il a été conçu d'abord et avant tout pour assurer une plus grande stabilité sur asphalte. De plus, le rouage intégral du RDX est une version simplifiée du système SH-AWD (Super Handling All Wheel Drive) qui a d'abord été développé pour la berline de luxe RL.

Ce système présente une caractéristique intéressante soit celle de varier automatiquement la répartition de la puissance d'un côté à l'autre du véhicule, ce qui fait en sorte que les roues qui sont à l'extérieur de la courbe sont accélérées plus rapidement. Bien que ce système ait été mis au point afin de donner une meilleure performance en tenue de route au RDX, on s'aperçoit vite que la vraie limite en virage est imposée par la monte pneumatique d'origine… En effet, celle-ci laisse un peu à désirer et ne permet pas d'exploiter

**FEU VERT**
Bon comportement routier, qualité d'assemblage, habitacle confortable, style moderne, équipement complet

**FEU ROUGE**
Pneumatiques décevants, puissance moteur un peu juste, rouage intégral de salon

| VÉHICULE D'ESSAI | |
|---|---|
| Version : | Technologique |
| Emp/Lon/Lar/Haut(mm) : | 2 650/4 590/1 870/1 655 |
| Poids : | 1 787 kg |
| Coffre/Réservoir : | 788 litres / 68 litres |
| Nombre de coussins de sécurité : | 6 |
| Suspension avant : | indépendante, jambes de force |
| Suspension arrière : | indépendante, multibras |
| Freins av./arr. : | disque (ABS) |
| Antipatinage/Contrôle de stabilité : | oui / oui |
| Direction : | à crémaillère, assistance variable |
| Diamètre de braquage : | 11,9 m |
| Pneus av./arr. : | P235/55R18 |
| Capacité de remorquage : | 681 kg |

Pneus d'origine MICHELIN

| MOTORISATION À L'ESSAI | |
|---|---|
| Moteur : | 4L de 2,3 litres 16s turbocompressé |
| Alésage et course : | 86,0 mm x 99,0 mm |
| Puissance : | 240 ch (179 kW) à 6 000 tr/min |
| Couple : | 260 lb-pi (353 Nm) à 4 500 tr/min |
| Rapport poids/puissance : | 7,45 kg/ch (10,1 kg/kW) |
| Système hybride : | aucun |
| Transmission : | intégrale, auto. mode man. 5 rapports |
| Accélération 0-100 km/h : | 8,5 s |
| Reprises 80-120 km/h : | 7,0 s (estimé) |
| Freinage 100-0 km/h : | 39,0 m (estimé) |
| Vitesse maximale : | 198 km/h |
| Consommation (100 km) : | super, 12,5 litres |
| Autonomie (approximative) : | 544 km |
| Émissions de CO2 : | 5 280 kg/an |

| GAMME EN BREF | |
|---|---|
| Échelle de prix : | 41 000 $ à 45 000 $ (2007) |
| Catégorie : | utilitaire sport compact |
| Historique du modèle : | 1ère génération |
| Garanties : | 4 ans/80 000 km, 5 ans/100 000 km |
| Assemblage : | Marysville, Ohio, É-U |
| Autre(s) moteur(s) : | aucun |
| Autre(s) rouage(s) : | aucun |
| Autre(s) transmission(s) : | aucune |

parfaitement le degré élevé de sophistication technique du système SH-AWD. Bref, il s'agit encore ici d'une bonne idée qui ne se traduit pas concrètement par d'importantes améliorations en tenue de route. De plus, les suspensions ont été calibrées pour assurer un bon confort et, de ce côté, le RDX surpasse le X3 de BMW. Ce dernier, par contre, dame le pion à l'Acura pour ce qui est de la tenue de route et de l'agrément de conduite. Choisissez donc entre confort et tenue de route, et vous serez en mesure d'acheter le véhicule qui vous convient le mieux entre ces deux-là.

## ÉQUIPEMENT COMPLET

Si le RDX est aussi lourd, c'est en partie à cause de sa dotation de série qui est très complète. Le modèle de base est équipé de sièges en cuir à commande électrique, de la climatisation, d'un groupe électrique complet et de plusieurs accessoires qui ne sont souvent offerts qu'en option sur les véhicules concurrents. Les amateurs de gadgets seront amplement servis par l'ajout de l'ensemble Technologie qui comprend le système de navigation assisté par satellite et à commande vocale bilingue, la caméra de recul, un système audio ELS ambiophonique de 410 watts et le protocole de communication Bluetooth, entre autres. Concernant l'équipement de série, le RDX sort donc grand gagnant comparativement au BMW X3. Pour ce qui est des considérations pratiques, les sièges arrière sont repliables et permettent de configurer l'habitacle avec un fond plat sans que l'on ait à retirer les appuie-têtes au préalable, ce qui est particulièrement intéressant. De plus, les passagers arrière trouveront que l'espace accordé pour les jambes est amplement suffisant.

En fin de compte, le RDX remplit sa mission première, soit celle d'être un véhicule de luxe aux dimensions compactes qui assure un très bon confort, avec en plus une dotation de série complète et un prix alléchant. De ce côté, il marque des points par rapport au BMW X3 qui présente cependant un caractère plus sportif.

**Gabriel Gélinas**

### DANS LA MÊME CATÉGORIE

BMW X3 - Infiniti FX35 - Land Rover LR2 - Mazda CX-7 - Nissan Murano

### DU NOUVEAU EN 2008

Pas de changement majeur

### NOS IMPRESSIONS

| | |
|---|---|
| Agrément de conduite : | 🚗 🚗 🚗 ½ |
| Fiabilité : | 🚗 🚗 🚗 🚗 |
| Sécurité : | 🚗 🚗 🚗 🚗 ½ |
| Qualités hivernales : | 🚗 🚗 🚗 ½ |
| Espace intérieur : | 🚗 🚗 🚗 ½ |
| Confort : | 🚗 🚗 🚗 🚗 |

### LE CHOIX DE L'ÉQUIPE

Sans ensemble technologique

Photos : Denis Duquet

# LUXE ET PERFORMANCE

Lors de son arrivée sur le marché, on faisait grand cas de la nouvelle mission de la génération actuelle de la TL, soit de rivaliser directement avec les berlines sport établies en provenance d'Europe. Dès mon premier contact avec cette voiture, j'en ai déduit que les marques allemandes pouvaient dormir tranquilles pour ce qui est des performances, mais qu'Acura était capable de leur donner une leçon concernant l'équipement de série. En 2007, ce verdict était maintenu, et ce, même avec l'arrivée récente de la Type-S qui avait pourtant comme objectif de rehausser la barre d'un cran en ce qui a trait au comportement routier.

Même si la TL Type-S fait de son mieux afin de se tailler une place au sommet du palmarès des berlines sport, il n'en demeure pas moins qu'il s'agit d'une traction, ce qui limite ses aptitudes pour la conduite sportive, là où les propulsions sont plus avantagées. On ne peut donc passer outre le fait que la répartition des masses de soixante pour cent à l'avant et quarante pour cent à l'arrière ne favorise pas la TL Type-S qui adopte un comportement sous-vireur lorsqu'elle est conduite rapidement en virage. Même si des efforts considérables ont été déployés pour en faire une voiture performante en tenue de route, il y a des limites bien réelles à ce que l'on peut accomplir dans ce domaine quand le point de départ est une voiture à traction, et la TL ne fait pas exception à cette règle.

De plus, la TL Type-S est mal servie par des pneumatiques toutes saisons d'origine guère performants (des pneus d'été plus efficaces en tenue de route sont d'ailleurs proposés en option), ainsi que par un système de contrôle électronique de la stabilité (VSA) qui intervient trop rapidement, ne permettant pas au conducteur de s'amuser un peu au volant, à moins de le désactiver. Lors d'un court essai sur le très sinueux circuit de Summit Point Raceway, j'ai également constaté que les freins avaient tendance à surchauffer rapidement, ce qui m'a étonné compte tenu du fait que les

étriers avant sont en provenance de chez Brembo. Voilà pour l'implacable verdict de la piste, mais il faut bien avouer que la très grande majorité des acheteurs ne demandera jamais un tel effort à sa voiture.

## RETOUCHES ESTHÉTIQUES

L'an dernier, le style de la TL a également été retouché afin de lui conférer une allure plus moderne et dynamique, mais les changements apportés étaient assez mineurs. Parmi ceux-ci, on remarque une calandre agrandie, de nouveaux phares antibrouillard, ainsi que de rétroviseurs latéraux avec clignotants intégrés. À l'arrière, les feux ont été redessinés et le pare-choc est maintenant doté d'un élément assez simple qui veut rappeler le *look* d'un diffuseur.

La Type-S pousse la note un peu plus loin avec ses roues en alliage de 17 pouces de couleur foncée, ses tuyaux d'échappement quadruples, son aileron arrière qui surplombe le coffre et la couleur de chrome noir qui a été choisie pour certains éléments décoratifs de la carrosserie. Même scénario du côté de l'habitacle, où la TL reçoit un volant sport à trois branches et un éclairage d'ambiance bleu alors que la Type-S est illuminée de rouge et possède un pédalier sport ainsi que des appliques rappelant l'aluminium et la fibre de carbone.

**FEU VERT**
Moteurs performants, fiabilité éprouvée,
qualité d'assemblage,
équipement complet

**FEU ROUGE**
Pneumatiques décevants,
plus confortable que sportive,
silhouette anonyme, long rayon de braquage

**130**

| VÉHICULE D'ESSAI | |
| --- | --- |
| Version : | Navi |
| Emp/Lon/Lar/Haut(mm) : | 2 740/4 809/1 916/1 441 |
| Poids : | 1 642 kg |
| Coffre/Réservoir : | 354 litres / 65 litres |
| Nombre de coussins de sécurité : | 6 |
| Suspension avant : | indépendante, bras inégaux |
| Suspension arrière : | indépendante, multibras |
| Freins av./arr. : | disque (ABS) |
| Antipatinage/Contrôle de stabilité : | oui / oui |
| Direction : | à crémaillère, assistance variable |
| Diamètre de braquage : | 12,2 m |
| Pneus av./arr. : | P235/45R17 |
| Capacité de remorquage : | non recommandé |

Sous le capot, la Type-S reçoit un V6 dérivé de celui qui équipe la berline de luxe RL. Ainsi, la cylindrée est de 3,5 litres (comparativement à 3,2 litres pour la TL ordinaire) et la puissance est affichée à 286 chevaux, soit 28 de mieux que celle de la TL. Par ailleurs, le couple moteur affiche également une progression puisqu'il est maintenant chiffré à 256 livres-pied. Toutes ces améliorations apportées aux performances livrées par le moteur de la Type-S sont le résultat de modifications de la cylindrée, de l'admission et de l'échappement. La boîte automatique à cinq rapports est une version modifiée de celle qui équipe la RL, afin de soutenir le couple plus élevé développé par le moteur de la Type-S.

## SÉCURITÉ ET ÉQUIPEMENT DE SÉRIE

La TL reçoit d'excellentes notes pour ce qui est de la protection accordée en cas d'impact, selon les tests américains de la NHTSA (National Highway Transport Safety Administration) et ceux plus sévères de l'IIHS (Insurance Institute for Highway Safety). L'équipement de série comprend plusieurs accessoires intéressants, notamment la connectivité Bluetooth permettant l'utilisation d'un portable équipé de ce protocole de communication avec les commandes au volant et même avec la commande vocale. De plus, la TL est équipée d'un système audio très performant, et d'un système de navigation assisté par satellite amélioré qui est disponible en option et dont l'écran permet de voir les images captées par une caméra de recul facilitant ainsi les manœuvres de stationnement.

Somme toute, il s'agit d'une voiture bien équipée et bien construite offrant un bon compromis entre performances et confort. Mais la TL n'arrive toujours pas à égaler les marques allemandes, dont les voitures sont souvent plus chères et moins bien équipées, au chapitre de la tenue de route et du dynamisme en comportement routier. Un choix sûr et rationnel, certes mais également moins émotif.

**Gabriel Gélinas**

### MOTORISATION À L'ESSAI

*Pneus d'origine* MICHELIN

| | |
| --- | --- |
| Moteur : | V6 de 3,2 litres 24s atmosphérique |
| Alésage et course : | 89,0 mm x 86,0 mm |
| Puissance : | 258 ch (192 kW) à 6 200 tr/min |
| Couple : | 233 lb-pi (316 Nm) à 5 000 tr/min |
| Rapport poids/puissance : | 6,36 kg/ch (8,64 kg/kW) |
| Système hybride : | aucun |
| Transmission : | traction, automatique 5 rapports |
| Accélération 0-100 km/h : | 7,6 s |
| Reprises 80-120 km/h : | 6,1 s |
| Freinage 100-0 km/h : | 37,8 m |
| Vitesse maximale : | 225 km/h |
| Consommation (100 km) : | super, 11,6 litres |
| Autonomie (approximative) : | 560 km |
| Émissions de CO2 : | 4 752 kg/an |

### GAMME EN BREF

| | |
| --- | --- |
| Échelle de prix : | 42 500 $ à 47 600 $ (2007) |
| Catégorie : | berline de luxe |
| Historique du modèle : | 3ième génération |
| Garanties : | 4 ans/80 000 km, 5 ans/100 000 km |
| Assemblage : | Marysville, Ohio, É-U |
| Autre(s) moteur(s) : | V6 3,5l 286ch/256lb-pi (11,6 l/100km) Type S |
| Autre(s) rouage(s) : | aucun |
| Autre(s) transmission(s) : | manuelle 6 rapports |

### DANS LA MÊME CATÉGORIE

Audi A4 - BMW Série 3 - Infiniti G35 - Lexus GS 350 - Mercedes-Benz Classe C - Saab 9-5 - Volvo S60

### DU NOUVEAU EN 2008

Modèle Type-S

### NOS IMPRESSIONS

| | |
| --- | --- |
| Agrément de conduite : | 🚗 🚗 🚗 ½ |
| Fiabilité : | 🚗 🚗 🚗 🚗 ½ |
| Sécurité : | 🚗 🚗 🚗 🚗 |
| Qualités hivernales : | 🚗 🚗 🚗 ½ |
| Espace intérieur : | 🚗 🚗 🚗 ½ |
| Confort : | 🚗 🚗 🚗 🚗 |

### LE CHOIX DE L'ÉQUIPE

Type-S

Photos : Denis Duquet

# POUR LES NON-CONFORMISTES

Nous l'avons déjà écrit, la compagnie Honda et sa division Acura font souvent les choses différemment. Ce constructeur a une préférence marquée pour les moteurs quatre cylindres, pour les suspensions relativement souples et un design à part. De plus, il fait généralement fi des modes du moment. La TSX en est un autre exemple probant. Dérivée de la Honda Accord européenne et japonaise, cette berline cible une clientèle qui saura apprécier son caractère unique.

Il est certain que cette Acura ne plaira pas à ceux qui aiment *flasher*... La TSX est sobre, très sobre. Ses lignes fuyantes sont plus classiques qu'autre chose. Les stylistes ont opté pour une ceinture de caisse élevée, un pavillon particulièrement bas, le tout ancré à une grille de calandre chromée qui est l'élément visuel le plus caractéristique de cette voiture. Ce faisant, on a repris en quelque sorte certains caractères de style propres à Alfa Romeo. Si vous trouvez que la partie arrière vous rappelle celle de la BMW Série 3 de la génération précédente, vous n'êtes pas le seul à y voir une ressemblance. Malgré ces associations visuelles, la silhouette de la TSX est en filiation avec les autres berlines de la marque, mais en étant nettement plus discrète.

### PETIT MOTEUR, 204 CHEVAUX!

Honda a toujours été un grand spécialiste des moteurs de petite cylindrée produisant beaucoup de chevaux, et le moteur 2,4 litres de la TSX confirme cette règle avec une puissance de 205 chevaux. Compte tenu de la vocation de berline sportive de cette Acura, il est couplé à une boîte manuelle à six rapports. La transmission manumatique à cinq rapports pouvant être contrôlée par des pastilles placées derrière le volant est optionnelle. La plate-forme est très rigide et la suspension avant à

leviers triangulés a prouvé son efficacité sur de nombreux autres modèles Acura ou Honda. À l'arrière, la suspension indépendante à leviers multiples se révélera relativement souple en conduite sportive. Nous y reviendrons plus tard.

Comme tous les modèles Acura, la qualité des matériaux et de la finition est sans reproche.

La voiture donne l'impression d'être assez petite, mais il s'agit d'une illusion d'optique. Par exemple, cette TSX est plus longue et plus haute qu'une Audi A4 et son empattement est également plus long. Ce n'est qu'en largeur qu'elle cède quelques millimètres à sa rivale germanique. Et cette différence n'affecte pas son habitabilité car les occupants des places avant ne se sentent nullement à l'étroit. Les places arrière sont correctes pour la catégorie tandis que le coffre est même plus spacieux que celui de la RL, la grosse berline de la marque.

Terminons ce tour du propriétaire en soulignant que les sièges avant sont confortables tout en offrant un support latéral supérieur à la moyenne. Devant lui, le conducteur voit deux grands cadrans, faciles à consulter, avec chiffres blancs sur fond noir. Le volant est parsemé de

**FEU VERT**
Agrément de conduite, finition impeccable, moteur nerveux, mécanique fiable, sièges avant confortables

**FEU ROUGE**
Silhouette générique, certaines options onéreuses, boîte automatique limite l'agrément, habitabilité moyenne, pneumatiques moyens

**132**

## VÉHICULE D'ESSAI

| | |
|---|---|
| Version : | Base |
| Emp/Lon/Lar/Haut (mm) : | 2 670/4 660/1 762/1 456 |
| Poids : | 1 488 kg |
| Coffre/Réservoir : | 374 litres / 65 litres |
| Nombre de coussins de sécurité : | 6 |
| Suspension avant : | indépendante, bras inégaux |
| Suspension arrière : | indépendante, multibras |
| Freins av./arr. : | disque (ABS) |
| Antipatinage/Contrôle de stabilité : | oui / oui |
| Direction : | à crémaillère, assistance variable |
| Diamètre de braquage : | 12,2 m |
| Pneus av./arr. : | P215/50R17 |
| Capacité de remorquage : | non recommandé |

## MOTORISATION À L'ESSAI

Pneus d'origine MICHELIN

| | |
|---|---|
| Moteur : | 4L de 2,4 litres 16s atmosphérique |
| Alésage et course : | 87,0 mm x 99,0 mm |
| Puissance : | 205 ch (153 kW) à 7 000 tr/min |
| Couple : | 164 lb-pi (222 Nm) à 4 500 tr/min |
| Rapport poids/puissance : | 7,26 kg/ch (9,85 kg/kW) |
| Système hybride : | aucun |
| Transmission : | traction, manuelle 6 rapports |
| Accélération 0-100 km/h : | 8,4 s |
| Reprises 80-120 km/h : | 7,6 s |
| Freinage 100-0 km/h : | 41,0 m |
| Vitesse maximale : | 210 km/h |
| Consommation (100 km) : | ordinaire, 10,8 litres |
| Autonomie (approximative) : | 602 km |
| Émissions de $CO_2$ : | 4 416 kg/an |

## GAMME EN BREF

| | |
|---|---|
| Échelle de prix : | 37 400 $ à 38 900 $ |
| Catégorie : | berline sport |
| Historique du modèle : | 1ière génération |
| Garanties : | 4 ans/80 000 km, 5 ans/100 000 km |
| Assemblage : | Saitama, Japon |
| Autre(s) moteur(s) : | aucun |
| Autre(s) rouage(s) : | aucun |
| Autre(s) transmission(s) : | automatique 5 rapports |

## DANS LA MÊME CATÉGORIE

Audi A4 - BMW Série 3 - Lexus IS 250 - Nissan Maxima - Saab 9-3 - Volkswagen Passat - Volvo S40

## DU NOUVEAU EN 2008

Aucun changement majeur, nouvelles couleurs

## NOS IMPRESSIONS

| | |
|---|---|
| Agrément de conduite : | 🚗🚗🚗🚗 |
| Fiabilité : | 🚗🚗🚗🚗½ |
| Sécurité : | 🚗🚗🚗🚗 |
| Qualités hivernales : | 🚗🚗🚗½ |
| Espace intérieur : | 🚗🚗🚗 |
| Confort : | 🚗🚗🚗½ |

## LE CHOIX DE L'ÉQUIPE

Base

---

touches de commandes alors que la version Navi possède un écran LCD de bonne dimension. Détail intéressant, sur la TSX, ces deux cadrans sont de grosseur égale, mais sur la TL, l'indicateur de vitesse trône au centre du module des instruments.

## CONDUITE POLYVALENTE

La version avec la boîte manuelle me semble la plus agréable à conduire. La course du levier de vitesse est courte et précise et c'est un plaisir que de passer d'un rapport à l'autre. La course de la pédale d'embrayage est longue, mais le point de friction est relativement haut, ce qui permet de changer les vitesses très rapidement. Et c'est tant mieux puisque ce moteur ne livre ses chevaux qu'à un régime assez élevé et les changements de rapports sont nécessairement nombreux, mais combien agréables. Pas besoin de conduire à tombeau ouvert sur une route secondaire pour avoir du plaisir au volant d'une TSX. En fait, à son volant, rouler dans la circulation urbaine devient presque un ravissement.

Rien n'est parfait, et il faut déplorer une direction un peu trop assistée sans oublier la boîte automatique qui enlève du punch à ce petit moteur. Autre bémol, les pneumatiques sont trop glissants en virage. Pour votre information, notre voiture d'essai était chaussée de pneus Michelin Pilot si j'en crois mes notes. Le roulis de caisse en virage serré et la direction trop assistée seront plus ou moins appréciés par certains. Mais si vous adaptez quelque peu votre conduite, vous prendrez votre pied et vous pourrez vous imaginer que vous roulez en Alfa Romeo tant le comportement est plus ou moins similaire.

Somme toute, la TSX s'adresse à des gens qui privilégient la conduite impliquée et qui aiment les caractéristiques d'une petite cylindrée performant à haut régime.

**Denis Duquet**

Photos : Acura

Aston Martin DB9

# LE NOUVEAU DÉPART

Dans la tourmente qui a précédé la vente d'Aston Martin, plusieurs ont craint le pire, mais l'avenir semble assuré pour cette célèbre marque britannique rachetée par un consortium qui a choisi de garder en place Ulrich Bez, le chef de la direction, qui a été l'architecte de sa renaissance. De plus, les nouveaux acheteurs ont choisi de donner le feu vert à la construction de la Rapide. Celle-ci marquera le retour chez Aston Martin d'une berline, plus de vingt ans après la très célèbre Lagonda.

La Rapide, dont l'arrivée sur le marché est prévue au cours de l'année 2008, entend livrer une concurrence directe à la Porsche Panamera à moteur V10 devant faire son entrée en 2009. Élaborée sur une version allongée de 300 millimètres de la plate-forme utilisée pour les deux variantes de la DB9, la Rapide permettra d'accueillir quatre passagers avec un confort amélioré par rapport à la DB9 qui est plus une 2+2 qu'une véritable quatre places. Il est également intéressant de noter que le style du concept de la Rapide, dévoilée au Salon de l'auto de Detroit en 2006, reprend le thème d'un coupé à quatre portes popularisé par la récente Mercedes-Benz CLS. La puissance du moteur V12 de 6,0 litres sera portée à 480 chevaux, et le groupe motopropulseur sera complété par la boîte automatique à six rapports de la DB9. De plus, la Rapide sera dotée de disques de frein en composite de céramique, ce qui représente une première incursion dans ce domaine pour la marque. James Bond sera-t-il en mesure de faire du covoiturage à haute vitesse en invitant à bord non pas une mais trois jolies espionnes dès son prochain film ? Pariez que ce sera le cas si les producteurs du film choisissent de poursuivre leur entente avec la marque Aston Martin, dont le rayonnement dépasse de beaucoup la diffusion de ses modèles.

## ÉLÉGANCE REMARQUABLE

Produites en quantités limitées, les voitures Aston Martin jouissent d'un prestige remarqué et assurent ainsi une certaine exclusivité à l'acheteur fortuné. C'est le cas de la DB9, car elle séduit par l'élégance classique de ses lignes créées par le designer Henrik Fisker, qui nous a également donné la défunte BMW Z8. Depuis la création de la DB9, Fisker a quitté Aston Martin pour lancer sa propre marque, Fisker Coachbuilders, qui produit exclusivement des sportives en série limitée ayant pour noms Tramonto et Latigo CS.

Revenons à la DB9, qui a été inspirée par la célèbre DB7, et qui respecte en tous points les critères établis de la marque en matière de design : la calandre typée, le capot avant surélevé laissant deviner la présence du moteur V12, ou encore le fait que les portières pivotent vers le haut à un angle de 12 degrés à leur ouverture. La DB9 fait également appel à la haute technologie, puisque châssis et carrosserie sont réalisés en aluminium. Ainsi, la voiture affiche 1 710 kilos à la pesée malgré ses dimensions imposantes. D'ailleurs, lorsqu'elle est stationnée aux côtés de la Lamborghini Gallardo, la Aston Martin DB9 semble deux fois plus grosse que l'exotique italienne… L'habitacle de la DB9 est absolument remarquable par la qualité des matériaux et la

**FEU VERT**
Moteur fabuleux, style intemporel,
habitacle somptueux,
exclusivité assurée

**FEU ROUGE**
Fiabilité décevante, poids élevé,
visibilité vers l'arrière,
volume du coffre

**134**

## VÉHICULE D'ESSAI

| | |
|---|---|
| Version: | Coupé |
| Emp/Lon/Lar/Haut(mm): | 2 745/4 697/1 875/1 318 |
| Poids: | 1 710 kg |
| Coffre/Réservoir: | 186 litres / 80 litres |
| Nombre de coussins de sécurité: | 4 |
| Suspension avant: | indépendante, bras inégaux |
| Suspension arrière: | indépendante, bras inégaux |
| Freins av./arr.: | disque (ABS) |
| Antipatinage/Contrôle de stabilité: | oui / oui |
| Direction: | à crémaillère, assistée |
| Diamètre de braquage: | 11,5 m |
| Pneus av./arr.: | P235/40ZR19 / P275/35ZR19 |
| Capacité de remorquage: | non recommandé |

## MOTORISATION À L'ESSAI

| | |
|---|---|
| Moteur: | V12 de 5,9 litres 48s atmosphérique |
| Alésage et course: | 88,9 mm x 79,5 mm |
| Puissance: | 450 ch (336 kW) à 6 000 tr/min |
| Couple: | 420 lb-pi (570 Nm) à 5 000 tr/min |
| Rapport poids/puissance: | 3,8 kg/ch (5,17 kg/kW) |
| Système hybride: | aucun |
| Transmission: | propulsion, auto. mode man. 6 rapports |
| Accélération 0-100 km/h: | 5,2 s |
| Reprises 80-120 km/h: | 4,3 s |
| Freinage 100-0 km/h: | 37,0 m |
| Vitesse maximale: | 300 km/h |
| Consommation (100 km): | super, 18,0 litres |
| Autonomie (approximative): | 444 km |
| Émissions de CO2: | 7 880 kg/an |

## GAMME EN BREF

| | |
|---|---|
| Échelle de prix: | 219 000 $ à 268 000 $ (2007) |
| Catégorie: | coupé/cabriolet |
| Historique du modèle: | 1ère génération |
| Garanties: | 3 ans/km illimité, 3 ans/km illimité |
| Assemblage: | Gaydon, Warwickshire, Angleterre |
| Autre(s) moteur(s): | V12 6l 480 ch. Rapide |
| Autre(s) rouage(s): | aucun |
| Autre(s) transmission(s): | manuelle 6 rapports |

## DANS LA MÊME CATÉGORIE

Bentley Continental GT - Ferrari F430 - Lamborghini Gallardo - Mercedes-Benz SL AMG

## DU NOUVEAU EN 2008

Arrivée de la Rapide

## NOS IMPRESSIONS

| | |
|---|---|
| Agrément de conduite: | 🚗 🚗 🚗 ½ |
| Fiabilité: | 🚗 🚗 🚗 |
| Sécurité: | 🚗 🚗 🚗 🚗 |
| Qualités hivernales: | Nulles |
| Espace intérieur: | 🚗 🚗 🚗 ½ |
| Confort: | 🚗 🚗 🚗 ½ |

## LE CHOIX DE L'ÉQUIPE

Coupé

---

justesse de l'assemblage. Le cuir est magnifique, les appliques de bois sont de bon ton, et l'effet produit est sans pareil. C'est au moment de monter à bord que l'on comprend pourquoi l'assemblage d'une DB9 demande plus de 200 heures de travail à la main, soit trois fois plus de temps qu'une voiture ordinaire.

### ADIEU, MA BELLE...

Au cours des deux dernières années, j'ai eu un contact étroit avec la DB9 qui était l'une des voitures du Challenge Trioomph. Malheureusement, nous avons dû la remplacer par sa petite sœur appelée Vantage, car la DB9 était trop lourde pour la conduite sur circuit, ce qui taxait lourdement ses freins en plus de l'affliger d'un roulis important en virage. Aussi, cette très belle anglaise nous a-t-elle souvent laissés en plan en démontrant des signes de faiblesse électronique... Pas pour ce qui est d'éléments complexes comme la gestion électronique du moteur ou encore des systèmes de stabilité qui sont intégrés à la voiture, mais bien du côté des commandes électriques pour le réglage des sièges avant...

En quelques mots, lorsqu'un nouveau conducteur tentait de régler la position de son siège, celui-ci commençait à s'avancer automatiquement à la position la plus serrée du volant et du pédalier, coinçant ainsi dans la voiture les conducteurs de grand gabarit. Pour remédier à cette situation, il fallait débrancher la batterie pendant une certaine période pour ensuite relancer l'ordinateur de bord au rebranchement de la batterie, ce qui permettait de faire fonctionner de nouveau les commandes de réglages électriques des sièges, du moins jusqu'à la prochaine réapparition du problème. À plus de 220 000 dollars l'exemplaire, on se serait attendu à mieux...

La DB9 se double également d'un cabriolet appelé DB9 Volante dont le style est tout aussi réussi. Également construite sur la base de la plate-forme VH, la Volante fait un usage élevé de matériaux de pointe comme l'aluminium et le magnésium, mais elle est toutefois plus lourde que le coupé et son châssis n'est pas aussi rigide. Elle conviendra donc à ceux qui recherchent un cabriolet haut de gamme qui ne manquera pas de faire tourner les têtes.

**Gabriel Gélinas**

Photos: Aston Martin

# LE GRAND VIRAGE

C'est fait, Ford s'est départi d'Aston Martin qui a été racheté par un consortium mené par David Richards, ex-patron de l'écurie de F1 BAR-Honda et toujours grand patron du groupe Prodrive. Voilà qui annonce un nouveau départ pour la célèbre marque anglaise qui a profité des largesses du géant américain pour moderniser ses installations, et qui mettra bientôt en chantier une berline sport inspirée de la voiture-concept Rapide dévoilée en 2006. Il sera donc intéressant de suivre de près l'évolution de cette marque dont le prestige est en progrès.

Pour l'heure, la gamme Aston Martin est essentiellement composée de coupés et de cabriolets, et la Vantage joue le rôle de modèle d'entrée de gamme, si on peut ainsi caractériser une voiture dont le prix de base est de 142 500 dollars, alors que la version cabriolet coûte 164 000 dollars… J'ai eu l'occasion de passer plusieurs journées avec l'Aston Martin Vantage au circuit Mont-Tremblant puisque nous avons fait l'acquisition de ce modèle pour le Challenge Trioomph afin de remplacer notre Aston Martin DB9 qui était beaucoup trop lourde, voire pataude, pour la conduite sur circuit.

### PLUS LÉGÈRE ET AGILE

Comparée à la DB9, la Vantage s'est avérée beaucoup plus agile et à l'aise sur le circuit. De ce côté, c'est le jour et la nuit, tellement le comportement de ces deux coupés diffère malgré de grandes similitudes pour ce qui est des apparences. L'élément clé est bien sûr le poids réduit de la Vantage par rapport à la DB9 (1 590 kilos versus 1 710) ce qui a une incidence directe sur les distances de freinage de même que la vitesse de passage en virage.

Aussi, la Vantage est un coupé à deux places, alors que la DB9 est un coupé 2+2, ce qui en fait une voiture plus compacte. Le fait que le

moteur soit un V8 de 4,3 litres provenant de chez Jaguar mais modifié par Aston Martin joue également un rôle en vertu du fait qu'il est plus léger que le V12 de la DB9. Logé très en retrait sous le capot avant, cela aide pour ce qui est de l'équilibrage des masses de la Vantage. Livrant seulement 380 chevaux, ce V8 n'offre pas autant de puissance que certains autres moteurs comparables. Mais il est important de préciser que quatre-vingt-cinq pour cent du couple maximal de 302 livres-pied est disponible dès les 1 500 tours/minute, ce qui donne un certain aplomb à la voiture lors de l'accélération initiale, même si la Vantage est un peu moins rapide qu'une Porsche 911 Carrera S pour le sprint de 0 à 100 kilomètres/heure. La sonorité du moteur évolue dès que le régime atteint les 5 000 tours/minute, alors que le système d'échappement adopte une calibration différente, et l'effet produit est remarquable.

Un autre élément qui permet à la Vantage de se démarquer de la DB9, c'est que la petite Aston Martin est livrable avec une boîte manuelle habituelle avec levier de vitesse et pédale d'embrayage ou encore avec une boîte manuelle activée électroniquement au moyen de commandes au volant. La DB9 est plutôt équipée d'une boîte automatique avec convertisseur de couple, dont les rapports peuvent

**FEU VERT**
Disponibilité de la boîte manuelle, style intemporel, sonorité du moteur, exclusivité assurée

**FEU ROUGE**
Puissance un peu juste, prix relativement élevés, freinage perfectible, volume du coffre (roadster)

être changés eux aussi comme ceux de la Vantage. Celles-ci sont donc semblables, mais les boîtes sont complètement différentes, celle de la Vantage étant beaucoup plus rapide et perdant moins de puissance lors du passage des vitesses.

Sur le circuit, la Vantage n'est pas aussi rapide qu'une Porsche 911 Carrera S, l'allemande étant plus légère, ce qui est primordial pour rouler vite sur une piste. De plus, la Vantage demande une bonne pression sur la pédale de frein avant que l'on ne sente l'effet des étriers Brembo. Elle est donc beaucoup plus sportive que la DB9 qui est une véritable GT, mais elle souffre de la comparaison avec sa rivale directe qu'est la Porsche 911.

## BELLE GUEULE

Concernant son allure, la Vantage partage cette filiation propre aux voitures de la marque en adoptant des portières qui pivotent vers le haut lors de l'ouverture, ainsi que la calandre et les phares typiques des autres modèles Aston Martin. C'est un peu le même scénario pour ce qui est de l'habitacle où certains éléments ont été carrément repris de la DB9.

Précisons que la Vantage se décline également en cabriolet, qui a été lancé à l'été 2007, et dont le poids est légèrement supérieur (80 kilos de plus que le coupé), puisque certains éléments de structure ont dû être ajoutés à la voiture afin de la rigidifier pour composer avec la perte du toit. De plus, la capacité du coffre du roadster est réduite à 144 litres, soit la moitié de celle du coupé, permettant au toit souple de venir s'y loger après les 20 secondes requises pour son repli.

Personne ne peut rester insensible à l'allure à la fois athlétique et élégante de la Vantage, qui est aussi très exclusive, Aston Martin ne produisant que 3 000 voitures par année. Il est cependant dommage que cette « bagnole » ne puisse égaler ses rivales directes sur le plan des performances.

**Gabriel Gélinas**

## VÉHICULE D'ESSAI

| | |
|---|---|
| Version : | Coupé |
| Emp/Lon/Lar/Haut(mm) : | 2 600/4 383/1 866/1 255 |
| Poids : | 1 570 kg |
| Coffre/Réservoir : | 300 litres / 77 litres |
| Nombre de coussins de sécurité : | 4 |
| Suspension avant : | indépendante, multibras |
| Suspension arrière : | indépendante, multibras |
| Freins av./arr. : | disque (ABS) |
| Antipatinage/Contrôle de stabilité : | oui / oui |
| Direction : | à crémaillère, assistée |
| Diamètre de braquage : | 12,8 m |
| Pneus av./arr. : | P235/45ZR18 / P275/40ZR18 |
| Capacité de remorquage : | non recommandé |

## MOTORISATION À L'ESSAI

| | |
|---|---|
| Moteur : | V8 de 4,3 litres 32s atmosphérique |
| Alésage et course : | 89,0 mm x 86,0 mm |
| Puissance : | 380 ch (283 kW) à 7 000 tr/min |
| Couple : | 302 lb-pi (410 Nm) à 5 000 tr/min |
| Rapport poids/puissance : | 4,13 kg/ch (5,61 kg/kW) |
| Système hybride : | aucun |
| Transmission : | propulsion, séquentielle 6 rapports |
| Accélération 0-100 km/h : | 5,2 s |
| Reprises 80-120 km/h : | 4,5 s (estimé) |
| Freinage 100-0 km/h : | 39,0 m (estimé) |
| Vitesse maximale : | 280 km/h |
| Consommation (100 km) : | super, 14,5 litres (estimé) |
| Autonomie (approximative) : | 531 km |
| Émissions de CO2 : | n.d. |

## GAMME EN BREF

| | |
|---|---|
| Échelle de prix : | 142 775 $ à 164 000 $ (2007) |
| Catégorie : | GT |
| Historique du modèle : | 1ère génération |
| Garanties : | 3 ans/km illimité, 3 ans/km illimité |
| Assemblage : | Newport Pagnell, Angleterre |
| Autre(s) moteur(s) : | aucun |
| Autre(s) rouage(s) : | aucun |
| Autre(s) transmission(s) : | manuelle 6 rapports |

## DANS LA MÊME CATÉGORIE

BMW Série 6 - Chevrolet Corvette - Mercedes-Benz Classe SL - Porsche 911 Carrera

## DU NOUVEAU EN 2008

Nouveau modèle roadster

## NOS IMPRESSIONS

| | |
|---|---|
| Agrément de conduite : | 🚗 🚗 🚗 ½ |
| Fiabilité : | Nouveau modèle |
| Sécurité : | 🚗 🚗 🚗 ½ |
| Qualités hivernales : | 🚗 🚗 🚗 |
| Espace intérieur : | 🚗 🚗 🚗 |
| Confort : | 🚗 🚗 🚗 |

## LE CHOIX DE L'ÉQUIPE

Coupé

Photos : Aston Martin

Vanquish S

# ESPÈCE MENACÉE?

Après plus de 20 ans en tant que propriétaire d'Aston Martin, Ford a vendu ses intérêts majoritaires à un consortium dirigé par Dave Richards et sa compagnie Prodrive, comprenant également des intérêts texans et koweïtiens. Au cours de ces deux décennies, la compagnie américaine a littéralement ressuscité cette prestigieuse marque. Elle a non seulement développé une gamme impressionnante de modèles, mais a doté AM de moyens de recherche et développement, en plus d'installations d'assemblage ultramodernes.

Plusieurs se sont inquiétés de voir un groupe financier relativement petit se porter acquéreur, soulignant que le manque de ressources financières de ces investisseurs pourrait éventuellement amener le constructeur de Grande-Bretagne à déposer son bilan. Ou tout au moins à réduire le nombre de ses modèles et devoir faire appel à des méthodes de fabrication plus économiques.

En contrepartie, il est important de préciser que la compagnie Prodrive a été le partenaire d'autres grands constructeurs dans des projets spéciaux. Et, bonne nouvelle, c'est toujours le Dr Ulrich Bez qui est le grand manitou de la marque. C'est d'ailleurs sous sa gouverne qu'Aston Martin a pu remonter la pente. Enfin, si Ford a réussi à vendre cette compagnie, c'est qu'elle était rentable et donc attrayante pour des financiers qui sont également des fanatiques de belles voitures.

## 520 CHEVAUX!

Pou la petite histoire, la Vanquish a été dévoilée à Genève en mars 2001 et son arrivée marque la résurrection de la marque. Non seulement son élégance, mais également ses caractéristiques techniques l'on fait remarquer dès que les projecteurs ont été braqués sur elle. Sa silhouette demeure toujours une référence et elle est déjà passée à l'histoire comme l'une des plus belles sportives de tous les temps. Massive, large et trapue, elle en impose qu'elle soit stationnée devant un hôtel chic ou sur la route... dans votre rétroviseur.

Mais si les stylistes ont visé dans le mille, les ingénieurs n'ont pas chômé non plus en dessinant une plate-forme qui est encore avant-gardiste sept ans plus tard. Les éléments de la caisse, de la suspension et de la carrosserie sont collés à une poutre centrale qui assure une rigidité nettement supérieure.

Bien entendu, ce processus est complexe et coûteux et il faut espérer que les nouveaux propriétaires sauront résister à la tentation de modifier ce mode d'assemblage. Tous les panneaux de carrosserie sont en aluminium et façonnés à la main afin de pouvoir alléger l'ensemble et reproduire les courbes complexes, mais combien élégantes dessinées par les stylistes.

Depuis l'an dernier, seule la version S et son moteur V12 de 520 chevaux est proposée. Ce double six, comme aiment l'appeler les Britanniques, est doté de quatre arbres à cames en tête, de 48 soupapes et est couplé à une boîte manumatique à six rapports

**FEU VERT**
Moteur puissant, silhouette classique, habitacle luxueux, conception mécanique sophistiquée, accélérations musclées

**FEU ROUGE**
Modèle sera bientôt remplacé, fiabilité capricieuse, voiture lourde, visibilité arrière, coffre exigu

## VÉHICULE D'ESSAI

| | |
|---|---|
| Version : | modèle unique |
| Emp/Lon/Lar/Haut(mm) : | 2 690/4 665/1 923/1 318 |
| Poids : | 1 875 kg |
| Coffre/Réservoir : | 240 litres / 80 litres |
| Nombre de coussins de sécurité : | 2 |
| Suspension avant : | indépendante, multibras |
| Suspension arrière : | indépendante, multibras |
| Freins av./arr. : | disque (ABS) |
| Antipatinage/Contrôle de stabilité : | oui / oui |
| Direction : | à crémaillère, assistée |
| Diamètre de braquage : | 12,8 m |
| Pneus av./arr. : | P255/40ZR19 / P285/40ZR19 |
| Capacité de remorquage : | non recommandé |

## MOTORISATION À L'ESSAI

| | |
|---|---|
| Moteur : | V12 de 6,0 litres 48s atmosphérique |
| Alésage et course : | 89,0 mm x 79,5 mm |
| Puissance : | 520 ch (388 kW) à 7 000 tr/min |
| Couple : | 425 lb-pi (576 Nm) à 5 800 tr/min |
| Rapport poids/puissance : | 3,61 kg/ch (4,9 kg/kW) |
| Système hybride : | aucun |
| Transmission : | propulsion, séquentielle 6 rapports |
| Accélération 0-100 km/h : | 4,8 s |
| Reprises 80-120 km/h : | 3,7 s |
| Freinage 100-0 km/h : | 39,0 m (estimé) |
| Vitesse maximale : | 321 km/h |
| Consommation (100 km) : | super, 19,6 litres |
| Autonomie (approximative) : | 408 km |
| Émissions de $CO_2$ : | 8 960 kg/an |

## GAMME EN BREF

| | |
|---|---|
| Échelle de prix : | 343 825 $ |
| Catégorie : | GT |
| Historique du modèle : | 1ière génération |
| Garanties : | 3 ans/km illimité, 3 ans/km illimité |
| Assemblage : | Newport Pagnell, Angleterre |
| Autre(s) moteur(s) : | aucun |
| Autre(s) rouage(s) : | aucun |
| Autre(s) transmission(s) : | aucune |

## DANS LA MÊME CATÉGORIE

Ferrari 599 Fiorano - Lamborghini Murcielago - Bentley Continental GT

## DU NOUVEAU EN 2008

Aucun changement, modèle en sursis, remplacée par DBS

## NOS IMPRESSIONS

| | |
|---|---|
| Agrément de conduite : | 🚗 🚗 🚗 🚗 ½ |
| Fiabilité : | 🚗 🚗 ½ |
| Sécurité : | 🚗 🚗 🚗 🚗 |
| Qualités hivernales : | Nulles |
| Espace intérieur : | 🚗 🚗 🚗 ½ |
| Confort : | 🚗 🚗 🚗 ½ |

## LE CHOIX DE L'ÉQUIPE

Version unique

---

contrôlée par des palets montés sur le volant. Détail aux yeux de certains, la vitesse de pointe de cette belle britannique est de 321 km/h !

## CUIR ET SENSATIONS FORTES

Une voiture britannique ne peut renier ses origines et cela aurait été un crime de ne pas offrir un déluge de cuir dans l'habitacle. En effet, les cuirs les plus fins recouvrent le tableau de bord, les garnitures desportières, les sièges, bref, tout ce qui peut être recouvert de quelque chose ! Si ce genre de détail vous intéresse, les peaux sélectionnées sont du type « Bridge of Weir ».

Personnellement, je me fiche pas mal de l'origine des animaux qui ont fourni les cuirs et me préoccupe davantage des performances et à ce chapitre, nous sommes comblés. Cela dit, il faut savoir que la Vanquish n'a pas l'agilité d'une Vantage ou d'une Ferrari F430. Elle appartient à la catégorie des Grand Tourisme capables de rouler vite, très vite même et d'offrir un niveau de confort élevé à ses occupants. Ceux-ci doivent être relativement souples, car il faut presque se plier en deux pour s'installer dans les confortables sièges aux multiples réglages et nantis d'un bon support latéral. Heureusement, une fois à bord, la position de conduite est bonne et le pédalier est bien disposé. Par contre, le volant ne fait pas très sportif.

Mais mieux vaut s'y cramponner en accélération, car ce gros coupé est capable de boucler le 0-100 km en moins de 5 secondes et on dépasse les 200 km/h en très peu de temps. Au cours des années, la direction a été rendue plus directe, la suspension abaissée et affermie, ce qui permet d'obtenir des changements de direction plus rapides dans les virages et des changements de cap plus incisifs. En outre, le roulis de caisse est presque totalement éliminé. Bref, une voiture capable de satisfaire les conducteurs plus exigeants, en dépit d'une visibilité arrière moyenne et d'une lourdeur dans le comportement d'ensemble. Après une production limité de 40 Vanquish Ultimate Edition, ce sera la fin. Elle sera remplacée par la DBS et un modèle dérivé de la DB9 et propulsé par un moteur V12. C'est aussi la voiture de James Bond dans le film *Casino Royal*.

**Denis Duquet**

DBS

Photos : Aston Martin

# AUDI A3

# LA PETITE FAMILIALE DE LUXE

Introduite au Canada en 2006, l'Audi A3 nous apparaissait comme une petite sportive de luxe, s'inscrivant dans la lignée des populaires modèles de ce type vendus en Europe. Si certains croyaient que l'A3 deviendrait un modèle d'entrée de gamme chez Audi et qu'elle attirerait une nouvelle clientèle, il semble que ce ne soit pas le constat que l'on tire quelques années plus tard. L'A3 n'est pas véritablement abordable et elle paraît surtout s'attirer la faveur d'acheteurs déjà vendus à la marque.

La plus accessible, l'A3 2.0T, qui est également le premier modèle introduit, propose un moteur quatre cylindres suralimenté de 2,0 litres développant 200 chevaux à 5 100 tr/min pour un couple de 207 lb-pi à 1 800 tr/min. Cette traction avant reçoit une boîte manuelle à six rapports de série. Si on reprochait à l'époque à Audi ne pas offrir de rouage intégral, le constructeur aura tôt fait de nous corriger en introduisant l'A3 3.2, une version plus puissante, dotée du moteur de l'Audi TT, soit un V6 de 3,2 litres déployant 250 chevaux et un couple de 236 lb-pi.

Beaucoup plus dispendieuse, on joue ici dans la fourchette de prix de l'A4, cette version fait passer l'A3 de petite sportive à véritable bolide. Cette motorisation est bien appuyée par le rouage intégral Quattro, l'un des plus efficaces sur le marché, ainsi que par une boîte DSG, optionnelle dans l'A3 2.0T. Même si je suis un grand fervent des boîtes manuelles lorsqu'on parle de sportives, la S-Tronic représente probablement le seul compris que je serais prêt à accepter. Cette dernière combine les avantages d'une boîte manuelle à six rapports avec les qualités d'une transmission automatique moderne. C'est en fait une boîte manuelle sans embrayage (deux embrayages sont contrôlés électroniquement),

dont les rapports peuvent être changés automatiquement ou manuellement par le biais de palettes situées derrière le volant.

## SPORTIVE ET PRATIQUE

Audi est allé piger chez Volkswagen pour le choix de la plate-forme de l'A3. Elle hérite donc de la même plate-forme que la GTI et la Jetta de dernière génération, mais quelque peu allongée dans le cas de l'A3. On doit avouer que le style de l'A3 n'est pas piqué des vers, surtout avec l'ensemble S Line qui ajoute quelques éléments rehaussant sa sportivité. L'A3 n'a rien des familiales banales et c'est sans doute cet élément qui fait craquer nombre d'acheteurs. Lorsqu'une familiale à cinq portes fait rêver certains amateurs de sportivité, on peut dire « mission accomplie » chez Audi.

Difficile de faire des reproches quant à l'aménagement intérieur. On remarque rapidement le souci de qualité propre à Audi, alors que les matériaux utilisés enrichissent l'habitacle, et ce, même dans la version de base. L'instrumentation est bien visible et les nombreuses commandes demeurent simples et ergonomiques. En soirée, on a le sentiment d'être dans une cabine de pilotage d'avion puisqu'une panoplie d'éléments s'illuminent d'un rétroéclairage rouge. Du

**FEU VERT**
Comportement sportif, finition impeccable, habitacle pratique, bon choix de moteur

**FEU ROUGE**
Prix élevé, options coûteuses, suspension ferme (pour certains), rouage intégral non offert dans 2,0T

## VÉHICULE D'ESSAI

| | |
|---|---|
| Version : | 3.2 S line |
| Emp/Lon/Lar/Haut(mm) : | 2 578/4 286/1 959/1 423 |
| Poids : | 1 660 kg |
| Coffre/Réservoir : | 281 à 1 011 litres / 60 litres |
| Nombre de coussins de sécurité : | 6 |
| Suspension avant : | indépendante, jambes de force |
| Suspension arrière : | indépendante, multibras |
| Freins av./arr. : | disque (ABS) |
| Antipatinage/Contrôle de stabilité : | oui / oui |
| Direction : | à crémaillère, assistance variable électrique |
| Diamètre de braquage : | 10,7 m |
| Pneus av./arr. : | P225/45R17 |
| Capacité de remorquage : | non recommandé |

## MOTORISATION À L'ESSAI

| | |
|---|---|
| Moteur : | V6 de 3,2 litres 24s atmosphérique |
| Alésage et course : | 84,0 mm x 95,9 mm |
| Puissance : | 250 ch (186 kW) à 6 300 tr/min |
| Couple : | 236 lb-pi (320 Nm) de 1 800 à 5 000 tr/min |
| Rapport poids/puissance : | 6,64 kg/ch (9,02 kg/kW) |
| Système hybride : | aucun |
| Transmission : | intégrale, séquentielle 6 rapports |
| Accélération 0-100 km/h : | 6,2 s |
| Reprises 80-120 km/h : | 5,2 s |
| Freinage 100-0 km/h : | 37,0 m |
| Vitesse maximale : | 250 km/h |
| Consommation (100 km) : | super, 11,3 litres |
| Autonomie (approximative) : | 531 km |
| Émissions de CO2 : | 4 704 kg/an |

## GAMME EN BREF

| | |
|---|---|
| Échelle de prix : | 33 800 $ à 45 700 $ |
| Catégorie : | familiale |
| Historique du modèle : | 1ère génération |
| Garanties : | 4 ans/80 000 km, 4 ans/80 000 km |
| Assemblage : | Ingolstadt, Allemagne |
| Autre(s) moteur(s) : | 4L 2,0l turbo 200 ch/207lb-pi (10,1 l/100km) |
| Autre(s) rouage(s) : | traction |
| Autre(s) transmission(s) : | manuelle 6 rapports |

## DANS LA MÊME CATÉGORIE

Saab 9-3 SportCombi - Subaru Impreza WRX - Volkswagen GTI - Volvo V50

## DU NOUVEAU EN 2008

Pas de changement majeur

## NOS IMPRESSIONS

| | |
|---|---|
| Agrément de conduite : | 🚗 🚗 🚗 ½ |
| Fiabilité : | 🚗 🚗 🚗 🚗 |
| Sécurité : | 🚗 🚗 🚗 🚗 |
| Qualités hivernales : | 🚗 🚗 🚗 🚗 ½ |
| Espace intérieur : | 🚗 🚗 🚗 ½ |
| Confort : | 🚗 🚗 🚗 ½ |

## LE CHOIX DE L'ÉQUIPE

2.0T

reste, on retrouve divers éléments rehaussant la sportivité de la voiture, dont plusieurs sont inspirés de la TT.

Grâce à sa vocation familiale, l'A3 n'est pas uniquement agréable à conduire, elle est aussi pratique. Elle possède un espace de chargement généreux, apporté par sa configuration familiale. Les sièges avant et arrière sont confortables, cependant, la ligne du toit plongeante réduit le dégagement à la tête.

Sur la route, l'A3 offre un comportement axé sur le plaisir de conduire. Nerveuse et agile, elle enfile les virages avec aise alors que sa suspension minimise efficacement tout transfert de poids. Le quatre cylindres suralimenté représente un choix plus abordable et surtout plus économique, même s'il faut le nourrir à l'essence super. Un poids plus léger dote la voiture d'un comportement plus équilibré tout en fournissant de dignes performances. C'est principalement son couple disponible à bas régime qui surprend. De son côté, le six cylindres ajoute un peu plus de pep à la voiture, mais le gain de poids apporté par ce moteur, avec celui du rouage intégral, masque quelque peu ces chevaux supplémentaires. C'est l'hiver venu que l'on appréciera l'efficacité du légendaire rouage intégral Quattro de Audi qui donne un argument supplémentaire à l'A3.

## UNE PETITE MERVEILLE, CETTE BOÎTE S-TRONIC

Si la boîte manuelle de l'A3 2.0T demeure un excellent choix, on sera charmé par la technologie que nous offre la S-Tronic, autrefois appelée DSG. Cette boîte séquentielle est selon moi le meilleur compromis puisqu'en zone de congestion, vous pouvez éviter les désagréments de l'embrayage manuel, alors que le temps venu, son mode manuel qui inclut les palettes derrière le volant, vous permettra d'exploiter pleinement le potentiel de la voiture. De plus, la boîte présélectionne le rapport suivant, ce qui se traduit par des changements de vitesse tout aussi rapides qu'un pilote expérimenté pourrait le faire.

Il faut l'avouer, l'A3 n'a rien d'une Audi abordable. Une fois que ce constat est accepté et qu'on analyse l'auto pour ce qu'elle est, on apprend à l'aimer à sa juste valeur. Elle combine magnifiquement plusieurs éléments intéressants, soit un style accrocheur, une conduite dynamique et de l'espace pour toute la famille. Voilà une voiture qui rehausse l'expérience d'une familiale !

**Sylvain Raymond**

Photos : Audi

# NOUVEAU DÉPART

2008 est une année clé pour Audi puisqu'elle signale la refonte complète de la plus populaire des voitures de la marque d'Ingolstadt. Au cours des dernières années, le projet AU481, nom de code de la nouvelle A4, a progressé pour aboutir au dévoilement de la nouvelle venue au Salon de l'auto de Francfort. C'est donc un nouveau départ pour la gamme A4, car la berline sera suivie des modèles Avant, Cabriolet, S4 et RS4 qui seront également développés sur cette plate-forme renouvelée.

La nouvelle A4 fait place à une allure plus sportive et dynamique. En fait, c'est un peu comme si elle avait suivi la TT au gym afin de se refaire un style pour mieux séduire. De ce côté, il est clair qu'Audi a pris la décision de créer des voitures plus typées concernant le design, émulant ainsi la grande marque rivale qu'est BMW. L'élément le plus frappant de la nouvelle A4 est sans contredit sa partie avant, et surtout son très court porte-à-faux qui transforme radicalement son allure générale. Ces nouvelles proportions sont rendues possibles par l'adoption de la nouvelle plate-forme modulable, qui servira également au développement des générations futures des A6 et A8. Cette plate-forme permet de placer le moteur et la boîte de vitesses plus vers l'arrière dans le compartiment moteur, favorisant un comportement plus neutre en virage.

En effet, le principal point faible des modèles antérieurs en conduite sportive était la tendance marquée vers le sous-virage puisque le moteur était monté très à l'avant du véhicule, un léger défaut que devrait corriger cette nouvelle plate-forme. De plus, la répartition de la motricité du rouage intégral en condition d'adhérence idéale est fixée à 40 pour cent à l'avant et 60 pour cent à l'arrière, ce qui est un gage d'un dynamisme plus relevé. Ajoutez à cela de nouvelles suspensions, de même qu'une direction revue et des freins plus performants. Bref, la nouvelle A4 devrait offrir une meilleure liaison à la route, une conduite plus sportive et plus directe que les modèles précédents.

## MOTORISATIONS REVUES ET NOUVELLE VARIANTE

Les moteurs seront les mêmes, soit le 4 cylindres turbocompressé de 2,0 litres et le V6 de 3,2 litres pour l'A4, alors que les éventuelles S4 et RS4 feront toujours appel aux deux versions du V8 de 4,2 litres. C'est plutôt du côté des boîtes de vitesses que l'on remarque des changements importants, comme l'ajout d'un septième rapport sur la boîte à double embrayage autrefois connue sous le nom DSG (Direct Shift Gearbox) et aujourd'hui appelée S-Tronic chez Audi. En plus du modèle Avant, qui a la configuration d'une familiale, Audi étudierait actuellement la possibilité d'ajouter une variante Sportback, au style semblable à l'actuelle A3, à la gamme A4. De plus, il est possible qu'un modèle A4 Allroad à suspensions pneumatiques voie le jour.

Grâce à la nouvelle plate-forme, l'habitacle de l'A4 sera plus spacieux et la légendaire qualité d'assemblage de matériaux et de finition intérieure qui est le propre de la marque sera probablement au rendez-vous. L'A4 recevra également une nouvelle version du

**FEU VERT**
Rouage intégral Quattro performant, bon comportement routier, modèles S4 et RS4 performants, voitures efficaces en hiver, qualité de finition exemplaire

**FEU ROUGE**
Prix élevés, espace aux places arrière, options parfois coûteuses

| VÉHICULE D'ESSAI | |
|---|---|
| DONNÉES 2007 | |
| Version : | A4 3.2 Avant |
| Emp/Lon/Lar/Haut (mm) : | 2 649/4 587/1 772/1 427 |
| Poids : | 1 655 kg |
| Coffre/Réservoir : | 787 à 1 672 litres / 70 litres |
| Nombre de coussins de sécurité : | 6 |
| Suspension avant : | indépendante, bras inégaux |
| Suspension arrière : | indépendante, leviers triangulés |
| Freins av./arr. : | disque (ABS) |
| Antipatinage/Contrôle de stabilité : | oui / oui |
| Direction : | à crémaillère, assistée |
| Diamètre de braquage : | 11,1 m |
| Pneus av./arr. : | P235/45R17 |
| Capacité de remorquage : | non recommandé |

**AUDI A4**

système de télématique MMI (Multi Media Interface), de même qu'une chaîne audio développée en étroite collaboration avec la firme spécialisée Bang & Olufsen.

## CABRIOLET, S4 ET RS4 INCHANGÉS POUR L'INSTANT

Bien qu'ils seront éventuellement remplacés au cours des prochaines années, les cabriolets, S4 et RS4 poursuivront leur route en 2008 en étant essentiellement inchangés. Parmi ces modèles, la RS4 tient le haut du pavé en offrant le même moteur V8 de 4,2 litres et 420 chevaux que la nouvelle sportive R8! Puissante et agile, la RS4 est un véritable *sleeper* capable d'en découdre avec une Porsche 911 Carrera 4. Toutefois, le principal point faible de la RS4 est cette tendance au sous-virage... Le moteur V8 étant logé très à l'avant du compartiment moteur, cela exige que l'on adapte son pilotage pour en tirer le maximum en conduite sportive.

Une fois bien maîtrisée, la RS4 offre une expérience de conduite exaltante avec, en prime, une sonorité carrément envoûtante lorsque son moteur atteint les hauts régimes. De toutes les voitures exotiques que j'ai eu l'occasion de conduire récemment, et il y en a eu toute une flopée, la RS4 demeure l'une des plus agréables et des plus pratiques, puisqu'il est également possible de la conduire avec un style plus coulé et relaxant, en transportant des passagers à bord, tout en sachant que l'on dispose d'une phénoménale réserve de puissance et de motricité. Ajoutez à cela le rouage intégral qui permet l'utilisation de la voiture 365 jours par année, et voilà l'une des sportives les mieux adaptées pour le Québec!

Audi est actuellement sur une spectaculaire lancée, les ventes sont en progression constante et les véhicules à venir de la marque d'Ingolstadt laissent entrevoir un avenir prometteur, surtout pour les automobilistes qui privilégient l'agrément de conduite, la marque allemande ayant pris le pari de la performance et d'un style plus typé. On attend la suite avec enthousiasme et impatience.

**Gabriel Gélinas**

### MOTORISATION À L'ESSAI

*Pneus d'origine* MICHELIN

| Moteur : | V6 de 3,2 litres 24s atmosphérique |
|---|---|
| Alésage et course : | 84,5 mm x 92,8 mm |
| Puissance : | 255 ch (190 kW) à 6 500 tr/min |
| Couple : | 243 lb-pi (330 Nm) à 3 250 tr/min |
| Rapport poids/puissance : | 6,49 kg/ch (8,8 kg/kW) |
| Système hybride : | aucun |
| Transmission : | intégrale, manuelle 6 rapports |
| Accélération 0-100 km/h : | 7,5 s |
| Reprises 80-120 km/h : | 6,2 s |
| Freinage 100-0 km/h : | 40,6 m |
| Vitesse maximale : | 209 km/h |
| Consommation (100 km) : | super, 13,6 litres |
| Autonomie (approximative) : | 515 km |
| Émissions de $CO_2$ : | 5 328 kg/an |

### GAMME EN BREF

| Échelle de prix : | 35 350 $ à 94 200 $ |
|---|---|
| Catégorie : | berline sport/familiale/cabriolet |
| Historique du modèle : | 3ième génération |
| Garanties : | 4 ans/80 000 km, 4 ans/80 000 km |
| Assemblage : | Ingolstadt, Allemagne |
| Autre(s) moteur(s) : | 4L 2,0l 200ch/207lb-pi (10,1 l/100km) 2.0T |
| | V8 4,2l 340ch/302lb-pi (16,2 l/100km) S4 |
| | V8 4,2l 420ch/317lb-pi (16,8 l/100km) RS4 |
| Autre(s) rouage(s) : | traction |
| Autre(s) transmission(s) : | auto. mode man. 6 rapports / CVT |

### DANS LA MÊME CATÉGORIE

BMW Série 3 - Cadillac CTS - Infiniti G35 - Jaguar S-Type - Lexus GS 350 - Lincoln MKZ - Mercedes-Benz Classe C - Saab 9-5 - Volvo S60

### DU NOUVEAU EN 2008

Ensemble S-Line standard (carrosserie), quelques modifications à la carrosserie, nouvelle berline

### NOS IMPRESSIONS

| Agrément de conduite : | 🚗 🚗 🚗 🚗 |
|---|---|
| Fiabilité : | 🚗 🚗 🚗 ½ |
| Sécurité : | 🚗 🚗 🚗 🚗 |
| Qualités hivernales : | 🚗 🚗 🚗 🚗 |
| Espace intérieur : | 🚗 🚗 🚗 ½ |
| Confort : | 🚗 🚗 🚗 🚗 |

### LE CHOIX DE L'ÉQUIPE

Avant 3.2

Photos : Denis Duquet

**143**

# NUVOLARI EN SERAIT FIER

Tazio Nuvolari est l'un des plus grands pilotes de l'histoire de l'automobile. Avant le second conflit mondial, ce fantasque Italien originaire de Mantoue a fait des miracles au volant des voitures Auto Union et Audi. C'est pour lui rendre hommage qu'Audi avait présenté un véhicule-concept portant son nom, dans le cadre du Salon de l'auto de Genève en 2003. Ce véhicule-concept est devenu réalité et cette Audi aux formes élégantes est dans doute l'une des plus réussies de ce constructeur qui n'a pas peur d'innover.

Selon les porte-paroles de la compagnie, cette nouvelle voiture a pour mission de nous faire partager la passion d'un grand pilote. Bien sûr, la personne qui a dessiné cet élégant coupé est Walter Da Silva, un italien de souche et grand patron du design chez Audi.

## LA PIU BELLA MACHINA QUE DESSINATA !

Voilà comme le designer en chef décrit son travail. D'après lui, l'A5 est la plus belle voiture qu'il n'ait jamais dessinée. Et pourtant, ce styliste d'expérience a plus d'un succès dans sa gibecière. Et pour nous convaincre que ces paroles ne sont pas le fait d'un rédacteur de communiqués de presse en mal d'inspiration, Audi nous a présenté un vidéo dans lequel Da Silva nous transmet avec beaucoup d'émotions ses sentiments envers cette voiture qu'il affectionne en particulier.

Force est d'admettre que la version de production de la Nuvolari est une voiture réussie dont les angles tout en nuances ne sont pas sans rappeler les bolides tout en rondeurs de la marque au cours des années 30. La grille de calandre avant si typique sert de point d'ancrage à toutes les autres lignes fuyantes de la caisse, ce qui permet l'intégration harmonieuse des parois latérales qui confèrent un air de vélocité même lorsque l'auto est immobile. La calandre contribue donc à donner cet air de rapidité en mouvement propre aux voitures d'exception.

Et il ne faut pas se fier aux photos pour se faire une idée de l'esthétique de la voiture. Sur la route, ses formes sont plus arrondies qu'elles ne le paraissent sur une photo ou sur un stand dans un salon de l'auto. Les angles de la caisse, la présence de feux de position avant constitués de LED, la forme fuyante de l'avant vers l'arrière, voilà autant d'éléments qui contribuent à faire tourner les têtes. La S5 se démarque de l'A5 par sa grille de calandre avec bâtonnets verticaux chromés, ses roues de 18 pouces, ses pare-chocs plus imposants et des prises d'air plus grandes. Et il faut souligner qu'il ne s'agit pas d'une version un peu plus étoffée de la TT. La A5/S5 est un modèle à part entière. En fait, c'est un gros coupé de type grand tourisme.

Au fil des ans, Audi est devenu la référence en fait d'habitacle et celui ce cette voiture ne déroge pas à la règle. L'ergonomie est sans faille tandis que le système de gestion de l'information, de la navigation, de la climatisation et de l'audio est le plus simple que je n'aie jamais utilisé. Il suffit de quelques minutes pour s'y habituer et le reste est passablement intuitif la plupart du temps. Et je n'ai conduit la voiture qu'une journée dans le cadre de sa présentation. Noblesse oblige, la S5 propose des sièges sport, un volant gainé de cuir et quelques autres artifices de présentation. Mais A5 ou S5, il est malaisé de trouver à redire en fait d'agencement, de présentation et de qualité de la finition. C'est autre chose pour les places arrière qui sont difficiles d'accès et pas tellement conviviales... Et comme la ceinture de caisse est relativement élevée, les occupants des sièges arrière ne verront pas grand-chose. Mais cette caractéristique est l'apanage de tous les coupés grand tourisme.

### DOMINATION QUATTRO

Si vous faites partie de celles et ceux qui tergiversent face à l'achat d'une

automobile, Audi a réglé une partie de votre problème avec ce duo. En effet, pas besoin de délibérer pour savoir si vous cocherez l'option Quattro sur la feuille de commande puisque c'est la seule configuration offerte. Encore plus simple, seule la boîte manuelle à six rapports est offerte. Les versions avec boîte automatique ne seront disponibles que cinq à six mois plus tard après l'arrivée de ces deux modèles, soit au printemps 2008, car ce duo de sportives n'a été commercialisé au Canada qu'au début de l'automne 2007.

Sur le plan technique, ce coupé n'est pas un dérivé d'un modèle en particulier puisque sa plate-forme lui est exclusive. L'Audi A5 est la première auto de la marque à utiliser cette plate-forme modulaire qui sera

également choisie pour les prochaines générations des modèles A4 et A6. La nouvelle A4 devrait arriver en 2008. Les éléments propres à chaque modèle seront ainsi adaptés, ce qui permettra des temps de développement très rapides. L'A5/S5 a d'ailleurs été la première Audi développée et parachevée en moins de deux ans, un record chez ce manufacturier.

Ce qui n'a pas empêché l'équipe de conception de produire un châssis entièrement nouveau : les roues avant sont guidées sur un essieu à cinq bras par des supports transversaux supérieurs et inférieurs. Ceux-ci sont montés sur un cadre auxiliaire, qui est vissé à la carrosserie pour une meilleure rigidité. La direction à crémaillère est également une nouveauté. Elle est montée devant l'essieu avant, près du centre de la roue, et favorise la manœuvrabilité du véhicule en transmettant directement les forces de braquage.

Toujours sur le plan technique, la suspension des roues arrière est garantie par un essieu à bras trapézoïdaux doté d'un nouveau système cinématique, qui offre confort de roulement et stabilité directionnelle. Les composants essentiels de la suspension à l'avant et à l'arrière sont en aluminium. Et pour assurer une plus grande légèreté, certaines composantes de la carrosserie, dont les ailes, sont également de ce métal.

### PETIT V8 OU GROS V6 ?
Bien souvent, nous sommes portés à choisir le modèle propulsé par le plus gros moteur. Après tout, la S5 avec son moteur V8 de 354 chevaux, sa présentation exclusive et son habitacle plus luxueux doit logiquement surclasser la A5 ordinaire ! D'autant plus que la S5 est capable de boucler le 0-100 km/h en 5,1 secondes,

**FEU VERT**
Silhouette réussie, moteurs performants, tenue de route saine, freins puissants, modèles Quattro

**FEU ROUGE**
Visibilité perfectible, moteur V8 gourmand (S5), absence de boîte automatique (premiers mois), tranmssions CVT également non disponible, places arrière moyennes

soit tout près d'une seconde de moins que la version à moteur V6. Si la puissance et la vitesse sont vos seuls critères, la S5 vous plaira. Mais le prix est élevé…

Pour les personnes qui n'évaluent pas une voiture uniquement en fonction de ces considérations, il faut souligner que le moteur V8 est plus lourd. Il a fait sentir sa présence sur des parcours montagneux parsemés de nombreux virages en épingle. Le comportement n'est pas mauvais, loin de là, et la puissance du moteur permet de se reprendre en sortie de virage. Par contre, l'avant est plus lourd et cela enlève quelque peu à l'agrément de conduite. En contrepartie, sur les portions d'autoroutes prises à haute vitesse, ce moteur donne toute sa mesure et la S5 devient un modèle Grand Tourisme de premier plan.

L'A5 est plus agile en raison de son moteur V6 plus léger. Il est alors plus facile de piloter avec un peu plus d'agrément dans les virages et ceux-ci se négocient plus aisément. Ce moteur V6 est d'une grande souplesse et il n'est pas nécessaire de rétrograder tout le temps en montagne ou lors de la traversée des villages.

Bref, la S5 est plus musclée et favorise les autoroutes, tandis que l'A5 sera en mesure de combler les conducteurs à la recherche d'un peu plus de polyvalence au détriment de la performance. Les deux ont une boîte manuelle à six rapports, ce qui permet de compenser avec le moteur V6.

Même si ce modèle ne sera pas commercialisé en Amérique du Nord, j'ai également fait l'essai d'une version à traction avant propulsée par le moteur V6 couplé à une boîte CVT programmée pour simuler une boîte à huit rapports. Cela m'a permis de découvrir une voiture très agréable à piloter. Et j'ai pu conclure par la même occasion qu'Audi maîtrise fort bien ce type de transmission.

En attendant, les premiers modèles de la A5 et de la S5 seront livrés en version Quattro avec boîte manuelle seulement. Il est certain que cet élégant coupé dérangera la concurrence. Et comme si cela n'était pas assez, il ne faut pas oublier que la R8 arrivera sur notre marché en cours d'année. Bref, la marque aux anneaux se prépare à une année passablement active !

**Denis Duquet**

Photos : Denis Duquet

## AUDI A5/S5

### VÉHICULE D'ESSAI

| | |
|---|---|
| Version : | A5 |
| Emp/Lon/Lar/Haut(mm) : | 2 751/4 625/1 981/1 372 |
| Poids : | n.d. |
| Coffre/Réservoir : | 455 litres / 70 litres |
| Nombre de coussins de sécurité : | n.d. |
| Suspension avant : | indépendante, multibras |
| Suspension arrière : | indépendante, multibras |
| Freins av./arr. : | disque (ABS) |
| Antipatinage/Contrôle de stabilité : | oui / oui |
| Direction : | à crémaillère, assistée |
| Diamètre de braquage : | n.d. |
| Pneus av./arr. : | n.d. |
| Capacité de remorquage : | non recommandé |

### MOTORISATION À L'ESSAI

| | |
|---|---|
| Moteur : | V6 de 3,2 litres 24s atmosphérique |
| Alésage et course : | 84,5 mm x 92,8 mm |
| Puissance : | 265 ch (198 kW) à 6 500 tr/min |
| Couple : | 243 lb-pi (330 Nm) de 3 000 à 5 000 tr/min |
| Rapport poids/puissance : | n.d. |
| Système hybride : | aucun |
| Transmission : | intégrale, manuelle 6 rapports |
| Accélération 0-100 km/h : | 6,1 s |
| Reprises 80-120 km/h : | 5,8 s (4$^{ième}$) |
| Freinage 100-0 km/h : | 38,0 m |
| Vitesse maximale : | 250 km/h |
| Consommation (100 km) : | super, n.d. |
| Autonomie (approximative) : | n.d. |
| Émissions de CO2 : | n.d. |

### GAMME EN BREF

| | |
|---|---|
| Échelle de prix : | n.d. |
| Catégorie : | coupé |
| Historique du modèle : | 1$^{ère}$ génération |
| Garanties : | 4 ans/80 000 km, 4 ans/80 000 km |
| Assemblage : | Ingolstadt, Allemagne |
| Autre(s) moteur(s) : | V8 4,2l 354ch/325lb-pi |
| Autre(s) rouage(s) : | aucune |
| Autre(s) transmission(s) : | aucune |

### DANS LA MÊME CATÉGORIE

BMW Série 3 Coupé - Infiniti G37 - Mercedes-Benz CLK

### DU NOUVEAU EN 2008

Nouveau modèle

### NOS IMPRESSIONS

| | |
|---|---|
| Agrément de conduite : | 🚗 🚗 🚗 🚗 |
| Fiabilité : | Nouveau modèle |
| Sécurité : | 🚗 🚗 🚗 🚗 🚗 |
| Qualités hivernales : | 🚗 🚗 🚗 🚗 |
| Espace intérieur : | 🚗 🚗 🚗 ½ |
| Confort : | 🚗 🚗 🚗 🚗 |

### LE CHOIX DE L'ÉQUIPE

A5

**147**

# PARCE QUE LE PLAISIR, C'EST L'FUN !

Dans cette ère d'économie d'essence et de respect de l'environnement, les voitures les moindrement sportives ou luxueuses sont à l'index. Mais il restera toujours des gens pour qui la conduite d'une automobile relève plus de l'émotion que du transport. C'est pour eux que des marques comme Audi, BMW, Mercedes-Benz et même Cadillac existent. Et il doit y avoir beaucoup d'émotions chez les consommateurs puisque les voitures de luxe se vendent comme des billets pour un spectacle de Genesis !

Audi compte sur plusieurs voitures luxueuses. Parmi celles-ci, on retrouve la très réussie et exclusive Audi A6. Et comme si ce n'était pas assez, il fallait que le constructeur allemand en remette avec une version encore plus réussie et exclusive, la S6. Cette dernière bénéficie d'un V10 (rien de moins) de 5,2 litres développant la bagatelle de 435 chevaux et 398 livres-pied de couple. Ce qui est suffisant pour emmener cette masse de plus de 2 000 kilos de 0 à 100 km/h en 6,0 secondes à peine. Et il faut moins de quatre secondes pour passer de 80 à 120 km/h… Le tout de façon très coulée puisque la voiture n'est pas aussi pointue qu'une Audi RS4, par exemple. Le luxe et la performance dans une robe des plus discrètes. Pour les initiés qui savent reconnaître une voiture d'exception et qui ont les quelque 105 000 $ requis à son achat, la S6 ne peut décevoir. Dommage qu'elle ne soit livrable qu'en version berline.

### ET LES A6 « ORDINAIRES » ?

Outre la S6, la gamme A6 se décline en versions berline et familiale, appelée, allez savoir pourquoi, Avant. Deux moteurs leur sont dévolus. On retrouve tout d'abord un V6 de 3,2 litres de 255 chevaux, proposé pour les deux modèles et un V8 de 4,2 litres qui développe 350 chevaux et qui est offert dans la berline uniquement. Ce qui est un peu bizarre

puisqu'une familiale est censée transporter des charges plus lourdes qu'une berline. ATK, comme disent les jeunes clavardeurs. Ces deux pièces d'orfèvre sont associées à une transmission automatique Tiptronic à six rapports. Autant la berline que la familiale sont munies du célèbre et très performant rouage intégral Quattro.

Même si les performances du V8 s'avèrent extrêmement relevées et que sa consommation n'est pas si exagérée qu'on pourrait le croire (avec un pied droit qui n'est pas connecté directement sur l'ouïe, car la sonorité de ce V8 a une incidence directe sur la consommation…), le V6 se tire malgré tout très bien d'affaire. Marié à la boîte automatique Tiptronic, ce moteur ne manque jamais de souffle. Cette transmission possède d'ailleurs un mode Sport qui n'est pas de la frime. Si le moteur tourne à peine à 1 950 tours/minute à cent kilomètres-heure, il se place en mode « envoye clenche » dès qu'on place le levier de vitesse sur le mode Sport. Le régime augmente aussitôt à 2 400 tours/minute ! Lors de décélérations, le niveau de compression est aussi plus affirmé. Ce mode Sport s'avère très agréable à utiliser grâce aux palettes qui tournent avec le volant.

Un excellent moteur et une transmission à l'avenant ne seraient rien si le reste ne suivait pas. La A6 possède un châssis d'une solidité confirmée

## FEU VERT
Version S6 coup de cœur, comportement routier de haut niveau, qualité de finition irréprochable, performances relevées, châssis hyper rigide

## FEU ROUGE
Moteur V8 plus ou moins utile, suspensions un peu sèches, système MMI trop complexe, portières lourdes, coûts d'entretien démoniaques

auquel on a attaché des suspensions un brin sèches mais superbement équilibrées. Cette voiture, située entre la A4 et la A8 affiche un comportement sous-vireur (l'avant cherche à continuer tout droit) mais n'allez pas croire que ce soit dramatique ! Le système Quattro aide les pneus (des Pirelli Sotto Zero d'hiver dans le cas de notre voiture d'essai) à toujours conserver le contact avec le bitume. Un bref galop à des vitesses pouvant épuiser un radar sur une route passablement dégradée nous a prouvé que la stabilité n'était rien de moins que fantastique.

## BONJOUR. ON VOUS ÉCOUTE…

Audi est depuis longtemps reconnu pour la qualité d'assemblage des habitacles de ses voitures. La A6 ne fait pas exception et, pour trouver des défauts, il faudrait être animateur dans une station de radio… Par contre, la couleur caramel des sièges ne cadrait pas tellement avec le gris de la carrosserie et l'anthracite de l'habitacle. Lesdits sièges s'avèrent très confortables, de même que ceux situés à l'arrière. Seule la personne assise au centre aux prises avec un tunnel d'arbre de transmission imposant et un dossier très dur fera la baboune...

Le coffre montre de bonnes dimensions même si l'ouverture est passablement petite. Bien entendu, la familiale n'affiche pas ce problème. Le hayon de cette dernière n'ouvre pas très haut mais l'espace de chargement est fonctionnel. De plus, plusieurs personnes trouvent que cette familiale possède un charme fou. Le très beau tableau de bord, à l'ergonomie étudiée, s'illumine de rouge la nuit venue. La console centrale présente un gros bouton, appelé MMI (Multi Media Interface). Peu importe votre niveau de tolérance aux caprices de la technologie, l'animateur de radio en vous ressortira à un moment ou à un autre…

La Audi A6 vient jouer dans les plates-bandes de la Mercedes-Benz Classe E et de la BMW Série 5. Elle ne propose pas de moteur diesel comme la première et il lui manque encore un zeste de sportivité pour prétendre attaquer la seconde. Mais en fait d'équilibre général, la A6 est dure à battre d'autant plus que ses prix sont, comme on dit au Québec, «dedans» même s'ils débutent à presque 65 000$. Le V8 4,2 litres coûte à peu près 7 000$ supplémentaires et, à moins de conditions particulières, il n'est pas vraiment nécessaire. Quant à la S6, même si elle se détaille au-delà des 100 000 dollars, nous croyons qu'elle vaut chaque sou qu'elle commande.

**Alain Morin**

Photos : Audi

## VÉHICULE D'ESSAI

| | |
|---|---|
| Version : | A6 Avant Quattro |
| Emp/Lon/Lar/Haut(mm) : | 2 843/4 933/2 012/1 478 |
| Poids : | 1 890 kg |
| Coffre/Réservoir : | 961 à 1 660 litres / 80 litres |
| Nombre de coussins de sécurité : | 8 |
| Suspension avant : | indépendante, jambes de force |
| Suspension arrière : | indépendante, multibras |
| Freins av./arr. : | disque (ABS) |
| Antipatinage/Contrôle de stabilité : | oui / oui |
| Direction : | à crémaillère, assistance variable |
| Diamètre de braquage : | 11,9 m |
| Pneus av./arr. : | P245/40R18 |
| Capacité de remorquage : | non recommandé |

## MOTORISATION À L'ESSAI

Pneus d'origine MICHELIN

| | |
|---|---|
| Moteur : | V6 de 3,2 litres 24s atmosphérique |
| Alésage et course : | 84,5 mm x 92,8 mm |
| Puissance : | 255 ch (190 kW) à 6 500 tr/min |
| Couple : | 243 lb-pi (330 Nm) à 3 250 tr/min |
| Rapport poids/puissance : | 7,41 kg/ch (10,05 kg/kW) |
| Système hybride : | aucun |
| Transmission : | intégrale, automatique 6 rapports |
| Accélération 0-100 km/h : | 7,7 s |
| Reprises 80-120 km/h : | 6,0 s |
| Freinage 100-0 km/h : | 40,5 m |
| Vitesse maximale : | 209 km/h |
| Consommation (100 km) : | super, 12,5 litres (essai) |
| Autonomie (approximative) : | 640 km |
| Émissions de CO2 : | 5 040 kg/an |

## GAMME EN BREF

| | |
|---|---|
| Échelle de prix : | 62 700$ à 101 900$ (2007) |
| Catégorie : | berline de luxe/familiale |
| Historique du modèle : | 2ème génération |
| Garanties : | 4 ans/80 000 km, 4 ans/80 000 km |
| Assemblage : | Neckarsulm, Allemagne |
| Autre(s) moteur(s) : | V8 4,2l 350ch/325lb-pi (13,1 l/100km) |
| | V10 5,2l 435ch/398lb-pi (15,2 l/100km) S6 |
| Autre(s) rouage(s) : | traction |
| Autre(s) transmission(s) : | CVT |

## DANS LA MÊME CATÉGORIE

Acura RL - BMW Série 5 - Cadillac STS - Infiniti M35/M45 - Jaguar S-Type - Lexus GS - Mercedes-Benz Classe E - Volvo S80

## DU NOUVEAU EN 2008

Pas de changement majeur

## NOS IMPRESSIONS

| | |
|---|---|
| Agrément de conduite : | 🚗 🚗 🚗 🚗 ½ |
| Fiabilité : | 🚗 🚗 🚗 🚗 |
| Sécurité : | 🚗 🚗 🚗 🚗 |
| Qualités hivernales : | 🚗 🚗 🚗 🚗 ½ |
| Espace intérieur : | 🚗 🚗 🚗 🚗 ½ |
| Confort : | 🚗 🚗 🚗 🚗 ½ |

## LE CHOIX DE L'ÉQUIPE

A6 3.2/S6

# PARC D'AMUSEMENT À 100 000 $

Qui a dit qu'une berline de grand luxe se devait uniquement d'être un havre de paix isolé du monde extérieur, ayant comme seul objectif de déplacer son propriétaire dans le plus sélect des conforts ? N'y aurait-il pas aussi de la place pour du plaisir ? Pourtant, à en croire la majorité des constructeurs qui produisent de tels véhicules, il semble que cet élément n'a jamais fait partie des plans. Toutefois, comme il y a une exception à toute règle, il fallait que quelqu'un fasse les choses différemment. Et chez les grandes berlines, force est d'admettre que Audi se démarque du peloton.

**V**ous vous demandez pourquoi ? Parce que la plus noble des berlines de la marque propose ce que plusieurs ne semblent même pas connaître, c'est-à-dire l'agrément de conduite. Évidemment, certains acheteurs n'en ont que faire, et c'est à eux que s'adressent les Mercedes et Lexus comparables. Mais la clientèle de ce type de voiture ne se limite pas qu'aux acheteurs d'âge vénérable qui ont connu une brillante carrière et qui souhaitent désormais savourer le calme et la sérénité. Il y a aussi ceux qui désirent conduire une voiture de première classe.

D'abord, le conducteur remarquera sur la route que la voiture est plus communicative que toute autre rivale. En d'autres mots, le sentiment de contrôle est de beaucoup supérieur. On a presque l'impression de faire corps avec la voiture, ce qui est tout de même exceptionnel compte tenu de ses dimensions et de son poids. Un châssis ultrarigide, une suspension réglable très bien calibrée ainsi qu'une direction précise et juste assez ferme permettent donc de découvrir la définition du véritable agrément de conduite.

Bien sûr, le somptueux V8 de 4,2 litres qui s'acquitte son travail avec brio, offre tout ce qu'il faut de puissance et de couple pour mouvoir honorablement les quelques 2 000 kilos que pèse ce navire. Souple et agressif, il sait se montrer très civilisé mais aussi très sportif. Il n'a évidemment pas la voracité du V10 de la S8, mais peut aisément clouer le bec à bien des sportives de renom. Quant à la S8, il s'agit carrément d'une fusée à quatre roues, en robe de bal. Certains éléments esthétiques tels les jantes de 20 pouces et le carénage avant laissent deviner ses performances supérieures, mais il faut vraiment la conduire pour découvrir à quel point cette voiture est une grande athlète.

La W12, elle, propose un mélange des deux, en ajoutant bien sûr l'ultime douceur propre aux moteurs à douze cylindres.

### 100 000 $, VOUS DITES ?
Plutôt 125 000 $, voire 150 000 $ ! Car même si l'Audi A8 affiche un prix de départ se situant légèrement sous la barre des six chiffres, il n'est pas rare de voir le prix de ces engins grimper en flèche, après l'ajout de quelques options. Je vous invite d'ailleurs à consulter la longue liste de caractéristiques optionnelles offertes. Vous verrez alors que même en déboursant 100 000 $, il y a place à encore beaucoup d'extras ! Et je ne parle pas ici du modèle W12…

**FEU VERT**
Grande routière, agrément de conduite étonnant, finition intérieure splendide, mécaniques fabuleuses, confort de première classe

**FEU ROUGE**
Beaucoup d'options très chères, système MMI complexe, fiabilité variable

Quoi qu'il en soit, il n'en demeure pas moins que de s'installer au volant d'une A8 est un grand privilège. En premier lieu, rares sont les voitures qui affichent une qualité de finition de la sorte. Les cuirs riches, les boiseries véritables, ce somptueux pavillon recouvert de suède et ces fines touches d'aluminium brossé sont au nombre des détails qui composent l'environnement de cette A8. Et bien sûr, le tout est méticuleusement assemblé de façon à ce qu'il n'y ait aucun craquement, ni défaut d'apparence.

Les sièges avant, chauffants et ventilés, sont pour leur part plutôt fermes, mais s'avèrent néanmoins très confortables. En se laissant aller à quelques options, ils peuvent aussi remplacer les services d'un massothérapeute grâce à la fonction massage! Oui, oui! Et bien sûr, les innombrables réglables permettent au conducteur d'y trouver une position optimale. Ergonomique dans l'ensemble, la planche de bord a été finement étudiée. Néanmoins, il faut admettre qu'une sérieuse période d'adaptation est nécessaire pour bien apprivoiser le système MMI, cet ordinateur central gérant une foule de fonctions comme la chaîne audio, la ventilation, la navigation et plus encore.

### LES OPTIONS…

D'emblée, je recommande à tout audiophile de se laisser séduire par la chaîne audio Bang & Olufsen, dont la qualité sonore et la puissance dépassent toutes attentes. Cette dernière coûte peut-être le prix d'une Ford Focus âgée de cinq ans, mais je ne tenterai pas ici de donner des conseils financiers à celui qui peut s'acheter un tel bolide! Aussi, parmi les options intéressantes se trouvent une suspension pneumatique à hauteur réglable, l'ensemble premium qui comporte une caméra de recul, ainsi qu'un régulateur de vitesse adaptatif très efficace. En revanche, je trouve un peu insultant de devoir débourser un supplément pour avoir droit à une prise pour iPod, une trappe d'accès au coffre avec passe-skis et un toit ouvrant! Qui plus est, le système audio ne peut lire les fichiers MP3/WMA, et on n'a même pas daigné offrir un système de divertissement avec lecteur DVD. Oh oui, pardon, on nous l'offre, mais seulement dans l'ultime A8 W12 à 170 000 $!

Voilà donc une voiture aussi gracieuse qu'onéreuse, mais qui se démarque du peloton et même de sa rivale munichoise par un agrément et un dynamisme de conduite certains. Chose intéressante, on me faisait remarquer chez Audi que l'A8 était désormais la plus vieille voiture de la gamme. N'est-ce pas beau la vieillesse ?

**Antoine Joubert**

---

## VÉHICULE D'ESSAI

| | |
|---|---|
| Version : | A8 L |
| Emp/Lon/Lar/Haut(mm) : | 3 074/5 192/1 894/1 455 |
| Poids : | 1 995 kg |
| Coffre/Réservoir : | 413 litres / 90 litres |
| Nombre de coussins de sécurité : | 7 |
| Suspension avant : | indépendante, multibras |
| Suspension arrière : | indépendante, leviers triangulés |
| Freins av./arr. : | disque (ABS) |
| Antipatinage/Contrôle de stabilité : | oui / oui |
| Direction : | à crémaillère, assistance variable |
| Diamètre de braquage : | 12,5 m |
| Pneus av./arr. : | P255/45R18 |
| Capacité de remorquage : | 750 kg |

Pneus d'origine **MICHELIN**

## MOTORISATION À L'ESSAI

| | |
|---|---|
| Moteur : | V8 de 4,2 litres 32s atmosphérique |
| Alésage et course : | 84,5 mm x 92,8 mm |
| Puissance : | 350 ch (261 kW) à 6 800 tr/min |
| Couple : | 325 lb-pi (441 Nm) à 3 500 tr/min |
| Rapport poids/puissance : | 5,7 kg/ch (7,73 kg/kW) |
| Système hybride : | aucun |
| Transmission : | intégrale, auto. mode man. 6 rapports |
| Accélération 0-100 km/h : | 6,3 s |
| Reprises 80-120 km/h : | 5,3 s |
| Freinage 100-0 km/h : | 34,5 m |
| Vitesse maximale : | 208 km/h |
| Consommation (100 km) : | super, 13,1 litres |
| Autonomie (approximative) : | 687 km |
| Émissions de CO2 : | 5 376 kg/an |

## GAMME EN BREF

| | |
|---|---|
| Échelle de prix : | 97 190 $ à 170 800 $ (2007) |
| Catégorie : | berline de grand luxe |
| Historique du modèle : | 2ième génération |
| Garanties : | 4 ans/80 000 km, 4 ans/80 000 km |
| Assemblage : | Ingolstadt, Allemagne |
| Autre(s) moteur(s) : | W12 6,0l 450ch/428lb-pi |
| | (16,4 l/100km) |
| | V10 5,2l 450ch/398lb-pi (15,9 l/100km) S8 |
| Autre(s) rouage(s) : | aucun |
| Autre(s) transmission(s) : | aucune |

## DANS LA MÊME CATÉGORIE

BMW Série 7 - Jaguar XJ8 - Lexus LS 460 - Maserati Quattroporte - Mercedes-Benz Classe S

## DU NOUVEAU EN 2008

Pas de changement majeur

## NOS IMPRESSIONS

| | |
|---|---|
| Agrément de conduite : | 🚗 🚗 🚗 🚗½ |
| Fiabilité : | 🚗 🚗 🚗½ |
| Sécurité : | 🚗 🚗 🚗 🚗½ |
| Qualités hivernales : | 🚗 🚗 🚗 🚗 |
| Espace intérieur : | 🚗 🚗 🚗 🚗 |
| Confort : | 🚗 🚗 🚗 🚗½ |

## LE CHOIX DE L'ÉQUIPE

A8

---

# MIEUX VAUT TARD QUE JAMAIS!

Si le marché des VUS pleine grandeur est en décroissance depuis quelques années, il semble que celui des VUS de luxe connaît un engouement plus persistant. Si plusieurs constructeurs l'avaient rapidement compris et nous proposaient plusieurs modèles intéressants depuis déjà plusieurs années, Audi s'est joint tardivement à la danse en nous présentant un premier vrai VUS uniquement l'an passé. Le constructeur aura finalement cédé à la pression, voyant ses principaux concurrents lancer de nouveaux modèles année après année...

Bien appuyé par son style distinct, le Q7 se positionne un peu plus du côté de la sportivité, là où se situe notamment BMW avec son X5. Capable d'accueillir jusqu'à sept passagers, son principal atout réside dans son style raffiné ainsi que dans son excellent rouage intégral signé Quattro. Après quelque temps au volant du Q7, il faut avouer qu'Audi a fait ses devoirs. Le premier VUS du constructeur d'Ingolstadt n'a rien à envier à plusieurs gros canons du créneau.

### DEUX MOTEURS INTÉRESSANTS?

L'arrivé du Q7, premier véritable VUS du constructeur, aura cependant sonné le glas du modèle Allroad au Canada. Avec la faveur des VUS de type plus urbain, il semble que ce modèle perdait ses attraits, surtout que son prix de situait très près de celui du Q7. Seule l'Europe a toujours droit au Allroad. Quant au Q7, Audi nous le propose en quelques versions, incluant deux motorisations distinctes, soit un six et un huit cylindres. Cette paire de moteurs dispose de nombreuses technologies de pointe, dont l'injection directe d'essence. Baptisée FSI, cette technologie permet l'augmentation de la puissance, tout en maximisant l'efficacité du moteur ainsi que son rendement énergétique.

Le Q7 est présenté en modèle de base (si on peut s'exprimer ainsi!), équipé d'un moteur V6 de 3,6 litres développant 280 chevaux et jumelé à une boîte automatique à six rapports. Plus économique, cette variante conviendra à la majeure partie de vos besoins, tout en conservant une bonne capacité de remorquage. Histoire de rivaliser avec la concurrence, et de ne pas être en reste dans la course aux chevaux, Audi nous propose également le Q7 nanti d'un moteur V8 de 4,2 litres. D'une puissance de 350 chevaux, ce moteur donne tout son sens au terme «Sport utilitaire» sans toutefois l'élever au rang des plus puissants. Doté d'une riche sonorité, il fournit à ce VUS des prestances plus que louables, lui permettant de boucler le 0-100 km/h en un peu plus de sept secondes. Pas mal pour un tel véhicule!

Insufflé par le designer québécois Dany Garand, le style du Q7 affiche un mélange de sophistication et de sportivité. Difficile de passer inaperçu au volant de ce costaud, surtout lorsqu'équipé des jantes de 20 pouces optionnelles. On remarque rapidement l'avant dominé par une large grille, typique aux nouveaux produits d'Audi. Le Q7 présente également une ceinture de caisse élevée, ce qui contribue à lui donner un aspect plus massif. En fait, ce VUS est gros et ce n'est pas qu'une illusion, il est parmi les plus lourds de sa catégorie. Il

**FEU VERT**
Comportement sportif, habitacle soigné, style distinctif, espace pour sept passagers, rouage intégral efficace

**FEU ROUGE**
Système MMI peu intuitif, prix élevé des options, consommation élevée

## VÉHICULE D'ESSAI

| | |
|---|---|
| Version : | 4.2 Premium |
| Emp/Lon/Lar/Haut (mm) : | 3 002/5 086/2 177/1 737 |
| Poids : | 2 480 kg |
| Coffre/Réservoir : | 900 à 2 000 litres / 100 litres |
| Nombre de coussins de sécurité : | 6 |
| Suspension avant : | indépendante, multibras |
| Suspension arrière : | indépendante, multibras |
| Freins av./arr. : | disque (ABS) |
| Antipatinage/Contrôle de stabilité : | oui / oui |
| Direction : | à crémaillère, assistée |
| Diamètre de braquage : | 12,0 m |
| Pneus av./arr. : | P265/50R19 |
| Capacité de remorquage : | 3 500 kg |

## MOTORISATION À L'ESSAI

Pneus d'origine **MICHELIN**

| | |
|---|---|
| Moteur : | V8 de 4,2 litres 32s atmosphérique |
| Alésage et course : | 84,5 mm x 92,8 mm |
| Puissance : | 350 ch (261 kW) à 6 800 tr/min |
| Couple : | 325 lb-pi (441 Nm) à 3 500 tr/min |
| Rapport poids/puissance : | 7,09 kg/ch (9,61 kg/kW) |
| Système hybride : | aucun |
| Transmission : | intégrale, auto. mode man. 6 rapports |
| Accélération 0-100 km/h : | 7,8 s |
| Reprises 80-120 km/h : | 6,3 s |
| Freinage 100-0 km/h : | 39,6 m |
| Vitesse maximale : | 209 km/h |
| Consommation (100 km) : | super, 17,2 litres |
| Autonomie (approximative) : | 581 km |
| Émissions de CO2 : | 7 032 kg/an |

## GAMME EN BREF

| | |
|---|---|
| Échelle de prix : | 54 500$ à 79 900$ (2007) |
| Catégorie : | utilitaire sport intermédiaire |
| Historique du modèle : | 1ère génération |
| Garanties : | 4 ans/80 000 km, 4 ans/80 000 km |
| Assemblage : | Bratislava, Slovaquie |
| Autre(s) moteur(s) : | V6 3,6l 280ch/266lb-pi (15,1 l/100km) |
| Autre(s) rouage(s) : | aucun |
| Autre(s) transmission(s) : | aucune |

## DANS LA MÊME CATÉGORIE

Acura MDX - BMW X5 - Cadillac SRX - Infiniti FX35/45 - Land Rover LR3 - Lexus RX 350/450h - Lincoln MKX - Mercedes-Benz Classe M - Porsche Cayenne - Saab 9-7x - Volkswagen Touareg - Volvo XC90

## DU NOUVEAU EN 2008

Pas de changement majeur

## NOS IMPRESSIONS

| | |
|---|---|
| Agrément de conduite : | 🚗 🚗 🚗 🚗 ½ |
| Fiabilité : | 🚗 🚗 🚗 ½ |
| Sécurité : | 🚗 🚗 🚗 🚗 ½ |
| Qualités hivernales : | 🚗 🚗 🚗 🚗 🚗 |
| Espace intérieur : | 🚗 🚗 🚗 🚗 ½ |
| Confort : | 🚗 🚗 🚗 🚗 🚗 |

## LE CHOIX DE L'ÉQUIPE

3.6

---

faut cependant avouer qu'il a de la gueule ! Peu de rivaux affichent des lignes orientées à ce point sur la sportivité.

### LUXE ET CONFORT

Dès que l'on voit l'intérieur, on comprend rapidement pourquoi le Q7 affiche un prix assez salé. L'habitacle offre des matériaux de qualité, une finition sans faute et une ergonomie bien étudiée. Tout semble parfait. La raison est simple, Audi emploie une équipe entièrement dédiée à rehausser l'expérience à bord, que ce soit par l'odeur qui se dégage du véhicule en passant par la rétroaction des nombreuses commandes. Bien entendu, le Q7 est bien nanti et il peut être équipé d'une panoplie d'options améliorant votre confort et votre sécurité, mais faisant grimper rapidement la facture.

Au chapitre des irritants, on note des portières qui sonnent creux lorsqu'on les referme, alors que certaines fonctions et commandes sont difficiles à trouver ou à utiliser. Le système MMI (qui intègre pratiquement toutes les fonctions fréquemment utilisées) demande une adaptation et son utilisation n'est pas toujours intuitive. On se sent un peu bête de devoir chaque fois plonger dans le manuel du propriétaire qui comprend d'ailleurs plusieurs centaines de pages...

### CONDUITE SPORTIVE

Fidèle aux autres produits du constructeur, le Q7 offre une conduite axée un peu plus sur la sportivité. Malgré sa taille, on ne se sent pas trop lourdaud à son bord. De plus, adore enfiler les séries de virages, merci à sa direction précise ! Sa suspension pneumatique (optionnelle) permet d'obtenir le meilleur des deux mondes grâce à ses nombreux réglages. Il suffit de sélectionner votre type de conduite préféré et le Q7 se comportera selon vos désirs. Audi est aussi passé maître dans les systèmes de rouage intégral et le Q7 ne fait pas exception. Il reçoit l'excellent système Quattro qui répartit en condition normale la puissance selon le ratio 42/58 entre les roues avant et arrière. Petite note négative en terminant, on remarque un diamètre de braquage assez élevé, ce qui le rend un peu moins pratique en manœuvre de stationnement.

Audi a pris beaucoup de temps à grossir les rangs du club des VUS de luxe, mais le produit est excellent.

*Sylvain Raymond*

# À L'ASSAUT DE LA 911...

Ayant remporté les 24 Heures du Mans à cinq reprises, la marque d'Ingolstadt profitera de cet étincelant palmarès en produisant une sportive de haut calibre, qui portera le même nom que la voiture de compétition titrée en série sur le circuit manceau, et qui s'attaquera à la championne de la catégorie, soit la Porsche 911 Carrera. Rendez-vous avec le pur-sang aux quatre anneaux...

L a R8 a beau partager son nom avec une voiture de compétition, la filiation entre ces deux bolides est pourtant loin d'être évidente. En effet, la R8 de compétition est une propulsion, alors que la R8 de série fait appel au rouage intégral Quattro qui a fait la renommée de la marque. De plus, sa conception avec moteur central fait écho à la Lamborghini Gallardo, et au premier coup d'œil, la R8 ressemble davantage à la voiture concept Audi Le Mans dévoilée à la fin de 2003. Plus frappante que jolie sur le plan visuel, la R8 affiche une allure trapue et musclée, caractérisée par l'ajout de ce qu'Audi appelle le *sideblade*, soit ce panneau de carrosserie latéral qui fait le lien entre l'habitacle et le compartiment moteur. Ce *sideblade* est généralement d'une couleur harmonisée à celle de la voiture, mais peut être commandé en option d'une couleur contrastante, ou encore en acier ou même en fibre de carbone. Par ailleurs, la R8 se démarque par l'adoption de phares de jour avec lumières de type LED, une première dans l'industrie. Le moteur de la R8 est visible sous son hayon vitré et il s'agit d'un V8 de 4,2 litres qui développe 420 chevaux, soit une puissance de 100 chevaux par litre de cylindrée. Dérivé du V8 qui anime la récente RS4, le moteur de la R8 se distingue par l'adoption d'un carter sec et d'un réservoir d'huile externe, afin de mieux composer avec les forces d'accélération latérales lors de la conduite sportive.

## AGILE ET « JOUEUSE »

Sur le Speedway de Las Vegas, la R8 m'a impressionné par l'équilibre de son châssis et la facilité avec laquelle il était possible de contrôler la répartition des masses et les angles de dérive. Règle générale, les voitures à traction intégrale adoptent un comportement sous-vireur, ce qui est toujours le cas avec la R8 mais à un degré moindre. Cette différence permet au conducteur expérimenté, qui a pris soin de désactiver le système de contrôle de la stabilité, de faire rapidement des transitions réussies vers de belles glissades en sorties de virage, glissades facilement contrôlables tellement les réactions du châssis sont prévisibles. À ce titre, j'ai trouvé la R8 plus « joueuse » et plus facile à contrôler à la limite qu'une 911 Carrera 4S. De ce côté, la R8 est à la hauteur des attentes, mais pour ce qui est des performances en accélération, la sportive d'Audi nous laisse en appétit. Les 420 chevaux du V8 ne sont pas à dédaigner, mais force est de constater que le chrono du 0-100 kilomètres/heure est de 4,6 secondes, tout comme pour la Carrera 4S. La R8 a beau être réalisée avec un châssis de type *spaceframe* en aluminium, elle pèse tout de même 200 livres de plus que la Porsche et les chevaux supplémentaires de la R8 ne peuvent que réussir à égaler le chrono de la sportive à rouage intégral de Stuttgart. Par contre, la sonorité du moteur est tout simplement exquise, et je suis convaincu que les propriétaires de cette

**FEU VERT**
Tenue de route phénoménale, sonorité du moteur V8, exclusivité assurée, qualité d'assemblage

**FEU ROUGE**
A quand le moteur V10?, diffusion limitée, prix élevé

## VÉHICULE D'ESSAI

| | |
|---|---|
| Version : | Modèle unique |
| Emp/Lon/Lar/Haut(mm) : | 2 650/4 430/1 900/1 250 |
| Poids : | 1 560 kg |
| Coffre/Réservoir : | 99 litres / 75 litres |
| Nombre de coussins de sécurité : | 4 |
| Suspension avant : | indépendante, multibras |
| Suspension arrière : | indépendante, multibras |
| Freins av./arr. : | disque (ABS) |
| Antipatinage/Contrôle de stabilité : | oui / oui |
| Direction : | à crémaillère, assistée |
| Diamètre de braquage : | 11,5 m |
| Pneus av./arr. : | P235/40R18 / P285/35R18 |
| Capacité de remorquage : | non recommandé |

## MOTORISATION À L'ESSAI

| | |
|---|---|
| Moteur : | V8 de 4,2 litres 32s atmosphérique |
| Alésage et course : | 84,5 mm x 92,8 mm |
| Puissance : | 420 ch (313 kW) à 7 800 tr/min |
| Couple : | 317 lb-pi (430 Nm) de 4 500 à 6 000 tr/min |
| Rapport poids/puissance : | 3,71 kg/ch (5,05 kg/kW) |
| Système hybride : | aucun |
| Transmission : | intégrale, manuelle 6 rapports |
| Accélération 0-100 km/h : | 4,6 s (constructeur) |
| Reprises 80-120 km/h : | 3,9 s (estimé) |
| Freinage 100-0 km/h : | 39,0 m (estimé) |
| Vitesse maximale : | 300 km/h |
| Consommation (100 km) : | super, 20,4 litres |
| Autonomie (approximative) : | 368 km |
| Émissions de CO$_2$ : | 5 378 kg/an |

## GAMME EN BREF

| | |
|---|---|
| Échelle de prix : | 139 000 $ à 150 500 $ (estimé) |
| Catégorie : | coupé |
| Historique du modèle : | 1ère génération |
| Garanties : | 4 ans/80 000 km, 4 ans/80 000 km |
| Assemblage : | Neckarsulm, Allemagne |
| Autre(s) moteur(s) : | aucun |
| Autre(s) rouage(s) : | aucun |
| Autre(s) transmission(s) : | séquentielle 6 rapports |

## DANS LA MÊME CATÉGORIE

Ferrari F430 - Lamborghini Gallardo - Porsche 911 Carrera

## DU NOUVEAU EN 2008

Nouveau modèle

## NOS IMPRESSIONS

| | |
|---|---|
| Agrément de conduite : | 🚗 🚗 🚗 🚗 |
| Fiabilité : | Nouveau modèle |
| Sécurité : | 🚗 🚗 🚗 ½ |
| Qualités hivernales : | 🚗 🚗 🚗 ½ |
| Espace intérieur : | 🚗 🚗 🚗 🚗 |
| Confort : | 🚗 🚗 🚗 ½ |

## LE CHOIX DE L'ÉQUIPE

R8

---

voiture prendront un plaisir fou à rouler, vitres baissées, dans le tunnel Ville-Marie, juste pour entendre le rugissement du V8. Par ailleurs, les conducteurs de la R8 prendront également un malin plaisir à épater la galerie avec le système de départ automatisé de type *launch control* qui permet d'effectuer des départs canon. Pour le mettre en fonction, il faut désactiver le système de contrôle électronique de la stabilité (ESP) et appuyer à la fois sur les freins et l'accélérateur. Dès que les freins sont relâchés, la R8 décolle avec une motricité optimale, le viscocoupleur variant la répartition du couple entre les trains avant et arrière afin de minimiser toute tendance au patinage et donnant à la voiture un élan hors du commun. D'ailleurs, cette répartition du couple revient à 35 % à l'avant en conduite normale ce qui confère à la R8 un caractère s'approchant plus de celui d'une propulsion que d'une intégrale, ce qui explique son tempérament plus «joueur».

### UN V10 AU PROGRAMME ?

Comme j'ai eu la nette impression que le châssis de la R8 est très au point sur le plan technique et que la voiture pourrait facilement être animée par un moteur plus puissant sans devoir subir d'importantes modifications, est-il possible que le V10 développé par Audi et Lamborghini se retrouve un jour à bord de la R8 ? Pressé sur cette question Stephan Reil, directeur du développement chez Quattro Gmbh, qui est l'équivalent de la division «M» chez BMW ou de la division «AMG» chez Mercedes-Benz, explique que le compartiment moteur pourrait éventuellement «accommoder un nombre supérieur de cylindres, mais que pour l'instant la R8 en compte 8». Il y a donc fort à parier qu'Audi réalisera un jour l'exploit de greffer un V10 à la R8, surtout si l'on considère que cette voiture est construite presque artisanalement et que le rythme de production se situera à seulement 20 exemplaires par jour. Le pari d'Audi est de faire en sorte que la R8 soit bien accueillie pour ensuite en proposer des variantes, afin de faire durer le modèle, ce que Porsche réussit très bien avec la 911 Carrera.

Le dernier facteur, et non le moindre, qui fera en sorte que la R8 réussira ou non sera le prix demandé. De ce côté, la haute direction d'Audi Canada n'a pas établi le prix en dollars canadiens, mais insinue que la R8 pourrait coûter aux alentours de 140 000 dollars. À ce prix, le pari n'est pas gagné d'avance et il faudra suivre de près l'évolution de ce modèle pour confirmer sa position dans la hiérarchie des sportives de haut niveau.

**Gabriel Gélinas**

Photos : Audi

# DEUXIÈME ÉPISODE

Le moins que l'on puisse dire c'est que la Audi TT de première génération n'a pas raté son entrée sur la scène internationale et qu'elle a immédiatement suscité les passions en raison de son style aux lignes pures inspiré du design Bauhaus. En fait, l'aspect design de la voiture est rapidement devenu un pôle d'attraction tellement puissant qu'il nous fait un peu oublier que la TT était une sportive élaborée sur la plate-forme de la Volkswagen Golf, ce qui lui conférait certaines limites bien réelles quant au comportement routier, surtout lorsqu'elle devait affronter ses concurrentes BMW et Porsche.

L'année-modèle 2008 marque donc le deuxième épisode de l'histoire de la TT qui est maintenant beaucoup plus avancée sur le plan technique. La plate-forme de la Golf a été jetée aux oubliettes et laisse place à une structure hybride d'aluminium et d'acier de type *space frame* qui ne pèse que 206 kilos. En effet, elle est composée à 69 % de pièces réalisées en aluminium, alors que les pièces en acier (31 %) se retrouvent à l'arrière de cette structure afin d'optimiser la répartition des masses dans cette voiture où le moteur loge à l'avant. Dans le cas de la TT Roadster, la structure fait un usage plus élevé de l'acier (42 %) mais priorise toujours l'aluminium quoiqu'à un degré moindre (58 %).

## PLUS AÉRODYNAMIQUE

La nouvelle TT est plus longue, plus large et légèrement plus haute que sa devancière, mais elle demeure reconnaissable au premier coup d'œil bien qu'elle arbore maintenant une silhouette plus athlétique, comme en témoignent les phares dont le design est inspiré de ceux de la Audi R8. La nouvelle TT est également plus aérodynamique avec son cœfficient de pénétration de l'air réduit à 0,30, comparativement à 0,34 pour le modèle précédent. Elle adopte aussi un aileron arrière mobile qui se déploie automatiquement quand la vitesse dépasse les 120 kilomètres/heure. Ce dernier élément est significatif : les tous premiers exemplaires de la TT de première génération étaient justement dépourvus d'aileron, et certaines voitures avaient apparemment éprouvé des problèmes d'allègement du train arrière lorsque conduites aux vitesses très élevées qui sont fréquentes sur les autobahn allemandes, Audi avait dû prendre en toute hâte la décision de fixer un aileron arrière à tous les modèles de la TT.

L'habitacle de la nouvelle voiture ne produit pas un effet aussi frappant que celui de l'ancien modèle, mais on y retrouve un volant dont la base est horizontale plutôt que circulaire, tout comme sur la R8, et les designers ont choisi de conserver l'un des éléments les plus typés de la TT de première génération, soit les buses de ventilation centrales aux formes rondes qui sont maintenant au nombre de trois. La refonte du modèle a cependant amené ces mêmes concepteurs à éliminer les deux barres latérales localisées de part et d'autre du tunnel central, dont l'une entrait en contact direct avec le genou du conducteur, au profit d'une console centrale plus habituelle. Comme la ceinture de caisse demeure élevée, on a la sensation de se retrouver dans un véritable habitacle, mais la voiture étant maintenant plus large, celui-ci offre plus de dégagement et devient plus confortable pour deux personnes.

**FEU VERT**
Châssis réussi, lignes bien typées,
suspension optionnelle Magnetic Ride,
version Roadster craquante

**FEU ROUGE**
Rouage intégral non disponible avec le 2,0T,
pas encore au niveau des Porsche Boxster et Cayman,
places arrière inutilisables (Roadster), peu d'espace de chargement (Roadster)

## VÉHICULE D'ESSAI

| | |
|---|---|
| Version : | Coupé 2.0T |
| Emp/Lon/Lar/Haut(mm) : | 2 468/4 178/1 842/1 358 |
| Poids : | 1 345 kg |
| Coffre/Réservoir : | 371 litres / 55 litres |
| Nombre de coussins de sécurité : | 4 |
| Suspension avant : | indépendante, jambes de force |
| Suspension arrière : | indépendante, multibras |
| Freins av./arr. : | disque (ABS) |
| Antipatinage/Contrôle de stabilité : | oui / oui |
| Direction : | à crémaillère, assistance variable |
| Diamètre de braquage : | 11,0 m |
| Pneus av./arr. : | P245/45R17 |
| Capacité de remorquage : | non recommandé |

## MOTORISATION À L'ESSAI

| | |
|---|---|
| Moteur : | 4L de 2,0 litres 24s turbocompressé |
| Alésage et course : | 82,5 mm x 92,8 mm |
| Puissance : | 200 ch (149 kW) à 5 100 tr/min |
| Couple : | 207 lb-pi (281 Nm) de 1 800 à 5 000 tr/min |
| Rapport poids/puissance : | 6,73 kg/ch (9,15 kg/kW) |
| Système hybride : | aucun |
| Transmission : | traction, auto. mode man. 6 rapports |
| Accélération 0-100 km/h : | 7,4 s |
| Reprises 80-120 km/h : | 6,5 s |
| Freinage 100-0 km/h : | 33,0 m |
| Vitesse maximale : | 209 km/h |
| Consommation (100 km) : | super, 12,3 litres (constructeur) |
| Autonomie (approximative) : | 447 km |
| Émissions de CO2 : | n.d. |

## GAMME EN BREF

| | |
|---|---|
| Échelle de prix : | 50 600 $ à 53 600 $ |
| Catégorie : | coupé/roadster |
| Historique du modèle : | 2ième génération |
| Garanties : | 4 ans/80 000 km, 4 ans/80 000 km |
| Assemblage : | Györ, Hongrie |
| Autre(s) moteur(s) : | V6 3,2l 250ch/236lb-pi (14,8 l/100km) |
| Autre(s) rouage(s) : | intégrale |
| Autre(s) transmission(s) : | manuelle 6 rapports |

## DANS LA MÊME CATÉGORIE

BMW Z4 - Honda S2000 - Infiniti G37 Coupé - Mercedes-Benz SLK - Nissan 350Z - Porsche Boxster

## DU NOUVEAU EN 2008

Nouveau modèle

## NOS IMPRESSIONS

| | |
|---|---|
| Agrément de conduite : | 🚗 🚗 🚗 🚗 ½ |
| Fiabilité : | 🚗 🚗 🚗 ½ |
| Sécurité : | 🚗 🚗 🚗 🚗 ½ |
| Qualités hivernales : | 🚗 🚗 🚗 🚗 |
| Espace intérieur : | 🚗 🚗 🚗 🚗 |
| Confort : | 🚗 🚗 🚗 ½ |

## LE CHOIX DE L'ÉQUIPE

2,0 litres

### SUR LA ROUTE ET SUR LE CIRCUIT

Au volant, il est évident dès le premier contact que la nouvelle TT est largement supérieure à l'ancien modèle, surtout dans le cas des modèles équipés de la suspension Magnetic Ride offerte en option. Faisant appel à un fluide magnétorhéologique contrôlé par un courant électrique qui agit instantanément sur la fermeté des amortisseurs, ce système permet aux suspensions d'adopter des calibrations plus fermes avant même que le transfert de poids latéral ne s'engage en virage, tout en restant souples lors de la conduite sur surfaces inégales. Ayant eu l'occasion de conduire plusieurs exemplaires de la TT dont certains étaient équipés de la suspension Magnetic Ride et d'autres de suspensions ordinaires, j'ai rapidement constaté la supériorité du système plus avancé, et je n'hésite pas une seconde à le recommander.

Par ailleurs, les modèles nantis du rouage intégral Quattro font preuve d'une adhérence très élevée en virage, mais les sensations de conduite de la TT sont moins directes et moins incisives que celles d'une Porsche Boxster ou Cayman qui lui demeurent supérieures pour la conduite sur circuit. Deux moteurs sont au programme. Les modèles de base du coupé et du roadster adoptent le quatre cylindres de 2,0 litres qui est turbocompressé et qui bénéficie de l'injection directe d'essence, ce moteur étant jumelé à la boîte séquentielle S-Tronic (autrefois appelée DSG pour Direct Shift Gearbox) qui livre la puissance aux seules roues avant. Le moteur V6 de 3,2 litres peut être jumelé à une boîte manuelle à six vitesses ou à la boîte S-Tronic et seul le rouage intégral Quattro est proposé sur les modèles à motorisation V6. Malheureusement, la combinaison très intéressante du quatre cylindres turbo et du rouage intégral n'est pas disponible, du moins pour l'instant.

Il y a également fort à parier que des versions plus radicales de la TT portant les désignations «S» et «RS» sont actuellement en cours de développement en Europe et qu'elles devraient permettre à Audi d'actualiser sa sportive au fil des années.

**Gabriel Gélinas**

Photos : Audi

**157**

Bentley Brooklands

# RETOUR VERS LE FUTUR

Chez Bentley, les modèles se déclinent en deux clans. Il y a ceux dont les plates-formes et les motorisations sont élaborées sur la base d'éléments développés par le groupe Volkswagen, Bentley appartenant à ce groupe depuis 1999, et il y a ceux dont les origines sont beaucoup plus lointaines. C'est dans ce deuxième groupe que l'on retrouve les Arnage, Azure et Brooklands qui bénéficient toutefois d'un souffle de modernité…

**D**ans le cas de l'Arnage, les changements apportés ne sont pas évidents au premier coup d'œil, cette voiture demeurant aussi aérodynamique qu'un mur de briques. C'est plutôt sous le capot, ou mieux encore sous la voiture elle-même que l'on note les améliorations. En effet, le moteur V8 de 6,75 litres, dont les origines remontent à 1959, est maintenant doté de deux turbocompresseurs de même que d'arbres à cames reprofilés, ce qui lui permet de développer 500 chevaux.

De plus, la boîte automatique à quatre rapports a été délaissée au profit d'une nouvelle boîte à six rapports qui permet le passage manuel des rapports par le maniement de son levier. À présent, l'Arnage est donc aussi rapide qu'une Boxster lors d'un sprint vers les 100 kilomètres/heure, ce qui est stupéfiant compte tenu de son poids supérieur à 2 585 kilos, soit presque le double de celui de la Porsche…

Cette performance étonnante s'explique par le couple énorme du V8 biturbo : grâce à lui, l'Arnage peut pratiquement arracher l'asphalte au départ arrêté ! Attendez-vous à une consommation moyenne qui frise les 20 litres aux 100 kilomètres en conduite normale, ce qui en fait une voiture idéale en Arabie Saoudite où l'essence coûte cinquante cents le gallon…

L'autre amélioration notable est l'ajout d'un système électronique de contrôle de la stabilité qui remplace le simple système de traction asservie des modèles antérieurs. Résultat : l'Arnage peut maintenant être pilotée avec un peu plus d'entrain, les anges gardiens s'assurant de la stabilité de la voiture !

### LE COUPÉ ET LE CABRIOLET
Nommé en l'honneur d'un circuit de course britannique où Bentley a souvent connu la victoire dans les années 20, le coupé Brooklands a été dévoilé au Salon de l'auto de Genève au printemps 2007. Élaboré sur la base de l'Arnage, ce nouveau coupé ne sera produit qu'à 550 exemplaires par année, et ne représentera qu'une infime partie du volume annuel de la marque qui est maintenant supérieur à 9 000 unités.

Pour le coupé, la puissance du moteur a été portée à 530 chevaux, ce qui en fait le V8 le plus puissant jamais conçu par la marque. La lignée de l'Arnage est clairement évidente puisque les deux voitures partagent la calandre grillagée et les phares doubles, en outre, le style de la Brooklands reprend les proportions classiques de la marque.

 **FEU VERT**
Voiture de prestige, performances surprenantes, habitacle cossu, style du coupé Brooklands

 **FEU ROUGE**
Consommation hors normes, poids très élevé, prix stratosphériques, silhouette conservatrice (Arnage)

**158**

Contrairement à la Continental GT qui est une 2+2, le coupé Brooklands est présenté comme une voiture capable d'accueillir des adultes aux places arrière en tout confort, Bentley précisant que le volume d'espace intérieur est supérieur à celui de tout autre coupé actuellement sur le marché.

La gamme est complétée par le cabriolet Azure, dont le moteur est légèrement moins puissant (450 chevaux) et qui pèse 110 kilos de plus que l'Arnage. L'Azure est également équipée d'un système de protection : en cas de capotage, des arceaux de sécurité métalliques se déploient près des appuie-tête des places arrière.

## SELON VOS CAPRICES

Peu importe le modèle, l'acheteur aura le choix de personnaliser sa Bentley par le biais du programme Mulliner assuré par une centaine d'artisans et d'ouvriers spécialisés dont les réalisations n'ont pour limite que l'imagination débridée du futur propriétaire ou la profondeur de son compte en banque...

Ainsi, il est possible de simplement ajouter un compartiment réfrigéré à l'habitacle ou de faire créer une couleur inédite pour la carrosserie, et même de commander un modèle à empattement allongé de façon à créer une voiture unique au monde.

Pour l'heure, ces modèles continueront d'évoluer à un rythme plutôt lent, alors que Bentley se concentre plutôt sur son autre lignée de voitures composée des Continental GT, GTC et Flying Spur, grandes responsables de la relance de la marque.

L'étape suivante pour Bentley sera donc de concevoir la future génération de ces modèles. On fera alors appel à la plate-forme développée par Audi pour produire la A5 et la prochaine A8, et non plus à la plate-forme de la défunte Volkswagen Phaeton.

**Gabriel Gélinas**

## VÉHICULE D'ESSAI

| | |
|---|---|
| Version : | Arnage T |
| Emp/Lon/Lar/Haut(mm) : | 3 116/5 400/1 900/1 515 |
| Poids : | 2 585 kg |
| Coffre/Réservoir : | 374 litres / 96 litres |
| Nombre de coussins de sécurité : | 6 |
| Suspension avant : | indépendante, multibras |
| Suspension arrière : | indépendante, multibras |
| Freins av./arr. : | disque (ABS) |
| Antipatinage/Contrôle de stabilité : | oui / oui |
| Direction : | à crémaillère, assistance variable |
| Diamètre de braquage : | 12,4 m |
| Pneus av./arr. : | P255/45R19 |
| Capacité de remorquage : | non recommandé |

## MOTORISATION À L'ESSAI

| | |
|---|---|
| Moteur : | V8 de 6,7 litres 16s biturbo |
| Alésage et course : | 104,1 mm x 99,1 mm |
| Puissance : | 500 ch (373 kW) à 4 200 tr/min |
| Couple : | 738 lb-pi (1001 Nm) à 3 200 tr/min |
| Rapport poids/puissance : | 5,17 kg/ch (7,02 kg/kW) |
| Système hybride : | aucun |
| Transmission : | propulsion, automatique 6 rapports |
| Accélération 0-100 km/h : | 5,4 s |
| Reprises 80-120 km/h : | 5,0 s |
| Freinage 100-0 km/h : | 39,5 m |
| Vitesse maximale : | 270 km/h |
| Consommation (100 km) : | super, 22,3 litres |
| Autonomie (approximative) : | 430 km |
| Émissions de CO2 : | 8 784 kg/an |

## GAMME EN BREF

| | |
|---|---|
| Échelle de prix : | 306 990$ à 336 990$ (2007) |
| Catégorie : | berline de grand luxe |
| Historique du modèle : | 1ère génération |
| Garanties : | 3 ans/km illimité, 3 ans/km illimité |
| Assemblage : | Crewe, Angleterre |
| Autre(s) moteur(s) : | V8 6,7l 450ch/645lb-pi (22,3 l/100km) |
| | Arnage R |
| | V8 6,7l 530 ch/775lb-pi (Brooklands) |
| Autre(s) rouage(s) : | aucun |
| Autre(s) transmission(s) : | aucune |

## DANS LA MÊME CATÉGORIE

Maybach 57/62 - Rolls-Royce Phantom

## DU NOUVEAU EN 2008

Pas de changement majeur

## NOS IMPRESSIONS

| | |
|---|---|
| Agrément de conduite : | 🚗🚗🚗½ |
| Fiabilité : | 🚗🚗🚗 |
| Sécurité : | 🚗🚗🚗🚗½ |
| Qualités hivernales : | 🚗🚗½ |
| Espace intérieur : | 🚗🚗🚗🚗🚗 |
| Confort : | 🚗🚗🚗🚗🚗 |

## LE CHOIX DE L'ÉQUIPE

Arnage

Photos. : Bentley

**159**

Bentley Continental GTC

# COMME UN CHEVROLET SUBURBAN!

Comparer une Bentley d'un quart de million de dollars avec un vulgaire Chevrolet Suburban peut sembler tiré par les cheveux mais, en y pensant bien, les deux véhicules possèdent un lot de similarités. Tout d'abord, ils ont environ le même poids (le Chevrolet bat de peu la Bentley à ce chapitre) et ils consomment à peu près autant l'un que l'autre. Les deux véhicules imposent le respect, pour des raisons différentes bien entendu. Et tous les deux boivent avec excès.

Depuis que Bentley appartient à Volkswagen, la noble marque anglaise développe sa lignée Continental à un rythme soutenu. Il y a deux ans apparaissait la GT, un coupé d'une rare beauté. L'année dernière, la marque de Crewe en Angleterre nous arrivait avec la Flying Spur, une berline tirée de la GT. Cette année, la grande nouveauté est la GTC, une GT cabriolet. Pour la petite histoire, mentionnons que le nom Continental avait déjà été utilisé par Bentley sur la R Type, un coupé sport produit en très petite quantité entre 1952 et 1955.

### FABULEUSE MÉCANIQUE

Toutes les versions bénéficient du moteur W12 double turbo 6,0 litres de 552 chevaux et 479 livres-pied de couple. Si ces chiffres sont du charabia pour vous, dites-vous simplement qu'une Continental, ça se déplace. Peu importe la vitesse à laquelle vous roulez, il y a toujours une réserve de puissance. Enfoncez l'accélérateur, laissez-vous enivrer de la sonorité de baryton du moteur, balayez la route des yeux pour repérer un quelconque obstacle... et oubliez les dollars qui sont, littéralement, propulsés hors de l'échappement! Car une puissance aussi phénoménale et un couple aussi généreux, ça se paie. En conduite normale sur une autoroute, il est possible de rouler en deçà de 16 litres (de super, bien entendu) aux cent kilomètres. Mais faites-vous plaisir ne serait-ce qu'un

peu et la consommation de votre alcolo sur roues grimpera jusqu'à 20 ou 30 litres. La transmission automatique à six rapports s'avère une merveille de technologie et son rendement a toujours été, peu importe la version essayée, d'une rare compétence. Pour faire passer toute cette puissance aux roues, la Continental a droit à un rouage intégral signé Audi, ce qui n'est pas rien. Ce rouage ne prédispose pas une Continental pour affronter les hivers québécois (quoique...) mais assure une traction maximale sur les routes, de préférence de longues autoroutes, de préférence sans limites de vitesse. Inutile de mentionner qu'à peu près tout ce qui se fait comme système de sécurité électronique a été embarqué.

Sans contredit, la plus sportive des trois demeure la GT même si, sur un circuit, elle crierait «pardon mononcle» rapidement. Son poids exagéré aurait tôt fait de faire chauffer les freins (au demeurant hyperperformants lors d'un arrêt d'urgence). Et je parie que ses gros pneus ne tiendraient pas le coup longtemps non plus. Quant à la Flying Spur, qui tient plus du TGV que de l'automobile, son comportement routier, toujours tout en performance et en douceur, est entaché par un châssis moins rigide. L'empattement plus long de 32 cm que celui de la GT se traduit par des flexions inopportunes, du moins sur la voiture essayée.

 **FEU VERT**
Moteur et transmission fabuleux, prestige inouï, lignes intemporelles, traction intégrale, habitacle royal

 **FEU ROUGE**
Finition extérieure inappropriée, consommation et coûts d'entretien pour millionnaires seulement, poids trop élevé, étanchéité du toit à peaufiner (GTC)

## VÉHICULE D'ESSAI

| | |
|---|---|
| Version : | Continental GTC |
| Emp/Lon/Lar/Haut (mm) : | 2 745/4 804/2 101/1 398 |
| Poids : | 2 495 kg |
| Coffre/Réservoir : | 235 litres / 90 litres |
| Nombre de coussins de sécurité : | 6 |
| Suspension avant : | indépendante, multibras |
| Suspension arrière : | indépendante, multibras |
| Freins av./arr. : | disque (ABS) |
| Antipatinage/Contrôle de stabilité : | oui / oui |
| Direction : | à crémaillère, assistée |
| Diamètre de braquage : | 11,4 m |
| Pneus av./arr. : | P275/40R19 |
| Capacité de remorquage : | non recommandé |

## MOTORISATION À L'ESSAI

| | |
|---|---|
| Moteur : | W12 de 6,0 litres 48s turbocompressé |
| Alésage et course : | 84,0 mm x 90,2 mm |
| Puissance : | 552 ch (412 kW) à 6 100 tr/min |
| Couple : | 479 lb-pi (650 Nm) à 1 600 tr/min |
| Rapport poids/puissance : | 4,52 kg/ch (6,15 kg/kW) |
| Système hybride : | aucun |
| Transmission : | intégrale, auto. mode man. 6 rapports |
| Accélération 0-100 km/h : | 6,1 s |
| Reprises 80-120 km/h : | 4,7 s |
| Freinage 100-0 km/h : | 36,5 m |
| Vitesse maximale : | 312 km/h |
| Consommation (100 km) : | super, 20,9 litres |
| Autonomie (approximative) : | 431 km |
| Émissions de CO2 : | 8 064 kg/an |

Alors que les places arrière de la GT s'avèrent très petites, celles de Flying Spur permettent de prendre toutes ses aises. La décapotable GTC, sans aucun doute dessinée pour les autoroutes de Beverly Hills, se veut la plus glamour de la lignée Continental. Le châssis, renforcé à des endroits stratégiques, montre moins de tergiversations que dans la Spur. Peu importe la Continental, les coûts d'entretien promettent d'être très, très, très dispendieux. Le système d'échappement, par exemple, devrait coûter l'équivalent de six mois de loyer (et je parle d'un sept et demie dans Westmount!). Aussi, la moindre collision impliquant l'avant d'une Continental devrait engloutir une fortune puisque le pare-choc avant est collé à pas moins de cinq radiateurs (et il y en a peut-être d'autres cachés!). Même si le nom Bentley est inscrit sur la plupart des pièces mécaniques, il arrive fréquemment qu'on voit les sigles Audi et, pire, Volkswagen. Comme quoi la noblesse a parfois besoin de roturiers…

### UN PEU DE GTC

Capote de la GTC baissée, il est possible de tenir une conversation à volume normal même à des vitesses très élevées, et ce, sans aucun pare-vent. Lorsque le toit de toile est relevé, l'étanchéité au bruit se montre très réussie. Si seulement elle l'était autant à l'eau… La visibilité vers l'arrière et les trois quarts arrière, curieusement, n'est pas trop mauvaise même si on est loin de la perfection. Il faut 25 secondes pour baisser le toit et 29 pour le relever, chrono en main. Si la GTC s'avère une beauté quasiment divine, il ne faut toutefois pas s'approcher de trop près. Pour résumer, disons simplement qu'une moulure de chrome de la portière droite était si mal finie qu'une copine s'y est coupé l'index! Dans l'habitacle, les choses se passent beaucoup mieux. Les boiseries et les cuirs fins sont assemblés avec minutie mais ce sont davantage les sièges qui méritent tout notre respect. La plupart des personnes qui sont montées à bord ont noté le peu d'espace disponible, compte tenu du gabarit de la voiture. Il faut aussi souligner le poids des portières, tel qu'il est difficile de les ouvrir si la voiture est dans une pente ascendante…

Dans le domaine des GT, la marque Bentley reprend la place qu'elle n'aurait jamais dû perdre. Et elle le fait avec grâce et panache, comme en font foi les lignes de la Continental GT appliquées à la Flying Spur et à la GTC. Et si vous vous posez des questions sur les coûts de l'entretien ou sur la finition couci-couça, c'est que vous n'êtes pas fait pour la belle anglaise.

**Alain Morin**

## GAMME EN BREF

| | |
|---|---|
| Échelle de prix : | 250 000 $ à 275 000 $ |
| Catégorie : | GT/cabriolet/berline de grand luxe |
| Historique du modèle : | 1ère génération |
| Garanties : | 3 ans/km illimité, 3 ans/km illimité |
| Assemblage : | Crewe, Angleterre |
| Autre(s) moteur(s) : | aucun |
| Autre(s) rouage(s) : | aucun |
| Autre(s) transmission(s) : | aucune |

### DANS LA MÊME CATÉGORIE

Aston Martin DB9 - Maserati Gran Turismo - Mercedes-Benz Classe SL/Classe CL - Porsche 911

### DU NOUVEAU EN 2008

GTC

### NOS IMPRESSIONS

| | |
|---|---|
| Agrément de conduite : | 🚗 🚗 🚗 ½ |
| Fiabilité : | 🚗 🚗 🚗 🚗 |
| Sécurité : | 🚗 🚗 🚗 🚗 |
| Qualités hivernales : | 🚗 🚗 🚗 |
| Espace intérieur : | 🚗 🚗 🚗 🚗 |
| Confort : | 🚗 🚗 🚗 🚗 |

### LE CHOIX DE L'ÉQUIPE

GT

Photos : Alain Morin

# LA NOUVELLE COMPACTE DE MUNICH

C'est finalement les modèles coupé et cabriolet de la nouvelle Série 1 de deuxième génération qui feront le trajet jusqu'en Amérique du Nord, BMW ayant décidé de proposer cette nouvelle gamme de voitures chez nous. La Série 1 émulera-t-elle le succès connu par l'ancienne BMW 2002 d'il y a quarante ans et dont se souviendront les plus âgés d'entre vous ? Ou connaîtra-t-elle un échec semblable à celui de la plus récente 318ti deux portes à hayon arrière ? Chez BMW, on mise beaucoup pour que le premier scénario se concrétise.

C'est donc une nouvelle silhouette que l'on retrouvera sur nos routes en 2008, soit celle d'un coupé avec un long capot abritant une paire de moteurs six cylindres en ligne, et dont l'allure dynamique fait le lien avec le récent coupé de Série 3. Dans un premier temps, la Série 1 est proposée en deux modèles coupés avec un coffre ordinaire qui seront animés par des motorisations déjà connues. Ainsi, la 128i reçoit le nouveau six cylindres atmosphérique de 3,0 litres livrant 230 chevaux, alors que la 135i hérite du six cylindres en ligne turbocompressé de 300 chevaux qui a mérité le prix international de moteur de l'année 2007.

Comme ces deux moteurs ronronnent dans les Séries 3 et 5, et que la Série 1 est beaucoup plus légère, les performances sont au rendez-vous, surtout dans le cas de la 135i qui est capable d'abattre le 0-100 kilomètres/heure en 5,3 secondes... Ces deux moteurs sont jumelés à une boîte manuelle à six vitesses ou à une automatique à six rapports, les voitures étant toutes deux des propulsions fidèles à la tradition établie chez BMW, ce qui assure une répartition optimale des masses.

## VOCATION SPORTIVE POUR LA 135I
Sur le modèle 135i, BMW a choisi d'ajouter plusieurs éléments qui font partie de la dotation de série et qui assurent sa vocation plus sportive. Ainsi, le système DSC (Dynamic Stability Control) de la 135i a été adapté pour permettre une conduite plus enthousiaste, la commande des gaz étant plus immédiate et les freins arrière étant sollicités sélectivement de façon à ralentir la roue qui patine en accélération franche, imitant de ce fait le principe d'un différentiel à glissement limité. Tout comme sur les autres modèles de la marque, le système DSC comporte un mode DTC (Dynamic Traction Control) qui repousse à un niveau plus élevé l'intervention du système qui peut être complètement désactivé par le conducteur.

Les suspensions reçoivent des calibrations plus fermes et les freins sont plus performants que ceux de la 128i. La direction active quant à elle est optionnelle. La 135i reçoit également un groupe d'éléments aérodynamiques distincts qui donnent une allure plus racée à la voiture tout en favorisant le flot d'air vers les freins, ainsi que des roues de 18 pouces.

Malheureusement pour nous, les Séries 1 destinées à l'Amérique du Nord ne sont pas dotées de plusieurs dispositifs avancés que l'on retrouve cependant sur les modèles livrés en Europe. Du nombre, l'ingénieux système «Stop-Start» qui, comme son nom l'indique, commande l'arrêt

**FEU VERT** Données insuffisantes, nouveau modèle

**FEU ROUGE** Données insuffisantes, nouveau modèle

## VÉHICULE D'ESSAI

| | |
|---|---|
| Version : | 135i |
| Emp/Lon/Lar/Haut (mm) : | 2 660/4 373/1 748/1 408 |
| Poids : | 1 535 kg |
| Coffre/Réservoir : | 370 litres / 53 litres |
| Nombre de coussins de sécurité : | 6 |
| Suspension avant : | indépendante, jambes de force |
| Suspension arrière : | indépendante, multibras |
| Freins av./arr. : | disque (ABS) |
| Antipatinage/Contrôle de stabilité : | oui / oui |
| Direction : | à crémaillère, assistance variable |
| Diamètre de braquage : | 10,7 m |
| Pneus av./arr. : | P205/50R17 |
| Capacité de remorquage : | n.d. |

## MOTORISATION À L'ESSAI

| | |
|---|---|
| Moteur : | 6L de 3 litres 24s turbocompressé |
| Alésage et course : | 89,6 mm x 84,0 mm |
| Puissance : | 300 ch (224 kW) à 5 800 tr/min |
| Couple : | 300 lb-pi (407 Nm) de 1 400 à 5 000 tr/min |
| Rapport poids/puissance : | 5,12 kg/ch (6,95 kg/kW) |
| Système hybride : | aucun |
| Transmission : | propulsion, manuelle 6 rapports |
| Accélération 0-100 km/h : | 5,3 s. (constructeur) |
| Reprises 80-120 km/h : | n.d. |
| Freinage 100-0 km/h : | n.d. |
| Vitesse maximale : | n.d. |
| Consommation (100 km) : | super, n.d. |
| Autonomie (approximative) : | n.d. |
| Émissions de $CO_2$ : | n.d. |

## GAMME EN BREF

| | |
|---|---|
| Échelle de prix : | n.d. |
| Catégorie : | Coupé |
| Historique du modèle : | 1ère génération |
| Garanties : | 4 ans/80 000 km, 4 ans/80 000 km |
| Assemblage : | n.d. |
| Autre(s) moteur(s) : | 6L 3l atmosphérique 230ch/200lb-pi 128i |
| Autre(s) rouage(s) : | aucun |
| Autre(s) transmission(s) : | automatique 6 rapports |

## DANS LA MÊME CATÉGORIE

Audi A3 - Volkswagen GTI - Mazda MazdaSpeed 3 -

## DU NOUVEAU EN 2008

Nouveau modèle

## NOS IMPRESSIONS

| | |
|---|---|
| Agrément de conduite : | n.d. |
| Fiabilité : | Nouveau modèle |
| Sécurité : | n.d. |
| Qualités hivernales : | n.d. |
| Espace intérieur : | n.d. |
| Confort : | n.d. |

## LE CHOIX DE L'ÉQUIPE

135i

---

automatique du moteur lorsque la voiture est immobilisée à un feu rouge pour le redémarrer au départ afin de réduire la consommation et les émissions polluantes. Ce dispositif pourrait éventuellement faire son bout de chemin et être ajouté à la Série 1 vendue au Canada dans un avenir plus lointain.

## LA VIE À BORD

La Série 1 est une véritable quatre places, tout comme la récente Volvo C30, et comme cette dernière, l'espace accordé aux passagers arrière est plutôt limité... Le système télématique iDrive fait partie des options, tout comme la navigation assistée par satellite, et son fonctionnement est facilité par l'ajout de six touches programmables par le conducteur pour interagir directement avec les fonctions qui sont utilisées le plus souvent, tels certains numéros de téléphone, destinations, ou stations de radio. Deux types de selleries sont au programme : cuir véritable ou similicuir, et la nouvelle Série 1 est également dotée de six coussins gonflables de série, tout comme la Série 3.

Les coupés 128i et 135i seront suivis par des modèles cabriolet à toit souple dans un avenir rapproché, BMW ayant choisi cette approche plutôt que celle d'un toit rigide rétractable pour des raisons de coût et de poids. Par ailleurs, les rumeurs courent en Europe disant que BMW développe actuellement d'autres déclinaisons de la Série 1, comme une familiale et un modèle encore plus sportif que la 135i.

En effet, il appert que le mythique nom de M1 pourrait faire un retour dans l'univers de la marque bavaroise en étant apposé sur une Série 1 animée par le moteur six cylindres atmosphérique de 330 chevaux qui équipait la M3 de la génération précédente, le nouveau modèle faisant désormais appel à un V8.

BMW présente la Série 1 comme étant l'héritière spirituelle du célèbre modèle 2002 qui a marqué l'histoire de l'automobile. Le concept est le même, soit celui d'une voiture aux dimensions compactes et au dynamisme relevé. Trouvera-t-elle preneur sur nos terres ? Seul l'avenir le dira...

**Gabriel Gélinas**

Photos : BMW

# UNE GAMME ÉLARGIE

Dès la sortie des puits du circuit Ascari en Espagne, la nouvelle M3 annonce la couleur alors que son V8 de 4,0 litres hurle littéralement en livrant sa pleine puissance à 8 300 tours/minute, seulement 100 tours en deçà de sa limite de révolutions. À ce régime élevé, le son du moteur est absolument enivrant et ne laisse planer aucun doute quant à la vraie nature de cette M3 de quatrième génération qui est aussi à l'aise sur un circuit que sur la route...

Depuis ses débuts en 1986, la M3 a toujours été l'une des voitures les plus convoitées par les amateurs de performances, et dire que la nouvelle M3 est l'une des voitures les plus attendues relève de l'euphémisme. La M3, c'est la voiture qui enflamme les passions, qui déchaîne l'enthousiasme, et qui fait la démonstration de l'expertise d'un groupe d'ingénieurs et de techniciens triés sur le volet dont la mission est de produire les plus performantes des BMW. Au premier coup d'œil, la nouvelle M3 peut beaucoup ressembler au coupé de Série 3, mais 80% de ses pièces sont inédites et seuls les phares, les feux, le couvercle du coffre, les portières et le vitrage sont partagés. Le style sportif de la M3 est assuré par son capot surélevé, par les très grandes ouvertures pratiquées à l'avant pour garantir un refroidissement adéquat du moteur et des freins, et par ses échappements à quatre sorties. La M3 est également dotée d'un toit rigide en fibre de carbone renforcée en plastique, tout comme le coupé M6, afin de réduire le poids de la voiture et d'abaisser son centre de gravité. Toutefois, l'acheteur qui n'a pas compris la vraie nature de la bête pourra commettre l'impardonnable erreur de commander en option un toit ouvrant en acier, et ainsi diminuer irrémédiablement l'attrait de sa voiture.

## HAUTE TECHNOLOGIE

Pour la première fois de son histoire, la M3 est animée par un V8 dérivé du V10 qui propulse les M5 et M6 et dont le bloc-moteur provient de la même fonderie que celle qui produit les V8 de l'équipe de Formule Un BMW-Sauber. Les concepteurs de ce nouveau moteur sont particulièrement fiers : il est plus léger de 15 kilos que le six cylindres en ligne de la génération précédente de la M3, et sa consommation a été réduite de 8% alors que la puissance a progressé de 17%. Tous ces gains ont été obtenus en grande partie par l'optimisation des composantes et par le fait que le bloc-moteur est en aluminium, alors que le carter est produit d'un alliage d'aluminium et de silicone. La liste des avancées technologiques proposées par la nouvelle M3 ne se limite pas au moteur, puisque l'embrayage comporte deux et non pas un disques, et que seulement une pièce des suspensions de la génération antérieure de la M3 reprend du service dans la nouvelle voiture.

Ainsi, la nouvelle M3 reçoit de nouvelles suspensions presque entièrement en aluminium et dont le calibrage est le résultat de plus de 18 000 kilomètres d'essais sur la boucle nord du circuit de Nurburgring (Nordschleife). Par ailleurs, le conducteur peut choisir entre trois niveaux de fermeté au moyen du système EDC (Electronic Damper Control) qui

**FEU VERT**
Moteurs performants (335i et M3),
châssis rigide, direction précise,
agrément de conduite assuré

**FEU ROUGE**
Prix élevés,
coût des options,
qualité des plastiques intérieur

sera optionnel dans le groupe Sport, tout comme le système MDrive qui permet d'interagir avec la rapidité de la réponse du moteur à l'accélérateur ainsi que la rapidité de la direction assistée Servotronic. En cochant ces options, l'acheteur disposera d'une voiture qui lui permettra une plus grande flexibilité quant à sa configuration selon l'inspiration du moment, de même qu'une enveloppe de performance élargie. Sur le circuit Ascari, la M3 a fait la superbe démonstration de son potentiel en faisant preuve d'un équilibre parfait et d'une personnalité enjouée, la voiture n'ayant jamais rechigné même lors de glissades prolongées en sortie de virage, glissades rendues possibles par la désactivation complète du système DSC (Dynamic Stability Control) et par son différentiel qui permet de livrer jusqu'à 100 % de la puissance à la roue extérieure.

## COUPÉ-CABRIOLET À TOIT RIGIDE

Par ailleurs, des rumeurs courent à l'effet que BMW puisse éventuellement proposer une version berline de la M3, ainsi qu'un cabriolet à toit rigide rétractable, cette technologie ayant été récemment adoptée par le cabriolet de Série 3 qui représente l'autre récente addition à la gamme de la Série 3. Le ballet mécanique qui permet de replier le toit rigide rétractable dans le coffre ne dure que 23 secondes, soit 7 de mieux que le toit semblable de la récente Volvo C70. Et même si le modèle cabriolet est plus lourd que la berline ou le coupé de Série 3 d'environ 150 kilos, le comportement routier demeure très sportif puisque la voiture peut atteindre les 100 kilomètres/heure en moins de six secondes avec un son de moteur très enlevant, même s'il s'agit d'un turbocompressé. La tenue de route est exceptionnelle parce que la voiture elle-même est parfaitement équilibrée, 50 % de son poids étant réparti sur le train avant et 50 % sur le train arrière. La direction est très précise, les freins performants, bref on y retrouve tout ce qu'il faut pour séduire les conducteurs qui priorisent l'agrément de conduite. Les seuls points faibles de cette voiture sont le prix élevé, le coût des options et le volume du coffre très limité lorsque le toit est replié.

**Gabriel Gélinas**

## VÉHICULE D'ESSAI

| | |
|---|---|
| Version : | Berline 328Xi |
| Emp/Lon/Lar/Haut (mm) : | 2 760/4 520/1 817/1 421 |
| Poids : | 1 625 kg |
| Coffre/Réservoir : | 460 litres / 61 litres |
| Nombre de coussins de sécurité : | 6 |
| Suspension avant : | indépendante, jambes de force |
| Suspension arrière : | indépendante, multibras |
| Freins av./arr. : | disque (ABS) |
| Antipatinage/Contrôle de stabilité : | oui / oui |
| Direction : | à crémaillère, assistance variable |
| Diamètre de braquage : | 11,0 m |
| Pneus av./arr. : | P205/55R16 |
| Capacité de remorquage : | 480 kg |

## MOTORISATION À L'ESSAI

Pneus d'origine MICHELIN

| | |
|---|---|
| Moteur : | 6L de 3,0 litres 24s atmosphérique |
| Alésage et course : | 85,0 mm x 88,0 mm |
| Puissance : | 230 ch (172 kW) à 6 500 tr/min |
| Couple : | 200 lb-pi (271 Nm) à 2 750 tr/min |
| Rapport poids/puissance : | 7,07 kg/ch (9,62 kg/kW) |
| Système hybride : | aucun |
| Transmission : | intégrale, manuelle 6 rapports |
| Accélération 0-100 km/h : | 7,5 s |
| Reprises 80-120 km/h : | 7,0 s (estimé) |
| Freinage 100-0 km/h : | 40,0 m |
| Vitesse maximale : | 210 km/h |
| Consommation (100 km) : | super, 12,2 litres |
| Autonomie (approximative) : | 500 km |
| Émissions de CO2 : | 4 872 kg/an |

## GAMME EN BREF

| | |
|---|---|
| Échelle de prix : | 35 600 $ à 66 840 $ (2007) |
| Catégorie : | berline sport/coupé/cabriolet/familiale |
| Historique du modèle : | 5ième génération |
| Garanties : | 4 ans/80 000 km, 4 ans/80 000 km |
| Assemblage : | Dingolfing, Allemagne |
| Autre(s) moteur(s) : | 6L 2,5l 200ch/180lb-pi (11,2 l/100km) 323i |
| | 6L 3,0l turbocompressé 300ch/300lb-pi (13,5 l/100km) 335i |
| | V8 4,0l 420ch/295 lb-pi (M3) |
| Autre(s) rouage(s) : | propulsion |
| Autre(s) transmission(s) : | automatique 6 rapports |

## DANS LA MÊME CATÉGORIE

Audi A4/S4 - Infiniti G35/G35x - Mercedes-Benz Classe C - Saab 9-3/Cabriolet - Jaguar X-Type - Lexus IS 350

## DU NOUVEAU EN 2008

Version M

## NOS IMPRESSIONS

| | |
|---|---|
| Agrément de conduite : | 🚗 🚗 🚗 🚗 ½ |
| Fiabilité : | 🚗 🚗 🚗 ½ |
| Sécurité : | 🚗 🚗 🚗 🚗 |
| Qualités hivernales : | 🚗 🚗 🚗 🚗 |
| Espace intérieur : | 🚗 🚗 🚗 ½ |
| Confort : | 🚗 🚗 🚗 🚗 |

## LE CHOIX DE L'ÉQUIPE

335xi

Photos : BMW

# LA MAGIE DU TURBO

Pour l'année-modèle 2008, BMW présente l'évolution de la Série 5 : de nouvelles motorisations, dont l'une ajoute la turbocompression au catalogue de la berline allemande. Le modèle M5 demeure essentiellement inchangé et la 550i retient ses caractéristiques de redoutable berline sport, alors que les modèles 528i et 535i, également vendus en version à traction intégrale, sont les plus transformés.

Le bloc-moteur de la 528i est maintenant plus léger, parce que réalisé en un alliage d'aluminium et de magnésium. Il développe 15 chevaux de plus que celui de la défunte 525i, donnant ainsi un peu plus de corps aux performances de ce modèle.

Mais la grande vedette est sans contredit la nouvelle 535i qui adopte le moteur turbocompressé six cylindres en ligne de 3,0 litres déjà vu sur le coupé 335i. Fort de 300 chevaux et de 300 livres-pied de couple, ce moteur permet à la berline de Série 5 d'abattre le 0-100 en six secondes, soit en seulement 3 dixièmes de secondes de plus que le V8 de 4,8 litres qui équipe la 550i (360 chevaux et 360 livres-pied de couple).

Bien que la 550i demeurera sans aucun doute la voiture de prédilection pour les mordus de performance, la 535i deviendra rapidement celle des connaisseurs qui profiteront de performances légèrement en retrait par rapport à celles livrées par le V8, mais qui économiseront aussi la bagatelle d'environ 14 000 dollars…

Ceci est d'autant plus vrai que l'ensemble sport est aussi optionnel sur la 535i, plus légère de 130 kilos comparée à la 550i, ce qui bonifie la

tenue de route. Cette berline 535i est donc une proposition plus qu'alléchante.

L'ajout de la traction intégrale (535xi) annule cependant cet avantage concernant le poids de la voiture, et comme ce modèle possède une garde au sol un tantinet plus élevée, ce qui a une incidence directe sur le centre de gravité, les performances en tenue de route ne sont pas aussi intéressantes que celles de la berline 535i à propulsion. Toutefois, l'ajout de la traction intégrale fait en sorte que la 535xi sera une voiture idéale pour affronter l'hiver québécois, l'accent étant alors placé sur la sécurité plutôt que sur les performances. La 535xi arrive également en version familiale (Touring), et devient de facto la familiale la plus puissante proposée par BMW au pays.

## CHANGEMENTS SUBTILS

Visuellement, la Série 5 adopte de très subtiles retouches apportées principalement aux phares et à la calandre, mais dans l'ensemble les modèles 2008 ressemblent énormément à ceux des années antérieures. Sur les modèles à boîte automatique, un nouveau levier de vitesse à commande électronique, emprunté au véhicule sport utilitaire X5, ne demande que très peu d'efforts et sa course est beaucoup plus courte.

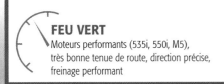

**FEU VERT**
Moteurs performants (535i, 550i, M5), très bonne tenue de route, direction précise, freinage performant

**FEU ROUGE**
Prix élevés, coût des options, système iDrive perfectible, style controversé

Les mordus de technologie y trouveront leur compte, puisqu'un système de visualisation à tête haute, en option sur les 535, 550 et M5, permet au conducteur de lire, sans quitter la route des yeux, les indications relatives à la vitesse du véhicule ou encore celles du système de navigation assisté par satellite qui sont projetées sur la base du pare-brise. Par ailleurs, la 550 propose également en option un système de vision nocturne qui fonctionne avec une caméra thermique permettant de «voir» la chaleur dégagée par les animaux ou par les individus présents près de la route bien avant que ces derniers n'apparaissent dans le faisceau des phares.

Quant à la très puissante M5, précisons qu'elle livre toujours des performances carrément explosives, mais difficilement exploitables dans un contexte nord-américain. Une boîte manuelle à six vitesses est désormais de série sur cette voiture, la boîte séquentielle SMG à sept vitesses étant reléguée au catalogue des options.

## DANS LA BOULE DE CRISTAL

À l'intention de ceux qui conduisent déjà une Série 5 et qui veulent agencer la fin de leur contrat de location actuel avec l'arrivée de la toute prochaine génération, précisons que cette voiture sera entièrement renouvelée et qu'elle verra le jour au printemps 2010. Cette future Série 5 mettra l'emphase sur les technologies de pointe avec l'adoption d'un système automatique Start & Stop qui coupera le moteur aux feux rouges afin de réduire la consommation. De plus, il faut s'attendre à ce que les nouveaux modèles adoptent une boîte automatique à huit rapports, histoire d'égaler Lexus, et que la M5 hérite alors d'une boîte à double embrayage, calquée sur celle d'Audi.

**Gabriel Gélinas**

Photos : BMW

### VÉHICULE D'ESSAI

| | |
|---|---|
| Version : | 535i |
| Emp/Lon/Lar/Haut(mm) : | 2 888/4 854/1 846/1 468 |
| Poids : | 1 660 kg |
| Coffre/Réservoir : | 520 litres / 70 litres |
| Nombre de coussins de sécurité : | 6 |
| Suspension avant : | indépendante, jambes de force |
| Suspension arrière : | indépendante, multibras |
| Freins av./arr. : | disque (ABS) |
| Antipatinage/Contrôle de stabilité : | oui / oui |
| Direction : | à crémaillère, assistance variable |
| Diamètre de braquage : | 11,4 m |
| Pneus av./arr. : | P225/50ZR17 |
| Capacité de remorquage : | non recommandé |

### MOTORISATION À L'ESSAI

Pneus d'origine **MICHELIN**

| | |
|---|---|
| Moteur : | 6L de 3 litres 24s turbocompressé |
| Alésage et course : | 84,0 mm x 89,6 mm |
| Puissance : | 300 ch (224 kW) à 5 800 tr/min |
| Couple : | 300 lb-pi (407 Nm) à 1 400 tr/min |
| Rapport poids/puissance : | 5,53 kg/ch (7,51 kg/kW) |
| Système hybride : | aucun |
| Transmission : | propulsion, manuelle 6 rapports |
| Accélération 0-100 km/h : | 5,9 s |
| Reprises 80-120 km/h : | 5,0 s (estimé) |
| Freinage 100-0 km/h : | 39,0 m (estimé) |
| Vitesse maximale : | 240 km/h |
| Consommation (100 km) : | super, n.d. |
| Autonomie (approximative) : | n.d. |
| Émissions de CO2 : | n.d. |

### GAMME EN BREF

| | |
|---|---|
| Échelle de prix : | 59 900 $ à 113 300 $ (2007) |
| Catégorie : | berline de luxe/familiale |
| Historique du modèle : | 3ième génération |
| Garanties : | 4 ans/80 000 km, 4 ans/80 000 km |
| Assemblage : | Dingolfing, Allemagne |
| Autre(s) moteur(s) : | 6L 3l 230ch/200lb-pi 528i |
| | V8 4,8l 550i 360ch/360lb-pi (14,8 l/100km) |
| | V10 5l 500ch/383lb-pi M5 |
| Autre(s) rouage(s) : | intégrale |
| Autre(s) transmission(s) : | automatique 6 rapports / |
| | séquentielle 7 rapports |

### DANS LA MÊME CATÉGORIE

Audi A6 / RS6 - Cadillac CTS / CTS-V - Jaguar S-Type - Lexus GS 350/430 - Mercedes-Benz Classe E - Saab 9-5 - Volvo S60

### DU NOUVEAU EN 2008

Moteurs plus puissants, quelques révisions esthétiques

### NOS IMPRESSIONS

| | |
|---|---|
| Agrément de conduite : | 🚗 🚗 🚗 🚗 ½ |
| Fiabilité : | 🚗 🚗 🚗 ½ |
| Sécurité : | 🚗 🚗 🚗 🚗 ½ |
| Qualités hivernales : | 🚗 🚗 🚗 🚗 |
| Espace intérieur : | 🚗 🚗 🚗 🚗 |
| Confort : | 🚗 🚗 🚗 🚗 |

### LE CHOIX DE L'ÉQUIPE

535xi

# PLACE À LA PUISSANCE

Bien qu'elle soit présentée comme un tout nouveau modèle pour 2008, la Série 6 n'a en fait subi qu'un léger restylage. La motorisation reçoit désormais la nouvelle boîte automatique à six rapports que l'on retrouve également sur les modèles 2008 de la Série 5.Par ailleurs, certains détails de présentation ont été modifiés pour ce qui est de la planche de bord et de la console centrale. Il s'agit donc plus d'une évolution que d'une refonte complète pour la Gran Turismo bavaroise.

C e qui est particulièrement frappant avec la Série 6, c'est de constater jusqu'à quel point le gabarit de la voiture est imposant et l'espace intérieur est limité, surtout aux places arrière où des adultes se retrouvent avec un dégagement très serré pour les jambes. Mais un coupé n'est pas conçu en fonction des passagers mais bien en fonction du style et, de ce côté, la Série 6 affiche une présence remarquée.

La haute technologie est au rendez-vous par le biais de divers équipements proposés en option et à grand prix, comme le dispositif de vision nocturne ou la visualisation tête haute qui projette à la base du pare-brise plusieurs informations comme la vitesse, le régime du moteur ou même les indications du système de navigation assisté par satellite.

### LE COUPÉ M6 SUR CIRCUIT
En 2007, la M6 en version coupé est devenue l'une des voitures utilisées pour le Challenge Trioomph sur le Circuit Mont-Tremblant et elle s'est montrée à la hauteur, même si conduire une voiture de type Grand Tourisme sur un circuit représente la pire torture que l'on puisse lui infliger. Dans certains virages, il est relativement facile de mettre la voiture en dérive et de faire s'évaporer en fumée les pneus Pirelli P Zero Corsa, grâce à la puissance élevée livrée par le V10 qui ne demande qu'à

atteindre sa limite de révolutions de 8250 tours/minute. À ce régime, chacun des pistons couvre une distance de 20 mètres chaque seconde, et il est rassurant de savoir que les blocs-moteurs de ce V10 sont construits à la même usine qui produit les blocs-moteurs utilisés par BMW en Formule Un.

Sur circuit, la performance de toute voiture se réduit essentiellement à son rapport poids/puissance et, dans le cas de la M6, celui-ci est plus favorable que celui de la berline M5, le coupé étant plus léger de 45 kilogrammes. Cette réduction de poids s'explique notamment par le toit fixe en plastique renforcé de fibre de carbone qui permet aussi d'abaisser le centre de gravité de la voiture.

Le coupé M6 fait également un grand usage de matériaux légers comme l'aluminium pour la réalisation de la partie avant, du capot et des portières, ainsi que pour les suspensions. De plus, les panneaux de carrosserie latéraux et le couvercle du coffre sont en plastique renforcé de fibre de verre. Le résultat, c'est que la M6 dispose ainsi d'un rapport poids/puissance phénoménal de 3,37 kg par cheval-vapeur (3,5 pour la berline M5). Malgré tous ces efforts, il faut tenir compte des dimensions généreuses de la voiture dont le poids atteint tout de même les

**FEU VERT**
Groupes motopropulseurs remarquables, châssis rigide, agrément de conduite, performances spectaculaires (M6), technologie de pointe

**FEU ROUGE**
Style controversé, prix élevé, coût des options, espace limité aux places arrière

## VÉHICULE D'ESSAI

| | |
|---|---|
| Version : | Coupé 650i |
| Emp/Lon/Lar/Haut(mm) : | 2 780/4 820/1 855/1 373 |
| Poids : | 1 730 kg |
| Coffre/Réservoir : | 450 litres / 70 litres |
| Nombre de coussins de sécurité : | 6 |
| Suspension avant : | indépendante, jambes de force |
| Suspension arrière : | indépendante, multibras |
| Freins av./arr. : | disque (ABS) |
| Antipatinage/Contrôle de stabilité : | oui / oui |
| Direction : | à crémaillère, assistée |
| Diamètre de braquage : | 11,4 m |
| Pneus av./arr. : | P245/45R18 / P275/40R18 |
| Capacité de remorquage : | non recommandé |

## MOTORISATION À L'ESSAI

| | |
|---|---|
| Moteur : | V8 de 4,8 litres 32s atmosphérique |
| Alésage et course : | 93,0 mm x 88,3 mm |
| Puissance : | 360 ch (268 kW) à 6300 tr/min |
| Couple : | 360 lb-pi (488 Nm) à 3 400 tr/min |
| Rapport poids/puissance : | 4,81 kg/ch (6,53 kg/kW) |
| Système hybride : | aucun |
| Transmission : | propulsion, manuelle 6 rapports |
| Accélération 0-100 km/h : | 6,1 s |
| Reprises 80-120 km/h : | 5,0 s |
| Freinage 100-0 km/h : | 34,6 m |
| Vitesse maximale : | 240 km/h |
| Consommation (100 km) : | super, 14,8 litres |
| Autonomie (approximative) : | 473 km |
| Émissions de $CO_2$ : | 5 904 kg/an |

## GAMME EN BREF

| | |
|---|---|
| Échelle de prix : | 101 500 $ à 138 300 $ (2007) |
| Catégorie : | coupé/cabriolet/GT |
| Historique du modèle : | 1ère génération |
| Garanties : | 4 ans/80 000 km, 4 ans/80 000 km |
| Assemblage : | Dingolfing, Allemagne |
| Autre(s) moteur(s) : | V10 5,0l 500ch/383lb-pi (18,4 l/100km) M6 |
| Autre(s) rouage(s) : | aucun |
| Autre(s) transmission(s) : | automatique 6 rapports / séquentielle 7 rapports |

## DANS LA MÊME CATÉGORIE

Cadillac XLR - Jaguar XKR - Mercedes-Benz CL - Porsche 911

## DU NOUVEAU EN 2008

Pas de changement majeur

## NOS IMPRESSIONS

| | |
|---|---|
| Agrément de conduite : | 🚗 🚗 🚗 🚗 ½ |
| Fiabilité : | 🚗 🚗 🚗 ½ |
| Sécurité : | 🚗 🚗 🚗 🚗 ½ |
| Qualités hivernales : | 🚗 🚗 🚗 |
| Espace intérieur : | 🚗 🚗 🚗 ½ |
| Confort : | 🚗 🚗 🚗 🚗 |

## LE CHOIX DE L'ÉQUIPE

Coupé 650i

---

1 710 kilos, ce qui fait que la M6 a tendance à adopter un comportement sous-vireur lorsque ses limites sont atteintes sur circuit et quand le système de contrôle de la stabilité est désactivé.

### 500 CHEVAUX, SANS TOIT NI LOI

Quant au cabriolet M6, je dois avouer que le concept d'une voiture conjuguant à la fois un moteur de 500 chevaux et la conduite à ciel ouvert me semblait, au début, totalement farfelu. Pourtant, si l'on considère que plusieurs constructeurs comme Ferrari, Lamborghini et Porsche, pour ne nommer que ceux-là, produisent déjà des cabriolets ultraperformants, on ne peut pas reprocher à BMW de vouloir s'approprier une partie de ce créneau très restreint, mais très lucratif… Surtout que BMW pouvait compter sur de solides bases, le toit souple ayant déjà été développé pour la Série 6.

Dès qu'il s'agit de l'arrivée d'une version cabriolet d'une voiture existante, la première question qui me vient spontanément à l'esprit est celle du gain de poids, les cabriolets étant toujours plus lourds que les coupés ou les berlines en raison des éléments de structure ajoutés pour compenser la perte du toit fixe. Dans le cas de la M6, la réponse est de 200 kilos, ce qui n'ajoute que deux dixièmes de secondes au chrono du 0 à 100 kilomètres/heure, mais cet excédent de poids a une incidence plus marquée en ce qui a trait au freinage et à la tenue de route, puisque la version Cabriolet de la M6 vous rappelle constamment qu'il s'agit d'une voiture au gabarit imposant.

Le prix est stratosphérique, mais la M6 livre la marchandise et la fiabilité n'a posé aucun problème, et ce, même si notre coupé M6 a subi la torture d'une dizaine de journées sur circuit.

**Gabriel Gélinas**

Photos : BMW

# MUTATION EN 2008

C'est vers la fin de 2008 que la prochaine génération entièrement renouvelée de la Série 7 devrait voir le jour. Mise au point en grand secret, la berline porte-étendard de la marque bavaroise devrait faire étalage de nombreuses prouesses technologiques comprenant notamment une nouvelle boîte automatique à huit rapports, de même que l'ajout de la traction intégrale et d'une version hybride au catalogue.

P ar ailleurs, le style plus typé de l'actuelle Série 7 fera place à de nouvelles lignes plus classiques, qui conserveront néanmoins l'allure athlétique qui caractérise le modèle actuel, lui permettant de se démarquer de sa concurrence immédiate composée de la Mercedes-Benz de Classe S et de l'Audi A8, entre autres. De plus, les récentes rumeurs voulant que BMW offre le traitement «M» à la prochaine génération de la Série 7 se sont estompées alors que le constructeur semble vouloir faire évoluer cette dimension de sportivité vers un éventuel «coupé à quatre portes» dont le Concept CS dévoilé en 2007 au Salon de Shanghai annonce déjà les couleurs.

Cette nouvelle voiture pourrait donc recevoir le nom de Série 8 et permettrait à la marque de combler les attentes des amateurs de performance désireux d'avoir une voiture de grande taille, sans diminuer pour autant le bassin d'acheteurs plus classiques qui s'orienteront alors vers la nouvelle Série 7.

### NOUVELLE PLATE-FORME

Cette prochaine génération de la Série 7 sera élaborée sur une toute nouvelle plate-forme qui permettra éventuellement à BMW de renouveler sa Série 6, et qui servira également de point de départ pour la

création d'une nouvelle Rolls-Royce de plus petite taille, et dont l'arrivée est prévue en 2009. Comme les voitures haut de gamme servent toujours de vitrine technologique pour les constructeurs automobiles, attendez-vous à ce que cette prochaine Série 7 soit truffée d'électronique et de nouveaux équipements et accessoires. À ce titre, la voiture devrait recevoir une suspension pneumatique, la direction active, un système de vision nocturne avec caméra infrarouge, un dispositif de visualisation tête haute, une assistance au stationnement assurée par des caméras à l'avant comme à l'arrière, en plus d'intégrer la traction intégrale xDrive et le régulateur de vitesse intelligent assisté par radar.

Les moteurs seront des versions plus évoluées des V10 et V12 actuels jumelés à une nouvelle boîte automatique à huit rapports, histoire de rejoindre la Lexus LS à ce chapitre. La prochaine Série 7 recevra aussi une motorisation hybride essence-électrique. Tout comme la Série 7 actuelle, la nouvelle génération se déclinera également en version allongée.

### LA VIE À BORD

Suite à la révolution proposée par la Série 7 en 2001, l'habitacle de la prochaine génération adoptera une disposition plus classique. Le levier

**FEU VERT**
Puissance moteur, tenue de route performante (groupe sport), freinage très puissant, confort exemplaire, prestige assuré

**FEU ROUGE**
Nouveau modèle à venir fin 2008, complexité du système iDrive, coût des options, fiabilité perfectible

## VÉHICULE D'ESSAI

| | |
|---|---|
| Version : | 750Li |
| Emp/Lon/Lar/Haut(mm) : | 3 128/5 179/1 902/1 484 |
| Poids : | 2 065 kg |
| Coffre/Réservoir : | 500 litres / 88 litres |
| Nombre de coussins de sécurité : | 7 |
| Suspension avant : | indépendante, jambes de force |
| Suspension arrière : | indépendante, multibras |
| Freins av./arr. : | disque (ABS) |
| Antipatinage/Contrôle de stabilité : | oui / oui |
| Direction : | à crémaillère, assistance variable |
| Diamètre de braquage : | 12,1 m |
| Pneus av./arr. : | P245/45R19 / P275/40R19 |
| Capacité de remorquage : | 480 kg |

de vitesse migrera de la colonne de direction vers sa position plus classique où il prendra la nouvelle forme adoptée par le X5 et la nouvelle Série 5. Le contrôleur du système de télématique i-Drive sera surdimensionné par rapport à sa taille actuelle, tout comme l'écran permettant au conducteur de visualiser son interaction avec les divers dispositifs de la voiture. Pour le reste, il faut s'attendre à ce que les matériaux utilisés pour la confection de l'habitacle soient d'un classicisme de bon goût, comme c'est le cas sur les modèles actuels.

Comme j'ai souvent eu l'occasion de conduire la Série 7 équipée du groupe sport, je peux vous dire que c'est un peu comme piloter son propre jet privé. Les performances sont remarquables pour une voiture de ce gabarit, et le confort demeure exceptionnel comme en témoigne le silence qui règne à bord même lorsque l'on roule à des vitesses largement supérieures à celles autorisées par la loi.

En fait, cette voiture est tellement stable, agile, puissante, silencieuse et confortable qu'il est très facile de dépasser les limites permises sans même s'en apercevoir, tout en sachant qu'il est possible de compter sur une puissance de freinage qui pourrait faire pâlir d'envie bien des voitures sport. Et ce, particulièrement lorsque la voiture est chaussée des pneus surdimensionnés faisant partie du groupe sport optionnel. Les rivales Mercedes-Benz de Classe S ou l'Audi A8 sont également des voitures confortables et silencieuses, mais la conduite de ces voitures n'est pas aussi inspirée que celle de la Série 7 qui ne rechigne pas du tout quand vient le temps d'adopter un rythme plus soutenu en conduite sportive.

J'ai même eu l'occasion de rouler sur les circuits de Sanair et du Mont-Tremblant au volant d'une 750Li, et je dois avouer que les performances étaient vraiment impressionnantes compte tenu de la taille et du gabarit de cette grande berline de luxe.

**Gabriel Gélinas**

## MOTORISATION À L'ESSAI

Pneus d'origine **MICHELIN**

| | |
|---|---|
| Moteur : | V8 de 4,8 litres 32s atmosphérique |
| Alésage et course : | 93,0 mm x 88,3 mm |
| Puissance : | 360 ch (268 kW) à 6 300 tr/min |
| Couple : | 360 lb-pi (488 Nm) à 3 400 tr/min |
| Rapport poids/puissance : | 5,74 kg/ch (7,79 kg/kW) |
| Système hybride : | aucun |
| Transmission : | propulsion, auto. mode man. 6 rapports |
| Accélération 0-100 km/h : | 5,9 s |
| Reprises 80-120 km/h : | 6,8 s |
| Freinage 100-0 km/h : | 38,0 m |
| Vitesse maximale : | 250 km/h |
| Consommation (100 km) : | super, 13,8 litres |
| Autonomie (approximative) : | 638 km |
| Émissions de $CO_2$ : | 5 520 kg/an |

## GAMME EN BREF

| | |
|---|---|
| Échelle de prix : | 108 500 $ à 174 500 $ (2007) |
| Catégorie : | berline de grand luxe |
| Historique du modèle : | 3ième génération |
| Garanties : | 4 ans/80 000 km, 4 ans/80 000 km |
| Assemblage : | Munich, Allemagne |
| Autre(s) moteur(s) : | V12 6,0l 438ch/444lb-pi (15,8 l/100km) 760i |
| | V8 4,4l 500ch/516lb-pi (15,4 l/100km) Alpina B7 |
| Autre(s) rouage(s) : | aucun |
| Autre(s) transmission(s) : | aucune |

## DANS LA MÊME CATÉGORIE

Audi A8 / A8L - Jaguar XJ8 - Lexus LS 460 - Mercedes-Benz Classe S

## DU NOUVEAU EN 2008

Pas de changement majeur, modèle en fin de carrière

## NOS IMPRESSIONS

| | |
|---|---|
| Agrément de conduite : | 🚗 🚗 🚗 🚗 |
| Fiabilité : | 🚗 🚗 🚗 ½ |
| Sécurité : | 🚗 🚗 🚗 🚗 ½ |
| Qualités hivernales : | 🚗 🚗 🚗 🚗 |
| Espace intérieur : | 🚗 🚗 🚗 🚗 ½ |
| Confort : | 🚗 🚗 🚗 🚗 ½ |

## LE CHOIX DE L'ÉQUIPE

750Li

Photos : BMW

# COUP DE VIEUX ?

Depuis son arrivée, le X3 jouit d'un fort avantage, soit celui d'être seul dans sa catégorie. Qualifié comme un VUS de luxe compact, on ne le comparait autrefois qu'au Land Rover Freelander, ce qui me semblait franchement insultant pour la firme bavaroise. Toutefois, avec les nouveaux RDX (Acura) et LR2 (Land Rover), ainsi qu'avec l'arrivée prochaine du Volkswagen Tiguan, le vieillissant X3 a pour la première fois à composer avec une concurrence sérieuse. Alors, est-t-il en mesure de demeurer au sommet ?

La réponse est oui, mais peut-être pas dans sa forme actuelle. Il devra pour se démarquer subir une refonte qui lui permettra de mieux distancer ses nouveaux concurrents. Bien sûr, le X3 reste un authentique produit BMW avec tout ce que ça comporte, mais il faut avoir conduit les plus récentes nouveautés du constructeur pour comprendre que ce véhicule a pris un coup de vieux.

Esthétiquement, son corps d'athlète plaît cependant autant qu'à ses premiers jours. Racé et unique en son genre, il divulgue carrément via ses lignes ce dont il est capable sur la route. Et que vous optiez pour l'une ou l'autre des deux versions, la robe demeure identique. Légèrement retouchée l'an dernier, elle ne subit par conséquent pas de changements cette année. Mais ne soyez pas surpris si BMW dévoile prochainement les esquisses du modèle de nouvelle génération, car le X3, après la grande berline de Série 7, sera assurément le prochain sur la liste des refontes !

### UN RETARD

En ouvrant la portière, on se remémore tout de suite la Série 3 d'ancienne génération. Tant les matériaux utilisés que les cadrans indicateurs et la disposition des commandes sont similaires, ce qui confirme une fois

de plus que le X3 affiche un petit retard sur ses consœurs. Il est également dommage de ne pas bénéficier sur ce modèle des clignotants à fonction de signalement triple, une merveille à laquelle on s'habitue très rapidement.

Hormis ses quelques rides, l'habitacle du X3 est toutefois fort agréable. N'y cherchez pas de l'espace à revendre ni une quantité importante de compartiments de rangement, mais si la qualité de finition et l'excellente de la position de conduite vous importe, vous ne serez pas déçu. Attention, n'allez pas croire que le X3 n'est pas capable d'un certain confort, au contraire, mais le conducteur n'aura pas le droit au même degré de dégagement qu'avec un Acura RDX. En fait, mis à part une garde au toit plus élevée et un coffre un peu plus volumineux, vous retrouverez le même sentiment qu'à bord d'une familiale de Série 3. Et c'est normal puisqu'après tout, le X3 en dérive directement.

Côté sièges, les sportifs apprécieront les baquets plus fermes aux supports accentués offerts avec le Groupe Sport M. Sinon le X3 propose des sièges très confortables, bien sculptés et recouverts d'une sellerie de cuir de grande qualité. Même à l'arrière, le confort est notable, à condition que seulement deux occupants s'assoient sur la banquette.

---

**FEU VERT**
Agrément de conduite assuré, motorisations savoureuses, qualité de finition irréprochable, ligne racée

**FEU ROUGE**
Prix trop élevé, modèle vieillissant, suspension très ferme, plus de concurrence

### VÉHICULE D'ESSAI

| | |
|---|---|
| Version : | 3.0si |
| Emp/Lon/Lar/Haut(mm) : | 2 795/4 569/1 853/1 674 |
| Poids : | 1 820 kg |
| Coffre/Réservoir : | 480 à 1 560 litres / 67 litres |
| Nombre de coussins de sécurité : | 8 |
| Suspension avant : | indépendante, jambes de force |
| Suspension arrière : | indépendante, multibras |
| Freins av./arr. : | disque (ABS) |
| Antipatinage/Contrôle de stabilité : | oui / oui |
| Direction : | à crémaillère, assistée |
| Diamètre de braquage : | 11,7 m |
| Pneus av./arr. : | P235/55R17 |
| Capacité de remorquage : | 1 700 kg |

Pneus d'origine MICHELIN

### MOTORISATION À L'ESSAI

| | |
|---|---|
| Moteur : | 6L de 3,0 litres 24s atmosphérique |
| Alésage et course : | 85,0 mm x 88,0 mm |
| Puissance : | 260 ch (194 kW) à 6 600 tr/min |
| Couple : | 225 lb-pi (305 Nm) à 2 750 tr/min |
| Rapport poids/puissance : | 7 kg/ch (9,53 kg/kW) |
| Système hybride : | aucun |
| Transmission : | intégrale, manuelle 6 rapports |
| Accélération 0-100 km/h : | 7,4 s |
| Reprises 80-120 km/h : | 7,0 s |
| Freinage 100-0 km/h : | 43,0 m |
| Vitesse maximale : | 210 km/h |
| Consommation (100 km) : | super, 12,5 litres |
| Autonomie (approximative) : | 536 km |
| Émissions de CO2 : | 5 088 kg/an |

### GAMME EN BREF

| | |
|---|---|
| Échelle de prix : | 45 300 $ à 50 900 $ |
| Catégorie : | utilitaire sport compact |
| Historique du modèle : | 1ière génération |
| Garanties : | 4 ans/80 000 km, 4 ans/80 000 km |
| Assemblage : | Dingolfing, Allemagne |
| Autre(s) moteur(s) : | 6L 3,0l 215ch/ 185lb-pi (12,5 l/100km) 3.0i |
| Autre(s) rouage(s) : | aucun |
| Autre(s) transmission(s) : | automatique 6 rapports |

BMW a amélioré depuis peu les motorisations du X3 afin de mieux rivaliser avec ses nouveaux compétiteurs. Résultat, le moteur six cylindres de 2,5 litres a été abandonné au profit d'un délectable 3,0 litres de 215 chevaux (3.0i), alors qu'une seconde version de ce même 3,0 litres est offerte avec un supplément de 45 chevaux (3.0si). Bien sûr, la différence de puissance entre les deux motorisations est marquante, principalement à haut régime, mais il me faut admettre que la version 3.0i fait amplement le travail pour la majorité des acheteurs. Car le surplus de puissance de la version 3.0si, que vous n'exploiterez que rarement, se paye très cher...

Jumelé à une boîte manuelle à six rapports, le plus puissant des deux moteurs n'a consommé lors de notre essai que 11,1 litres de carburant (super) aux 100 kilomètres. Et il semble que la boîte automatique n'affecte pas à la hausse ces données. Par rapport au modèle 3.0i, la différence de consommation est cependant minime. Vous n'économiserez donc pas vraiment à ce niveau en optant pour un moteur moins puissant.

### VUS URBAIN

Très agile, le X3 n'a rien d'un véritable VUS. Il s'agrippe au bitume avec la même aisance qu'une sportive, brille par une rigidité structurelle stupéfiante et propose une conduite des plus envoûtantes. On réalise ainsi que les gènes de la Série 3 y ont été directement transfusés. Du coup, vous comprendrez que le X3 n'est pas un véhicule proposant un confort ouaté, à la façon d'un Cadillac Escalade. Au contraire, la suspension du X3 est plutôt ferme, ce qui occasionne de bonnes secousses lorsque vous circulez sur des routes endommagées (soit à peu près partout au Québec!). Et les passagers arrière sont de loin les plus affectés.

Très agréable même si proche de la retraite, cette génération du X3 se vend néanmoins très cher. En fait, je dirais même trop cher, compte tenu du fait qu'on ne retrouve pas toute la technologie offerte dans les versions 2008 de la Série 3.

**Antoine Joubert**

### DANS LA MÊME CATÉGORIE

Acura RDX - Land Rover LR2 - Volvo XC70

### DU NOUVEAU EN 2008

Pas de changement majeur

### NOS IMPRESSIONS

| | |
|---|---|
| Agrément de conduite : | 🚗 🚗 🚗 🚗 |
| Fiabilité : | 🚗 🚗 🚗 |
| Sécurité : | 🚗 🚗 🚗 🚗 |
| Qualités hivernales : | 🚗 🚗 🚗 🚗 |
| Espace intérieur : | 🚗 🚗 🚗 🚗 |
| Confort : | 🚗 🚗 🚗 |

### LE CHOIX DE L'ÉQUIPE

3.0i

Photos : Alain Morin

# SUPERBE ÉVOLUTION

Lancé l'an dernier, le X5 de deuxième génération a gagné en habitabilité et en polyvalence tout en rehaussant d'un cran son caractère sportif par rapport au premier modèle qui a vu le jour en 2001. Si les deux premières considérations sont le résultat des souhaits recueillis auprès de la clientèle américaine, la dernière reflète bien encore et toujours la principale préoccupation de la marque.

Au premier coup d'œil, le X5 de deuxième génération ne paraît pas nécessairement plus grand que son prédécesseur et la signature visuelle du plus récent véhicule sport utilitaire de BMW conserve un lien évident avec l'ancien modèle. Les apparences sont parfois trompeuses, car le nouveau X5 fait près de 15 centimètres de plus en longueur, tout en étant plus large, ce qui lui permet maintenant de proposer une troisième rangée de sièges en option. Les concepteurs ont également choisi de garder le hayon arrière s'ouvrant en deux parties, la clientèle américaine préférant cette disposition qui permet au X5 d'être l'hôte de *tail-gate parties*, populaires aux États-Unis. Pour ce qui est de l'efficacité aérodynamique, précisons que le X5 est très évolué malgré sa forte taille puisque le modèle à moteur six cylindres en ligne offre un coefficient de pénétration dans l'air de 0,34 alors que le modèle à moteur V8 est légèrement moins performant avec un coefficient de 0,35.

## TRANSFORMATION TOTALE

La filiation avec le X5 de première génération est donc assurée par l'évolution des lignes adoptées en 2001 à la naissance du modèle, mais sous cette carrosserie au profil connu se cache un véhicule entièrement transformé. Ainsi, le châssis est plus rigide dans une proportion de 15 pour

cent en ce qui concerne sa résistance à la flexion, et les ingénieurs ont choisi de nouvelles configurations pour les éléments de suspension. Notre véhicule d'essai ajoutait le groupe d'options Dynamic Handling Package qui comprend la direction active à démultiplication variable, de même que le contrôle électronique des amortisseurs et des barres antiroulis, ce qui lui permettait d'adopter un comportement routier résolument sportif avec un minimum de roulis en virage. En deux mots, on se serait crû à bord d'une berline de Série 5, voire même d'une sportive, tellement le X5 s'accrochait à la route même à des vitesses très élevées en virage. Règle générale, ce type de performance en tenue de route s'accompagne souvent d'une trop grande fermeté des suspensions lors de la conduite sur routes dégradées, mais ce n'était pas le cas avec le X5 qui a également fait preuve d'un excellent niveau de confort en conduite normale. Cette option coûte 4 700 dollars et je la recommande chaudement, surtout aux acheteurs du modèle avec moteur V8 qui sont parfois portés sur la performance.

## MOTORISATIONS ÉVOLUÉES

Le moteur V8 de 4,8 litres qui équipait le modèle le plus performant de la génération précédente a été retenu pour le modèle actuel, alors que le six cylindres en ligne de 3,0 litres réalisé en aluminium ainsi qu'en

---

**FEU VERT**
Rouage intégral efficace, moteur V8 performant, direction précise, volume intérieur

**FEU ROUGE**
Prix élevés, coût des options, système iDrive perfectible, espace limité aux places de la 3e rangée

## VÉHICULE D'ESSAI

| | |
|---|---|
| Version : | 4.8i |
| Emp/Lon/Lar/Haut(mm) : | 2 933/4 854/1 933/1 766 |
| Poids : | 2 360 kg |
| Coffre/Réservoir : | 620 à 1 750 litres / 85 litres |
| Nombre de coussins de sécurité : | 6 |
| Suspension avant : | indépendante, jambes de force |
| Suspension arrière : | indépendante, multibras |
| Freins av./arr. : | disque (ABS) |
| Antipatinage/Contrôle de stabilité : | oui / oui |
| Direction : | à crémaillère, assistance variable |
| Diamètre de braquage : | 12,1 m |
| Pneus av./arr. : | P225/55R18 |
| Capacité de remorquage : | 2 700 kg |

Pneus d'origine
MICHELIN

## MOTORISATION À L'ESSAI

| | |
|---|---|
| Moteur : | V8 de 4,8 litres 32s atmosphérique |
| Alésage et course : | 93,0 mm x 88,3 mm |
| Puissance : | 350 ch (261 kW) à 6 300 tr/min |
| Couple : | 350 lb-pi (475 Nm) à 3 400 tr/min |
| Rapport poids/puissance : | 6,74 kg/ch (9,15 kg/kW) |
| Système hybride : | aucun |
| Transmission : | intégrale, automatique 6 rapports |
| Accélération 0-100 km/h : | 6,8 s |
| Reprises 80-120 km/h : | 6,1 s |
| Freinage 100-0 km/h : | 38,6 m |
| Vitesse maximale : | 210 km/h |
| Consommation (100 km) : | super, 16,3 litres |
| Autonomie (approximative) : | 521 km |
| Émissions de CO2 : | 6 384 kg/an |

## GAMME EN BREF

| | |
|---|---|
| Échelle de prix : | 73 500 $ (2007) |
| Catégorie : | utilitaire sport intermédiaire |
| Historique du modèle : | 2ième génération |
| Garanties : | 4 ans/80 000 km, 4 ans/80 000 km |
| Assemblage : | Spartanburg, Caroline du Sud, É-U |
| Autre(s) moteur(s) : | 6L 3,0l 260ch/225lb-pi (13,6 l/100km) 3.0si |
| Autre(s) rouage(s) : | aucun |
| Autre(s) transmission(s) : | aucune |

## DANS LA MÊME CATÉGORIE

Audi Q7 - Cadillac SRX - Infiniti FX35/45 - Land Rover Range Rover - Lexus LX 470 - Mercedes-Benz Classe M - Porsche Cayenne

## DU NOUVEAU EN 2008

Nouveau modèle

## NOS IMPRESSIONS

| | |
|---|---|
| Agrément de conduite : | 🚗 🚗 🚗 🚗 |
| Fiabilité : | Nouveau modèle |
| Sécurité : | 🚗 🚗 🚗 🚗 ½ |
| Qualités hivernales : | 🚗 🚗 🚗 🚗 ½ |
| Espace intérieur : | 🚗 🚗 🚗 🚗 |
| Confort : | 🚗 🚗 🚗 ½ |

## LE CHOIX DE L'ÉQUIPE

4.8i

magnésium provient de la berline de Série 3. Ces deux moteurs sont jumelés au dispositif de traction intégrale permanent xDrive par l'entremise d'une nouvelle boîte automatique à six rapports qui est plus rapide de l'ordre de 50 pour cent et dont le levier à commande électronique a été emprunté à la M5 et à la M6. Il est donc possible de déplacer le levier latéralement pour commander soi-même la sélection des rapports d'un mouvement vers l'avant ou l'arrière, ou encore de le laisser en place et de laisser la boîte faire le travail à elle seule, ce que j'ai choisi presque tout le temps, l'efficacité étant vraiment remarquable. Comme c'est souvent le cas lors d'une refonte complète, le poids est également en hausse, mais la consommation est demeurée raisonnable pour un véhicule de cette catégorie, le V8 de 350 chevaux livrant une consommation moyenne de 16,0 litres aux 100 kilomètres, soit un litre de moins que l'Audi Q7 dotée du moteur V8 de puissance égale, ce qui a été une agréable surprise. Parmi les bémols, on peut noter un prix élevé de même que le coût des options qui augmente rapidement la facture d'un véhicule bien équipé. De ce côté, BMW continue sur sa lancée alors que certaines marques concurrentes choisissent plutôt d'offrir un contenu élargi en ce qui concerne la dotation de série, réduisant ainsi le choix des options au minimum pour l'acheteur.

Par ailleurs, BMW lancera en 2008 un tout nouveau modèle dérivé du X5 actuel qui s'appellera X6 et dont la vocation sera encore plus sportive. La ligne de toit sera plus basse et dynamique, l'optionnelle troisième rangée de sièges ne sera pas au catalogue et l'espace habitable sera plus limité particulièrement en ce qui a trait au dégagement pour la tête aux places arrière. Les motorisations seront empruntées au X5 actuel et donneront vie au X6 qui permettra ainsi à BMW de proposer une déclinaison plus performante et plus radicale de son sport-utilitaire afin de livrer une concurrence directe aux plus performants des véhicules de la catégorie, comme le Porsche Cayenne ou le Range Rover Sport, entre autres. Pour l'heure, le X5 présente une superbe évolution de la lignée chez BMW, et demeure l'un des meilleurs choix pour l'amateur de performances qui choisit de conduire un sport-utilitaire pour ses qualités pratiques mais qui ne veut pas sacrifier l'agrément de conduite.

**Gabriel Gélinas**

Photos : BMW

# LA SUITE LOGIQUE

Chez BMW, on vient tout juste de compléter la gamme de la Série 3 avec la nouvelle génération de la M3, et c'est pourquoi la suite logique des choses laisse présager que la gamme des roadsters s'apprête maintenant à connaître plusieurs changements dans un avenir rapproché. Ainsi, la Z4 sera entièrement renouvelée pour 2009 et les dimensions des modèles de cette nouvelle génération seront supérieures à celles des modèles actuels. De plus, BMW entend lancer la Z2, un roadster de plus petite taille qui sera offert à moindre prix afin de concurrencer directement la MX-5 de Mazda, dont l'arrivée est prévue vers la fin de 2010.

C'est donc une refonte imminente qui attend la Z4, refonte qui se fera dans la même démarche que celle qui a mené à l'évolution des modèles actuels, à savoir par l'adoption de plusieurs motorisations déjà développées pour la Série 3, dont le 6 cylindres turbocompressé qui équipe la 335i ainsi que le moteur de la nouvelle M3. Cette Z4 pourrait également recevoir un toit rigide rétractable de même qu'un toit souple ordinaire, et il faut s'attendre à ce que plusieurs dispositifs électroniques comme la direction active de BMW migrent vers cette nouvelle Z4. Il faut aussi anticiper l'arrivée d'un modèle coupé à toit fixe, comme c'est le cas avec la génération actuelle, puisque le constructeur bavarois a tout à gagner en développant deux types de véhicules qui partageront la même plate-forme et leurs motorisations, afin de rejoindre des clientèles plus typées tout en réduisant les coûts de développement. Les rumeurs qui entourent la Z2 sont moins précises, mais elles font état d'un retour à une plus grande simplicité sur le plan technique, avec l'adoption exclusive de moteurs à quatre cylindres, et d'un toit souple à commande manuelle plutôt qu'électrique.

## DEUX SÉRIES DE MODÈLES

Dans l'attente de cette nouvelle génération, les modèles actuels de la gamme Z4 poursuivent leur route en 2008. Cette gamme se décline en deux séries, la première étant composée de deux modèles plus traditionnels (3.0i et 3.0si), et l'autre l'étant de deux modèles de performance (Z4 M Roadster et Z4 M Coupé). La différence entre la 3.0i et la 3.0si est la puissance du moteur qui est respectivement de 215 ou de 255 chevaux. De ce fait, la 3.0i conviendra à ceux qui veulent simplement se balader à ciel ouvert au volant d'une voiture qui a de la gueule, alors que la 3.0si offre un peu plus de punch et d'agrément de conduite, car son moteur est doté d'une limite de révolutions chiffrée à 7 000 tours/minute et livre en plus de couple à moyen régime.

## LES VERSIONS M

Sur le plan technique, la Z4 M Roadster et le Z4 M Coupé partagent plusieurs composantes avec la M3 de génération précédente (moteur, différentiel, direction, etc.), mais elle fait également usage de nouvelles pièces développées spécifiquement pour ce nouveau modèle, notamment en ce qui a trait aux trains avant et arrière de la voiture. Sur le circuit, la Z4 M Roadster impressionne par ses qualités dynamiques indéniables, et surtout par la rapidité avec laquelle elle s'inscrit sur la trajectoire idéale en virages. La tenue de route exceptionnelle de ce roadster est en partie due à sa répartition idéale des masses qui est de 50 % sur le train avant et de 50 % sur le train arrière, et aux savantes calibrations

**FEU VERT**
Conduite précise, moteurs bien adaptés,
comportement routier sportif,
performances spectaculaires (M Roadster et M Coupé)

**FEU ROUGE**
*Look* controversé, suspensions fermes,
présentation austère de l'habitacle,
rangements limités

## VÉHICULE D'ESSAI

| | |
|---|---|
| Version : | M Coupé |
| Emp/Lon/Lar/Haut(mm) : | 2 497/4 113/1 781/1 271 |
| Poids : | 1 465 kg |
| Coffre/Réservoir : | 245 à 300 litres / 55 litres |
| Nombre de coussins de sécurité : | 4 |
| Suspension avant : | indépendante, jambes de force |
| Suspension arrière : | indépendante, leviers triangulés |
| Freins av./arr. : | disque (ABS) |
| Antipatinage/Contrôle de stabilité : | oui / oui |
| Direction : | à crémaillère, assist. variable électronique |
| Diamètre de braquage : | 9,8 m |
| Pneus av./arr. : | P225/45ZR18 / P255/40ZR18 |
| Capacité de remorquage : | non recommandé |

## MOTORISATION À L'ESSAI
Pneus d'origine MICHELIN

| | |
|---|---|
| Moteur : | 6L de 3,2 litres 24s atmosphérique |
| Alésage et course : | 87,0 mm x 91,0 mm |
| Puissance : | 330 ch (246 kW) à 7 900 tr/min |
| Couple : | 262 lb-pi (355 Nm) à 4 900 tr/min |
| Rapport poids/puissance : | 4,44 kg/ch (6,03 kg/kW) |
| Système hybride : | aucun |
| Transmission : | propulsion, manuelle 6 rapports |
| Accélération 0-100 km/h : | 5,1 s |
| Reprises 80-120 km/h : | 4,5 s |
| Freinage 100-0 km/h : | 34,0 m (constructeur) |
| Vitesse maximale : | 250 km/h |
| Consommation (100 km) : | super, 14,5 litres |
| Autonomie (approximative) : | 379 km |
| Émissions de CO2 : | 5 760 kg/an |

## GAMME EN BREF

| | |
|---|---|
| Échelle de prix : | 53 900 $ à 69 900 $ (2007) |
| Catégorie : | coupé/roadster |
| Historique du modèle : | 1ère génération |
| Garanties : | 4 ans/80 000 km, 4 ans/80 000 km |
| Assemblage : | Spartanburg, É-U |
| Autre(s) moteur(s) : | 6L 3,0l 215ch/185lb-pi |
| | (11,7 l/100km) 3.0i |
| | 6L 3,0l 255ch/220lb-pi (11,7 l/100km) 3.0si |
| Autre(s) rouage(s) : | aucun |
| Autre(s) transmission(s) : | automatique 6 rapports |

## DANS LA MÊME CATÉGORIE

Audi TT - Honda S2000 - Mercedes-Benz SLK - Porsche Boxster - Porsche Cayman

## DU NOUVEAU EN 2008

Pas de changement majeur

## NOS IMPRESSIONS

| | |
|---|---|
| Agrément de conduite : | 🚗🚗🚗🚗½ |
| Fiabilité : | 🚗🚗🚗🚗 |
| Sécurité : | 🚗🚗🚗🚗 |
| Qualités hivernales : | 🚗🚗🚗 |
| Espace intérieur : | 🚗🚗🚗 |
| Confort : | 🚗🚗🚗 |

## LE CHOIX DE L'ÉQUIPE

M Coupé

---

des réglages des suspensions. De plus, le différentiel à glissement limité permet de bien exploiter le couple et la puissance du moteur en sortie de courbe.

De son côté, la Z4 M Coupe s'est montrée exceptionnelle par sa tenue de route, mais surtout par son équilibre. Il suffit de désactiver le système DSC (Dynamic Stability Control) et d'appuyer sur le bouton sport pour commander une réponse plus rapide de l'accélérateur électronique, afin de pouvoir exploiter tout son potentiel de performance. Au fil des tours, j'ai été grandement impressionné par la performance en virage de la Z4 M Coupe et particulièrement par la rapidité avec laquelle la voiture répondait à la moindre sollicitation.

Comparativement à la Z4 M Roadster, le coupé s'inscrit plus rapidement en virage et il est possible de contrôler facilement les glissades tellement le comportement de la voiture est prévisible, même aux delà de l'adhérence des pneus… Comme go-kart, on ne fait pas mieux, la Z4 M Coupe est rapide, précise, voire incisive, et c'est pourquoi je recommande aux conducteurs de cette voiture de rouler sur un circuit si l'occasion se présente, car c'est vraiment dans ce contexte particulier que la voiture s'exprime pleinement. La motorisation de la Z4 M Coupe étant identique à celle de la génération précédente de la M3, le conducteur profite d'un moteur qui a mérité le prix convoité de «moteur de l'année» pendant les cinq dernières années dans la catégorie des moteurs de 3 à 4 litres, un exploit dont ses concepteurs sont très fiers, à juste titre.

Quant à la question du choix à faire entre les divers modèles de la Z4, la réponse appartient dans un premier temps à l'acheteur qui doit évaluer ses priorités et le budget qu'il est prêt à accorder pour s'offrir ce beau jouet.

**Gabriel Gélinas**

Photos : BMW

# UTOPIE

Les sociologues, psychologues et autres «ogues» le confirment : l'humain a besoin de rêver. Au Père Noël, au prochain gros lot du 6/49 ou à la copine de son meilleur ami. La Bugatti Veyron a été créée pour nourrir le rêve humain. Tant qu'à ressortir un nom prestigieux des boules à mites, aussi bien le faire en grand ! Pourtant, ce qui devait s'annoncer une belle aventure est rapidement devenu un cauchemar qui a englouti énormément de temps et d'argent. Reste que Bugatti, propriété de Volkswagen, a fini par présenter son bolide de rêve.

Cette voiture de rêve, c'est la Veyron 16.4. Veyron, pour Pierre Veyron, ancien pilote sur Bugatti dans les années 30, 40 et 50, et 16.4 pour seize cylindres, quatre turbocompresseurs. Les ingénieurs de la marque mythique voulaient faire de la Veyron la voiture de route la plus rapide au monde. Mais ils n'y sont pas parvenus en criant «Bugatti!» Après avoir connu sa part d'ennuis techniques à ses débuts (des «décollages» aérodynamiques qui ont renvoyé designers et ingénieurs à leurs ordinateurs, des pneus Michelin PAX qui ne pouvaient supporter des vitesses si dramatiquement élevées et une fiabilité pour le moins aléatoire), la Bugatti Veyron s'avère désormais techniquement au point. Mais comme tous ces problèmes ont retardé le projet, la super voiture est arrivée sur le marché au moment où les prix de l'essence flambaient et que l'automobile se faisait de plus en plus politiquement correcte. Au début du projet, il était déjà établi que la Veyron ne rapporterait pas de bénéfices à Volkswagen mais plutôt le prestige. Espérons qu'ils aiment vraiment le prestige, car la Veyron a rapporté, jusqu'à présent, beaucoup plus de problèmes que de retombées économiques!

### 64 SOUPAPES !

Qu'un moteur thermique produise plus de 1000 chevaux, ce n'est plus une bataille contre la technologie. C'est la réalité, puisqu'il existe. Celui de la Veyron fait même 1 001 chevaux! Nous étions déjà tout excités par le rapport de 107,7 chevaux au litre de la Honda S2000 (2,2 litres pour 237 chevaux). Voilà que le W16 quadri turbo de la Veyron nous arrive avec rien de moins que 125 chevaux par litre (8,0 litres pour 1 001 chevaux). Et que dire du couple de 923 livres-pied dès 2 200 tours/minute. On ne peut être qu'ébahis devant ce déferlement de puissance... et de décibels. Ce moteur, extrapolé du fabuleux W12 que l'on retrouve sur les Bentley de nouvelle génération notamment, est aussi compact qu'un V12 traditionnel.

Mais, pour bien s'exprimer, ce qu'il ne demande qu'à faire, il a besoin d'essence. De beaucoup d'essence. Le pied au plancher, comptez environ 80 kilomètres (12 minutes!) pour vider le réservoir de 100 litres. En revanche, vous aurez eu le plaisir d'atteindre les 406 km/h promis par le constructeur. Allô la contravention... En passant, Bugatti annonce un 0-100 en 3,4 secondes et un 0-300 en 16,7! Pour faire passer toute cette démence aux roues, on a choisi une transmission séquentielle à sept rapports à double embrayage, à la manière Audi. Le passage des rapports ne prend que deux dixièmes de secondes. Le rouage intégral est de type permanent et provient de chez Haldex.

---

**FEU VERT**
Voiture de rêve par excellence,
performances inimaginables,
bijou de technologie, exclusivité assurée

**FEU ROUGE**
Inutilisable sur les routes québécoises, voiture anti Green Peace,
prix ridicule, fiabilité à prouver,
même pas de boule pour une tente roulotte

Les aérodynamiciens qui ont œuvré sur la Veyron en ont sué une claque! Les premiers essais, comme mentionné précédemment, se sont avérés catastrophiques, la voiture ayant une fâcheuse tendance au décollage. Je suis convaincu qu'à un certain moment, les gens de Bugatti ont pensé se recycler dans l'aviation! Désormais, l'aspect aérodynamique est maîtrisé. C'est surtout le gros aileron arrière mobile qui fait coller la voiture à la route. Cet appendice sert aussi d'aérofrein, comme sur une aile d'avion, lors d'un arrêt d'urgence. À noter que la Veyron décélère de 100 km/h à zéro en 31,4 m, une distance incroyablement courte. Il faut dire que la Veyron, malgré toute la technologie dont elle fait preuve (le câblage électrique fait une longueur totale de 2,7 km!), ne pèse que 1 888 kg. Merci tout de même aux freins en céramique à huit pistons à l'avant et six à l'arrière. Pour en finir avec l'aileron, précisons qu'en cas de chaleur trop intense dans le compartiment moteur, il s'incline de six degrés pour une meilleure ventilation. Il s'agit d'une position appelée *cool down*.

Dans l'habitacle, le meilleur côtoie le maximum! Les matériaux démontrent une recherche intense et une richesse absolue. L'ergonomie aussi a été finement étudiée. Ce qui est un peu normal puisqu'à plus de 200 km/h, il n'est guère recommandé de commencer à chercher le piton qui active la climatisation! Le système audio, à lui seul, doit valoir plus cher que bien des maisons. Fabriqué par Dieter Burmester, réputé concepteur allemand, cet appareil vous donne la chair de poule dès les premiers décibels.

Pour 2008, grande nouveauté. Une Bugatti Veyron Roadster serait sur le point d'être dévoilée. Nous écrivons bien «serait» puisque personne chez Volkswagen (Bugatti appartient à Volkswagen) ne nous a confirmé la chose. Si cette voiture voit un jour la production, préparez un chèque de 1,5 million d'euros (à peu près 2 millions canadiens).

Aussi utile qu'un camion-citerne pour tondre le gazon, la Bugatti Veyron ne devrait même pas être considérée comme une voiture de production. Construite à seulement 300 exemplaires qui ne seront vendus qu'à des milliardaires qui les parqueront dans des musées privés, la Veyron est une non-voiture.

**Alain Morin**

## VÉHICULE D'ESSAI

| | |
|---|---|
| Version : | 16.4 |
| Emp/Lon/Lar/Haut(mm) : | 2 710/4 462/1 998/1 204 |
| Poids : | 1 888 kg |
| Coffre/Réservoir : | n.d. / 100 litres |
| Nombre de coussins de sécurité : | 2 |
| Suspension avant : | indépendante, triangles superposés |
| Suspension arrière : | indépendante, triangles superposés |
| Freins av./arr. : | disque (ABS) |
| Antipatinage/Contrôle de stabilité : | oui / oui |
| Direction : | à crémaillère, assistée |
| Diamètre de braquage : | 11,0 m |
| Pneus av./arr. : | PAX245/30R20 / PAX335/30R20 |
| Capacité de remorquage : | non recommandé |

## MOTORISATION À L'ESSAI

| | |
|---|---|
| Moteur : | W16 de 8,0 litres 64s 4 turbos |
| Alésage et course : | 86,0 mm x 86,0 mm |
| Puissance : | 1001 ch (746 kW) à 6 000 tr/min |
| Couple : | 923 lb-pi (1250 Nm) à 2 200 tr/min |
| Rapport poids/puissance : | 1,89 kg/ch (2,56 kg/kW) |
| Système hybride : | aucun |
| Transmission : | intégrale, séquentielle 7 rapports |
| Accélération 0-100 km/h : | 3,4 s (constructeur) |
| Reprises 80-120 km/h : | 2,8 s |
| Freinage 100-0 km/h : | 31,4 m |
| Vitesse maximale : | 407 km/h |
| Consommation (100 km) : | super, 40,0 litres |
| Autonomie (approximative) : | 250 km |
| Émissions de $CO_2$ : | 11 480 kg/an |

## GAMME EN BREF

| | |
|---|---|
| Échelle de prix : | 1 494 300 $ |
| Catégorie : | GT |
| Historique du modèle : | 1ière génération |
| Garanties : | 2 ans/50 000 km, 2 ans/50 000 km |
| Assemblage : | Molsheim, Alsace, France |
| Autre(s) moteur(s) : | aucun |
| Autre(s) rouage(s) : | aucun |
| Autre(s) transmission(s) : | aucune |

## DANS LA MÊME CATÉGORIE
Modèle unique

## DU NOUVEAU EN 2008
Modèle Roadster

## NOS IMPRESSIONS

| | |
|---|---|
| Agrément de conduite : | 🚗 🚗 🚗 |
| Fiabilité : | données insuffisantes |
| Sécurité : | 🚗 🚗 🚗 |
| Qualités hivernales : | nulles |
| Espace intérieur : | 🚗 🚗 |
| Confort : | 🚗 🚗 🚗 |

## LE CHOIX DE L'ÉQUIPE
16.4

Photos : Bugatti

# PLACE À LA SUPER

Plusieurs spécialistes doutent encore de la pertinence de la décision de la direction de General Motors qui a sacrifié la division Oldsmobile et permis à Buick de survivre. Autrefois l'une des marques de prestige sur notre marché, Buick semble incapable de reprendre une place d'importance. Dans un considérable effort de réorganisation, plusieurs modèles ont été sacrifiés tandis qu'on annonçait l'arrivée de nouveaux modèles, notamment la LaCrosse qui est appelée Allure au Canada pour des raisons de « parlure québécoise ».

F inies les Le Sabre et Park Avenue, et place à l'Allure et à la Lucerne ! Vous conviendrez avec moi que le pari est loin d'être gagné et que les progrès ont été laborieux aussi bien au Québec qu'ailleurs. Au moins, cette année, la direction a eu la sagesse d'éliminer la fourgonnette Terraza et de remplacer le RendezVous par l'Enclave.

Donc petit à petit, cette division est en train de développer sa nouvelle gamme de produits, et celle-ci est nettement en harmonie avec la vocation de voiture de luxe intermédiaire entre les Cadillac et les Pontiac. Quant à l'Allure, elle est quasiment dans une catégorie à part compte tenu de ses dimensions, de son équipement de luxe et de sa personnalité unique en son genre. La Toyota Avalon, la nouvelle Taurus ou encore la Chrysler 300 sont les concurrentes directes.

### LE RETOUR
Sans doute dans le but d'associer ce modèle avec le glorieux passé de la marque, la direction a décidé de ramener le modèle Super qui, comme son nom l'indique, est la version la plus huppée de la famille Allure. Cette appellation avait été utilisée par Buick de 1940 à 1958 avant d'être abandonnée. Elle servait à désigner des modèles plus prestigieux, du moins en général. Cette fois, la désignation Super est appropriée

puisque la version affublée de ce nom est propulsée par un moteur V8 de 5,3 litres produisant 300 chevaux, une puissance suffisante pour boucler le 0-100 km/h en moins de six secondes ! Et pour s'assurer que sa consommation ne décourage pas les acheteurs, le moteur est doté d'un système de cylindrée variable qui désactive la moitié des cylindres lorsqu'il n'est pas en charge. Ce moteur a fait ses preuves par le passé et sa fiabilité ainsi que son rendement ne sont pas à mettre en doute. Il est toutefois décevant qu'il ne soit couplé qu'à une transmission automatique à quatre rapports. Ce qui est d'autant plus illogique que GM propose maintenant sur plusieurs autres modèles une boîte automatique à six rapports qu'il est difficile de critiquer. La suspension a été modifiée en fonction des capacités de performance de ce V8, tout en offrant un équilibre assez réussi entre la tenue de route et le confort.

Dernier détail à propos de la Super, elle se démarque par les célèbres prises d'air sur les ailes qui ont toujours été une caractéristique des Buick de la belle époque. Elles sont plus stylisées que précédemment et elles sont au nombre de quatre ouvertures de chaque côté. Bien entendu, ce modèle de haut de gamme partage avec les autres modèles les diverses modifications apportées à la présentation extérieure.

**FEU VERT**
Silhouette équilibrée, version Super, équipement complet, bonne finition, tenue de route sans surprise

**FEU ROUGE**
Valeur de revente incertaine, tableau de bord vieux jeu, sièges avant plats, direction engourdie, performances un peu justes ( V6)

## VÉHICULE D'ESSAI

| | |
|---|---|
| Version : | CXS |
| Emp/Lon/Lar/Haut(mm) : | 2 807/5 031/1 853/1 458 |
| Poids : | 1 619 kg |
| Coffre/Réservoir : | 453 litres / 66 litres |
| Nombre de coussins de sécurité : | 4 |
| Suspension avant : | indépendante, jambes de force |
| Suspension arrière : | indépendante, multibras |
| Freins av./arr. : | disque (ABS) |
| Antipatinage/Contrôle de stabilité : | oui / oui |
| Direction : | à crémaillère, assistance variable |
| Diamètre de braquage : | 12,3 m |
| Pneus av./arr. : | P225/55R17 |
| Capacité de remorquage : | 454 kg |

## MOTORISATION À L'ESSAI

| | |
|---|---|
| Moteur : | V6 de 3,6 litres 24s atmosphérique |
| Alésage et course : | 94,0 mm x 85,6 mm |
| Puissance : | 240 ch (179 kW) à 6000 tr/min |
| Couple : | 225 lb-pi (305 Nm) à 2000 tr/min |
| Rapport poids/puissance : | 6,75 kg/ch (9,15 kg/kW) |
| Système hybride : | aucun |
| Transmission : | traction, automatique 4 rapports |
| Accélération 0-100 km/h : | 7,9 s |
| Reprises 80-120 km/h : | 6,9 s |
| Freinage 100-0 km/h : | 43,0 m |
| Vitesse maximale : | 195 km/h |
| Consommation (100 km) : | ordinaire, 12,4 litres |
| Autonomie (approximative) : | 532 km |
| Émissions de CO2 : | 4 992 kg/an |

## GAMME EN BREF

| | |
|---|---|
| Échelle de prix : | 26 630 $ à 34 530 $ |
| Catégorie : | berline grand format |
| Historique du modèle : | 1ière génération |
| Garanties : | 4 ans/80 000 km, 5 ans/160 000 km |
| Assemblage : | Oshawa, Ontario, Canada |
| Autre(s) moteur(s) : | V6 3,8l 200ch/230lb-pi (12,2 l/100km) |
| | V8 5,3l 300ch/323lb-pi (n.d. l/100km) |
| Autre(s) rouage(s) : | aucun |
| Autre(s) transmission(s) : | aucune |

## DANS LA MÊME CATÉGORIE

Ford Taurus - Honda Accord - Toyota Camry - Chrysler 300

## DU NOUVEAU EN 2008

Version Super, moteur V8, nouvelle grille de calandre, certaines options éliminées

## NOS IMPRESSIONS

| | |
|---|---|
| Agrément de conduite : | 🚗 🚗 🚗 🚗 |
| Fiabilité : | 🚗 🚗 🚗 🚗 |
| Sécurité : | 🚗 🚗 🚗 🚗 ½ |
| Qualités hivernales : | 🚗 🚗 🚗 ½ |
| Espace intérieur : | 🚗 🚗 🚗 🚗 |
| Confort : | 🚗 🚗 🚗 🚗 |

## LE CHOIX DE L'ÉQUIPE

CXL

### HISTOIRE DE GRILLE

De l'avis de Bob Lutz, le tzar du développement des nouveaux produits chez GM, la grille de calandre de la LaCrosse/Allure manquait de punch. Cette année, cette situation est corrigée puisque l'Allure est nantie d'une nouvelle grille plus ou moins similaire à celle de l'Enclave, le nouveau VUS urbain de Buick. La grille de type cascade d'eau est plus proéminente et plus importante. Il s'agit du changement le plus visible, mais plusieurs retouches ont été apportées dans l'habitacle. Cela comprend une colonne de direction télescopique, un volant garni de cuir et un antivol de série. L'arrivée d'un volant réglable en hauteur et en profondeur permettra de trouver une bonne position de conduite, ce qui était très difficile sur le modèle 2007.

La gamme Allure propose des versions pour tous les goûts. Pour l'acheteur traditionnel à la recherche d'une berline spacieuse six places affichant une silhouette classique, la CX fera sans doute l'affaire. La suspension est plus souple tandis que le moteur V6 de 3,8 litres est l'un des plus fiables jamais offert dans une auto. La CXL, toujours équipée du V6 de 3,8 litres, est un peu plus huppée.

Si le moteur V8 de la Super vous laisse indifférent, il est possible que la CXS avec son moteur V6 de 3,6 litres à doubles arbres à cames en tête vous attire. Ses 240 chevaux assurent un temps inférieur à huit secondes pour boucler le 0-100 km/h et sa technologie est à l'égale des meilleures japonaises. Il est malheureusement handicapé par la même boîte automatique à quatre rapports qui équipe toutes les autres Allure... Et compte tenu du prix de la CXS, plusieurs autres modèles concurrents s'offrent à notre choix.

Malgré ce bémol, cette Buick possède une plate-forme rigide, une suspension bien calibrée pour nos routes et son équipement de série est généreux selon la version choisie. Sans oublier que sa fiabilité est supérieure à la moyenne.

**Denis Duquet**

Photos : Buick

Buick Enclave

# HEUREUX SYNCHRONISME

La compagnie General Motors a souvent eu la mauvaise habitude de commercialiser des véhicules qui étaient hors séquence par rapport aux tendances du marché. Et si jamais ils étaient dans la bonne séquence, les produits provenaient d'un développement incomplet ou encore leur fiabilité s'avérait inférieure à la moyenne. Enfin, généralement, la mécanique était d'une autre époque. Mais cette façon d'agir est bel et bien révolue et ce constructeur nous démontre hors de tout doute qu'il a changé ses politiques avec ce trio de VUS intermédiaires.

**P**our une fois, on aura vu juste en dévoilant les Buick Enclave, GMC Acadia et Saturn Outlook au moment même où les gros VUS dérivés des camionnettes sont en forte baisse de popularité, surtout en raison du prix de l'essence. Un autre facteur explique cette situation : bien des gens n'ont pas envie d'acheter à nouveau un autre véhicule de cette catégorie. Presque tous ont de gros moteurs V8 et se comportent comme des camions.

La solution était de développer des VUS plus contemporains dotés d'un châssis monocoque, offrant une suspension plus raffinée et plus moderne tout en faisant appel à un moteur V6, moins gourmand en hydrocarbure. Au lieu de rafistoler un quelconque modèle pour le mettre au goût du jour, la direction de GM a décidé de nous offrir un produit tout aussi moderne que la concurrence et de le commercialiser dans trois de ses divisions, soit Buick, GMC et Saturn.

### MÉCANIQUE COMMUNE

Il ne faut pas être surpris si ce trio se partage les mêmes éléments mécaniques, c'est le seul moyen de pouvoir réduire les coûts et nous proposer un véhicule à un prix compétitif. La plate-forme est de type monocoque et ne fait pas appel à un châssis autonome comme sur les Chevrolet Tahoe et GMC Yukon. De plus, la suspension arrière est à essieux indépendants afin de maximiser le confort et la tenue de route. En général, les VUS purs et durs font appel à un essieu rigide, reconnu pour son efficacité en conduite tout-terrain et pour remorquer de lourdes charges. Mais puisque ce trio sera davantage appelé à circuler sur les grandes routes et les routes secondaires au lieu de sentiers impraticables, un essieu indépendant est un meilleur choix. Toujours au chapitre de la transmission, il est possible de commander une version de base avec roues motrices avant ou d'opter pour une transmission intégrale qui transfère automatiquement le couple aux roues détenant la meilleure adhérence. En conduite sur pavé sec, les roues motrices avant reçoivent la quasi-totalité de la puissance. Ce système est essentiellement conçu pour circuler sur les routes et sentiers bien entretenus. Relativement sommaire, il est efficace quand même. Par contre, il n'a pas de démultipliée, de système électronique de contrôle de vitesse en descente ou d'aide au démarrage en pente.

J'allais oublier le moteur V6 de 3,6 litres de 275 chevaux couplé à une boîte automatique à six rapports. Nous sommes loin du vénérable V6 3,8 litres à soupapes en tête remis au goût du jour à de multiples reprises et toujours associé à une boîte automatique à quatre rapports. Ce moteur V6 3,6 litres est en alliage léger, possède une culasse à arbres à cames en tête à quatre soupapes par cylindre, et un système de calage variable des soupapes.

### BUICK ENCLAVE : LE LUXE
Les incursions de la division Buick dans le secteur des véhicules à caractère utilitaire n'ont pas connu tellement de succès au cours des dernières années. C'est une autre chose avec l'Enclave. Cette grosse Buick possède du caractère sur le plan visuel. Il est possible de ne pas être d'accord avec les décisions des stylistes, mais force est de reconnaître qu'ils ont joué d'audace et donné à l'Enclave une silhouette vraiment à part. La grille de calandre de type chute d'eau est proéminente tandis que les prises d'air

le long de la paroi du capot la démarquent. Les parois latérales sont tendues et se gonflent légèrement pour souligner les passages de roue. Bref, on ne s'est pas fait prier pour se distinguer. Il est certain que les gens vont se retourner sur le passage de Monsieur T. Woods lorsque celui-ci se rendra au terrain de golf !

Le tableau de bord se particularise en raison de son design hors de l'ordinaire avec une pendulette de bord analogique de type art déco et des cadrans indicateurs à affichage bleuté. Pour une fois, la finition est bonne et les plastiques ne sont pas trop durs. Avec ses sièges en cuir, notre Enclave était une authentique Buick, digne des modèles de jadis qui ont fait la réputation de la marque. En conduite, les performances du moteur sont

Saturn Outlook

GMC Acadia

correctes étant donné que ce véhicule pèse environ 2 261 kg. Soulignons au passage que sa capacité de remorquage est de 4 500 livres ou 2 041 kg, ce qui devrait suffire la plupart du temps. Le modèle essayé était un quatre roues motrices et sa conduite était équilibrée avec un roulis minimal dans les virages, une bonne insonorisation en plus de reprises et accélérations dans la bonne moyenne. Lors de mon essai, la consommation enregistrée a été de 12,6 litres aux 100 km, ce qui est bon compte tenu des dimensions de l'Enclave. Car avec une longueur hors tout de 5 118 millimètres, vous conviendrez qu'il ne s'agit pas d'une sous-compacte.

Bref, des trois comparses, c'est Enclave qui affiche le plus de prestige et de luxe, et peut être configuré en version sept ou huit places en plus d'offrir une multitude d'accessoires visant à relever le niveau de confort.

### GMC ACADIA : LE GENTLEMAN-FARMER

Vous connaissez sans doute quelqu'un dans votre famille qui roule en véhicule tout-terrain, qui est habillé comme un noble anglais allant marcher dans les champs et qui a toujours du flair pour le dernier accessoire de plein air BCBG, qu'il s'agisse d'un vêtement technique, d'un soulier aux allures branchées ou encore d'un sac à dos de conception inusitée.

Il me semble que les gens qui ont dessiné l'Acadia de GMC ont ciblé ce type d'acheteur potentiel. Les lignes sont modernes mais classiques, et il est possible de déceler une filiation entre la camionnette Sierra et l'Acadia même si aucun organe mécanique n'est partagé entre les deux. Et contrairement à la Buick Enclave, le tableau de bord est beaucoup plus sobre et risque de moins susciter la controverse.

**FEU VERT**
Silhouette audacieuse ( Enclave), moteur performant, consommation raisonnable, transmission 6 rapports bonne habitabilité

**FEU ROUGE**
Poids élevé, prix corsé du AWD, dimensions généreuses

Notre essai de l'Acadia a porté sur les deux versions offertes, soit la traction et l'intégrale. Cette dernière proposait un comportement similaire à la Buick. La traction indiquait un prix nettement plus abordable, et m'est apparue plus agile et un tantinet plus véloce que le modèle à transmission intégrale, sans doute en raison d'un poids inférieur. Sur la route, son comportement est sans surprise, et son doux moteur travaille harmonieusement avec la boîte à six rapports. Avec telles dimensions, il faut vraiment avoir besoin d'un véhicule de ce gabarit, sans quoi, il est préférable de se tourner vers des modèles moins encombrants. Mais si vos besoins exigent un véhicule huit places et si vous n'avez pas une grosse remorque à déplacer, l'Acadia est une solution intéressante.

## SATURN OUTLOOK : LA FAMILLE

La division Saturn a le vent dans les voiles de nos jours et l'arrivée du Outlook ne viendra pas freiner ces progrès. Il est vrai qu'il ressemble d'un peu plus près à l'Acadia qu'à la Buick Enclave, mais les différences en fait de grille de calandre, de détails dans les angles de la carrosserie et de feux arrière permettent de les départager. La même chose dans l'habitacle. Mais je suis persuadé que l'acheteur de ce VUS sera un chef de famille voulant un bon service de la part de son concessionnaire et partager l'esprit de corps qui règne dans cette division. Et probablement que ce modèle aura une vocation un peu plus familiale que les deux autres.

Quoi qu'il en soit, son comportement routier, son équipement et son rouage intégral ne diffèrent en rien des deux autres. Ce sera une question de perception et de prix, ainsi que la proximité d'un concessionnaire par rapport à un autre. J'ai eu l'occasion d'être le passager arrière d'un Outlook pendant plus de 500 kilomètres, histoire de vérifier l'habitabilité des places, leur confort et le «facteur courbature» après un trajet de cette durée sans presque aucun arrêt. Verdict : cinq sur cinq ! Et même si la troisième rangée était déployée, l'espace pour les bagages s'est révélé plus que correct. En fait, cette ultime rangée de sièges est plus confortable que la moyenne.

Bref, un bilan positif pour ce trio qui est compétent sur la route, propose des composantes mécaniques modernes en plus d'offrir une finition de bon aloi.

**Denis Duquet**

Photos : Denis Duquet

### VÉHICULE D'ESSAI

| | |
|---|---|
| Version : | CXL AWD |
| Emp/Lon/Lar/Haut (mm) : | 3 023/5 118/2 006/1 842 |
| Poids : | 2 261 kg |
| Coffre/Réservoir : | 535 à 3 259 litres / 83 litres |
| Nombre de coussins de sécurité : | 6 |
| Suspension avant : | indépendante, jambes de force |
| Suspension arrière : | indépendante, multibras |
| Freins av./arr. : | disque (ABS) |
| Antipatinage/Contrôle de stabilité : | oui / oui |
| Direction : | à crémaillère, assistée |
| Diamètre de braquage : | 12,3 m |
| Pneus av./arr. : | P255/60R19 |
| Capacité de remorquage : | 2 041 kg |

### MOTORISATION À L'ESSAI

Pneus d'origine MICHELIN

| | |
|---|---|
| Moteur : | V6 de 3,6 litres 24s atmosphérique |
| Alésage et course : | 94,0 mm x 85,6 mm |
| Puissance : | 275 ch (205 kW) à 6 600 tr/min |
| Couple : | 251 lb-pi (340 Nm) à 3 200 tr/min |
| Rapport poids/puissance : | 8,22 kg/ch (11,19 kg/kW) |
| Système hybride : | aucun |
| Transmission : | intégrale, automatique 6 rapports |
| Accélération 0-100 km/h : | 7,9 s |
| Reprises 80-120 km/h : | 7,3 s |
| Freinage 100-0 km/h : | 42,0 m |
| Vitesse maximale : | 200 km/h |
| Consommation (100 km) : | ordinaire, 13,5 litres |
| Autonomie (approximative) : | 615 km |
| Émissions de CO2 : | 5 378 kg/an |

### GAMME EN BREF

| | |
|---|---|
| Échelle de prix : | 40 895 $ à 51 295 $ |
| Catégorie : | multisegment |
| Historique du modèle : | 1ière génération |
| Garanties : | 3 ans/60 000 km, 3 ans/60 000 km |
| Assemblage : | Ramos Arizpe, Mexique |
| Autre(s) moteur(s) : | aucun |
| Autre(s) rouage(s) : | traction |
| Autre(s) transmission(s) : | aucune |

### DANS LA MÊME CATÉGORIE

Cadillac SRX - Chrysler Pacifica - Ford Taurus X - Infiniti FX35/45 - Lexus RX 350

### DU NOUVEAU EN 2008

Nouveau modèle

### NOS IMPRESSIONS

| | |
|---|---|
| Agrément de conduite : | 🚗 🚗 🚗 ½ |
| Fiabilité : | Nouveau modèle |
| Sécurité : | 🚗 🚗 🚗 🚗 |
| Qualités hivernales : | 🚗 🚗 🚗 🚗 |
| Espace intérieur : | 🚗 🚗 🚗 🚗 |
| Confort : | 🚗 🚗 🚗 🚗 |

### LE CHOIX DE L'ÉQUIPE

CXL Plus traction

**185**

# POUR UN QUÉBEC LUCERNE!

«Nous sommes inquiets. Inquiets pour Buick que nous aimons. Inquiets pour cette entreprise qui a survécu contre vents et marées, mais qui ne semble pas consciente des écueils qui menacent aujourd'hui son avenir». Ce manifeste, qui peut ressembler vaguement à un autre manifeste lu par Lucien Bouchard en octobre 2005, aurait pu être à l'origine de la Buick Lucerne, dévoilée en 2005 pour l'année-modèle 2006. La Lucerne, avec la Allure, renverse la vapeur chez Buick et rejoint, enfin, les acheteurs plus jeunes, ce qui assurera l'avenir de la marque.

Nous ne saurions dire, deux années plus tard, si la Lucerne permettra à Buick de vivre jusqu'à son deuxième centenaire. Chose certaine, elle a remplacé avec brio un modèle qui n'allait nulle part (Le Sabre). Tant qu'à changer de voiture, donnons-lui les moyens de nos ambitions, se sont sans doute dit les dirigeants de GM lorsqu'est venu le temps de concocter celle qui allait devenir la Lucerne. Donc, le châssis de cette dernière est le même que celui de la Cadillac DTS, une référence dans le domaine. Mais, profil d'acheteurs oblige, il ne fallait tout de même pas que la Lucerne devienne trop sportive. Les gens de chez Buick n'ont rien à craindre de ce côté... Comme dans le bon vieux temps, les modèles de base de Buick possèdent trois ouvertures (fausses) sur les ailes avant et quatre pour les modèles plus luxueux. Ces ouvertures, appelées *portholes*, n'apportent absolument rien à la dynamique de la voiture mais permettent de distinguer une Buick dans le flot de la circulation. C'est à peu près la seule façon d'ailleurs...

Deux moteurs sont proposés pour la Lucerne. On retrouve tout d'abord un V6 conçu, semble-t-il, par le grand-père de Mathusalem. Ce moteur de 3,8 litres, un peu dépassé technologiquement, ne s'avère pas moins fort bien adapté à la Lucerne. Ses 197 chevaux et 227 livres-pied de couple ne se traduisent pas en des performances très relevées, mais il faut souligner que l'effet de couple (les roues avant tirent à gauche ou à droite en accélération) est quasiment inexistant. Ce moteur n'est pas à dédaigner, surtout si vous voulez économiser environ 3 000 $ sur un modèle V8 équivalent. Si Buick avait cependant eu l'amabilité d'associer une transmission automatique à cinq, ou mieux six, rapports à ce V6, personne ne se serait plaint de l'économie d'essence ainsi amenée. D'un autre côté, la transmission à quatre rapports fait généralement un boulot impeccable.

## C'EST SUPER!

L'autre moteur est un V8 de 4,6 litres qui convient mieux au caractère luxueux et à l'image «jeunesse» que Buick entend donner à sa marque. Il s'agit du très moderne Northstar qui équipe aussi la Cadillac DTS. Les performances s'avèrent bien plus intéressantes mais, dans ce cas-ci, l'effet de couple est plus présent. Encore une fois, c'est la transmission automatique à quatre rapports qui relaie la puissance aux roues avant.

Si le châssis fait preuve d'une rigidité de bon aloi, les suspensions qu'on a accrochées au modèle V6 demeurent des plus souples. Une courbe prise avec le moindrement d'empressement révèle un roulis considérable

**FEU VERT**
Confort garanti, fiabilité confirmée, équipement de série intéressant, moteur V8 performant, prix juste

**FEU ROUGE**
Lignes trop sobres, moteur V6 plus ou moins performant, suspensions trop souples, boîte automatique à quatre rapports seulement, position de conduite pas évidente à trouver

## VÉHICULE D'ESSAI

| | |
|---|---|
| Version : | CXL V6 |
| Emp./Lon./Lar./Haut.(mm) : | 2 936/5 161/1 874/1 473 |
| Poids : | 1 800 kg |
| Coffre/Réservoir : | 481 litres / 70 litres |
| Nombre de coussins de sécurité : | 6 |
| Suspension avant : | indépendante, jambes de force |
| Suspension arrière : | indépendante, multibras |
| Freins av./arr. : | disque (ABS) |
| Antipatinage/Contrôle de stabilité : | oui / oui |
| Direction : | à crémaillère, assistance variable |
| Diamètre de braquage : | 13,4 m |
| Pneus av./arr. : | P235/55R17 |
| Capacité de remorquage : | 454 kg |

## MOTORISATION À L'ESSAI

Pneus d'origine MICHELIN

| | |
|---|---|
| Moteur : | V6 de 3,8 litres 12s atmosphérique |
| Alésage et course : | 96,5 mm x 86,4 mm |
| Puissance : | 197 ch (147 kW) à 5 200 tr/min |
| Couple : | 227 lb-pi (308 Nm) à 3 800 tr/min |
| Rapport poids/puissance : | 9,14 kg/ch (12,41 kg/kW) |
| Système hybride : | aucun |
| Transmission : | traction, automatique 4 rapports |
| Accélération 0-100 km/h : | 11,4 s |
| Reprises 80-120 km/h : | 8,5 s |
| Freinage 100-0 km/h : | 42,4 m |
| Vitesse maximale : | 190 km/h |
| Consommation (100 km) : | ordinaire, 12,2 litres |
| Autonomie (approximative) : | 574 km |
| Émissions de CO2 : | 4 800 kg/an |

## GAMME EN BREF

| | |
|---|---|
| Échelle de prix : | 31 790 $ à 44 800 $ |
| Catégorie : | berline de luxe |
| Historique du modèle : | 1ière génération |
| Garanties : | 4 ans/80 000 km, 5 ans/160 000 km |
| Assemblage : | Hamtramck, Michigan, É-U |
| Autre(s) moteur(s) : | V8 4,6l 275ch/295lb-pi (13,8 l/100km) |
| Autre(s) rouage(s) : | aucun |
| Autre(s) transmission(s) : | aucune |

## DANS LA MÊME CATÉGORIE

Chrysler 300 - Ford Taurus - Hyundai Azera - Kia Amanti - Lexus ES350 - Toyota Avalon

## DU NOUVEAU EN 2008

Nouvelles couleurs, équipement de série et optionnel revu, modèle CXL V8 discontinué

## NOS IMPRESSIONS

| | |
|---|---|
| Agrément de conduite : | 🚗 🚗 🚗 ½ |
| Fiabilité : | 🚗 🚗 🚗 🚗 |
| Sécurité : | 🚗 🚗 🚗 🚗 |
| Qualités hivernales : | 🚗 🚗 🚗 ½ |
| Espace intérieur : | 🚗 🚗 🚗 🚗 🚗 |
| Confort : | 🚗 🚗 🚗 🚗 🚗 |

## LE CHOIX DE L'ÉQUIPE

CXL

---

tandis que l'avant veut continuer tout droit. Le modèle le plus huppé a, heureusement, droit à une suspension Magnaride qui modifie du tout au tout le comportement routier de la Lucerne. Sans parler d'une sportive à tout crin, la Lucerne devient alors beaucoup plus agréable à conduire. Cette version a aussi droit, en équipement standard, au système Stabilitrak qui fait des merveilles du côté de la sécurité active. De plus, cette Super Lucerne reçoit des pneus 18 pouces plus mordants que les 16 ou 17 pouces des autres modèles.

### PARLONS CONFORT

Il y a de fortes chances que l'acheteur typique d'une Buick soit plus intéressé par l'équipement dans l'habitacle et son confort que par les qualités dynamiques de la voiture. Les suspensions ne sont pas très rigides, ce qui est bénéfique pour le confort des passagers. Les sièges avant sont mœlleux mais retiennent peu en courbe. Les gens assis à l'arrière ont droit à beaucoup d'espace pour les jambes et la tête et apprécieront le confort… à condition d'aimer le mou! Quant à la pauvre personne devant s'installer au centre, elle se plaindra d'une place trop dure. Les plastiques de l'habitacle de notre voiture d'essai ne payaient pas de mine malgré leur qualité, l'assemblage était bien exécuté mais du côté du design, on repassera. Par exemple, sur la colonne de direction, près du contact, on découvre une énorme pièce de caoutchouc qui jure royalement. Les espaces de rangement ne sont pas légion mais le système audio possède une belle sonorité.

Le coffre s'avère de bonnes dimensions et son seuil de chargement se trouve très bas. Si on se demande pourquoi le bouton actionnant l'ouverture du couvercle est situé dans le coffre à gants, invisible aux yeux du conducteur, on ne peut non plus excuser le manque de peinture et la mauvaise finition dudit couvercle. Les dossiers des sièges arrière ne s'abaissent pas pour agrandir le coffre mais ajoutent sans aucun doute à la rigidité de la caisse.

À n'en pas douter, la marque Buick est en meilleure position qu'il y a deux ans lorsque la gamme des voitures a été renouvelée. Je ne crois cependant pas que, malgré les efforts et une superbe Lucerne CXX dévoilée dans le cadre d'une exposition spécialisée l'automne dernier, l'âge des acheteurs de Buick ait considérablement diminué…

**Alain Morin**

Photos : Buick

# PHASE 2

Je dois vous avouer que je faisais partie des inconditionnels de cette voiture lorsqu'elle est apparue sur le marché en 2001. Sa silhouette vraiment singulière inspirée des avions furtifs de l'US Air Force ne séduisait certainement pas tout le monde, mais elle avait un petit quelque chose qui me plaisait. Ses angles aigus, ses larges feux arrière verticaux et un habitacle ne ressemblant à celui d'aucune autre Cadillac plaçaient cette berline dans une classe à part. Ses succès ont également permis à cette division de prospérer de nouveau.

**E**lle avait une belle gueule certes, mais elle n'était pas sans défauts : son moteur V6 n'était pas suffisamment puissant, certains détails d'aménagement de l'habitacle étaient couci-couça, tandis que la finition intérieure était encore hantée par ces plastiques bon marché dont la direction de GM semble si friande. Mais la tenue de route était superbe, l'agrément de conduite presque à l'égal des meilleures européennes de la catégorie et sa motorisation s'est améliorée au fil des années. L'arrivée sous le capot du moteur V6 de 3,6 litres de 258 chevaux et la possibilité de commander une boîte manuelle à six rapports ont placé cette «Caddy» dans le groupe de tête de cette catégorie. Il est vrai que la fiabilité au tout début était déficiente, mais la situation a été progressivement corrigée pour devenir normale en 2007.

## LA SUITE

Il y a fort à parier que la seconde génération qui fait son apparition cette année risque de devenir encore plus populaire. Nous y reviendrons un peu plus tard, mais sachez que le comportement routier et l'agrément de conduite n'ont pas diminué, ils ont même progressé. Il est certain que ce qui facilitera les ventes de cette nouvelle CTS est son apparence. Dévoilée sous des applaudissements nourris au Salon de l'auto de Detroit en janvier 2007, la CTS a été déclarée par plusieurs comme la

plus belle voiture à y être présentée. Plusieurs mois après, les gens qui l'ont vue en parlent encore avec enthousiasme.

Les stylistes n'ont pas tenté de réinventer la voiture, ils se sont contentés, et avec grand succès, de donner plus de mordant aux lignes de la carrosserie. La grille de calandre était rectangulaire, elle est dorénavant trapézoïdale, un peu comme sur les Mazda. Combiné avec un capot plongeant, cela donne un air agressif à la voiture. D'autant plus que la ligne de ceinture de caisse a été relevée, accentuant le caractère sportif de la voiture. Et cette impression se confirme également par le fait que la voiture est maintenant plus haute et plus large tout en étant un tantinet plus courte. La partie arrière affiche dorénavant des feux plus étroits surplombant un pare-choc délimité de la caisse par une bande de chrome en sa partie horizontale supérieure. Un autre petit détail qui fait une différence est la présence d'un extracteur d'air chromé placé sur chaque aile avant, tout près de la portière avant et un peu en bas du rétroviseur.

L'habitacle retient la présentation générale de la première génération. Les sièges sont toutefois meilleurs, tandis que le tableau de bord bénéficie d'une console centrale plus élégante de couleur titane. Celle-ci

**FEU VERT**
Silhouette fabuleuse, moteurs fougueux, excellente tenue de route, habitacle amélioré, plateforme rigide

**FEU ROUGE**
Version V pas encore disponible, suspension ferme, moteur parfois rugueux, fiabilité initiale inconnue

**VÉHICULE D'ESSAI**

| | |
|---|---|
| Version : | CTS propulsion FE2 |
| Emp/Lon/Lar/Haut(mm) : | 2 880/4 866/1 842/1 472 |
| Poids : | 1 733 kg |
| Coffre/Réservoir : | 385 litres / 68 litres |
| Nombre de coussins de sécurité : | 6 |
| Suspension avant : | indépendante, bras inégaux |
| Suspension arrière : | indépendante, multibras |
| Freins av./arr. : | disque (ABS) |
| Antipatinage/Contrôle de stabilité : | oui / oui |
| Direction : | à crémaillère, assistance variable |
| Diamètre de braquage : | 10,9 m |
| Pneus av./arr. : | P235/50R18 |
| Capacité de remorquage : | 454 kg |

Pneus d'origine
MICHELIN

**MOTORISATION À L'ESSAI**

| | |
|---|---|
| Moteur : | V6 de 3,6 litres 24s atmosphérique |
| Alésage et course : | 94,0 mm x 85,6 mm |
| Puissance : | 304 ch (227 kW) à 6 400 tr/min |
| Couple : | 273 lb-pi (370 Nm) à 5 200 tr/min |
| Rapport poids/puissance : | 5,7 kg/ch (7,74 kg/kW) |
| Système hybride : | aucun |
| Transmission : | propulsion, automatique 6 rapports |
| Accélération 0-100 km/h : | 5,9 s |
| Reprises 80-120 km/h : | 5,0 s |
| Freinage 100-0 km/h : | 37,4 m |
| Vitesse maximale : | 250 km/h |
| Consommation (100 km) : | ordinaire, 11,8 litres |
| Autonomie (approximative) : | 576 km |
| Émissions de $CO_2$ : | n.d. |

**GAMME EN BREF**

| | |
|---|---|
| Échelle de prix : | n.d. |
| Catégorie : | berline sport |
| Historique du modèle : | 2ème génération |
| Garanties : | 4 ans/80 000 km, 5 ans/160 000 km |
| Assemblage : | Lansing, Michigan, É-U |
| Autre(s) moteur(s) : | V6 3,6l 258ch/252lb-pi (12,2 l/100km) |
| Autre(s) rouage(s) : | intégrale |
| Autre(s) transmission(s) : | manuelle 6 rapports |

**DANS LA MÊME CATÉGORIE**
Audi A4 / S4 - BMW Série 3 - Infiniti G35 -
Mercedes-Benz Classe C - Lexus IS350

**DU NOUVEAU EN 2008**
Nouveau modèle

**NOS IMPRESSIONS**

| | |
|---|---|
| Agrément de conduite : | 🚗🚗🚗🚗🚗 |
| Fiabilité : | nouveau modèle |
| Sécurité : | 🚗🚗🚗🚗 |
| Qualités hivernales : | 🚗🚗🚗½ |
| Espace intérieur : | 🚗🚗🚗🚗 |
| Confort : | 🚗🚗🚗🚗 |

**LE CHOIX DE L'ÉQUIPE**
FE2

comprend une pendulette analogique circulaire comme sur presque toutes les autres Cadillac. Enfin, l'habitacle est garni de cuir fin et de bois exotique, et on a apporté une attention particulière à la finition. Du moins, sur les véhicules inspectés lors du lancement !

## EN ATTENDANT LA V

La gamme précédente de la CTS comprenait une version V propulsée par un moteur V8 6,0 litres de 400 chevaux. Comme ce fut le cas pour la voiture de la première génération, il faudra attendre quelques mois avant le dévoilement de ce modèle.

Pour nous faire patienter, Cadillac nous propose cette fois un moteur de base de 3,6 litres d'une puissance de 258 chevaux. Il s'agit ni plus ni moins du moteur qui était offert en option l'an dernier. Il a gagné trois chevaux dans l'opération et se marie à une boîte manuelle Aisin à six rapports. Une boîte automatique à six rapports produite par Hydra Matic est optionnelle. Ces deux mêmes transmissions accompagnent le seul moteur optionnel, soit une version à injection directe du même moteur V6 3,6 litres. Ce qui lui permet de développer 304 chevaux. Soulignons au passage qu'il est également possible de commander la CTS avec une transmission intégrale.

Avec une allure encore plus aguichante, une plate-forme améliorée, une suspension révisée et des roues plus grandes – 17 et 18 pouces –, la CTS 2008 est encore plus agréable à conduire qu'avant. Une rigidité accrue de la plate-forme et une direction plus précise ajoutent à l'agrément de conduite. D'autant plus que la version de 300 chevaux du moteur 3,6 litres est pas mal intéressante avec la boîte manuelle qui boucle le 0-100 km en mois de sept secondes. Même le moteur de base n'est pas à dédaigner.

Une fois encore, la direction de Cadillac ne compte plus sur le prestige du passé pour s'imposer sur le marché. Elle tente de développer des voitures capables de rivaliser et même de surpasser la concurrence. C'est mission accompli dans le cas de la CTS ! Et selon certains, il s'agit de le meilleure berline sport jamais produite en Amérique ! Rien de moins.

**Denis Duquet**

Photos : Cadillac

# PAPYMOBILE?

Voilà! Je suis certain que le titre vous a fait sourire ou bondir selon que vous êtes un partisan de la marque, un concessionnaire ou un détracteur des Cadillac sous toutes leurs formes. Prenez note qu'il y a un point d'interrogation après ce titre. Il ne faut donc pas conclure tout de suite qu'il s'agit de la berline officielle des représentants de l'âge d'or!

Il serait pourtant facile de rejeter cette grosse berline du revers de la main puisqu'elle est la seule de cette marque à proposer une traction et que sa plate-forme est la plus ancienne de la famille Cadillac.

Comme toute marque qui est en train de transformer son image et ses produits de façon spectaculaire, Cadillac doit en même temps tenir compte des goûts et des besoins de ses clients antérieurs. Et pas besoin de longuement parler de ces amateurs qui préfèrent les suspensions ultra-souples, les gros gabarits et le silence de roulement aux performances et à la tenue de route. C'est pourquoi la DTS cible la première catégorie d'acheteurs et la STS la seconde.

### ANACHRONISME!

Il n'y a rien de coulé dans le béton dans le monde de l'automobile. Il y a moins d'une décennie, la plupart des constructeurs nord-américains ne juraient que par les tractions et les moteurs transversaux. Puis, au fil des années, ces mêmes personnes ont révisé leur tir et développé une nouvelle génération de modèles à propulsion, davantage en mesure de satisfaire l'acheteur de voiture de luxe. Si la DTS demeure la seule à proposer le tout à l'avant chez cette marque, c'est que les ingénieurs ont coupé au plus court en faisant appel à la plate-forme de la défunte DeVille pour développer la DTS. Cela leur a permis de concevoir un nouveau produit rapidement tout en respectant un budget assez serré. Ce faisant, on assurait l'acheteur potentiel d'une fiabilité rassurante puisque tous les organes mécaniques sont dérivés de la DeVille, une voiture qui avait sa part de qualités et une mécanique éprouvée.

Ce qui explique que le moteur V8 de 4,6 litres ne produise que 292 chevaux tandis que son équivalent placé longitudinalement dans la STS en produit 320. De plus, alors que cette dernière propose une boîte de vitesses automatique à six rapports, celle de la DTS en possède deux de moins.

Cela ne signifie pas que la DTS soit une voiture rétro, elle est différente et cible une clientèle qui privilégie la fiabilité avant les performances. D'ailleurs, à ce chapitre, le Consumer Reports attribue la mention «Recommandée» à la DTS mais dresse un bilan moins reluisant de la fiabilité de la seconde.

Notre «papymobile» est également différente des autres Cadillac en raison de sa silhouette moins anguleuse et plus conservatrice. En outre, la grille de calandre est à rectangles superposés et les feux arrière sont plus étroits. Bref, elle est un compromis mécanique et visuel entre le passé et le futur.

**FEU VERT**
Excellente plate-forme, moteur puissant, finition en progrès, habitacle spacieux, tenue de route

**FEU ROUGE**
Effet de couple, tranmission quatre rapports, sièges trop plats, traction, dimensions encombrantes

## VÉHICULE D'ESSAI

| | |
|---|---|
| Version : | DTS Performance |
| Emp/Lon/Lar/Haut(mm) : | 2 936/5 274/1 901/1 464 |
| Poids : | 1 818 kg |
| Coffre/Réservoir : | 532 litres / 70 litres |
| Nombre de coussins de sécurité : | 6 |
| Suspension avant : | indépendante, jambes de force |
| Suspension arrière : | indépendante, multibras |
| Freins av./arr. : | disque (ABS) |
| Antipatinage/Contrôle de stabilité : | oui / oui |
| Direction : | à crémaillère, assistance magnétique |
| Diamètre de braquage : | 14,0 m |
| Pneus av./arr. : | P245/50R18 |
| Capacité de remorquage : | 454 kg |

## MOTORISATION À L'ESSAI

Pneus d'origine MICHELIN

| | |
|---|---|
| Moteur : | V8 de 4,6 litres 32s atmosphérique |
| Alésage et course : | 93,0 mm x 84,0 mm |
| Puissance : | 292 ch (218 kW) à 6 300 tr/min |
| Couple : | 288 lb-pi (391 Nm) à 4 500 tr/min |
| Rapport poids/puissance : | 6,23 kg/ch (8,46 kg/kW) |
| Système hybride : | aucun |
| Transmission : | traction, automatique 4 rapports |
| Accélération 0-100 km/h : | 7,8 s |
| Reprises 80-120 km/h : | 6,7 s |
| Freinage 100-0 km/h : | 42,4 m |
| Vitesse maximale : | 210 km/h |
| Consommation (100 km) : | ordinaire, 13,8 litres |
| Autonomie (approximative) : | 507 km |
| Émissions de CO2 : | 5 520 kg/an |

## GAMME EN BREF

| | |
|---|---|
| Échelle de prix : | 53 170 $ à 65 000 $ |
| Catégorie : | berline grand format |
| Historique du modèle : | 1ère génération |
| Garanties : | 4 ans/80 000 km, 5 ans/160 000 km |
| Assemblage : | Hamtramck, Michigan, É-U |
| Autre(s) moteur(s) : | V8 4,6l 275ch/295lb-pi (13,8 l/100km) |
| Autre(s) rouage(s) : | aucun |
| Autre(s) transmission(s) : | aucune |

### DANS LA MÊME CATÉGORIE

Acura RL - Buick Lucerne - Lexus LS 460 - Lincoln Town Car

### DU NOUVEAU EN 2008

Roues redessinées, Stabilitrak de série, modifications mineures

### NOS IMPRESSIONS

| | |
|---|---|
| Agrément de conduite : | 🚗 🚗 🚗 ½ |
| Fiabilité : | 🚗 🚗 🚗 🚗 |
| Sécurité : | 🚗 🚗 🚗 🚗 ½ |
| Qualités hivernales : | 🚗 🚗 🚗 ½ |
| Espace intérieur : | 🚗 🚗 🚗 🚗 🚗 |
| Confort : | 🚗 🚗 🚗 🚗 🚗 |

### LE CHOIX DE L'ÉQUIPE

DTS

## AMBIVALENTE

L'habitacle est de même inspiration que la carrosserie en conservant une présentation relativement moderne. Cette auto sera toutefois en mesure de plaire aux personnes à la recherche d'une certaine similitude avec l'ancien modèle puisqu'il semble évident que cette grosse traction a été concoctée pour garder les clients plus conservateurs. Comme c'est le cas depuis plusieurs années, la qualité de la finition est impeccable, bien que je doive encore déplorer la dureté des plastiques de la planche de bord. D'autre part, l'habitabilité est excellente tout comme l'espace réservé aux occupants des places arrière.

Les sièges sont confortables si vous ne recherchez pas un support latéral supérieur à la moyenne. Mais je suis certain que la majorité des propriétaires de DTS doivent avoir de la difficulté à trouver une bonne position de conduite puisque le volant n'est réglable qu'en hauteur. Par contre, les sièges avant peuvent être chauffants et climatisés si on coche le bon groupe d'options. Soulignons au passage que plusieurs modifications à l'équipement de série et aux options ont été effectuées pour 2008.

Le comportement routier de la DTS est quelque peu contradictoire. On sent que la plate-forme est capable de performances relevées, mais les ingénieurs ont calibré la suspension pour un type de conduite plus tranquille. La voiture tient bien la route, mais le roulis de caisse est plus important que sur une STS par exemple lorsqu'on pousse dans les virages serrés. Le comportement général est tout de même bon, mais il faut se méfier d'un effet de couple important en accélération, à fond la caisse. Et si la boîte automatique gagnerait à nous offrir deux rapports de plus, elle est cependant efficace et d'une fiabilité exemplaire.

Somme toute, cette Cadillac semble davantage conçue pour répondre aux besoins d'une clientèle américaine friande de grosses barques, bien qu'elle comblera un propriétaire québécois à la recherche de luxe, de fiabilité et du prestige de cette marque, toujours présent dans l'esprit de beaucoup de personnes. Bien que la voiture connaisse peu de changements pour 2008, il faut souligner qu'elle a maintenant un système visant à prévenir le conducteur s'il chevauche la ligne blanche en plus d'avertir le pilote de la présence d'un véhicule dans l'angle mort. En plus, les roues en alliage ont été modifiées.

Denis Duquet

Photos : Cadillac

# ET POURQUOI PAS ?

Peut-être aurez-vous brièvement aperçu au cours des dernières années ce VUS Cadillac, que plusieurs décrivent comme un croisement entre une STS et une Chrysler Pacifica. Le SRX, c'est comme ça qu'il se nomme, circule effectivement sur nos routes depuis maintenant quatre ans. Et même s'il se vend deux fois plus que son grand frère, L'Escalade, il grandit dans l'ombre de ce dernier depuis son introduction. Mais attention, deux fois plus ne veut pas nécessairement dire beaucoup ! Seulement 1 589 SRX ont trouvé preneur au Canada l'an dernier…

Ça, c'est à peine 30 % des ventes du Lexus RX, le meneur de cette catégorie. Il se positionne également loin derrière un bon nombre de rivaux européens, notamment les BMW X5, Mercedes-Benz Classe M et Volvo XC90. Serait-ce parce que le SRX n'est pas compétitif ? Pas du tout. Ce véhicule est loin d'être désuet, et devrait techniquement connaître beaucoup plus de succès. Cependant, il est affecté par un certain nombre de facteurs qui nuisent assurément à ses ventes. D'abord, il est clair que l'image encore péjorative de la marque Cadillac joue contre lui. D'accord, la plus prestigieuse marque de GM n'a plus rien à voir avec ce qu'elle était il y a tout juste dix ans. Chez GM, on a d'ailleurs travaillé fort pour se défaire de cette image, mais dans la tête de plusieurs, Cadillac est toujours synonyme de kétaine. Et si certains refusent de s'identifier à cette marque, c'est peut-être parce qu'on commercialise aussi ce mastodonte appelé Escalade, un véhicule politically incorrect, et que l'on associe parfois à une clientèle peu recommandable ! Faites le test : dites à votre entourage que vous conduisez un VUS Cadillac et croyez-moi, ils ne penseront certainement pas au SRX !

Bref, le SRX est en quelque sorte victime de l'image Cadillac, et de son grand frère. Mais il faut également dire que le SRX n'a pas la même force de frappe au niveau esthétique qu'un BMW X5 ou qu'un Lexus RX. Son style qui s'apparente davantage à celui de véhicule multisegment contribue à le faire passer inaperçu. Cela ne l'empêche pas d'être à la fois élégant et original, mais pour faire tourner les têtes, on a déjà vu mieux. Pourtant, les retouches qui lui ont été apportées l'an dernier renforcent sa personnalité, alors que le style très typé de sa partie avant aide à lui donner une bonne force de caractère. Malgré tout, il passe incognito. Et comme la plupart des acheteurs de ce type de véhicule aiment être vus au volant, ce choix en matière de design n'était peut-être pas la solution.

## DE GRANDES AMÉLIORATIONS

Jusqu'en 2006, le SRX décevait par une qualité d'assemblage déplorable. Les plastiques bon marché abondaient et des craquements de toute sorte émanaient à la seule exposition de ces plastiques au soleil. Qui plus est, le tableau de bord directionnel proposait une allure plutôt nintendo, que plusieurs détestaient profondément. Pour ces raisons, les ingénieurs de Cadillac ont ressorti à la fois leur planche à dessin et le catalogue de leurs fournisseurs pour nous offrir un poste de conduite beaucoup plus digne d'un tel véhicule. Désormais, la planche de bord propose une console centrale plus élégante et encore plus ergonomique, et la qualité des matériaux a changé du tout au tout. Aujourd'hui, boiseries, chromes et accents métalliques se partageant la vedette avec sobriété dans un

**FEU VERT**
Habitacle accueillant, excellent comportement routier, sièges très confortables, excellents groupes motopropulseurs

**FEU ROUGE**
Quelques bruits et craquements à bord, image péjorative de la marque, troisième banquette symbolique, prix et consommation élevés (V8)

habitacle où il fait mieux vivre. À bord, on constate également que les sièges, enveloppants et juste assez fermes, procurent un confort princier tant à l'avant qu'à la rangée médiane. En revanche, la troisième banquette optionnelle n'a rien de confortable,.

## DEUX FABULEUX MOTEURS

Cadillac propose comme motorisation le meilleur de son savoir-faire. En premier lieu, et c'est de loin le plus populaire des deux, on retrouve le désormais bien connu V6 de 3,6 litres multisoupapes, que GM utilise à profusion. Développant 255 chevaux, il est souple, étonnamment nerveux et passablement performant. Bien sûr, il doit traîner une lourde carcasse ce qui handicape ses capacités, mais le résultat est tout de même honorable. Jumelé à une boîte automatique à cinq rapports, il exige environ 14 litres de carburant aux 100 kilomètres, ce qui est normal pour ce type de configuration. L'autre solution est le fameux V8 Northstar, bien connu chez Cadillac, qui dans sa dernière refonte, parvient à produire 320 chevaux. Là, les performances sont franchement étonnantes, mais la consommation est conséquente...

Fermement suspendu, le SRX propose une conduite très dynamique. Le roulis est minime, la stabilité est exceptionnelle et le confort, même s'il n'égale pas celui de son grand frère, est honorable. Le SRX est également pourvu d'une direction qui se charge de transmettre au conducteur une bonne sensation de la route. L'agrément de conduite est donc un élément bien présent avec le SRX, ce qui n'est pas le cas du plus populaire des VUS intermédiaires de luxe (Lexus RX). Qu'il soit propulsé ou doté de la traction intégrale, le SRX est plus agile qu'on pourrait le croire. Sur la route, la seule chose décevante demeure les nombreux craquements, qui ne proviennent pas du châssis mais des sièges et du toit ouvrant.

Maintenant, doit-on considérer un SRX au même titre que les meneurs de la catégorie? Ma réponse, c'est pourquoi pas! Bon, il n'a pas la valeur de revente d'un Lexus ou d'un BMW, mais il est agréable à conduire, différent de tout ce qui roule, très bien motorisé et aujourd'hui, drôlement mieux fignolé. Sa ligne demeure une question de goût mais personnellement, j'aime bien. Qui plus est, avec les constantes promotions de GM, on peut offrir en location un SRX V6 à des mensualités très concurrentielles. Alors, oserez-vous franchir les portes d'un concessionnaire Cadillac?

**Antoine Joubert**

Photos : Denis Duquet

---

| VÉHICULE D'ESSAI | |
|---|---|
| Version : | V8 à traction intégrale |
| Emp/Lon/Lar/Haut(mm) : | 2 957/4 950/1 844/1 722 |
| Poids : | 2 015 kg |
| Coffre/Réservoir : | 238 à 1 968 litres / 76 litres |
| Nombre de coussins de sécurité : | 6 |
| Suspension avant : | indépendante, bras inégaux |
| Suspension arrière : | indépendante, multibras |
| Freins av./arr. : | disque (ABS) |
| Antipatinage/Contrôle de stabilité : | oui / oui |
| Direction : | à crémaillère, assist. variable électronique |
| Diamètre de braquage : | 12,1 m |
| Pneus av./arr. : | P235/60R18 / P255/55R18 |
| Capacité de remorquage : | 1 928 kg |

### MOTORISATION À L'ESSAI
Pneus d'origine MICHELIN

| | |
|---|---|
| Moteur : | V8 de 4,6 litres 32s atmosphérique |
| Alésage et course : | 93,0 mm x 84,0 mm |
| Puissance : | 320 ch (239 kW) à 6 400 tr/min |
| Couple : | 315 lb-pi (427 Nm) à 4 400 tr/min |
| Rapport poids/puissance : | 6,3 kg/ch (8,54 kg/kW) |
| Système hybride : | aucun |
| Transmission : | traction intégrale, auto. mode man. 6 rapports |
| Accélération 0-100 km/h : | 8,2 s |
| Reprises 80-120 km/h : | 8,8 s |
| Freinage 100-0 km/h : | 39,4 m |
| Vitesse maximale : | 225 km/h |
| Consommation (100 km) : | super, 16,0 litres |
| Autonomie (approximative) : | 475 km |
| Émissions de CO2 : | 6 384 kg/an |

### GAMME EN BREF

| | |
|---|---|
| Échelle de prix : | 46 695 $ à 60 300 $ |
| Catégorie : | utilitaire sport intermédiaire |
| Historique du modèle : | 1ière génération |
| Garanties : | 4 ans/80 000 km, 5 ans/160 000 km |
| Assemblage : | Lansing, Michigan, É-U |
| Autre(s) moteur(s) : | V6 3,6l 255ch/254lb-pi (14,9 l/100km) |
| Autre(s) rouage(s) : | propulsion |
| Autre(s) transmission(s) : | automatique 5 rapports |

### DANS LA MÊME CATÉGORIE
Acura MDX - Audi Q7 - BMW X5 - Buick Enclave - Chrysler Aspen - Infiniti FX35/45 - Land Rover LR3 - Lexus RX 350/400h - Mercedes-Benz Classe M - Porsche Cayenne - Volkswagen Touareg - Volvo XC90

### DU NOUVEAU EN 2008
Volant redessiné, deux nouvelles couleurs

### NOS IMPRESSIONS

| | |
|---|---|
| Agrément de conduite : | 🚗🚗🚗🚗 |
| Fiabilité : | 🚗🚗🚗🚗 |
| Sécurité : | 🚗🚗🚗🚗½ |
| Qualités hivernales : | 🚗🚗🚗🚗½ |
| Espace intérieur : | 🚗🚗🚗🚗 |
| Confort : | 🚗🚗🚗½ |

### LE CHOIX DE L'ÉQUIPE
V6 AWD

# INJUSTEMENT SNOBÉE

Le seul fait de penser que cette superbe STS est la descendante de l'horrible Seville au derrière aplati qui était commercialisée au début des années 80 me fait bien rire. Hélas, il semble que la STS ne soit pas aussi populaire que celle qui jouait son rôle il y a vingt-cinq ans. Pourquoi ? Parce que justement, des voitures comme cette abominable Seville ont fait en sorte que la réputation de la marque est passée de héros à zéro. Et aujourd'hui, même si tous disent que Cadillac a remis ses pendules à l'heure, chez GM, on ramasse encore les pots cassés…

Pour ne pas m'éterniser sur le sort de Cadillac, je vous dirai simplement de mettre vos préjugés de côté et d'ouvrir vos œillères. Car la STS, c'est tout une voiture. Et quoi qu'en disent certains, elle mériterait de connaître le même succès que la plupart de ses rivales.

Cette année, on amorce avec la STS le deuxième cycle de vie de cette génération. C'est donc dire que d'importantes modifications sont apportées afin de suivre la tendance du marché. D'abord, vous remarquerez que cette élégante berline reçoit pour 2008 de nombreux changements esthétiques qui non seulement la modernisent, mais aussi l'identifient à la nouvelle CTS qui selon moi, mériterait assurément un prix de design. Par conséquent, on lui reconnaît une grille de calandre plus agressive, un carénage avant plus imposant et de nouvelles jantes nettement plus jolies. Pour couronner le tout, Cadillac a ressorti des boules à mites les espèces d'ouïes qui décorent les ailes avant, un peu de la même façon que chez Buick.

À bord, vous ne retrouverez pas de centralisateur informatique du genre MMI (Audi) ou I-Drive (BMW). Cela signifie que vous serez en mesure d'utiliser la plupart des fonctions de l'ordinateur de bord, de la chaîne audio et du système de navigation, sans avoir à retourner sur les bancs d'école ! Et Dieu merci, le tout est méticuleusement positionné pour assurer une excellente ergonomie.

Bien entendu, boiseries d'eucalyptus, cuirs et accents métalliques se partagent la vedette dans cet environnement où le luxe abonde. Chaleureux, cet habitacle n'a rien de bien extravagant lorsqu'on le compare à celui d'une Audi A6 ou d'une BMW Série 5. Plus classique dans sa présentation, il ne manque toutefois pas d'offrir aux occupants tout l'espace nécessaire, ainsi qu'un nombre suffisant de compartiments de rangement. Aussi, mentionnons que la qualité des matériaux et de la finition est désormais de classe internationale.

À ceux qui croient toujours que Cadillac rime avec mollesse, je vous invite à monter à bord de la STS. Non seulement vous découvrirez des baquets confortables à souhait et bien sculptés, mais vous remarquerez également que la fermeté de ces derniers se compare avec ceux des produits BMW. La STS n'est pas une voiture destinée à ceux qui affectionnent un confort « à l'américaine », mais bien à tous ceux qui recherchent une berline de luxe de classe mondiale.

**FEU VERT**
Grande routière, performances exaltantes, traction intégrale offerte avec V6 et V8, confort exceptionnel, belles retouches esthétiques

**FEU ROUGE**
Image péjorative de la marque, dépréciation importante, versions V8 chères et gourmandes, certains concessionnaires peu à l'écoute

**VÉHICULE D'ESSAI**

| | |
|---|---|
| Version : | STS V8 |
| Emp/Lon/Lar/Haut(mm) : | 2 956/4 986/1 844/1 463 |
| Poids : | 1 779 kg |
| Coffre/Réservoir : | 391 litres / 66 litres |
| Nombre de coussins de sécurité : | 6 |
| Suspension avant : | indépendante, bras inégaux |
| Suspension arrière : | indépendante, multibras |
| Freins av./arr. : | disque (ABS) |
| Antipatinage/Contrôle de stabilité : | oui / oui |
| Direction : | à crémaillère, assistance variable |
| Diamètre de braquage : | 11,5 m |
| Pneus av./arr. : | P235/50R17 / P255/45R17 |
| Capacité de remorquage : | 454 kg |

## AVANTAGE V6

En 2008, la STS nous propose toujours ce fameux V6 de 3,6 litres à 24 soupapes, qui s'étend à plusieurs autres produits de la marque. Notre sujet, ainsi que la nouvelle CTS, est toutefois le seul à bénéficier de ce moteur, qui reçoit désormais l'injection directe de carburant. Résultat, on obtient une puissance accrue qui atteint 302 chevaux et une consommation d'essence encore améliorée qui se situe autour de 12 litres aux 100 kilomètres. Et comme cette version à moteur V6 peut être dotée de la traction intégrale, elle m'apparaît de loin la version la plus intéressante.

Maintenant, n'allez pas croire que le modèle V8 est inintéressant ! Utilisant le réputé moteur Northstar de 4,6 litres, cette version octroie d'excellentes performances ainsi qu'un rendement des plus agréables. Le prix de ce modèle est cependant nettement plus élevé, et la consommation aussi. Quant à la STS-V, elle demeure l'un des secrets les mieux gardés de l'industrie. Voilà un bolide capable d'intimider à peu près tout ce qui circule sur nos routes ! C'est sans doute pourquoi elle mérite le surnom de « Corvette quatre portes » !

## NI MUNICH, NI STUTTGART

Pour décrire le comportement de la STS, on pense tout de suite à un juste milieu entre une BMW de Série 5, très sportive, ou une Mercedes-Benz de Classe E qui favorise davantage le confort. Les éléments de suspension sont donc passablement fermes sans l'être trop, la direction est précise et communicative, et le plaisir de conduire est assurément au rendez-vous. On remarque également que le châssis est d'une étonnante rigidité et qu'il n'a rien à envier à quiconque. Bref, c'est une routière à découvrir.

Est-ce que cette Cadillac peut faire mieux pour notre petit marché ? Certainement. Et particulièrement lorsqu'on considère que les versions V6 et V8 sont toutes deux offertes avec la traction intégrale. Une meilleure campagne publicitaire de la part de Cadillac ainsi qu'un réseau de concessionnaires davantage à l'écoute de cette clientèle sélecte serait nécessaire. Mais il faut surtout convaincre les gens que Cadillac, c'est aussi bien que Mercedes, Audi, Lexus ou BMW. Et ça, ce n'est toujours pas chose faite…

*Antoine Joubert*

**MOTORISATION À L'ESSAI** *Pneus d'origine* MICHELIN

| | |
|---|---|
| Moteur : | V8 de 4,6 litres 32s atmosphérique |
| Alésage et course : | 93,0 mm x 84,0 mm |
| Puissance : | 320 ch (239 kW) à 6 400 tr/min |
| Couple : | 315 lb-pi (427 Nm) à 4 400 tr/min |
| Rapport poids/puissance : | 5,56 kg/ch (7,54 kg/kW) |
| Système hybride : | aucun |
| Transmission : | propulsion, auto. mode man. 6 rapports |
| Accélération 0-100 km/h : | 6,0 s |
| Reprises 80-120 km/h : | 5,4 s |
| Freinage 100-0 km/h : | 40,1 m |
| Vitesse maximale : | 225 km/h |
| Consommation (100 km) : | super, 14,1 litres |
| Autonomie (approximative) : | 468 km |
| Émissions de $CO_2$ : | 5 472 kg/an |

**GAMME EN BREF**

| | |
|---|---|
| Échelle de prix : | 57 910 $ à 102 955 $ |
| Catégorie : | berline de luxe |
| Historique du modèle : | 6ième génération (Seville) |
| Garanties : | 4 ans/80 000 km, 5 ans/160 000 km |
| Assemblage : | Lansing, Michigan, É-U |
| Autre(s) moteur(s) : | V6 3,6l 302ch/272lb-pi |
| | V8 4,4l 469ch/439lb-pi (17,4 l/100km) STS-V |
| Autre(s) rouage(s) : | intégrale |
| Autre(s) transmission(s) : | aucune |

**DANS LA MÊME CATÉGORIE**

Acura RL - Audi A6 / S6 - BMW Série 5 - Infiniti M35/45 - Jaguar S-Type - Lexus GS - Mercedes-Benz Classe E - Volvo S80

**DU NOUVEAU EN 2008**

Nouveau V6 3,6 litres à injection directe, transmission à six rapports avec V6, carrosserie légèrement retouchée, nouvelle édition Platinum

**NOS IMPRESSIONS**

| | |
|---|---|
| Agrément de conduite : | 🚗🚗🚗🚗 |
| Fiabilité : | 🚗🚗🚗🚗 |
| Sécurité : | 🚗🚗🚗🚗½ |
| Qualités hivernales : | 🚗🚗🚗🚗 |
| Espace intérieur : | 🚗🚗🚗🚗½ |
| Confort : | 🚗🚗🚗🚗½ |

**LE CHOIX DE L'ÉQUIPE**

V6 à traction intégrale

Photos : Cadillac

# CADILLAC XLR

# LA POURSUITE DE LA PERFECTION

Lorsque la division Cadillac a dévoilé la XLR, elle voulait faire de ce roadster la voiture phare de la marque. Un peu comme le fait la Mercedes-Benz SL chez le constructeur allemand, ce modèle devait faire tourner les têtes par son élégance, faire soupirer les gens en raison de son luxe et combler son propriétaire par ses performances. Et on a mis le paquet en empruntant le châssis à la Corvette C6 et en faisant appel au légendaire moteur Northstar de Cadillac. Avec de tels éléments, on ne pouvait rater la cible !

Malheureusement, les premiers tours de roue n'ont pas permis de toucher la cible en plein centre. Une foule d'éléments se sont conjugués pour ralentir l'acceptation de ce roadster à toit rigide. Toutefois, au fil des années, les irritants ont été progressivement éliminés.

## DES PROMESSES

Je dois avouer que j'étais enthousiaste face à cette nouvelle venue. En tout premier, les stylistes n'avaient pas craint de jouer d'originalité en nous proposant une silhouette vraiment à part, inspirée par les avions furtifs de la US Air Force, comme les autres voitures Cadillac. C'est réussi dans l'ensemble, mais je continue à croire qu'il y manque ce petit quelque chose qui en ferait une voiture de légende. La première Corvette lancée en 1953 avait cette différence. La XLR est bien, elle est chic, mais ça manque un peu de chaleur. La même remarque s'applique au tableau de bord qui est sobre, élégant et pratique, mais on n'a pas l'impression d'avoir affaire à une voiture de luxe de diffusion limitée. Allez consulter la page de ce *Guide* consacrée à l'Aston Martin Vanquish ou encore à la Mercedes-Benz SL et vous comprendrez mieux mon point de vue. Je ne veux pas que cette Cadillac se transforme en voiture britannique ou allemande, mais un peu plus d'émotion ne ferait pas de tort. Il faut souligner par ailleurs la qualité des matériaux utilisés et une finition supérieure à la moyenne.

Parlant de qualité d'assemblage et de fiabilité, le toit rigide rétractable de la XLR a connu sa part d'ennuis, ce qui a fait dire à plusieurs que cette voiture était ratée. On pourrait modérer ses opinions ! Il est vrai que le toit était parfois récalcitrant, mais la pièce défectueuse a été remplacée. Comme tous les mécanismes de ce genre, il occupe malheureusement presque tout le coffre une fois remisé dans ce dernier.

## GT OU SPORTIVE

Selon les responsables de Cadillac, la XLR s'attaquait au top du top. En fait, on parlait à mots couverts de la Mercedes-Benz SL, l'étalon de la catégorie depuis des décennies. Comme cette dernière, la Caddy possédait un toit rigide rétractable, était propulsée par un moteur V8 et ses dimensions étaient plus ou moins identiques. Mais il faut plus que cela. Il faut être capable de soutenir la comparaison à presque tous les niveaux. Par exemple, le moteur V8 Northstar de 4,6 litres de la XLR produit 320 chevaux et est associé à une boîte automatique à six rapports. Ce qui est très bien. Mais, malheureusement pour Cadillac, le moteur le moins puissant offert sur la Mercedes-Benz SL est un V8 de 5,5 litres d'une puissance de 382 chevaux relié à une transmission à sept rapports. Et la Cadillac

**FEU VERT**
Version V, design audacieux, plate-forme rigide, équipement complet, matériaux de qualité

**FEU ROUGE**
Fiabilité toujours incertaine, coffre petit, tableau de bord trop générique, prestige du modèle à développer

XLR-V, à caractère nettement plus sportif permet de compter sur les 443 chevaux de son moteur V8 suralimenté de 4,4 litres. Par contre, la SL la plus puissante peut compter sur un moteur V12 biturbo de 604 chevaux!

Cette comparaison n'a pas pour but de vous décourager d'acheter une XLR, mais de la situer par rapport à une concurrente qui se vend également beaucoup plus cher. En fait, des dizaines de milliers de dollars de plus. Malgré cette disparité de prix, la Cadillac propose un équipement de série qui est tout aussi complet et sophistiqué.

Faisant appel à une plate-forme révisée de la Chevrolet Corvette et utilisant la suspension Magnaride à amortisseurs à action magnétique, cette élégante américaine n'est jamais prise au dépourvu lorsque la route devient sinueuse et que la vitesse augmente. Toutefois, en réglage normal, la caisse penche passablement tandis que la direction est un peu trop assistée. Dans cette livrée, elle accède sans problème dans la catégorie des voitures de Grand Tourisme de luxe.

Produite en petite série, la XLR-V gratifie son pilote avec des temps d'accélération plus rapides et grâce à une suspension raffermie qui permet de tirer un meilleur parti de sa plate-forme. Si ce genre de détail vous impressionne, sachez que chaque moteur utilisé dans les modèles V est assemblé à la main par un artisan qui travaille dans un atelier ultra-moderne, récemment ouvert par la division des groupes propulseurs de GM, un peu comme Mercedes-Benz le fait avec les moteurs montés chez AMG. Tous ces éléments se conjuguent pour nous assurer d'être au volant d'une voiture de qualité supérieure qui nous accorde également une pléthore d'aides électroniques au pilotage en plus de performances impressionnantes. En fait, peut-être que Cadillac aurait dû limiter la XLR à sa version V afin d'atteindre ses objectifs de prestige, de performances et d'exclusivité.

**Denis Duquet**

## VÉHICULE D'ESSAI

| | |
|---|---|
| Version: | XLR |
| Emp/Lon/Lar/Haut(mm): | 2 685/4 513/1 836/1 279 |
| Poids: | 1 654 kg |
| Coffre/Réservoir: | 125 à 328 litres / 68 litres |
| Nombre de coussins de sécurité: | 6 |
| Suspension avant: | indépendante, bras inégaux |
| Suspension arrière: | indépendante, bras inégaux |
| Freins av./arr.: | disque (ABS) |
| Antipatinage/Contrôle de stabilité: | oui / oui |
| Direction: | à crémaillère, assistance variable |
| Diamètre de braquage: | 11,9 m |
| Pneus av./arr.: | P235/50R18 |
| Capacité de remorquage: | non recommandé |

## MOTORISATION À L'ESSAI

| | |
|---|---|
| Moteur: | V8 de 4,6 litres 32s atmosphérique |
| Alésage et course: | 93,0 mm x 84,0 mm |
| Puissance: | 320 ch (239 kW) à 6 400 tr/min |
| Couple: | 310 lb-pi (420 Nm) à 4 400 tr/min |
| Rapport poids/puissance: | 5,17 kg/ch (7,01 kg/kW) |
| Système hybride: | aucun |
| Transmission: | propulsion, automatique 6 rapports |
| Accélération 0-100 km/h: | 5,8 s |
| Reprises 80-120 km/h: | 5,0 s |
| Freinage 100-0 km/h: | 38,0 m |
| Vitesse maximale: | 250 km/h |
| Consommation (100 km): | super, 14,1 litres |
| Autonomie (approximative): | 482 km |
| Émissions de $CO_2$: | 5 568 kg/an |

## GAMME EN BREF

| | |
|---|---|
| Échelle de prix: | 98 530 $ à 113 670 $ |
| Catégorie: | roadster |
| Historique du modèle: | 1ère génération |
| Garanties: | 4 ans/80 000 km, 5 ans/160 000 km |
| Assemblage: | Bowling Green, Kentucky, É-U |
| Autre(s) moteur(s): | V8 4,4l suralimenté 443ch/414lb-pi (14,1 l/100km) XLR-V |
| Autre(s) rouage(s): | aucun |
| Autre(s) transmission(s): | aucune |

## DANS LA MÊME CATÉGORIE

Jaguar XK8 - Lexus SC 430 - Mercedes-Benz SL500

## DU NOUVEAU EN 2008

Nouveau volant chauffant, nouvelles roues en alliage, couleurs inédites

## NOS IMPRESSIONS

| | |
|---|---|
| Agrément de conduite: | 🚗🚗🚗🚗 |
| Fiabilité: | 🚗🚗🚗 |
| Sécurité: | 🚗🚗🚗🚗 |
| Qualités hivernales: | 🚗🚗½ |
| Espace intérieur: | 🚗🚗🚗 |
| Confort: | 🚗🚗🚗🚗 |

## LE CHOIX DE L'ÉQUIPE

XLR

Photos: Cadillac.

Chevrolet Aveo

# VOCATIONS ÉCONOMIQUES

Ce trio de sous-compactes est sur le marché depuis quelques années maintenant et il a connu un succès initial assez impressionnant, surtout concernant les Chevrolet et Pontiac. Une concurrence sans cesse renouvelée lui a mené la vie dure, notamment pour les Honda Fit et Toyota Yaris. Malgré tout, ces voitures intéressent bien des acheteurs en raison de leur silhouette accrocheuse et de leurs prix de base qui sont parmi les plus compétitifs. Reste à savoir si elles sont les aubaines que l'on prétend.

Et il ne faut pas oublier de souligner que l'Aveo et la Wave sont offertes en versions *hatchback* et berline, tandis que la Swift + se contente de la configuration *hatchback* seulement.

### MOINS QUE PLUS

Il me semble que la présence de Suzuki dans ce trio se justifie tout simplement par le fait que le constructeur nippon est partenaire de GM et qu'il se doit de participer à un nombre minimum de projets. Curieusement, chez Suzuki, les grands visionnaires du marketing ont décidé de différencier la Swift actuelle de l'ancienne en ajoutant le symbole +. Pourtant, lors de notre match comparatif de la catégorie réalisé dans *Le Guide de l'auto 2007*, ce modèle en offrait moins que tous les autres de sa catégorie. S'il est vrai que la silhouette est toujours attrayante, le reste est passablement minimaliste en passant par le moteur de 1,6 litre qui paraît constamment essoufflé, qui est rugueux et d'un rendement plus que modeste. Il me semble d'ailleurs que la puissance de ce moteur quatre cylindres varie pas mal d'une unité à l'autre... Il m'est apparu anémique dans la Suzuki et presque correct sous le capot de la Wave et de l'Aveo. Et même si vous ne maîtrisez pas l'art de passer les vitesses d'une boîte manuelle, mieux vaut vous exercer à le faire si vous avez porté votre choix sur la Suzuki, car les performances sont

très moyennes avec la boîte automatique à quatre rapports. La transmission manuelle permet des performances plus élevées que l'automatique, mais la course de son levier n'est pas des plus précises.

Finalement, même si les véhicules produits par Suzuki sont généralement de très bonne qualité, les matériaux choisis pour l'habitacle m'ont paru moins satisfaisants que dans la Chevrolet et la Pontiac. Quant aux équipements de série de l'un par rapport aux autres, c'est presque pareil malgré quelques différences ici et là. Mais toutes sont dotées de sièges recouverts d'un tissu qui semble assez peu durable. Espérons qu'il ne s'agisse que d'une impression...

### CUISSE OU POITRINE ?

Pour résumer, ce trio est propulsé par le même moteur quatre cylindres 1,6 litre d'une puissance de 103 chevaux, qui donne l'impression d'en développer dix de moins... Il s'agit là de la principale faiblesse de ces petites coréennes qui ne sont pas à ignorer, surtout lorsqu'on tient compte du prix demandé pour la plupart de leurs concurrentes.

Reste à savoir quel type de carrosserie vous intéresse. La silhouette de la berline est correcte et anonyme. D'autre part, son coffre est plus

**FEU VERT**
Prix compétitif, choix de carrosserie, consommation parcimonieuse, citadine agile, sièges avant confortables

**FEU ROUGE**
Fiabilité inégale, faible diffusion de la Swift+, moteur manque de punch, direction engourdie, ouverture de coffre petite ( berline)

## VÉHICULE D'ESSAI

| | |
|---|---|
| Version : | Aveo LS 4 portes |
| Emp/Lon/Lar/Haut(mm) : | 2 480/4 310/1 710/1 505 |
| Poids : | 1 153 kg |
| Coffre/Réservoir : | 351 litres / 45 litres |
| Nombre de coussins de sécurité : | 2 |
| Suspension avant : | indépendante, jambes de force |
| Suspension arrière : | demi-ind., poutre déformante |
| Freins av./arr. : | disque/tambour (ABS opt.) |
| Antipatinage/Contrôle de stabilité : | non / non |
| Direction : | à crémaillère, assistée |
| Diamètre de braquage : | 10,1 m |
| Pneus av./arr. : | P185/60R14 |
| Capacité de remorquage : | non recommandé |

## MOTORISATION À L'ESSAI

| | |
|---|---|
| Moteur : | 4L de 1,6 litre 16s atmosphérique |
| Alésage et course : | 79,0 mm x 81,5 mm |
| Puissance : | 103 ch (77 kW) à 5 800 tr/min |
| Couple : | 107 lb-pi (145 Nm) à 3 400 tr/min |
| Rapport poids/puissance : | 11,19 kg/ch (15,17 kg/kW) |
| Système hybride : | aucun |
| Transmission : | traction, automatique 4 rapports |
| Accélération 0-100 km/h : | 11,0 s |
| Reprises 80-120 km/h : | 8,5 s |
| Freinage 100-0 km/h : | 44,0 m |
| Vitesse maximale : | 170 km/h |
| Consommation (100 km) : | ordinaire, 9,1 litres |
| Autonomie (approximative) : | 495 km |
| Émissions de CO2 : | 3 744 kg/an |

## GAMME EN BREF

| | |
|---|---|
| Échelle de prix : | 12 995 $ à 15 495 $ |
| Catégorie : | sous-compacte |
| Historique du modèle : | 1ère génération |
| Garanties : | 3 ans/60 000 km, 5 ans/160 000 km |
| Assemblage : | Bupyong, Corée du Sud |
| Autre(s) moteur(s) : | aucun |
| Autre(s) rouage(s) : | aucun |
| Autre(s) transmission(s) : | manuelle 5 rapports |

## DANS LA MÊME CATÉGORIE

Chevrolet Aveo - Honda Fit - Hyundai Accent - Kia Rio - Nissan Versa - Pontiac Wave - Toyota Yaris

## DU NOUVEAU EN 2008

Aucun changement majeur, meilleure insonorisation, système immobilisation de série

## NOS IMPRESSIONS

| | |
|---|---|
| Agrément de conduite : | 🚗 🚗 🚗 |
| Fiabilité : | 🚗 🚗 🚗 🚗 |
| Sécurité : | 🚗 🚗 🚗 |
| Qualités hivernales : | 🚗 🚗 🚗 |
| Espace intérieur : | 🚗 🚗 🚗 ½ |
| Confort : | 🚗 🚗 🚗 ½ |

## LE CHOIX DE L'ÉQUIPE

Aveo LS

généreux que celui du *hatchback*. Un élément à considérer si vous prévoyez accueillir souvent des occupants aux places arrière. Par contre, le *hatchback* s'avère intéressant quand la banquette arrière est repliée, sa capacité de chargement devient nettement supérieure. En revanche, lorsqu'on replie ladite banquette, on découvre avec stupéfaction que sa construction ne semble pas très solide...

Et même si la planche de bord est dépouillée, son design est réussi, car les stylistes ont fait appel à quelques éléments clés pour insuffler de la personnalité à l'ensemble. Et si je ne fais pas erreur, toutes ont été dessinées dans les studios d'Italdesign dont la réputation n'est plus à faire.

En fait d'agrément de conduite, nous en avons pour notre argent. Mais puisqu'il s'agit de voitures à prix modeste, il ne faut pas non plus s'attendre à se retrouver au volant d'une Porsche ! Comme les pneumatiques sont de qualité moyenne, la tenue en virage est adéquate si l'on respecte les limites de vitesse affichées. En revanche, devenez plus agressif et les pneus émettent des crissements de protestation en plus de perdre leur adhérence... Et tout au long des quelques essais effectués au volant de l'une ou l'autre de ces voitures, j'ai toujours eu le sentiment que la mécanique était fragile. Entre parenthèse, un contributeur au *Guide* s'est procuré une Aveo pour sa conjointe et la fiabilité n'a pas été exemplaire.

Finalement, la Pontiac Wave berline possède un caractère et un comportement routier à part. Notre modèle d'essai était tout équipé et nous donnait l'impression d'être une grosse bagnole américaine qui aurait passé dans un appareil de rétrécissement. Avec un comportement routier privilégiant le confort, l'acheteur de voitures traditionnelles ne sera pas dépaysé. Et contrairement à ce que l'on serait porté à conclure, cette berline s'est défendue honorablement lors d'une section de route parsemée de courbes serrées, et notre Pontiac de papy s'en est tirée avec honneur.

Somme toute, ces trois modèles ont des limites, mais, compte tenu de leur prix, ils sauront convaincre plusieurs acheteurs, et ce, malgré une consommation élevée pour leur cylindrée.

**Denis Duquet**

Photos : Chevrolet

Pontiac G5

# PAS JUSTE UNE QUESTION DE BUDGET!

Il y a déjà deux ans que le duo Cobalt/G5 s'est vu attribuer la mission de remplacer un autre duo bien connu, soit celui formé par la Cavalier et la Sunfire. Tous s'entendent pour dire que ces dernières n'étaient pas les plus intéressantes du lot, mais force est d'admettre que leurs prix compétitifs jumelés à des incitatifs financiers agressifs auront su en convaincre plusieurs. Pour bon nombre d'acheteurs, le budget demeure toujours un élément très important. La Chevrolet Cobalt et la Pontiac G5 poursuivent dans la même veine, mais cette fois, elles disposent de qualités générales plus décentes.

L a compétition dans le créneau des voitures compactes est certainement l'une des plus féroces. Si en matière de référence on a les petites japonaises en tête, la Cobalt et la G5 sont la preuve que GM peut encore produire des modèles compétitifs. Certes il leur manque encore un peu de maturité avant d'atteindre le niveau d'une Honda Civic ou d'une Toyota Corolla, mais en revanche, peu de compétiteurs peuvent se vanter d'offrir une gamme de versions aussi étendue.

**UNE PANOPLIE DE VERSIONS**

Il faudrait être drôlement difficile pour ne pas trouver une version convenant à vos besoins. La Cobalt arrive en berline et en coupé, et trois niveaux d'équipements distincts sont proposés pour 2008. Les versions LS et LT sont équipées d'un moteur quatre cylindres Ecotec de 2,2 litres alors qu'un quatre cylindres de 2,4 litres développant 171 chevaux gronde dans les Cobalt Sport, une nouvelle appellation cette année. Cette version reçoit aussi une suspension sport unique. Les amateurs de performance devront patienter puisque les versions SS et SS Supercharged ont été mises de côté en attendant la nouvelle génération de Cobalt. Transposez ensuite pratiquement tous ces modèles en équivalents pour la Pontiac G5, et vous obtenez une gamme de modèles probablement aussi vaste que l'ensemble des voitures proposées par certains constructeurs.

Si la Cobalt et la G5 possèdent des composantes mécaniques nettement améliorées, leur style n'a pas évolué aussi radicalement. On distingue toujours les lignes sobres et un peu ternes de feu la Cavalier et la Sunfire, notamment pour les berlines. Disons qu'on est loin de la sportivité qu'affiche la Mazda3 ou la nouvelle Mitsubishi Lancer! Certains aiment, d'autres auraient préféré un peu plus d'efforts de la part des stylistes. Dans ce segment, un style accrocheur s'avère un atout intéressant. La Cobalt reçoit par contre une allure un peu plus sportive, surtout en ce qui a trait aux coupés. On apprécie notamment les jantes de dimension supérieure et les feux arrière circulaires.

**HABITACLE SPACIEUX**

À bord, la thématique est simple, mais fonctionnelle. Tout est à portée de main et facile à comprendre. Les matériaux utilisés sont décents, mais GM n'a pas perdu, dans le cas de ces deux modèles, ses habitudes de surutilisation des plastiques d'apparence bon marché... L'ajout de quelques garnitures en aluminium et l'instrumentation plus moderne améliorent le tout. Voilà qui rend l'habitacle un peu plus dynamique. La Cobalt et la G5 offrent une panoplie d'équipements de série qui bien souvent font le bonheur des amateurs de gadgets. Radio par satellite, démarreur à distance et bon système de sonorisation sont de ce lot.

 **FEU VERT**
Bon choix de modèles, équipement complet, finition améliorée, comportement routier sain, prix compétitif

 **FEU ROUGE**
Lignes sans éclat (berlines), colonne de direction non télescopique, fermeté des sièges, diamètre de braquage élevé

Concernant les équipements de sécurité, on aurait cependant souhaité un équipement de base mieux nanti. Les nombreux ajustements des sièges permettent de trouver rapidement une bonne position de conduite, mais leur fermeté rend les longues randonnées un peu moins plaisantes. Dans certaines versions, la sellerie de cuir est au rendez-vous, ce qui rehausse évidemment l'aspect de l'habitacle.

## SUR LA ROUTE

Au volant, on découvre des modèles de base dont le comportement n'a rien de trop sportif mais qui se révèle agréable. Le quatre cylindres de 2,2 litres de notre Cobalt d'essai était doux et souple, offrant une puissance adéquate dans la majeure partie des situations. Assez gourmand, ce moteur consomme moins que celui d'une Mazda3, mais il ne peut rivaliser avec l'économie d'essence d'une Honda Civic. On apprécie la boîte automatique à quatre rapports, optionnelle. Elle tire bien profit de la puissance disponible et heureusement, GM n'est pas tombé dans la tendance des boîtes de type CVT. Ces dernières favorisent certes l'économie de carburant, mais jusqu'à présent, le plaisir de conduite en a toujours été affecté.

Plus sportive, la Cobalt Sport de 171 chevaux se montre un peu mieux adaptée, notamment en raison d'un couple plus important. Son système de calage variable des soupapes entraînera une économie d'essence accrue, ce qui sera grandement prisé. Toutes les Chevrolet Cobalt et Pontiac G5 reçoivent de série une boîte manuelle à cinq rapports qui est agréable et bien étagée. Mon choix s'oriente d'ailleurs vers cette boîte. Ceux qui ne désirent pas jouer du levier seront tout de même bien servis par l'automatique à quatre rapports.

Le duo Cobalt/G5 représente certainement une nette amélioration par rapport aux modèles qu'elles succèdent. Ces voitures affichent un raffinement et une qualité d'assemblage nettement supérieurs, alors que les mécaniques leur permettent de mieux rivaliser avec la compétition. Elles se contentent cependant de répondre aux besoins quotidiens, sans nécessairement soulever les passions.

**Sylvain Raymond**

Photos : Pontiac

### VÉHICULE D'ESSAI

OnStar de GM

| | |
|---|---|
| Version : | Cobalt LT berline |
| Emp/Lon/Lar/Haut(mm) : | 2 624/4 584/1 725/1 450 |
| Poids : | 1 267 kg |
| Coffre/Réservoir : | 394 litres / 49 litres |
| Nombre de coussins de sécurité : | 2 |
| Suspension avant : | indépendante, jambes de force |
| Suspension arrière : | demi-ind., poutre déformante |
| Freins av./arr. : | disque/tambour (ABS) |
| Antipatinage/Contrôle de stabilité : | oui / non |
| Direction : | à crémaillère, assistée |
| Diamètre de braquage : | 11,4 m |
| Pneus av./arr. : | P205/55R16 |
| Capacité de remorquage : | 454 kg |

### MOTORISATION À L'ESSAI

| | |
|---|---|
| Moteur : | 4L de 2,2 litres 16s atmosphérique |
| Alésage et course : | 86,0 mm x 94,6 mm |
| Puissance : | 148 ch (110 kW) à 5 600 tr/min |
| Couple : | 152 lb-pi (206 Nm) à 4 200 tr/min |
| Rapport poids/puissance : | 8,56 kg/ch (11,62 kg/kW) |
| Système hybride : | aucun |
| Transmission : | traction, automatique 4 rapports |
| Accélération 0-100 km/h : | 11,5 s |
| Reprises 80-120 km/h : | 10,2 s |
| Freinage 100-0 km/h : | 42,4 m |
| Vitesse maximale : | 195 km/h |
| Consommation (100 km) : | ordinaire, 9,6 litres |
| Autonomie (approximative) : | 510 km |
| Émissions de CO2 : | 3 984 kg/an |

### GAMME EN BREF

| | |
|---|---|
| Échelle de prix : | 15 175 $ à 22 595 $ |
| Catégorie : | berline compacte/coupé |
| Historique du modèle : | 1ère génération |
| Garanties : | 3 ans/60 000 km, 5 ans/160 000 km |
| Assemblage : | Lordstown, Ohio, É-U |
| Autre(s) moteur(s) : | 4L 2,4l 171ch/167lb-pi (9,4 l/100km) SS |
| Autre(s) rouage(s) : | aucun |
| Autre(s) transmission(s) : | manuelle 5 rapports |

### DANS LA MÊME CATÉGORIE

Dodge Caliber - Ford Focus - Honda Civic - Mazda 3 - Nissan Sentra - Saturn Ion - Toyota Corolla - Volkswagen Jetta

### DU NOUVEAU EN 2008

Modèle Cobalt SS SC discontinué, nouvelles désignations de modèles, Stabilitrak standard sur modèle Sport

### NOS IMPRESSIONS

| | |
|---|---|
| Agrément de conduite : | 🚗 🚗 🚗 ½ |
| Fiabilité : | 🚗 🚗 🚗 ½ |
| Sécurité : | 🚗 🚗 🚗 ½ |
| Qualités hivernales : | 🚗 🚗 🚗 ½ |
| Espace intérieur : | 🚗 🚗 🚗 🚗 |
| Confort : | 🚗 🚗 🚗 ½ |

### LE CHOIX DE L'ÉQUIPE

Cobalt Sport

# CHEVROLET CORVETTE

# CAP SUR 2009

À la suite du lancement de la plus récente génération de la Dodge Viper au Salon de l'auto de Detroit en janvier 2007, General Motors a choisi de poursuivre le développement d'une nouvelle version ultraperformante de la Corvette dont l'arrivée sur le marché est maintenant prévue pour l'année-modèle 2009. Son moteur serait un V8 de 6,2 litres suralimenté par compresseur et capable de livrer plus de 650 chevaux…

Cette bataille pour la suprématie en sol américain fait donc toujours rage, avec une escalade des données de performance à donner le vertige. Le nom de cette nouvelle version de la sportive américaine, qui sera produite en série limitée, n'est pas encore déterminé, mais les rumeurs vont bon train de ce côté. La voiture était appelée Blue Devil au début du programme de développement, mais le nom aurait évolué vers une nomenclature plus conventionnelle comme Corvette SS, ce qui respecterait la tradition établie chez Chevrolet pour désigner les versions plus performantes de ses modèles. Il est aussi possible que l'on assiste au retour du célèbre nom Stingray, longtemps associé à la Corvette, ou encore que la voiture soit simplement définie comme Corvette Z07, ce qui attesterait immédiatement sa suprématie sur l'actuelle Z06.

## UN POTENTIEL DE PERFORMANCE ÉNORME

Peu importe le nom retenu, il est clair que cette nouvelle version de la Corvette serait à la fois plus puissante et plus légère que l'actuelle Z06, ce qui laisse entrevoir un énorme potentiel de performance, car une telle voiture serait théoriquement capable d'abattre le 0-100 kilomètres/heure en 3,5 secondes. Si les 650 chevaux sont effectivement au rendez-vous, cela permettra à la Corvette d'aller jouer dans la cour des supervoitures en provenance d'Europe, pourvu que le châssis soit en

mesure de transmettre efficacement toute cette puissance à la route. Pariez qu'il s'agit là d'un défi intéressant pour les ingénieurs actuellement chargés du développement des versions plus avancées des systèmes de contrôle électronique de la stabilité, et qui doivent composer avec le couple énorme de ce moteur. La suite des choses laisse entrevoir un dévoilement qui aurait probablement lieu au Salon de l'auto de Detroit en janvier 2008. C'est donc une histoire à suivre…

Pour l'heure, la Z06 assure la garde chez Chevrolet et, fidèle à la tradition établie, la puissance provient d'un moteur V8 à grande cylindrée (7,0 litres) dont les soupapes sont encore et toujours actionnées par des tiges-poussoirs. Les seules concessions faites à la haute technologie sont les bielles du moteur et les soupapes qui sont réalisées en titane. Au premier contact, j'ai été surpris par la rapidité de la montée en régime de ce moteur à très grande cylindrée qui livre sa pleine puissance à 6 300 tours/minute et dont le couple maximal est de 470 livres-pied.

## SUR LA PISTE

Pendant que je bouclais quelques tours de circuit, la suite des choses a cependant été un peu moins heureuse. La Z06 a beau être très légère et dotée d'un moteur très performant, on ne peut pas dénaturer l'engin qui

**FEU VERT**
Puissance moteur, voiture très légère, technologie de pointe

**FEU ROUGE**
Châssis peu communicatif, manque de soutien latéral des sièges, visibilité réduite vers l'arrière

**202**

GUIDE DE L'AUTO 2008

www.leguidedelauto.com

## VÉHICULE D'ESSAI

| | |
|---|---|
| Version: | Z06 |
| Emp/Lon/Lar/Haut(mm): | 2 685/4 460/1 928/1 244 |
| Poids: | 1 420 kg |
| Coffre/Réservoir: | 634 litres / 68 litres |
| Nombre de coussins de sécurité: | 4 |
| Suspension avant: | indépendante, bras inégaux |
| Suspension arrière: | indépendante, bras inégaux |
| Freins av./arr.: | disque (ABS) |
| Antipatinage/Contrôle de stabilité: | oui / oui |
| Direction: | à crémaillère, assistance variable |
| Diamètre de braquage: | 12,0 m |
| Pneus av./arr.: | P275/35ZR18 / P325/30ZR19 |
| Capacité de remorquage: | non recommandé |

## MOTORISATION À L'ESSAI

Pneus d'origine MICHELIN

| | |
|---|---|
| Moteur: | V8 de 7,0 litres 16s atmosphérique |
| Alésage et course: | 104,8 mm x 101,6 mm |
| Puissance: | 505 ch (377 kW) à 6 300 tr/min |
| Couple: | 470 lb-pi (637 Nm) à 4 800 tr/min |
| Rapport poids/puissance: | 2,81 kg/ch (3,82 kg/kW) |
| Système hybride: | aucun |
| Transmission: | propulsion, manuelle 6 rapports |
| Accélération 0-100 km/h: | 4,6 s |
| Reprises 80-120 km/h: | 4,4 s |
| Freinage 100-0 km/h: | 33,8 m |
| Vitesse maximale: | 300 km/h |
| Consommation (100 km): | super, 14,2 litres |
| Autonomie (approximative): | 479 km |
| Émissions de $CO_2$: | 5 568 kg/an |

demeure une propulsion avec moteur à l'avant et qui est par conséquent sujet au sous-virage en entrée de courbe. Bien que j'aie tenté d'adapter mon style de pilotage pour contrer cette tendance, elle a persisté au point de saper un peu ma confiance dans les courbes rapides du circuit triovale. J'ai donc trouvé qu'il était parfois difficile de « lire » les réactions du châssis dans certaines sections du circuit, et surtout de prévoir l'intervention du système de contrôle électronique de la stabilité. J'avais pourtant pris soin de régler ledit système au mode «compétition», autorisant le conducteur à faire glisser la voiture en virage et n'intervenant qu'au moment critique. Je suis convaincu que j'aurais pu mieux apprivoiser la Z06 si j'avais eu le temps de rouler plus longtemps avec elle... Elle ne m'a pas donné ce sentiment de confiance que je retrouve immédiatement au volant d'une Porsche 911 ou d'une Ferrari F430, peut-être parce qu'elle m'a paru plus lourde qu'elle ne l'est en réalité.

Les tours sur circuit m'ont également permis de relever une certaine lacune concernant les sièges qui n'offrent pas un excellent soutien latéral puisqu'ils semblent avoir été conçus pour des gabarits beaucoup plus larges que le mien. En conduite quotidienne, la Z06 est d'une facilité déconcertante malgré son potentiel de performance très élevé. L'embrayage ne demande pas un effort excessif et les changements de vitesse se font aussi facilement que sur une berline ordinaire. Il faut simplement apprendre à composer avec une visibilité réduite vers l'arrière, ce qui est le lot d'à peu près toutes les sportives de haut calibre.

Il ne fait pas de doute que la Z06 est une voiture d'exception et qu'elle est capable de rivaliser avec les ténors de la catégorie, seulement, la communication entre le pilote et le châssis n'est pas aussi évidente qu'avec certaines autres voitures exotiques. Voilà pourquoi je recommanderais fortement aux acheteurs de s'inscrire à un cours de pilotage avant de tenter d'exploiter les performances de la Z06 dans l'environnement contrôlé d'un circuit fermé.

**Gabriel Gélinas**

## GAMME EN BREF

| | |
|---|---|
| Échelle de prix: | 68 565 $ à 90 485 $ (2007) |
| Catégorie: | coupé/roadster |
| Historique du modèle: | 6ième génération |
| Garanties: | 3 ans/60 000 km, 5 ans/160 000 km |
| Assemblage: | Bowling Green, Kentucky, É-U |
| Autre(s) moteur(s): | V8 6,2l 400ch/400lb-pi (13,8 l/100km) |
| Autre(s) rouage(s): | aucun |
| Autre(s) transmission(s): | automatique 6 rapports |

## DANS LA MÊME CATÉGORIE

Dodge Viper - Jaguar XKR - Lexus SC 430 - Nissan 350Z - Porsche 911

## DU NOUVEAU EN 2008

Moteur de 6,0 litres remplacé par un moteur de 6,2 litres pour le Coupé et le Cabriolet, quelques changements mineurs dans l'équipement de base

## NOS IMPRESSIONS

| | |
|---|---|
| Agrément de conduite: | 🚗 🚗 🚗 🚗 |
| Fiabilité: | 🚗 🚗 🚗 🚗 |
| Sécurité: | 🚗 🚗 🚗 ½ |
| Qualités hivernales: | nulles |
| Espace intérieur: | 🚗 🚗 🚗 |
| Confort: | 🚗 🚗 🚗 |

## LE CHOIX DE L'ÉQUIPE

Z06

Photos : Chevrolet

Pontiac Torrent

# ENTRE AMIS

Le marché des VUS compacts est en pleine expansion partout en Amérique du Nord. Aux yeux de plusieurs, ils représentent un excellent compromis entre une familiale et un VUS intermédiaire trop gros et trop gourmand. General Motors et son partenaire Suzuki ont travaillé de concert pour nous proposer un trio qui se partage une plate-forme identique et les mêmes éléments mécaniques bien que chacun y soit allé de son approche.

S i vous observez les véhicules qui vous entourent, vous avez sans doute remarqué que la Chevrolet Equinox est la plus répandue des trois tandis que la Suzuki se veut la moins populaire. Il ne s'agit pas d'un jugement portant sur la qualité et la valeur de ces VUS, mais un simple constat du pouvoir de mise en marché de ces marques.

### NOUVEAU MOTEUR

Jusqu'à cette année, aussi bien l'Equinox que le Torrent se partageaient la plate-forme Theta de Saturn, qui était allongée de 15 cm afin d'offrir une meilleure habitabilité et plus de confort. Selon toute vraisemblance, les réglages des suspensions différaient l'un de l'autre, alors que ceux de la Chevrolet étaient plus souples que ceux de la Pontiac. Les deux n'avaient qu'un seul moteur : un V6 3,4 litres à soupapes en tête dont les origines sont passablement lointaines. Avec son bloc en fonte, sa culasse à tiges et culbuteurs, et deux soupapes par cylindres, il est plus bruyant que performant... Heureusement qu'il est couplé à une boîte automatique à cinq rapports de conception plus moderne.

Leur silhouette est jugée élégante par la majorité des gens, tandis que le design de l'habitacle est correct et certainement moins tristounet

que chez certaines concurrentes. Au fil des années, la qualité des matériaux et de l'assemblage s'est améliorée.

Pratiques et confortables, l'Equinox et le Torrent adoptent une tenue de route satisfaisante malgré un roulis de caisse assez prononcé. Par ailleurs, un important diamètre de braquage rend les manœuvres de stationnement plus difficiles.

Cette année, il sera possible, dans les deux cas, de commander un moteur plus moderne. Il s'agit du moteur V6 de 3,6 litres de 263 chevaux qui est associé à une transmission automatique à six rapports. Ce groupe propulseur équipera le Torrent GXP chez Pontiac et la Sport chez Chevrolet. Ces deux versions sont également dotées de roues en alliage de 18 pouces.

Voilà qui devrait donner plus de lustre à ces deux modèles qui ont quand même pas mal à offrir. D'autant plus qu'ils ont une suspension plus ferme et une direction à assistance hydraulique et non électrique, comme c'est le cas sur les versions munies du moteur 3,4 litres.

Au fait, un panel organisé par les directeurs d'un important arrondissement de l'île de Montréal a mis à l'essai plusieurs modèles de cette

**FEU VERT**
Moteur V6 3,6 litres, boîte automatique 6 rapports, silhouette équilibrée, versions plus luxueuses, prix compétitfs

**FEU ROUGE**
Finition parfois bâclée, tableau de bord générique, moteur 3,4 litres, comportement routier moyen

**204**

catégorie et c'est le Torrent qui a mérité les meilleures notes. Il serait donc imprudent de ne pas considérer l'un ou l'autre de ces VUS urbains. Les deux sont commercialisés en version à transmission intégrale ou en traction. Par contre, cette Pontiac a moins impressioné les essayeurs de notre match comparatif.

## VERSION SOLEIL LEVANT

La Suzuki XL-7 nouvelle génération a délaissé le châssis à échelle de sa devancière pour la plate-forme monocoque empruntée aux Equinox et Torrent. Par contre, la version Suzuki est plus longue afin de faire place à une troisième rangée de sièges, conservant ainsi la capacité de sept occupants. Comme sur sa prédécesseure, cette rangée est réservée à de petites personnes et, une fois déployée, laisse peu d'espace pour les bagages dans le coffre. Et jusqu'à cette année, elle était la seule du trio a proposer le moteur V6 3,6 litres, produit sous licence par Suzuki dans une usine japonaise, de quoi convaincre certains acheteurs qui ne jurent que par les produits nippons. Détail d'importance, sa boîte automatique est à cinq rapports.

Le tableau de bord est plus ou moins similaire à celui des deux autres versions américaines et la radio est identique. Et comme celles-ci également, les plastiques durs pullulent dans l'habitacle... À souligner que la position de conduite est bonne et que les sièges avant sont moyennement confortables en raison d'un dossier ultraplat.

Japonaise ou américaine, le comportement routier est semblable avec une tenue de route qui s'apparente davantage à celle d'une auto que d'un tout terrain. Et puisque la direction est à assistance hydraulique, elle semble davantage connectée aux roues avant que le système à assistance électrique offert avec le moteur V6 3,4 litres des produits GM.

**Denis Duquet**

Photos : Denis Duquet

---

### VÉHICULE D'ESSAI

| | |
|---|---|
| Version : | Equinox LT AWD |
| Emp/Lon/Lar/Haut(mm) : | 2 857/4 795/1 814/1 703 |
| Poids : | 1 762 kg |
| Coffre/Réservoir : | 997 à 1 943 litres / 63 litres |
| Nombre de coussins de sécurité : | 2 |
| Suspension avant : | indépendante, jambes de force |
| Suspension arrière : | indépendante, multibras |
| Freins av./arr. : | disque (ABS) |
| Antipatinage/Contrôle de stabilité : | oui / oui |
| Direction : | à crémaillère, assistance variable |
| Diamètre de braquage : | 12,7 m |
| Pneus av./arr. : | P235/65R16 |
| Capacité de remorquage : | 1 587 kg |

### MOTORISATION À L'ESSAI

| | |
|---|---|
| Moteur : | V6 de 3,4 litres 12s atmosphérique |
| Alésage et course : | 92,0 mm x 84,0 mm |
| Puissance : | 185 ch (138 kW) à 5 200 tr/min |
| Couple : | 210 lb-pi (285 Nm) à 3 800 tr/min |
| Rapport poids/puissance : | 9,52 kg/ch (12,96 kg/kW) |
| Système hybride : | aucun |
| Transmission : | intégrale, automatique 5 rapports |
| Accélération 0-100 km/h : | 10,5 s |
| Reprises 80-120 km/h : | 9,2 s |
| Freinage 100-0 km/h : | 42,0 m |
| Vitesse maximale : | 195 km/h |
| Consommation (100 km) : | ordinaire, 12,6 litres |
| Autonomie (approximative) : | 500 km |
| Émissions de $CO_2$ : | 5 184 kg/an |

### GAMME EN BREF

| | |
|---|---|
| Échelle de prix : | 26 870 $ à 35 745 $ |
| Catégorie : | utilitaire sport compact |
| Historique du modèle : | 1ère génération |
| Garanties : | 3 ans/60 000 km, 5 ans/160 000 km |
| Assemblage : | Spring Hill, Tennessee, É-U |
| Autre(s) moteur(s) : | V6 3,6l 263ch/251lb-pi (13,0 l/100km) |
| Autre(s) rouage(s) : | traction |
| Autre(s) transmission(s) : | automatique 6 rapports |

### DANS LA MÊME CATÉGORIE

Ford Escape - Honda CR-V - Jeep Liberty - Mazda Tribute - Nissan X-Trail - Subaru Forester - Toyota Rav4

### DU NOUVEAU EN 2008

Version Team Canada, moteur V6 3,6 l, version Equinox Sport / Torrent GXP, On Star de série

### NOS IMPRESSIONS

| | |
|---|---|
| Agrément de conduite : | 🚗🚗🚗½ |
| Fiabilité : | 🚗🚗🚗 |
| Sécurité : | 🚗🚗🚗🚗 |
| Qualités hivernales : | 🚗🚗🚗🚗 |
| Espace intérieur : | 🚗🚗🚗½ |
| Confort : | 🚗🚗🚗½ |

### LE CHOIX DE L'ÉQUIPE

Equinox Sport

---

# DIFFÉRENT... MAIS PAREIL

Une horloge, ça indique l'heure. Un téléphone c'est fait pour faire et recevoir des appels. La fonction première d'un véhicule, c'est de transporter des personnes et leurs bagages du point A au point B. Mais en 2008, les horloges indiquent l'heure, la date et la température, les téléphones sont aussi des appareils photos et des ordinateurs portables, tandis que l'automobile transporte bien les gens et leurs bagages, mais en ajoutant le confort, la sécurité, la performance et, souvent, du style. Et c'est exactement ce que propose le Chevrolet HHR, du style. On aime ou pas, mais au moins, il en a!

Lors de notre match comparatif opposant cinq «boîtes de rangement» (voir dans la première partie du présent *Guide*), ces véhicules tenant à la fois de la voiture, un peu du VUS et beaucoup de la familiale, le style du HHR a été sévèrement jugé par certains et encensé par d'autres. Dire qu'il ne fait pas l'unanimité me paraît faible... La grande nouveauté pour 2008 est l'arrivée du Chevrolet HHR Panel. Au dernier Salon de l'auto de Detroit, General Motors a présenté ce modèle, quasiment en catimini. En fait, la partie avant du de ce nouveau HHR est identique à celle du HHR ordinaire alors que la partie arrière diffère passablement. On n'y retrouve pas les glaces latérales et, en lieu et place du hayon, Chevrolet a installé des portes à battant, beaucoup plus pratiques. Cette version du HHR devrait s'avérer très populaire auprès des entrepreneurs qui n'ont pas toujours besoin d'un gros véhicule. D'ailleurs, quelques entreprises spécialisées en aménagement intérieur de véhicules de travail ont déjà créé des accessoires permettant d'optimiser l'espace disponible. Et il n'est pas dit que plusieurs personnes ne préféreront pas le HHR Panel comme véhicule de prédilection pour faire du camping. On se rappelle les fameux ChevyVan des années 70!

### TRANQUILLE

Quant au HHR ordinaire, il revient en 2008 sans changement majeur. Le moteur de base est toujours le quatre cylindres Ecotec de 2,2 litres de 143 chevaux qui n'a jamais brûlé d'asphalte. La «puissance» passe aux roues avant grâce à une transmission manuelle Getrag à cinq rapports ou à une automatique à quatre rapports. Bien que la manuelle fait du 2,2 un moteur plus en verve, la position du levier, trop basse et trop près du dossier à mon goût, diminue le plaisir de conduire. Par contre, rien à redire sur son maniement. Le second moteur, un autre Ecotec, possède une cylindrée de 2,4 litres pour 175 chevaux. Bien que nous ne soyons pas ici en présence d'une bombe, il assure des performances correctes et des reprises sécuritaires. Si seulement il était plus silencieux lorsqu'il travaille! Si vous prévoyez véhiculer souvent plusieurs personnes ou si vous voulez transporter beaucoup de bagages, ce moteur serait un choix judicieux. Peu importe le moteur, le HHR ne peut remorquer plus de 454 kilos.

Contrairement à ses airs sportifs, le HHR n'a rien d'une Corvette et la stabilité en ligne droite et la tenue de route à des vitesses légales ne posent aucun problème. Les pneus de 17", offerts en option sur les modèles avec moteur 2,4 litres (LT), repoussent le niveau de difficulté. Cette année, le système Stabilitrak arrive en équipement standard sur les modèles LT alors qu'il est optionnel sur les LS (moteur 2,2 litres). Il

**FEU VERT**
Design agréablement bizarre, version Panel, comportement routier correct, châssis rigide, prix justes

**FEU ROUGE**
Design désagréablement bizarre, moteurs un peu justes, freins manquent de mordant, places arrière à éviter, équipement de sécurité peu abondant

faut aussi noter que le HHR reçoit encore des freins à disque à l'avant et à tambour à l'arrière. Bien que cette combinaison soit généralement satisfaisante, cela peut en partie expliquer les performances très ordinaires du HHR en freinage d'urgence.

## PLEIN LA VUE

Côté présentation, alors là mes amis, le HHR en met plein la vue. Sa calandre massive, son capot de style «baignoire» si populaire au début des années 50 et ses ailes rebondies lui confèrent un style différent. Avec plusieurs années de retard, Chevrolet s'est lancé à l'assaut du marché occupé jusque-là par les Chrysler PT Cruiser, Volkswagen New Beetle et déchues Ford Thunderbird. Mais ce style se paie. Tout d'abord, la visibilité n'est pas très bonne. De plus, même s'il a l'air assez imposant ; le HHR n'est pas un gros véhicule. Ce sont surtout les places arrière qui souffrent de ce manque d'espace : leur inconfort a souvent été mentionné, de même que leur accès peu commode. Et en sortir n'est pas mieux !

Dans l'habitacle, on ne peut pas dire que Chevrolet se soit forcé les méninges pour trouver des espaces de rangement. Même si General Motors a récemment fait de très grands progrès concernant la qualité des matériaux, il lui reste encore un peu de chemin à faire avec le HHR. La plupart des plastiques sont très corrects mais d'autres semblaient s'égratigner à vue d'œil. Par ailleurs, le design de certains boutons ou des contre-portes, par exemple, faisait aussi grossier que Howard Stern paqueté. Malgré tout, aucun des quelques exemplaires essayés n'émettait de bruits de caisse, ce qui donne une bonne idée de l'intégrité du châssis. La partie réservée au chargement n'est certes pas la plus grande de sa catégorie et on n'y retrouve pas de cache-bagages. En lieu et place, on peut se servir du plancher fait en plastique pour former une tablette. C'est ingénieux, simple et résistant.

Lors de notre match comparatif, le HHR soutenait difficilement la comparaison, non pas à cause d'un manque de qualité mais surtout à cause d'un manque de quantité. Il était en effet le seul à proposer des freins disque/tambour et deux coussins gonflables (alors que les quatre autres véhicules en offraient six), tandis que sa transmission, contrairement à trois autres, ne comptait que quatre rapports. Son espace de chargement était parmi les plus petits et sa consommation d'essence a été la deuxième plus élevée du groupe. Malgré tout, la solidité de son châssis, son allure joyeusement bizarre et son prix moins élevé que les autres ont su plaire à plusieurs essayeurs.

**Alain Morin**

Photos : Chevrolet

### VÉHICULE D'ESSAI

OnStar de GM

| | |
|---|---|
| Version : | LS |
| Emp./Lon/Lar/Haut(mm) : | 2 628/4 475/1 757/1 657 |
| Poids : | 1 431 kg |
| Coffre/Réservoir : | 674 à 1 574 litres / 65 litres |
| Nombre de coussins de sécurité : | 2 |
| Suspension avant : | indépendante, jambes de force |
| Suspension arrière : | demi-ind., poutre déformante |
| Freins av./arr. : | disque/tambour (ABS opt.) |
| Antipatinage/Contrôle de stabilité : | oui / non |
| Direction : | à crémaillère, assistance variable électrique |
| Diamètre de braquage : | 11,5 m |
| Pneus av./arr. : | P215/55R16 |
| Capacité de remorquage : | 454 kg |

Pneus d'origine MICHELIN

### MOTORISATION À L'ESSAI

| | |
|---|---|
| Moteur : | 4L de 2,2 litres 16s atmosphérique |
| Alésage et course : | 86,0 mm x 94,6 mm |
| Puissance : | 149 ch (111 kW) à 5 600 tr/min |
| Couple : | 152 lb-pi (206 Nm) à 4 000 tr/min |
| Rapport poids/puissance : | 9,6 kg/ch (13,01 kg/kW) |
| Système hybride : | aucun |
| Transmission : | traction, manuelle 5 rapports |
| Accélération 0-100 km/h : | 10,9 s |
| Reprises 80-120 km/h : | 9,0 s |
| Freinage 100-0 km/h : | 43,6 m |
| Vitesse maximale : | 190 km/h |
| Consommation (100 km) : | ordinaire, 10,4 litres |
| Autonomie (approximative) : | 625 km |
| Émissions de CO2 : | 4 224 kg/an |

### GAMME EN BREF

| | |
|---|---|
| Échelle de prix : | 19 885 $ à 21 185 $ |
| Catégorie : | familiale |
| Historique du modèle : | 1ière génération |
| Garanties : | 3 ans/60 000 km, 5 ans/160 000 km |
| Assemblage : | Ramos Arizpe, Mexique |
| Autre(s) moteur(s) : | 4L 2,4l 175ch/165lb-pi (10,1 l/100km) |
| Autre(s) rouage(s) : | aucun |
| Autre(s) transmission(s) : | automatique 4 rapports |

### DANS LA MÊME CATÉGORIE

Chrysler PTCruiser - Honda Element - Kia Rondo - Mazda 5 - Pontiac Vibe - Toyota Matrix

### DU NOUVEAU EN 2008

Stabilitrak standard avec le 2,4 litres, OnStar désormais de série, nouvelles couleurs et d'autres abandonnées, version Panel

### NOS IMPRESSIONS

| | |
|---|---|
| Agrément de conduite : | 🚗 🚗 🚗 ½ |
| Fiabilité : | 🚗 🚗 🚗 🚗 |
| Sécurité : | 🚗 🚗 🚗 |
| Qualités hivernales : | 🚗 🚗 🚗 ½ |
| Espace intérieur : | 🚗 🚗 🚗 🚗 |
| Confort : | 🚗 🚗 🚗 🚗 |

### LE CHOIX DE L'ÉQUIPE

LT

# BONJOUR LA POLICE!

Peu importe l'endroit en Amérique du Nord, presque tous les corps policiers ont des Chevrolet Impala dans leur parc de véhicules. D'ailleurs, il n'y a pas très longtemps, un policier bien confortablement assis dans sa voiture de patrouille m'a attrapé à rouler légèrement en haut de la limite de vitesse et c'est avec un sourire qu'il m'a remis un billet d'infraction. Je venais de me faire prendre par une Impala banalisée et maintenant, quand je vois une Impala, je relâche toujours l'accélérateur...

2008 marque le cinquantième anniversaire de cette valeureuse Chevrolet et encore aujourd'hui, cette voiture conserve une belle popularité, car il s'agit d'une berline de catégorie intermédiaire qui est facilement accessible. C'est en 1958 qu'elle fit son apparition et à cette époque, l'Impala se voulait une voiture haut de gamme, mais pratiquement tout le monde pouvait se l'offrir. Durant les années soixante, et cela avant l'arrivée des concurrents nippons, cette Chevrolet dominait les ventes. D'ailleurs en 1965, GM en vendait un million d'unités, ce qui était tout simplement impressionnant. Les ventes ont continué à grimper jusqu'au milieu des années 70. Mais en 1986, GM la rayait de sa gamme de véhicules pour la remplacer par la Caprice. Ce n'est qu'au début de ce siècle, qu'elle renaissait de ses cendres.

## MILLE CHANGEMENTS

L'an dernier, les ingénieurs ont procédé à plus de mille améliorations, dont de nouveaux moteurs de 6 cylindres, alors, il est juste de dire que depuis 2007, il s'agit du meilleur cru de cette berline. Le modèle de base est pourvu d'un V6 de 3,5 litres développant 211 chevaux, tandis qu'un autre V6 de 3,9 litres équipe le modèle LTZ. Ce dernier avec ses 233 chevaux est sans aucun doute le plus intéressant en raison de ses

performances et de l'économie de carburant qu'on obtient. Ces deux moteurs jouissent du système de calage variable des soupapes, ce qui a pour but de maximiser le couple et la puissance.

Maintenant, si vous désirez un maximum de muscles, vous pouvez alors opter pour l'Impala SS qui a un V8 de 5,3 litres sous le capot. Il développe 303 chevaux et il bénéficie de la gestion active du carburant, ce qui fait que la moitié des cylindres sont désactivés lorsqu'on roule à une vitesse de croisière. Notez que le V6 de 3,9 litres jouit aussi de cette technologie. L'avantage de ce système est que la consommation d'essence est moindre, mais ça n'empêche pas au V8 de tout de même avoir un indice de consommation de 13 litres par 100 km. Bien entendu, ce modèle offre des accélérations très vives. D'ailleurs, il ne suffit que de 6 secondes pour atteindre la vitesse de 100 km/h. Le seul inconvénient majeur est qu'il s'agit d'une traction et que toute cette puissance se manifeste brutalement dans le volant quand on enfonce l'accélérateur. L'effet de couple est tel qu'il faut demeurer vigilant et surtout, il faut tenir les mains bien serrées sur le volant. Le même phénomène se fait sentir lors des dépassements ou en reprise si on conduit plus vigoureusement. Ce moteur a bien plus sa place dans une propulsion que sur une traction et pour cette raison, le V6 de 3,9 litres

**FEU VERT**
Souplesse des suspensions, V8 très puissant, bon niveau de confort, habitacle spacieux, bonne visibilité

**FEU ROUGE**
Habitacle ordinaire, mollesse du freinage, effet de couple violent du SS, silhouette anonyme, pneus bruyants

est un meilleur choix, car il offre un bon niveau de performance se rapprochant du 5,3 litres. Notez qu'une seule transmission automatique à 4 rapports est disponible.

## ANONYMAT ASSURÉ

Pour ce qui est de la silhouette, elle est plus anonyme qu'autre chose. Peut-être est-ce parce qu'on en voit partout, mais disons que ce n'est pas elle qui fera tourner les têtes. Mais on parle d'une berline qui s'adresse à la famille ou aux différents corps policiers et non à celui qui veut se démarquer dans la foule, à moins d'y aller avec l'Impala SS qui a une gueule un peu plus sportive.

L'habitacle peut aisément accueillir 6 occupants. Il est spacieux et les sièges, bien qu'un peu mous, procurent tout de même un bon niveau de confort. La finition est correcte, mais on a droit à beaucoup de plastiques durs et d'imitations de bois, ce qui lui donne une allure un peu plus banale et vieillotte. Le coffre est immense avec ses 527 litres de capacité, et dans le but de rendre ce véhicule plus pratique, les sièges arrière basculent et se rabattent à plat, ce qui permet de presque doubler la capacité de chargement.

Sur la route, l'Impala a un comportement très sain, mais ce n'est pas le genre de voiture qu'on peut pousser au maximum dans les virages, car un roulis important se manifeste en raison du calibrage mou des amortisseurs. Seul le modèle SS peut être poussé à fond, car il est équipé d'une suspension plus sportive, donc plus ferme. En ligne droite, il est très stable, et cela, même à plein régime. À part la version SS dont la sonorité gutturale du moteur V8 envahit l'habitacle, l'intérieur est silencieux. De plus, cette voiture est bien adaptée pour les longs trajets.

Si vous recherchez une berline qui peut accueillir toute votre famille en tout confort et cela à un prix très raisonnable, l'Impala s'avère un bon choix.

**Robert Jetté**

Photos : Chevrolet

---

## VÉHICULE D'ESSAI

OnStar de GM

| | |
|---|---|
| Version : | LTZ |
| Emp/Lon/Lar/Haut(mm) : | 2 807/5 091/1 851/1 491 |
| Poids : | 1 655 kg |
| Coffre/Réservoir : | 527 litres / 66 litres |
| Nombre de coussins de sécurité : | 6 |
| Suspension avant : | indépendante, jambes de force |
| Suspension arrière : | indépendante, multibras |
| Freins av./arr. : | disque (ABS) |
| Antipatinage/Contrôle de stabilité : | oui / oui |
| Direction : | à crémaillère, assistée |
| Diamètre de braquage : | 11,6 m |
| Pneus av./arr. : | P235/50R18 |
| Capacité de remorquage : | 454 kg |

### MOTORISATION À L'ESSAI

| | |
|---|---|
| Moteur : | V6 de 3,9 litres 12s atmosphérique |
| Alésage et course : | 99,0 mm x 84,0 mm |
| Puissance : | 233 ch (174 kW) à 5 600 tr/min |
| Couple : | 240 lb-pi (325 Nm) à 4 000 tr/min |
| Rapport poids/puissance : | 7,1 kg/ch (9,68 kg/kW) |
| Système hybride : | aucun |
| Transmission : | traction, automatique 4 rapports |
| Accélération 0-100 km/h : | 8,6 s |
| Reprises 80-120 km/h : | 7,7 s |
| Freinage 100-0 km/h : | 41,0 m |
| Vitesse maximale : | 210 km/h |
| Consommation (100 km) : | ordinaire, 11,9 litres |
| Autonomie (approximative) : | 555 km |
| Émissions de CO2 : | 4 752 kg/an |

### GAMME EN BREF

| | |
|---|---|
| Échelle de prix : | 25 695 $ à 35 475 $ |
| Catégorie : | berline intermédiaire |
| Historique du modèle : | 3ème génération |
| Garanties : | 3 ans/60 000 km, 5 ans/160 000 km |
| Assemblage : | Oshawa, Ontario, Canada |
| Autre(s) moteur(s) : | V6 3,5l 211ch/214lb-pi (11,5 l/100km) |
| | V8 5,3l 303ch/323lb-pi (12,9 l/100km) SS |
| Autre(s) rouage(s) : | aucun |
| Autre(s) transmission(s) : | aucune |

### DANS LA MÊME CATÉGORIE

Chrysler 300 / 300C - Ford Taurus - Honda Accord - Nissan Altima - Toyota Camry

### DU NOUVEAU EN 2008

Stabilitrak de série, moteurs 3,5 et 3,9 acceptent E85, modèles LS et LT avec ABS et contrôle de traction standard

### NOS IMPRESSIONS

| | |
|---|---|
| Agrément de conduite : | 🚗 🚗 🚗 ½ |
| Fiabilité : | 🚗 🚗 🚗 ½ |
| Sécurité : | 🚗 🚗 🚗 ½ |
| Qualités hivernales : | 🚗 🚗 🚗 ½ |
| Espace intérieur : | 🚗 🚗 🚗 🚗 |
| Confort : | 🚗 🚗 🚗 🚗 |

### LE CHOIX DE L'ÉQUIPE

LT

# CHEVROLET MALIBU

# LA CLÉ DU SUCCÈS

L'une des voitures les plus populaires en Amérique dans les années 60, la Malibu, est revenue sur le marché en 1998 avant d'être complètement remodelée en 2003. Si la première était fade à souhait, la seconde avait une plate-forme très moderne, une motorisation adéquate et de bonnes manières sur la route. La direction de General Motors avait cependant omis un ingrédient d'importance : une silhouette aguichante. Cette fois, c'est mission accomplie puisque la Malibu 2008 a mérité bien des louanges lors de son dévoilement au Salon de l'auto de Detroit en janvier 2007.

Avec la Cadillac CTS, également dévoilée à ce salon, cette Chevrolet a fait l'unanimité par ses formes et ses lignes. Même le tableau de bord a été revampé et il nous fait immédiatement oublier celui des dernières années dont le design était essentiellement utilitaire. Je dois souligner que je trouvais cette approche intéressante, mais il semble que le public n'a pas tellement apprécié.

Cela dit, les ventes de la Malibu ont constamment été parmi les meilleures de la catégorie et la satisfaction des acheteurs a toujours été au beau fixe malgré certaines carences au chapitre de la motorisation. On a bien tenté d'épicer la sauce avec les versions SS, mais cela ne convenait pas tellement au caractère de la voiture. Mais cette fois, il semble que tous les ingrédients soient là.

### PLACE AU DESIGN

Alors que l'approche des stylistes avait été presque exclusivement utilitaire sur la version précédente, cette fois, ils ont eu le coup de crayon vraiment mieux inspiré. Il faut croire qu'ils se sont fait parler par Bob Lutz, le grand patron du développement des nouveaux modèles et grand amateur de belles carrosseries. La simplicité des formes reste présente, mais leur agencement est mieux réussi. Le centre d'attraction

visuelle est cette calandre à deux ouvertures horizontales, nouvelle signature des Chevrolet. Cela pourrait être un peu trop mièvre, mais les designers ont placé une ligne en relief sur le dessus du capot, et cette ligne descend vers le pare-choc, servant ainsi à démarquer les deux côtés du véhicule et à lui donner une allure dynamique. C'est ce petit détail qui fait toute la différence. On regarde la voiture et on aime ses formes sans trop savoir pourquoi. L'important, c'est qu'elle plaise.

Les parois latérales sont légèrement bombées et délimitées au bas des portières par un renflement, tandis que les passages de roue en relief apportent un accent dynamique à l'ensemble. Le design de la partie arrière est également sous le signe de la simplicité avec des formes arrondies agrémentées d'un phare de recul circulaire de type LED qui fait la dissemblance.

Mais les changements les plus spectaculaires se situent dans l'habitacle alors que la planche de bord est ce que Chevrolet a fait de mieux depuis des lunes. Chaque section du tableau de bord est en forme de demi-lune sur la partie supérieure, et elle est séparée sur un axe vertical par la console abritant les commandes audio et de climatisation. Le volant pourrait être un peu plus jazzé, mais c'est tout de même correct. GM a

**FEU VERT**
Silhouette réussie, tableau de bord élégant, finition améliorée, version Hybride, moteur V6 3,6 litres

**FEU ROUGE**
Fiabilité inconnue, pneus moyens, moteur de base un peu juste, absence de version SS

| VÉHICULE D'ESSAI | |
| --- | --- |
| Version : | LT |
| Emp/Lon/Lar/Haut(mm) : | 2 852/4 872/1 785/1 451 |
| Poids : | n.d. |
| Coffre/Réservoir : | 453 litres / 62 litres |
| Nombre de coussins de sécurité : | 6 |
| Suspension avant : | indépendante, jambes de force |
| Suspension arrière : | indépendante, multibras |
| Freins av./arr. : | disque (ABS) |
| Antipatinage/Contrôle de stabilité : | oui / oui |
| Direction : | à crémaillère, assistée |
| Diamètre de braquage : | 12,3 m |
| Pneus av./arr. : | P225/50R17 |
| Capacité de remorquage : | 453 kg |

**MOTORISATION À L'ESSAI**

| | |
| --- | --- |
| Moteur : | V6 de 3,6 litres 24s atmosphérique |
| Alésage et course : | 94 mm x 85,6 mm |
| Puissance : | 252 ch (188 kW) à 6 300 tr/min |
| Couple : | 251 lb-pi (340 Nm) à 3 200 tr/min |
| Rapport poids/puissance : | n.d. |
| Système hybride : | en série |
| Transmission : | traction, automatique 6 rapports |
| Accélération 0-100 km/h : | 7,8 s |
| Reprises 80-120 km/h : | 7,0 s |
| Freinage 100-0 km/h : | n.d. |
| Vitesse maximale : | n.d. |
| Consommation (100 km) : | ordinaire, 9,6 litres |
| Autonomie (approximative) : | 646 km |
| Émissions de CO2 : | 0 kg/an |

**GAMME EN BREF**

| | |
| --- | --- |
| Échelle de prix : | n.d. |
| Catégorie : | berline intermédiaire |
| Historique du modèle : | 3ème génération |
| Garanties : | 3 ans/60 000 km, 5 ans/160 000 km |
| Assemblage : | Kansas City, Kansas, É-U |
| Autre(s) moteur(s) : | 4L de 2,4l LS |
| Autre(s) rouage(s) : | aucun |
| Autre(s) transmission(s) : | automatique 4 rapports |

enfin compris et utilise une membrane souple pour recouvrir le tableau de bord : plus de plastique dur !

## BOÎTE À SIX RAPPORTS

Pendant longtemps, GM a persévéré à nous offrir son increvable transmission automatique Hydra Matic à quatre rapports et rien d'autre. Mais plusieurs acheteurs voulaient un véhicule possédant une boîte de vitesses automatique plus moderne. Ces personnes n'auront plus d'excuse à ce sujet pour ne pas acheter une Malibu, puisqu'elle pourra être commandée avec l'excellent moteur V6 3,6 litres à double arbre à cames en tête et calage variable des soupapes qui est associé à une boîte automatique à six rapports. Ce moteur produisant 252 chevaux est le même qui équipe la Saturn Aura. Mais tandis que cette dernière propose un autre moteur V6 pour les modèles à essence, la Chevrolet offre un quatre cylindres, l'Ecotec 2,4 litres d'une puissance prévue de 164 chevaux. Dans la version de base, il est livré avec une transmission automatique à quatre rapports, la boîte automatique à six rapports étant optionnelle. Et comme la Malibu est la seule voiture de la catégorie à avoir une telle transmission avec un moteur quatre cylindres, il faut le souligner ! Au chapitre des différences, les voitures à moteur quatre cylindres ont une direction à assistance électrique alors que celles à moteur V6 ont une direction hydraulique.

Le modèle de base est la LS qui est livrée avec des roues de 16 pouces. Choisissez la LT et votre Chevrolet sera enjolivée de roues chromées de 17 pouces. Enfin, la version de haut de gamme est la LZ avec des jantes en alliage de 18 pouces.

Puisqu'elle partage sa plate-forme avec la Saturn Aura, la Malibu promet d'adopter une tenue de route équilibrée et même supérieure à la moyenne avec la version LZ chaussée de roues de 18 pouces. Ce modèle bénéficie également d'une direction plus précise que celle des versions propulsées par le moteur Ecotec. La différence entre les deux se situe au chapitre des détails en fait de tenue de route. Et comme la Saturn a mérité le titre de voiture nord-américaine de l'année en 2007, il est certain que cette Chevrolet saura se distinguer.

**Denis Duquet**

## DANS LA MÊME CATÉGORIE

Ford Taurus - Honda Accord - Hyundai Sonata - Mazda6 - Mitsubishi Galant - Nissan Altima - Toyota Camry - Volkswagen Passat

## DU NOUVEAU EN 2008

Nouveau modèle

## NOS IMPRESSIONS

| | |
| --- | --- |
| Agrément de conduite : | 🚗 🚗 🚗 🚗 |
| Fiabilité : | Nouveau modèle |
| Sécurité : | 🚗 🚗 🚗 🚗 |
| Qualités hivernales : | 🚗 🚗 🚗 ½ |
| Espace intérieur : | 🚗 🚗 🚗 🚗 |
| Confort : | 🚗 🚗 🚗 🚗 |

## LE CHOIX DE L'ÉQUIPE

LTZ

Photos : Chevrolet

# CHEVROLET OPTRA

# LA CINQUIÈME ROUE DU CARROSSE

La pauvre Chevrolet Optra n'a pas la vie facile. Même s'il s'agit d'une très bonne petite voiture, son positionnement au sein de la gamme Chevrolet laisse pantois. De dimensions à peu près identiques à celles d'une Cobalt mais proposant un moteur moins puissant, la Optra doit donc supporter la comparaison avec une voiture très populaire. Sans oublier d'autres concurrentes telles que Kia Spectra, Ford Focus et Mazda3. De plus, l'Optra est vendue en version familiale et *hatchback* cinq portes (Optra5), deux configurations à première vue très similaires tout en étant différentes.

À ses débuts, la Chevrolet Optra formait un trio avec la Chevrolet Epica et la Chevrolet Aveo. Ces trois automobiles faisaient partie des restes de Daewoo, un manufacturier coréen racheté par General Motors. Obtenues pour une bouchée de pain, GM pouvait ainsi compter sur des voitures fiables et bien fabriquées. Des trois, la petite Aveo est celle qui a su le mieux tirer son épingle du jeu tandis que l'Epica n'est plus offerte, faute d'acheteurs. La Chevrolet Optra revient donc cette année sans changements. Si deux versions de l'Optra sont proposées chez nous, il est intéressant de noter que nos voisins du Sud ont droit à deux versions eux aussi… mais chez Suzuki qui a simplement mis son écusson en lieu et place du nœud papillon de Chevrolet. Et ces deux versions sont… la familiale et la berline! Ils n'ont pas la cinq portes et nous n'avons pas la berline. Différences culturelles sans doute.

## MANUELLE OU AUTOMATIQUE, TELLE EST LA QUESTION

Mais revenons à nos Optra. Un seul moteur est présent. Il s'agit d'un quatre cylindres en ligne de 2,0 litres de 119 chevaux. Ce moteur ne fait pas de l'Optra une machine de course mais il n'est pas impotent pour autant. Les accélérations sont très correctes, surtout avec la manuelle à cinq rapports dont le maniement pourrait être plus précis. L'automatique à quatre rapports, dont la grille de sélection ne mériterait même pas

d'équiper un tracteur, semble moins bien adaptée à ce moteur. Les accélérations et reprises se montrent nettement plus laborieuses tout en émettant le son d'un cyclope qui se meurt dans d'affreuses souffrances. Et ça, c'est quand il n'y a qu'une personne à bord. Imaginez avec cinq adultes! Comme si ce n'était pas assez, la consommation d'essence n'est pas des meilleures. Ce n'est pas la pire non plus mais on s'attend toujours à mieux, particulièrement lorsque la puissance fait défaut.

S'il est une chose qu'on ne peut prendre en défaut sur une Optra, c'est bien son châssis, très solide. Les suspensions, indépendantes aux quatre roues, pourraient bénéficier d'une moins grande souplesse mais, dans l'ensemble, c'est réussi. La tenue de route s'avère très correcte pour la catégorie, mais des pneus d'origine de meilleure qualité aideraient grandement. Même si l'Optra s'accroche avec ténacité au bitume, cela n'en fait pas nécessairement une voiture sport. Le roulis (la voiture penche) est présent dès qu'on tourne le volant et les sièges ne font rien pour retenir le conducteur et ses passagers en place. Les freins décélèrent la voiture avec conviction, mais on ne peut compter sur eux pour une utilisation le moindrement intensive, ce qui est un peu surprenant compte tenu du poids relativement léger de la voiture et des quatre freins à disque. Parmi les notes positives, mentionnons l'excellente visibilité tout autour.

**FEU VERT**
Transmission manuelle bien adaptée, comportement routier correct, excellente visibilité, familiale pratique, finition sérieuse

**FEU ROUGE**
Personnalité mal définie, transmission automatique peu agréable, consommation d'essence un peu élevée, valeur de revente triste, insonorisation déficiente

**212**

## VÉHICULE D'ESSAI

| | |
|---|---|
| Version : | familiale LT |
| Emp/Lon/Lar/Haut(mm) : | 2 600/4 565/1 725/1 500 |
| Poids : | 1 295 kg |
| Coffre/Réservoir : | 350 litres / 55 litres |
| Nombre de coussins de sécurité : | 2 |
| Suspension avant : | indépendante, jambes de force |
| Suspension arrière : | indépendante, jambes de force |
| Freins av./arr. : | disque (ABS opt.) |
| Antipatinage/Contrôle de stabilité : | non / non |
| Direction : | à crémaillère, assistée |
| Diamètre de braquage : | 10,4 m |
| Pneus av./arr. : | P195/55R15 |
| Capacité de remorquage : | non recommandé |

## MOTORISATION À L'ESSAI

| | |
|---|---|
| Moteur : | 4L de 2,0 litres 16s atmosphérique |
| Alésage et course : | 86,0 mm x 86,0 mm |
| Puissance : | 119 ch (89 kW) à 5 400 tr/min |
| Couple : | 126 lb-pi (171 Nm) à 4 000 tr/min |
| Rapport poids/puissance : | 10,88 kg/ch (14,72 kg/kW) |
| Système hybride : | aucun |
| Transmission : | traction, automatique 4 rapports |
| Accélération 0-100 km/h : | 11,6 s |
| Reprises 80-120 km/h : | 10,1 s |
| Freinage 100-0 km/h : | 43,0 m |
| Vitesse maximale : | 195 km/h |
| Consommation (100 km) : | ordinaire, 11,0 litres |
| Autonomie (approximative) : | 500 km |
| Émissions de CO2 : | 4 464 kg/an |

## GAMME EN BREF

| | |
|---|---|
| Échelle de prix : | 14 395 $ à 18 445 $ |
| Catégorie : | familiale/hatchback |
| Historique du modèle : | 1ière génération |
| Garanties : | 3 ans/60 000 km, 5 ans/160 000 km |
| Assemblage : | Kunsan, Corée du Sud |
| Autre(s) moteur(s) : | aucun |
| Autre(s) rouage(s) : | aucun |
| Autre(s) transmission(s) : | manuelle 5 rapports |

## DANS LA MÊME CATÉGORIE

Chevrolet Cobalt - Ford Focus - Honda Civic - Hyundai Elantra - Kia Spectra - Mazda3 / 3 Sport - Mitsubishi Lancer - Nissan Sentra - Suzuki SX-4 - Toyota Corolla

## DU NOUVEAU EN 2008

Pas de changement majeur

## NOS IMPRESSIONS

| | |
|---|---|
| Agrément de conduite : | 🚗 🚗 🚗 ½ |
| Fiabilité : | 🚗 🚗 🚗 ½ |
| Sécurité : | 🚗 🚗 🚗 ½ |
| Qualités hivernales : | 🚗 🚗 🚗 ½ |
| Espace intérieur : | 🚗 🚗 🚗 🚗 |
| Confort : | 🚗 🚗 🚗 🚗 |

## LE CHOIX DE L'ÉQUIPE

Familiale LT

---

Comme nous l'avons déjà dit, l'Optra est proposée en deux modèles. Un *hatchback* cinq portes et une familiale. Des deux modèles, il est évident que la familiale est la plus pratique. Même si l'empattement des deux voitures est le même, la carrosserie de la familiale plus longue de 270 mm. Aussi, la hauteur gagne 55 mm. Ces millimètres augmentent l'espace disponible de la partie arrière de la familiale. Le coffre de la *hatchback* peut contenir 250 litres tandis que celui de la familiale 100 de plus. Même si le coffre de la familiale ne peut prétendre accueillir un bateau de 24 pieds, un réfrigérateur et une horloge grand-père en même temps, il n'en demeure pas moins que, pour la catégorie, il loge beaucoup. D'ailleurs, la compétition est plutôt réduite dans le domaine des petites familiales. La Focus a abandonné la partie, la Mitsubishi Lancer Sportback n'est pas encore présentée, reste la Kia Spectra 5 qui est plutôt une *hatchback*, la Dodge Caliber et le duo Pontiac Vibe/Toyota Matrix.

### AVOIR DU COFFRE

Le seuil de chargement de l'Optra familiale est plus bas que celui de la *hatchback,* ce qui facilite le chargement d'objets lourds et l'ouverture est suffisamment grande. Par contre, le hayon est un peu dur à refermer. Sous le plancher du coffre, on retrouve différents espaces de rangement pour de menus objets. Les dossiers arrière s'abaissent et forment un fond presque plat, ce qui améliore grandement les capacités de chargement puisque la longueur du plancher passe ainsi de 970 mm à 1 650.

Même si la Chevrolet Optra est considérée comme une voiture économique, cela ne veut pas dire que sa finition ait été bâclée. C'est tout le contraire et, malgré des matériaux bon marché, les pièces sont généralement bien assemblées et on n'entend aucun bruit de caisse. Il est assez ironique de constater que General Motors, qui n'a souvent de la qualité de la finition qu'une bien vague idée, présente une voiture bas de gamme aussi bien finie... Les sièges ne sont pas particulièrement beaux mais ils sont confortables, même sur de longues distances. Pour leur part, ceux situés à l'arrière font preuve de compréhension et le dégagement pour les jambes et la tête s'avère très correct pour la catégorie.

Les deux Chevrolet Optra ne sont sans doute pas les voitures les plus excitantes à regarder et à conduire mais elles effectuent leur boulot avec sérieux. Si la *hatchback* se montre un peu plus agréable à conduire, la familiale se veut plus pratique. Et, à ne pas négliger, leurs prix sont justes et les incitatifs de General Motors améliorent davantage l'offre.

**Alain Morin**

Photos : Chevrolet

GMC Yukon

# QUATUOR COSTAUD

Même si les véhicules utilitaires sport de grand format sont plus ou moins appréciés chez nous, il en va tout autrement chez nos voisins du Sud. On le sait, les Américains raffolent de tout ce qui est gros et puissant. Bien sûr, personne n'a besoin d'un tel véhicule dans un centre-ville. Mais pour quelqu'un qui désire remorquer un bateau et, en même temps, transporter la petite famille et tous les bagages, il est difficile de trouver mieux.

Chez GM, la catégorie des VUS de grand format est confiée aux GMC Yukon et Yukon XL, Cadillac Escalade et Escalade ESV ainsi qu'aux Chevrolet Tahoe et Chevrolet Suburban. En fait, on peut diviser ces modèles en deux catégories. Les Tahoe, Yukon et Escalade partagent le même châssis, tandis que les Yukon XL, Cadillac ESV et Suburban, plus imposants, sont quasiment identiques. Cette année, nous avons testé un Cadillac Escalade et un Yukon XL, et les impressions de conduite que nous en avons retirées peuvent être appliquées aux modèles correspondants.

Côté mécanique, c'est un peu plus compliqué. Pour faire simple, mentionnons qu'on ne retrouve aucun V6 dans cette catégorie, ce qui aurait été un crime de lèse-majesté. Le plus petit V8 est un 4,8 litres qui niche sous le capot des Tahoe et Yukon. Le 5,3 litres est standard pour les Yukon XL et Suburban, tandis que le 6,2 fait office de moteur de base pour le Yukon Denali, Denali représentant la version luxueuse des Yukon. Un autre 6,2, plus puissant celui-là, repose sur le châssis des Cadillac Escalade et Escalade ESV. Les Tahoe, Suburban, Yukon et Yukon XL ont peut-être droit à un rouage 4x4 véritable, mais ils doivent se contenter d'une transmission automatique à quatre rapports. Ils sont aussi vendus en livrée propulsion uniquement (roues arrière motrices). D'un autre

côté, les Cadillac Escalade, Escalade ESV et Yukon Denali proposent une intégrale et une transmission automatique à six rapports. Ces modèles n'ont pas d'autres rouages.

## L'ESCALADE

Le Cadillac Escalade nous a séduits par sa beauté, sa douceur de roulement et la nervosité de son moteur. Côté fiabilité, par contre, hum… La batterie nous a lâchés après que la radio, à la sonorité riche, et les lumières de l'habitacle aient été allumés pendant trois quarts d'heure, le temps d'inspecter minutieusement le véhicule (heureusement, l'assistance routière de Cadillac est efficace !). Aussi, nous aurions souhaité que l'essuie-glace droit ne nous reste pas dans les mains et que le chrome recouvrant la poignée extérieure de la porte avant gauche ne soit pas tout plissé, comme s'il avait froid ! Même en attachant une grande importance au respect des limites de vitesse, nous n'avons pu faire mieux que 17,7 litres aux cent kilomètres. En revanche, le pied droit a bien aimé les quelque 7,9 secondes que l'Escalade prenait pour franchir le 0-100. Pas mal du tout pour une caisse de 2570 kilos ! De plus, rien ne vaut la sonorité d'un gros V8 en pleine accélération. La transmission automatique à six rapports effectue un boulot incroyable et permet au moteur de tourner à

**FEU VERT**
Habitacle silencieux, moteurs nerveux, véhicules bien adaptés aux gros travaux, lignes élégantes, rouage intégral et 4x4 compétents

**FEU ROUGE**
Fiabilité douteuse (Escalade), consommation déprimante, dépréciation vertigineuse, dimensions anti urbaines, finition quelquefois imparfaite

214

seulement 1 600 tours/minute à 100 km/h et 1 800 à 120 km/h. Dire que le moteur dort à des vitesses d'autoroute serait un euphémisme!

## YUKON S'EN VA?

Notre Yukon SLT d'essai, lui, était équipé du 5,3 litres de 320 chevaux. Les performances sont un peu moins grisantes que celles du 6,2 mais elles satisfont la plupart du temps. Par exemple, le 0-100 se réalise en 10,0 secondes pile. Quant à la consommation, elle est de 14,7 litres, ce qui est tout à fait convenable.

Peu importe qu'il s'agisse du Yukon ou de l'Escalade, la direction n'est pas des plus vives ni des plus communicatives. Tenter de jouer les Tagliani relève pratiquement du suicide même si, en conduite normale, ces VUS se débrouillent fort honorablement. Roulis, transferts importants de poids, sièges peu aptes à retenir les corps sont autant de raisons pour demeurer calme. Les freins se montrent à la hauteur en situation d'urgence et je n'ai aucun doute sur leurs capacités avec une remorque attachée à l'arrière. En ville, les dimensions gargantuesques représentent un handicap majeur. De plus, déneiger le toit de tels mastodontes requiert des bras d'une longueur anormale… ou un garage fermé!

Si notre Escalade n'avait droit qu'à l'intégrale, le Yukon était muni du rouage 4x4. Même dans une boue épaisse, il ne s'est jamais senti intimidé. En fait, les Bridgestone Dueller H/L ont été pris au dépourvu bien avant le rouage 4x4! Aucun élément sous le Yukon n'était susceptible d'accrocher une embûche quelconque et des plaques de protection (optionnelles) avaient été installées. Pour prouver que le Yukon possède des capacités hors route inhabituelles, il suffit de regarder les deux gros crochets placés à l'avant et ceux qui font partie de l'attache pour la remorque, installée en usine. L'intégrale de l'Escalade s'avère moins performant, mais je serais surpris que le propriétaire d'une Cadillac aille souvent à la chasse dans le fin fond des bois… Pour les congères, cependant, tassez-vous!

Les Yukon XL, Escalade ESV et Suburban représentent des versions allongées des autres véhicules. L'empattement fait 35,6 cm de plus (3 302 mm) et la longueur totale atteint 51,8 cm de plus (pour 5 649 mm). Bien entendu, ces dimensions gargantuesques ont une incidence bénéfique sur le confort, mais la consommation d'essence et leur manœuvrabilité dans un milieu urbain auraient de quoi décourager Jean-Marc Chaput!

**Alain Morin**

Photos : GMC

| Version : | Cadillac Escalade de base |
|---|---|
| Emp/Lon/Lar/Haut(mm) : | 2 946/5 144/2 007/1 887 |
| Poids : | 2 570 kg |
| Coffre/Réservoir : | 479 à 3 084 litres / 98 litres |
| Nombre de coussins de sécurité : | 6 |
| Suspension avant : | indépendante, barres de torsion |
| Suspension arrière : | essieu rigide, ressorts hélicoïdaux |
| Freins av./arr. : | disque (ABS) |
| Antipatinage/Contrôle de stabilité : | oui / oui |
| Direction : | à crémaillère, assistée |
| Diamètre de braquage : | 11,9 m |
| Pneus av./arr. : | P285/45R22 |
| Capacité de remorquage : | 3 493 kg |

## MOTORISATION À L'ESSAI

| Moteur : | V8 de 6,2 litres 16s atmosphérique |
|---|---|
| Alésage et course : | 103,3 mm x 92,0 mm |
| Puissance : | 403 ch (301 kW) à 5 700 tr/min |
| Couple : | 417 lb-pi (565 Nm) à 4 300 tr/min |
| Rapport poids/puissance : | 6.38 kg/ch (8.65 kg/kW) |
| Système hybride : | aucun |
| Transmission : | intégrale, automatique 6 rapports |
| Accélération 0-100 km/h : | 7,9 s |
| Reprises 80-120 km/h : | 6,7 s |
| Freinage 100-0 km/h : | 43,0 m |
| Vitesse maximale : | 170 km/h |
| Consommation (100 km) : | super, 17,7 litres |
| Autonomie (approximative) : | 554 km |
| Émissions de CO2 : | 7 008 kg/an |

## GAMME EN BREF

| Échelle de prix : | 72 175 $ à 80 515 $ |
|---|---|
| Catégorie : | utilitaire sport grand format |
| Historique du modèle : | 2ième génération |
| Garanties : | 4 ans/80 000 km, 5 ans/160 000 km |
| Assemblage : | Arlington, Texas, É-U |
| Autre(s) moteur(s) : | V8 4,8l 295ch/305lb-pi (15,6 l/100km) Tahoe, Yukon |
| | V8 5,3l 320ch/340lb-pi (14,7 l/100km) Tahoe, Suburban, Yukon |
| | V8 6l 366ch/380lb-pi (16,3 l/100km) Suburban, Yukon |
| Autre(s) rouage(s) : | propulsion, 4X4 |
| Autre(s) transmission(s) : | automatique 4 rapports |

## DANS LA MÊME CATÉGORIE

Infiniti QX56 - Lexus LX 470 - Land Rover Range Rover - Lincoln Navigator - Mercedes-Benz Classe G

## DU NOUVEAU EN 2008

Ajout d'un système hybride en cours d'année

## NOS IMPRESSIONS

| Agrément de conduite : | 🚗 🚗 🚗 🚗 |
|---|---|
| Fiabilité : | 🚗 🚗 🚗 ½ |
| Sécurité : | 🚗 🚗 🚗 🚗 ½ |
| Qualités hivernales : | 🚗 🚗 🚗 🚗 🚗 |
| Espace intérieur : | 🚗 🚗 🚗 🚗 🚗 |
| Confort : | 🚗 🚗 🚗 🚗 🚗 |

## LE CHOIX DE L'ÉQUIPE

Escalade de base

GMC Envoy

# LES SURVIVANTS

Vous connaissez sans doute cette série américaine The Survivors dans laquelle les concurrents doivent non seulement affronter des conditions d'existence plus que difficiles, mais doivent également faire face au jugement de leurs pairs qui éliminent un participant par semaine. Il semble bien que la carrière des Chevrolet Trailblazer et GMC Envoy soit de la même cuvée, car Ils sont appelés à parcourir des routes parfois impraticables, mais doivent aussi survivre dans un marché truffé de concurrents !

Et il est certain que nombre de spécialistes les avaient tenus pour éliminés de l'alignement des modèles 2008 chez General Motors. Mais un peu comme les participants de cette émission, ils ont réussi à jouir du vote de confiance de la direction une année de plus. En fait, c'est le Buick Rainier qui a été éliminé cette année, l'orientation de la marque ne pouvant plus justifier l'existence d'un tel véhicule. Les Chevrolet et GMC ont bénéficié de la clémence en bonne partie parce que ces deux divisions représentent d'importantes productrices de camions et VUS. Une autre raison de cette décision est la configuration mécanique de ces authentiques VUS.

## LES VERTUS DU CHÂSSIS AUTONOME

L'arrivée du GMC Acadia, de la Saturn Outlook et de la Buick Enclave en 2008 avait permis à plusieurs d'éliminer notre costaud de la liste des produits 2008. Si ces trois nouveaux arrivants possèdent plusieurs caractéristiques techniques et les dimensions pour venir remplacer le Trailblazer et l'Envoy, les trois sont des véhicules monocoques. Une configuration plus appropriée à une utilisation moins intense. Les deux survivants bénéficient d'un châssis autonome de type échelle, ce qui leur fournit une robustesse accrue afin d'être davantage en mesure d'affronter des conditions de conduite hors route assez difficiles en plus d'offrir une meilleure capacité de remorquage. Par exemple, un GMC Acadia peut remorquer une charge maximale de 4500 lb (2041 kg), tandis qu'elle est d'au moins 5700 livres (2586 kg) pour l'un ou l'autre de nos survivants.

Et bien que ces deux 4X4 soient sur le marché depuis 2001, leur mécanique très moderne dès le début explique que la direction les juge assez compétitifs pour demeurer sur le marché, du moins les versions à empattement ordinaire, les allongées ayant quitté la scène l'an dernier. Initialement, seul le moteur six cylindres en ligne à arbre à cames en tête de 4,2 litres était au catalogue avec une puissance de 285 chevaux. La consommation de carburant n'a jamais été aussi basse que promise, mais ce moteur est de conception moderne et très doux. Et comme les deux autres moteurs au catalogue, ce « six en ligne » est couplé à une boîte automatique Hydra-Matic à quatre rapports. Admettez que c'est un peu mince par les temps qui courent alors que l'Acadia, entre autres, propose de série une boîte à six rapports. Au fil des ans, le moteur V8 5,3 litres à cylindrée variable ainsi que le très puissant V8 6,0 litres de 395 chevaux sont venus en renfort.

**FEU VERT**
Bonne capacité de remorquage, châssis autonome, choix de moteurs, comportement routier adéquat, Trailblazer SS

**FEU ROUGE**
Carrière incertaine, finition toujours perfectible, pneumatiques moyens, consommation élevée, suspension plus élémentaire sur Chevrolet

## PLUS VERSATILES, MOINS CONFORTABLES

Les VUS urbains de GM que sont l'Acadia, l'Outloook et le Buick Enclave peuvent être commandés avec une transmission intégrale qui permet surtout de circuler avec moins d'appréhension sur les routes glacées ou enneigées ou tout au plus sur des routes de terre mal entretenues. En comparaison, les Trailblazer et Envoy sont de vrais 4X4 capables de rouler sur la route en mode propulsion pour ensuite se muter en 4X4 dès que la boue remplace le bitume. Et même si leur rouage quatre roues motrices n'affiche pas la même sophistication que ce que Jeep peut proposer, ça fait le travail. Par ailleurs, le Trailblazer SS est doté d'un rouage intégral de série afin de mieux répartir la puissance de ces 395 équidés et sa vocation est encore moins rurale.

Des deux modèles, le Trailblazer est celui vendu à prix plus abordable. Sa suspension est moins sophistiquée, car il n'est pas possible de commander les ressorts pneumatiques offerts en option sur l'Envoy. Et il faut mentionner que la Chevy se classe au second rang en fait d'habitacle et de présentation extérieure. Le Trailblazer SS est dans une classe à part concernant sa sportivité, mais qui veut d'un 4X4 à moteur de Corvette? Il y en a, c'est certain, et je ne renie pas la valeur du SS. Mais le fait demeure que l'Envoy Denali intéressera un plus grand nombre d'acheteurs en raison de son esthétique, de son niveau d'équipement et de sa conduite moins musclée.

Il est vrai que les caprices des prix de l'essence rendent les véhicules du genre moins intéressants, du moins pour qui ce serait un achat non nécessaire. Pour les personnes qui ont vraiment besoin d'un 4X4 confortable, robuste et tout de même agréable à conduire, ce duo n'est pas dépourvu de qualités. Reste à savoir jusqu'à quand leur carrière se poursuivra puisque les authentiques VUS sont de plus en plus remplacés par des véhicules plus confortables, plus urbains et moins énergivores. Par contre, la spécialisation du Trailblazer et de l'Envoy en raison de leur configuration mécanique leur donne plus de chances de survivre.

**Denis Duquet**

Photos : GMC

**CHEVROLET TRAILBLAZER / GMC ENVOY**

### VÉHICULE D'ESSAI

| | |
|---|---|
| Version : | Trailblazer LT 4RM |
| Emp/Lon/Lar/Haut(mm) : | 2 870/4 872/1 897/1 892 |
| Poids : | 2 052 kg |
| Coffre/Réservoir : | 1 161 à 2 268 litres / 83,3 litres |
| Nombre de coussins de sécurité : | 4 |
| Suspension avant : | indépendante, barres de torsion |
| Suspension arrière : | essieu rigide, ressorts elliptiques |
| Freins av./arr. : | disque (ABS) |
| Antipatinage/Contrôle de stabilité : | oui / non |
| Direction : | à crémaillère, assistance variable |
| Diamètre de braquage : | 11,0 m |
| Pneus av./arr. : | P245/65R17 |
| Capacité de remorquage : | 2 994 kg |

### MOTORISATION À L'ESSAI

Pneus d'origine MICHELIN

| | |
|---|---|
| Moteur : | V8 de 5,3 litres 16s atmosphérique |
| Alésage et course : | 96,0 mm x 92,0 mm |
| Puissance : | 300 ch (224 kW) à 5 300 tr/min |
| Couple : | 321 lb-pi (435 Nm) à 4 000 tr/min |
| Rapport poids/puissance : | 6,84 kg/ch (9,29 kg/kW) |
| Système hybride : | aucun |
| Transmission : | 4RM, automatique 4 rapports |
| Accélération 0-100 km/h : | 8,5 s |
| Reprises 80-120 km/h : | 7,5 s |
| Freinage 100-0 km/h : | 45,0 m |
| Vitesse maximale : | 190 km/h |
| Consommation (100 km) : | ordinaire, 15,4 litres |
| Autonomie (approximative) : | 541 km |
| Émissions de CO2 : | 6 240 kg/an |

### GAMME EN BREF

| | |
|---|---|
| Échelle de prix : | 39 695 $ à 52 655 $ |
| Catégorie : | utilitaire sport intermédiaire |
| Historique du modèle : | 1ère génération |
| Garanties : | 3 ans/60 000 km, 5 ans/160 000 km |
| Assemblage : | Moraine, Ohio, É-U |
| Autre(s) moteur(s) : | 6L 4,2l 285ch/276lb-pi (15,3 l/100km) |
| | V8 6,0l 395ch/400lb-pi (17,1 l/100km) SS |
| Autre(s) rouage(s) : | intégrale |
| Autre(s) transmission(s) : | aucune |

### DANS LA MÊME CATÉGORIE

Dodge Durango - Ford Explorer - Jeep Commander - Jeep Grand Cherokee - Kia Sorento - Nissan Pathfinder - Toyota 4Runner

### DU NOUVEAU EN 2008

Radio CD/MP3 de série, rideaux gonflables latéraux de série, révision des groupes d'options

### NOS IMPRESSIONS

| | |
|---|---|
| Agrément de conduite : | 🚗 🚗 🚗 ½ |
| Fiabilité : | 🚗 🚗 🚗 ½ |
| Sécurité : | 🚗 🚗 🚗 🚗 |
| Qualités hivernales : | 🚗 🚗 🚗 🚗 |
| Espace intérieur : | 🚗 🚗 🚗 🚗 🚗 |
| Confort : | 🚗 🚗 🚗 ½ |

### LE CHOIX DE L'ÉQUIPE

Envoy SLT 4RM

**217**

# ADIEU OU AU REVOIR ?

Vous croyez qu'un constructeur de la trempe de GM se doit inévitablement de posséder une minifourgonnette dans sa gamme de véhicules ? Et bien moi aussi, je suis de cet avis. Ces véhicules sont pratiques, polyvalents et peu coûteux, ce qui explique leur popularité. Toutefois, il semble que GM et Ford ne pensent pas ainsi. À preuve, la Ford Freestar n'est plus sur le marché depuis un an et GM a annoncé l'abandon de sa gamme Uplander/Montana pour 2009.

Je sais, vous me direz que le marché des fourgonnettes est en déclin, ce qui est vrai. Pourtant, il n'en demeure pas moins que l'an dernier, un peu plus de 150 000 fourgonnettes ont trouvé preneur au Canada, faisant de cette catégorie la troisième en importance au pays après le segment des voitures compactes et des camionnettes pleine grandeur. GM a pour sa part eu droit à 28 % du marché en 2006, écoulant plus de 43 000 fourgonnettes Uplander/Montana/Relay/Terraza. Avouez que ce n'est pas négligeable ! Qui sait ? On pourrait assister à une carrière prolongée comme les Astro et Safari, si la demande persiste. On verra en 2009.

Néanmoins, il est clair qu'en 2006, GM n'a pas réussi à séduire 43 000 acheteurs. De ce nombre, une grande part s'est retrouvée dans les flottes de location à court terme ou chez des entreprises diverses qui les utilisent comme véhicule commercial. Résultat, ces véhicules généralement loués se ramassent un an plus tard de nouveau sur le marché. Et bien sûr, l'offre étant de beaucoup supérieure à la demande, une très forte dépréciation s'en suit. Sans doute qu'un produit plus moderne et plus innovateur permettrait d'éliminer cette conséquence, mais nous n'en sommes vraiment pas là.

## LE PRODUIT

De ce fait, je vous avouerai que je n'ai jamais eu une très bonne opinion des fourgonnettes GM qui, depuis leur arrivée sur notre marché en 1990, n'ont jamais réussi à proposer une qualité de fabrication et une fiabilité honnête. En 2005, le constructeur a voulu peaufiner (avec les moyens du bord) la fourgonnette lancée en 1997 sous le nom de Venture, de façon à améliorer sa qualité. Et même si le résultat n'est pas à la hauteur des rivales, force est d'admettre que GM est finalement parvenu à atteindre un équilibre convenable en matière de fiabilité.

Je passerai sous silence l'aspect esthétique de cette fourgonnette, vous mentionnant seulement qu'elle est toujours offerte avec un choix d'empattements court et long. En 2008, GM est donc seul à proposer deux configurations. À bord, on constate en premier lieu que la conception de l'Uplander (lire aussi la Montana) ne permet pas de profiter de banquettes qui se logent sous le plancher, comme sur la totalité des rivales. Par conséquent, pour jouir d'un espace de chargement maximal, l'exercice consiste à retirer manuellement les sièges du véhicule. Mais rassurez-vous, l'Uplander propose quand même un important volume de chargement.

**FEU VERT**
Son prix, poste de conduite ergonomique, confort honnête, fiabilité en progrès, choix d'empattement

**FEU ROUGE**
Assemblage et finition déplorables, véhicule mal insonorisé, conception vétuste, très forte dépréciation, esthétique discutable

Derrière le volant, on remarque un poste de conduite sobre et bien présenté, qui n'a de négatifs que certains plastiques de qualité douteuse. On apprécie à tout coup le contraste des teintes du tableau de bord et des panneaux de portière, ainsi que la quantité incalculable de compartiments de rangement. Les sièges avant et de la deuxième rangée fournissent pour leur part un confort honnête, mais ceux qui aiment un peu de fermeté seront déçus. Et la banquette arrière ne convient qu'à de jeunes enfants...

Malheureusement, l'Uplander déçoit toujours en matière de finition et de qualité d'assemblage. Certes, c'est mieux qu'il y a dix ans, mais il en résulte une constante symphonie de craquements et de bruits de caisse, qui grandit constamment au fil des kilomètres.

### BYE BYE ÉCONOMIE D'ESSENCE !

Jusqu'à tout récemment, l'Uplander pouvait se vanter d'être la moins gourmande des fourgonnettes. Son V6 de 3,5 litres n'avait rien de bien impressionnant, mais il permettait néanmoins à l'utilisateur de s'en tirer à bon compte. Aujourd'hui, c'est de l'histoire ancienne. Non seulement l'Uplander consomme autant que la moyenne, mais son V6 de grosse cylindrée manque sérieusement de raffinement. Personnellement, j'aurais souhaité y voir le V6 de 3,6 litres que GM propose dans plusieurs de ses récentes créations, mais puisque les jours de cette fourgonnette sont comptés, il m'est désormais inutile d'espérer.

À défaut d'être raffiné, le moteur 3,9 litres offre des performances adéquates. En revanche, les ingénieurs n'ont pas réussi (ils n'ont peut-être d'ailleurs même pas essayé !) à atténuer le niveau sonore extrêmement élevé en accélération. L'insonorisation déficiente de ce véhicule en est en partie responsable, mais une telle cacophonie me semble franchement inacceptable. Sinon, le comportement de l'Uplander est passablement équilibré. La tenue de cap est honorable et la prise de roulis en virage n'est pas trop importante.

En fin de carrière, l'Uplander manquera sans doute aux concessionnaires qui réussissent tout de même à en écouler un bon nombre. Personnellement, je suis toujours persuadé qu'une nouvelle génération de fourgonnettes chez GM serait la bienvenue. Mais en attendant, même si l'Uplander a aujourd'hui atteint une certaine maturité, il est clair que son prix est un incitatif de poids. À ce moment, je vous conseille de bien magasiner, de négocier fortement et d'opter pour un minimum d'options. Car pour à peine plus cher, on vous propose une toute nouvelle Grand Caravan beaucoup plus moderne.

**Antoine Joubert**

Photos : Chevrolet

### VÉHICULE D'ESSAI

OnStar de GM

| | |
|---|---|
| Version : | Emp. Long 1SB |
| Emp/Lon/Lar/Haut(mm) : | 3077/5222/1830/1830 |
| Poids : | 1908 kg |
| Coffre/Réservoir : | 762 à 3866 litres / 95 litres |
| Nombre de coussins de sécurité : | 4 |
| Suspension avant : | indépendante, jambes de force |
| Suspension arrière : | demi-ind., poutre déformante |
| Freins av./arr. : | disque (ABS) |
| Antipatinage/Contrôle de stabilité : | oui / non |
| Direction : | à crémaillère, assistée |
| Diamètre de braquage : | 12,5 m |
| Pneus av./arr. : | P225/60R17 |
| Capacité de remorquage : | 1588 kg |

### MOTORISATION À L'ESSAI

| | |
|---|---|
| Moteur : | V6 de 3,9 litres 12s atmosphérique |
| Alésage et course : | 99,0 mm x 84,0 mm |
| Puissance : | 240 ch (179 kW) à 6000 tr/min |
| Couple : | 240 lb-pi (325 Nm) à 4800 tr/min |
| Rapport poids/puissance : | 7,95 kg/ch (10,78 kg/kW) |
| Système hybride : | aucun |
| Transmission : | traction, automatique 4 rapports |
| Accélération 0-100 km/h : | 9,5 s |
| Reprises 80-120 km/h : | 8,7 s |
| Freinage 100-0 km/h : | 41,2 m |
| Vitesse maximale : | 195 km/h |
| Consommation (100 km) : | ordinaire, 13,1 litres |
| Autonomie (approximative) : | 725 km |
| Émissions de CO2 : | 5280 kg/an |

### GAMME EN BREF

| | |
|---|---|
| Échelle de prix : | 25060$ à 32465$ |
| Catégorie : | fourgonnette |
| Historique du modèle : | 2ième génération |
| Garanties : | 3 ans/60000 km, 5 ans/160000 km |
| Assemblage : | Ramos Arizpe, Mexique |
| Autre(s) moteur(s) : | aucun |
| Autre(s) rouage(s) : | aucun |
| Autre(s) transmission(s) : | aucune |

### DANS LA MÊME CATÉGORIE

Chrysler Town & Country - Dodge Grand Caravan - Honda Odyssey - Hyundai Entourage - Kia Sedona - Nissan Quest - Toyota Sienna

### DU NOUVEAU EN 2008

Indicateur de basse pression des pneus de série, contrôle de stabilité de série sur modeles à empattement court

### NOS IMPRESSIONS

| | |
|---|---|
| Agrément de conduite : | |
| Fiabilité : | ½ |
| Sécurité : | ½ |
| Qualités hivernales : | |
| Espace intérieur : | ½ |
| Confort : | |

### LE CHOIX DE L'ÉQUIPE

1SA, 1SB

# CHRYSLER 300

# UNE RECETTE À SUCCÈS

Il faut avouer que Chrysler a visé juste en introduisant la 300 en 2005. Cette voiture a su en convaincre plusieurs grâce à son style osé et rétro qui tranche radicalement sur celui de ses rivales. Voilà qui lui a permis de gagner une bonne part de marché chez les berlines de luxe d'entrée de gamme. Tous les éléments de base d'une voiture à succès, incluant un bon comportement routier et un choix de groupes motopropulseurs performants, en font une routière hautement intéressante.

M algré ses traits anciens, le traitement moderne apporté par les stylistes rend la 300 désirable également chez les acheteurs plus jeunes. En fait, elle ne fait pas dans la demi-mesure, on l'aime ou on ne l'aime pas. Difficile de passer à côté de la grille avant, légèrement remaniée pour 2008, qui procure toute une prestance à la voiture, tout comme son large empattement. Le modèle 300C offre quelques touches distinctes et sportives incluant des accents de chrome. Quant au modèle SRT8, quelques subtilités trahiront ses aspirations de sportive discrète, notamment ses jantes de 20 pouces, sa suspension abaissée, son devant plus agressif et, finalement, son double échappement à l'arrière. Cette année, on note l'ajout d'un modèle allongé destiné à donner une fonction plus exécutive à la 300.

### UNE CAVALERIE IMPRESSIONNANTE

La Chrysler 300 dispose d'un choix de trois motorisations. Les versions 300, Touring et Limited se partagent un moteur six cylindres de 3,5 litres développant 250 chevaux pour un couple équivalent, alors que le modèle 300C est quant à lui doté d'un moteur V8 HEMI de 5,7 litres de 340 chevaux. Ce moteur est équipé de la technologie de désactivation des cylindres (MDS), un système qui permet de rouler en n'utilisant que

quatre cylindres lorsque le moteur est moins sollicité. Tous ces modèles peuvent être pourvus de la traction intégrale pour un supplément assez important.

Pour ceux qui aiment combiner discrétion et performances, on retrouve au sommet de la gamme la version SRT8, un véritable bolide capable de surprendre quiconque croit que vous roulez dans une voiture de «pépère». Ce moteur de 6,1 litres, également de l'écurie HEMI, développe la bagatelle de 425 chevaux et un couple de 420 lb-pi. Cette puissance est envoyée aux roues par le biais d'une boîte automatique à cinq rapports dotée d'un mode manuel. Si la SRT8 ne brille pas par son économie d'essence, elle demeure une voiture distinctive et drôlement performante si l'on tient compte de son prix. Voilà la base des modèles SRT.

### LUXE ET CONFORT

À l'intérieur, on découvre un habitacle spacieux, mais surtout silencieux. Chrysler a fait un bon travail en ce qui a trait à l'insonorisation. Le tableau, quoiqu'imposant, se veut ergonomique et bien étudié. Tout nous tombe naturellement sous les yeux. Autre nouveauté cette année, l'instrumentation a légèrement été revue. Tous les passagers profitent d'un excellent confort et de dégagements raisonnables. La forme plutôt

**FEU VERT**
Lignes distinctives,
habitacle spacieux et luxueux,
moteurs performants, finition soignée

**FEU ROUGE**
Direction surassistée, manque de support des sièges,
consommation élevée (moteur HEMI),
antipatinage intrusif

**220**

carrée de la voiture contribue à améliorer cet élément. Si les sièges s'avèrent confortables, on aurait apprécié un peu plus de support latéral dans les virages, on a l'impression de glisser de gauche à droite. Cette lacune est bien corrigée dans la version STR8 qui possède des sièges plus fermes et des appuis latéraux plus soutenus.

## BONNE ROUTIÈRE

L'arrivée de la 300 s'est faite à une époque où la propulsion revenait à la mode. Tout comme les Dodge Magnum et Dodge Charger, la 300 utilise la propulsion au lieu de la traction avant. Cette configuration maximise les performances, mais certains ont encore quelques réserves à l'égard de ce type de rouage lors de conditions hivernales. Rassurez-vous, l'apparition des systèmes de contrôle de la traction moderne rend la conduite de la 300 pratiquement identique à celle d'une voiture à traction. Il vous faudra simplement apprendre les petits caprices de cette technologie dans certaines occasions. Par exemple, vous devrez désactiver l'antipatinage quand la voiture est enlisée ou lorsque vous montez une pente glacée, histoire d'éviter de couper la puissance aux roues. Parfois, le patinage des roues est nécessaire.

Peu importe la version retenue, la 300 se révèle intéressante et agréable, que vous décidiez de favoriser l'économie d'essence avec le six cylindres, ou la puissance brute du moteur HEMI. Le compromis entre confort et tenue de route est bien assuré par la suspension indépendant alors que le châssis est doté d'une bonne rigidité. Malgré ses apparences, la 300C à moteur HEMI pourra en surprendre plusieurs. On apprécie son couple généreux qui lance la voiture sans hésitation, le tout accompagné d'une riche sonorité. Sa direction s'avère cependant légèrement trop surassistée, on perd quelque peu les sensations de la route. Quant au volant, son large diamètre et sa prise en main plus difficile ne facilitent pas la maîtrise de la voiture en conduite plus sportive. On comprend néanmoins que cet élément n'est pas un des principaux critères d'achat chez la clientèle cible.

À voir le nombre de véhicules présents sur la route, surtout chez nos voisins du Sud, il est évident que la 300 sait se faire aimer. C'était pourtant tout un pari. Son succès est d'autant plus intéressant qu'elle est construite au Canada, et que son design est l'œuvre d'un jeune Québécois. Que vous optiez pour l'économie ou la puissance, pour la propulsion ou la traction intégrale, la 300 demeure un excellent choix.

**Sylvain Raymond**

Photos : Alain Morin

## VÉHICULE D'ESSAI

| | |
|---|---|
| Version : | 300C |
| Emp/Lon/Lar/Haut(mm) : | 3 048/4 999/1 881/1 483 |
| Poids : | 1 862 kg |
| Coffre/Réservoir : | 311 litres / 72 litres |
| Nombre de coussins de sécurité : | 2 |
| Suspension avant : | indépendante, bras inégaux |
| Suspension arrière : | indépendante, multibras |
| Freins av./arr. : | disque (ABS) |
| Antipatinage/Contrôle de stabilité : | oui / oui |
| Direction : | à crémaillère, assistée |
| Diamètre de braquage : | 11,9 m |
| Pneus av./arr. : | P225/60R18 |
| Capacité de remorquage : | 910 kg |

## MOTORISATION À L'ESSAI

| | |
|---|---|
| Moteur : | V8 de 5,7 litres 16s atmosphérique |
| Alésage et course : | 99,5 mm x 90,9 mm |
| Puissance : | 340 ch (254 kW) à 5 000 tr/min |
| Couple : | 390 lb-pi (529 Nm) à 4 000 tr/min |
| Rapport poids/puissance : | 5,48 kg/ch (7,45 kg/kW) |
| Système hybride : | aucun |
| Transmission : | propulsion, automatique 5 rapports |
| Accélération 0-100 km/h : | 7,0 s |
| Reprises 80-120 km/h : | 6,3 s |
| Freinage 100-0 km/h : | 41,2 m |
| Vitesse maximale : | 250 km/h |
| Consommation (100 km) : | ordinaire, 13,9 litres |
| Autonomie (approximative) : | 518 km |
| Émissions de CO2 : | 5 568 kg/an |

## GAMME EN BREF

| | |
|---|---|
| Échelle de prix : | 31 895 $ à 52 695 $ |
| Catégorie : | berline grand format |
| Historique du modèle : | 1ère génération |
| Garanties : | 3 ans/60 000 km, 5 ans/100 000 km |
| Assemblage : | Brampton, Ontario, Canada |
| Autre(s) moteur(s) : | V6 3,5l 250ch/250lb-pi (12,5 l/100km) |
| | V8 6,1l 425ch/420lb-pi (16,5 l/100km) SRT-8 |
| Autre(s) rouage(s) : | intégrale |
| Autre(s) transmission(s) : | aucune |

## DANS LA MÊME CATÉGORIE

Acura TL - Buick Allure - Cadillac CTS / CTS-V - Chevrolet Impala - Ford Taurus - Nissan Maxima - Toyota Avalon

## DU NOUVEAU EN 2008

Quelques améliorations esthétiques à l'avant et à l'arrière, nouvelles couleurs, tableau de bord redessiné, nouveaux groupes d'options

## NOS IMPRESSIONS

| | |
|---|---|
| Agrément de conduite : | 🚗 🚗 🚗 🚗 |
| Fiabilité : | 🚗 🚗 🚗 ½ |
| Sécurité : | 🚗 🚗 🚗 🚗 |
| Qualités hivernales : | 🚗 🚗 🚗 ½ |
| Espace intérieur : | 🚗 🚗 🚗 🚗 ½ |
| Confort : | 🚗 🚗 🚗 🚗 ½ |

## LE CHOIX DE L'ÉQUIPE

300 Limited

Chrysler Aspen

# UN GROS ÉCOLO !

En Amérique du Nord, on aime ça, les VUS. Toutefois, il est clair qu'aujourd'hui que le coût d'exploitation comme le facteur écologique affectent plus que jamais les ventes de ce type de véhicule. La société Chrysler, consciente du problème, a donc tout mis en œuvre pour que les acheteurs d'Aspen et de Durango n'aient pas l'obligation de composer avec de tels problèmes. Ainsi, pour 2008, on nous propose dans ces VUS une première adaptation de la technologie hybride chez ce constructeur.

Vous trouvez curieux le fait que Chrysler ait choisi d'appliquer cette technologie en premier lieu sur ce véhicule? Peut-être, mais en y pensant bien, c'est tout à fait logique. Car on ne cherche pas ici à présenter le véhicule le moins gourmand de la planète, mais plutôt à offrir à l'acheteur, le meilleur des deux mondes. Autrement dit, on vous fournit à la fois la puissance, l'espace, le confort et la polyvalence, le tout moyennant une consommation d'essence des plus raisonnables. Le constructeur stipule d'ailleurs qu'une économie d'essence pouvant atteindre 40 % est possible, en comparaison avec un modèle ordinaire.

### ÉCOLO-ÉCONOMIQUE...

Bien sûr, qui dit véhicule à motorisation hybride dit moins d'essence et par conséquent moins d'émanations polluantes. Les Aspen et Durango équipés du puissant V8 HEMI de 5,7 litres ont donc droit à ce système, ce qui devrait faire baisser la consommation à environ 12,5 litres aux 100 kilomètres, et ainsi de ramener le niveau de pollution très près de celui d'une berline intermédiaire. Reprenant le même principe que celui des produits Toyota, le système hybride bimode de Chrysler permet une conduite urbaine uniquement en mode électrique à basse vitesse, lequel vient se faire seconder par le moteur à essence passé un certain stade. Il

va donc s'en dire que le système hybride est plus efficace en mode urbain ou en pleine congestion. Toutefois, il faut savoir que le monstrueux Hemi est aussi doté d'un système de désactivation des cylindres qui lui, favorise l'économie de carburant à vitesse de croisière.

Seul le Durango, aussi offert avec un V8 de 4,7 litres, propose la possibilité de fonctionner au carburant E85. Nettement plus puissant que l'an dernier (il gagne 68 chevaux), ce moteur est plus intéressant que jamais. Néanmoins, son appétit de carburant, semblable à celui du moteur HEMI, et le fait que les stations-service vendant l'éthanol soient aussi rares que des kangourous au parc Lafontaine me font préférer l'autre option.

Le moteur HEMI, très bien adapté, s'avère assurément un des critères d'achat pour plusieurs. Non seulement il ne peine jamais à déplacer cette masse d'environ 2 300 kilos, mais il permet aussi de remorquer des charges presque deux fois plus lourdes. On le jumelle à une boîte automatique à cinq rapports, efficace en toute situation.

Confortables et bien insonorisés, ces véhicules sont franchement impressionnants sur le plan du comportement. La suspension est calibrée de

**FEU VERT**
Technologie hybride (arrivera sous peu), moteur HEMI performant, véhicule très robuste, confort exceptionnel, grande capacité de remorquage

**FEU ROUGE**
Consommation élevée (sauf hybride), confort des banquettes arrière, carburant E85 très rare (pour moteur 4,7 L)

façon à procurer un confort notoire et l'essieu rigide n'affecte que peu la stabilité sur de mauvais revêtements. Sur la route, on constate aussi que son châssis à échelle est d'une grande rigidité. Les bruits de caisse sont absents et le véhicule ne montre aucun signe de faiblesse.

## ASPEN OU DURANGO?

Même si Chrysler publicisait l'Aspen comme étant le premier VUS de la marque, il n'en demeure pas moins qu'il s'agit d'un clone du Durango. De ce fait, il est clair que l'exercice de comparaison est inévitable. Et à ce moment, seuls vos goûts et votre budget parleront. D'abord, il faut savoir qu'au Canada, une seule version toute garnie du Aspen existe. Il vous faut donc comparer ce dernier avec un Durango 4x4 SLT à moteur HEMI. Par ses nombreux accents de chrome, ses jantes de 20 pouces, sa calandre plus élégante et ses rainures de capot, il est clair que le Chrysler se veut d'apparence plus noble. À l'opposé, le Dodge met davantage l'accent sur son côté macho, affichant ses ailes proéminentes et son imposante grille de calandre.

À bord, la présentation du Aspen est plus riche parce que parsemée de cuir et de suède, de fausses boiseries et d'accents métalliques. L'équipement est également plus généreux, quoiqu'il soit possible d'équiper un Durango presque de façon identique. Mais pour le reste, c'est du pareil au même. Dans les deux cas, la forme du tableau de bord et la disposition des accessoires sont similaires. Les baquets avant sont ultraconfortables, et chauffants dans certains cas. À ce propos, sachez que le conducteur bénéficie aussi d'une excellente position de conduite et d'un bon champ de vision.

Immensément spacieux, le véhicule est aussi très versatile. On peut configurer l'habitacle de plusieurs manières pour permettre de charger de gros objets tout en conservant un certain nombre de places assises disponibles. La rangée médiane peut pour sa part être équipée d'une banquette ou de sièges baquets séparés au moyen d'une console. Sachez toutefois que la banquette, comme celle qui occupe la troisième rangée, est trop plate pour être véritablement douillette. Dommage…

Mais chose certaine, voilà un VUS des plus intéressants qui mérite considération pour d'innombrables raisons. Qu'il s'agisse de remorquer un bateau, de transporter la famille ou de vous rendre au chalet où l'accès est difficile, il sera toujours à la hauteur.

**Antoine Joubert**

Photos: Chrysler

## CHRYSLER ASPEN / DODGE DURANGO

### VÉHICULE D'ESSAI

| | |
|---|---|
| Version: | Aspen Limited |
| Emp/Lon/Lar/Haut(mm): | 3 028/5 133/1 930/1 875 |
| Poids: | 2 322 kg |
| Coffre/Réservoir: | 538 à 3 095 litres / 103 litres |
| Nombre de coussins de sécurité: | 4 |
| Suspension avant: | indépendante, bras inégaux |
| Suspension arrière: | essieu rigide, ressorts hélicoïdaux |
| Freins av./arr.: | disque (ABS) |
| Antipatinage/Contrôle de stabilité: | oui / oui |
| Direction: | à crémaillère, assistance variable |
| Diamètre de braquage: | 12,2 m |
| Pneus av./arr.: | P265/50R20 |
| Capacité de remorquage: | 3 969 kg |

### MOTORISATION À L'ESSAI

| | |
|---|---|
| Moteur: | V8 de 5,7 litres 16s atmosphérique |
| Alésage et course: | 99,5 mm x 90,9 mm |
| Puissance: | 335 ch (250 kW) à 5 200 tr/min |
| Couple: | 370 lb-pi (502 Nm) à 4 200 tr/min |
| Rapport poids/puissance: | 6,93 kg/ch (9,4 kg/kW) |
| Système hybride: | non |
| Transmission: | 4X4, automatique 5 rapports |
| Accélération 0-100 km/h: | 8,5 s |
| Reprises 80-120 km/h: | 6,4 s |
| Freinage 100-0 km/h: | 42,9 m |
| Vitesse maximale: | 185 km/h |
| Consommation (100 km): | ordinaire, 16,5 litres |
| Autonomie (approximative): | 624 km |
| Émissions de CO2: | 6 816 kg/an |

### GAMME EN BREF

| | |
|---|---|
| Échelle de prix: | 49 995 $ |
| Catégorie: | utilitaire sport grand format |
| Historique du modèle: | 1ère génération |
| Garanties: | 3 ans/60 000 km, 5 ans/100 000 km |
| Assemblage: | Newark, Delaware, É-U |
| Autre(s) moteur(s): | V8 4,7l 303ch/330lb-pi Durango |
| Autre(s) rouage(s): | aucun |
| Autre(s) transmission(s): | aucune |

### DANS LA MÊME CATÉGORIE

Chevrolet Tahoe - Ford Expedition - Nissan Armada - Toyota Sequoia

### DU NOUVEAU EN 2008

Motorisation hybride à venir

### NOS IMPRESSIONS

| | |
|---|---|
| Agrément de conduite: | 🚗 🚗 🚗 🚗 |
| Fiabilité: | 🚗 🚗 🚗 |
| Sécurité: | 🚗 🚗 🚗 🚗 |
| Qualités hivernales: | 🚗 🚗 🚗 🚗 ½ |
| Espace intérieur: | 🚗 🚗 🚗 🚗 ½ |
| Confort: | 🚗 🚗 🚗 🚗 ½ |

### LE CHOIX DE L'ÉQUIPE

Aspen Limited

# POUR SE FAIRE DU BIEN !

L'association entre les constructeurs DaimlerBenz et Chrysler aura duré dix ans. Leur premier fruit, la Crossfire, aura permis à Chrysler de se refaire une image. Seulement, voilà, les acheteurs à qui on a trop souvent répété que cette voiture était une version américaine de la Mercedes SLK230 d'ancienne génération ont dans bien des cas choisi d'aller voir ailleurs. Quant à ceux qui ont craqué pour elle dès sa sortie, ils s'en sont procuré une il y a longtemps. Par conséquent, cette voiture pourtant pleine de talent n'attire plus grand monde et amasse désormais la poussière chez les concessionnaires...

Pour le client intéressé, c'est toutefois une bonne nouvelle. Car cette Crossfire qui demeure aujourd'hui un secret bien gardé sera certainement accompagnée d'un important rabais si vous achetez l'exemplaire que le concessionnaire supporte depuis des mois, voire parfois même des années !

Qu'il s'agisse du coupé ou du roadster, il faut admettre que les lignes de cette voiture sont tout simplement spectaculaires. Certains n'aiment pas le côté rétromoderne qui s'y rattache mais personnellement, ça me plait. Maintenant, je vous dirais que la version SRT6, qui n'est plus sur le marché, portait bien mal cet immense aileron arrière. C'est en fait dans sa version actuelle que la Crossfire plait le plus, c'est-à-dire en version Limited. En passant, sachez qu'il s'agit pour 2008 de la seule offerte. La version de base — uniquement en noir — et à laquelle on avait retiré une foule de caractéristiques, histoire d'abaisser le prix, est elle aussi supprimée cette année.

Très élégante, la Crossfire n'est évidemment pas une voiture pratique. Son coffre est naturellement plus spacieux sur le coupé que sur le roadster, mais l'espace demeure néanmoins limité. Le roadster reçoit pour sa part un toit entièrement automatisé, qui lorsqu'en place, rend la visibilité très difficile. L'opération de « décapotage » s'effectue rapidement, transformant du même coup la voiture en une vraie beauté. Il faut savoir que le roadster n'apprécie guère les lave-autos... Même si le carrossier Karman, qui a conçu la version décapotable, est réputé pour son savoir-faire, il n'en reste pas moins qu'avec le toit en place, on se fait joyeusement arroser !

## INFLUENCE MERCEDES, BON OU MAUVAIS ?

Très « mercedesienne », la finition intérieure est exceptionnelle. Les plastiques, cuirs et autres matériaux sont de grande qualité et le contraste des couleurs crée une ambiance très agréable. D'ailleurs, du radio en passant par les commutateurs jusqu'aux sièges, tout à bord provient des coffres de Mercedes. Vous comprendrez ainsi que le résultat est fabuleux mais qu'en revanche, certains détails d'aménagement plaisent un peu moins à une clientèle nord-américaine. Notamment, on constate que les espaces de rangement se font très rares et que les porte-gobelets brillent tout simplement par leur absence. Mentionnons également ce détestable levier servant à l'activation des clignotants et des essuie-glaces, que Mercedes commence à peine à abandonner.

 **FEU VERT**
Lignes audacieuses et originales, grande agilité routière, assemblage germanique, confort étonnant

**FEU ROUGE**
Boîte manuelle imprécise, logo peu prestigieux, espaces de rangement limités, côté pratiquement inexistant

Quel que soit votre gabarit, vous serez heureux d'apprendre que la Crossfire ne fait aucune discrimination. Bon, il est clair que vous n'y retrouverez pas le dégagement offert dans une Dodge Grand Caravan, mais pour un roadster, l'espace est fort généreux. De plus, cet habitacle est franchement confortable, ce qui en fait une voiture idéale si vous considérez à la fois une conduite sportive et un confort douillet.

Le seul moteur au menu est un V6 de 3,2 litres de 215 chevaux. Naturellement, cette puissance ne conviendra pas à celui qui recherche LA bombe de l'heure, mais elle ne laissera certainement pas le commun des mortels sur son appétit. Souple et fournissant un couple généreux, peu importe le régime, ce moteur est agréable à exploiter en toute situation. Toutefois, la boîte automatique m'apparaît plus intéressante que la manuelle, celle-ci manque de précision et est accompagnée d'un levier dont le pommeau nous glisse constamment des mains. Et si certains trouvent inacceptable de voir ce type de véhicule doté d'une boîte automatique, demandez à ceux qui s'en procurent ce qu'ils en pensent. Souvent, vous constaterez que les propriétaires de Crossfire sont de nouveaux retraités ou d'anciens motocyclistes qui souhaitent toujours avoir du plaisir sur la route, mais qui ne veulent plus souffrir comme autrefois. Des sièges confortables, un bon système audio et… une boîte automatique sont alors des critères d'une importance capitale.

## SURPRENANTE AGILITÉ

N'allez toutefois pas croire que la Crossfire est une pantoufle sur roues ! Au contraire, il faudrait plutôt la comparer à une espadrille. Car pour avoir conduit cette voiture sur piste à plusieurs reprises, je peux vous dire que son comportement est franchement impressionnant. La voiture est non seulement fort plaisante à conduire, mais aussi très agile, dotée d'une direction précise et très agréable et pourvue d'un excellent freinage. Stable, elle étonne également par sa grande tenue de route. Attention cependant aux nids-de-poule, car les pneus arrière de 19 pouces composent difficilement avec les imperfections de notre réseau routier.

Bref, voilà une voiture qui procure de grands moments de bonheur à qui sait en profiter. Unique par son style comme par sa conception, elle propose à la fois dynamisme, confort et originalité. Qui plus est, elle est beaucoup moins chère que les roadsters germaniques concurrents et peut souvent être accompagnée d'importants rabais. Voilà qui porte à réfléchir…

**Antoine Joubert**

Photos : Alain Morin

### VÉHICULE D'ESSAI

| | |
|---|---|
| Version : | Roadster Limited |
| Emp/Lon/Lar/Haut (mm) : | 2 400/4 058/1 766/1 315 |
| Poids : | 1 424 kg |
| Coffre/Réservoir : | 110 à 185 litres / 60 litres |
| Nombre de coussins de sécurité : | 4 |
| Suspension avant : | indépendante, bras inégaux |
| Suspension arrière : | indépendante, multibras |
| Freins av./arr. : | disque (ABS) |
| Antipatinage/Contrôle de stabilité : | oui / oui |
| Direction : | à billes, assistée |
| Diamètre de braquage : | 10,3 m |
| Pneus av./arr. : | P225/40R18 / P255/35R19 |
| Capacité de remorquage : | non recommandé |

### MOTORISATION À L'ESSAI

Pneus d'origine MICHELIN

| | |
|---|---|
| Moteur : | V6 de 3,2 litres 18s atmosphérique |
| Alésage et course : | 89,9 mm x 84,0 mm |
| Puissance : | 215 ch (160 kW) à 5 700 tr/min |
| Couple : | 229 lb-pi (311 Nm) de 3 000 à 6 000 tr/min |
| Rapport poids/puissance : | 6,62 kg/ch (9,01 kg/kW) |
| Système hybride : | aucun |
| Transmission : | propulsion, manuelle 6 rapports |
| Accélération 0-100 km/h : | 8,2 s |
| Reprises 80-120 km/h : | 7,0 s |
| Freinage 100-0 km/h : | 42,0 m |
| Vitesse maximale : | 230 km/h |
| Consommation (100 km) : | ordinaire, 14,1 litres |
| Autonomie (approximative) : | 426 km |
| Émissions de CO2 : | 5 568 kg/an |

### GAMME EN BREF

| | |
|---|---|
| Échelle de prix : | 48 050 $ à 51 900 $ |
| Catégorie : | coupé/roadster |
| Historique du modèle : | 1ière génération |
| Garanties : | 3 ans/60 000 km, 5 ans/100 000 km |
| Assemblage : | Osnabrück, Allemagne |
| Autre(s) moteur(s) : | aucun |
| Autre(s) rouage(s) : | aucun |
| Autre(s) transmission(s) : | automatique 5 rapports |

### DANS LA MÊME CATÉGORIE

Audi TT - BMW Z4 - Honda S2000 - Infiniti G37 Coupé - Mazda RX-8 - Mercedes-Benz SLK350 - Nissan 350Z - Porsche Boxster

### DU NOUVEAU EN 2008

Aucun changement

### NOS IMPRESSIONS

| | |
|---|---|
| Agrément de conduite : | 🚗🚗🚗🚗 |
| Fiabilité : | 🚗🚗🚗🚗 |
| Sécurité : | 🚗🚗🚗🚗 |
| Qualités hivernales : | 🚗🚗 |
| Espace intérieur : | 🚗🚗 |
| Confort : | 🚗🚗🚗🚗 |

### LE CHOIX DE L'ÉQUIPE

Roadster Limited

# CHRYSLER PACIFICA

# UN QUASI-SUCCÈS

Lorsque la Pacifica a fait son apparition sur le marché, les dirigeants de Chrysler étaient on ne peut plus optimistes. Selon eux, ils venaient d'inventer une nouvelle catégorie de véhicule combinant à la fois le caractère pratique d'une fourgonnette avec les attributs d'une familiale tout-terrain. Ajoutez à cela une bonne dose de luxe et vous avez le premier multisegment de l'industrie. Malheureusement, cet élégant véhicule à tout faire a connu un lancement raté et il n'a jamais été en mesure de se rendre justice par la suite..

Et à trop vouloir en faire avec un même produit, on n'intéresse plus personne. Un autre exemple de cette errance de mise en marché est la dernière génération des fourgonnettes de GM qui tentaient à leur tour d'être tout pour tout le monde avec les résultats qu'on connaît : l'abandon de ces modèles.

### POURTANT !

Une chose est certaine, la mévente de la Pacifica ne s'explique pas par son apparence que je trouve encore élégante plusieurs années après son dévoilement. D'ailleurs, sa partie avant est toujours au goût du jour et plusieurs ont associé le nouveau museau de la Subaru Tribeca avec celui de la Pacifica. Et pas la peine d'aller chez le voisin pour trouver des similitudes puisque la nouvelle fourgonnette qui fait son entrée en 2008 a également des ressemblances avec notre multisegment. D'autre part, il faut souligner que sa plate-forme a toujours été associée à celle de la fourgonnette bien que les responsables de Chrysler aient nié avec véhémence que ce soit le cas. Par contre, ils admettaient qu'il y avait des composantes communes...

Sa silhouette nous propose donc un mélange de lignes élégantes unies à une partie arrière passablement carrée et bien campée par des feux arrière massifs surplombés par le large montant de la carrosserie, servant ainsi de délimitation visuelle. Et pour éviter que les parois paraissent trop hautes, les stylistes ont ajouté une barre en relief parcourant toute la longueur du véhicule à partir de l'arrière de puits de roue avant.

Pour la petite histoire, la Pacifica a été la première Chrysler à agencer l'aluminium brossé aux larges espaces de la planche de bord. De plus, les cadrans indicateurs avec chiffres noirs sur fond blanc sont toujours du plus bel effet. Détail intéressant, l'écran de navigation par satellite est intégré dans le cadran indicateur central, juste sous nos yeux. Si cette configuration est astucieuse, elle est tout de même déroutante pour certains.

Capable de transporter six occupants dans les modèles Touring et Limited, cette Chrysler dorlote les passagers des places avant avec des sièges confortables offrant un support latéral acceptable. Les places de la seconde rangée sont constituées de sièges baquets sur ces mêmes versions, tandis que le modèle de base à traction avant se contente d'une banquette pleine largeur dont le dossier 65/35 se replie à plat vers l'avant. Enfin, les modèles six places réservent aux deux

**FEU VERT**
Groupe propulseur adéquat, silhouette élégante, habitacle polyvalent, tenue de route correcte, direction précise

**FEU ROUGE**
Véhicule lourd, prix élevé, faible visibilité arrière, consommation assez forte, espace de chargement limité (6 places)

**226**

GUIDE DE L'AUTO 2008        www.leguidedelauto.com

occupants supplémentaires une banquette 50/50 passablement confortable mais difficile d'accès. Et une fois celle-ci en place, l'espace est plutôt limité dans la soute à bagages.

## LEÇON D'HUMILITÉ

Tous les espoirs semblaient permis lorsque la Pacifica a été lancée en 2003. D'ailleurs, son coût dépassait allègrement les 50 000 $. Pourtant, devant l'incrédulité de la réaction initiale de la presse et du public, la direction annonçait une révision du prix à la baisse avant même que le véhicule ne soit livré dans les salles de démonstration ! Avec pour résultat que ce véhicule a continué de voir son prix être constamment révisé à la baisse, tout en proposant un habitacle plutôt luxueux et une mécanique tout de même raffinée. Constamment dans cette quête de nouveaux clients, on a concocté une version 4X2 propulsée par un moteur V6 3,8 litres de 200 chevaux couplé à une boîte automatique à quatre rapports. Toujours pour être en mesure d'alléger le prix initial.

Ceci permet de maintenir le prix sous la barrière des 40 000 $, mais les performances en souffrent puisque la Pacifica n'est pas un poids plume. Il semble que le meilleur choix soit la version Touring qui est vendue en traction ou avec la transmission intégrale et dont le moteur V6 4,0 litres de 253 chevaux est mieux adapté. De plus, il est couplé à une boîte automatique à six rapports. Ce groupe propulseur est bien adapté à la voiture mais devient bruyant lorsque trop sollicité. Quant à la Limited, elle possède le même moteur V6 de 4,0 litres, mais est uniquement offerte avec l'intégrale, et son équipement est plus cossu. Il faut toutefois souligner que le rouage intégral n'est pas le plus efficace qui soit alors que le système antipatinage entre en fonction trop tôt pour ainsi enlever toute la puissance.

Élégante, pratique et pouvant se prêter aux nombreuses utilisations souvent réservées à une fourgonnette, la Pacifica assure un comportement routier honnête, mais ses dimensions et son poids viennent gommer quelque peu ses aspirations sportives. Et il faut ajouter que la visibilité arrière est assez faible une fois tous les sièges arrière occupés.

Victime d'une mise en marché initiale boiteuse, cette multisegment n'a jamais réussi à se faire justice alors que les gens ont davantage remarqué ses limites plutôt que ses qualités...

**Denis Duquet**

Photos : Alain Morin

## VÉHICULE D'ESSAI

| | |
|---|---|
| Version : | Touring AWD |
| Emp/Lon/Lar/Haut (mm) : | 2 954/5 052/2 013/1 735 |
| Poids : | 2 083 kg |
| Coffre/Réservoir : | 369 à 2 250 litres / 87 litres |
| Nombre de coussins de sécurité : | 5 |
| Suspension avant : | indépendante, jambes de force |
| Suspension arrière : | indépendante, multibras |
| Freins av./arr. : | disque (ABS) |
| Antipatinage/Contrôle de stabilité : | oui / oui |
| Direction : | à crémaillère, assistée |
| Diamètre de braquage : | 12,1 m |
| Pneus av./arr. : | P235/65R17 |
| Capacité de remorquage : | 1 588 kg |

## MOTORISATION À L'ESSAI

Pneus d'origine **MICHELIN**

| | |
|---|---|
| Moteur : | V6 de 4,0 litres 24s atmosphérique |
| Alésage et course : | 96,0 mm x 81,0 mm |
| Puissance : | 253 ch (190 kW) à 6 000 tr/min |
| Couple : | 262 lb-pi (359 Nm) à 4 200 tr/min |
| Rapport poids/puissance : | 8,17 kg/ch (11,08 kg/kW) |
| Système hybride : | aucun |
| Transmission : | intégrale, automatique 6 rapports |
| Accélération 0-100 km/h : | 10,9 s |
| Reprises 80-120 km/h : | 8,6 s |
| Freinage 100-0 km/h : | 42,0 m |
| Vitesse maximale : | 180 km/h |
| Consommation (100 km) : | ordinaire, 14,9 litres |
| Autonomie (approximative) : | 584 km |
| Émissions de CO$_2$ : | 5 904 kg/an |

## GAMME EN BREF

| | |
|---|---|
| Échelle de prix : | 34 995 $ à 46 795 $ |
| Catégorie : | multisegment |
| Historique du modèle : | 1ère génération |
| Garanties : | 3 ans/60 000 km, 5 ans/100 000 km |
| Assemblage : | Windsor, Ontario, Canada |
| Autre(s) moteur(s) : | V6 3,8l 200ch/235lb-pi (13,4 l/100km) |
| Autre(s) rouage(s) : | traction |
| Autre(s) transmission(s) : | aucune |

## DANS LA MÊME CATÉGORIE

Buick Enclave - Ford Edge/Taurus X - GMC Acadia - Honda Element - Hyundai Veracruz - Mazda CX-7/CX-9 - Mitsubishi Endeavor - Nissan Murano - Saturn Outlook - Subaru Tribeca - Toyota Highlander

## DU NOUVEAU EN 2008

Aucun changement majeur

## NOS IMPRESSIONS

| | |
|---|---|
| Agrément de conduite : | 🚗 🚗 🚗 |
| Fiabilité : | 🚗 🚗 🚗 ½ |
| Sécurité : | 🚗 🚗 🚗 🚗 |
| Qualités hivernales : | 🚗 🚗 🚗 🚗 |
| Espace intérieur : | 🚗 🚗 🚗 ½ |
| Confort : | 🚗 🚗 🚗 🚗 |

## LE CHOIX DE L'ÉQUIPE

Touring AWD

# CHRYSLER PT CRUISER

# NON, CE N'EST PAS FINI!

Malgré une vente de feu l'an dernier et les changements somme toute très limités apportés au PT Cruiser cette année, le petit bolide n'est pas en voie d'extinction. On aurait pu croire sa fin approcher avec tous les incitatifs à l'achat, mais il est toujours parmi nous et continue son petit bonhomme de chemin. La mode rétro des années 2000 lui ayant donné naissance semble pourtant s'estomper et certains modèles nés à cette époque ont maintenant disparu. Le PT Cruiser est devenu une légende et on le sait tous, une légende, on ne touche pas à ça aussi facilement!

C'est que le PT Cruiser a un design bien à lui et il ne peut pratiquement plus vraiment en changer. Son aspect distinctif permet aux gens de le reconnaître partout où il passe et, un peu à la manière de la New Beetle ou de la Mini, il ne peut bénéficier que de très minimes modifications à défaut de remettre en question sa nature même. Le PT Cruiser se contente donc de suivre la compétition en matière de sécurité et de mécanique, deux éléments n'altérant pas son apparence extérieure. Sa silhouette reste par conséquent la même depuis ses tous débuts alors que la partie avant affiche encore un museau proéminent, de petits phares et un capot du genre *hot rod*. La partie arrière, bien que toujours aussi controversée, présente la même forme du début avec son hayon vertical faisant office de porte arrière. Évidemment, les avis seront partagés quant à la beauté du véhicule. Il n'est d'ailleurs pas difficile de savoir ce que les gens pensent du PT Cruiser. Soit ils l'adorent à l'extrême ou ils le détestent à en renier leur mère!

Le design rétro se poursuit à l'intérieur avec un tableau de bord à l'inspiration ancienne. Un volant à quatre branche et trois gros compteurs rappellent les bolides du temps. Quant à la console centrale, elle reprend les éléments de la marque avec la radio au centre et les commandes au bas. Les sièges sont très confortables et maintiennent bien

en virage, à condition d'y aller sans excès. Les places arrière sont généreuses et facilement accessibles, ce qui n'est malheureusement pas le cas lorsqu'on désire s'asseoir à l'arrière de la version cabriolet. L'emplacement des ceintures avant et la présence de l'arceau de sécurité nous obligent à user de stratégies audacieuses avant de tenter la manœuvre d'accès. Une fois assis, on constate cependant que l'espace est suffisant et que les dossiers des sièges ne sont pas trop positionnés à la verticale si on les compare avec certains autres modèles cabriolets.

## C'EST AU CHOIX

Le PT Cruiser se présente sous différentes versions. Au bas de l'échelle, la version de base avec son moteur 4 cylindres de 2,4 litres procure 150 faibles chevaux au conducteur. Dans ce cas, on préconise la consommation de carburant, mais soyez assuré que les performances ne sont pas ce qui caractérise ce modèle. Il est alors plus sage d'opter pour la transmission automatique qui effectue un travail admirable avec le peu de chevaux disponibles. Au milieu du peloton se classe la version Touring qui propose plusieurs options standard, dont le choix d'un moteur turbo de 180 chevaux. Cette mécanique semble la plus adaptée au PT Cruiser et tout particulièrement en lui fournissant la transmission manuelle. Les performances sont alors très acceptables et la consommation affiche tout

**FEU VERT**
Silhouette rétro équilibrée, choix de versions intéressant, prix compétitifs, tenue de route agréable, volume de l'habitacle généreux

**FEU ROUGE**
Moteur de base bruyant, présence abondante de plastique à l'intérieur, finition inégale, freinage manque de puissance

de même un léger avantage sur le moteur turbo de 230 chevaux. Ce moteur équipe d'ailleurs la version GT du PT Cruiser. Les performances sont évidemment beaucoup plus dynamiques mais la facture est assez salée. Outre la version dite familiale, il est possible de commander un modèle cabriolet du PT Cruiser qui donne droit à un toit souple en cuir présentant une lunette arrière en verre et dotée d'éléments chauffants.

## ET C'EST BIEN PLAISANT

Au volant du PT Cruiser, on retombe quelque peu en enfance. Outre son cachet *hot rod* nous rappelant les petites voitures Matchbox du temps, les nombreux éléments rétro présents à l'intérieur de l'habitacle nous font constamment penser à l'exclusivité du modèle. Remarquez que la sensation est la même que celle ressentie au volant du Chevrolet HHR. L'assise haute et la ceinture de caisse importante procurent une impression de sécurité élevée au volant de la voiture. Le roulis s'avère minime malgré la hauteur du véhicule et l'absence de pneus à profil bas. Toutes les tranches d'âges et tous les types de conducteurs trouveront chaussure à leur pied dans la gamme de moteurs disponibles. La version de base, économique et tout de même bien équipée plaira davantage à celui cherchant un véhicule ayant une faible consommation de carburant et l'amenant du point A au point B. Quant à la version turbo de 180 chevaux, elle permettra d'obtenir un peu de performances tout en restant abordable tant à l'achat qu'à la consommation. La version turbo de 230 chevaux profitera cependant plus à celui qui recherche la puissance mais pas nécessairement une tenue de route sportive. Le véhicule affiche un important effet de couple. Les pneus ne sont également pas adaptés à l'esprit dynamique de la machine. D'autre part, le prix commence à se faire sérieux... Puis vient la version cabriolet qui plaira à ceux qui affectionnent les balades sous le soleil d'un beau samedi après-midi. Inutile de mentionner que l'agrément de conduite devient secondaire! En fait, l'idéal serait la version cabriolet turbo de 230 chevaux.

Le PT Cruiser demeure un véhicule tout à fait de son temps. Il continue de séduire avec son style rétro qui semble toutefois s'être estompé il y a quelques années déjà. Le véhicule est fiable, le comportement honnête et le prix abordable. Certains l'aiment, d'autres pas, il reste que le PT Cruiser mérite d'être essayé.

**Guy Desjardins**

## VÉHICULE D'ESSAI

| | |
|---|---|
| Version : | Touring |
| Emp/Lon/Lar/Haut(mm) : | 2 616/4 288/1 705/1 600 |
| Poids : | 1 427 kg |
| Coffre/Réservoir : | 612 à 1,776 litres / 57 litres |
| Nombre de coussins de sécurité : | 4 |
| Suspension avant : | indépendante, jambes de force |
| Suspension arrière : | demi-ind., poutre déformante |
| Freins av./arr. : | disque/tambour (ABS opt.) |
| Antipatinage/Contrôle de stabilité : | non / non |
| Direction : | à crémaillère |
| Diamètre de braquage : | 12,8 m |
| Pneus av./arr. : | P205/55R16 |
| Capacité de remorquage : | 455 kg |

## MOTORISATION À L'ESSAI

| | |
|---|---|
| Moteur : | 4L de 2,4 litres 16s atmosphérique |
| Alésage et course : | 89,0 mm x 93,0 mm |
| Puissance : | 150 ch (112 kW) à 5 100 tr/min |
| Couple : | 165 lb-pi (224 Nm) à 4 000 tr/min |
| Rapport poids/puissance : | 9,51 kg/ch (12,97 kg/kW) |
| Système hybride : | aucun |
| Transmission : | traction, manuelle 5 rapports |
| Accélération 0-100 km/h : | 11,7 s |
| Reprises 80-120 km/h : | 10,2 s |
| Freinage 100-0 km/h : | 43,0 m |
| Vitesse maximale : | 185 km/h |
| Consommation (100 km) : | super, 9,8 litres |
| Autonomie (approximative) : | 582 km |
| Émissions de CO2 : | 4 224 kg/an |

## GAMME EN BREF

| | |
|---|---|
| Échelle de prix : | 20 895 $ à 29 695 $ |
| Catégorie : | familiale/cabriolet |
| Historique du modèle : | 1ière génération |
| Garanties : | 3 ans/60 000 km, 5 ans/100 000 km |
| Assemblage : | Toluca, Mexique |
| Autre(s) moteur(s) : | 4L 2,4l turbo 180ch/210lb-pi (10,4 l/100km) |
| | 4L 2,4l turbo 230ch/245lb-pi (11,4 l/100km) |
| Autre(s) rouage(s) : | aucun |
| Autre(s) transmission(s) : | automatique 4 rapports |

## DANS LA MÊME CATÉGORIE

Chevrolet HHR - Volkswagen New Beetle

## DU NOUVEAU EN 2008

Pas de changement majeur

## NOS IMPRESSIONS

| | |
|---|---|
| Agrément de conduite : | 🚗🚗🚗🚗 |
| Fiabilité : | 🚗🚗🚗🚗 |
| Sécurité : | 🚗🚗🚗🚗 |
| Qualités hivernales : | 🚗🚗🚗½ |
| Espace intérieur : | 🚗🚗🚗🚗½ |
| Confort : | 🚗🚗🚗🚗 |

## LE CHOIX DE L'ÉQUIPE

Touring Sedan

Photos : Alain Morin

# CHRYSLER SEBRING

# POUR TOUS LES GOÛTS

L'an dernier, Chrysler dévoilait sa nouvelle Chrysler Sebring. Elle remplaçait un modèle qui n'en était plus à sa première jeunesse, pour être poli! La génération précédente de la Sebring n'était pas mauvaise, loin de là, mais elle ne pouvait soutenir la comparaison avec des modèles aussi au point que les Toyota Camry, Ford Fusion et Hyundai Sonata pour ne nommer que ceux-ci. Même si les lignes de la nouvelle Sebring n'ont pas fait l'unanimité (certains n'apprécient pas les rainures sur le capot), on peut au moins dire que cette auto se veut plus moderne. Et la version cabriolet, si populaire auparavant, est revenue au catalogue.

Pour ne pas être en reste face à la compétition, Chrysler propose pas moins de trois moteurs pour sa Sebring. On retrouve tout d'abord un quatre cylindres de 2,4 litres de 173 chevaux. Ce moteur n'est pas des plus doux et le fait qu'il ne puisse être associé qu'à une automatique à quatre rapports seulement n'en fait pas un modèle d'économie d'essence. Il est par contre à considérer si le budget est compté et les performances ne sont pas une priorité. L'équipement de base de ce modèle est nécessairement moins complet que dans les autres versions. Viennent ensuite deux V6, un de 2,7 litres de 190 chevaux et un de 3,5 litres de 235 chevaux. Inutile de dire que ce dernier moteur s'avère plus doux et mieux adapté à la Sebring, d'autant plus que la transmission automatique qu'on lui a assignée possède six rapports. Les accélérations et les reprises sont vigoureuses tandis que la transmission travaille généralement en douceur, sauf lorsqu'on se sert du mode manuel en conduite sportive (bien que cet adjectif ne soit pas vraiment approprié ici, la Sebring se voulant surtout une berline confortable offrant suffisamment de puissance pour une conduite sécuritaire). Tant qu'à être dans le paragraphe «moteur», profitons-en pour mentionner que la batterie loge dans un compartiment accessible en passant par la fausse aile avant gauche… comme dans la génération précédente.

**COMPORTEMENT ROUTIER CORRECT**

Au chapitre de la conduite, la Sebring ne réserve pas de mauvaises surprises. La tenue de route se montre très correcte grâce à un châssis suffisamment rigide auquel on a accroché des suspensions indépendantes qui font leur boulot efficacement. La direction, autrefois conspuée, est désormais plus précise même si son *feedback* pourrait être un peu plus relevé. En conduite inspirée, on sent que la voiture a tendance à sous-virer (l'avant tend à continuer tout droit) mais ce n'est pas dangereux, à moins, bien sûr, d'être plus fort du pied droit que des neurones. Au sujet de la sécurité active (pour éviter un impact), la Sebring compte sur un système de contrôle de la traction fort efficace mais peu discret. Le terme «très audible» serait mieux approprié! Et si jamais le pied droit l'emportait, il y a pas moins de six coussins gonflables.

Si la Sebring affiche des lignes extérieures plus modernes, il en va de même dans l'habitacle. Le design est soigné et tous les boutons et jauges sont placés au bon endroit. Mais pourquoi fallait-il que Chrysler y mette si peu de passion? L'ensemble s'avère efficace et bien assemblé, certes, mais totalement dénué d'intérêt. On dirait qu'il n'y a que du plastique. Et gris souris en plus! Au moins, le système audio Boston Acoustics de notre voiture d'essai méritait le détour. Les sièges, puisque

**FEU VERT**
Moteur 3,5 litres performant et économique, comportement routier sain, version cabriolet réussie, version intégrale à venir, habitacle confortable

**FEU ROUGE**
Moteur 2,4 litres peu adapté à la voiture, tableau de bord très «plastique», sièges plus ou moins confortables, manque de passion, valeur de revente devrait être faible

230

## VÉHICULE D'ESSAI

| | |
|---|---|
| Version : | berline Limited V6 |
| Emp/Lon/Lar/Haut(mm) : | 2 765/4 842/1 808/1 498 |
| Poids : | 1 587 kg |
| Coffre/Réservoir : | 390 litres / 64 litres |
| Nombre de coussins de sécurité : | 6 |
| Suspension avant : | indépendante, jambes de force |
| Suspension arrière : | indépendante, multibras |
| Freins av./arr. : | disque (ABS) |
| Antipatinage/Contrôle de stabilité : | opt. / opt. |
| Direction : | à crémaillère, assistance variable |
| Diamètre de braquage : | 11,1 m |
| Pneus av./arr. : | P215/60R17 |
| Capacité de remorquage : | 900 kg |

## MOTORISATION À L'ESSAI

| | |
|---|---|
| Moteur : | V6 de 3,5 litres 24s atmosphérique |
| Alésage et course : | 96,0 mm x 81,0 mm |
| Puissance : | 235 ch (175 kW) à 6 400 tr/min |
| Couple : | 232 lb-pi (315 Nm) à 4 000 tr/min |
| Rapport poids/puissance : | 6,75 kg/ch (9,17 kg/kW) |
| Système hybride : | aucun |
| Transmission : | traction, automatique 6 rapports |
| Accélération 0-100 km/h : | 8,1 s |
| Reprises 80-120 km/h : | 6,4 s |
| Freinage 100-0 km/h : | 42,0 m |
| Vitesse maximale : | 180 km/h |
| Consommation (100 km) : | ordinaire, 9,9 litres |
| | (voiture d'essai) |
| Autonomie (approximative) : | 646 km |
| Émissions de CO2 : | 0 kg/an |

## GAMME EN BREF

| | |
|---|---|
| Échelle de prix : | 22 995 $ à 38 995 $ |
| Catégorie : | berline intermédiaire/cabriolet |
| Historique du modèle : | 2ième génération |
| Garanties : | 3 ans/60 000 km, 5 ans/100 000 km |
| Assemblage : | Sterling Heights, Michigan, É-U |
| Autre(s) moteur(s) : | 4L 2,4l 173ch/166lb-pi (9,7 l/100km) |
| | V6 2,7l 190ch/190lb-pi (10,8 l/100km) |
| Autre(s) rouage(s) : | aucun |
| Autre(s) transmission(s) : | automatique 4 rapports |

## DANS LA MÊME CATÉGORIE

Chevrolet Malibu - Ford Fusion - Honda Accord - Hyundai Sonata - Kia Magentis - Mazda6 - Mitsubishi Galant - Nissan Altima - Subaru Legacy - Toyota Camry - Volkswagen Passat

## DU NOUVEAU EN 2008

Version cabriolet ajoutée, rouage intégral à venir

## NOS IMPRESSIONS

| | |
|---|---|
| Agrément de conduite : | 🚗🚗🚗🚗 |
| Fiabilité : | 🚗🚗🚗½ |
| Sécurité : | 🚗🚗🚗🚗 |
| Qualités hivernales : | 🚗🚗🚗 |
| Espace intérieur : | 🚗🚗🚗½ |
| Confort : | 🚗🚗🚗🚗 |

## LE CHOIX DE L'ÉQUIPE

Limited

vous insistez, ne sont pas des plus confortables (selon le douillet auteur de ces lignes). Les places arrière réservent suffisamment d'espace pour les jambes et la tête et, curieusement, m'ont semblé plus confortables que celles d'en avant ! Il est possible d'abaisser les dossiers pour agrandir le coffre dont l'ouverture se montre désespérément petite et le seuil trop élevé. Et je désire profiter de l'occasion pour souligner l'atroce finition de l'intérieur du couvercle du coffre de notre voiture d'essai. De plus, le couvercle était difficile à refermer, refusant de s'enclencher tant qu'on n'abusait pas de la force musculaire et des mots lus, il y a très longtemps, dans le petit catéchisme.

### ET LE CABRIOLET ?

Même si le marché des cabriolets se veut toujours moins grand que celui des berlines, Chrysler a prévu deux types de toit différents pour la Sebring cabriolet, soit un toit souple et un toit rigide rétractable. Pour l'instant, seul le toit en toile a été présenté. Son étanchéité à l'eau s'avère sans reproches mais, lorsqu'on ouvre les portières par temps de pluie, le caoutchouc qui entoure le cadre du pare-brise laisse échapper l'équivalent des chutes Niagara sur le rebord du siège... C'est à se demander si les designers ont essayé ce toit sous la pluie ! Quant aux bruits de vent, notre voiture d'essai aurait eu besoin d'un ajustement de la vitre avant gauche. Pour cette version décapotable, on retrouve quatre coussins gonflables. Le toit se ferme en environ 30 secondes et se rétracte en 25. Le mécanisme hydraulique qui l'actionne n'est pas des plus discrets mais il nous a semblé plus solide que celui de la Pontiac G6 cabriolet. Lorsque le toit est relevé, la visibilité vers l'arrière n'est pas parfaite mais puisque Mini, avec sa Cooper décapotable, a redéfini les normes en matière de mauvaise visibilité, nous ne ferons pas de cas de celle de la Sebring... Par contre, il faut souligner que même si la convivialité des sièges arrière n'est pas celle de la berline, on ne s'imagine pas assis dans une jarre à biscuits fermée.

Pour 2008, la version de base s'appelle LX et Chrysler offre toujours les livrées Touring et Limited. En courant de l'année, une version intégrale de la berline fera son apparition. La gamme Sebring deviendra alors l'une des plus complètes sur le marché. Avec cette nouvelle génération, la Chrysler Sebring a fait d'immenses progrès. Toutefois, les valeurs sûres du marché ne seront pas ébranlées et il y a de fortes chances que la Sebring continue à être appréciée des entreprises de location. Remarquez que ces entreprises doivent offrir des véhicules fiables, au comportement routier sans surprise, économes d'essence et procurant un confort au dessus de la moyenne. Et la nouvelle Sebring, c'est tout ça !

**Alain Morin**

Photos : Denis Duquet

# CHARGER MINIATURE ? EUH... NON !

L'Avenger est avec nous depuis plusieurs et le moins qu'on puisse dire, c'est qu'elle fait jaser. Diverses questions la concernant nous sont adressées parce que l'impression générale, c'est qu'on nous propose une Charger moins grosse et moins cher. Or, il n'en est rien. Bien sûr, la ligne est *Bold and Powerful*, comme aiment si bien l'affirmer les gens de Dodge, mais là s'arrête la comparaison. Vous n'y trouverez pas le même agrément de conduite, le même dynamisme ni même cet esprit frondeur qui habite la désormais légendaire Charger. Maintenant, est-ce que l'Avenger est une mauvaise voiture pour autant ? Certainement pas !

P our répondre à la question de plusieurs, l'Avenger ne remplace pas le coupé du même nom qui nous était offert jusqu'en 1999. Créée à partir des bases de la berline Sebring, l'Avenger vient rivaliser avec les berlines Fusion, Malibu, Sonata et autres. Nous proposant un caractère totalement différent de celui de sa cousine, elle délaisse le côté dit noble et gracieux de la Sebring, au profit d'une ligne plus athlétique. Naturellement, le modèle R/T, muni de nombreux accessoires esthétiques, affiche un caractère encore plus prononcé, mais en général, l'Avenger se démarque bien du paysage automobile. Quant à ses dimensions plus petites que la moyenne, il en a été décidé ainsi pour qu'elle n'aille pas jouer dans les plates-bandes de la Charger, un peu comme la Nissan Altima le fait avec sa grande sœur, la Maxima.

À bord, il est dommage que la qualité de finition ne soit pas plus rigoureuse puisqu'il faut admettre que les stylistes ont eu la main heureuse. La planche de bord est élégante, bien aménagée et décorée d'intéressants contrastes de couleurs. Les petits accents de chrome et de faux aluminium viennent aussi enrichir l'environnement des modèles de plus haut de gamme, laissant la version SE un peu dépouillée à ce chapitre. Côté espace, quatre adultes peuvent être confortablement

installés, profitant soit de sièges avant enveloppants ou d'une banquette bien sculptée. Cependant, en arrière, des personnes de grande pourraient être gênées par le faible dégagement à la tête, qu'on explique par la courbure du pavillon.

## DES ACCESSOIRES POUR ÉPATER VOS AMIS !

Après les haut-parleurs articulés, le *Chill Zone* (permettant de réfrigérer quatre cannettes) et la lampe de poche amovible, tous offerts sur la Caliber, voilà que Dodge nous propose avec l'Avenger des portes-gobelets chauffants et réfrigérants et des lampes de lecture à diodes. Et comme si ce n'était pas assez, DaimlerChrysler a aussi choisi de nous offrir à prix compétitif, un système d'infodivertissement appelé MyGIG, offrant une panoplie de fonctions. Sans en énumérer l'ensemble, mentionnons une chaîne audio d'excellente qualité avec radio satellite Sirius, un système de navigation à écran tactile, la communication à activation vocale et un disque dur de 20 gigaoctets permettant d'emmagasiner des fichiers MP3, WMA et JPEG. On peut même y visionner des vidéos lorsque la voiture n'est pas en mouvement !

Sous le capot, trois options nous sont proposées. La version SE nous est d'abord livrable avec un quatre cylindres de 2,4 litres (le même que la

---

**FEU VERT**
Style accrocheur, prix compétitif, habitacle invitant, plusieurs gadgets intéressants, traction intégrale disponible

**FEU ROUGE**
Moteur quatre cylindres mal adapté, qualité d'assemblage inégale, freins ABS en option (SE)

**VÉHICULE D'ESSAI**

| | |
|---|---|
| Version : | R/T |
| Emp/Lon/Lar/Haut (mm) : | 2 765 / 4 849 / 1 824 / 1 496 |
| Poids : | 1 618 kg |
| Coffre/Réservoir : | 368 litres / 64 litres |
| Nombre de coussins de sécurité : | 4 |
| Suspension avant : | indépendante, jambes de force |
| Suspension arrière : | indépendante, multibras |
| Freins av./arr. : | disque (ABS) |
| Antipatinage/Contrôle de stabilité : | oui / oui |
| Direction : | à crémaillère, assistée |
| Diamètre de braquage : | 11,2 m |
| Pneus av./arr. : | P215/55R18 |
| Capacité de remorquage : | 907 kg |

Caliber) qui ici, n'a ni la puissance ni le raffinement pour faire face aux moteurs comparables offerts chez la concurrence. Et même s'il permet de vendre l'Avenger à prix très compétitif (21 995 $), je considère qu'il vaut mieux passer à la seconde option, soit la version SXT. Pour un supplément d'un peu moins de 3 500 $, cette Avenger propose plus d'équipements ainsi qu'un petit V6 de 2,7 litres (189 ch) accouplé à une boîte automatique à quatre rapports. Encore une fois, pas de quoi écrire à sa mère, mais la douceur et la souplesse de ce moteur combiné avec le fait qu'il soit peu gourmand pour un V6 nous font l'apprécier drôlement plus que le quatre cylindres. Maintenant, si votre soif de puissance est encore plus grande, il vous faudra opter pour la version R/T, pourvue d'un V6 de 3,5 litres développant 235 chevaux. Et dans ce cas, les accélérations sont nettement plus musclées. Mais pour cela, dites aussi merci à la boîte automatique à six rapports, qui effectue des passages de vitesse rapides et sans secousse.

## VOIE DE GAUCHE OU DROITE ?

Pour qui a l'habitude de la voie de gauche (à bon escient), la version R/T est de rigueur. Non seulement cette voiture livre des performances plus enivrantes, mais sa configuration différente en matière de direction et de suspension permet une conduite carrément plus dynamique. Et fort heureusement, le châssis répond bien à une conduite téméraire, ce qui n'était certainement pas le cas de sa devancière. Qui plus est, Dodge nous propose depuis peu une version R/T à traction intégrale, ce qui permet de concurrencer plus efficacement la Ford Fusion AWD. Sinon, les versions SE et SXT correspondent davantage à la définition d'une conduite aseptisée, grâce à une suspension axée sur le confort. Mais n'y voyez rien de négatif, plusieurs adoreront.

Si comme moi vous espériez voir naître une seconde berline à saveur Charger, il est fort probable que vous soyez déçu. Toutefois, en lançant l'Avenger, les gens de DaimlerChrysler savaient qu'ils s'immisçaient dans une catégorie où la concurrence est on ne peut plus féroce. Alors, plutôt que de tenter de se mesurer aux meneuses de la catégorie dans une partie probablement perdue d'avance, on a choisi d'y aller plus modestement en jouant la carte des gadgets, du style et du prix. Et c'est ce qu'il fallait faire, puisqu'avec l'apport d'une riche campagne publicitaire, il est clair que l'Avenger est vouée au succès.

**Antoine Joubert**

**MOTORISATION À L'ESSAI**

| | |
|---|---|
| Moteur : | V6 de 3,5 litres 24s atmosphérique |
| Alésage et course : | 96,0 mm x 81,0 mm |
| Puissance : | 235 ch (175 kW) à 6 400 tr/min |
| Couple : | 232 lb-pi (315 Nm) à 4 000 tr/min |
| Rapport poids/puissance : | 6,89 kg/ch (9,35 kg/kW) |
| Système hybride : | aucun |
| Transmission : | traction, automatique 6 rapports |
| Accélération 0-100 km/h : | 7,6 s |
| Reprises 80-120 km/h : | 6,0 s |
| Freinage 100-0 km/h : | 41,8 m |
| Vitesse maximale : | 210 km/h |
| Consommation (100 km) : | ordinaire, 12,9 litres |
| Autonomie (approximative) : | 496 km |
| Émissions de CO2 : | n.d. |

**GAMME EN BREF**

| | |
|---|---|
| Échelle de prix : | 21 995 $ à 30 895 $ |
| Catégorie : | berline intermédiaire |
| Historique du modèle : | 1ière génération |
| Garanties : | 3 ans/60 000 km, 5 ans/100 000 km |
| Assemblage : | Sterling Height, Michigan, É-U |
| Autre(s) moteur(s) : | 4L 2,4l 173ch/166lb-pi (9,7 l/100km) |
| | V6 2,7l 189ch/191lb-pi (10,8 l/100km) |
| Autre(s) rouage(s) : | intégrale |
| Autre(s) transmission(s) : | automatique 4 rapports |

**DANS LA MÊME CATÉGORIE**

Chevrolet Malibu - Ford Fusion - Honda Accord - Hyundai Sonata - Kia Magentis - Mazda6 - Mitsubishi Galant - Nissan Altima - Pontiac G6 - Saturn Aura - Toyota Camry - Volkswagen Passat

**DU NOUVEAU EN 2008**

Nouveau modèle

**NOS IMPRESSIONS**

| | |
|---|---|
| Agrément de conduite : | 🚗🚗🚗½ |
| Fiabilité : | Nouveau modèle |
| Sécurité : | 🚗🚗🚗🚗 |
| Qualités hivernales : | 🚗🚗🚗 |
| Espace intérieur : | 🚗🚗🚗½ |
| Confort : | 🚗🚗🚗½ |

**LE CHOIX DE L'ÉQUIPE**

SXT V6 ou R/T

Photos : Dodge

# DU GROS CALIBRE

La très attendue Dodge Caliber a été dévoilée l'an dernier en remplacement de la très décevante SX (lire Neon). Les lignes audacieuses de la Caliber, la qualité de sa construction et ses aptitudes routières l'ont rapidement fait apprécier des consommateurs. Dans l'édition 2007 du *Guide de l'auto*, nous avions même été jusqu'à lui faire endurer une trentaine d'heures de route et de piste pour voir de quoi il en retournait. À part certains petits bémols, l'ensemble nous avait séduits.

Aujourd'hui, plus d'un an après sa mise en marché, cette familiale surprend encore. On aime ou on n'aime pas son allure mais, au moins, elle en a une ! Cet envol stylistique se paie un peu par contre… Tout d'abord, mentionnons que la finition extérieure, sur deux modèles essayés récemment, était correcte sans plus. La visibilité aussi souffre du style de la Caliber. Les piliers « A », situés entre le pare-brise et les vitres latérales, sont trop larges, de même que les piliers « C » qui bloquent la vue trois quarts arrière. L'habitacle est de même facture que l'extérieur. On a vu à doter l'intérieur d'un design simple mais efficace. Cependant, la pauvreté des plastiques ne peut être passée sous silence. L'espace habitable s'avère très correct, de même que le confort des sièges, un peu dur au premier contact. Les espaces de rangement sont nombreux et bien placés tandis que l'instrumentation, fort réussie, tombe sous les yeux du conducteur. Notre ami Soleil vient toutefois gâcher un peu la sauce lorsqu'il s'amuse à envoyer ses rayons sur l'écran de la radio ou sur les garnitures de titane (imitation bien sûr !) de certains modèles. Dodge a fait grand cas de la fameuse section qui refroidit les bouteilles d'eau, appelée « *Chill Zone* ». Disons que ça rafraîchit l'eau plus que ça ne la refroidit. Ce n'est pas aussi révolutionnaire que ce que Dodge prétendait…

Les places arrière s'avèrent difficiles d'accès à cause de puits de roue prononcés. L'espace pour la tête et les jambes est accueillant mais les sièges sont un peu trop durs. Les dossiers s'abaissent pour former un fond plat et ainsi agrandir passablement l'espace de chargement. Le seuil de chargement est placé bas, ce qui est toujours apprécié lorsqu'on manipule des objets lourds mais l'ouverture créée par le hayon n'est pas — encore une fois — des plus grandes.

## MOTEURS BRUYANTS

Pas moins de trois moteurs, deux transmissions et autant de rouage d'entraînement sont au menu de la Caliber. Les versions de base reçoivent un quatre cylindres de 1,8 litre de 148 chevaux et 125 livres-pied de couple. On retrouve ensuite un 2,0 litres de 158 chevaux et 141 livres-pied de couple. Enfin, pour la version R/T, on a droit à un 2,4 litres de 172 chevaux et 165 livres-pied de couple. Tous les modèles, sauf un, sont des tractions (roues avant motrices). Le modèle R/T AWD est le seul à proposer le mode intégral. Ce rouage qui relaie la puissance aux quatre roues ne permet pas de suivre un Jeep dans un sentier, mais il assure une meilleure traction lorsque les conditions routières se détériorent. Au chapitre des transmissions, et contrairement aux débuts de la Caliber, chaque modèle, sauf le R/T AWD, reçoit d'office une

**FEU VERT**
Lignes différentes, nombreux espaces de rangement, espace de chargement intéressant, moteur performant (SRT-4), comportement routier sain

**FEU ROUGE**
Finition quelquefois sommaire, plastiques pauvres, moteurs bruyants, transmission CVT demande temps d'adaptation, valeur de revente pas très élevée

manuelle à cinq rapports et, moyennant un supplément, une CVT (à rapports continuellement variables). Il faudrait intenter un recours collectif contre Chrysler qui facture pour une telle transmission. Cette «chose» donne l'impression de «voler» des chevaux au moteur tout en soulignant la faible insonorisation de l'habitacle. En mode manuel, par contre, la CVT retrouve un peu de sa dignité.

La Dodge Caliber étant une voiture relativement lourde pour sa catégorie et les moteurs plus ou moins puissants, il va de soi que les performances brutes ne sont, à l'inverse, pas très brutes. Au mieux, le 0-100 se fait en 9,5 secondes avec le moteur 2,4 litres. Autrement, les chevaux se lamentent plus qu'ils ne bougent tant que le pied droit est enfoncé! Par contre, le châssis s'avère très rigide. On y a accroché des suspensions indépendantes aux quatre roues. Ces éléments suspenseurs sont responsables d'un bon confort et d'une tenue de route bien avisée. Poussée dans ses derniers retranchements, la Caliber adopte un comportement sous-vireur (l'avant refuse de tourner). Mais, conduite dans les règles de l'art, elle affiche une tenue de route plutôt neutre, marquée d'un léger roulis. Les freins, s'ils stoppent la voiture sur une distance raisonnable en situation d'urgence, ont une pédale trop molle. Au moins, l'ABS, optionnel sur les modèles SE et SXT, agit discrètement.

### AMENEZ LA SRT-4!

Mais la grande nouvelle, c'est la Caliber SRT-4! Alors là, mes amis, ce qu'on va s'éclater! L'équipe Street Racing Team de Chrysler y a installé un quatre cylindres de 2,4 litres turbocompressé développant environ 300 chevaux et 260 livres-pied de couple. Une transmission manuelle à six rapports Getrag relayera la puissance aux seules roues avant mais par l'entremise d'un différentiel à glissement limité. Cette SRT4, qui expédiera le 0-100 km/h aux alentours de 6,0 secondes, sera une alternative de choix aux Subaru Impreza WRX STi et Mitsubishi Lancer Evo X.

**Alain Morin**

## VÉHICULE D'ESSAI

| | |
|---|---|
| Version : | SE |
| Emp/Lon/Lar/Haut(mm) : | 2 635/4 414/1 747/1 533 |
| Poids : | 1 345 kg |
| Coffre/Réservoir : | 525 à 1 360 litres / 51 litres |
| Nombre de coussins de sécurité : | 4 |
| Suspension avant : | indépendante, jambes de force |
| Suspension arrière : | indépendante, multibras |
| Freins av./arr. : | disque/tambour (ABS opt.) |
| Antipatinage/Contrôle de stabilité : | opt. / opt. |
| Direction : | à crémaillère, assistance variable |
| Diamètre de braquage : | 11,3 m |
| Pneus av./arr. : | P205/70R15 |
| Capacité de remorquage : | 454 kg |

## MOTORISATION À L'ESSAI

| | |
|---|---|
| Moteur : | 4L de 2 litres 16s atmosphérique |
| Alésage et course : | 86,0 mm x 86,0 mm |
| Puissance : | 158 ch (118 kW) à 6 400 tr/min |
| Couple : | 141 lb-pi (191 Nm) à 5 000 tr/min |
| Rapport poids/puissance : | 8,51 kg/ch (11,59 kg/kW) |
| Système hybride : | aucun |
| Transmission : | traction, CVT mode man. 6 rapports |
| Accélération 0-100 km/h : | 10,0 s |
| Reprises 80-120 km/h : | 7,8 s |
| Freinage 100-0 km/h : | 42,4 m |
| Vitesse maximale : | 195 km/h |
| Consommation (100 km) : | ordinaire, 9,0 litres |
| Autonomie (approximative) : | 567 km |
| Émissions de $CO_2$ : | 3 984 kg/an |

## GAMME EN BREF

| | |
|---|---|
| Échelle de prix : | 15 995 $ à 25 295 $ |
| Catégorie : | hatchback |
| Historique du modèle : | 1ère génération |
| Garanties : | 3 ans/60 000 km, 5 ans/100 000 km |
| Assemblage : | Belvidere, Illinois, É-U |
| Autre(s) moteur(s) : | 4L 1,8l 148ch/125lb-pi (8,5 l/100km) |
| | 4L 2,4l 172ch/165lb-pi (9,8 l/100km) |
| | 4L 2,4l 300ch/260lb-pi (11,2 l/100km) SRT-4 |
| Autre(s) rouage(s) : | intégrale |
| Autre(s) transmission(s) : | manuelle 5 rapports |

## DANS LA MÊME CATÉGORIE

Chevrolet Optra/HHR - Chrysler PT Cruiser - Kia Spectra - Mazda3 Sport - Pontiac Vibe - Subaru Impreza - Suzuki SX4 - Toyota Matrix - Volkswagen Rabbit

## DU NOUVEAU EN 2008

Version SRT-4 enfin offerte à l'automne, sièges YES essentials sur SXT, mode Autostick sur SXT avec CVT2, deux nouvelles couleurs

## NOS IMPRESSIONS

| | |
|---|---|
| Agrément de conduite : | 🚗🚗🚗🚗 |
| Fiabilité : | 🚗🚗🚗🚗 |
| Sécurité : | 🚗🚗🚗🚗 |
| Qualités hivernales : | 🚗🚗🚗🚗 |
| Espace intérieur : | 🚗🚗🚗🚗 |
| Confort : | 🚗🚗🚗🚗 |

## LE CHOIX DE L'ÉQUIPE

R/T

Photos : Dodge

# DODGE GRAND CARAVAN /
# CHRYSLER TOWN AND COUNTRY

# DE RETOUR!

Plusieurs années après avoir initié la mode, Chrysler continue d'investir dans ses minifourgonnettes et croit toujours en la rentabilité de ce créneau, même après que Ford ait annoncé le retrait de la Freestar et que GM y songe aussi sérieusement. Les chiffrent parlent deux même, les ventes de minifourgonnettes ont chuté au cours des dernières années passant de 30% des véhicules vendus en 2003 à 19,3% en 2007. Il semble que les VUS de type multisegment s'attirent de plus en plus la faveur des acheteurs.

Quoi qu'il en soit, les Dodge Grand Caravan et Chrysler Town and Country font peau neuve cette année en possédant encore plus de fonctionnalités, le tout afin de faciliter la vie des familles modernes. Après tout, Chrysler se devait d'innover un peu, histoire de raviver l'intérêt envers ses modèles. Premièrement, on remarque la disparition de la Caravan à empattement court alors que le constructeur ne garde pour 2008 que les modèles Grand Caravan. Cependant, dans le but de conserver un modèle abordable, Dodge nous propose une édition SE Canada Value Package une version offrant un niveau d'équipement plus modeste et dont le prix équivaut pratiquement au coût du modèle d'entrée de gamme à empattement court de la génération précédente.

## PLUSIEURS CHOIX DE MODÈLES, TROIS MOTEURS

Chez Dodge, ce sont donc trois versions qui sont offertes incluant la Grand Caravan SE Canadian Value, SE et SXT au sommet de la gamme. C'est principalement des niveaux d'équipement distincts qui différentient ces modèles puisque tous partagent la même

236

motorisation, soit un six cylindres de 3,3 litres développant 175 chevaux à 5 000 tr/min pour un couple de 205 lb-pi à 4 000 tr/min. Ce moteur est couplé de série à boîte automatique à quatre rapports. Pour plus de puissance, une motorisation optionnelle est réservée à la Grand Caravan SXT, c'est-à-dire un six cylindres de 3,8 litres déployant 197 chevaux, soit 23 de plus que la quatre cylindres de base. C'est cependant son couple plus important, 230 lb-pi, et sa boîte automatique à six rapports qui la rendent intéressante.

Du côté de Chrysler, la Town and Country demeure fidèle aux prémices du modèle précédent et se positionne à un niveau supérieur. Les deux modèles proposés, Touring et Limited, se targuent d'une bonne liste d'équipements de série dont plusieurs destinés à assurer la sécurité des occupants. Quant aux motorisations, la version Touring arrive de série avec le V6 de 3,8 litres tandis que la version Limited dispose d'un six cylindres de 4,0 litres développant 251 chevaux. Ce moteur est d'ailleurs celui qui équipe notamment la Dodge Nitro. Peu importe la motorisation choisie, elle reçoit l'unique boîte, une automatique à six rapports.

### DES LIGNES DU PASSÉE

Le nouveau style des deux minifourgonnettes n'a été supervisé par nul autre que Ralph Gilles, le designer montréalais qui a réalisé notamment la Chrysler. Si son mandat était de rendre ces deux véhicules plus séduisants, difficile de crier victoire... Les nouvelles Grand Caravan et Town and Country ont perdu leurs lignes fluides pour reprendre une allure beaucoup plus cartésienne. On croirait un retour en arrière. Disons que tous les goûts sont dans la nature, mais ce nouvel aspect me laisse un peu froid.

C'est surtout l'arrière qui semble avoir été coupé au couteau. Les flancs et l'avant sont heureusement un peu mieux réussis. Concernant le design, il faut avouer que ce n'est pas évident de donner du style à un véhicule dont les bases sont fonctionnalité et polyvalence...

Chez Dodge, on favorise la sportivité grâce à des lignes accentuant le caractère du véhicule. La grille avant est plus imposante et le logo Dodge affiche des dimensions plus généreuses. On reconnaît à l'avant certains éléments inspirés du modèle Avenger. La Town and Country de son côté s'oriente un peu plus vers le luxe et la sophistication. Quelques touches ici et là lui procurent un peu plus de raffinement.

### SWIVEL 'N GO, LA NOUVEAUTÉ!

L'intérieur des deux nouveaux modèles a été mis au goût du jour. Le tableau de bord a été modernisé alors que l'instrumentation reçoit une allure un peu plus sport. La Town and Country hérite au centre du tableau de bord de la traditionnelle horloge analogique, maintenant

typique des produits Chrysler. Quant aux changements plus apparents, on remarque le levier de vitesse sur le tableau de bord, tout près du volant. Voilà un élément emprunté à la concurrence, notamment à la Quest de Nissan. Malgré quelques grincements de dents au premier coup d'œil, on s'y habitue rapidement.

Pour distraire toute la famille, un système de divertissement incluant deux écrans permettra aux passagers arrière d'écouter un film DVD et même de brancher leur console de jeu préférée. Les passagers avant pourront se rabattre sur l'appréciable système MyGig, un véritable ensemble multimédia permettant d'emmagasiner votre musique favorite, dont vos MP3.

On retrouve le système *Stow n' Go* qui permet de ranger complètement dans le plancher les sièges de seconde et de troisième rangées. En quelques secondes, vous pourrez apporter différentes configurations à l'habitacle et même transformer votre fourgonnette en fourgon. Ce système, quoique pratique, aura entraîné la disparition des modèles à traction intégrale.

La principale nouveauté cette année se veut l'ajout du système *Swivel 'n Go*. Grâce à ce dernier, vous pourrez faire pivoter les sièges de seconde rangée pour un environnement propice aux discussions et au jeu. Une table pourra être installée entre les sièges créant ainsi un espace de jeu ou de travail. Cette configuration peut être utilisée même lorsque le véhicule circule. Cependant, le choix des sièges *Swivel 'n Go* ne permet plus de rabattre les sièges de seconde rangée dans le plancher. Une question de choix : pivoter les sièges ou les ranger à plat ?

**FEU VERT**
Comportement amélioré, habitacle polyvalent et modulable, système MyGig intéressant, boîte automatique performante, insonorisation amélioré

**FEU ROUGE**
Lignes peu emballantes, moteur 3,3 litres un peu juste, motorisation imposée selon la version

## UNE CONDUITE AMÉLIORÉE

Au volant, on remarque rapidement les améliorations apportées aux dynamiques du véhicule. On sent le châssis plus rigide, alors que la direction se veut plus précise. La nouvelle suspension a aussi un meilleur aplomb, minimisant bien les transferts de poids. Bon, on demeure loin de la conduite d'une berline sport, mais le compromis à faire au volant est un peu moins sérieux qu'avant.

Peu importe le modèle choisi, la boîte automatique à six rapports s'avère agréable, exploitant bien la puissance des différents moteurs. Le six cylindres de 3,3 litres s'acquitte bien de sa tâche en zone urbaine, mais les accélérations demeurent un peu plus laborieuses, surtout si le véhicule est chargé. Le 3,8 litres est un peu plus approprié, mais malheureusement, il n'est offert qu'en option dans la version SXT chez Dodge et Touring chez Chrysler. Le six cylindres de 4,0 litres qui équipe uniquement la Town and Country Limited dispose d'une puissance nettement plus favorable.

Malgré tout, le marché des minifourgonnettes demeure important et pour plusieurs, ce type de véhicule représente toujours le summum de la polyvalence avec nombre d'éléments pratiques et appréciés de la famille, sans oublier des dynamiques de conduite plus intéressante. Si le style des nouvelles minifourgonnettes ne casse rien, il faut avouer que l'intérieur surprend par sa polyvalence et ses nombreux gadgets technos.

**Sylvain Raymond**

## VÉHICULE D'ESSAI

| | |
|---|---|
| Version : | Touring |
| Emp/Lon/Lar/Haut(mm) : | 3 078/5 142/2 000/1 750 |
| Poids : | 2 033 kg |
| Coffre/Réservoir : | 915 à 3 968 litres / 76 litres |
| Nombre de coussins de sécurité : | 6 |
| Suspension avant : | indépendante, jambes de force |
| Suspension arrière : | demi-ind., poutre déformante |
| Freins av./arr. : | disque (ABS, EBD) |
| Antipatinage/Contrôle de stabilité : | oui / oui |
| Direction : | à crémaillère, assistée |
| Diamètre de braquage : | n.d. |
| Pneus av./arr. : | P225/65R16 |
| Capacité de remorquage : | 1 588 kg |

## MOTORISATION À L'ESSAI

| | |
|---|---|
| Moteur : | V6 de 3,8 litres 12s atmosphérique |
| Alésage et course : | 96,0 mm x 87,1 mm |
| Puissance : | 197 ch (147 kW) à 5 200 tr/min |
| Couple : | 230 lb-pi (312 Nm) à 4 000 tr/min |
| Rapport poids/puissance : | 10,32 kg/ch (14,02 kg/kW) |
| Système hybride : | aucun |
| Transmission : | traction, automatique 6 rapports |
| Accélération 0-100 km/h : | 10,1 s |
| Reprises 80-120 km/h : | 7,8 s (estimé) |
| Freinage 100-0 km/h : | 41,8 m (estimé) |
| Vitesse maximale : | 185 km/h (estimé) |
| Consommation (100 km) : | ordinaire, 13,3 litres |
| Autonomie (approximative) : | 571 km |
| Émissions de CO2 : | 5 424 kg/an |

## GAMME EN BREF

| | |
|---|---|
| Échelle de prix : | 26 495 $ à 42 895 $ |
| Catégorie : | fourgonnette |
| Historique du modèle : | 4ème génération |
| Garanties : | 3 ans/60 000 km, 5 ans/100 000 km |
| Assemblage : | Windsor, Ontario, Canada |
| Autre(s) moteur(s) : | V6 4l 251ch/259lb-pi (13,8 l/100km) |
| | Town and Country, |
| | V6 3.3l 175ch/205lb-pi (12,6 l/100km) Grand Caravan |
| Autre(s) rouage(s) : | aucun |
| Autre(s) transmission(s) : | automatique, 4 rapports |

## DANS LA MÊME CATÉGORIE

Chevrolet Uplander - Honda Odyssey - Kia Sedona - Nissan Quest - Toyota Sienna - Hyundai Entourage

## DU NOUVEAU EN 2008

Nouveau modèle

## NOS IMPRESSIONS

| | |
|---|---|
| Agrément de conduite : | 🚗 🚗 🚗 ½ |
| Fiabilité : | Nouveau modèle |
| Sécurité : | 🚗 🚗 🚗 🚗 |
| Qualités hivernales : | 🚗 🚗 🚗 ½ |
| Espace intérieur : | 🚗 🚗 🚗 🚗 |
| Confort : | 🚗 🚗 🚗 🚗 |

## LE CHOIX DE L'ÉQUIPE

Grand Caravan SXT

Photos : Alain Morin

# DODGE CHARGER

# DU MUSCLE MODERNISÉ

Le Dodge Charger fait partie du populaire trio, au côté de la Chrysler 300 et de la Dodge Magnum, de véhicules qui ont contribué à raviver les ventes de voitures du constructeur. Voilà des modèles qui ont su attirer l'attention, notamment grâce à leurs lignes rétro, mais également, dans le cas du Charger, en raison de l'utilisation d'un nom issu tout droit du passé et qui aura marqué une autre époque. Je dois avouer que le Charger ne me laisse pas indifférent, même si je ne suis pas de la génération des *muscle cars*.

Alors que ce sont normalement des voitures plus exotiques qui suscitent l'intérêt des passants, le Charger en séduit plusieurs, et ce, même chez une clientèle plus jeune. Voilà qui est assez étonnant pour une voiture qui misait avant tout sur un héritage et une affiliation avec des modèles d'une autre époque. On doit quand même reconnaître que le Charger a peu en commun avec les modèles issus du passé, principalement à cause de ses quatre portières. Cependant, les designers ont su conférer à la voiture un aspect à la fois rétro et moderne, ce qui la rend hautement intéressante. Pour plusieurs, c'est avant tout son allure qui tranche de la masse qui en fait un véhicule accrocheur. De nos jours, le style vend et c'est encore plus vrai chez les berlines intermédiaires. À ce chapitre, le Charger ne déçoit pas.

### UN INTÉRIEUR SIMPLISTE

Pour 2008, le Charger reçoit peu de changements, si ce n'est que quelques modifications au tableau de bord ainsi que dans les différents ensembles d'équipement. On aura aussi octroyé aux amateurs de technologie de nouveaux gadgets, notamment le système MyGig qui permet d'emmagasiner 20 Go de données, très pratique pour conserver une discographie au format MP3.

Si l'extérieur réussit à faire tourner les têtes, l'intérieur en revanche déçoit quelque peu. On aurait apprécié un peu plus de soins dans l'aménagement des divers panneaux, dont l'apparence très plastique fait bon marché. On est assez loin des intérieurs de chez Toyota ou de chez Honda. Par contre, les dimensions de la voiture favorisent l'espace intérieur et tous les passagers, cinq au maximum, profitent d'amplement d'espace.

### UNE PANOPLIE DE MOTEURS

Avec la panoplie de moteurs offerts, on ne peut accuser Dodge de restreindre nos choix. Alors que la concurrence se contente bien souvent d'un moteur quatre cylindres et d'un six cylindres, Dodge en offre pas moins de quatre, incluant deux V8. Plus abordable, le Charger SE reçoit un moteur six cylindres de 2,7 litres développant 190 chevaux. Disons que cette version ne retient pas véritablement l'attention. Plus alléchante, la version SXT renferme un moteur six cylindres de 3,5 litres et 250 chevaux, soit une puissance beaucoup plus intéressante si l'on tient compte du gabarit de la voiture. Somme toute bien équipée, cette version offre des performances décentes, tout en favorisant l'économie d'essence

**FEU VERT**
Style hors du commun, bon choix de modèles, comportement sportif, performances relevées (V8),

**FEU ROUGE**
Direction légère, consommation élevée (V8), finition intérieur, visibilité arrière

240

## VÉHICULE D'ESSAI

| | |
|---|---|
| Version : | R/T Daytona |
| Emp/Lon/Lar/Haut(mm) : | 3 048/5 082/1 890/1 480 |
| Poids : | 1 860 kg |
| Coffre/Réservoir : | 460 litres / 72 litres |
| Nombre de coussins de sécurité : | 2 |
| Suspension avant : | indépendante, bras inégaux |
| Suspension arrière : | indépendante, multibras |
| Freins av./arr. : | disque (ABS) |
| Antipatinage/Contrôle de stabilité : | oui / oui |
| Direction : | à crémaillère, assistée |
| Diamètre de braquage : | 11,9 m |
| Pneus av./arr. : | P225/60R18 |
| Capacité de remorquage : | 907 kg |

## MOTORISATION À L'ESSAI

Pneus d'origine MICHELIN

| | |
|---|---|
| Moteur : | V8 de 5,7 litres 16s atmosphérique |
| Alésage et course : | 99,5 mm x 90,9 mm |
| Puissance : | 340 ch (261 kW) à 5 000 tr/min |
| Couple : | 390 lb-pi (529 Nm) à 4 000 tr/min |
| Rapport poids/puissance : | 5,31 kg/ch (7,21 kg/kW) |
| Système hybride : | aucun |
| Transmission : | propulsion, automatique 5 rapports |
| Accélération 0-100 km/h : | 6,3 s |
| Reprises 80-120 km/h : | 5,1 s |
| Freinage 100-0 km/h : | 41,0 m |
| Vitesse maximale : | 250 km/h |
| Consommation (100 km) : | ordinaire, 13,9 litres |
| Autonomie (approximative) : | 518 km |
| Émissions de CO2 : | 5 568 kg/an |

## GAMME EN BREF

| | |
|---|---|
| Échelle de prix : | 32 595 $ à 46 395 $ |
| Catégorie : | berline sport |
| Historique du modèle : | 1ère génération |
| Garanties : | 3 ans/60 000 km, 5 ans/100 000 km |
| Assemblage : | Brampton, Ontario, Canada |
| Autre(s) moteur(s) : | V6 3,5l 250ch/ |
| | 250lb-pi (12,5 l/100km) SXT |
| | V6 2,7l 190ch/190lb-pi (11,4 l/100km) SE |
| | V8 6,1l 425ch/420lb-pi (16,5 l/100km) SRT-8 |
| Autre(s) rouage(s) : | intégral |
| Autre(s) transmission(s) : | automatique 4 rapports |

## DANS LA MÊME CATÉGORIE

Acura TL - Buick Allure - Chevrolet Impala - Ford Taurus - Nissan Maxima - Pontiac Grand Prix - Toyota Avalon - Volkswagen Passat

## DU NOUVEAU EN 2008

Nouvelles couleurs, tableau de bord rafraîchi, levier régulateur de vitesse repositionné, groupes d'options différents

## NOS IMPRESSIONS

| | |
|---|---|
| Agrément de conduite : | 🚗 🚗 🚗 ½ |
| Fiabilité : | 🚗 🚗 🚗 🚗 |
| Sécurité : | 🚗 🚗 🚗 🚗 |
| Qualités hivernales : | 🚗 🚗 🚗 ½ |
| Espace intérieur : | 🚗 🚗 🚗 🚗 |
| Confort : | 🚗 🚗 🚗 🚗 |

## LE CHOIX DE L'ÉQUIPE

SXT

---

Vient ensuite le Charger R/T qui cache un autre élément issu du passé, soit un moteur HEMI de 5,7 litres déployant 340 chevaux. Certes moins économe, ce moteur profite tout de même du système MDS de désactivation des cylindres, une technologie qui coupe quatre des huit cylindres lorsque le moteur est moins sollicité.

Puis arrivent deux modèles à diffusion plus limitée dont les performances et le comportement sont rehaussés par divers ajouts. Le modèle Daytona se fait remarquer par son coloris distinct, sa bande décorative et un béquet arrière peint en noir mat. C'est un modèle qui fait carrément tourner les tête.

On retrouve finalement au sommet de la gamme le Charger SRT8, une véritable bombe de 425 chevaux qui transforme la voiture en tentation diabolique. Avec toute cette puissante envoyée aux roues arrière, ce bolide vous incitera à la délinquance, c'est certain.

### UN VÉRITABLE BOLIDE

L'opération de charme débute lorsqu'on entend la riche sonorité du moteur, surtout les huit cylindres. Certains plongeront rapidement dans le passé. Si les versions à moteur huit cylindres surprennent par leur puissance, le Charge SXT muni du six cylindres de 3,5 litres représente le meilleur compromis. La voiture est amplement puissante et la réduction de poids à l'avant apportée par ce moteur plus léger améliore son comportement. Cette version sera moins risquée en ce qui a trait aux points de démérite... Difficile de résister à toute la puissance d'un Charger R/T, alors, ça l'est plus encore pour le SRT8, une véritable bombe capable de vous clouer au siège !

Sur la route, on apprécie la suspension ferme qui favorise le maintien de la voiture en virage. Cependant, la direction s'avère un peu trop surassistée, on souhaiterait recevoir un peu plus de sensations de la route. Après tout, le Charger se veut un sportif. Stylisé, il nous plonge à une autre époque, tout en nous apportant quelques touches de modernisme. Il possède des atouts différents, dans un créneau homogène dominé par l'ingénierie japonaise.

**Sylvain Raymond**

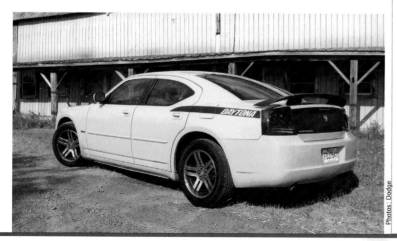

Photos : Dodge

# DODGE MAGNUM

# À CONTRE-COURANT

Alors que la mode est aux voitures à vocation écologique et aux moteurs de plus faible consommation, la division Dodge fait fi de cette tendance en mettant à nouveau en vedette la Magnum SRT8. Celle-ci bénéficie d'une nouvelle grille de calandre, tandis que la R/T et les autres versions profitent également de multiples changements. Bref, cette grosse familiale résiste aux modes du jour et continue sans complexe d'être une américaine pure et dure.

En dépit de ses apparences de voiture modifiée, ou même de *hot rod*, cette Dodge est un véhicule éminemment pratique. En effet, son large hayon arrière s'ancre profondément sur le pavillon, présentant ainsi une plus grande ouverture sur une soute à bagages aux dimensions généreuses, surtout lorsque la banquette arrière est repliée. Par contre, aux places arrière, l'inclinaison du toit limite quelque peu le dégagement pour la tête. En plus, la visibilité arrière est pauvre, en raison d'une fenestration assez basse, toujours pour conserver cette allure de voiture modifiée. Mais quelle silhouette!

### TOUJOURS LA FIÈVRE HEMI

Pour la petite histoire, la direction de Chrysler a décidé de ressusciter le moteur Hemi sur ses camions Ram pour concilier un nom légendaire avec un produit costaud. Mais ce moteur était tellement puissant et versatile qu'il s'est retrouvé sous le capot d'une multitude de voitures, la Magnum notamment. C'est comme si tout le personnel de la direction avait attrapé la fièvre Hemi et voulait l'utiliser sur tout. Cette année encore, ce légendaire moteur V8 est de retour sur la Magnum. La version 5,7 litres de 340 chevaux est montée sur le modèle R/T. Malgré sa cylindrée et sa puissance, ce V8 tente d'être politiquement correct en faisant appel à un système de désactivation partielle des cylindres

afin d'économiser du carburant. S'il faut croire les communiqués du constructeur, l'économie serait de l'ordre de 20 pour cent. Ceci doit être dans des conditions optimales puisque nous n'avons jamais observé mieux qu'une diminution de 12 pour cent. Sans doute avons-nous le pied trop pesant...

Mais il s'agit du Hemi le moins puissant offert sur la Magnum car le modèle SRT8 est propulsé par un autre moteur de la même famille, un V8 de 6,1 litres produisant 425 chevaux et capable de boucler le 0-100 km/h en 5,3 secondes et des poussières. C'est la combinaison idéale pour les personnes qui aiment les émotions fortes derrière le volant. Ce V8 affiche une consommation de carburant «raisonnable», si on peut employer un tel mot, mais les choses se gâtent rapidement dès qu'on appuie vigoureusement sur l'accélérateur.

Mais avant de conclure que la division Dodge est gérée par des irresponsables avec cette préférence pour le Hemi, prenez note que cette familiale peut être commandée avec un moteur V6. Le plus intéressant est celui de 3,5 litres d'une puissance de 250 chevaux. Sa consommation est acceptable, sa puissance et son rendement adéquats. Vous pouvez charger la voiture presque à ras bord et les dépassements ne seront

**FEU VERT**
Silhouette agressive, choix de moteurs, SRT8, modèle pratique, tenue de route

**FEU ROUGE**
Visibilité arrière limitée, consommation élevée (SRT8), places arrière exiguës

**242**

## VÉHICULE D'ESSAI

| | |
|---|---|
| Version : | R/T AWD |
| Emp/Lon/Lar/Haut (mm) : | 3 048/5 022/1 882/1 481 |
| Poids : | 1 992 kg |
| Coffre/Réservoir : | 770 à 2 030 litres / 72 litres |
| Nombre de coussins de sécurité : | 2 |
| Suspension avant : | indépendante, bras inégaux |
| Suspension arrière : | indépendante, multibras |
| Freins av./arr. : | disque (ABS) |
| Antipatinage/Contrôle de stabilité : | oui / oui |
| Direction : | à crémaillère, assistance variable |
| Diamètre de braquage : | 11,8 m |
| Pneus av./arr. : | P225/60R18 |
| Capacité de remorquage : | 907 kg |

## MOTORISATION À L'ESSAI

| | |
|---|---|
| Moteur : | V8 de 5,7 litres 16s atmosphérique |
| Alésage et course : | 99,5 mm x 90,9 mm |
| Puissance : | 340 ch (254 kW) à 5 000 tr/min |
| Couple : | 390 lb-pi (529 Nm) à 4 000 tr/min |
| Rapport poids/puissance : | 5,86 kg/ch (7,97 kg/kW) |
| Système hybride : | aucun |
| Transmission : | intégrale, automatique 5 rapports |
| Accélération 0-100 km/h : | 7,0 s |
| Reprises 80-120 km/h : | 5,8 s |
| Freinage 100-0 km/h : | 43,2 m |
| Vitesse maximale : | 250 km/h |
| Consommation (100 km) : | ordinaire, 13,9 litres |
| Autonomie (approximative) : | 518 km |
| Émissions de $CO_2$ : | 5 568 kg/an |

## GAMME EN BREF

| | |
|---|---|
| Échelle de prix : | 29 080 $ à 45 085 $ |
| Catégorie : | familiale |
| Historique du modèle : | 1ère génération |
| Garanties : | 3 ans/60 000 km, 5 ans/100 000 km |
| Assemblage : | Brampton, Ontario, Canada |
| Autre(s) moteur(s) : | V6 3,5l 250ch/250lb-pi (12,5 l/100km) |
| | V6 2,7l 190ch/190lb-pi (11,4 l/100km) |
| | V8 6,1l 425ch/420lb-pi (16,5 l/100km) SRT8 |
| Autre(s) rouage(s) : | propulsion |
| Autre(s) transmission(s) : | automatique 4 rapports |

toujours pas problématiques. Enfin, la version la plus économique est livrée avec un autre moteur V6, il s'agit d'un 2,7 litres de 190 chevaux. Il ne faut pas ignorer que ses performances correctes avec un seul occupant deviennent plus problématiques avec quatre adultes à bord...

## CHANGEMENTS MINEURS

Si la mécanique est quasiment identique à celle de 2007, l'apparence a été modifiée. La partie avant a été redessinée sur la SRT8 et une prise d'air fonctionnelle trône sur le capot. Les autres versions bénéficient également d'un nouveau style avant mais sans la prise d'air, la signature visuelle de la SRT8.

Dans l'habitacle, le tableau de bord a été modernisé avec de nouveaux cadrans indicateurs et des plastiques moins durs. Une foule d'autres améliorations ont été apportées aux garnitures de portière et au tableau de bord. Finalement, le levier de commande du régulateur de vitesse a été modifié et personne ne s'en plaindra.

Avec sa suspension sportive, son moteur de 425 chevaux, ses freins Brembo et ses pneus sport, la SRT8 est une propulsion qui est agréable à conduire et dont le comportement routier est très prévisible. Pour aborder l'hiver sans trop d'appréhension, cochez la transmission intégrale sur votre feuille de commande.

Oublions les versions à moteur Hemi pour un instant et tournons-nous vers le modèle le plus populaire, soit celui doté du moteur V6 3,5 litres. La Magnum est d'un équilibre général surprenant, surtout en raison de sa remarquable plate-forme, gracieuseté de Mercedes-Benz. La voiture est neutre dans les virages, la stabilité latérale excellente et le transfert de puissance aux roues arrière sans reproche. De plus, la position de conduite est bonne, ce qui compense une visibilité arrière plus que moyenne. Il ne faut pas oublier que ce type de carrosserie est également très pratique.

**Denis Duquet**

## DANS LA MÊME CATÉGORIE

Audi A4 Avant - BMW 325 Touring - Chrysler Pacifica - Ford Freestyle - Volkswagen Passat - Volvo V70 / XC70

## DU NOUVEAU EN 2008

Nouveau capot, Grille de calandre redessinée, Habitacle remodelé, Nombreux changements de détail

## NOS IMPRESSIONS

| | |
|---|---|
| Agrément de conduite : | 🚗🚗🚗🚗 |
| Fiabilité : | 🚗🚗🚗 |
| Sécurité : | 🚗🚗🚗🚗 |
| Qualités hivernales : | 🚗🚗🚗🚗 |
| Espace intérieur : | 🚗🚗🚗🚗 |
| Confort : | 🚗🚗🚗🚗 |

## LE CHOIX DE L'ÉQUIPE

R/T AWD

Photos : Alain Morin

# DODGE NITRO

# EUH...PAS SÛR !

Je dois admettre qu'au cours des dernières années, DaimlerChrysler a su me séduire à plusieurs reprises. L'innovation, la passion et la performance ont souvent été au cœur des modèles qui nous étaient présentés, ce qui a permis de rehausser grandement l'image du constructeur. Malheureusement, je ne peux pas dire que le Nitro, nouvel utilitaire de la gamme Dodge, m'a fait la même impression. Certes, il est peut-être originalement vêtu, mais sous cette armure angulaire se cachent de multiples blessures qui viennent affaiblir le guerrier.

D'entrée de jeu, je vous avouerais que je ne suis pas un fervent admirateur de ces congélateurs sur quatre roues qui vont chercher leur style dans les accessoires. Dans le cas du Nitro, ce sont les ailes bombées, les jantes et la calandre qui le font paraître supposément cool ! Peut-être que ses fausses prises d'air latérales y sont aussi pour quelque chose, mais on ne peut certainement pas donner de crédit aux formes innovatrices du pavillon, des glaces ou même du hayon. Et si les versions SLT et R/T affichent une allure plutôt intéressante grâce à leur habillement monochrome, sachez que les modèles SE et SXT revêtent des pare-chocs, des moulures et des contours d'aile en plastique poreux, franchement laids.

C'est vrai, tous les goûts sont dans la nature, ce qui ne me permet par conséquent pas de me baser que sur le style du véhicule pour en tirer mes conclusions. Toutefois, en l'observant de l'extérieur, il m'est facile de constater que la qualité d'assemblage n'est pas sa grande force. Et ce n'est guère mieux à bord puisque là aussi, l'assemblage et la finition déçoivent... Si l'envie vous prend de contempler ce véhicule, je vous invite, pour comprendre mes propos, à tâter les divers plastiques à bord, ou encore à enclencher le levier des clignotants. Dès lors, ce sentiment de «made in China on a Friday afternoon» vous envahira !

## PANTALONS BLANCS S'ABSTENIR !

Difficile de grimper à bord du Nitro sans souiller ses pantalons. Pour éviter la chose, vous devrez soit faire preuve d'une grande vigilance, soit donner le bain à votre véhicule sur une base quasi hebdomadaire. Une fois installé, le conducteur se retrouve derrière une planche de bord au design typiquement DaimlerChrysler. C'est joli, efficace et ergonomique, mais ça n'a rien d'innovateur. C'est un mélange d'accents de chrome, de cadrans circulaires et de garnitures argentées, le tout illuminé par cet éclairage turquoise traditionnel. À l'avant, les sièges proposent un confort notable malgré leur fermeté. Un meilleur dégagement pour les jambes ainsi qu'un accoudoir réglable auraient été souhaitables, mais il est tout de même agréable de s'asseoir à l'avant du Nitro. Derrière, c'est bien différent... Le confort de la banquette se compare à celui d'un banc des punitions, alors que l'espace accordé aux jambes est réduit au minimum. On se console toutefois en constatant que l'espace de chargement est généreux, bien étudié, et que le chargement est facilité par le système Load'N Go, qui consiste en un plateau de plancher coulissant des plus pratiques.

Sous le capot, il n'est pas surprenant de retrouver le V6 de 3,7 litres à simple arbre à cames en tête, utilisé dans la quasi-totalité des modèles

## FEU VERT
Style accrocheur, facture alléchante, moteur 4,0 litres performant, système Load'N Go pratique

## FEU ROUGE
Confort déplorable, moteur 3,7 litres rugueux, consommation considérable, manque d'espace à l'arrière

### VÉHICULE D'ESSAI

| | |
|---|---|
| Version : | SLT 4RM |
| Emp/Lon/Lar/Haut(mm) : | 2763/4544/1857/1776 |
| Poids : | 1 888 kg |
| Coffre/Réservoir : | 906 à 1 846 litres / 74 litres |
| Nombre de coussins de sécurité : | 4 |
| Suspension avant : | indépendante, bras inégaux |
| Suspension arrière : | essieu rigide, multibras |
| Freins av./arr. : | disque (ABS) |
| Antipatinage/Contrôle de stabilité : | oui / oui |
| Direction : | à crémaillère, assistance variable |
| Diamètre de braquage : | 11,1 m |
| Pneus av./arr. : | P235/65R17 |
| Capacité de remorquage : | 2 268 kg |

### MOTORISATION À L'ESSAI

| | |
|---|---|
| Moteur : | V6 de 3,7 litres 12s atmosphérique |
| Alésage et course : | 93,0 mm x 90,8 mm |
| Puissance : | 215 ch (160 kW) à 5 200 tr/min |
| Couple : | 235 lb-pi (319 Nm) à 4 000 tr/min |
| Rapport poids/puissance : | 8,78 kg/ch (11,95 kg/kW) |
| Système hybride : | aucun |
| Transmission : | 4RM, automatique 4 rapports |
| Accélération 0-100 km/h : | 10,4 s |
| Reprises 80-120 km/h : | 8,9 s |
| Freinage 100-0 km/h : | 41,0 m |
| Vitesse maximale : | 170 km/h |
| Consommation (100 km) : | ordinaire, 13,5 litres |
| Autonomie (approximative) : | 548 km |
| Émissions de $CO_2$ : | 5 616 kg/an |

### GAMME EN BREF

| | |
|---|---|
| Échelle de prix : | 23 595 $ à 30 395 $ |
| Catégorie : | utilitaire sport compact |
| Historique du modèle : | 1ière génération |
| Garanties : | 3 ans/60 000 km, 5 ans/100 000 km |
| Assemblage : | Toledo, Ohio, É-U |
| Autre(s) moteur(s) : | V6 4,0l 250ch/265lb-pi (13,6 l/100km) |
| Autre(s) rouage(s) : | propulsion |
| Autre(s) transmission(s) : | manuelle 6 rapports / automatique 5 rapports |

Jeep. Rugueux, bruyant et manquant énormément de souplesse, ce moteur déteste être vivement sollicité. Ses 210 chevaux sont tout de même capables d'offrir des performances honnêtes, mais on ne peut certainement pas parler d'agrément et de raffinement. Pour ce faire, il faut inévitablement se tourner du côté de la version R/T, la seule à bénéficier du nouveau V6 de 4,0 litres, offrant un supplément de 50 chevaux. Avec lui, les performances sont bien entendu plus intéressantes, le rendement et l'agrément de conduite y gagnent aussi énormément. Il faut dire que la boîte automatique à cinq rapports, aussi unique à cette version, permet des passages de vitesse moins saccadés ainsi qu'une meilleure exploitation de la puissance disponible. À preuve, la consommation d'essence des deux V6 est pratiquement identique, se situant en conduite normale autour de 14 litres aux 100 kilomètres.

## OÙ SONT LES AMORTISSEURS ?

En prenant le volant, je savais d'avance que je n'aurais pas droit au confort d'une Grand Caravan. Cependant, quelques kilomètres m'ont suffi pour constater que le travail des ingénieurs avait dû être interrompu en cours d'exécution. D'abord, la piètre insonorisation m'a tout de suite rappelé celle du Jeep Wrangler (qui n'est pas une référence). Ensuite, les bruits éoliens sont omniprésents, sans compter le fait que les bruits de caisse surgissent sont abondants. Mais le comble, c'est qu'on semble avoir oublié d'installer des amortisseurs à l'arrière. Oui, j'exagère peut-être, mais le degré d'inconfort est à ce point élevé qu'on ne peut en aucun cas le passer sous silence. Bien sûr, on l'explique en partie par la présence d'un essieu arrière rigide, mais les amortisseurs proposent un trop grand débattement et sont franchement mal adaptés au véhicule. Alors, imaginez le résultat lorsqu'on opte pour la version R/T, munie de roues de 20 pouces ! Voilà une raison pour développer une relation plus intime avec un chiropraticien !

L'adepte de la conduite hors route aurait pour sa part tout intérêt à se tourner du côté du Jeep Liberty, un véhicule qui dérive du Nitro. Bref, le plus petit VUS de la marque Dodge ne possède pas de véritables grandes qualités. Les acheteurs qui pencheront vers ce modèle seront d'ailleurs séduits principalement par sa ligne, qui il faut l'admettre, affiche une certaine originalité. Mais si le confort, la puissance, le raffinement et l'économie de carburant figurent parmi vos préoccupations, il est clair que vous ne frappez pas à la bonne porte.

*Antoine Joubert*

### DANS LA MÊME CATÉGORIE

Chevrolet Equinox - Ford Escape - Hyundai Santa Fe - Jeep Liberty - Mazda Tribute - Nissan XTerra - Saturn Vue - Suzuki Grand Vitara - Toyota Rav4

### DU NOUVEAU EN 2008

Nouveaux groupes d'options

### NOS IMPRESSIONS

| | |
|---|---|
| Agrément de conduite : | 🚗 🚗 ½ |
| Fiabilité : | 🚗 🚗 🚗 ½ |
| Sécurité : | 🚗 🚗 🚗 ½ |
| Qualités hivernales : | 🚗 🚗 🚗 🚗 ½ |
| Espace intérieur : | 🚗 🚗 🚗 ½ |
| Confort : | 🚗 🚗 🚗 |

### LE CHOIX DE L'ÉQUIPE

SXT

Photos : Denis Duquet

# LA BOMBE DE 600 CHEVAUX

La Dodge Viper 2008, quatrième génération de ce modèle, a été dévoilée au Salon de l'auto de Detroit en janvier 2007, et elle constitue la réplique de Chrysler à la Chevrolet Corvette Z06. Pour ces deux constructeurs américains, la lutte pour le titre de sportive la plus puissante et la plus rapide reprend donc de plus belle, mais le règne de la Viper pourrait être de courte durée, car Chevrolet s'apprête à lancer une version de 650 chevaux de sa Corvette pour 2009…

C'est encore et toujours une lutte sans partage pour la suprématie en sol américain, lutte qui devient rapidement symbolique, puisque la plupart des propriétaires de ces voitures exceptionnelles n'en exploitent que très rarement le plein potentiel, c'est juste qu'ils aiment bien en parler de temps à autre… Pour la Viper 2008, les objectifs de performance ont été établis dans cet ordre : un moteur de 600 chevaux, un chrono de 0-60 milles à l'heure en moins de 4 secondes, une vitesse maximale de 200 milles à l'heure (322 km/h), un freinage de 60 milles à l'heure à un arrêt complet en moins de 30 mètres, et une accélération latérale de 1,05 g en virages. Voilà en quelques lignes, l'expression la plus simple des objectifs qui ont tous été atteints par un petit groupe d'ingénieurs et de techniciens triés sur le volet et oeuvrant au sein du groupe SRT (Street and Racing Technology) chez Chrysler.

### SUR LE CIRCUIT

Le circuit de Virginia International Raceway est décrit en ces termes par le pilote de course, propriétaire d'écurie en Champcar et célèbre acteur, Paul Newman : « S'il y a un paradis sur terre, c'est le circuit de Virginia International Raceway », et c'est sur ce circuit très technique et très rapide que j'ai eu l'occasion de connaître à fond la plus performante des

Viper à ce jour. Dès la sortie des puits, on sent toute la puissance du moteur qui catapulte littéralement la voiture en avant avec une facilité absolument déconcertante. Ici, l'expression américaine « There's no substitute for cubic inches » prend tout son sens, alors que le V10 monte en régime avec une sonorité plus que présente. De ce côté, il faut préciser qu'il est très facile de faire décoller la Viper 2008 qui est maintenant dotée d'un embrayage à deux disques beaucoup plus simple à actionner car il demande moins d'efforts. De plus, la nouvelle Viper reçoit un nouveau différentiel à glissement limité qui joue parfaitement son rôle en permettant que toute la puissance du moteur soit livrée à la route. C'est justement lors de la sortie des virages que l'on apprécie le travail de ce nouveau différentiel qui aide le conducteur à bien exploiter les 600 chevaux avec un dosage précis de l'accélérateur.

Tels les modèles des générations antérieures, la Viper 2008 est totalement dépourvue d'« anges gardiens » électroniques comme la traction asservie ou le contrôle électronique de la stabilité. Il faut donc l'apprivoiser et réchauffer correctement les pneumatiques avant d'aller chercher ses limites. La Viper 2008 fait partie de ces voitures qui commandent le respect. Au fil des tours, le point faible le plus critique est rapidement devenu évident, soit la performance au freinage. La Viper

**FEU VERT**
Puissance phénoménale, rapport performances-prix, style unique, commandes simples

**FEU ROUGE**
Absence de système de contrôle de la stabilité, freinage perfectible, voiture trois saisons, côté pratique pas évident

2008 est toujours équipée d'un système de freinage mis au point par les experts de Brembo en Italie, et la performance en conduite normale n'a posé aucun problème. Toutefois, l'efficacité des freins diminuait légèrement tour après tour, ce qui est normal, mais il devenait difficile de bien sentir l'effort de freinage maximal avant l'intervention du système ABS, la pédale de frein ne donnant pas beaucoup de *feedback*. Il fallait donc appuyer très fermement sur les freins, provoquant ainsi l'entrée en action du système ABS, ce qui entraînait automatiquement l'allongement des distances de freinage.

Pour le reste, piloter une Viper sur un circuit relève du pur délice, puisqu'il m'a été relativement aisé d'initier de belles glissades en entrée de virage en faisant un transfert de poids vers l'avant pour ensuite compléter la glisse en profitant des 600 chevaux sous le pied droit. Cette série de tours m'a permis de grandement apprécier l'approche retenue par Dodge pour la mise au point de la plus récente Viper.

### ALLURE PLUS MUSCLÉE

L'allure plus musclée de la Viper 2008 est le résultat d'une prise d'air surdimensionnée afin d'améliorer le refroidissement, et de l'ajout de six ouvertures pratiquées sur le capot pour extraire la chaleur dégagée par le nouveau moteur V10 dont la cylindrée a été portée à 8,4 litres. Le reste de la carrosserie demeure inchangé, tout comme l'habitacle qui est conforme à celui des Viper de la génération précédente. Proposée en versions coupé et roadster, la Viper 2008 reste fidèle au concept original et continue d'offrir un rapport performances/prix à couper le souffle, avec 600 chevaux pour moins de 100 000 dollars. Comme toujours, la Viper conservera son cachet d'exclusivité puisque moins d'une centaine de voitures par année seront allouées aux concessionnaires canadiens. Par ailleurs, il faut noter que la totalité de la production 2008 est déjà vendue d'avance, plusieurs propriétaires actuels de Viper ayant passé leur commande il y a longtemps afin d'obtenir le nouveau modèle de 600 chevaux.

**Gabriel Gélinas**

## VÉHICULE D'ESSAI

| | |
|---|---|
| Version : | Coupé |
| Emp/Lon/Lar/Haut(mm) : | 2 510/4 459/1 911/1 210 |
| Poids : | 1 565 kg |
| Coffre/Réservoir : | 193 litres / 70 litres |
| Nombre de coussins de sécurité : | 2 |
| Suspension avant : | indépendante, bras inégaux |
| Suspension arrière : | indépendante, bras inégaux |
| Freins av./arr. : | disque (ABS) |
| Antipatinage/Contrôle de stabilité : | non / non |
| Direction : | à crémaillère |
| Diamètre de braquage : | 12,3 m |
| Pneus av./arr. : | P275/35ZR18 / P345/30ZR19 |
| Capacité de remorquage : | non recommandé |

## MOTORISATION À L'ESSAI

| | |
|---|---|
| Moteur : | V10 de 8,4 litres 20s atmosphérique |
| Alésage et course : | 103,0 mm x 100,6 mm |
| Puissance : | 600 ch (447 kW) à 6 100 tr/min |
| Couple : | 560 lb-pi (759 Nm) à 5 000 tr/min |
| Rapport poids/puissance : | 2,61 kg/ch (3,54 kg/kW) |
| Système hybride : | aucun |
| Transmission : | propulsion, manuelle 6 rapports |
| Accélération 0-100 km/h : | 4,0 s |
| Reprises 80-120 km/h : | 3,6 s (estimé) |
| Freinage 100-0 km/h : | 36,5 m |
| Vitesse maximale : | 322 km/h |
| Consommation (100 km) : | super, 17,8 litres (estimé) |
| Autonomie (approximative) : | 393 km |
| Émissions de CO2 : | 7 440 kg/an |

## GAMME EN BREF

| | |
|---|---|
| Échelle de prix : | 98 600 $ à 99 600 $ |
| Catégorie : | coupé/roadster |
| Historique du modèle : | 3ième génération |
| Garanties : | 3 ans/60 000 km, 5 ans/100 000 km |
| Assemblage : | Détroit, Michigan, É-U |
| Autre(s) moteur(s) : | aucun |
| Autre(s) rouage(s) : | aucun |
| Autre(s) transmission(s) : | aucune |

## DANS LA MÊME CATÉGORIE

Chevrolet Corvette Z06 - Ferrari 599 GTB Fiorano - Porsche 911 Turbo et GT2 - Mercedes-Benz SLR McLaren

## DU NOUVEAU EN 2008

Nouveau moteur de 8,4 litres, quelques modifications à la carrosserie

## NOS IMPRESSIONS

| | |
|---|---|
| Agrément de conduite : | 🚗 🚗 🚗 🚗 |
| Fiabilité : | 🚗 🚗 🚗 🚗 |
| Sécurité : | 🚗 🚗 🚗 ½ |
| Qualités hivernales : | Nulles |
| Espace intérieur : | 🚗 🚗 ½ |
| Confort : | 🚗 🚗 🚗 |

## LE CHOIX DE L'ÉQUIPE

Coupé SRT-10

Photos : Alain Morin

# 620 CHEVAUX BIEN CABRÉS

C'est la plus puissante des Ferrari à moteur V12, exception faite de l'Enzo que Ferrari n'a jamais considérée comme un modèle de série parce que sa production a été limitée à seulement 399 exemplaires. Le nom Fiorano évoque la piste d'essai de Ferrari à Maranello, les lettres GTB signifient Gran Turismo Berlinetta et le chiffre 599 représente la cylindrée du moteur divisée par dix.

Dire qu'il s'agit d'une voiture exclusive relève de l'euphémisme car le concessionnaire Ferrari Québec en a déjà vendu cinq, soit la totalité de l'allocation prévue pour les trois prochaines années! Il faudra donc vous armer de patience si la fortune vous sourit au point de souhaiter en acquérir une, le prix de la 599 à boîte manuelle étant plus de 400 000 dollars et celui du modèle équipé de la boîte F1 étant de 425 600$ dollars. À ces deux prix, prière d'ajouter la somme de 25 000 dollars qui représente l'ajout des freins à composite de céramique qui seront désormais installés automatiquement sur les voitures en usine.

### INSPIRATION F1

C'est donc la remplaçante de la récente 575 Maranello, et elle appartient à la catégorie des voitures de type Grand Tourisme, tout comme la 612 Scaglietti, mais la 599 est une deux places alors que la 612 adopte une configuration de type 2+2. La 599 GTB Fiorano fait aussi partie de cette catégorie très restreinte qui est celle des coupés de plus de 600 chevaux. Sa rivale directe est la Mercedes-Benz SLR McLaren et, tout comme l'anglo-allemande, l'italienne est inspirée de l'implication de la marque en Formule Un.

Tout comme les F1 actuelles, la 599 GTB Fiorano affiche l'obsession des designers pour l'aérodynamisme, même si ce n'est pas évident au premier coup d'œil, les proportions de la voiture étant celles d'une GT classique avec son long capot avant, et non pas celles d'une voiture de course. Ainsi, son coefficient aérodynamique est remarquablement bas à 0,336, grâce au fait que la carrosserie de la 599 a été étudiée en soufflerie. Pour obtenir ce genre de coefficient et permettre à la voiture de générer une charge aérodynamique de 160 kilos à 300 kilomètres/heure, plusieurs éléments ont dû être optimisés, comme le diffuseur arrière, ainsi que les piliers « C » dont la forme canalise le flot d'air sur la lunette arrière.

### UN CŒUR DE FEU

Comme la 599 est moins longue que la 612, ses proportions sont mieux réussies. Sous le capot loge le moteur V12 dérivé de celui de l'Enzo, et qui donne à cette voiture un énorme potentiel de performance en livrant 103 chevaux par litre de cylindrée. Avec ses 620 chevaux, la 599 GTB Fiorano ne concède que 40 chevaux à l'Enzo. Il est important de noter que la boîte de vitesses n'est pas accolée au moteur, mais plutôt au différentiel afin d'aider à l'équilibrage des masses qui est de 47 pour cent

**FEU VERT**
Moteur V12 fabuleux,
sophistication technique évidente,
ligne réussie, voiture exclusive

**FEU ROUGE**
Prix incroyablement élevé, délais de livraison décourageants,
options coûteuses,
voiture trois saisons

## VÉHICULE D'ESSAI

| | |
|---|---|
| Version : | version unique |
| Emp/Lon/Lar/Haut(mm) : | 2 750/4 666/1 961/1 336 |
| Poids : | 1 688 kg |
| Coffre/Réservoir : | 320 litres / 105 litres |
| Nombre de coussins de sécurité : | 2 |
| Suspension avant : | indépendante, bras inégaux |
| Suspension arrière : | indépendante, multibras |
| Freins av./arr. : | disque (ABS) |
| Antipatinage/Contrôle de stabilité : | oui / oui |
| Direction : | à crémaillère, assistance variable |
| Diamètre de braquage : | 11,6 m |
| Pneus av./arr. : | P245/40ZR19 / P305/35ZR20 |
| Capacité de remorquage : | non recommandé |

## MOTORISATION À L'ESSAI

| | |
|---|---|
| Moteur : | V12 de 6,0 litres 48s atmosphérique |
| Alésage et course : | 92,0 mm x 75,2 mm |
| Puissance : | 620 ch (462 kW) à 7 600 tr/min |
| Couple : | 448 lb-pi (607 Nm) à 5 600 tr/min |
| Rapport poids/puissance : | 2,72 kg/ch (3,7 kg/kW) |
| Système hybride : | aucun |
| Transmission : | propulsion, séquentielle 6 rapports |
| Accélération 0-100 km/h : | 3,7 s (constructeur) |
| Reprises 80-120 km/h : | 3,0 s (estimé) |
| Freinage 100-0 km/h : | n.d. |
| Vitesse maximale : | 330 km/h |
| Consommation (100 km) : | super, 21,2 litres |
| Autonomie (approximative) : | 495 km |
| Émissions de CO2 : | 8 831 kg/an |

## GAMME EN BREF

| | |
|---|---|
| Échelle de prix : | 403 120 $ à 425 600 $ |
| Catégorie : | GT |
| Historique du modèle : | 1ière génération |
| Garanties : | 2 ans/km illimité, 2 ans/km illimité |
| Assemblage : | Maranello, Italie |
| Autre(s) moteur(s) : | aucun |
| Autre(s) rouage(s) : | aucun |
| Autre(s) transmission(s) : | manuelle, 6 rapports |

### DANS LA MÊME CATÉGORIE

Aston Martin Vanquish - Bentley Continental GT - Mercedes-Benz CL65 AMG

### DU NOUVEAU EN 2008

Pas de changement majeur

### NOS IMPRESSIONS

| | |
|---|---|
| Agrément de conduite : | données insuffisantes |
| Fiabilité : | données insuffisantes |
| Sécurité : | données insuffisantes |
| Qualités hivernales : | nulles |
| Espace intérieur : | données insuffisantes |
| Confort : | données insuffisantes |

### LE CHOIX DE L'ÉQUIPE

Version unique

à l'avant et de 53 pour cent à l'arrière. Cet équilibre est le gage d'une tenue de route sportive rehaussée par la contribution massive de l'électronique. Deux transmissions sont au programme, soit une boîte manuelle à six vitesses ou encore la boîte séquentielle F1-Superfast qui a été optimisée et qui permet le changement de rapport en 100 millièmes de seconde. Les ingénieurs ont également porté une attention particulière à la sonorité de ce moteur en réduisant la résonance mécanique pour mettre l'emphase sur le design de la tubulure d'admission et de l'échappement afin de produire la « trame sonore » idéale pour un moteur à configuration V12.

Du côté de l'habitacle, on remarque une certaine dualité, l'environnement immédiat du conducteur faisant l'apanage de la fibre de carbone et de l'aluminium, alors que les passagers seront séduits par les surfaces drapées de cuir. Le tachymètre est proposé avec un fond jaune (à la F430) ou encore rouge, au choix de l'acheteur, et les sièges sport font usage de supports latéraux réalisés en fibre de carbone. Cette matière semble être devenue le nouveau matériau fétiche de la marque.

Le côté pratique est assuré par un espace de chargement d'une capacité de 320 litres. Comme toujours, il est possible de s'abandonner à la lecture d'un catalogue d'options qui comprend entre autres : un volant inspiré de celui de l'Enzo, un système de navigation assisté par satellite, ainsi qu'une pléthore d'appliques en fibre de carbone, histoire de personnaliser à sa guise la plus récente création de Maranello.

Selon certaines rumeurs, une version cabriolet de la 599 GTB Fiorano serait actuellement à l'étude, Ferrari voulant répondre au nouveau modèle roadster de la Mercedes-Benz SLR McLaren, comme quoi la rivalité entre ces deux marques n'existe pas que sur les circuits de Formule Un.

**Gabriel Gélinas**

Photos : Ferrari

# FERRARI 612 SCAGLIETTI

# LE SOIXANTIÈME ANNIVERSAIRE

2006 soulignant le soixantième anniversaire de la marque, Ferrari a décidé de lancer une édition spéciale de la 612 Scaglietti pour commémorer l'événement. Cette édition spéciale ne comporte que soixante exemplaires, et chacune de ces voitures sera unique puisque dotée d'une plaque commémorative faisant le lien avec l'un des soixante jalons de l'histoire de la marque, comme les conquêtes du Championnat du monde ou le lancement d'un modèle mythique.

C'est donc avec une voiture rappelant une page de la glorieuse histoire de Ferrari que rouleront les soixante individus qui auront eu la chance de délester substantiellement leur compte de banque... Chacune de ces voitures est équipée d'un toit électrochromique qui permet au conducteur de régler son degré de transparence ou d'opacité. Sur le plan mécanique, les soixante modèles de cette édition spéciale sont tout à fait conformes aux spécifications des 612 Scaglietti traditionnelles.

Ferrari donne souvent des noms de lieux à ses voitures (Daytona, 360 Modena, etc.), mais parfois aussi celui d'individus qui ont fait l'histoire de la marque. C'est le cas de la 612 Scaglietti ainsi nommée en hommage à Sergio Scaglietti qui a conçu plusieurs des voitures sport de la marque pendant les années cinquante et soixante. Quant au chiffre de 612, précisons que le chiffre 6 indique la cylindrée du moteur (5748 cc arrondi à 6,0) et que le 12 évoque sa configuration à douze cylindres.

### UNE CONFIGURATION 2+2
Chez Ferrari, il existe deux voitures de type Grand Turismo à moteur V12. Alors que la 599 GTB Fiorano est une deux places, la 612 Scaglietti est de configuration 2+2, les places arrière pouvant accueillir deux adultes

puisqu'elles offrent un dégagement convenable, quoique leur accès soit compliqué car la portière n'ouvre pas très largement. Par ailleurs, les sièges arrière sont aussi bien sculptés que les baquets avant et fournissent un excellent soutien latéral. Dans cette voiture, on respire littéralement le cuir qui recouvre non seulement les sièges mais plusieurs autres surfaces de l'habitacle!

On ne peut pas dire que la Scaglietti soit une voiture de course, à la manière d'une F430, par exemple. Les lignes, tout d'abord, s'avèrent moins typées tout en étant définitivement différentes de tout ce qui se fait présentement. La dépression qui part des ailes avant et qui s'incruste dans les larges portières fait un peu penser au renflement controversé de la BMW Z4. Mais dans le cas de la Ferrari, c'est plus discret. Malgré ses dimensions quasiment exagérées (son empattement est plus long que celui d'un Chevrolet Tahoe!), les ingénieurs ont réussi à conserver le poids de la 612 Scaglietti dans des limites acceptables grâce à l'utilisation intensive de l'aluminium pour la carrosserie et pour le châssis de type *space frame*. Les ingénieurs n'ont pas donné à la 612 un empattement si long dans l'unique but de privilégier le confort. Le long moteur V12 de 5,7 litres est placé derrière l'axe des roues avant dans le but de centrer les masses. On retrouve donc 85% du poids de

**FEU VERT**
Moteur performant, excellente tenue de route, exclusivité assurée, configuration 2+2

**FEU ROUGE**
Prix très élevé, délais de livraison, visibilité réduite à l'arrière

**250**

la voiture entre les essieux avant et arrière, ce qui donne un comportement étonnamment agile et dynamique.

## PLUS GT QUE F1

À cause de ses dimensions généreuses, la 612 ne semble pas très sportive. Et pourtant... Lorsqu'on la conduit, autant sur route que sur piste, ses masses équilibrées font qu'on la sent plus petite et moins lourde qu'elle ne l'est en réalité, ce qui est le propre des voitures bien équilibrées et homogènes. Sur le circuit du Mont-Tremblant, où j'ai eu l'occasion de boucler plusieurs tours et ainsi la pousser à ses limites, ses prestations ont de quoi étonner. Il suffit de régler les amortisseurs au plus haut niveau de rigidité et d'y aller un peu plus mollo avec les freins pour jouir de sa tenue de route équilibrée. Même si la 612 n'affiche pas la sportivité d'une F430, son freinage fait preuve d'une belle endurance. Son V12, dérivé de celui de la célèbre Enzo, possède une cylindrée de 5,7 litres. Ce moteur est relié à une boîte de vitesses localisée près du train arrière pour une meilleure répartition du poids (46 % à l'avant, 54 % à l'arrière). D'ailleurs, son excellent rapport poids/puissance (1 840 kg pour 540 chevaux) lui permet de dilapider le 0-100 kilomètres/heure en 4,2 secondes et le quart de mille en 12,3 secondes. Selon Ferrari, la vitesse de pointe se situe à 320 km/h. Sur la route, de retour aux calibrations plus souples des amortisseurs, la Scaglietti se montre aussi confortable que performante.

La 612 Scaglietti représente l'interprétation faite par Ferrari du thème propre aux voitures de type Gran Turismo qui sont capables de performances élevées, mais qui ont comme mission première de parcourir de grandes distances en maintenant le rythme et en assurant un grand confort.

**Gabriel Gélinas**

### VÉHICULE D'ESSAI

| | |
|---|---|
| Version : | version unique |
| Emp/Lon/Lar/Haut(mm) : | 2 950/4 900/1 957/1 345 |
| Poids : | 1 840 kg |
| Coffre/Réservoir : | 240 litres / 108 litres |
| Nombre de coussins de sécurité : | 4 |
| Suspension avant : | indépendante, multibras |
| Suspension arrière : | indépendante, multibras |
| Freins av./arr. : | disque (ABS) |
| Antipatinage/Contrôle de stabilité : | oui / oui |
| Direction : | à crémaillère, assistance variable |
| Diamètre de braquage : | 12,0 m |
| Pneus av./arr. : | P245/45ZR18 / P285/40ZR19 |
| Capacité de remorquage : | non recommandé |

### MOTORISATION À L'ESSAI

| | |
|---|---|
| Moteur : | V12 de 5,7 litres 48s atmosphérique |
| Alésage et course : | 89,0 mm x 77,0 mm |
| Puissance : | 540 ch (403 kW) à 7 250 tr/min |
| Couple : | 434 lb-pi (589 Nm) à 5 250 tr/min |
| Rapport poids/puissance : | 3,41 kg/ch (4,63 kg/kW) |
| Système hybride : | aucun |
| Transmission : | propulsion, séquentielle 6 rapports |
| Accélération 0-100 km/h : | 4,2 s |
| Reprises 80-120 km/h : | 3,2 s |
| Freinage 100-0 km/h : | 32,3 m |
| Vitesse maximale : | 320 km/h |
| Consommation (100 km) : | super, 22,8 litres |
| Autonomie (approximative) : | 474 km |
| Émissions de CO2 : | 8 784 kg/an |

### GAMME EN BREF

| | |
|---|---|
| Échelle de prix : | 390 570 $ |
| Catégorie : | GT |
| Historique du modèle : | 1ière génération |
| Garanties : | 2 ans/km illimité, 2 ans/km illimité |
| Assemblage : | Maranello, Italie |
| Autre(s) moteur(s) : | aucun |
| Autre(s) rouage(s) : | aucun |
| Autre(s) transmission(s) : | manuelle 6 rapports |

### DANS LA MÊME CATÉGORIE

Aston Martin Vanquish - Bentley Continental GT - Mercedes-Benz CL65 AMG

### DU NOUVEAU EN 2008

Édition spéciale 60e anniversaire

### NOS IMPRESSIONS

| | |
|---|---|
| Agrément de conduite : | 🚗 🚗 🚗 🚗 |
| Fiabilité : | 🚗 🚗 🚗 🚗 |
| Sécurité : | 🚗 🚗 🚗 🚗 |
| Qualités hivernales : | 🚗 🚗 |
| Espace intérieur : | 🚗 🚗 🚗 |
| Confort : | 🚗 🚗 🚗 |

### LE CHOIX DE L'ÉQUIPE

Version unique

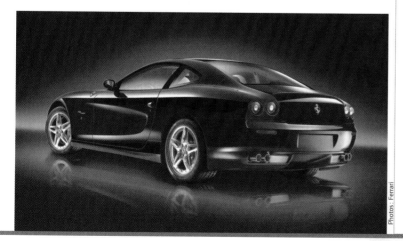

Photos : Ferrari

# FERRARI F430

# UNE ÉVOLUTION
# ENCORE PLUS SPORTIVE

Au Salon de l'auto de Francfort, Ferrari a présenté une évolution encore plus performante de sa F430, appelée F430 Scuderia, et dévoilée par nul autre que Michael Schumacher. Le concept retenu pour l'élaboration de ce modèle est le même qui a servi à la mise au point de la 360 Challenge Stradale il y a quelques années, à savoir alléger la voiture et augmenter la puissance développée par le moteur.

C'est sans doute pour parer l'attaque de la plus récente déclinaison de la Lamborghini Gallardo, qui reçoit la désignation Superleggera et qui est elle aussi une version allégée et survitaminée de la Gallardo traditionnelle, que la F430 Scuderia a été mise au point en héritant des développements apportés aux voitures du Challenge Ferrari. Par rapport à la F430, le modèle Scuderia est plus léger de 100 kilos, la voiture étant dépourvue de tapis ainsi que de la radio, et les sièges de série ayant fait place à des baquets de compétition allégés. De plus, le vitrage arrière n'est plus en verre mais en plexiglas.

## L'ÉLECTRONIQUE AU SERVICE DE LA VITESSE

Le moteur de la F430 Scuderia développe 503 chevaux (versus 490 pour la F430 courante), ce qui, de concert avec la réduction de poids, devrait améliorer légèrement le chrono du sprint de 0 à 100 kilomètres/heure, de même que la vitesse maximale. Ferrari a également choisi d'ajouter deux nouveaux systèmes développés en compétition, soit la boîte F1 Superfast et le système de contrôle électronique de la stabilité F1-Trac. Essentiellement, la boîte F1 Superfast permet le changement des vitesses en 60 millièmes de seconde, ce qui est plus rapide d'un tiers que le délai de changement de la boîte de la Ferrari Enzo. Quant au système

F1-Trac, ce nouveau dispositif permet de jumeler le travail du différentiel électronique au système de contrôle de la stabilité. L'aspect le plus intéressant de ce développement étant la possibilité de désactiver la traction asservie et de faire patiner les roues en accélération franche, tout en gardant le contrôle de la stabilité en fonction, donc de s'amuser un peu sans courir de grands risques. Les freins sont en composite de céramique et la surface de contact des pneus est à demi lisse pour un maximum d'adhérence. La carrosserie a également été modifiée, les prises d'air à l'avant étant agrandies, les échappements étant localisés de part et d'autre de la plaque d'immatriculation.

## LA F430 SUR LE CIRCUIT MONT-TREMBLANT

Phénoménale. Voilà le mot pour décrire la F430 sur circuit et, si le cœur vous en dit, je vous invite à visiter le site www.trioomph.com pour visionner un vidéoclip que j'ai réalisé au volant de la F430 sur le Circuit Mont-Tremblant avec caméras à bord. Si vous portez attention à la bande sonore, vous constaterez que l'on entend non seulement le moteur, mais également le crissement des pneus en virage. Le V8 de 4,3 litres et 490 chevaux entièrement en aluminium est une véritable œuvre d'art, mais plus que toute autre chose, c'est le son qui accroche… À elle seule, la sonorité du moteur de la F430 vaut le prix

**FEU VERT**
Redéfinit le mot «sport»,
direction d'une précision chirurgicale,
sonorité du V8 jouissive, fiabilité surprenante

**FEU ROUGE**
Coût d'achat démentiel,
diffusion limitée,
usage estival seulement

**252**

### VÉHICULE D'ESSAI

| | |
|---|---|
| Version : | Coupé F1 |
| Emp/Lon/Lar/Haut (mm) : | 2 600/4 512/1 923/1 214 |
| Poids : | 1 450 kg |
| Coffre/Réservoir : | 250 litres / 95 litres |
| Nombre de coussins de sécurité : | 2 |
| Suspension avant : | indépendante, multibras |
| Suspension arrière : | indépendante, multibras |
| Freins av./arr. : | disque (ABS) |
| Antipatinage/Contrôle de stabilité : | oui / oui |
| Direction : | à crémaillère, assistée |
| Diamètre de braquage : | 10,8 m |
| Pneus av./arr. : | P225/35ZR19 / P285/35ZR19 |
| Capacité de remorquage : | non recommandé |

### MOTORISATION À L'ESSAI

| | |
|---|---|
| Moteur : | V8 de 4.3 litres 32s atmosphérique |
| Alésage et course : | 92,0 mm x 81,0 mm |
| Puissance : | 490 ch (365 kW) à 8 500 tr/min |
| Couple : | 343 lb-pi (465 Nm) à 5 250 tr/min |
| Rapport poids/puissance : | 2,96 kg/ch (4,02 kg/kW) |
| Système hybride : | aucun |
| Transmission : | propulsion, séquentielle 6 rapports |
| Accélération 0-100 km/h : | 4,0 s (constructeur) |
| Reprises 80-120 km/h : | n.d. |
| Freinage 100-0 km/h : | n.d. |
| Vitesse maximale : | 315 km/h |
| Consommation (100 km) : | super, 19,1 litres |
| Autonomie (approximative) : | 497 km |
| Émissions de CO2 : | 8 736 kg/an |

### GAMME EN BREF

| | |
|---|---|
| Échelle de prix : | 256 595 $ à 350 000 $ |
| Catégorie : | coupé/roadster |
| Historique du modèle : | 1ère génération |
| Garanties : | 2 ans/km illimité, 2 ans/km illimité |
| Assemblage : | Maranello, Italie |
| Autre(s) moteur(s) : | aucun |
| Autre(s) rouage(s) : | aucun |
| Autre(s) transmission(s) : | manuelle 6 rapports |

d'entrée stratosphérique et les longs mois d'attente à la suite de la commande. Réussir la signature vocale de la F430 était d'ailleurs l'une des priorités des ingénieurs responsables du développement du nouveau V8. Le résultat est absolument ahurissant et la seule autre voiture au monde qui peut se targuer d'avoir une sonorité aussi évocatrice est la Ferrari Enzo. Sur le circuit, on apprécie au plus haut point l'extrême précision de la direction qui permet de placer la voiture sur la trajectoire idéale au millimètre près, ainsi que l'adhérence phénoménale qui est supérieure à 1 G en virage. Aussi la puissance du freinage est semblable à celle d'une véritable voiture de compétition. J'ai également pu effectuer des comparaisons directes avec la Lamborghini Gallardo, et de constater que la F430 l'emporte sur toute la ligne en étant plus performante en accélération, au freinage ainsi qu'en tenue de route.

Notre Ferrari F430 roule à ce rythme d'enfer depuis trois ans déjà, et sa fiabilité est tout simplement exemplaire. En fait, cette voiture n'a consommé que du carburant, des plaquettes de frein, des pneus et un peu d'huile synthétique. Pas de visite prolongée aux ateliers du concessionnaire et pas de déception subséquente. Elle ne nous a procuré que du pur plaisir avec sa volonté toujours présente de donner le maximum d'elle-même sans jamais broncher.

Il existe aussi une version Spyder de la F430 qui est presque aussi performante que le modèle coupé, malgré le fait que son poids est supérieur de l'ordre de 70 kilos, et le choix du modèle Spyder entraîne un déboursé supplémentaire de quarante mille dollars... Toutes les F430 commandent un prix dépassant le quart de million et comme la diffusion est limitée, l'exclusivité demeure assurée.

**Gabriel Gélinas**

### DANS LA MÊME CATÉGORIE

Aston Martin DB9 - Chevrolet Corvette Z06 - Dodge Viper SRT-10 - Lamborghini Gallardo - Mercedes-Benz SL55 AMG - Porsche 911 turbo

### DU NOUVEAU EN 2008

Version Scuderia à performances relevées

### NOS IMPRESSIONS

| | |
|---|---|
| Agrément de conduite : | 🚗 🚗 🚗 🚗 🚗 |
| Fiabilité : | 🚗 🚗 🚗 🚗 ½ |
| Sécurité : | 🚗 🚗 🚗 ½ |
| Qualités hivernales : | Nulles |
| Espace intérieur : | 🚗 🚗 🚗 |
| Confort : | 🚗 🚗 🚗 |

### LE CHOIX DE L'ÉQUIPE

Coupé F1

Photos : Ferrari

# QUAND FORD SE MET À JOUR!

Il y en aura eu des erreurs stratégiques chez Ford au cours des dernières années. Et ces erreurs, elles ont coûté cher ! Mais heureusement, elles n'ont pas eu d'incidences sur les produits, puisque la qualité générale des véhicules Ford n'a jamais été aussi bonne. Le problème, c'est qu'on proposait jusqu'à tout récemment des véhicules qui n'étaient plus actuels et qui ne répondaient par conséquent plus aux besoins de la clientèle. On a donc entrepris le remaniement de la gamme (après l'échec des Five-Hundred et Freestyle) avec la Fusion en 2006 (première réussite), puis on s'est ensuite concentré sur un nouveau VUM (véhicule utilitaire multisegment), le Edge.

Vous aurez deviné que Ford met beaucoup d'espoir dans ce véhicule qui pourrait bien lui permettre de redevenir leader d'un segment, comme c'était le cas avec l'Explorer au début des années 90. Bien sûr, de nos jours, la concurrence est encore plus féroce et les catégories de véhicules sont de plus en plus difficiles à définir, mais Ford compte bien accaparer une part du marché qui, jusqu'à tout récemment, était dominée par les Asiatiques.

N'ayant donc qu'un Explorer et un impopulaire Freestyle (aujourd'hui Taurus X) à offrir à sa clientèle, le constructeur se devait en 2007 de lancer un tout nouveau produit, dans l'optique de concurrencer l'armada de nouveaux véhicules multisegments fraîchement introduits en Amérique du Nord. Et il ne fallait pas rater son coup. C'était l'heure du «ça passe ou ça casse»!

Mais alors que la Taurus X et le nouveau Flex (qui nous arrivera sous peu) tentent de séduire une clientèle délaissant la minifourgonnette, le Edge compte plutôt attirer une clientèle affectionnant les VUS. Bien sûr, certains consommateurs aux besoins spécifiques veulent toujours conduire des véhicules plus robustes, d'où la pertinence de continuer à offrir un Explorer et un Expedition. Toutefois, plusieurs actuels propriétaires de VUS ne souhaitent plus nécessairement composer avec un comportement de camion et une consommation d'essence trop importante. C'est pour eux qu'a été créé le Edge.

## UNE JOLIE ROBE

Ne serait-ce qu'en observant les photos du véhicule sur les documents de presse, je lui prédisais un grand succès. D'abord, son style craquant et son allure très dynamique allaient attirer les foules chez les concessionnaires et d'autre part, il allait permettre au constructeur de se défaire de l'image trop banale reflétée jusqu'à maintenant par le Freestyle. Car il faut admettre que ce véhicule, même s'il n'est pas vilain, passe totalement inaperçu. Et aujourd'hui, la clientèle souhaite justement le contraire. Pour ce faire, le Edge affiche donc un caractère nettement plus accentué. De bons mots sont attribuables pour son air gaillard, imputable à ses ailes élargies et son long empattement. Par ailleurs, la grille de calandre empruntée notamment à la Fusion et en voie de devenir une signature visuelle de la marque, est on ne peut plus élégante. Quant aux feux arrière à lentille claire et aux bas de caisse contrastants, ils ne font que suivre la tendance.

Équilibrées, les lignes du Edge ont également l'avantage de bien vieillir. Et lorsqu'on sait que Ford ne redessine plus totalement ses véhicules lors d'une refonte (pensez au Explorer 2006, au Expedition 2007 ou au Escape 2008), il est bon de savoir que le style de cette carrosserie ne vieillira pas prématurément. Qui plus est, notez que même si vous optez pour un modèle d'entrée de gamme, c'est-à-dire la version SE à deux roues motrices, vous n'aurez nullement l'air de conduire un véhicule…d'entrée de gamme! Ici, on ne vous prive pas de poignées de porte de couleur et de jantes d'alliage ou d'un becquet arrière. Tout est là.

En ouvrant la portière, on constate que de grands efforts ont été faits pour rendre ce véhicule aussi accueillant que possible. D'abord, la qualité d'assemblage et de finition est sans reproche, et supérieure à de nombreux rivaux japonais. Le design de planche de bord reflète également très

bien ce qui est ressenti en observant les lignes de la carrosserie, c'est-à-dire une approche à la fois gracieuse, sobre et contemporaine. La planche de bord, qui ne désorientera personne, propose donc un style très agréable, mais qui se démarque néanmoins par une touche d'originalité. Elle se distingue en fait par une console centrale en relief, ornée de faux aluminium, ainsi que par des bouches de ventilation verticales, arborant le chrome très élégant. Quant à l'instrumentation, elle évoque un peu le passé avec ses cadrans gradués de chiffres inclinés.

Cinq adultes peuvent s'installer à bord sans contrainte, le dégagement étant généreux peu importe l'endroit où vous vous trouvez. Sachez également que les sièges sont très confortables et s'ajustent pour que vous y

soyez parfaitement à l'aise. Ainsi, autant un conducteur de grande taille qu'une petite personne sauront trouver une position de conduite adéquate. Et vous aurez bien sûr compris que le Edge n'offre pas de banquette de troisième rangée, ce que certains pourraient contester. À cela, Ford rétorque que la Taurus X et le Flex proposent ce type de configuration. Et c'est vrai! De toute façon, cette dite banquette est souvent encombrante, limitant l'espace de la soute. À ce propos, le Edge possède un coffre très volumineux, bien découpé, et qui peut être agrandi en abaissant les dossiers de la banquette au simple touché d'un bouton.

Évidemment, plus vous déboursez et plus vous obtenez d'équipements. En débutant à environ 33 000 $, un équipement tout ce qu'il y a de complet est compris dans le Edge. Mais si vous êtes du type sièges en cuir chauffants, gros système audio et système de navigation, la facture peut monter considérablement. En effet, en ajoutant chacune des options au modèle SEL à traction intégrale, vous pouvez calculer un écart d'à peu près 10 000 $ avec le modèle le moins cher.

### ENFIN, FINI LE 3,0 LITRES!

L'une des erreurs les plus importantes lors de l'introduction de la Freestyle à l'automne 2004 aura été d'équiper ce véhicule du satané V6 Duratec de 3,0 litres qui personnellement, ne m'a jamais plu. Rugueux, bruyant et surtout trop gourmand, ce moteur n'a rien à offrir d'avantageux. Il était donc évident qu'en le nichant dans le Edge, Ford aurait trouvé encore une fois le moyen de se tirer dans le pied. C'est pourquoi les ingénieurs ont travaillé à développer un nouveau V6 de 3,5 litres, plus puissant et plus raffiné. Introduit d'abord dans le Edge et le MKX (son jumeau chez Lincoln), ce moteur a aussitôt été greffé à de nombreux modèles de la marque.

**FEU VERT**
Ligne séduisante, présentation intérieure soignée, habitacle très confortable, insonorisation poussée, comportement équilibré

**FEU ROUGE**
Transmission paresseuse, direction peu communicative, cinq places seulement, consommation légèrement trop élevée

## VÉHICULE D'ESSAI

| | |
|---|---|
| Version : | SEL AWD |
| Emp/Lon/Lar/Haut(mm) : | 2 824/4 717/1 925/1 702 |
| Poids : | 1 853 kg |
| Coffre/Réservoir : | 909 à 1 971 litres / 72 litres |
| Nombre de coussins de sécurité : | 6 |
| Suspension avant : | indépendante, jambes de force |
| Suspension arrière : | indépendante, multibras |
| Freins av./arr. : | disque (ABS) |
| Antipatinage/Contrôle de stabilité : | oui / oui |
| Direction : | à crémaillère, assistance variable |
| Diamètre de braquage : | 11,5 m |
| Pneus av./arr. : | P235/65R17 |
| Capacité de remorquage : | 907 kg |

## MOTORISATION À L'ESSAI

| | |
|---|---|
| Moteur : | V6 de 3,5 litres 24s atmosphérique |
| Alésage et course : | 92,5 mm x 86,7 mm |
| Puissance : | 265 ch (198 kW) à 6 250 tr/min |
| Couple : | 250 lb-pi (339 Nm) à 4 500 tr/min |
| Rapport poids/puissance : | 6,99 kg/ch (9,5 kg/kW) |
| Système hybride : | aucun |
| Transmission : | intégrale, automatique 6 rapports |
| Accélération 0-100 km/h : | 8,1 s |
| Reprises 80-120 km/h : | 6,2 s |
| Freinage 100-0 km/h : | 48,0 m |
| Vitesse maximale : | n.d. |
| Consommation (100 km) : | ordinaire, 13,0 litres (essai) |
| Autonomie (approximative) : | 554 km |
| Émissions de CO2 : | 5 280 kg/an |

## GAMME EN BREF

| | |
|---|---|
| Échelle de prix : | 32 999 $ à 37 999 $ |
| Catégorie : | multisegment |
| Historique du modèle : | 1ère génération |
| Garanties : | 3 ans/60 000 km, 5 ans/100 000 km |
| Assemblage : | Oakville, Ontario, Canada |
| Autre(s) moteur(s) : | aucun |
| Autre(s) rouage(s) : | traction |
| Autre(s) transmission(s) : | aucune |

## DANS LA MÊME CATÉGORIE

GMC Acadia - Honda Pilot - Hyundai Veracruz -
Kia Sorento - Mazda CX-7/CX-9 - Mitsubishi Endeavor -
Nissan Murano - Saturn Outlook - Subaru Tribeca -
Toyota Highlander

## DU NOUVEAU EN 2008

Nouveau modèle

## NOS IMPRESSIONS

| | |
|---|---|
| Agrément de conduite : | 🚗 🚗 🚗 ½ |
| Fiabilité : | Nouveau modèle |
| Sécurité : | 🚗 🚗 🚗 🚗 ½ |
| Qualités hivernales : | 🚗 🚗 🚗 🚗 ½ |
| Espace intérieur : | 🚗 🚗 🚗 🚗 |
| Confort : | 🚗 🚗 🚗 🚗 ½ |

## LE CHOIX DE L'ÉQUIPE

SE AWD

Ce V6, qui reprend lui aussi l'appellation Duratec, déploie une puissance de 265 chevaux, soit environ 25 % plus que l'ancien 3,0 litres. Non seulement ses performances sont plus relevées, mais il fait preuve également de plus de souplesse, de douceur et de raffinement. Plus nerveux, il ne rechigne jamais lorsqu'on le sollicite. Malheureusement, il demeure aussi gourmand que celui qu'il remplace. Vous me direz que l'augmentation de la puissance et de la cylindrée peut expliquer ce résultat, mais à cela je répondrai que la concurrence qui utilise des motorisations comparables (GMC Acadia, Honda Pilot, Toyota Highlander et autres) fait mieux à ce niveau.

## UN BEL ÉQUILIBRE

En prenant le volant du Edge, on constate en premier lieu que le véhicule est très bien appuyé au sol. On le sent lourd, solide et bien équilibré. Ainsi, un sentiment de confiance et de sécurité est vite ressenti par le conducteur. Et ne serait-ce que pour cet élément, on peut dire que le Edge a gagné son pari. Car s'il y a quelque chose qui importe les automobilistes nord-américains, c'est bien ce sentiment de sécurité. Dès les premiers tours de roue, on remarque que le Edge est un véhicule bien suspendu. Par conséquent, il est capable d'offrir un grand confort tout en assurant une excellente stabilité routière. Et il me faut aussi admettre que le châssis très moderne est toujours à la hauteur. Jamais le Edge n'a montré un quelconque signe de faiblesse même lorsque malmené, et les bruits de caisse ont, dans les trois véhicules qui m'ont été confiés, brillé par leur absence.

Deux éléments demeurent cependant décevants en ce qui concerne la conduite. D'abord, il y a cette direction qui manque de précision et qui semble quelque peu déconnectée de la route, puis il y a cette boîte automatique qui met un temps fou à rétrograder. Vous remarquerez par exemple que dans un quartier résidentiel où les arrêts obligatoires se multiplient, la boîte est constamment hésitante. Dommage.

Je terminerai en mentionnant que le Edge est un véhicule dont le degré d'insonorisation étonne. De ce fait, il est facile de conclure qu'il propose en plus de ses nombreuses qualités, un confort des plus exceptionnels. Il ne lui manque qu'un zeste de piquant au niveau de la conduite, ce qui permettrait plus d'agrément au volant. Mais somme toute, il s'agit d'un véhicule fort réussi.

**Antoine Joubert**

Photos : Antoine Joubert

Voiture
économique

Mazda Tribute

# ESTHÉTIQUE RÉVISÉE - MÉCANIQUE INCHANGÉE

Vous le savez sans doute déjà, mais le Ford Escape et le Mazda Tribute, tout comme le Ranger et la camionnette B de Mazda, sont de proches parents. En effet, les deux ont des organes mécaniques communs et sont assemblés à la même usine. Ce duo doit nécessairement connaître les mêmes changements et transformations. Ce qui explique qu'il subit les mêmes modifications en 2008.

Il ne faut pas conclure pour autant que nous avons droit à une transformation majeure. Les responsables des projets respectifs se sont contentés de rajeunir la silhouette et de redessiner le tableau de bord, histoire de mettre ces VUS urbains au goût du jour. Je suis certain qu'ils ont profité de l'occasion pour améliorer certains éléments de la mécanique même si théoriquement c'est le statu quo.

### MAZDA TRIBUTE

Il s'agit de la troisième version de cette Mazda. Il y a d'abord eu la génération initiale lancée en 2000 qui permettait à ce constructeur de s'immiscer dans ce secteur de plus en plus populaire. À cette époque, les stylistes avaient opté pour une silhouette plus urbaine que celle de l'Escape dont certains éléments esthétiques voulaient faire plus macho. La même remarque s'applique également à la suspension et au comportement routier. En 2005, le rouage intégral était modifié, le moteur quatre cylindres de 2,3 litres voyait sa puissance portée à 153 chevaux et il était possible de commander une boîte automatique avec ce moteur. Le V6 3,0 litres demeurait inchangé avec une puissance de 200 chevaux et n'était offert qu'avec la transmission automatique à cinq rapports.

Pour 2008, la mécanique est identique et les modifications sont exclusivement esthétiques alors que la calandre avant et les feux arrière sont nouveaux afin de moderniser l'apparence. Les tôles sont moins arrondies et les parois plus planes. En fait, les changements majeurs se situent au niveau du tableau de bord qui paraît sortir tout droit des studios de design de Ford. Les cadrans indicateurs sont argentés tout comme la console centrale. La section faisant face au passager est plane et constitue la signature visuelle de cette planche de bord. Les sièges ont été modifiés et sont donc plus confortables, du moins aux places avant.

Le véhicule mis à l'essai était une version à rouage intégral et à moteur V6. Puisque rien n'a changé à ce chapitre, les performances sont dans la bonne moyenne avec un temps de 9,2 secondes pour le 0-100 km/h tandis que la boîte de vitesses est correcte, sans plus. L'insonorisation est améliorée de même que le comportement d'ensemble sur la route. Le Tribute de l'ancienne génération me semblait plus à la traîne dans les virages serrés et la direction manquait quelque peu de précision. C'est légèrement mieux pour 2008, bien que plusieurs autres concurrents le surpassent en fait de tenue de route et d'agrément de conduite. Par contre, ils n'offrent pas une capacité de remorquage de 3 500 lb (avec l'ensemble remorquage).

**FEU VERT**
Silhouette plus moderne, tableau de bord élégant, moteur V6 bien adapté, version hybride, finition améliorée

**FEU ROUGE**
Moteur quatre cylindres anémique, tenue de route moyenne, agencement des couleurs (Tribute), pneumatiques

Le Tribute est donc d'allure plus moderne et s'est légèrement amélioré en fait de tenue de route et d'insonorisation, tout en conservant les mêmes organes mécaniques. Et comme auparavant, cette Mazda n'est pas offerte avec un moteur hybride, ce qui est le cas du Ford Escape.

## ÉCOLOGIQUEMET VÔTRE

Contrairement à la version précédente, l'Escape et la Tribute se ressemblent beaucoup sur le plan esthétique. Et dans leur version «habituelle» leur comportement routier est similaire, tout comme la consommation de carburant. Mais si vous voulez jouer les citoyens politiquement corrects, l'Escape Hybride s'offre à vous!

Et il faut souligner que Ford n'y est pas allé de main morte puisqu'il s'agit d'un moteur hybride de type parallèle avec un moteur à essence quatre cylindres de 2,3 litres travaillant de concert avec un moteur électrique. Ce duo est relié à une boîte de type CVT. C'est en fait une mécanique similaire à celle utilisée par Toyota sur ses véhicules à propulsion hybride. Ceci offre la possibilité de ne rouler qu'avec le moteur électrique. Mais il ne faut pas se leurrer à ce chapitre : cela se produit rarement et quand ça arrive, c'est sur de courtes distances. Et encore faut-il que les astres soient bien alignés ou les conditions gagnantes présentes...

La plupart du temps, c'est le moteur à essence qui fait le travail ou en combinaison avec le moteur électrique. La transmission CVT est moins bruyante que la moyenne des mécanismes du genre, mais sonne toujours comme un batteur d'œufs lorsqu'en pleine accélération. Lors d'essais successifs, le comportement routier de la version «habituelle» m'a semblé plus homogène, et la présence d'une batterie pesant plusieurs dizaines de kilos sur l'hybride vient quelque peu affecter l'équilibre du véhicule en virage, même si c'est satisfaisant en général.

La consommation observée de cet hybride a été de 8,7 litres aux 100 km, alors que les cotes du Guide énergétique nous annoncent 1,4 litre de moins. C'est tout de même correct, mais ce n'est pas aussi fantastique que certains seraient portés à croire. Et si vous avec le pied droit plus lourd que la moyenne, vous consommerez facilement de 10 à 12 litres aux 100 km.

**Denis Duquet**

Photos : Denis Duquet

Ford Escape hybrid

## VÉHICULE D'ESSAI

| | |
|---|---|
| Version : | Ford Escape V6 4RM |
| Emp/Lon/Lar/Haut(mm) : | 2 618/4 437/1 805/1 719 |
| Poids : | 1 575 kg |
| Coffre/Réservoir : | 826 à 1 877 litres / 62 litres |
| Nombre de coussins de sécurité : | 6 |
| Suspension avant : | indépendante, jambes de force |
| Suspension arrière : | indépendante, multibras |
| Freins av./arr. : | disque (ABS) |
| Antipatinage/Contrôle de stabilité : | oui / oui |
| Direction : | à crémaillère, assistance variable |
| Diamètre de braquage : | 11,1 m |
| Pneus av./arr. : | P225/65R17 |
| Capacité de remorquage : | 680 kg |

## MOTORISATION À L'ESSAI

| | |
|---|---|
| Moteur : | 6L de 3,0 litres 24s atmosphérique |
| Alésage et course : | 89,0 mm x 79,5 mm |
| Puissance : | 200 ch (149 kW) à 6 000 tr/min |
| Couple : | 193 lb-pi (262 Nm) à 4 850 tr/min |
| Rapport poids/puissance : | 7,88 kg/ch (10,71 kg/kW) |
| Système hybride : | en parallèle |
| Transmission : | intégrale, automatique 4 rapports |
| Accélération 0-100 km/h : | 9,3 s |
| Reprises 80-120 km/h : | 8,6 s |
| Freinage 100-0 km/h : | 40,0 m |
| Vitesse maximale : | 185 km/h |
| Consommation (100 km) : | ordinaire, 12,9 litres |
| Autonomie (approximative) : | 521 km |
| Émissions de CO2 : | 5 328 kg/an |

## GAMME EN BREF

| | |
|---|---|
| Échelle de prix : | 23 999 $ à 34 499 $ |
| Catégorie : | utilitaire sport compact |
| Historique du modèle : | 3ème génération |
| Garanties : | 4 ans/80 000 km, 5 ans/100 000 km |
| Assemblage : | Wayne, Michigan, É-U |
| Autre(s) moteur(s) : | 4L 2,3l 153ch/152lb-pi (10,5 l/100km) |
| | 4L 2,3l hybride 133ch/193lb-pi (7,3 l/100km) |
| Autre(s) rouage(s) : | traction |
| Autre(s) transmission(s) : | manuelle 5 rapports / CVT |

## DANS LA MÊME CATÉGORIE

Honda CR-V - Chevrolet Equinox - Pontiac Torrent - Toyota Rav 4 - Mazda Tribute - Mitsubishi Outlander - Saturn Vue - Suzuki Grand Vitara - Hyundai Tucson - Kia Sportage - Nissan Rogue

## DU NOUVEAU EN 2008

Nouvelle carrosserie, habitacle remodelé

## NOS IMPRESSIONS

| | |
|---|---|
| Agrément de conduite : | 🚗🚗🚗🚗 |
| Fiabilité : | 🚗🚗🚗🚗 |
| Sécurité : | 🚗🚗🚗🚗 |
| Qualités hivernales : | 🚗🚗🚗🚗 |
| Espace intérieur : | 🚗🚗🚗🚗 |
| Confort : | 🚗🚗🚗🚗 |

## LE CHOIX DE L'ÉQUIPE

Escape XLT 3,0 L / Tribute GS 3,0 L

**259**

Lincoln Navigator

# SURPRISE!

Il est plutôt difficile d'imaginer qu'un véhicule aussi gros que le Ford Expedition puisse se révéler agréable à conduire. Et la surprise est encore plus grande lorsqu'on apprend que son châssis est à longerons comme celui d'une camionnette. Par contre, quand on connaît l'expertise de Ford dans le domaine des camions, on reste moins surpris. Certes, le gros Expedition est assez mal vu par les temps qui courent à cause, principalement de ses dimensions gigantesques et de son moteur V8 très puissant. Mais il rend de fiers services et il le fait bien. Voyons-y de plus près…

L'an dernier, le Ford Expedition était sérieusement remanié. S'il ne s'agissait pas d'un tout nouveau véhicule, ce n'était pas loin! Ce changement arrivait alors que les prix de l'essence grimpaient en flèche et que le marché des VUS de grand format déclinait rapidement. Mais Ford désirait demeurer un des premiers dans ce créneau, sinon le premier, et le retrait de l'immense Excursion laissait un poste vacant. Le remodelage de l'Expedition tombait donc à point. De plus, au courant de l'année, des versions «police» et limousine de ce déjà gros véhicule sont apparues.

Au Canada, quatre versions sont proposées. On retrouve d'abord l'Expedition ordinaire et l'Expedition MAX ainsi que leur contrepartie luxueuse, les Lincoln Navigator et Navigator L. En lisant les documents de presse de Ford, on apprend que 2008 verra l'arrivée de la version propulsion (roues arrière motrices) réservée l'année dernière au marché américain. Si l'Expedition ordinaire possède une longueur totale de 5 245 mm et offre amplement d'espace intérieur, le MAX se montre encore plus généreux. Grâce à sa longueur de 5 621 mm, ce véhicule peut transporter passagers et bagages (beaucoup de passagers et encore plus de bagages) dans un confort surprenant. Quand les sièges de la troisième rangée sont remisés dans

le plancher, le coffre pourrait quasiment transporter le désert du Sahara tant il est grand. Alors, imaginez quand, en plus, on baisse ceux de la deuxième rangée! Même si la longueur des Lincoln Navigator et Navigator L (l'équivalent du MAX) dépasse de près de 50 mm celle des Expedition et MAX, les dimensions intérieures demeurent strictement les mêmes.

L'accès à bord, malgré la hauteur, s'avère aisé, merci aux imposants marchepieds. Qu'il s'agisse de l'Expedition ou du MAX, la troisième rangée de sièges est sans doute l'une des plus douillettes de l'industrie et le dégagement ne devrait causer des problèmes qu'à des personnes très grandes. Les deux autres rangées ne sont pas en reste avec des sièges fort confortables. Il est d'ailleurs possible de changer la banquette de deuxième rangée pour des sièges baquets qui retiennent mieux en virage. Le conducteur profite d'un très beau tableau de bord inspiré de celui de la camionnette F-150. L'ensemble est bien assemblé et les plastiques, autrefois la bête noire de Ford, sont de belle facture. Le seul commentaire négatif que nous émettrons concerne les pièces de chrome qui ornent la console centrale et qui aveuglent lorsqu'il fait soleil. Remarquez que l'été passé, ça n'a pas été très dérangeant…

**FEU VERT**
Agilité surprenante, habitacle confortable,
espace intérieur caverneux, moteur performant
ne rechigne pas devant le travail

**FEU ROUGE**
Dimensions de cathédrale,
consommation de Bœing,
version Navigator à peu près inutile

**260**

## VÉHICULE D'ESSAI

| | |
|---|---|
| Version : | Expedition MAX Limited 4x4 |
| Emp/Lon/Lar/Haut(mm) : | 3 327/5 621/2 002/1 974 |
| Poids : | 2 792 kg |
| Coffre/Réservoir : | 1 206 à 3 704 litres / 129 litres |
| Nombre de coussins de sécurité : | 6 |
| Suspension avant : | indépendante, bras inégaux |
| Suspension arrière : | indépendante, multibras |
| Freins av./arr. : | disque (ABS) |
| Antipatinage/Contrôle de stabilité : | oui / oui |
| Direction : | à crémaillère, assistance variable |
| Diamètre de braquage : | 13,4 m |
| Pneus av./arr. : | P255/70R18 |
| Capacité de remorquage : | 3 969 kg |

## MOTORISATION À L'ESSAI

| | |
|---|---|
| Moteur : | V8 de 5,4 litres 24s atmosphérique |
| Alésage et course : | 90,2 mm x 105,9 mm |
| Puissance : | 300 ch (224 kW) à 5 000 tr/min |
| Couple : | 365 lb-pi (495 Nm) à 3 750 tr/min |
| Rapport poids/puissance : | 9,31 kg/ch (12,63 kg/kW) |
| Système hybride : | aucun |
| Transmission : | 4X4, automatique 6 rapports |
| Accélération 0-100 km/h : | 9,3 s |
| Reprises 80-120 km/h : | 8,2 s |
| Freinage 100-0 km/h : | 45,4 m |
| Vitesse maximale : | 190 km/h |
| Consommation (100 km) : | ordinaire, 17,1 litres (constructeur) |
| Autonomie (approximative) : | 754 km |
| Émissions de CO2 : | 7 009 kg/an |

## GAMME EN BREF

| | |
|---|---|
| Échelle de prix : | 46 499 $ à 63 199 $ |
| Catégorie : | utilitaire sport grand format |
| Historique du modèle : | 3ième génération |
| Garanties : | 4 ans/80 000 km, 5 ans/100 000 km |
| Assemblage : | Wayne, Michigan, É-U |
| Autre(s) moteur(s) : | aucun |
| Autre(s) rouage(s) : | propulsion |
| Autre(s) transmission(s) : | aucune |

## DANS LA MÊME CATÉGORIE

Chevrolet Tahoe - Chrysler Aspen - Hummer H2 -
Nissan Armada - Toyota Sequoia

## DU NOUVEAU EN 2008

Nouvelle édition King Ranch

## NOS IMPRESSIONS

| | |
|---|---|
| Agrément de conduite : | 🚗 🚗 🚗 🚗 |
| Fiabilité : | 🚗 🚗 🚗 🚗 |
| Sécurité : | 🚗 🚗 🚗 🚗 |
| Qualités hivernales : | 🚗 🚗 🚗 🚗 ½ |
| Espace intérieur : | 🚗 🚗 🚗 🚗 🚗 |
| Confort : | 🚗 🚗 🚗 🚗 ½ |

## LE CHOIX DE L'ÉQUIPE

Expedition XLT

## ÉQUIPÉ POUR VEILLER TARD

Côté mécanique, tous les modèles reçoivent le V8 5,4 litres du F-150. Ce moteur développe 300 chevaux et 365 livres-pied de couple. On lui a greffé une transmission automatique à six rapports au fonctionnement irréprochable. Cet ensemble permet à l'Expedition MAX, une bête de 2 750 et quelques kilos, d'offrir des accélérations et des reprises franchement surprenantes, le tout dans un silence quasiment monacal.

Quand vient le temps de tirer une remorque, l'Expedition ne donne pas sa place. Notre véhicule d'essai, équipé de l'ensemble remorquage, a tiré une remorque de 5 000 livres comme Obélix transporte ses menhirs. À noter que les rétroviseurs extérieurs sont suffisamment grands et éloignés du véhicule pour permettre une bonne visibilité même lorsqu'il y a une remorque à l'arrière. D'ailleurs, lors de la présentation, les dirigeants de Ford disaient que, selon un sondage maison, 68 % des acheteurs d'un Expediton ou d'un Navigator remorquaient fréquemment une remorque ou une roulotte.

## COMPÉTENT

Sur la route, l'Expedition affiche un comportement routier étonnamment doux et agile… toutes proportions gardées. La direction fait preuve de précision et son *feedback* est bien dosé, aussi incroyable que cela puisse paraître ! Bien sûr, aucune personne sensée n'aurait envie de jouer les matamores au volant de l'Expedition mais il est possible de le conduire passablement vite dans les courbes. On observe bien un certain roulis (un roulis certain serait plus juste) mais, en respectant les transferts de poids, il est possible de demeurer sur la route !

Aussi compétent sur la route que pour le travail sérieux (il peut remorquer jusqu'à 8 750 livres lorsqu'équipé en conséquence), l'Expedition fait preuve d'un grand raffinement. On peut certes lui reprocher une consommation d'essence abusive et des dimensions tout aussi excessives, n'empêche qu'il répond parfaitement à des besoins spécifiques. Le marché des VUS de grand format est de plus en plus restreint à cause, surtout, des prix de l'essence et de l'image de pollueur qu'il projette. Et lorsque la mode des gros véhicules reviendra dans cinq, dix ou vingt ans, tout le monde trouvera à l'Expedition plein de belles qualités…

**Alain Morin**

Photos : Lincoln

# FORD EXPLORER

# FAIRE SA PLACE AU SOLEIL

Depuis quelques années, Ford est devenue une cible facile. Tout produit qui sort de ses chaînes d'assemblage est soit trop gros, soit trop mauvais, soit trop tout. Pourtant, quand on y regarde de plus près, plusieurs véhicules fabriqués par ce manufacturier sont impeccablement adaptés au marché cible. Qu'on pense seulement aux Mustang, Fusion et Explorer. Quoi? Le gros Explorer dans cette liste des plus exclusives? Oui, vous avez parfaitement lu. Ce n'est pas parce que ses dimensions sont imposantes qu'il n'est pas adapté aux besoins de bien des gens.

Inutile de jouer à l'autruche verte. Oui, le Ford Explorer consomme beaucoup d'essence. Mais, en revanche, il rend de fiers services et il le fait avec une belle compétence. Certes, si vous rencontrez un citadin du Plateau qui est propriétaire d'un Explorer ou de tout autre véhicule utilitaire sport intermédiaire ou pire, grand format, vous aurez le droit de lui faire des grimaces. L'Explorer est un camion dans le sens où il repose sur un châssis autoportant dérivé de celui de la camionnette F-150. On retrouve deux moteurs au catalogue. Si les performances et les capacités de remorquage ne font pas partie de vos priorités, le V6 4,0 litres de 210 chevaux et 254 livres-pied de couple devrait faire amplement l'affaire. Sa douceur est proverbiale mais sa consommation d'essence est quasiment la même que celle du V8. Sa transmission compte cinq rapports.

### DANS LA RUE COMME DANS LA BOUE

L'autre moteur est un V8 de 4,6 litres que l'on retrouve aussi dans la Mustang. Alors que dans cette dernière l'échappement émet une sonorité des plus sportives, il faut tendre l'oreille pour l'entendre tourner dans l'Explorer! Dans ce modèle, il ne développe pas moins de 292 chevaux et 300 livres-pied de couple. Voilà qui est plus que suffisant pour transporter toute la marmaille en vacances ou les outils pour

le travail. De plus, les capacités de remorquage s'élèvent à 3175 kilos lorsqu'équipé en conséquence. Une transmission automatique à six rapports expédie les chevaux aux quatre roues. En effet, l'Explorer est muni d'un rouage 4x4 qui se comporte comme une intégrale en mode «Auto». Le couple est alors dirigé vers les roues arrière et, si le besoin se fait sentir, un ordinateur enverra une partie de ce couple aux roues avant. Le conducteur a aussi le choix entre 4x4 High pour rouler en mode 4x4 sur la route ou 4x4 Low pour les situations plus dramatiques. Les angles d'approche, d'attaque et ventral, n'en font pas un Hummer H2 mais ils lui permettent de passer à des endroits inaccessibles à bien d'autres véhicules.

Lors de la refonte de l'Explorer en 2006, un des points principaux du cahier de charges portait sur le silence de roulement. Même s'il n'était nul besoin de se boucher les oreilles dans la version antérieure, l'Explorer fait désormais partie des véhicules les mieux insonorisés sur le marché... malgré un climatiseur très bruyant, surtout au départ, du moins dans notre véhicule d'essai. Mais, dans le cas de l'Explorer, silencieux ne veut pas dire endormant à conduire! Certes, sa direction se montre trop légère et déconnectée et ses suspensions indépendantes aux quatre roues procurent un confort digne d'une automobile. Dans l'ensemble,

**FEU VERT**
Moteur doux et performant (V8), 4x4 sérieux, habitacle spacieux et silencieux, *capless fuel filler* plus tard cette année, rayon de braquage court

**FEU ROUGE**
Consommation d'ivrogne, dimensions imposantes, moteur V6 plus ou moins utile, direction trop légère, prix élevés

**262**

## VÉHICULE D'ESSAI

| | |
|---|---|
| Version : | Eddie Bauer V8 |
| Emp/Lon/Lar/Haut(mm) : | 2 887/4 912/1 871/1 849 |
| Poids : | 2 173 kg |
| Coffre/Réservoir : | 385 à 2 429 litres / 85 litres |
| Nombre de coussins de sécurité : | 6 |
| Suspension avant : | indépendante, bras inégaux |
| Suspension arrière : | indépendante, bras inégaux |
| Freins av./arr. : | disque (ABS) |
| Antipatinage/Contrôle de stabilité : | oui / oui |
| Direction : | à crémaillère, assistée |
| Diamètre de braquage : | 11,2 m |
| Pneus av./arr. : | P235/65R18 |
| Capacité de remorquage : | 3 175 kg |

## MOTORISATION À L'ESSAI

| | |
|---|---|
| Moteur : | V8 de 4,6 litres 24s atmosphérique |
| Alésage et course : | 90,2 mm x 89,9 mm |
| Puissance : | 292 ch (218 kW) à 5 750 tr/min |
| Couple : | 300 lb-pi (407 Nm) à 3 950 tr/min |
| Rapport poids/puissance : | 7,44 kg/ch (10,11 kg/kW) |
| Système hybride : | aucun |
| Transmission : | 4x4, automatique 6 rapports |
| Accélération 0-100 km/h : | 7,9 s |
| Reprises 80-120 km/h : | 6,5 s |
| Freinage 100-0 km/h : | 42,0 m |
| Vitesse maximale : | 210 km/h |
| Consommation (100 km) : | ordinaire, 16,8 litres |
| Autonomie (approximative) : | 506 km |
| Émissions de CO2 : | 6 816 kg/an |

cependant, l'Explorer se montre plaisant à conduire même s'il ne fait jamais preuve de sportivité.

### UN PEU DE F-150

Côté design, l'Explorer est plutôt gâté. Bien qu'on ne puisse pas réinventer le style VUS, les designers de Ford ont su lui donner un aspect à la fois robuste et discret. Si les versions XLT et Limited font preuve de classe, la livrée Eddie Bauer, elle, exhibe une calandre à la F-150 et des bas de pare-choc en polyuréthane foncé du plus bel effet. Parlant de calandre, la partie chromée de celle de l'Explorer reprend le style général des dernières Volkswagen mais semble soulever moins de protestation. Par contre, la plupart des Explorer vus dernièrement n'affichaient pas une finition extérieure des plus achevées…

Le style et la classe de la carrosserie se transposent dans l'habitacle dont le tableau de bord reprend, à peu près et à tout point de vue, celui de la camionnette F-150. On retrouve donc les mêmes jauges et les mêmes commandes qui, dans la majorité des cas, tombent sous la main. Les gens aux doigts courts apprécieraient cependant un levier de clignotants un peu plus long. Depuis la refonte de 2006, le levier de vitesse a trouvé sa place dans la console centrale. Malgré les dimensions généreuses de l'habitacle, l'imposante largeur de cette console donne l'impression qu'il y a moins d'espace qu'en réalité. Les sièges font preuve d'un confort incroyable, autant à l'avant qu'à la deuxième rangée. Dans certains modèles haut de gamme, on retrouve aussi une troisième rangée qui se montre curieusement assez confortable même si l'espace pour la tête et les jambes est très réduit. Cette rangée se remise dans le plancher et forme ainsi un fond plat. Il est possible d'opter pour une commande électrique mais son prix n'en vaut pas la peine. Plus tard durant l'année-modèle 2008, l'Explorer innovera en présentant, en équipement standard, le *capless fuel filler* ou, si vous préférez, un réservoir d'essence sans bouchon. En fait, il s'agit d'un système aussi ingénieux qu'hermétique qui laisse passer un pistolet de pompe à essence et qui se referme dès qu'on retire le pistolet. Ce mécanisme peut sembler n'être qu'un gadget mais, pour l'avoir essayé lors d'une présentation de Ford, je peux vous assurer qu'on s'y habituera très rapidement. Parmi les autres nouveautés présentées dans l'Explorer, on retrouve le Sync, un système de divertissement et d'information commandé par la voix. Il s'agit d'une interface logicielle pouvant accepter n'importe quel support et n'importe quel format sans intervention des occupants. Ce système est souvent comparé à un Windows roulant… pas étonnant puisque c'est Microsoft qui est derrière ce projet !

**Alain Morin**

## GAMME EN BREF

| | |
|---|---|
| Échelle de prix : | 41 399 $ à 52 899 $ |
| Catégorie : | utilitaire sport intermédiaire |
| Historique du modèle : | 4ième génération |
| Garanties : | 3 ans/60 000 km, 5 ans/100 000 km |
| Assemblage : | Louisville, KT et St-Louis, MI, É-U |
| Autre(s) moteur(s) : | V6 4,0l 210ch/254lb-pi (16,0 l/100 km) |
| Autre(s) rouage(s) : | aucun |
| Autre(s) transmission(s) : | automatique 5 rapports |

### DANS LA MÊME CATÉGORIE

Acura MDX - BMW X5 - GMC Envoy - Jeep Grand Cherokee - Mercedes-Benz Classe M - Toyota 4Runner

### DU NOUVEAU EN 2008

Système de démarrage intelligent de série,
Ford Sync optionnel, introduction du *capless fuel filler*

### NOS IMPRESSIONS

| | |
|---|---|
| Agrément de conduite : | 🚗 🚗 🚗 ½ |
| Fiabilité : | 🚗 🚗 🚗 🚗 |
| Sécurité : | 🚗 🚗 🚗 🚗 |
| Qualités hivernales : | 🚗 🚗 🚗 🚗 |
| Espace intérieur : | 🚗 🚗 🚗 🚗 ½ |
| Confort : | 🚗 🚗 🚗 🚗 ½ |

### LE CHOIX DE L'ÉQUIPE

XLT V8

Photos : Ford

# AH, CES STRATÈGES DE FORD!

Vous pensiez réellement que la Focus était toute nouvelle? Et bien moi aussi, je l'ai cru quelques instants. Mais en réalisant qu'on avait simplement retouché l'ancien modèle, j'ai vite déchanté... Non seulement on nous sert du réchauffé, encore réchauffé, mais on a oublié de se demander ce que la clientèle désirait vraiment. Mais le comble, c'est que Ford propose en Europe depuis quelques années une vraie nouvelle Focus, carrément magnifique, et qui trône au sommet des ventes de sa catégorie depuis son arrivée. Pendant ce temps, en Amérique du Nord, on dort au gaz...

D'abord, sachez que j'ai toujours eu une opinion favorable envers la Focus, et ce, malgré des débuts difficiles en matière de fiabilité. Solide, agréable à conduire et offerte en de multiples configurations, elle pouvait véritablement répondre aux besoins d'innombrables acheteurs. Mais voilà, plutôt que de suivre la tendance et d'accoucher en 2005 d'un nouveau modèle comme ce fut le cas en Europe, Ford a choisi de modifier le modèle de la précédente génération, en le remaniant au goût du jour. Les ventes ont ainsi repris du poil de la bête, avec raison, mais la voiture n'avait certainement plus le charme des premiers jours.

Mais en 2008, le ridicule survient carrément. Car on ne nous propose pas une nouvelle voiture, mais bien cette même Focus âgée de huit ans à laquelle on a simplement greffé une nouvelle robe. Vous me direz que la même remarque peut-être appliquée au Ford Escape, ce qui est vrai, mais ce VUS plait encore énormément et n'a pas d'équivalent européen plus talentueux qui pourrait faire un bien meilleur travail chez nous!

### FINI LES HATCHBACK!
Encore une fois selon Ford, les modèles à hayon n'ont pas la cote (faites-moi rire, que faites-vous des Rabbit, Versa, Mazda3 Sport, Caliber et de la nouvelle Saturn Astra? Elles sont toutes impopulaires?). C'est donc avec cette pensée que Ford a choisi de retirer de la gamme tout ce qui portait un hayon, y compris l'intéressante familiale. Et pour remplacer tout ça, on nous offre désormais un coupé à trois volumes, susceptible de concurrencer les Cobalt et Civic de même architecture.

Esthétiquement, la Focus me déçoit énormément. Et pourtant, nous savons que les stylistes de la marque sont capables de beaucoup mieux (pensez à la Fusion et au Edge). Certes, elle n'est pas laide, mais ces pare-chocs aux formes bizarroïdes et ces fausses sorties d'air latérales auraient pu être oubliés! Mais au-delà des détails, il aurait avant tout fallu accoucher d'un produit beaucoup plus punché, façon Civic ou Caliber, histoire de se démarquer. Le problème, c'est qu'il fallait composer un design à partir de l'ancien châssis, rendant ainsi la tâche plus ardue. Il n'est d'ailleurs pas difficile d'apercevoir l'ancienne berline Focus à travers la nouvelle...

À bord, les changements sont plus heureux. La planche de bord est moderne, bien présentée et plus ergonomique que jamais. Notamment, cette Focus propose des touches métalliques et reçoit un éclairage d'ambiance et de l'instrumentation bleutés, du plus bel effet. Les modèles de

**FEU VERT**
Mécanique connue, habitacle confortable et invitant,
système SYNC intéressant,
bon comportement routier (on assume!)

**FEU ROUGE**
Où sont les *hatchback*?,
style discutable,
aucune version plus performante

**264**

préproduction que j'ai pu observer affichaient également une qualité de finition remarquable, ce qui me permet de croire que les modèles de production seront sans tâche à ce niveau.

En présentant sa Focus au dernier Salon de Détroit, Ford a mis davantage l'emphase sur le contenu que le contenant. Ainsi, on nous a mentionné que la voiture était redessinée, et c'est à peu près tout. Toutefois, certaines nouvelles caractéristiques offertes ont été au centre des conversations, cette compacte étant la première à pouvoir bénéficier de la technologie SYNC. Pour résumer, ce système, créé en collaboration avec Microsoft, combine une multitude de technologies en matière de divertissement, de communication et d'équipement multimédia. Vous pourrez grâce à lui intégrer sur le disque dur de la voiture des milliers de fichiers musicaux et des images, vous brancher en ligne de façon à consulter vos courriels, communiquer via votre portable en mode mains libres, le tout en utilisant un système de commande vocale. Et ces exemples ne sont qu'un échantillon des possibilités. Là, il faut l'admettre, Ford a mis le paquet.

### AU REVOIR 2,3 LITRES !

La dernière Focus à moteur 2,3 litres n'a pas connu de succès. Et c'est normal, puisque la Mazda3 ayant le même moteur et mieux équipée coûtait simplement moins cher ! Alors plutôt que de réduire le prix de cette version de façon à l'offrir notamment dans le modèle coupé, on a tout bonnement choisi de l'abandonner. Résultat, on nous propose pour 2008 qu'un seul moteur 2,0 litres. C'est un moteur souple, fiable et agréable au quotidien, qui consomme environ 8,5 litres aux 100 kilomètres.

Il ne nous a pas été possible de faire l'essai du modèle avant la parution de cet ouvrage, mais on peut néanmoins s'attendre à un comportement sensiblement similaire au modèle précédent. Peut-être la voiture aura-t-elle droit à un amortissement un peu plus ferme, mais il est encore trop tôt pour le dire. Et si c'est le cas, il s'agira du seul changement d'importance. Cela signifie donc que la voiture sera toujours agréable à conduire, maniable et efficace en conduite hivernale. Mais encore une fois, il faut avoir fait connaissance avec la primée Focus européenne pour comprendre notre déception face à l'arrivée de cette «nouvelle» génération. C'est à croire que chez Ford, du moins en Amérique du Nord, on ne considère pas les acheteurs de petites voitures…C'est du réchauffé

**Antoine Joubert**

Photos : Ford

## VÉHICULE D'ESSAI

| | |
|---|---|
| Version : | Berline SE |
| Emp/Lon/Lar/Haut(mm) : | 2 613/4 445/1 722/1 488 |
| Poids : | 1 190 kg |
| Coffre/Réservoir : | 391 litres / 51 litres |
| Nombre de coussins de sécurité : | 2 |
| Suspension avant : | indépendante, jambes de force |
| Suspension arrière : | indépendante, multibras |
| Freins av./arr. : | disque/tambour (ABS) |
| Antipatinage/Contrôle de stabilité : | oui / non |
| Direction : | à crémaillère, assistée |
| Diamètre de braquage : | 10,4 m |
| Pneus av./arr. : | P195/60R15 |
| Capacité de remorquage : | 454 kg |

## MOTORISATION À L'ESSAI

| | |
|---|---|
| Moteur : | 4L de 2,0 litres 16s atmosphérique |
| Alésage et course : | 87,4 mm x 83,1 mm |
| Puissance : | 140 ch (104 kW) à 6 000 tr/min |
| Couple : | 136 lb-pi (184 Nm) à 4 250 tr/min |
| Rapport poids/puissance : | 8,5 kg/ch (11,55 kg/kW) |
| Système hybride : | aucun |
| Transmission : | traction, manuelle 5 rapports |
| Accélération 0-100 km/h : | 9,6 s (estimé) |
| Reprises 80-120 km/h : | 8,2 s (estimé) |
| Freinage 100-0 km/h : | 35,6 m (estimé) |
| Vitesse maximale : | n.d. |
| Consommation (100 km) : | ordinaire, 8,7 litres (estimé) |
| Autonomie (approximative) : | 586 km |
| Émissions de CO2 : | n.d. |

## GAMME EN BREF

| | |
|---|---|
| Échelle de prix : | 14 999 $ à 20 099 $ (2007) |
| Catégorie : | berline compacte/coupé |
| Historique du modèle : | 3ième génération |
| Garanties : | 3 ans/60 000 km, 5 ans/100 000 km |
| Assemblage : | Wayne, Michigan, É-U |
| Autre(s) moteur(s) : | aucun |
| Autre(s) rouage(s) : | aucun |
| Autre(s) transmission(s) : | automatique 4 rapports |

## DANS LA MÊME CATÉGORIE

Chevrolet Cobalt - Honda Civic - Hyundai Elantra - Kia Spectra - Mazda 3 - Mitsubishi Lancer - Nissan Sentra - Pontiac G5 - Saturn Astra - Suzuki SX4 - Toyota Corolla - Volkswagen Rabbit

## DU NOUVEAU EN 2008

Nouveau modèle

## NOS IMPRESSIONS

| | |
|---|---|
| Agrément de conduite : | n.d. |
| Fiabilité : | Nouveau modèle |
| Sécurité : | n.d. |
| Qualités hivernales : | 🚗 🚗 🚗 |
| Espace intérieur : | 🚗 🚗 🚗 🚗 |
| Confort : | n.d. |

## LE CHOIX DE L'ÉQUIPE

Coupé ou berline SE

# L'AS CACHÉ DE FORD

Au cours des dernières années, Ford a malheureusement délaissé ses voitures au profit du développement des VUS. On peut certes considérer la Mustang et la Focus comme des produits intéressants, mais pour le reste, Ford n'avait rien de très convaincant à nous offrir. Introduite en 2006, la Fusion s'inscrit dans un segment hautement compétitif, celui des berlines intermédiaires. Il faut avouer que Ford n'a pas raté le bateau puisque la Fusion s'avère un des bons produits que le constructeur nous a présentés récemment.

À la base, la Fusion partage quelques éléments avec la Mazda6, rien d'étonnant car Mazda fait partie de la famille Ford. C'est donc sa plate-forme qu'elle partage avec sa consoeur japonaise, ce qui constitue tout de même une bonne base. Ford l'aura étirée quelque peu dans le cas de la Fusion, obtenant ainsi une voiture aux dimensions plus généreuses. Les moteurs font aussi partie du catalogue commun avec Mazda alors que Ford aura retenu à la base un moteur quatre cylindres de 2,3 litres déployant 160 chevaux, marié à une boîte manuelle à cinq rapports de série ou à l'automatique à cinq rapports — moyennant un léger supplément.

Pour plus de puissance, vous pourrez opter pour le V6 de 3,0 litres, ce dernier développant 221 chevaux pour un couple de 205 lb-pi. Cette fois, une seule boîte est proposée, une automatique a six rapports. Ces moteurs ne propulsent pas la Fusion au rang des plus puissantes, Toyota et Honda en font un peu plus à ce chapitre, mais ils représentent tout de même un choix intéressant et fiable.

### TRACTION AVANT OU INTÉGRALE ?

Histoire de vous simplifier la vie, deux versions sont au menu, se distinguant principalement peur leur niveau d'équipement. Si la Fusion SE offre une bonne liste d'équipements de série, la version SEL m'apparaît plus appropriée vu qu'elle a de nombreux équipements, sans afficher un prix trop largement majoré. Depuis 2007, une troisième version s'est ajoutée au catalogue : la Fusion à moteur V6 pourra être commandée avec un rouage intégral. Voilà tout un avantage par rapport aux canons du créneau étant donné que la Honda Accord et la Toyota Camry ne sont proposées qu'en version à traction. En fait, la Fusion AWD est probablement la seule de son segment à offrir cette option.

Il ne suffit pas d'avoir uniquement de bonnes composantes mécaniques pour être une voiture intéressante. Il faut aussi du style ! À ce propos, Ford a aussi fait du bon boulot : les lignes de la Fusion sont beaucoup plus inspirantes que les lignes de certains de ses autres modèles. Il faut avouer qu'on est normalement plutôt conservateur chez Ford. La Fusion arbore un style plus sportif et moderne, notamment en raison de sa large grille à trois barres qui domine l'avant, ainsi que par ses jantes stylisées qui appuient le caractère de la voiture.

Finalement, l'arrière est d'un style européen très réussi engendré par des feux triangulaires à lentille claire et par un double échappement chromé

**FEU VERT**
Lignes agréables, habitacle confortable et soigné, comportement sain, version AWD

**FEU ROUGE**
Moteur V6 gourmand, contrôle de la traction non offert avec le quatre cylindres, puissance un peu juste face à la compétition, finition inégale

| VÉHICULE D'ESSAI | |
|---|---|
| Version : | SEL 4 cylindres |
| Emp/Lon/Lar/Haut(mm) : | 2 725/4 831/1 816/1 422 |
| Poids : | 1 429 kg |
| Coffre/Réservoir : | 442 litres / 66 litres |
| Nombre de coussins de sécurité : | 6 |
| Suspension avant : | indépendante, bras inégaux |
| Suspension arrière : | indépendante, multibras |
| Freins av./arr. : | disque (ABS) |
| Antipatinage/Contrôle de stabilité : | opt. / non |
| Direction : | à crémaillère, assistée |
| Diamètre de braquage : | 12,0 m |
| Pneus av./arr. : | P205/60R16 |
| Capacité de remorquage : | 454 kg |

dans le cas des modèles SEL V6. Bref, la Fusion apporte un élément accrocheur dans un créneau où le style n'est pas toujours au premier plan...

## UN HABITACLE CONFORTABLE

L'habitacle profite également d'un traitement soigné et d'une attention aux détails plus marquée. On apprécie l'instrumentation sport, les garnitures chromées ainsi que l'horloge analogique située au centre du tableau de bord. Les sièges en cuir de la version SEL sont assez jolis avec leur surpiqûre blanche, tout en étant très confortables. Quant aux dégagements, la taille du véhicule rend l'habitacle accueillant pour cinq passagers alors que l'espace de chargement s'avère similaire à celui de ses rivales.

Sur la route, on aime le dynamisme de la voiture. Son châssis rigide et sa direction précise nous donnent un bon sentiment de contrôle. Le quatre cylindres est souple, mais il manque quelque peu de pep. La boîte manuelle vous permettra d'exploiter un peu mieux la puissance disponible. Le six cylindres quant à lui offre des prestances plus intéressantes, mais il affiche cependant une consommation plus élevée, et ce, même par rapport à ses rivales qui pourtant fournissent pratiquement toutes un peu plus de puissance.

Sa suspension indépendante aux quatre roues masque bien les défauts de la route tout en assurant un bon appui en conduite un peu plus sportive. Évidemment, même s'il ajoute un peu de poids à la voiture et un temps d'accélération légèrement majoré, le rouage intégral demeure appréciable, surtout en hiver.

Si on a souvent en tête quelques japonaises lorsque vient le temps de magasiner une berline intermédiaire, il faut avouer que la Fusion représente un choix à considérer. En fait, plusieurs personnes ont été impressionnées par cette voiture, tant par son style que par son habitacle soigné. Il reste à nous convaincre que la Fusion s'avérera aussi fiable que ses rivales, une inquiétude qui semble partagée par plusieurs acheteurs potentiels. Du reste, avec son prix compétitif et son niveau d'équipement intéressant, la Fusion vaut tout de même le détour.

**Sylvain Raymond**

### MOTORISATION À L'ESSAI

| | |
|---|---|
| Moteur : | 4L de 2,3 litres 16s atmosphérique |
| Alésage et course : | 87,5 mm x 94,0 mm |
| Puissance : | 160 ch (119 kW) à 6 250 tr/min |
| Couple : | 156 lb-pi (212 Nm) à 4 250 tr/min |
| Rapport poids/puissance : | 8,93 kg/ch (12,11 kg/kW) |
| Système hybride : | aucun |
| Transmission : | traction, automatique 5 rapports |
| Accélération 0-100 km/h : | 9,8 s |
| Reprises 80-120 km/h : | 8,0 s |
| Freinage 100-0 km/h : | 41,0 m |
| Vitesse maximale : | 200 km/h |
| Consommation (100 km) : | ordinaire, 10,3 litres |
| Autonomie (approximative) : | 641 km |
| Émissions de CO2 : | 4 224 kg/an |

### GAMME EN BREF

| | |
|---|---|
| Échelle de prix : | 23 899 $ à 30 899 $ |
| Catégorie : | berline intermédiaire |
| Historique du modèle : | 1ère génération |
| Garanties : | 3 ans/60 000 km, 5 ans/100 000 km |
| Assemblage : | Hermosillo, Sonora, Mexique |
| Autre(s) moteur(s) : | V6 3,0l 221ch/205lb-pi (11,4 l/100km) |
| Autre(s) rouage(s) : | intégrale |
| Autre(s) transmission(s) : | manuelle 5 rapports |

### DANS LA MÊME CATÉGORIE

Chevrolet Malibu - Chrysler Sebring - Honda Accord - Hyundai Sonata - Kia Magentis - Mazda 6 - Mitsubishi Galant - Nissan Altima - Pontiac G6 - Subaru Legacy - Toyota Camry

### DU NOUVEAU EN 2008

ABS standard, groupe sport, système SYNC

### NOS IMPRESSIONS

| | |
|---|---|
| Agrément de conduite : | 🚗 🚗 🚗 🚗 |
| Fiabilité : | 🚗 🚗 🚗 🚗 |
| Sécurité : | 🚗 🚗 🚗 🚗 |
| Qualités hivernales : | 🚗 🚗 🚗 🚗 ½ |
| Espace intérieur : | 🚗 🚗 🚗 🚗 |
| Confort : | 🚗 🚗 🚗 🚗 |

### LE CHOIX DE L'ÉQUIPE

SEL V6

Photos : Sylvain Raymond

# LE RETOUR D'UNE VRAIE RIVALITÉ

Un peu plus de quarante ans nous séparent du jour où la rivalité Mustang/Camaro a débuté. Dès lors, ces bolides sont devenus les deux plus importantes icônes du *muscle car* américain, avec tout ce que ça comporte. Mais si Ford a réussi à maintenir le succès de la Mustang sans jamais même qu'il se fane, il en a été tout autrement pour Chevrolet. Disparue il y a cinq ans, la Camaro aura laissé depuis ce temps le champ libre à notre cheval sauvage. Mais voilà, d'ici quelques mois, Chevrolet nous la ramènera, modernisée et mieux adaptée au marché actuel. Et là, tout sera possible…

**M**ais il faut admettre que pour inquiéter les dirigeants de Ford, la Camaro se devra d'être très agressive. Car si le succès de la Mustang est toujours aussi exceptionnel, et ce, malgré l'impopularité des voitures sport, c'est parce qu'elle répond tout simplement aux besoins et aux désirs d'une certaine clientèle, mais aussi à son budget.

### LA CLÉ ? L'ATTITUDE !

Si la Mustang fait le bonheur d'innombrables admirateurs, c'est aussi qu'elle dégage quelque chose. Sa forte personnalité fait en sorte que plusieurs se sentent vivre plus ardemment juste en la regardant. Et cette émotion, ce sentiment incroyable que l'on ressent au vrombissement du V8, aucune autre voiture comparable n'est en mesure de l'offrir. Alors, imaginez ce que vous pouvez ressentir lorsque vos deux mains sont solidement accrochées au volant pendant que l'accélérateur effleure la moquette ! C'est l'extase et du même coup, la disparition momentanée de tous vos tracas…

Oh, je vous dirais bien sûr que le degré de passion varie selon la version choisie, mais même un modèle à moteur V6 est aujourd'hui en mesure de faire vivre de bonnes émotions à son conducteur. Après tout, ce V6

nous propose exactement la même puissance (210 chevaux) que la Mustang GT qui nous était offerte en 1994. Et comme ce moteur se marie aussi bien à la boîte manuelle qu'à l'automatique, que sa consommation est raisonnable et que le prix d'achat l'est encore plus, on ne peut que comprendre pourquoi tant d'acheteurs se procurent la bête.

Bon, je vous dirais tout de même qu'il est compréhensible que pour bien des gens, le mot «Mustang» ne puisse rimer avec autre chose que «V8». Car ce sont eux, les vrais amateurs, qui affectionnent leur bolide, qui l'astiquent, qui le trimbalent dans les rencontres de clubs et les expositions, et qui les font parfois performer sur des circuits d'accélération. Depuis maintenant quatre ans, ces maniaques peuvent compter sur un V8 à 24 soupapes qui développe 300 chevaux, soit tout ce qu'il faut de puissance pour faire taire belle-maman si elle piaille un peu trop fort sur votre banquette arrière ! Et si ce n'est pas assez (c'est qu'elle est vraiment coriace votre belle-mère !), vous pourrez toujours ouvrir votre porte-feuille un peu plus grand et vous offrir l'une des rares Shelby GT500, que l'on reconnaît par un museau plus agressif, des bandes décoratrices et des jantes exclusives. Ici, pas moins de 500 chevaux s'extirpent du V8 à compresseur de 5,4 litres qui permet un sprint de 0 à 100 km/h en un peu plus de quatre secondes ! Oui, c'est une vraie imprimante à contraventions !

**FEU VERT**
Voiture culte, prix alléchant, plaisir de conduire assuré, puissance hallucinante (GT et GT500), bon châssis

**FEU ROUGE**
Quelques bruits de caisse, mécanisme de la capote à revoir (décapotable), train arrière sautillant, voiture trois saisons

## VÉHICULE D'ESSAI

| | |
|---|---|
| Version : | GT cabriolet |
| Emp/Lon/Lar/Haut(mm) : | 2 720/4 775/1 877/1 415 |
| Poids : | 1 638 kg |
| Coffre/Réservoir : | 275 litres / 61 litres |
| Nombre de coussins de sécurité : | 4 |
| Suspension avant : | indépendante, jambes de force |
| Suspension arrière : | essieu rigide, ressorts elliptiques |
| Freins av./arr. : | disque (ABS) |
| Antipatinage/Contrôle de stabilité : | oui / non |
| Direction : | à crémaillère, assistée |
| Diamètre de braquage : | 11,6 m |
| Pneus av./arr. : | P235/55ZR17 |
| Capacité de remorquage : | 454 kg |

## MOTORISATION À L'ESSAI

| | |
|---|---|
| Moteur : | V8 de 4,6 litres 24s atmosphérique |
| Alésage et course : | 91,4 mm x 91,4 mm |
| Puissance : | 300 ch (224 kW) à 5 750 tr/min |
| Couple : | 320 lb-pi (434 Nm) à 4 500 tr/min |
| Rapport poids/puissance : | 5,46 kg/ch (7,41 kg/kW) |
| Système hybride : | aucun |
| Transmission : | propulsion, manuelle 5 rapports |
| Accélération 0-100 km/h : | 5,7 s |
| Reprises 80-120 km/h : | 5,2 s |
| Freinage 100-0 km/h : | 38,5 m |
| Vitesse maximale : | 240 km/h |
| Consommation (100 km) : | ordinaire, 13,8 litres |
| Autonomie (approximative) : | 442 km |
| Émissions de CO2 : | 5 472 kg/an |

## GAMME EN BREF

| | |
|---|---|
| Échelle de prix : | 24 799 $ 38 099 $ |
| Catégorie : | coupé/cabriolet |
| Historique du modèle : | 5ième génération |
| Garanties : | 3 ans/60 000 km, 5 ans/100 000 km |
| Assemblage : | Dearborn, Michigan, É-U |
| Autre(s) moteur(s) : | V6 4,0l 210ch/240lb-pi (12,1 l/100km) |
| | V8 5,4l 500ch/480lb-pi (15,4 l/100km) Shelby GT500 |
| Autre(s) rouage(s) : | aucun |
| Autre(s) transmission(s) : | automatique 5 rapports |

Sur la route, la Mustang est nettement plus civilisée qu'avant. Mais attention, elle ne perd rien de la saveur d'antan. Son essieu rigide est toujours présent, son train arrière fait encore preuve d'instabilité et on peut s'adonner au plaisir du *show* de boucane sans difficulté ! Toutefois, tout amateur de Mustang vous le dira, la nouvelle cuvée est dotée d'un solide châssis qui permet une conduite carrément plus dynamique. On peut donc entamer un virage un peu plus témérairement, tout en comptant sur une stabilité routière finalement digne de ce nom. D'ailleurs, la direction qui transmet de bonnes sensations fait du très bon boulot, certainement mieux que sur la génération précédente. Seul le freinage, qui gagnerait à bénéficier d'un système de répartition de la force de freinage, déçoit légèrement.

À bord, les défauts majeurs de la Mustang se résument à une qualité d'assemblage encore variable qui explique la présence de quelques craquements et bruits de caisse (plus présents sur la décapotable). On pourrait aussi reprocher à la version décapotable d'être dotée d'une capote aux crochets manuels capricieux et d'un mécanisme automatique qui semble vouloir flancher à tout moment. Pour le reste, on nous propose de bons baquets avant et une planche de bord agréable à l'œil, inspirée du passé, qui s'accompagne d'un éclairage dont la couleur peut-être modifiée au gré du conducteur. Et comme il se doit, le cheval sauvage orne toujours le centre du volant, vous rappelant que vous êtes en train de dompter la bête !

### MOINS DE 25 000 $ !

Difficile à croire, mais sans options, il est possible d'obtenir une Mustang à moins de 25 000 $. Et si vous êtes attiré par la décapotable, c'est à peine plus de 28 000 $ qu'il vous faudra débourser. On vous propose d'ailleurs ce cabriolet à coût moins élevé que celui d'une PT Cruiser ou d'une New Beetle ! On pourrait donc reprocher bien des choses à la Mustang avant de commencer à qualifier ses vices d'impardonnables. Il reste maintenant à savoir si Chevrolet, avec sa Camaro 2009, saura s'ajuster de manière à réellement recréer cette rivalité d'antan, à la façon Canadiens/Nordiques.

Antoine Joubert

## DANS LA MÊME CATÉGORIE

Chrysler Sebring Cabriolet - Honda Accord Coupé - Hyundai Tiburon - Mitsubishi Eclipse / Spyder - Pontiac G6 coupé/cabriolet - Toyota Solara - Volkswagen Eos

## DU NOUVEAU EN 2008

Coussins latéraux de série, nouvelles options

## NOS IMPRESSIONS

| | |
|---|---|
| Agrément de conduite : | 🚗 🚗 🚗 🚗 ½ |
| Fiabilité : | 🚗 🚗 🚗 ½ |
| Sécurité : | 🚗 🚗 🚗 🚗 |
| Qualités hivernales : | 🚗 🚗 |
| Espace intérieur : | 🚗 🚗 🚗 |
| Confort : | 🚗 🚗 🚗 ½ |

## LE CHOIX DE L'ÉQUIPE

GT

Photos : Antoine Joubert

# SURPRISE! SURPRISE!

Mesdames et messieurs, la toute nouvelle Taurus 2008! Voilà comment les dirigeants de Ford nous ont dévoilé cette Five-Hundred revue et corrigée au dernier Salon de Chicago. Et vous auriez dû voir le visage des membres des médias tomber par terre (et même ceux de certains employés du constructeur), lorsqu'on nous a annoncé qu'on reprenait cette nomenclature. «N'aviez-vous pas abandonné ce nom en prétextant qu'il était rendu mauvais pour votre image, parce que trop associé aux voitures de parc automobile?», demanda un journaliste américain. Euh… bof… non… nos études ont démontré que…

**B**ref, voilà la preuve que le constructeur, dans ses grands élans de marketing, s'est à nouveau mis le doigt dans l'œil jusqu'au coude. Et là, après avoir constaté l'insuccès de la Five-Hundred et l'erreur de l'abandon de la Taurus, on tente une fois de plus de sauver les meubles. Bon, le retour du nom Taurus brise peut-être le moule voulant que chaque voiture vendue chez Ford (sauf la Mustang) possède un nom commençant par la lettre F (les camions, c'est E), mais entre vous et moi, qui est-ce que ça importe?

Pour être honnête, ma première réaction en apprenant cette nouvelle était: «Voyons donc, ils prennent vraiment les gens pour des imbéciles!» Mais après mûre réflexion, je me suis rappelé que pour acheter une Five-Hundred, il ne fallait pas s'intéresser à l'automobile. Par conséquent, les acheteurs de cette «nouvelle» Taurus n'ont probablement aucune idée qu'une Five-Hundred existait auparavant! Mais en revanche, ils connaissent tous le nom Taurus! Cette idée qui semblait à première vue être une insulte à l'intelligence n'est donc peut-être pas si mauvaise.

## MAINTENANT, LE PRODUIT!

Je vous l'accorde, faire l'achat d'une Taurus est une activité aussi excitante que de magasiner un matelas ou un aspirateur. Et si la Five-Hundred était

d'un ennui mortel, il en va de même pour la Taurus. Remarquez toutefois la grande similarité des lignes avec l'ancienne génération de la Volkswagen Passat, une voiture qui n'avait pourtant rien de banal! À la fois imposante par ses dimensions et discrète de par ses lignes, cette voiture est certainement la meilleure qu'un voleur puisse se procurer! Il pourra ainsi y loger beaucoup de matériel dérobé tout en se fondant dans le paysage automobile avec la même aisance qu'un goéland chez McDonald! Qui plus est, il profitera d'une bonne dose de puissance pour fuir les lieux du crime, puisque la Taurus reçoit un nouveau moteur pour 2008.

En fait, ce nouveau moteur est déjà bien connu chez Ford, puisqu'il repose aussi sous le capot du Edge et des Lincoln MKX et MKZ. Il s'agit bien sûr du V6 de 3,5 litres multisoupapes, lequel propose beaucoup de couple et de puissance. On obtient donc des accélérations et des reprises aussi rapides que linéaires, ce qui signifie que la puissance est disponible, peu importe le régime. Plus souple et silencieux que celui qu'il remplace, il contribue aussi à rehausser le confort. La consommation n'est malheureusement pas inférieure à celle du 3,0 litres, mais les quelque 13 litres ingurgités par tranche de 100 kilomètres me semblent beaucoup plus raisonnables ici, compte tenu de la puissance et du rendement du moteur.

**FEU VERT**
Comportement routier surprenant, voiture très bien construite, confort exceptionnel, habitacle ultra spacieux, motorisation intéressante

**FEU ROUGE**
Design raté, même avec les retouches, conduite ennuyeuse, beaucoup d'options, dépréciation importante

## VÉHICULE D'ESSAI

| | |
|---|---|
| Version : | Limited AWD |
| Emp/Lon/Lar/Haut(mm) : | 2 868/5 126/1 892/1 562 |
| Poids : | 1 730 kg |
| Coffre/Réservoir : | 595 litres / 72 litres |
| Nombre de coussins de sécurité : | 6 |
| Suspension avant : | indépendante, jambes de force |
| Suspension arrière : | indépendante, multibras |
| Freins av./arr. : | disque (ABS) |
| Antipatinage/Contrôle de stabilité : | oui / non |
| Direction : | à crémaillère, assistée |
| Diamètre de braquage : | 12,2 m |
| Pneus av./arr. : | P215/60R17 |
| Capacité de remorquage : | 454 kg |

## MOTORISATION À L'ESSAI

| | |
|---|---|
| Moteur : | V6 de 3,5 litres 24s atmosphérique |
| Alésage et course : | 92,5 mm x 88,7 mm |
| Puissance : | 263 ch (196 kW) à 6 250 tr/min |
| Couple : | 249 lb-pi (338 Nm) à 4 500 tr/min |
| Rapport poids/puissance : | 6,58 kg/ch (8,92 kg/kW) |
| Système hybride : | aucun |
| Transmission : | intégrale, automatique 6 rapports |
| Accélération 0-100 km/h : | 7,4 s |
| Reprises 80-120 km/h : | 6,0 s |
| Freinage 100-0 km/h : | 39,1 m |
| Vitesse maximale : | 200 km/h |
| Consommation (100 km) : | ordinaire, 12,6 litres |
| Autonomie (approximative) : | 571 km |
| Émissions de CO2 : | n.d. |

## GAMME EN BREF

| | |
|---|---|
| Échelle de prix : | 30 899 $ à 39 199 $ |
| Catégorie : | berline grand format |
| Historique du modèle : | 1ère génération |
| Garanties : | 3 ans/60 000 km, 5 ans/100 000 km |
| Assemblage : | Chicago, Illinois, É-U |
| Autre(s) moteur(s) : | aucun |
| Autre(s) rouage(s) : | traction |
| Autre(s) transmission(s) : | aucune |

La boîte automatique à six rapports est pour sa part très appréciable, puisque très bien adaptée à ce moteur. Curieusement, le frein moteur est moins accentué sur la Taurus que sur le Edge, et ce, même si la voiture est munie de la traction intégrale.

Vous dire à quel point elle est ennuyante à conduire est difficile... Toutefois, il est facile après seulement quelques kilomètres passés à bord de comprendre l'intérêt qu'un acheteur pourrait avoir pour cette auto. Non seulement la position de conduite est agréable parce que surélevée, mais le grand confort et le sentiment de sécurité qui s'en suivent sont aussi deux éléments très vendeurs. Et il faut bien le dire, cette voiture est loin d'être aussi paresseuse qu'elle en a l'air. La Taurus est agile, bien équilibrée, très bien suspendue et pourvue d'une direction juste assez ferme et précise. Bref, voilà une bagnole qui impressionnera les plus sceptiques par son comportement. Mais cela ne l'empêche pas d'être franchement ennuyeuse.

### DE L'ESPACE !

À bord, la première chose qui épate est assurément l'espace offert. C'est bien simple, on se croirait presque dans une défunte Country Squire dans laquelle six personnes et un Golden Retriever pouvaient monter sans problème. Et il en va de même pour le coffre, qui vous permettra de faire vos emplettes chez Costco en dépensant pratiquement sans limites ! Mais au-delà de l'espace, la Taurus mise beaucoup sur le confort de ses occupants. Ainsi, la disposition des éléments est simple et efficace et les sièges sont très confortables. Évidemment, l'habitacle n'a rien de bien excitant au plan esthétique, mais ce n'est pas mauvais non plus. Faites toutefois gaffe aux options, car celles-ci font grimper la facture vers des sommets inacceptables.

Mon constat, c'est que cette voiture n'est pas plus belle qu'avant, ce qui signifie qu'elle ne connaîtra jamais le succès escompté. Et c'est dommage, parce que n'eût été de son design et des mauvaises décisions marketing du constructeur, elle aurait pu connaître une brillante carrière, qu'importe le nom qu'on lui aurait donné ! Néanmoins, parce qu'il s'agit d'une voiture bien construite, confortable, agile, sécuritaire et très spacieuse, il m'est impossible de ne pas la recommander. Et c'est d'autant plus vrai cette année, puisque la traction intégrale jumelée à ce moteur de 3,5 litres constitue un combiné mécanique fort intéressant.

**Antoine Joubert**

## DANS LA MÊME CATÉGORIE

Buick Allure - Chevrolet Impala - Chrysler 300 - Dodge Charger - Hyundai Azera - Kia Amanti - Nissan Maxima - Pontiac Grand Prix - Toyota Avalon - Volkswagen Passat

## DU NOUVEAU EN 2008

Nouveau modèle dérivé de la Five-Hundred, moteur plus puissant, transmission automatique 6 rapports, retouche esthétique

## NOS IMPRESSIONS

| | |
|---|---|
| Agrément de conduite : | 🚗 🚗 🚗 |
| Fiabilité : | 🚗 🚗 🚗 🚗 |
| Sécurité : | 🚗 🚗 🚗 🚗 ½ |
| Qualités hivernales : | 🚗 🚗 🚗 🚗 ½ |
| Espace intérieur : | 🚗 🚗 🚗 🚗 🚗 |
| Confort : | 🚗 🚗 🚗 🚗 |

## LE CHOIX DE L'ÉQUIPE

SEL AWD

Photos : Ford

# PEUT-ON REFAIRE LE PASSÉ?

Les décisions prises récemment par Ford peuvent laisser perplexe. Alors que le multisegment Freestyle a toujours peiné à trouver preneur malgré ses grandes qualités, Ford propose au public le Edge, de facture beaucoup plus moderne et bien mieux accueilli. Plutôt que de se concentrer sur son Edge, Ford en remet en annonçant la deuxième génération du Freestyle, appelé pour l'occasion Taurus X. Il faut dire qu'aux États-Unis le marché des multisegments est en forte croissance et Ford peut très bien se permettre d'offrir deux véhicules dans le même créneau. De toute façon, le Edge et le Taurus X sont fort différents, le dernier ayant une troisième rangée de sièges.

A u dernier Salon de l'auto de Chicago, en février dernier, Ford avait réservé toute une surprise aux journalistes. Alors qu'elle présentait ses modèles Five-Hundred et Freestyle remaniés, elle dévoilait aussi leur nouveau nom… La première allait désormais s'appeler Taurus et la seconde Taurus X. Le choix de Chicago pour cette annonce n'était pas le fruit du hasard puisque cette ville avait accueilli, par le passé, une usine d'assemblage de la populaire Ford Taurus, la première du nom. Après plusieurs millions de dollars en investissement, l'usine de Chicago produit maintenant des… Taurus et son pendant multisegment, le Taurus X. Nous pourrions nous interroger longuement sur les raisons, plus ou moins valables, qui ont conduit les dirigeants de Ford à choisir un nom qui appartient au passé. Mais, contrairement à Ford, nous ne tenterons pas de refaire le passé et nous acceptons le choix de Taurus et Taurus X… à défaut de le comprendre! Au moins, Ford a abandonné l'idée farfelue de nommer ses véhicules en commençant par la lettre F. Un peu plus et on se serait retrouvé avec une Fustang ou un Fedge!

### ALLURE DE FAMILLE

Les lignes du Taurus X ne diffèrent pas beaucoup de celles du Freestyle. Et c'est tant mieux puisqu'il s'agit d'un véhicule bien proportionné qui n'a pas encore l'air démodé, même après trois années sur le marché. En plus, il semble plus gros qu'il ne l'est en réalité. Pour marquer le début de cette nouvelle génération, le Taurus X se pare d'une calandre qui reprend la récente signature de Ford, soit les trois grosses barres chromées horizontales. Certains n'apprécient pas, mais il faut admettre que cela donne du caractère à l'ensemble. À l'arrière, les changements s'avèrent beaucoup plus subtils. Seuls les feux semblent avoir été modifiés et ressemblent un peu à ceux du Edge.

Si, esthétiquement, le Taurus X n'a pas beaucoup changé par rapport au Freestyle qu'il remplace, il en va autrement de la mécanique qui copie celle du Edge. Le moteur de 3,0 litres fait désormais place à un doux V6 3,5 litres beaucoup plus moderne. Ce moteur de 263 chevaux et 249 livres-pied de couple semble aimer son travail puisque les accélérations et reprises sont convaincantes. Sa consommation d'essence devrait se situer aux alentours de celle du Edge, soit environ 12,8 litres aux cent kilomètres, une nette amélioration comparativement au moteur précédent qui paraissait toujours peiner à la tâche. Une des critiques adressées au Freestyle concernait sa transmission à rapports continuellement variables (CVT). Ford a compris le message puisque cette année, on retrouve une automatique à six rapports, dont le fonctionnement ne

**FEU VERT**
Lignes modernes, habitacle silencieux
transmission CVT abandonnée,
moteur performant

**FEU ROUGE**
Nouveau nom,
direction légère, freinage pénible,
valeur de revente à confirmer

**272**

## VÉHICULE D'ESSAI

| | |
|---|---|
| Version : | Limited AWD |
| Emp/Lon/Lar/Haut(mm) : | 2 868/5 088/1 902/1 712 |
| Poids : | 1 865 kg |
| Coffre/Réservoir : | 493 à 2 413 litres / 72 litres |
| Nombre de coussins de sécurité : | 6 |
| Suspension avant : | indépendante, jambes de force |
| Suspension arrière : | indépendante, multibras |
| Freins av./arr. : | disque (ABS) |
| Antipatinage/Contrôle de stabilité : | oui / non |
| Direction : | à crémaillère, assistée |
| Diamètre de braquage : | 12,2 m |
| Pneus av./arr. : | P225/60R18 |
| Capacité de remorquage : | 907 kg |

## MOTORISATION À L'ESSAI

| | |
|---|---|
| Moteur : | V6 de 3,5 litres 24s atmosphérique |
| Alésage et course : | 92,5 mm x 88,7 mm |
| Puissance : | 263 ch (196 kW) à 6 250 tr/min |
| Couple : | 249 lb-pi (338 Nm) à 4 500 tr/min |
| Rapport poids/puissance : | 7,09 kg/ch (9,61 kg/kW) |
| Système hybride : | aucun |
| Transmission : | intégrale, automatique 6 rapports |
| Accélération 0-100 km/h : | 9,5 s |
| Reprises 80-120 km/h : | 7,7 s |
| Freinage 100-0 km/h : | 43,6 m |
| Vitesse maximale : | n.d. |
| Consommation (100 km) : | ordinaire, 13,0 litres |
| Autonomie (approximative) : | 554 km |
| Émissions de CO2 : | 5 280 kg/an |

## GAMME EN BREF

| | |
|---|---|
| Échelle de prix : | 33 399 $ à 41 999 $ |
| Catégorie : | multisegment |
| Historique du modèle : | 2ième génération |
| Garanties : | 3 ans/60 000 km, 5 ans/100 000 km |
| Assemblage : | Chicago, Illinois, É-U |
| Autre(s) moteur(s) : | aucun |
| Autre(s) rouage(s) : | traction |
| Autre(s) transmission(s) : | aucune |

## DANS LA MÊME CATÉGORIE

Buick Enclave - Chrysler Pacifica - Nissan Murano - Toyota Highlander

## DU NOUVEAU EN 2008

Carrosserie légèrement restylée, moteur 3,5 litres, transmission automatique à 6 rapports

## NOS IMPRESSIONS

| | |
|---|---|
| Agrément de conduite : | 🚗 🚗 🚗 🚗 |
| Fiabilité : | 🚗 🚗 🚗 🚗 |
| Sécurité : | 🚗 🚗 🚗 🚗 |
| Qualités hivernales : | 🚗 🚗 🚗 🚗 ½ |
| Espace intérieur : | 🚗 🚗 🚗 🚗 ½ |
| Confort : | 🚗 🚗 🚗 🚗 |

## LE CHOIX DE L'ÉQUIPE

SEL AWD

---

s'attire aucun commentaire négatif sauf, peut-être des passages lents de à l'occasion. Cette transmission augmente d'autant le plaisir de conduire même si elle ne propose pas de passage manuel des rapports, une mode que Ford ne semble pas vouloir suivre.

Le Taurus X se veut tout d'abord une traction (roues avant motrices) mais il est possible d'opter pour un rouage intégral. Ce dernier ajoute quelque 80 kilos au véhicule, mais augmente le niveau de sécurité sur surfaces à faible coefficient d'adhérence (en admettant qu'il soit équipé de bons pneus d'hiver, bien entendu !). Pour cette nouvelle génération du Freestyle, pardon du Taurus X, les ingénieurs ont retenu une intégrale fabriquée par Dana. Ce système fonctionne de connivence avec l'AdvanceTrac (le contrôle de la stabilité latérale) et le système de contrôle de la traction pour offrir la meilleure traction possible. Les suspensions de la génération précédente ont été gardées mais leurs réglages ont été revus. Ce n'est pas pour rien que le Taurus X tient mieux la route tout en ayant conservé son niveau de confort. La direction, cependant, ne semble pas avoir été améliorée et se montre toujours aussi précise malgré une légèreté condamnable. S'il est un point où le Taurus X mériterait plus d'attention, c'est au niveau des freins. Sur notre véhicule d'essai, la pédale était spongieuse à souhait et, lors d'un freinage d'urgence, descendait quasiment jusqu'au plancher... Inutile de vous dire que les distances d'arrêt ne sont pas des plus courtes. De plus, après un seul arrêt, les freins sentaient le chauffé !

Les ingénieurs n'ont pas ménagé leurs efforts pour que l'habitacle du Taurus X soit des plus silencieux. Par exemple, le climatiseur se révèle 50 % plus silencieux que celui du Freestyle. Le plancher a été recouvert d'une sorte de mastic et le design des joints de caoutchouc des portes a été optimisé, encore pour diminuer les bruits de vent et de roulement. Et ça fonctionne, à en juger par le silence de roulement de notre voiture d'essai. Malgré des commandes déjà vues sur plusieurs autres modèles Ford, l'ensemble ne fait pas trop générique. La qualité des matériaux et de la finition est à la hauteur de la concurrence, mais le confort des sièges avant pourrait ne pas plaire à tous. On retrouve aussi une troisième banquette qui, curieusement, n'est pas trop pénible à atteindre. Et le hayon de notre voiture d'essai était à commande électrique, un gadget certes, mais un gadget auquel on s'habitue vite !

Le Freestyle de regrettée mémoire n'avait que quelques vilains défauts. Le Taurus X qui le remplace les a presque tous éliminés.

**Alain Morin**

Photos : Ford

# EN ACCORD AVEC SON TEMPS

La Honda Accord est apparue sur notre marché en 1978. Beaucoup plus imposante que la Civic, elle mesurait alors 4130 mm. C'est donc dire qu'elle possédait des dimensions à peine plus grandes que celles d'une Honda Fit 2008! Immédiatement, les ventes de la nouvelle venue ont décollé. Puis, de génération en génération, l'Accord a pris du galon, question de suivre une compétition de plus en plus acérée. Quelques années après son lancement initial, l'Accord se dotait d'une version *hatchback* et, plus tard, d'un coupé.

L'histoire d'amour entre les Québécois et la Honda Accord s'est un peu étiolée depuis quelques années. En fait, depuis l'arrivée, en 2003 de la génération actuelle. Si le style de la berline plaisait, celui du coupé deux portes laissait plutôt froid. Il était donc temps pour Honda de présenter une nouvelle génération.

Malheureusement, la date de tombée du présent *Guide de l'auto 2008* nous a empêchés de prendre le volant de la nouvelle Honda Accord. Il faut dire, à notre décharge, que Honda est, la plupart du temps, le dernier constructeur à présenter ses modèles aux médias, et ce, malgré nos demandes répétées et les pressions des gens des relations publiques de Honda Canada qui font des pressions auprès de leur grands patrons. Cette année, le personnel des relations médias a accompli un miracle et ont réussi à dénicher des photos et des informations, ce qui est bien apprécié!

Selon certaines sources, la nouvelle Honda Accord devrait être dévoilée officiellement au Salon de l'auto de Tokyo à la fin octobre 2007, même si des prototypes roulent déjà en

Voiture économique

Amérique du Nord. Au dernier Salon de l'auto de Detroit, en janvier dernier, Honda avait dévoilé l'Accord Coupé. Et, dans ce cas, le modèle de série ressemble en tout point au prototype. Seuls les sorties d'échappements et le bas du pare-choc arrière semblent avoir été modifiés.

## DESIGN PLUS ANGULEUX

L'Accord 2008, qui entre parenthèses en est à sa 8e génération, sera toujours offerte en versions berline et coupé. Lorsque les rumeurs d'un changement de garde pour l'Accord ont commencé à se faire entendre, plusieurs «connaisseurs» croyaient que ses lignes reprendraient celles de la Civic mais en plus volumineuses. Il n'en est rien. Dans les deux cas, d'après les photos que nous avons, le style n'a rien d'extravagant même s'il se montre moins anonyme que la version 2007. Jusqu'à présent, l'Accord se démarquait grâce à son style bulbeux qui la faisait paraître plus grosse qu'elle ne l'était en réalité. Cette fois, les angles sont plus accentués, les parois latérales marquées par une ligne incrustée semblable à celle de l'Acura TL tandis que la partie inférieure des portières comporte un bourrelet qui sert de délimitation visuelle. La partie avant de la berline diffère de la version précédente avec une grille de calandre beaucoup plus grande, surplombant une prise d'air dotée d'une grille carrelée. Les phares de route se prolongent le long de l'aile afin de créer un meilleur enchaînement avec les lignes latérales.

Le coupé, se veut maintenant autre chose qu'une berline amputée de deux de ses portières. La combinaison section avant allongée, partie arrière compacte suit une tendance amorcée chez Audi avec la A5. Par contre, seules les ventes permettront de voir si les consommateurs aiment ces nouvelles lignes. Au fil des années, les stylistes de ce constructeur nous ont souvent choqué par une approche stylistique que semble quelque peu déroutante et qui devient par la suite la référence de la catégorie.

Les quelques photos de l'habitacle que nous avons pu voir montrent un environnement très stylisé tout en demeurant sobre. Les lignes générales du tableau de bord reprennent un peu celles des récents produits Subaru, ce qui est loin d'être mauvais ! Si Honda demeure fidèle à elle-même, la qualité de la finition intérieure ainsi que l'ergonomie générale devraient se situer à des niveaux très élevés.

## PARLONS MILLIMÈTRES

D'après les données préliminaires, l'Accord cuvée 2008 ne verra pas ses dimensions augmenter dramatiquement. L'empattement du coupé demeurera le même (2 740 mm), tandis que sa longueur gagnera cinq millimètres mais la hauteur diminuera et la voiture sera plus large. Il faut donc s'attendre à un air plus trapu. La berline, de son côté, aura droit à un empattement de 2 800 mm (par rapport à 2 670 pour 2007).

# HONDA ACCORD

Encore une fois, la hauteur et la largeur connaissent des changements qui ont pour but d'assurer une plus grande présence visuelle sur la route. Si les données pour l'habitacle du coupé ne montrent que quelques millimètres gagnés ou perdus ici et là, il faut mentionner que le volume total gagne pas moins de 385 litres. Celui de la berline, curieusement, perd 48 litres! Du côté des coffres, le volume de celui de la berline demeure le même (à un litre près) mais celui du coupé fond de 33 litres (371 contre 338).

Une des questions qui a le plus soulevé de passions dans les différents forums est celle de la mécanique. Trêve de spéculation, voici ce que Honda a révélé. Le quatre cylindres de 2,3 litres est reconduit mais il voit sa puissance passer de 166 à 190 chevaux. Il faut noter que dans la version de base LX, le quatre cylindres ne développe que 177 chevaux. Quant au V6, il fait désormais 3,5 litres, une cylindrée plus en «Accord» avec la compétition. Ce moteur développe maintenant 268 chevaux, comparativement à 244 auparavant. Mais c'est surtout le couple qui étonne. Honda et Acura n'ont jamais été friands de moteurs possédant beaucoup de couple. Dans le cas présent, on parle de 248 livres-pied, des données qui se rapprochent de celles des Nissan Altima et Toyota Camry. Ces deux moteurs auront, bien entendu, droit au calage variable des soupapes i-VTEC et, dans le cas du V6, du VCM (Variable Cylinder Management) qui désactive trois des six cylindres lorsque la demande en puissance est moindre.

Il faut noter que la version hybride de l'Accord ne revient pas en 2008. D'après les dirigeants de Honda, leur système hybride IMA fonctionne mieux sur des voitures compactes. Est-ce la véritable raison? Quoi qu'il

**FEU VERT**
Moteurs plus puissants, équipement de série important, lignes plus musclées, tenue de route assurée (sans doute!)

**FEU ROUGE**
Lignes pourraient ne pas plaire à tous, version hybride abandonnée, coffre du coupé un peu restreint, livrée LX un peu chiche

**276**

GUIDE DE L'AUTO 2008                    www.leguidedelauto.com

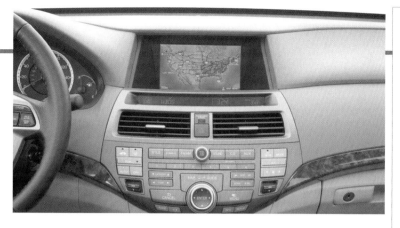

en soit, il est fort possible que l'Accord puisse être dotée d'un moteur diesel ultrapropre, et ce, dès 2009. Selon certaines sources, il s'agirait du moteur 2,2 litres déjà offert en Europe sur l'Accord vendue sur ce continent, et qui produit 140 chevaux.

Le quatre cylindres sera associé à une transmission manuelle à cinq rapports ou, en option, avec une automatique à cinq rapports. Cette transmission accompagnera aussi le V6 mais, si le consommateur désire une manuelle, elle aura alors six rapports. La berline n'aura droit qu'à une manuelle à cinq rapports. Les roues avant demeurent motrices.

Si l'Accord berline porte des pneus de 16 ou 17 pouces selon le niveau d'équipement, la version deux portes, elle, aura droit à des 17 ou 18 pouces. Les suspensions indépendantes demeurent du même type mais on a sans doute revu leurs réglages. Il s'agit de bras inégaux à l'avant et multibras à l'arrière. L'aspect sécurité n'a pas été oublié et l'Accord compte six coussins gonflables de série, tout comme c'était le cas avant.

## ÉQUIPEMENT RELEVÉ

Même si les prix ne nous ont pas encore été communiqués au moment d'écrire ces lignes, il est permis de croire que l'Accord LX devrait pouvoir se vendre aux alentours de 25 000 $, comme en 2007, étant donné son niveau d'équipement moindre. Mais n'ayez crainte! Climatiseur, rétroviseurs et serrures électriques, freins ABS, contrôle de la stabilité VSA et régulateur de vitesse, entre autres, seront de la partie. Les sièges à commande électrique, le thermomètre pour la température extérieure et les sièges chauffants non, par contre... Le coupé se montre moins chiche, mais il faut comprendre qu'il n'offre que trois niveaux d'équipement (EX, EX-L et EX-L V6) alors que la berline en propose cinq (LX, EX, EX-L, EX V6 et EX-L V6). À noter que le système de navigation fait désormais partie des options et n'est plus considéré comme un modèle à part, une décision marketing que nous jugions douteuse.

On peut ne pas aimer les nouvelles lignes de la Honda Accord mais force est d'admettre qu'elles sont beaucoup plus prononcées que précédemment. De plus, les moteurs plus puissants feront sans doute revenir quelques consommateurs déçus. Si les prix demeurent raisonnables et que la fiabilité est au rendez-vous (ce ne devrait pas être un problème mais les manufacturiers japonais l'ont dure ces temps-ci), la nouvelle Accord devrait être un succès. Dès qu'on l'essaie, on vous en parle sur www.passionperformance.ca ou dans notre magazine *Le monde de l'auto*.

**Alain Morin**

### VÉHICULE D'ESSAI

| | |
|---|---|
| Version : | berline EX 4 cyl |
| Emp/Lon/Lar/Haut(mm) : | 2 800/4 930/1 846/1 476 |
| Poids : | 1 550 kg |
| Coffre/Réservoir : | 397 litres / 70 litres |
| Nombre de coussins de sécurité : | 6 |
| Suspension avant : | indépendante, bras inégaux |
| Suspension arrière : | indépendante, multibras |
| Freins av./arr. : | disque (ABS, EBD) |
| Antipatinage/Contrôle de stabilité : | oui / oui |
| Direction : | à crémaillère, assist. variable électronique |
| Diamètre de braquage : | n.d. |
| Pneus av./arr. : | P225/50R17 |
| Capacité de remorquage : | n.d. |

### MOTORISATION À L'ESSAI

Pneus d'origine MICHELIN

| | |
|---|---|
| Moteur : | 4L de 2,4 litres 16s atmosphérique |
| Alésage et course : | 87,0 mm x 99,0 mm |
| Puissance : | 190 ch (142 kW) à 7 000 tr/min |
| Couple : | 162 lb-pi (220 Nm) à 4 400 tr/min |
| Rapport poids/puissance : | 8,16 kg/ch (11,07 kg/kW) |
| Système hybride : | aucun |
| Transmission : | traction, automatique 5 rapports |
| Accélération 0-100 km/h : | 9,5 s (estimé) |
| Reprises 80-120 km/h : | 8,5 s (estimé) |
| Freinage 100-0 km/h : | 38,8 m (estimé) |
| Vitesse maximale : | n.d. |
| Consommation (100 km) : | ordinaire, 9,0 litres (estimé) |
| Autonomie (approximative) : | 778 km |
| Émissions de $CO_2$ : | n.d. |

### GAMME EN BREF

| | |
|---|---|
| Échelle de prix : | n.d. |
| Catégorie : | berline intermédiaire/coupé |
| Historique du modèle : | 8ième génération |
| Garanties : | 3 ans/60 000 km, 5 ans/100 000 km |
| Assemblage : | Marysville, Ohio, É-U |
| Autre(s) moteur(s) : | 4L 2,4l 177ch/161lb-pi (9,7 l/100km) LX |
| | V6 3,5l 268ch/248lb-pi (11,5 l/100km) |
| Autre(s) rouage(s) : | aucun |
| Autre(s) transmission(s) : | manuelle 5 rapports / |
| | manuelle 6 rapports |

### DANS LA MÊME CATÉGORIE

Chevrolet Impala - Chevrolet Malibu - Chrysler Sebring - Ford Fusion - Hyundai Sonata - Kia Magentis - Mazda6 - Mitsubishi Galant - Nissan Altima - Subaru Legacy - Toyota Camry - Volkswagen Passat

### DU NOUVEAU EN 2008

Nouveau modèle

### NOS IMPRESSIONS

| | |
|---|---|
| Agrément de conduite : | n.d. |
| Fiabilité : | Nouveau modèle |
| Sécurité : | 🚗 🚗 🚗 🚗 |
| Qualités hivernales : | 🚗 🚗 🚗 |
| Espace intérieur : | 🚗 🚗 🚗 ½ |
| Confort : | n.d. |

### LE CHOIX DE L'ÉQUIPE

EX-L

# HONDA CIVIC / HYBRIDE

# ON S'HABITUE

Lors du dévoilement de la dernière génération de la Civic en 2006, les dirigeants de la marque nous ont surpris en présentant une refonte assez audacieuse de la Civic. Combien de fois avons-nous cependant entendu les constructeurs arguer que la refonte d'un modèle ne doit jamais être trop spectaculaire pour ne pas effrayer la clientèle ? D'autant plus que les Japonais ne sont pas réputés être parmi les plus innovateurs en fait de design, mis à part quelques exercices de style. Néanmoins, la nouvelle version aura réussi à surprendre tous les journalistes et susciter de nombreuses discussions partisanes.

Encore aujourd'hui, la Civic accroche par ses lignes futuristes et chaque fois qu'on en croise une, on apprécie de plus en plus le design, ou devrais-je dire pour certains, on l'apprivoise. Beaucoup d'éléments extérieurs sont originaux dont l'emplacement des rétroviseurs, les vitres insérées dans les piliers A, le court capot et le pare-brise plongeant. Le design rappelle celui d'une version hybride à laquelle on aurait greffé une motorisation à essence.

C'est cependant à l'intérieur qu'on retrouve l'élément le plus controversé de la Civic : son tableau de bord. Nul besoin d'en parler plus longtemps, on n'aime ou on n'aime pas. Sa disposition audacieuse aura par contre l'avantage de faciliter la consultation de l'odomètre. Puis vient ce pilier A très profilé auquel se rajoute un sous-pilier juste avant la portière. Nouveau genre de style qui semble prendre racine alors que la Versa de Nissan et la SX4 de Suzuki proposent la même approche. Une fois assis derrière le volant, on remarquera que les sièges sont très enveloppants et fermes. La partie interne du volant affiche un aspect à la Goldorak, et l'emplacement des rétroviseurs est un peu trop reculé sur les portières. La qualité de finition est bonne, sans plus, et les matériaux utilisés tendent de plus en plus vers le plastique. Cela dit, tout est très bien présenté et les commandes sont facilement atteignables. L'espace

disponible pour les passagers est spacieux et le plancher au niveau des places arrière est tout à fait plat. Les sièges se rabattent pour former une aire de chargement vaste mais sur la version hybride, c'est impossible étant donné l'emplacement de la batterie. Il existe plusieurs versions de la Civic, en modèles berline et coupé. Outre les versions de base et Si, on propose également le modèle hybride, celui de notre essai routier.

## HYBRIDE EN PLUS

D'entrée de jeu, la motorisation hybride est manifestement économique. Malgré un prix de vente plus élevé que la version à motorisation traditionnelle, elle permet de réduire considérablement les émissions de $CO_2$, d'obtenir une subvention de 2 000 $ du gouvernement, en plus un pourcentage de rabais chez la plupart des assureurs. Cependant, une fois les finances réglées, on s'aperçoit que la voiture aura coûté un peu plus cher que la version à essence et que les économies faites en carburant ne seront pas tellement élevées si on roule moins de 100 000 km par année... À cela, il faut ajouter le prix de la batterie qu'il faudra changer après une dizaine d'années au maximum. On achète cette voiture en grande partie par respect pour l'environnement et surtout, pour montrer l'exemple et paver la voie aux générations futures, ce qui est à notre avis une bonne chose !

**FEU VERT**
Consommation intéressante, visibilité excellente, fonctionnalité Auto-stop agréable, moteur fougueux (Si), espace intérieur généreux, fiabilité irréprochable

**FEU ROUGE**
Banquette arrière fixe (hybride), reprises décevantes (hybride), style controversé du tableau de bord

GUIDE DE L'AUTO 2008

Le match comparatif paru l'an dernier dans *Le Guide de l'auto* confrontant la Civic à essence et la Civic hybride aura permis d'analyser à fond le fonctionnement du moteur électrique de la version hybride. Inutile donc de reprendre ici tous les détails. On pourra toutefois noter que de nouveaux essayeurs nous ont fait remarquer que le système de freinage permettant de recharger la batterie est très intrusif et difficilement dosable. Seule une utilisation fréquente des freins permet de réguler la force à appliquer à la pédale. Il faut également noter la fonctionnalité «Auto-stop» du système qui arrête le moteur lorsque la voiture s'immobilise. Seuls les systèmes électriques restent alors en marche. La sensation est apaisante, surtout en pleine congestion. Cependant, ce système présente quelques lacunes alors que la fonction ne s'active que si le moteur a atteint une certaine température interne. Oubliez le système en hiver, il fait trop froid. Chez Honda, on explique que le moteur pourrait prendre plus de temps à redémarrer par temps froid, et par conséquent perdre la fraction de seconde nécessaire permettant de rendre le système transparent à l'utilisation. On ne prend donc pas de risque et on le laisse tourner. Dommage, on aime bien entendre les oiseaux tôt le matin…

### BONNE ROUTIÈRE

La conduite de la Civic conserve ses qualités d'autrefois avec une suspension solide, une caisse rigide et une douceur de roulement exemplaire. La direction est précise et les pneus assurent un bon contact avec la route. La visibilité est excellente dû à l'étroitesse des piliers du toit. En revanche, au quotidien, l'emplacement du frein de stationnement devient désagréable et la transmission CVT s'avère agaçante en pleine congestion où de nombreux départs et arrêts sont faits. Il faut toutefois mentionner qu'elle doit travailler de concert avec le système de freinage qui met un certain temps à se désactiver au moment de repartir suite à un arrêt rapide.

La Civic, sous toutes ses versions, reste un véhicule très fiable et très bien conçu. Malgré un relâchement durant les dernières années au niveau de la finition, on sent que le constructeur nippon a effectué un travail réfléchi avec la présente génération du modèle. De toute façon, la Civic aura toujours la cote au Québec et que même avec un design aussi controversé, plusieurs acheteurs ayant abandonné la marque reviendront au bercail après un exil forcé de quatre ans. La compétition est cependant très forte et certains nouveaux joueurs semblent avoir conquis le cœur de plusieurs.

**Guy Desjardins**

**HONDA** CIVIC / HYBRIDE

### VÉHICULE D'ESSAI

| | |
|---|---|
| Version : | Hybride |
| Emp/Lon/Lar/Haut(mm) : | 2 700/4 489/1 752/1 430 |
| Poids : | 1 304 kg |
| Coffre/Réservoir : | 294 litres / 47 litres |
| Nombre de coussins de sécurité : | 6 |
| Suspension avant : | indépendante, jambes de force |
| Suspension arrière : | indépendante, multibras |
| Freins av./arr. : | disque (ABS, EBD) |
| Antipatinage/Contrôle de stabilité : | non / non |
| Direction : | à crémaillère, assistance variable électrique |
| Diamètre de braquage : | n.d. |
| Pneus av./arr. : | P195/65R15 |
| Capacité de remorquage : | non recommandé |

### MOTORISATION À L'ESSAI

Pneus d'origine MICHELIN

| | |
|---|---|
| Moteur : | 4L de 1,3 litre 8s hybride |
| Alésage et course : | 73,0 mm x 80,0 mm |
| Puissance : | 110 ch (82 kW) à 6 000 tr/min |
| Couple : | 123 lb-pi (167 Nm) à 1 000 à 2 500 tr/min |
| Rapport poids/puissance : | 11,85 kg/ch (16,1 kg/kW) |
| Système hybride : | IMA en parallèle |
| Transmission : | traction, CVT |
| Accélération 0-100 km/h : | 11,7 s |
| Reprises 80-120 km/h : | 12,0 s |
| Freinage 100-0 km/h : | 41,0 m |
| Vitesse maximale : | 175 km/h |
| Consommation (100 km) : | essence/élect., 4,7 litres |
| Autonomie (approximative) : | 1 000 km |
| Émissions de $CO_2$ : | 2 160 kg/an |

### GAMME EN BREF

| | |
|---|---|
| Échelle de prix : | 16 980 $ à 26 380 $ (2007) |
| Catégorie : | berline compacte/coupé |
| Historique du modèle : | 7ième génération |
| Garanties : | 3 ans/60 000 km, 5 ans/100 000 km |
| Assemblage : | Alliston, Ontario, Canada |
| Autre(s) moteur(s) : | 4L 1,8l 140ch/128lb-pi (8,2 l/100km) |
| | 4L 2,0l 197ch/139lb-pi (10,2 l/100km) |
| Autre(s) rouage(s) : | aucun |
| Autre(s) transmission(s) : | manuelle 5 rapports / |
| | manuelle 6 rapports / automatique 5 rapports |

### DANS LA MÊME CATÉGORIE

Chevrolet Cobalt - Ford Focus - Hyundai Elantra - Mazda3 - Mitsubishi Lancer - Nissan Sentra - Toyota Corolla - Toyota Prius - Volkswagen Rabbit

### DU NOUVEAU EN 2008

Pas de changement majeur

### NOS IMPRESSIONS

| | |
|---|---|
| Agrément de conduite : | 🚗 🚗 🚗 ½ |
| Fiabilité : | 🚗 🚗 🚗 🚗 |
| Sécurité : | 🚗 🚗 🚗 🚗 |
| Qualités hivernales : | 🚗 🚗 🚗 ½ |
| Espace intérieur : | 🚗 🚗 🚗 🚗 |
| Confort : | 🚗 🚗 🚗 ½ |

### LE CHOIX DE L'ÉQUIPE

Coupé Si

Photos : Honda

**279**

# À L'ÉCOUTE DU PUBLIC

La troisième génération du CR-V a été lancée au printemps 2007 et ce véhicule est rapidement devenu l'un des plus populaires de sa catégorie dans les mois qui ont suivi. Cette fois, Honda continue d'identifier le CR-V comme un VUS compact, mais se comportant davantage comme un véhicule multisegment, en harmonie avec la tendance générale du marché qui voit la progression des véhicules utilitaires à vocation de plus en plus urbaine. Toujours selon Honda, ce marché devrait connaître une hausse de 15 pour cent au cours des trois prochaines années.

Il ne faut pas conclure pour autant que ce nouveau CR-V a connu des transformations radicales. Il a bénéficié d'une multitude de retouches qui ont eu pour effet d'accentuer son côté routier et l'agrément de conduite.

### PLUS LARGE, PLUS BASSE

C'est d'ailleurs en raison de cette nouvelle orientation que la suspension a été abaissée de 33 mm, la garde au sol diminuée de 20 mm, tandis que les voies avant et arrière étaient élargies de 30 mm et 20 mm respectivement. Par ailleurs, l'empattement a été réduit de 5 mm. Ce ne sont pas des modifications spectaculaires, mais elles permettent de donner au CR-V une plus grande agilité, une meilleure tenue de route et par le fait même, un agrément de conduite plus élevé.

C'est le premier modèle CR-V offert en version traction avant, en plus, bien entendu, de pouvoir être commandé avec le rouage intégral. Comme précédemment, il s'agit d'un mécanisme sur demande qui entre en fonction lorsque les roues avant patinent le moindrement. Le dispositif est similaire à celui du modèle antérieur, mais son temps de réponse est plus rapide. Malheureusement, qui gagne perd, puisque la boîte manuelle n'est plus au catalogue. L'automatique à cinq rapports devient ipso facto la boîte de vitesses de série. Elle est couplée à un moteur quatre cylindres de 2,4 litres d'une puissance de 166 chevaux, soit 10 de plus que dans la génération précédente.

Le reste de la fiche technique est semblable à ce qui était disponible auparavant, sauf que la caisse est plus rigide en raison de l'utilisation d'acier de meilleure qualité à plus forte teneur en carbone. En chiffres, cela donne une hausse de 24 pour cent en torsion et de 32 pour cent en flexion. Au chapitre des suspensions, le levier triangulé inférieur de la suspension avant a été éliminé et les coussinets de caoutchouc sont plus souples afin d'améliorer le confort.

### DESIGN RÉUSSI

Le premier CR-V n'a jamais été conçu pour notre marché, et Honda avait joué d'audace en présentant ce modèle en 1997 au Canada. Le succès ne s'est pas fait attendre : le CR-V est devenu l'un des plus populaires au sein de la marque. En fait, c'est le véhicule Honda le plus vendu de par le monde après la Civic et la Accord. Mais puisque la seconde génération apparue en 2002 ressemblait d'assez près à sa devancière, le temps était venu pour les stylistes de rajeunir fortement la silhouette. Le truc visuel sur le nouveau CR-V est sa fenestration latérale qui se termine en pointe

**FEU VERT**
Silhouette rajeunie, faible consommation, comportement routier, mécanique fiable, traction disponible

**FEU ROUGE**
Boîte manuelle éliminée, performances moyennes, agrément de conduite mitigé, certaines versions onéreuses, espace avant limité pour les pieds

**VÉHICULE D'ESSAI**

| | |
|---|---|
| Version : | EX |
| Emp/Lon/Lar/Haut(mm) : | 2 620/4 518/1 820/1 680 |
| Poids : | 1 604 kg |
| Coffre/Réservoir : | 1 011 à 2 064 litres / 58 litres |
| Nombre de coussins de sécurité : | 6 |
| Suspension avant : | indépendante, jambes de force |
| Suspension arrière : | indépendante, multibras |
| Freins av./arr. : | disque (ABS) |
| Antipatinage/Contrôle de stabilité : | oui / oui |
| Direction : | à crémaillère, assistance variable |
| Diamètre de braquage : | 10,6 m |
| Pneus av./arr. : | P225/65R17 |
| Capacité de remorquage : | 680 kg |

**MOTORISATION À L'ESSAI**

| | |
|---|---|
| Moteur : | 4L de 2,4 litres 16s atmosphérique |
| Alésage et course : | 87,0 mm x 99,0 mm |
| Puissance : | 166 ch (124 kW) à 5 800 tr/min |
| Couple : | 161 lb-pi (218 Nm) à 4 200 tr/min |
| Rapport poids/puissance : | 9,66 kg/ch (13,15 kg/kW) |
| Système hybride : | aucun |
| Transmission : | intégrale, automatique 5 rapports |
| Accélération 0-100 km/h : | 10,3 s |
| Reprises 80-120 km/h : | 8,7 s |
| Freinage 100-0 km/h : | 42,5 m |
| Vitesse maximale : | 190 km/h |
| Consommation (100 km) : | ordinaire, 10,7 litres |
| Autonomie (approximative) : | 542 km |
| Émissions de CO2 : | 4 512 kg/an |

**GAMME EN BREF**

| | |
|---|---|
| Échelle de prix : | 27 700 $ à 37 400 $ |
| Catégorie : | utilitaire sport compact |
| Historique du modèle : | 3ième génération |
| Garanties : | 3 ans/60 000 km, 5 ans/100 000 km |
| Assemblage : | East Liberty, Ohio, É-U |
| Autre(s) moteur(s) : | aucun |
| Autre(s) rouage(s) : | traction |
| Autre(s) transmission(s) : | aucune |

**DANS LA MÊME CATÉGORIE**

Chevrolet Equinox - Dodge Nitro - Ford Escape - Hyundai Santa Fe - Jeep Liberty - Mitsubishi Outlander - Nissan Rogue - Pontiac Torrent - Saturn VUE - Subaru Forester - Suzuki Grand Vitara - Toyota Rav4

**DU NOUVEAU EN 2008**

Aucun changement majeur

**NOS IMPRESSIONS**

| | |
|---|---|
| Agrément de conduite : | 🚗 🚗 🚗 ½ |
| Fiabilité : | 🚗 🚗 🚗 🚗 🚗 |
| Sécurité : | 🚗 🚗 🚗 🚗 ½ |
| Qualités hivernales : | 🚗 🚗 🚗 🚗 ½ |
| Espace intérieur : | 🚗 🚗 🚗 🚗 |
| Confort : | 🚗 🚗 🚗 ½ |

**LE CHOIX DE L'ÉQUIPE**

EX sans cuir

vers le pilier C tandis que les feux arrière se poursuivent presque jusqu'au toit. Ce qui a pour effet d'alléger la silhouette tout en lui insufflant beaucoup de dynamisme. Au premier coup d'œil, le CR-V nous semble sportif, léger et agile.

Cette première impression est confirmée lorsqu'on prend le volant. Là aussi, la présentation du tableau de bord tient plus de l'auto que du VUS. Et si vous aimez le bleu, vous apprécierez l'éclairage des cadrans. Comme toute Honda qui se respecte, la finition est irréprochable tout comme la qualité d'assemblage. Par contre, la texture des plastiques pourrait être meilleure.

Sur la route, malgré les dires du constructeur qui nous promet quasiment un comportement routier sportif, l'agrément de conduite est bon mais ne se situe pas au même niveau que sur une authentique sportive. Il est vrai que le moteur est performant, que la boîte automatique passe les rapports avec douceur et rapidité, que la tenue de route est excellente, mais il ne faut jamais oublier qu'il s'agit d'un utilitaire sport à tendance multisegment dont le centre de gravité demeure toujours relativement élevé et dont le poids est plus élevé qu'une berline sport. Ces deux caractéristiques font sentir leur présence. Le roulis est fort bien contrôlé et la que direction bénéficie d'une assistance juste ce qu'il faut, mais sans plus.

Somme toute, le nouveau CR-V se veut une nette amélioration sur le plan esthétique, mécanique et dynamique. Par contre, les améliorations ne sont pas spectaculaires, mais dignes de mention. Après tout, il était parmi les meilleurs de sa catégorie avant sa révision.

En terminant, et je sais que cela en attristera plusieurs, la fameuse table à pique-nique qui était placée sous le plancher de la soute à bagages est remplacée par un système de rangement intégré à même le plancher du coffre. Probablement parce que les planificateurs de la compagnie estiment que les acheteurs potentiels vont davantage fréquenter les restaurants que les campings et les haltes routières.

**Denis Duquet**

Photos : Honda

# HONDA ELEMENT

# UN HEUREUX HASARD!

À ses débuts, alors que l'Element était boudé par « ces jeunes universitaires » qu'on tentait de séduire, une génération plus âgée a répondu à l'appel qui ne leur était pas adressé. Honda a donc quand même connu le succès escompté, et ce, malgré une stratégie de marketing complètement ratée. Et vous savez quoi? Ce succès dure depuis maintenant cinq ans! Ne voilà-t-il pas la preuve que parfois, le hasard fait bien les choses?

Aujourd'hui, Honda se réjouit d'avoir réussi à percer avec un véhicule à ce point original qui, malgré son âge, continue de semer la controverse auprès de tous ceux qui font connaissance avec lui. Car il faut le dire, cet Element ne fait pas l'unanimité. Et pour cause, ses lignes angulaires et antipathiques sont encore la cible de nombreux commentaires négatifs. Je vous dirais même que j'ai pu lire dans le visage de la plupart des gens à qui je l'ai présenté, le même regard que l'on porte à un vieux poisson mort au bord d'un ruisseau! Toutefois, il est stupéfiant de constater le changement de perception quand on ouvre les portières...

### PAPA L'ADORE

Personnellement, j'adore l'Element! Mais pour justifier mes paroles, je peux mentionner qu'un jeune papa comme moi peut apprécier par exemple ces portières arrière à ouverture opposée grâce auxquelles l'accès aux places arrière est rendu on ne peut plus facile. Certes, tous peuvent grimper à bord sans problème, mais pour installer bébé dans son siège d'appoint, il ne se fait vraiment rien de mieux. Qui plus est, grâce à la position surélevée de la banquette, les jeunes enfants peuvent avoir une excellente vue extérieure. Et le comble, c'est qu'on ne se soucie jamais des traces de souliers, des tâches de lait ou des miettes de

petits biscuits. Les sièges sont recouverts d'un tissu imperméable ultra-résistant et le revêtement du plancher est fait d'un enduit d'uréthane, lavable à l'eau. Un seul hic toutefois, si vous prévoyez l'arrivée d'un troisième rejeton, l'Element ne peut vous convenir puisqu'il ne propose que deux places assises à l'arrière...

Très pratique, l'habitacle de ce véhicule a été conçu avec un seul mot d'ordre, la polyvalence. Par exemple, on peut rabattre le dossier de tous les sièges afin de créer un lit (un peu inégal, mais applaudissons l'effort!), on peut rabattre à plat les sièges arrière sur les parois latérales ou encore, tout simplement les retirer de l'habitacle. Et même si vous choisissez de conserver les sièges dans leur position initiale, vous aurez quand même droit à un compartiment des plus spacieux. C'est bien sûr sans compter le fait que les quatre occupants sont installés dans un environnement vaste et confortable.

Le conducteur profite pour sa part d'une position de conduite agréable et d'une excellente visibilité. La position inhabituelle du levier de vitesse est particulièrement appréciable si vous optez pour la boîte manuelle, mais j'admets qu'en retour, un volant télescopique ne serait pas de refus.

### FEU VERT
Véhicule très polyvalent, habitacle agréable, consommation raisonnable, fiabilité assurée, faible dépréciation

### FEU ROUGE
La beauté, c'est relatif, version SC décevante, sensibilité aux vents latéraux, quatre places seulement, performances décevantes (4RM automatique)

282

Côté mécanique, l'Element fait appel au moteur quatre cylindres de 2,4 litres i-VTEC bien connu chez Honda. Souple et nerveux, il n'est pas spécialement performant (surtout en version 4RM automatique), mais ne s'essouffle jamais. La boîte manuelle est donc à mon sens nécessaire pour exploiter plus efficacement les performances, contribuant également à relever d'un cran l'agrément de conduite. Sur la route, l'Element n'est évidemment pas insensible aux vents latéraux, étant donné sa carrure. Toutefois, un long périple de Montréal aux Îles de la Madeleine m'a permis de découvrir à quel point il pouvait être agréable à conduire. Sans doute que la suspension bien calibrée et la direction communicative y sont pour quelque chose. J'ajouterais que son format pratique contribue également à le rendre très maniable, faisant de lui un excellent véhicule urbain.

### L'ELEMENT SC, DU *LOOK* ET RIEN D'AUTRE

Depuis l'an dernier, Honda tente une seconde approche chez les plus jeunes, grâce à cette version SC. Avec un style monochrome, un carénage avant exclusif et des jantes de 18 pouces, tout porte à croire qu'il attirera de nouveaux regards. À bord aussi, les modifications apportées à la version SC sont nombreuses. Le véhicule accueille notamment une nouvelle instrumentation à éclairage rouge et blanc, plusieurs accents décoratifs d'un noir lustré et des teintes exclusives. Ce qui marque cependant le plus, c'est la présence d'une véritable console centrale, où se trouvent deux porte-gobelets, un immense vide-poche et cet accoudoir fixe avec rangement inférieur. Un seul bémol toutefois, l'accoudoir est placé trop bas et est donc inutilisable…

Sur la route, cette version n'est pourtant pas des plus agréables. La suspension plus ferme la rend beaucoup moins confortable et les jantes de 18 pouces occasionnent un effet de couple en accélération, franchement déplaisant. Qui plus est, la force d'inertie supplémentaire exigée par ces jolies jantes contribue à réduire les performances tout en faisant grimper d'un poil la consommation. Donc, le SC est peut-être bien beau, mais les sacrifices à faire sont à mon sens trop nombreux. Sans compter le fait qu'on en demande environ 30 000 $ pour une version tractée à boîte manuelle! Je vous conseille donc d'opter pour un modèle LX ou EX. En terminant, sachez que l'Element est fiable comme une montre suisse, qu'il ne consomme que peu et qu'il s'accompagne d'une excellente valeur de revente.

*Antoine Joubert*

Photos : Denis Duquet

## VÉHICULE D'ESSAI

| | |
|---|---|
| Version : | SC |
| Emp/Lon/Lar/Haut(mm) : | 2 575/4 326/1 815/1 762 |
| Poids : | 1 595 kg |
| Coffre/Réservoir : | 710 à 2 112 litres / 60 litres |
| Nombre de coussins de sécurité : | 6 |
| Suspension avant : | indépendante, jambes de force |
| Suspension arrière : | indépendante, leviers triangulés |
| Freins av./arr. : | disque (ABS, EBD) |
| Antipatinage/Contrôle de stabilité : | oui / oui |
| Direction : | à crémaillère, assistance variable |
| Diamètre de braquage : | 11,2 m |
| Pneus av./arr. : | P225/55R18 |
| Capacité de remorquage : | 680 kg |

## MOTORISATION À L'ESSAI

| | |
|---|---|
| Moteur : | 4L de 2,4 litres 16s atmosphérique |
| Alésage et course : | 87,0 mm x 99,0 mm |
| Puissance : | 166 ch (124 kW) à 5 800 tr/min |
| Couple : | 161 lb-pi (218 Nm) à 4 500 tr/min |
| Rapport poids/puissance : | 9,61 kg/ch (13,07 kg/kW) |
| Système hybride : | aucun |
| Transmission : | traction, manuelle 5 rapports |
| Accélération 0-100 km/h : | 10,3 s |
| Reprises 80-120 km/h : | 9,2 s |
| Freinage 100-0 km/h : | 40,0 m |
| Vitesse maximale : | 190 km/h |
| Consommation (100 km) : | ordinaire, 11,3 litres |
| Autonomie (approximative) : | 531 km |
| Émissions de CO2 : | 4 848 kg/an |

## GAMME EN BREF

| | |
|---|---|
| Échelle de prix : | 25 290 $ à 30 390 $ |
| Catégorie : | utilitaire sport compact |
| Historique du modèle : | 1ère génération |
| Garanties : | 3 ans/60 000 km, 5 ans/100 000 km |
| Assemblage : | East Liberty, Ohio, É-U |
| Autre(s) moteur(s) : | aucun |
| Autre(s) rouage(s) : | intégrale |
| Autre(s) transmission(s) : | automatique 5 rapports |

## DANS LA MÊME CATÉGORIE

Chevrolet HHR - Chrysler PTCruiser - Jeep Compass/Patriot

## DU NOUVEAU EN 2008

Pas de changment

## NOS IMPRESSIONS

| | |
|---|---|
| Agrément de conduite : | 🚗🚗🚗 |
| Fiabilité : | 🚗🚗🚗🚗½ |
| Sécurité : | 🚗🚗🚗½ |
| Qualités hivernales : | 🚗🚗🚗🚗 |
| Espace intérieur : | 🚗🚗🚗🚗½ |
| Confort : | 🚗🚗🚗½ |

## LE CHOIX DE L'ÉQUIPE

LX/EX

# HONDA FIT

Voiture
économique

# BON SENS NE SAURAIT MENTIR

Même si la Honda Fit est toute nouvelle en Amérique, elle a déjà un bon bout de carrière derrière le pare-choc en Europe et au Japon. Appelée Jazz partout ailleurs dans le monde, cette sous compacte est commercialisée depuis 2002. C'est donc dire qu'elle traîne sa bouille depuis six ans sans changements majeurs. C'est ce qui arrive quand une voiture est bien née! Place à cette digne concurrente des Nissan Versa, Kia Rio5, Toyota Yaris et autres *hatchbacks* aux dimensions intérieures surprenantes.

La décision de Honda d'importer une sous-compacte se comprend facilement quand on regarde la Civic, autrefois minuscule mais qui a pris du galon et du poids au fil des années. Et le prix a suivi! La Fit vient donc combler une lacune dans la gamme Honda. Cette petite voiture n'est proposée qu'en version *hatchback* cinq portes. À la base, on retrouve la DX, puis la LX et, enfin la Sport. Peu importe le modèle, un seul moteur loge sous le capot. Il s'agit d'un quatre cylindres de 1,5 litre développant 109 chevaux et 105 livres-pied de couple. Ce moteur n'a rien de l'éclair mais il assure des performances très correctes bien qu'il soit bruyant en accélération. Sa principale qualité demeure sa frugalité. Lors de notre période d'essai d'une version manuelle où nous avons souvent conduit avec quatre ou cinq adultes à bord dans des régions montagneuses, nous avons obtenu une moyenne de 8,6 litres aux cent kilomètres. Bien entendu, si la bagnole est chargée comme une mule, les accélérations sont moins… accélérées!

### TROIS TRANSMISSIONS, QUINZE RAPPORTS

Pour une voiture de cette catégorie, il est plutôt rare de retrouver un choix de trois transmissions. Toutes les versions proposent, de base, une manuelle à cinq rapports dont l'embrayage est fidèle à celui des autres produits Honda, c'est-à-dire mou. L'étagement s'avère par contre réussi même si un sixième rapport serait bienvenu à des vitesses d'autoroute. Le consommateur peut opter pour une automatique à cinq rapports, une première pour une sous-compacte. Même si le passage des rapports inférieurs est quelquefois saccadé, on ne peut pas reprocher grand-chose à cette transmission. La version Sport propose, en option, la même transmission mais agrémentée de palettes derrière le volant, question de rehausser le côté sportif. Mais on se lasse rapidement de jouer les pilotes de F1, surtout que la mécanique est loin d'être excitante!

Tout le monde s'entend pour dire qu'on n'achète pas une Fit pour ses qualités sportives. Malgré tout, cette petite Honda se débrouille très bien. À un châssis très rigide, les ingénieurs de Honda ont greffé des suspensions confortables. Bien que celle placée à l'arrière soit à essieu rigide, la tenue de route fait preuve de vivacité même si le sous-virage est présent. La caisse ne penche pas indûment et la direction se révèle précise. Les pneus de 15 pouces de la version Sport ajoutent au plaisir de conduire tout en améliorant le confort. Notons, enfin, que le rayon de braquage est très court, un avantage indéniable en conduite urbaine. Au chapitre de la sécurité active

**FEU VERT**
Habitacle polyvalent, moteur frugal, mécanique fiable, comportement routier honnête, transmission automatique réussie

**FEU ROUGE**
Version Sport dispendieuse, insonorisation déficiente, phares peu puissants, banquette arrière dure, piètres pneus de base

GUIDE DE L'AUTO 2008 www.leguidedelauto.com

## VÉHICULE D'ESSAI

| | |
|---|---|
| Version : | LX |
| Emp/Lon/Lar/Haut (mm) : | 2 450/3 999/1 682/1 524 |
| Poids : | 1 108 kg |
| Coffre/Réservoir : | 603 à 1 186 litres / 41 litres |
| Nombre de coussins de sécurité : | 6 |
| Suspension avant : | indépendante, jambes de force |
| Suspension arrière : | essieu rigide, ressorts hélicoïdaux |
| Freins av./arr. : | disque/tambour (ABS) |
| Antipatinage/Contrôle de stabilité : | non / non |
| Direction : | à crémaillère, assistance variable électrique |
| Diamètre de braquage : | 11,6 m |
| Pneus av./arr. : | P175/65R14 |
| Capacité de remorquage : | non recommandé |

## MOTORISATION À L'ESSAI

| | |
|---|---|
| Moteur : | 4L de 1,5 litre 16s atmosphérique |
| Alésage et course : | 73,0 mm x 89,4 mm |
| Puissance : | 109 ch (81 kW) à 5 800 tr/min |
| Couple : | 105 lb-pi (142 Nm) à 4 800 tr/min |
| Rapport poids/puissance : | 10,17 kg/ch (13,85 kg/kW) |
| Système hybride : | aucun |
| Transmission : | traction, manuelle 5 rapports |
| Accélération 0-100 km/h : | 10,4 s |
| Reprises 80-120 km/h : | 11,6 s (4ème) |
| Freinage 100-0 km/h : | 43,5 m |
| Vitesse maximale : | 180 km/h |
| Consommation (100 km) : | ordinaire, 7,3 litres |
| Autonomie (approximative) : | 562 km |
| Émissions de CO2 : | 3 168 kg/an |

## GAMME EN BREF

| | |
|---|---|
| Échelle de prix : | 14 980 $ à 19 580 $ (2007) |
| Catégorie : | familiale |
| Historique du modèle : | 1ère génération |
| Garanties : | 3 ans/60 000 km, 5 ans/100 000 km |
| Assemblage : | Suzuka, Japon |
| Autre(s) moteur(s) : | aucun |
| Autre(s) rouage(s) : | aucun |
| Autre(s) transmission(s) : | automatique 5 rapports |

## DANS LA MÊME CATÉGORIE

Chevrolet Aveo - Dodge Caliber - Kia Rio -
Nissan Versa - Suzuki SX-4 - Toyota Yaris

## DU NOUVEAU EN 2008

Pas de changement majeur

## NOS IMPRESSIONS

| | |
|---|---|
| Agrément de conduite : | 🚗🚗🚗🚗 |
| Fiabilité : | 🚗🚗🚗🚗 |
| Sécurité : | 🚗🚗🚗🚗 |
| Qualités hivernales : | 🚗🚗🚗 |
| Espace intérieur : | 🚗🚗🚗🚗 |
| Confort : | 🚗🚗🚗½ |

## LE CHOIX DE L'ÉQUIPE

LX

(avant une collision), Honda propose les freins ABS, peu importe la version, mais l'antipatinage déclare forfait… peu importe la version. La sécurité passive (pendant et après un impact), fait appel à des coussins gonflables frontaux et latéraux ainsi que des rideaux latéraux, et ce, de série.

### HABITACLE INGÉNIEUX

Si on opte pour une Honda Fit, c'est principalement pour les qualités de son habitacle. Les sièges avant sont confortables, la visibilité sans reproches et le tableau de bord ergonomique et bien fini. Plusieurs personnes ont mentionné l'absence d'appuie-bras, mais l'auteur de ces lignes s'est surtout offusqué de l'absence d'une jauge de température du moteur et de la sonorité très ordinaire de la chaîne audio… de la version LX qui comprend quatre haut-parleurs. Imaginez-vous que la version de base n'en offre que deux !

Mais attardons-nous davantage à la banquette arrière, trop dure pour des fesses et des dos normaux. Le dégagement pour la tête ou les jambes est surprenant, mais il faut déplorer le fait que les vitres latérales ne s'abaissent qu'aux trois quarts. Je sais, ce n'est pas très important. Mais parlez-en aux propriétaires des versions de base qui ne sont pas dotées du climatiseur ! La Fit fait beaucoup parler d'elle grâce à son «Magic Seat» offert de série sur toutes les versions. En fait, la banquette arrière est modulable. On peut baisser les dossiers de façon 60/40 comme sur la plupart des voitures mais on peut aussi relever l'assise pour dégager un espace de rangement beaucoup plus haut. Il y a aussi la possibilité de former un lit de fortune en enlevant l'appuie-tête des sièges avant et en inclinant le dossier. Lorsque tous les sièges sont dans une position normale, le coffre peut loger 603 litres et quand les dossiers des places arrière sont baissés, cet espace augmente à 1 186 litres. À noter que le cache-bagages n'est proposé qu'en option. Une option de près de 250,00 $…

La Honda Fit est taillée sur mesure pour le marché européen et québécois. Son prix et ses dimensions la placent en compétition directe avec la populaire Versa de Nissan. La version de base, si elle n'affiche pas un gros prix d'achat, se montre plutôt chétive du côté de l'équipement. Il faut alors environ 2 500 $ supplémentaires pour avoir droit, par exemple, à quatre haut-parleurs, aux serrures et aux rétroviseurs électriques ainsi qu'à la climatisation. Quant à la version Sport, elle se détaille près de 20 000 $, ce qui devient une aubaine plus dispendieuse !

**Alain Morin**

# LA RÉFÉRENCE

Si de nos jours la fourgonnette de Honda est considérée par plusieurs comme étant la référence de la catégorie en fait de tenue de route, d'aménagement intérieur, de finition et de raffinement, les choses n'ont pas toujours été aussi roses. Plusieurs se souviennent de la première Odyssey avec portes à battants, dévoilée dans les années 90 et qui ne pouvait se faire justice. Pourtant, ce modèle était en avant de son temps. Par la suite, la direction a décidé de grossir les rangs des fourgonnettes traditionnelles avec le résultat que l'on connaît.

Puis au fil des années, les ingénieurs ont continué d'améliorer leur produit et ont concocté une version revue et corrigée en 2005 et l'Odyssey y gagna en raffinement et en puissance. Nous sommes loin de la première génération aux dimensions modestes et ressemblant davantage à une grosse familiale qu'à une fourgonnette ordinaire.

### MÉCANIQUE RAFFINÉE

Je ne cesse de le répéter : la force de Honda réside en grande partie dans ses groupes propulseurs qui sont performants, raffinés et d'une grande fiabilité. Alors que plusieurs concurrents se sont contentés pendant longtemps d'installer sous le capot de leurs fourgonnettes des moteurs d'une technologie assez commune, l'Odyssey a toujours bénéficié de ce qui se faisait de mieux chez ce constructeur. Il n'est donc pas surprenant de constater que l'unique moteur disponible sur ce modèle est un moteur V6 3,5 litres doté du système de désactivation des cylindres afin de réduire la consommation de carburant. Une fois la fourgonnette lancée, et que le moteur n'est plus en charge, trois des six cylindres sont désactivés encore dans le but d'économiser de l'essence. Fort de ses 244 chevaux, ce V6 est couplé à une boîte automatique. Celle-ci a connu sa part d'ennuis de fiabilité il y a une couple d'années, mais c'est réglé depuis.

Honda a toujours considéré cette fourgonnette comme un véhicule destiné à transporter presque exclusivement des passagers, tandis que d'autres constructeurs tentent de concilier usage familial avec une utilisation commerciale. Ce qui explique la présence d'une suspension arrière indépendante et d'un comportement routier plus associé à une automobile qu'à une camionnette.

### CONFORT ASSURÉ

Si la mécanique est sophistiquée, il en est de même de l'habitacle alors que rien n'a été épargné pour que les occupants roulent dans le plus grand des conforts. Les sièges sont confortables, leur aménagement peut être varié presque à l'infini, et le nombre de porte-gobelets surpasse de beaucoup le nombre de places. La troisième rangée de sièges s'escamote dans le plancher, permettant ainsi de transporter plus de bagages. Et une fois ceux-ci en place, la dépression dans le plancher permet de loger plus de bagages qu'avec un aménagement habituel. Il faut également souligner que les banquettes de la seconde rangée se déplacent latéralement afin de créer un ou deux sièges, selon les besoins. Par contre, les portes latérales coulissantes motorisées sont d'une lenteur exaspérante...

**FEU VERT**
Moteur sophistiqué, équipement complet, silhouette politiquement correcte, polyvalence de l'habitacle, essence régulière

**FEU ROUGE**
Direction engourdie, sous-virage permanent, prix élevé, insonorisation perfectible, rouage intégral non disponible

On peut toujours se calmer en regardant un film sur l'écran LCD relié au lecteur DVD. Plusieurs prises permettent également de brancher une console de jeu vidéo. Et puisque les banquettes sont surélevées l'une par rapport à l'autre, les occupants de la 3e rangée bénéficient tout de même d'une visibilité acceptable.

Le tableau de bord fait quelque peu Star Wars avec son levier de vitesse à même la planche de bord et l'écran de navigation. La disposition des commandes est correcte et leur utilisation sans problème. Par contre, certaines commandes placées à gauche du volant sont obstruées par ce dernier.

Même si les dimensions de l'Odyssey sont plus ou moins similaires à celles d'une Chrysler Town & Country, on a l'impression de se retrouver au volant d'un véhicule beaucoup plus gros. Je ne sais pas si c'est la position de conduite, la hauteur des places avant ou la présentation du tableau de bord qui crée cette impression, mais on se sent d'attaque ! Sur la route, la suspension est confortable et les performances du moteur correctes. Il faut un peu moins de 11 secondes pour boucler le 0-100 km/h, ce qui est dans la moyenne de la catégorie. Nous avons mis à l'essai la version Touring, la plus luxueuse du lot avec ses sièges en cuir et une longue liste d'équipement. Si le confort de l'habitacle est bon, il faut déplorer une insonorisation perfectible à haute vitesse, surtout lorsque la troisième rangée de sièges est en place.

Le comportement routier est bon dans son ensemble, mais la direction est passablement engourdie tandis que le roulis en virage est assez prononcé dans les virages serrés. Et si vous roulez plus vite que la moyenne sur une route sinueuse, un sous-virage marqué se fera sentir. Malgré tout, la Honda devance la Sienna de Toyota au chapitre de la tenue de route et de l'agrément de conduite. Le seul avantage du Toyota par rapport à l'Odyssey est qu'il est possible de commander la traction intégrale.

**Denis Duquet**

Photos : Honda

## VÉHICULE D'ESSAI

| Version : | Touring |
|---|---|
| Emp/Lon/Lar/Haut (mm) : | 3 000/5 105/2 198/1 779 |
| Poids : | 2 104 kg |
| Coffre/Réservoir : | 1 934 à 4 173 litres / 80 litres |
| Nombre de coussins de sécurité : | 6 |
| Suspension avant : | indépendante, jambes de force |
| Suspension arrière : | indépendante, multibras |
| Freins av./arr. : | disque (ABS, EBD) |
| Antipatinage/Contrôle de stabilité : | oui / oui |
| Direction : | à crémaillère, assistance variable |
| Diamètre de braquage : | 11,2 m |
| Pneus av./arr. : | P235/65R16 |
| Capacité de remorquage : | 1 588 kg |

## MOTORISATION À L'ESSAI

Pneus d'origine
**MICHELIN**

| Moteur : | V6 de 3,5 litres 24s atmosphérique |
|---|---|
| Alésage et course : | 89,0 mm x 93,0 mm |
| Puissance : | 244 ch (182 kW) à 5 750 tr/min |
| Couple : | 240 lb-pi (325 Nm) à 4 500 tr/min |
| Rapport poids/puissance : | 8,62 kg/ch (11,69 kg/kW) |
| Système hybride : | aucun |
| Transmission : | traction, automatique 5 rapports |
| Accélération 0-100 km/h : | 10,7 s |
| Reprises 80-120 km/h : | 8,6 s |
| Freinage 100-0 km/h : | 43,0 m |
| Vitesse maximale : | 195 km/h |
| Consommation (100 km) : | ordinaire, 13,3 litres |
| Autonomie (approximative) : | 602 km |
| Émissions de $CO_2$ : | 5 328 kg/an |

## GAMME EN BREF

| Échelle de prix : | 33 300 $ à 48 100 $ (2007) |
|---|---|
| Catégorie : | fourgonnette |
| Historique du modèle : | 3ième génération |
| Garanties : | 3 ans/60 000 km, 5 ans/100 000 km |
| Assemblage : | Lincoln, Alabama, É-U |
| Autre(s) moteur(s) : | aucun |
| Autre(s) rouage(s) : | aucun |
| Autre(s) transmission(s) : | aucune |

## DANS LA MÊME CATÉGORIE

Chevrolet Uplander - Chrysler Town & Country - Dodge Caravan - Hyundai Entourage - Kia Sedona - Nissan Quest - Toyota Sienna

## DU NOUVEAU EN 2008

Pas de changement majeur

## NOS IMPRESSIONS

| Agrément de conduite : | 🚗 🚗 🚗 🚗 |
|---|---|
| Fiabilité : | 🚗 🚗 🚗 🚗 ½ |
| Sécurité : | 🚗 🚗 🚗 🚗 🚗 |
| Qualités hivernales : | 🚗 🚗 🚗 🚗 |
| Espace intérieur : | 🚗 🚗 🚗 🚗 ½ |
| Confort : | 🚗 🚗 🚗 🚗 ½ |

## LE CHOIX DE L'ÉQUIPE

EX

# INCOGNITO

À moins que vous ne soyez vous-même propriétaire d'une Honda Pilot, les chances sont faibles pour que vous vous souveniez d'en avoir croisé une sur la route. Pourtant, ce VUS intermédiaire est tout de même relativement populaire. La raison de cette absence de souvenir est simple : sa silhouette semble avoir été dessinée pour qu'on ne la remarque pas, absolument pas. C'est comme si les stylistes avaient voulu dessiner un véhicule incognito.

E t si vous êtes friands des théories de complot de tout acabit, vous serez sans doute l'un de ceux qui croient que la discrétion visuelle du Pilot est volontaire afin de laisser les coudées franches à l'Acura MDX qui bénéficie d'ailleurs depuis l'an dernier d'une calandre qui en met plein la vue.

Donc, s'il fallait se fier aux apparences, le Pilot serait voué à l'extinction. Heureusement, il ne faut jamais juger un livre par sa couverture, et cette Honda tout usage a des arguments pour convaincre. Encore faut-il conclure à propos de sa silhouette qu'elle est discrète, mais pas nécessairement laide.

### 2+3+2=8
Comme le veut la tendance actuelle du marché dans cette catégorie, il est quasiment impératif d'avoir une troisième banquette, même si elle est réservée à des enfants. Personne ne veut être vu au volant d'une fourgonnette tandis que les VUS intermédiaires ont encore la cote. Mais comme ceux-ci remplacent la fourgonnette, ils doivent offrir une capacité similaire. C'est ridicule, mais les lois du marketing ne sont pas toujours logiques...

Ceci dit, il est intéressant de constater que la présentation de l'habitacle est moins terne que celle de la carrosserie. Le tableau de bord est sobre,

mais l'agencement des composantes est simple et efficace. Comme sur presque tous les véhicules Honda, le volant est doté d'un moyeu bordé en sa périphérie d'une bande de couleur platine accueillant les commandes du régulateur de vitesse. Trois cadrans indicateurs font face au conducteur, abrités dans une nacelle les protégeant des rayons du soleil. L'indicateur de vitesse au centre est le plus important en dimensions et sa consultation est facile avec chiffres blancs sur fond noir. Par contre, le compte-tour n'est pas d'une grande utilité. Si vous aimez les sièges au profil galbé, vous serez déçu car les sièges baquets avant du Pilot sont relativement plats. La qualité de la finition et des matériaux est très bonne, en harmonie avec les autres véhicules de ce constructeur. D'autre part, la présence de nombreux plastiques durs surprend.

Et si les sièges de la troisième rangée ne sont pas pour les grandes personnes, une fois rabattus, ils dégagent une immense soute à bagages. Abaissez les deux rangées de sièges arrière et vous obtenez 2 557 litres pour transporter plein de choses.

### EN DOUCEUR
Si les stylistes maison manquent parfois de créativité, les ingénieurs sont toujours fidèles à leur réputation et le moteur V6 de 3,5 litres du Pilot

**FEU VERT**
Moteur performant, rouage intégral ingénieux, excellente visibilité, habitabilité garantie, finition sérieuse

**FEU ROUGE**
Silhouette anonyme, direction engourdie, 3ᵉ rangée peu utile, moteur gourmand, dans l'ombre de l'Acura MDX

## VÉHICULE D'ESSAI

| | |
|---|---|
| Version : | LX |
| Emp/Lon/Lar/Haut(mm) : | 2 700/4 774/1 969/1 821 |
| Poids : | 2 021 kg |
| Coffre/Réservoir : | 461 à 2 557 litres / 77 litres |
| Nombre de coussins de sécurité : | 6 |
| Suspension avant : | indépendante, jambes de force |
| Suspension arrière : | indépendante, multibras |
| Freins av./arr. : | disque (ABS, EBD) |
| Antipatinage/Contrôle de stabilité : | oui / oui |
| Direction : | à crémaillère, assistance variable |
| Diamètre de braquage : | 11,6 m |
| Pneus av./arr. : | P235/70R16 |
| Capacité de remorquage : | 1 590 kg |

## MOTORISATION À L'ESSAI

Pneus d'origine MICHELIN

| | |
|---|---|
| Moteur : | V6 de 3,5 litres 24s atmosphérique |
| Alésage et course : | 89,0 mm x 93,0 mm |
| Puissance : | 244 ch (182 kW) à 5 600 tr/min |
| Couple : | 240 lb-pi (325 Nm) à 4 500 tr/min |
| Rapport poids/puissance : | 8,28 kg/ch (11,23 kg/kW) |
| Système hybride : | aucun |
| Transmission : | intégrale, automatique 5 rapports |
| Accélération 0-100 km/h : | 9,4 s |
| Reprises 80-120 km/h : | 7,5 s |
| Freinage 100-0 km/h : | 43,0 m |
| Vitesse maximale : | 175 km/h |
| Consommation (100 km) : | ordinaire, 14,1 litres |
| Autonomie (approximative) : | 546 km |
| Émissions de CO2 : | 5 856 kg/an |

## GAMME EN BREF

| | |
|---|---|
| Échelle de prix : | 36 820 $ à 46 690 $ |
| Catégorie : | utilitaire sport intermédiaire |
| Historique du modèle : | 1ère génération |
| Garanties : | 3 ans/60 000 km, 5 ans/100 000 km |
| Assemblage : | Alliston, Ontario, Canada |
| Autre(s) moteur(s) : | aucun |
| Autre(s) rouage(s) : | traction |
| Autre(s) transmission(s) : | aucune |

ne fait pas mentir la réputation de Honda en la matière. Il est non seulement doux et silencieux, mais son rendement est excellent à toutes les plages d'utilisation. Certains autres moteurs plafonnent rapidement, d'autres s'essoufflent ou connaissent un passage à vide à certains régimes, ce n'est pas le cas de ce moteur V6. Il travaille en parfaite harmonie avec la boîte automatique à cinq rapports. En revanche, celle-ci est parfois prise au dépourvu, ce qui se traduit par des hésitations en certaines circonstances.

L'insonorisation est certainement perfectible, mais le confort de la suspension est digne de mention. Avec une suspension avant à jambes de force et des liens multiples à l'arrière, les trous et les bosses sont bien filtrés tandis que l'assiette est relativement neutre dans les virages. D'un autre côté, la direction à assistance électrique pourrait être plus rapide. Comme la plupart de ces mécanismes, il semble y avoir un court délai entre l'impulsion du conducteur et le changement de direction des roues.

Si la version de base à traction avant permet d'épargner quelques milliers de dollars, il paraît plus logique d'opter pour le modèle intermédiaire dont le rouage intégral ajoute énormément à la polyvalence de ce multifonction. Son comportement intéressant sur l'autoroute pourrait nous permettre de conclure que ses prestations en hors route sont décevantes. S'il est vrai que le Pilot n'a pas été conçu pour un usage abusif, il est capable de franchir bien des obstacles qui rebuteraient plusieurs autres véhicules du même genre. Et lorsque les choses se corsent, le système VTM-4 peut être utilisé en verrouillant les deux demi-arbres de couche arrière, et ce, jusqu'à une vitesse de 25 km/h avant de se désengager automatiquement.

À la veille d'être complètement redessiné, le Pilot demeure une valeur sûre tant en raison de sa grande habitabilité que de son comportement routier correct. Le moteur V6 est bien adapté et il permet même de tracter une remorque de 3 500 lbs, mais sa consommation de carburant est passablement élevée... Heureusement, il s'abreuve avec du carburant ordinaire !

Un véhicule à considérer si la silhouette anonyme ne vous empêche pas d'apprécier ses nombreuses qualités.

**Denis Duquet**

## DANS LA MÊME CATÉGORIE

Acura MDX - Buick Enclave - Dodge Durange - Ford Explorer - GMC Acadia - Jeep Grand Cherokee - Nissan Pathfinder - Saturn Outlook - Toyota Highlander

## DU NOUVEAU EN 2008
Pas de changement majeur

## NOS IMPRESSIONS

| | |
|---|---|
| Agrément de conduite : | 🚗 🚗 🚗 ½ |
| Fiabilité : | 🚗 🚗 🚗 🚗 ½ |
| Sécurité : | 🚗 🚗 🚗 🚗 ½ |
| Qualités hivernales : | 🚗 🚗 🚗 🚗 ½ |
| Espace intérieur : | 🚗 🚗 🚗 🚗 ½ |
| Confort : | 🚗 🚗 🚗 🚗 |

## LE CHOIX DE L'ÉQUIPE
EX

Photos : Honda

# POUR LE PURISTE

Il s'est vendu l'an dernier 146 Honda S2000 au Canada, soit 36 unités de moins que la Ford GT ! Les concessionnaires ne souhaitent même plus en conserver en stock, tant la demande est symbolique. Est-ce que cette voiture est dépassée ou s'adresse-t-elle seulement à une clientèle en voie d'extinction ? Ni l'un ni l'autre. Néanmoins, il est clair que les puristes qui se procurent ces voitures ne courent pas les rues et qu'au prix demandé, plusieurs préfèrent un logo prestigieux et un confort plus relevé.

Les ventes marginales de cette petite bombe ne lui enlèvent cependant rien. Car pour amener un conducteur en soif de sportivité au septième ciel, la S2000 est encore en tête de liste. Oh, il y a bien la Lotus Elise, mais il faut pour cela allonger une bonne quinzaine de milliers de huards supplémentaires ! Ainsi, ce roadster, vous l'aurez compris, fait partie d'une classe à part. Il n'est pas sur le bottin mondain et manque même à la limite de civisme, mais en contrepartie, il s'agit d'un formidable athlète.

Comme le disent plusieurs, ce roadster n'est ni plus ni moins que l'incarnation automobile d'une moto de performance. On lui accorde cette attribution en raison de sa splendide motorisation, se décrivant tout simplement comme un quatre cylindres atmosphérique de 2,2 litres. Cependant, il faut savoir que ce moteur, décrit jusqu'ici de la même façon que celui d'une Chevrolet Cobalt, propose une puissance hallucinante de 237 chevaux, ce qui résulte en un rapport cylindrée/puissance de 108 chevaux au litre ! Capable de révolutionner aisément au-delà des 8 000 tr/min, il procure une sensation unique, presque comparable à celle d'une Formule Un sur l'adrénaline. Bien qu'il apprécie les hauts régimes, il déçoit malgré cela par un manque flagrant de couple à bas régime. Pour contrer ce problème, il ne vous suffit que de jouer du levier, ce qui n'est pas désagréable. Parlant de levier, sachez aussi que la boîte à six rapports (ai-je besoin de dire qu'elle est manuelle ?) est d'une précision exceptionnelle.

### SPORTIFS DE SALON S'ABSTENIR

Aiguisée tel un couteau de chasse, cette voiture procure sur la route des sensations hors du commun. Ses aptitudes sportives sont très relevées et surprennent même les plus assidus. De ce fait, il est clair qu'elle se fout éperdument du confort de ses occupants. Pour ceux qui s'en préoccupent, des voitures comme la Mercedes SLK sont offertes. Mais si l'idée de vous faire brasser la cage et bourdonner les oreilles vous allume au plus haut point, la S2000 est un excellent parti. Et qu'elle soit sur piste, sur autoroute ou en pleine ville, elle a toujours le même tempérament. Celui d'une auto prête à se faufiler et à foncer comme un lévrier à la fraction de seconde où vous lancez la commande. Dotée d'un remarquable châssis et très fermement suspendue, la voiture ne connaît pas la définition du mot roulis. Et la direction ultraprécise permet au conducteur de placer sa voiture avec grande exactitude. Mais attention, la bagnole peut néanmoins être vicieuse et faire place au survirage, sans même que vous ayez le temps de réagir. Voilà pourquoi Honda a équipé sa S2000 depuis peu d'un contrôle électronique de stabilité.

**FEU VERT**
Conduite incisive, mécanique impressionnante, direction très précise, ligne séduisante, facture d'entretien raisonnable

**FEU ROUGE**
Manque de couple à bas régime, habitacle à l'étroit, confort quasi inexistant, équipement limité

## LE CONDUCTEUR D'ABORD

Évidemment, il ne faut pas s'attendre au niveau de luxe d'un roadster allemand. Ici, on a avant tout pensé à accommoder le conducteur (devrais-je dire le pilote?), de façon à ce que les commandes les plus vitales soient toutes à portée de main. Vous remarquerez ainsi que les contrôles de ventilation et quelques autres fonctions ceinturent le bloc d'instruments, alors que la radio se cache sous une petite porte métallique. L'instrumentation, pour sa part entièrement numérique, fait naturellement référence aux voitures de type formule Un, qui en sont aussi équipées. Et que dire de ce bouton de démarrage rouge, aujourd'hui plus commun, mais qui a tant fait jaser lors de l'introduction de la voiture en 2000? Du reste, l'habitacle est plutôt étroit et permet aux deux occupants de trimbaler qu'un minimum d'effets personnels, les espaces de rangement étant aussi rares que petits... Quant au coffre, il ne pourra accueillir bien plus qu'un ou deux manteaux, une raquette de tennis et un sac à main.

Côté équipement, il va s'en dire que la S2000 n'est pas très généreuse. Vous n'y retrouverez en fait que deux superbes baquets vêtus de cuir, non chauffants et aux réglages non assistés, une capote repliable électriquement, des glaces et des rétroviseurs à commande électrique et quelques autres artifices. À propos de la chaîne sonore, les haut-parleurs ajoutés aux appuie-têtes contribuent à améliorer la sonorité, mais ce n'est toujours pas très éloquent. En revanche, ce roadster affiche une qualité d'assemblage et de finition typiquement Honda, c'est-à-dire de grande qualité.

Il est vrai que la S2000, malgré sa grande beauté, commence à prendre quelques rides. Son air félin résultant d'un long museau affublé de phares au xénon parvient encore à définir le caractère athlétique de la voiture, mais force est d'admettre que certains détails ne sont plus totalement à la mode. Qu'à cela ne tienne, il n'existe actuellement qu'une poignée de voitures s'adressant directement aux puristes, et la S2000 qui en fait partie, est sans doute à ce jour encore une des plus convaincantes. Du même coup, parce que ces autos se font rares, cette Honda pourrait bien faciliter votre désir de vous démarquer de toutes ces prétentieuses allemandes qui sillonnent nos routes...

Antoine Joubert

Photos : Honda

---

HONDA S2000

### VÉHICULE D'ESSAI

| | |
|---|---|
| Version : | version unique |
| Emp/Lon/Lar/Haut(mm) : | 2 400/4 135/1 750/1 270 |
| Poids : | 1 301 kg |
| Coffre/Réservoir : | 152 litres / 50 litres |
| Nombre de coussins de sécurité : | 2 |
| Suspension avant : | indépendante, bras inégaux |
| Suspension arrière : | indépendante, bras inégaux |
| Freins av./arr. : | disque (ABS) |
| Antipatinage/Contrôle de stabilité : | oui / oui |
| Direction : | à crémaillère, assistée |
| Diamètre de braquage : | 10,8 m |
| Pneus av./arr. : | P215/45R17 / P245/40R17 |
| Capacité de remorquage : | non recommandé |

### MOTORISATION À L'ESSAI

| | |
|---|---|
| Moteur : | 4L de 2,2 litres 16s atmosphérique |
| Alésage et course : | 87,0 mm x 90,7 mm |
| Puissance : | 237 ch (177 kW) à 7 800 tr/min |
| Couple : | 162 lb-pi (220 Nm) à 6 800 tr/min |
| Rapport poids/puissance : | 5,49 kg/ch (7,48 kg/kW) |
| Système hybride : | aucun |
| Transmission : | propulsion, manuelle 6 rapports |
| Accélération 0-100 km/h : | 6,2 s |
| Reprises 80-120 km/h : | 6,2 s |
| Freinage 100-0 km/h : | 37,0 m |
| Vitesse maximale : | 240 km/h |
| Consommation (100 km) : | super, 11,8 litres |
| Autonomie (approximative) : | 424 km |
| Émissions de CO2 : | 4 896 kg/an |

### GAMME EN BREF

| | |
|---|---|
| Échelle de prix : | 52 118 $ |
| Catégorie : | roadster |
| Historique du modèle : | 1ère génération |
| Garanties : | 3 ans/60 000 km, 5 ans/100 000 km |
| Assemblage : | Suzuka, Japon |
| Autre(s) moteur(s) : | aucun |
| Autre(s) rouage(s) : | aucun |
| Autre(s) transmission(s) : | aucune |

### DANS LA MÊME CATÉGORIE

Audi TT - BMW Z4 - Chrysler Crossfire - Lotus Elise - Mercedes-Benz SLK - Nissan 350Z - Porsche Boxster

### DU NOUVEAU EN 2008

Pas de changement majeur

### NOS IMPRESSIONS

| | |
|---|---|
| Agrément de conduite : | 🚗🚗🚗🚗🚗 |
| Fiabilité : | 🚗🚗🚗🚗 |
| Sécurité : | 🚗🚗🚗🚗 |
| Qualités hivernales : | 🚗🚗 |
| Espace intérieur : | 🚗🚗 |
| Confort : | 🚗🚗 |

### LE CHOIX DE L'ÉQUIPE

Version unique

# LA GROSSE CLASSE

Le H2 a été le premier véhicule de grande diffusion de Hummer. La marque s'était tout d'abord fait connaître en 2000 avec un énorme *truck* d'armée fabriqué par AMG et commercialisé par General Motors sous le nom de H1. C'était il y a très longtemps et, à l'époque, il n'y avait pas de problème de couche d'ozone. Deux années plus tard, GM dévoilait un autre Hummer, le H2, beaucoup plus petit que le premier. De toute façon, il n'aurait pas pu être plus gros que le H1 et le terme «plus petit» s'applique même s'il est très relatif dans le cas présent. Il y a deux ans, un autre Hummer, plus petit (vraiment plus petit), le H3, voyait le jour.

A vec le temps, l'intérêt pour le H2 a beaucoup diminué. Pour que les ventes connaissent un regain de vie ou, à tout le moins, qu'elles cessent de dégringoler, Hummer vient de réviser son H2. Cette année donc, le gros VUS présente un nouvel habitacle, des éléments de sécurité accrus et, surtout, un nouveau V8 6,2 litres.

Ce n'est pas que le moteur précédent, un 6,0 litres, n'était pas performant mais le 6,2 litres fait encore mieux. Ses 393 chevaux et 415 livres-pied de couple ne vous laisseront jamais tomber. Les accélérations et les reprises sont enlevantes même si elles ne reflètent pas les temps proclamés par les gens de Hummer. Mais c'est tout de même impressionnant compte tenu du poids de 3 017 kilos du mastodonte. Ce moteur s'avère très souple et sa plage d'utilisation est plus que suffisante. Même à bas régime, il a du cœur au ventre. Ce moteur est obligatoirement jumelé à une transmission automatique à six rapports qui fonctionne à merveille. Au moment d'écrire ces lignes, Hummer n'avait pas dévoilé la consommation du H2 mais on peut présumer qu'elle se situera aux alentours de 16 ou 17 litres aux cent kilomètres, ce qui n'est pas mal pour un véhicule de cette taille. Cependant, les ingénieurs de Hummer n'ont pas seulement voulu augmenter les performances brutes de leur brute. Avec ce nouveau moteur

et un système de refroidissement amélioré, le H2 peut désormais remorquer 8 200 livres (3 720 kg).

### DES ROCHES GROSSES COMME DES MAISONS !

Le H2, avec son rouage 4x4 débrayable, ne fait pas dans la dentelle. Une virée dans le *Rock Garden* (Aztek, Nouveau-Mexique) nous a prouvé que le gros Hummer ne s'en laisse pas imposer dans des conditions extrêmes, et ce, dans sa configuration originale. Par contre, un H3 essayé dans le même trajet nous a semblé plus à l'aise en certaines occasions. Le H2 étant plus large, certains arbres portent assurément encore des marques de notre passage. Bien que certains initiés lui préfèrent le Jeep Wrangler, il faut avouer que ses aptitudes dépassent à peu près tout ce que l'acheteur moyen lui fera subir. Pour 2008, le boîtier de transfert (*transfer case*, en bon français) a été amélioré et la pompe à huile peut effectuer son travail jusqu'à un angle de 60 %, autant en montée qu'en descente. Et même si les angles d'approche et de départ (angle formé par le sol, les roues avant ou arrière et les pare-chocs) sont environ les mêmes, à la fin de la journée, le dessous des pare-chocs du H2 était moins éraflé que celui du H3. Le rayon de braquage, étonnamment court vu les dimensions du monstre, améliore grandement la conduite hors route.

**FEU VERT**
Incroyablement efficace en hors-route, capacités de remorquage accrues, comportement routier raffiné, style indémodable, habitacle réussi

**FEU ROUGE**
Consommation toujours trop élevée, trop gros pour la ville et certaines pistes, image de la marque à rebâtir, accès à bord pénible, visibilité arrière limitée

| VÉHICULE D'ESSAI | OnStar de GM |
|---|---|
| Version : | H2 SUV |
| Emp/Lon/Lar/Haut(mm) : | 3 118/5 170/2 063/2 012 |
| Poids : | 3 017 kg |
| Coffre/Réservoir : | 1 132 à 2 452 litres / 121 litres |
| Nombre de coussins de sécurité : | 4 |
| Suspension avant : | indépendante, barres de torsion |
| Suspension arrière : | essieu rigide, multibras |
| Freins av./arr. : | disque (ABS) |
| Antipatinage/Contrôle de stabilité : | oui / oui |
| Direction : | à billes, assistée |
| Diamètre de braquage : | 13,2 m |
| Pneus av./arr. : | LT315/70R17 |
| Capacité de remorquage : | 3 720 kg |

Selon les dirigeants de Hummer, 95 % des propriétaires de H2 ne mettront jamais le pneu hors du bitume (je vous invite à regarder l'excellent film d'animation *Les bagnoles* de Disney. Le « personnage » du Hummer, à la fin du film vous en donnera une idée !). Donc, attardons-nous à son comportement routier. Les vitesses trop élevées, les courbes trop prononcées et les routes maganées ne sont pas sa tasse de thé. Pourtant, en conduite normale, le H2, malgré ses origines très camions, se révèle aussi facile à conduire qu'une banale berline et, jusqu'à un certain point, raffiné. L'habitacle s'avère silencieux et confortable. Les pneus B.F. Goodrich All Terrain T/A de notre modèle d'essai faisaient preuve de douceur de roulement et de silence, tout en se montrant vigoureux en conduite hors route. Les freins font un excellent travail en stoppant le véhicule sur des distances relativement courtes (pour la catégorie, bien entendu) et si jamais ce n'était pas suffisant, le H2 est bardé d'électronique. Inutile de déblatérer sur son gabarit lorsque vient le temps d'effectuer un stationnement en parallèle sur Ste-Catherine…

### HABITACLE COSSU ET MUSCLES DISPARUS

Pour 2008, le H2 présente un nouvel habitacle. Le tableau de bord, surtout, se montre beaucoup plus harmonieux que par le passé. Le niveau de finition et la qualité des matériaux ont grandement progressé chez GM et ça paraît ! Un système de navigation par GPS est offert en option. Lorsqu'il est installé, son écran renvoie les images de la caméra de recul. Et quand le système de navigation brille par son absence, un écran coulisse du rétroviseur intérieur pour nous faire voir ce qui se passe en arrière. Ça semble brillant à première vue, mais ce rétroviseur est tellement gros (même lorsque l'écran n'est pas rétracté) qu'il bloque la visibilité. Au moins, ce système sera perfectionné pour 2009. L'accès à bord n'est pas des plus aisés car le H2 est passablement haut. Et mettre des marchepieds à un 4x4 pur et dur c'est comme demander à cul-de-jatte de taper des mains en giguant… Ça ne se fait pas ! Les deux pourraient se retrouver dans une position plutôt délicate. Dans l'habitacle toujours, on retrouve une troisième rangée de sièges, peu aisé d'accès. Ces sièges se replient pour agrandir l'espace de chargement, mais les enlever demande une bonne dose de courage et plusieurs muscles que tous n'ont pas.

Le H2 est aussi offert en version camionnette. Mais la boîte de chargement est tellement petite qu'il est permis de se poser des questions sur son utilité. Au moins, on peut compter sur le système « MidGate » pour améliorer cet espace. Pourtant, ce véhicule est loin d'être laid, ce qui, sans aucun doute, lui assure plusieurs ventes !

**Alain Morin**

### MOTORISATION À L'ESSAI

| | |
|---|---|
| Moteur : | V8 de 6,2 litres 16s atmosphérique |
| Alésage et course : | 103,2 mm x 92,0 mm |
| Puissance : | 393 ch (293 kW) à 5 700 tr/min |
| Couple : | 415 lb-pi (563 Nm) à 4 400 tr/min |
| Rapport poids/puissance : | 7,68 kg/ch (10,44 kg/kW) |
| Système hybride : | aucun |
| Transmission : | 4X4, automatique 6 rapports |
| Accélération 0-100 km/h : | 11,2 s |
| Reprises 80-120 km/h : | 9,4 s |
| Freinage 100-0 km/h : | 44,0 m (estimé) |
| Vitesse maximale : | 165 km/h |
| Consommation (100 km) : | ordinaire, 17,0 litres (estimé) |
| Autonomie (approximative) : | 712 km |
| Émissions de CO2 : | 6 984 kg/an |

### GAMME EN BREF

| | |
|---|---|
| Échelle de prix : | 70 395 $ à 72 295 $ |
| Catégorie : | utilitaire sport grand format/ camionnette grand format |
| Historique du modèle : | 1ère génération |
| Garanties : | 4 ans/80 000 km, 5 ans/160 000 km |
| Assemblage : | Mishawaka, Indiana, É-U |
| Autre(s) moteur(s) : | aucun |
| Autre(s) rouage(s) : | aucun |
| Autre(s) transmission(s) : | aucune |

### DANS LA MÊME CATÉGORIE

Chevrolet Tahoe - Chrysler Aspen - Ford Expedition - GMC Yukon - Lincoln Navigator - Toyota Sequoia

### DU NOUVEAU EN 2008

Nouvel habitacle, moteur 6,2 litres, plusieurs éléments de sécurité désormais standards, capacités de remorquage accrues

### NOS IMPRESSIONS

| | |
|---|---|
| Agrément de conduite : | 🚗🚗🚗½ |
| Fiabilité : | 🚗🚗🚗½ |
| Sécurité : | 🚗🚗🚗🚗 |
| Qualités hivernales : | 🚗🚗🚗🚗🚗 |
| Espace intérieur : | 🚗🚗🚗🚗 |
| Confort : | 🚗🚗🚗🚗 |

### LE CHOIX DE L'ÉQUIPE

SUV

Photos : Alain Morin

# EN VOIE DE SE FAIRE AIMER

La pollution étant à l'index ces jours-ci, il est de bon ton de se dire vert. Et Hummer représente, pour plusieurs, le pire assassin de la couche d'ozone, le summum de la déchéance humaine, bref, le Hummer, y'é pas aimé, bon! Mais avant d'abonder dans ce sens, il faut mettre les choses en perspectives. Pendant qu'on s'acharne sur le Hummer H3, il faut se souvenir que nombre d'autres véhicules affichent des dimensions plus imposantes et consomment davantage. Les dirigeants de Hummer sont parfaitement conscients de la situation et veulent faire de la marque la plus ostracisée, la marque la plus verte d'ici quelques années!

**D**'ailleurs, d'ici deux ou trois ans, tous les modèles Hummer devraient pouvoir fonctionner au biodiesel (carburant obtenu à partir d'huile végétale ou animale) ou à l'éthanol E85 (85 % d'éthanol, 15 % d'essence), devenant ainsi la marque de 4x4 la plus propre de la planète. Pour clouer des becs, Hummer n'a pas son pareil. Il leur reste juste à répondre à leurs promesses... De plus, Hummer veut élargir sa gamme mais, contrairement à la pratique habituelle, il le fera vers le bas. Par conséquent, le H4, qui n'a pas été officiellement confirmé, viendrait jouer directement dans les plates-bandes du Jeep Wrangler.

## L'ALPHA

Pour 2008, la carrosserie du Hummer ne change pas. Mais GM (vous saviez sûrement que Hummer appartient à General Motors), GM, donc, a prévu une nouvelle version du H3 appelée Alpha. Ce nom n'est pas inconnu des amateurs de Hummer puisque le premier véhicule militaire, le H1, a déjà porté cette dénomination qui apporte avec elle des performances sur route encore plus relevées. Le nouveau H3 Alpha, pour sa part, a droit à un V8 de 5,3 litres très similaire à celui que l'on retrouve dans la camionnette Chevrolet Silverado. Ce moteur développe 300 chevaux et 320 livres-pied de couple. C'est amplement suffisant

pour déplacer la masse de 2 206 kilos de 0 à 100 km/h en un peu plus de 9,0 secondes. Même si la fiche technique fournie par GM ne donne pas la consommation d'essence, nous croyons qu'elle devrait se situer aux alentours de 15,0 litres aux cent kilomètres, tout comme le Silverado. Le fait d'avoir ajouté un moteur plus performant à la ligne H3 peut paraître contradictoire avec les prétentions vertes de Hummer, mais une des demandes les plus pressantes de la part des clients concernait les capacités restreintes de remorquage. Avec le 5,3 litres, le H3 peut tirer jusqu'à 6 000 livres (2 720 kilos) soit 1 500 livres de plus qu'auparavant. Une seule transmission est disponible avec ce moteur. Il s'agit d'une automatique à quatre rapports seulement. Même si son fonctionnement ne s'attire aucun commentaire négatif, il est certain qu'un ou deux rapports supplémentaires diminueraient la consommation d'essence.

Tout comme par les années passées, le H3 propose toujours le cinq cylindres en ligne de 3,7 litres. Ce moteur, convient parfaitement dans la plupart des cas. En plus, il consomme environ deux litres de moins à tous les cent kilomètres. Par contre, son fonctionnement est moins doux que le 5,3 litres. Dans le cas du 3,7, il est possible d'obtenir une transmission manuelle à cinq rapports ou une automatique à quatre rapports.

**FEU VERT**
Ne passe pas inaperçu, performances relevées (V8), comportement routier surprenant, capacités de remorquage accrues (V8)

**FEU ROUGE**
Image ternie, consommation exagérée, faible rapport encombrement/habitabilité, visibilité arrière problématique, poids et dimensions imposants

## DU VRAI HORS ROUTE

Nous avons eu l'occasion de mettre le H3 Alpha et le H2 (le «gros» Hummer) à l'épreuve sur une piste réservée aux 4x4 reprenant la configuration du célèbre *Rubicon Trail* mais sur une bien plus courte distance. Les capacités du H3 en hors route sont tout simplement extraordinaires mais, selon les gens de chez Hummer, à peine 5 % des propriétaires se risquent sur des routes aussi impraticables. En fait, le H3, moins large et moins long, se sentait plus à l'aise que le H2 dans plusieurs situations. De plus, son châssis nous a semblé un tantinet plus rigide que celui du H2. Par contre, malgré un angle de départ quasiment identique à celui du H2, la fin de la journée s'est soldée par des pare-chocs arrière de H3 plus éraflés. Même si une partie du parcours avait été surnommée «Jeep eater» (mangeur de Jeep), plusieurs habitués placent le Hummer H3 une toute petite coche sous le légendaire Jeep Wrangler qui se débrouillerait mieux dans la boue épaisse. Cependant, pour le confort, même dans une pente à 60%, le H3 mérite les meilleures notes! Mentionnons que le rayon de braquage est assez court.

Sur la route, le H3 se comporte comme tout VUS haut sur pattes. On apprend rapidement à ne pas dépasser les limites du véhicule car la première courbe venue fait considérablement pencher la caisse. Les pneus Bridgestone All Terrain de notre H3 Alpha d'essai étaient un peu trop bruyants à notre goût, mais puisque l'habitacle fait preuve d'une bonne insonorisation, nous n'en ferons pas un plat.

Moteur huit ou cinq cylindres, sur la route ou à côté, il faut pouvoir vivre quotidiennement avec un véhicule. À cause de ses glaces latérales pas très hautes, la visibilité du H3 n'est pas des meilleures, surtout vers l'arrière car le pneu de secours prend trop de place. Les sièges avant sont confortables mais ceux à l'arrière le sont un peu moins. De plus, ils sont difficiles d'accès, gracieuseté de puits de roue très proéminents. Les dossiers de ces sièges s'abaissent de façon 60/40 sans former un fond plat. Cette année, les deux H3 reçoivent en équipement standard, des rideaux gonflables, le contrôle de stabilité StabiliTrak et le *vehicle to vehicle crash compatibility* ou, si vous préférez, une compatibilité en cas de collision avec un autre véhicule, ce qui est une excellente nouvelle, particulièrement si vous conduisez une sous-compacte... Concernant le titre de «compatibilité», les designers ont dû revoir le design de la partie frontale pour qu'elle soit moins «agressive» en cas de contact. Ces changements ne paraissent pas toujours à l'œil nu.

**Alain Morin**

### VÉHICULE D'ESSAI

| | |
|---|---|
| Version : | Alpha ZM6 Adventure Package |
| Emp/Lon/Lar/Haut(mm) : | 2 842/4 742/2 170/1 893 |
| Poids : | 2 206 kg |
| Coffre/Réservoir : | 835 à 1 577 litres / 87 litres |
| Nombre de coussins de sécurité : | 6 |
| Suspension avant : | indépendante, bras inégaux |
| Suspension arrière : | essieu rigide, ressorts elliptiques |
| Freins av./arr. : | disque (ABS) |
| Antipatinage/Contrôle de stabilité : | oui / oui |
| Direction : | à crémaillère, assistée |
| Diamètre de braquage : | 11,3 m |
| Pneus av./arr. : | LT285/75R16 |
| Capacité de remorquage : | 2 721 kg |

### MOTORISATION À L'ESSAI

| | |
|---|---|
| Moteur : | V8 de 5,3 litres 16s atmosphérique |
| Alésage et course : | 96,0 mm x 92,0 mm |
| Puissance : | 300 ch (224 kW) à 5 200 tr/min |
| Couple : | 320 lb-pi (434 Nm) à 4 000 tr/min |
| Rapport poids/puissance : | 7,35 kg/ch (9,98 kg/kW) |
| Système hybride : | aucun |
| Transmission : | intégrale, automatique 4 rapports |
| Accélération 0-100 km/h : | 9,2 s (estimé) |
| Reprises 80-120 km/h : | 8,7 s |
| Freinage 100-0 km/h : | 43,0 m (estimé) |
| Vitesse maximale : | 185 km/h |
| Consommation (100 km) : | ordinaire, 15,0 litres (estimé) |
| Autonomie (approximative) : | 580 km |
| Émissions de CO2 : | 6 096 kg/an |

### GAMME EN BREF

| | |
|---|---|
| Échelle de prix : | 40 995 $ |
| Catégorie : | utilitaire sport intermédiaire |
| Historique du modèle : | 1ère génération |
| Garanties : | 4 ans/80 000 km, 5 ans/160 000 km |
| Assemblage : | Shreveport, Louisiane, É-U |
| Autre(s) moteur(s) : | 5L 3,7l 242ch/242lb-pi (15,7 l/100km) |
| Autre(s) rouage(s) : | aucun |
| Autre(s) transmission(s) : | manuelle 5 rapports |

### DANS LA MÊME CATÉGORIE

BMW X3 - Jeep Wrangler Unlimited - Nissan XTerra - Toyota 4Runner

### DU NOUVEAU EN 2008

H3 Alpha (moteur V8), équipement de série plus complet, plus grande capacité de remorquage

### NOS IMPRESSIONS

| | |
|---|---|
| Agrément de conduite : | 🚗 🚗 🚗 ½ |
| Fiabilité : | 🚗 🚗 🚗 ½ |
| Sécurité : | 🚗 🚗 🚗 ½ |
| Qualités hivernales : | 🚗 🚗 🚗 🚗 ½ |
| Espace intérieur : | 🚗 🚗 🚗 ½ |
| Confort : | 🚗 🚗 🚗 ½ |

### LE CHOIX DE L'ÉQUIPE

H3 Alpha

# HYUNDAI ACCENT

# BOUSCULÉE PAR LA CONCURRENCE

Pendant longtemps, l'Accent aura été l'enfant chérie des Québécois. Dominant les ventes du segment de la voiture sous-compacte, elle a grandi et maturé au fil des ans pour devenir l'an dernier un produit de qualité très respectable. Le hic, c'est qu'au moment de la refonte en 2006, Toyota renouvelait aussi sa Yaris. Puis, en 2007, il a fallu que la petite Hyundai accueille dans son clan des modèles comme la Honda Fit, la Nissan Versa et même la Volkswagen Golf City, qui connaissent tous, on le sait, un franc succès. Et bien sûr, c'est l'Accent qui en souffre…

Rassurez-vous, cela n'enlève cependant rien à l'Accent. La concurrence aujourd'hui plus féroce dame évidemment le pion à cette coréenne, mais ne l'empêche pas de bien faire les choses et d'être ce qu'elle a toujours été, c'est-à-dire un produit offrant beaucoup pour peu. En 2008, l'Accent continue donc son petit bonhomme de chemin sans grands changements. Une version SR à saveur sportive a bel et bien été introduite en cours d'année 2007, mais entre vous et moi, ce n'est pas elle qui changera les choses. En effet, que l'on s'habille chez Moores ou chez Sports Experts, ça ne change rien à notre condition physique !

### À QUAND LA CINQ PORTES ?

Malgré des résultats de ventes se situant en deçà des attentes, Hyundai persiste à ne produire que deux configurations de l'Accent. On nous propose donc comme de coutume un modèle à trois portes et une berline à trois volumes. Or, nous savons que dans ce segment, la figure dominante demeure la configuration à cinq portières. À preuve, toutes les autres rivales de l'Accent offrent un tel modèle, souvent comme seule solution. Chez Hyundai, il semble que la brève apparition en 2005 du modèle Accent5, qui n'a pas été un succès (parce que le modèle était désuet), a découragé les planificateurs de produits. Puis, nous dit-on chez Hyundai, il faut aussi considérer le fait que la filiale sœur Kia, propose une Rio à

cinq portières, directement dérivée de l'Accent. Mais quoi qu'en disent les têtes pensantes de Hyundai, je suis d'avis qu'un troisième modèle à cinq portières contribuerait grandement à mousser les ventes.

Les deux modèles présentés répondent néanmoins aux exigences de beaucoup d'acheteurs. La petite *hatchback*, très *cute*, s'adresse à une clientèle plus jeune alors que la berline, aussi très jolie, se veut souvent un choix rationnel pour une clientèle au budget serré. Dans les deux cas, on nous propose un habitacle dont les avantages sont innombrables. D'abord, l'espace est généreux, les sièges sont confortables et la qualité d'assemblage et de finition est sans reproche. Une fois à bord, on constate que l'apparence générale est fort réussie et que les commodités sont nombreuses, surtout pour une voiture de cette trempe. Par exemple, même si vous optez pour le modèle de base, vous avez droit au siège du conducteur réglable en hauteur, avec support lombaire ajustable et accoudoir rabattable. Les compartiments de rangement sont également nombreux et bien positionnés. Et si vous êtes de ceux qui commandent généralement le modèle tout garni, sachez que pour quelques milliers de dollars de plus, l'Accent peut être livrée avec un toit ouvrant, le climatiseur, un groupe électrique complet, et même des sièges avant chauffants ! En ce qui concerne la chaîne audio, vous obtiendrez de série un

**FEU VERT**
Prix alléchant, bouille sympathique, confort étonnant, garantie rassurante, équipement généreux

**FEU ROUGE**
Pneumatiques à remplacer, pas de version cinq portes, qualité de la radio délirante, compétition plus féroce

GUIDE DE L'AUTO 2008                                      www.leguidedelauto.com

lecteur CD avec capacité de lecture MP3/WMA. Cependant, la qualité sonore est digne de celle d'un réveille-matin acheté à rabais au marché aux puces! Dommage…

Côté motorisation, l'Accent abrite un petit quatre cylindres de 1,6 litre, proposant 110 chevaux. Ce n'est pas le plus raffiné, le plus souple ni le plus puissant, mais ce moteur fournit un rendement et des performances très acceptables. Chose certaine, il fait drôlement mieux que le moteur du trio Aveo/Wave/Swift, de même cylindrée et de même origine. Ne serait-ce qu'au niveau de la consommation de carburant, vous économiserez en moyenne de 15 à 20% par rapport à l'Aveo…. J'ai personnellement obtenu une moyenne de consommation de 7,12 et 7,28 litres aux 100 kilomètres, respectivement avec une boîte manuelle et une automatique. Avouez que c'est respectable !

### GARE AUX PNEUS !

Sur la route, l'Accent est une voiture qui étonne d'abord par son confort. Il est surprenant de constater à quel point cette voiture aux dimensions lilliputiennes sait se comporter comme une grande. Elle n'est pas aussi nerveuse qu'une Honda Fit ni aussi dynamique qu'une Golf City, mais sa position de conduite, sa stabilité routière et sa maniabilité sont franchement dignes de mention. En revanche, il me faut admettre que les pneus qui l'équipent sont à peine mieux que celui qui chausse la roue de secours. Ce sont de véritables savonnettes qui réduisent l'agrément de conduite et les capacités de la voiture, qui s'usent en un temps record et qui ne procurent quasiment aucune adhérence, que ce soit sur une surface humide, chaude ou enneigée… Pour votre propre sécurité, veuillez considérer un remplacement de pneus dès l'achat. Un p'tit truc en passant, si vous avez l'intention de louer votre voiture, changez vos pneus dès le départ et remettez votre Accent à la fin du terme avec ces horribles Khumo. Ce que vous auriez de toute façon déboursé à la fin du terme, vous n'aurez donc qu'à le débourser au début.

Il est vrai qu'aujourd'hui, le choix de sous-compactes est plus grand. Je favorise personnellement l'Accent au trio Aveo/Wave/Swift et même à la Yaris, qui fait payer très cher son logo et qui est nettement moins confortable. Maintenant, les autres rivales nouvellement arrivées ont toutes un petit quelque chose de plus. Mais la facture est conséquente. Et puis, comme Hyundai (avec Kia) est le seul manufacturier à garantir ses voitures pendant cinq ans, je considère que pour le prix demandé, l'Accent demeure toujours un excellent choix.

**Antoine Joubert**

Photos : Hyundai

## VÉHICULE D'ESSAI

| | |
|---|---|
| Version : | GS 3 portes |
| Emp/Lon/Lar/Haut(mm) : | 2 500/4 280/1 695/1 470 |
| Poids : | 1 058 kg |
| Coffre/Réservoir : | 479 litres / 45 litres |
| Nombre de coussins de sécurité : | 6 |
| Suspension avant : | indépendante, jambes de force |
| Suspension arrière : | essieu rigide, ressorts hélicoïdaux |
| Freins av./arr. : | disque/tambour (ABS opt.) |
| Antipatinage/Contrôle de stabilité : | non / non |
| Direction : | à crémaillère, assistance variable |
| Diamètre de braquage : | 10,0 m |
| Pneus av./arr. : | P185/65R14 |
| Capacité de remorquage : | non recommandé |

## MOTORISATION À L'ESSAI

| | |
|---|---|
| Moteur : | 4L de 1,6 litre 16s atmosphérique |
| Alésage et course : | 76,5 mm x 87,0 mm |
| Puissance : | 110 ch (82 kW) à 6 000 tr/min |
| Couple : | 106 lb-pi (144 Nm) à 4 500 tr/min |
| Rapport poids/puissance : | 9,62 kg/ch (13,06 kg/kW) |
| Système hybride : | aucun |
| Transmission : | traction, manuelle 5 rapports |
| Accélération 0-100 km/h : | 10,8 s |
| Reprises 80-120 km/h : | 9,7 s |
| Freinage 100-0 km/h : | 40,9 m |
| Vitesse maximale : | 175 km/h |
| Consommation (100 km) : | ordinaire, 7,4 litres |
| Autonomie (approximative) : | 608 km |
| Émissions de CO2 : | 3 312 kg/an |

## GAMME EN BREF

| | |
|---|---|
| Échelle de prix : | 13 595$ à 18 145$ |
| Catégorie : | sous-compacte |
| Historique du modèle : | 3ième génération |
| Garanties : | 5 ans/100 000 km, 5 ans/100 000 km |
| Assemblage : | Ulsan, Corée du Sud |
| Autre(s) moteur(s) : | aucun |
| Autre(s) rouage(s) : | aucun |
| Autre(s) transmission(s) : | automatique 4 rapports |

## DANS LA MÊME CATÉGORIE

Chevrolet Aveo - Honda Fit - Kia Rio - Nissan Versa - Pontiac Wave - Suzuki Swift+ - Toyota Yaris - Volkswagen Golf City

## DU NOUVEAU EN 2008
Pas de changement

## NOS IMPRESSIONS

| | |
|---|---|
| Agrément de conduite : | 🚗 🚗 🚗 |
| Fiabilité : | 🚗 🚗 🚗 ½ |
| Sécurité : | 🚗 🚗 🚗 ½ |
| Qualités hivernales : | 🚗 🚗 🚗 ½ |
| Espace intérieur : | 🚗 🚗 🚗 |
| Confort : | 🚗 🚗 🚗 |

## LE CHOIX DE L'ÉQUIPE
GS/GL

# EN CATIMINI

On ne cesse de répéter que Hyundai a le vent dans les voiles et que ses véhicules se rapprochent de plus en plus de ce que font de mieux les Japonais, mais on conçoit mal qu'elle puisse tenir la dragée haute face à des concurrentes comme la Nissan Maxima et la Toyota Avalon. Et ce, même si l'Azera a déjà remporté le titre de voiture de l'année dans sa catégorie il y a deux ans (décerné par l'Association des journalistes automobiles du Canada et qu'elle surprend agréablement tous ceux qui en ont fait l'essai… Et pourtant!

Hyundai a fait sa marque sur notre marché en offrant des véhicules dotés d'un excellent rapport équipement/prix. Avec l'Azera, nous pourrions quasiment parler de rapport équipement/qualité. En effet, l'équipement de base de l'Azera se montre fort généreux puisqu'il inclut, entre autres, le toit ouvrant électrique, les sièges avant à commande électrique, le climatiseur automatique et le volant télescopique. Le modèle Premium s'avère encore plus généreux. Mais le prix est aussi plus élevé que celui de la concurrence représentée par les Buick Allure et Ford Taurus. Seule la Toyota Avalon est plus dispendieuse. Avec les années, la qualité des produits Hyundai a considérablement progressé. Notre Azera d'essai, par exemple, affichait un haut niveau de finition. Les plastiques, de qualité, étaient fort bien assemblés. Un bruit discordant (un *rattle* en bon français!) provenant du tableau de bord venait troubler la quiétude de l'habitacle. Ce dernier est vaste et la visibilité ne cause pas de problèmes. Les sièges ne paient pas de mine et, sur ma feuille d'évaluation, j'ai noté leur confort d'un «O.K.», ce qui est mieux que «passable» mais nettement moins bien que «parfait». Les passagers arrière sont choyés puisque l'espace pour les jambes est amplement suffisant. La place centrale, par contre, ne devrait être réservée qu'à un enfant, en raison de son inconfort. Le dossier des sièges arrière s'abaisse de façon 60/40 pour agrandir un coffre déjà très grand. Cependant, le

fond ainsi formé n'est pas plat et l'ouverture entre le coffre et l'habitacle est très petite. Et, croyez-le ou non, on retrouve, sous le tapis du coffre, un vrai pneu de secours, une chose incroyablement rare de nos jours!

## PAS SPORTIVE MAIS ÉQUILIBRÉE

On n'achète généralement pas une Hyundai Azera pour ses capacités à en découdre avec les Ferrari et Corvette Z06 de ce monde… Malgré tout, l'Azera propose un comportement routier très honnête, à des lieues de celui qui affligeait sa devancière, la pénible XG350. L'unique moteur est un V6 de 3,8 litres de 263 chevaux et 255 livres-pied de couple. Ses prestations s'avèrent brillantes et il ne se fait jamais prier pour travailler. Il est capable d'expédier le 0-100 en 7,3 petites secondes tandis qu'il passe de 80 à 120 km/h en 6,8 secondes. La puissance passe aux roues avant grâce à une transmission automatique à cinq rapports d'une douceur de grand-mère… mais quelquefois, aussi, d'une lenteur de grand-mère! Et le mode manuel n'y change rien. La consommation d'essence n'est pas exagérée mais on pourrait s'attendre à mieux d'une berline de cette catégorie. Durant notre essai hivernal (et avec un pied droit un tantinet lourd), notre moyenne a été de 13,1 litres aux cent kilomètres. Par contre, les données de Transport Canada sont plus optimistes. Même s'il s'agit d'une traction relativement puissante, on ne ressent

**FEU VERT**
Lignes sobres, moteur performant, habitacle luxueux, confort assuré, niveau de sécurité avancé

**FEU ROUGE**
Comportement peu sportif, direction peu loquace, transmission quelquefois lente, consommation un peu exagérée, rapport équipement/prix moins avantageux

## VÉHICULE D'ESSAI

| | |
|---|---|
| Version : | GLS |
| Emp/Lon/Lar/Haut (mm) : | 2 780/4 895/1 850/1 490 |
| Poids : | 1 620 kg |
| Coffre/Réservoir : | 470 litres / 75 litres |
| Nombre de coussins de sécurité : | 8 |
| Suspension avant : | indépendante, bras inégaux |
| Suspension arrière : | indépendante, multibras |
| Freins av./arr. : | disque (ABS) |
| Antipatinage/Contrôle de stabilité : | oui / oui |
| Direction : | à crémaillère, assistance variable |
| Diamètre de braquage : | 11,4 m |
| Pneus av./arr. : | P255/55R17 |
| Capacité de remorquage : | 454 kg |

l'effet de couple (le volant qui tire d'un côté plus que de l'autre) que lors d'accélérations sur une surface bosselée.

Au chapitre de la conduite, il faudrait être un peu fêlé dans le porte-cheveux pour s'exciter le poil des jambes au volant d'une Azera. D'ailleurs, le manque de *feedback* du volant, malgré la précision de la direction, est un incitatif au calme. Une conduite agressive souligne la mollesse des suspensions, calibrées pour le confort. Donc, la caisse penche dès qu'on aborde une courbe avec trop d'enthousiasme et le véhicule affiche une propension au sous-virage. Au moins, l'Azera compte sur un contrôle de la stabilité très efficace. Disons plutôt qu'il se montre plus intrusif qu'efficace... En manœuvre d'évitement, le volant se durcit beaucoup au centre. Lors d'un arrêt d'urgence, il ne faut pas être surpris si la pédale tout d'abord très dure devient molle avant que le véhicule ne soit immobilisé. Par contre, l'ABS est bien dosé et fort discret et les distances d'arrêt s'avèrent assez courtes. Malgré ces derniers points négatifs, il ne faut pas se sauver de l'Azera en hurlant, les bras dans les airs et en gesticulant des mains. Conduite dans le respect des limites de vitesse, elle affiche un comportement très sain. Le châssis fait preuve de rigidité et les pneus 17 pouces ajoutent au confort et à la tenue de route.

### LA GROSSE CLASSE

Le fait est connu de tous les manufacturiers automobiles : c'est d'abord dans une salle de démonstration qu'on vend les voitures. Les designers de Hyundai l'ont compris et les lignes de l'Azera sont encore plus harmonieuses lorsqu'on la voit «en personne» plutôt qu'en photo. Elles s'avèrent simples et ne se démoderont pas demain matin. Mais (il y a toujours un mais...) il faut déplorer le fait que l'essuie-glace de droite ne puisse être relevé complètement. En effet, sa course est bloquée par le capot, rendant ainsi pénible le déneigement ou le déglaçage du pare-brise en hiver.

À bien y penser, oui, la Hyundai Azera mérite tout le respect qui lui est accordé. La qualité de sa construction est indéniable, les matériaux ont été choisis avec soin tandis que la mécanique n'a rien à envier à la concurrence. Il faut aussi prendre en considération le niveau d'équipement et un comportement routier sain.

**Alain Morin**

## MOTORISATION À L'ESSAI

Pneus d'origine MICHELIN

| | |
|---|---|
| Moteur : | V6 de 3,8 litres 24s atmosphérique |
| Alésage et course : | 96,0 mm x 87,0 mm |
| Puissance : | 263 ch (196 kW) à 6 000 tr/min |
| Couple : | 255 lb-pi (346 Nm) à 4 500 tr/min |
| Rapport poids/puissance : | 6,16 kg/ch (8,35 kg/kW) |
| Système hybride : | aucun |
| Transmission : | traction, automatique 5 rapports |
| Accélération 0-100 km/h : | 7,3 s |
| Reprises 80-120 km/h : | 6,8 s |
| Freinage 100-0 km/h : | 40,5 m |
| Vitesse maximale : | 200 km/h |
| Consommation (100 km) : | ordinaire, 12,2 litres |
| Autonomie (approximative) : | 615 km |
| Émissions de CO2 : | 4 896 kg/an |

## GAMME EN BREF

| | |
|---|---|
| Échelle de prix : | 36 045 $ à 39 341 $ |
| Catégorie : | berline de luxe |
| Historique du modèle : | 1ère génération |
| Garanties : | 5 ans/100 000 km, 5 ans/100 000 km |
| Assemblage : | Ulsan, Corée du Sud |
| Autre(s) moteur(s) : | aucun |
| Autre(s) rouage(s) : | aucun |
| Autre(s) transmission(s) : | aucune |

## DANS LA MÊME CATÉGORIE

Buick Allure - Buick Lucerne - Chrysler 300 - Ford Taurus - Lexus ES350 - Nissan Maxima - Toyota Avalon

## DU NOUVEAU EN 2008

Pas de changement majeur

## NOS IMPRESSIONS

| | |
|---|---|
| Agrément de conduite : | 🚗 🚗 🚗 ½ |
| Fiabilité : | 🚗 🚗 🚗 🚗 |
| Sécurité : | 🚗 🚗 🚗 🚗 ½ |
| Qualités hivernales : | 🚗 🚗 🚗 🚗 |
| Espace intérieur : | 🚗 🚗 🚗 🚗 |
| Confort : | 🚗 🚗 🚗 🚗 ½ |

## LE CHOIX DE L'ÉQUIPE

GLS

Photos : Hyundai

Voiture économique

# LA RAISON A DES RAISONS...

Entièrement renouvelée l'année dernière, la Hyundai Elantra fait désormais partie, selon les instances américaines, de la catégorie des berlines intermédiaires! En fait, cette classification est due aux dimensions imposantes de son habitacle, et elle doit faire extrêmement plaisir aux dirigeants de Hyundai. Puisque nous sommes plus terre-à-terre, nous nous contenterons de placer l'Elantra dans la catégorie des berlines compactes, auprès des Chevrolet Cobalt, Ford Focus, Honda Civic, Mazda3 et Toyota Corolla, pour ne nommer que celles-là.

Même si la mécanique de l'Elantra est inchangée par rapport à l'ancienne version, il ne faut pas crier à l'hérésie tout de suite! Le quatre cylindres de 2,0 litres a fait ses preuves depuis longtemps. Il équipe l'Elantra depuis 1999 et il avait déjà niché, depuis 1997, dans la Tiburon. Mais âge ne rime pas toujours avec vieillesse... Ce moteur, avec ses 138 chevaux et 136 livres-pied de couple, n'a rien d'un sportif (tout au plus un sportif de salon), mais il assure des accélérations et des reprises adéquates dans la plupart des situations, tout en demeurant dans la bonne moyenne côté consommation. Et vous avez intérêt à l'apprécier, il est le seul proposé, que l'Elantra porte le suffixe GL, GL Confort ou GL Sport! Deux transmissions peuvent être choisies. Pratiquement toutes les versions sont équipées de la manuelle à cinq rapports. Le fonctionnement de celle-ci s'avère sans anicroche, mais il faut s'habituer à un embrayage des plus «légers» (au demeurant très progressif) tandis que le levier, à la course trop longue, semble relié à du Jell-O... qui n'aurait pas pris! L'automatique, à quatre rapports fait un boulot très honnête. Même si elle ne possède pas de mode manuel, ce qui, selon moi, ne fait de peine à personne, il est possible d'un seul coup sur le levier de vitesse de passer de la quatrième à la troisième, pour obtenir un peu plus de jus, lors d'un dépassement, par exemple.

## ÇA S'PNEU-TU?

Lors de la refonte de l'année dernière, les ingénieurs de Hyundai ont rigidifié et allongé le châssis et revu les tarages des suspensions ainsi que la grosseur des barres stabilisatrices. Sans faire de l'Elantra une championne des «G» en courbe, ces modifications ont considérablement amélioré la tenue de route et le plaisir de conduite. Bien sûr, la voiture affiche toujours un comportement sous-vireur. La présence de pneus Kumho Solus, aussi bruyants que peu enclins au travail, n'avait rien pour l'aider. D'ailleurs, ces pneus devraient être utilisés uniquement dans des jeux de cours d'école! La direction ne semble pas avoir mérité autant d'attention que le châssis. Elle n'est pas des plus vives ni des plus précises, ce qui atténue grandement les qualités dynamiques de l'Elantra. Heureusement, les freins assurent des décélérations très correctes même si on sent que l'ABS travaille très fort.

Ce dernier point sur les freins met en relief une décision marketing plutôt décevante. L'ABS, de même que les coussins latéraux ne sont pas proposés, pas même en option, sur les versions de base. Les gens de Hyundai ont raté là une belle occasion, d'autant plus qu'à peu près tous les compétiteurs offrent ces équipements politiquement corrects.

### FEU VERT
Bonne visibilité, habitacle spacieux et silencieux, finition réussie, comportement routier sain, garantie intéressante

### FEU ROUGE
Pneus d'origine indignes, éléments de sécurité manquants (voir texte), direction empâtée, transmission manuelle «molle», moteur manque un tantinet de puissance

300

| VÉHICULE D'ESSAI | |
| --- | --- |
| Version : | GL Sport |
| Emp/Lon/Lar/Haut(mm) : | 2 650/4 505/1 775/1 480 |
| Poids : | 1 246 kg |
| Coffre/Réservoir : | 402 litres / 53 litres |
| Nombre de coussins de sécurité : | 6 |
| Suspension avant : | indépendante, jambes de force |
| Suspension arrière : | indépendante, multibras |
| Freins av./arr. : | disque (ABS, EBD) |
| Antipatinage/Contrôle de stabilité : | non / non |
| Direction : | à crémaillère, assistance variable |
| Diamètre de braquage : | 10,3 m |
| Pneus av./arr. : | P205/55R16 |
| Capacité de remorquage : | 680 kg |

Lors de la refonte de 2007, les designers ont tenté de donner à l'Elantra le petit je-ne-sais-quoi qui manquait à la génération précédente. Même si plusieurs personnes n'aiment guère les nouvelles lignes, force est d'admettre qu'elles conviennent parfaitement à la vocation de la voiture. Le bourrelet ondulé qui parcourt les côtés de la bagnole lui insuffle beaucoup de dynamisme. Dommage que la partie arrière ressemble à celle d'une Toyota Corolla ou d'une Volkswagen Jetta.

## L'ATTENTION AUX DÉTAILS

Si les dimensions extérieures ont augmenté l'année dernière, il va sans dire que celles de l'habitacle ont connu le même sort. Sans proposer autant d'espace qu'une berline de la catégorie de la Sonata, l'habitacle de l'Elantra fait preuve d'une belle générosité. Même les gens assis à l'arrière ne se sentiront pas coincés. Les sièges avant sont confortables malgré leur tissu qui ne paye pas vraiment de mine. L'attention portée aux détails est évidente. Par exemple, l'ergonomie des diverses commandes s'avère pratiquement sans faille, les espaces de rangement sont nombreux, le coffre à gants peut contenir plus que des gants et les plastiques utilisés sont bien ajustés et de belle qualité, compte tenu de la catégorie. De plus, le tableau de bord est fort joliment dessiné. La nuit venue, les jauges se parent d'un blanc et d'un bleu du plus bel effet. Dommage que les phares éclairent si peu et que le volant de notre GL Sport fut recouvert d'un cuir très glissant... Quant au coffre, il peut engouffrer pas moins de 402 litres, ce qui n'est pas rien. On retrouve même un peu d'espace sous le tapis. Les dossiers des sièges s'abaissent pour agrandir davantage le coffre, mais pourquoi faut-il obligatoirement entreprendre l'opération «baissage de dossiers» en tirant un levier dans le coffre pour ensuite devoir aller dans l'habitacle pour finir le travail ?

La Hyundai Elantra de la présente génération s'avère une réussite à plus d'un point de vue. Un moteur un peu plus puissant, une direction plus acérée et des pneus d'origine dignes de porter ce nom suffiraient pour rendre l'Elantra encore plus agréable à conduire, elle qui l'est déjà passablement. Mais là où le bât blesse, c'est au chapitre des éléments de sécurité... absents. Hyundai devra se pencher sur ce dernier point.

**Alain Morin**

### MOTORISATION À L'ESSAI

| | |
| --- | --- |
| Moteur : | 4L de 2,0 litres 16s atmosphérique |
| Alésage et course : | 82,0 mm x 93,5 mm |
| Puissance : | 138 ch (103 kW) à 6 000 tr/min |
| Couple : | 136 lb-pi (184 Nm) à 4 600 tr/min |
| Rapport poids/puissance : | 9,03 kg/ch (12,22 kg/kW) |
| Système hybride : | aucun |
| Transmission : | traction, manuel 5 rapports |
| Accélération 0-100 km/h : | 9,5 s |
| Reprises 80-120 km/h : | 10,9 s (4ème) |
| Freinage 100-0 km/h : | 42,5 m |
| Vitesse maximale : | 190 km/h |
| Consommation (100 km) : | ordinaire, 8,4 litres |
| Autonomie (approximative) : | 631 km |
| Émissions de CO$_2$ : | 3 504 kg/an |

### GAMME EN BREF

| | |
| --- | --- |
| Échelle de prix : | 15 595 $ à 23 095 $ (2007) |
| Catégorie : | berline compacte |
| Historique du modèle : | 4ème génération |
| Garanties : | 5 ans/100 000 km, 5 ans/100 000 km |
| Assemblage : | Ulsan, Corée du Sud |
| Autre(s) moteur(s) : | aucun |
| Autre(s) rouage(s) : | aucun |
| Autre(s) transmission(s) : | automatique 4 rapports |

### DANS LA MÊME CATÉGORIE

Chevrolet Cobalt - Chevrolet Optra - Ford Focus - Honda Civic - Kia Spectra - Mazda3 - Mitsubishi Lancer - Nissan Sentra - Pontiac G5 - Saturn Astra - Toyota Corolla

### DU NOUVEAU EN 2008

Pas de changement

### NOS IMPRESSIONS

| | |
| --- | --- |
| Agrément de conduite : | 🚗 🚗 🚗 🚗 |
| Fiabilité : | 🚗 🚗 🚗 🚗 |
| Sécurité : | 🚗 🚗 🚗 ½ |
| Qualités hivernales : | 🚗 🚗 🚗 🚗 |
| Espace intérieur : | 🚗 🚗 🚗 🚗 |
| Confort : | 🚗 🚗 🚗 🚗 |

### LE CHOIX DE L'ÉQUIPE

GLS

Photos : Guy Desjardins

# LE LEXUS DES PAUVRES

Il y a des noms magiques, qui font école. Des noms qui renvoient directement à la marque. Comme 747 pour Bœing. Bien des gens ne savent même pas que la très américaine entreprise a fabriqué bien d'autres modèles. Comme Soleil pour Cirque. Comme Santa Fe pour Hyundai! Même s'il s'agit en fait du nom d'une ville du Nouveau-Mexique, il semble fait sur mesure pour ce véhicule. Il renvoie aux grands espaces, à l'aventure, à la chaleur. Les designers marchaient donc sur des œufs lorsqu'est venu le temps de présenter une deuxième génération du Santa Fe l'an dernier.

Quoi qu'il en soit, le Santa Fe porte encore bien son nom même s'il s'est un peu embourgeoisé. Tout d'abord, sa robe a perdu quelques-unes de ses excentricités au profit d'une subtilité fort bienvenue qui le fait paraître moins gros qu'il ne l'est en réalité… même s'il a pris passablement de coffre depuis la dernière génération. Il se distance ainsi du Tucson, que d'aucuns voyaient comme un Santa Fe junior. La partie avant du nouveau Santa Fe, entre autres, sans faire preuve de discrétion, ne fait pas non plus dans le tape-à-l'œil. De beau, le Santa Fe est passé à élégant. Des goûts et couleurs on ne discute pas, mais c'est avec plaisir que j'ai partagé avec vous ce paragraphe très peu objectif…

### LOIN D'UN LEXUS

L'habitacle aussi a connu sa large part de modifications. Fini le tableau de bord aux formes tarabiscotées. Désormais, les lignes sont plus douces et plus tendues, donc plus modernes. Les commandes sont d'ergonomiques et, la nuit venue, les jaugent se parent de bleu, une jolie couleur de plus en plus à la mode. On retrouve quelques espaces de rangement et celui situé dans la console centrale est de bonnes dimensions. Le système audio, facile à utiliser, possède, ô surprise! une belle sonorité… pour un véhicule coréen s'entend! N'essayez surtout pas d'impressionner votre beau-frère qui profite d'un Mark Levinson dans sa

Lexus… L'espace habitable est franchement impressionnant et il y a autant de dégagement à l'avant qu'à l'arrière. Les confortables sièges supportent très peu en virage. Les places arrière sont très logeables et les dossiers s'inclinent. En option sur le modèle 3,3 GLS: une troisième banquette à utiliser seulement pour de jeunes enfants, peu plaintifs de préférence… Lorsque les dossiers sont abaissés, ils forment un fond presque plat qui améliore considérablement l'espace de chargement. Sous le tapis, soulignons la présence d'un imposant coffre de rangement. Le seuil de chargement est bas et le hayon ouvre haut. Par contre, sur un de nos modèles d'essai, il était anormalement dur à refermer.

Côté mécanique, le Santa Fe fait appel à deux moteurs. Il s'agit de deux V6. Le premier est un 2,7 litres de 185 chevaux et 183 livres-pied de couple, tandis que le deuxième est un 3,3 litres développant 242 chevaux et 226 livres-pied de couple. Ce dernier, plus puissant et plus souple, est facile à exploiter, peu importe son régime. En outre, il consomme à peine plus que le 2,7 litres. Celui-ci, il faut l'avouer, a été essayé durant l'hiver, une période peu propice aux économies d'essence. Le 3,3 litres est obligatoirement associé à une automatique à cinq rapports au fonctionnement très correct. Le mode manuel Shiftronic n'apporte rien aux performances, mais il permet de maintenir un régime élevé en vue d'un

**FEU VERT**
Comportement routier honorable, moteurs de qualité, douceur de roulement, espace habitable impressionnant, version AWD

**FEU ROUGE**
Peu de *feedback* de la direction, troisième rangée décourageante, transmission quatre rapports, consommation du 2,7 litres, valeur de revente à confirmer

302

## VÉHICULE D'ESSAI

| | |
|---|---|
| Version : | GL 2,7 |
| Emp/Lon/Lar/Haut(mm) : | 2 700/4 675/1 890/1 795 |
| Poids : | 1 724 kg |
| Coffre/Réservoir : | 864 à 2 213 litres / 75 litres |
| Nombre de coussins de sécurité : | 6 |
| Suspension avant : | indépendante, jambes de force |
| Suspension arrière : | indépendante, multibras |
| Freins av./arr. : | disque (ABS) |
| Antipatinage/Contrôle de stabilité : | oui / oui |
| Direction : | à crémaillère, assistance variable |
| Diamètre de braquage : | 10,9 m |
| Pneus av./arr. : | P235/70R16 |
| Capacité de remorquage : | 1 588 kg |

## MOTORISATION À L'ESSAI

| | |
|---|---|
| Moteur : | V6 de 2,7 litres 24s atmosphérique |
| Alésage et course : | 86,7 mm x 75,0 mm |
| Puissance : | 185 ch (138 kW) à 6 000 tr/min |
| Couple : | 183 lb-pi (248 Nm) à 4 000 tr/min |
| Rapport poids/puissance : | 9,32 kg/ch (12,68 kg/kW) |
| Système hybride : | aucun |
| Transmission : | traction, automatique 4 rapports |
| Accélération 0-100 km/h : | 10,3 s |
| Reprises 80-120 km/h : | 7,8 s |
| Freinage 100-0 km/h : | 43,9 m |
| Vitesse maximale : | 190 km/h |
| Consommation (100 km) : | ordinaire, 11,3 litres |
| Autonomie (approximative) : | 664 km |
| Émissions de CO2 : | 4 800 kg/an |

## GAMME EN BREF

| | |
|---|---|
| Échelle de prix : | 25 995 $ à 35 995 $ |
| Catégorie : | utilitaire sport compact |
| Historique du modèle : | 2ième génération |
| Garanties : | 5 ans/100 000 km, 5 ans/100 000 km |
| Assemblage : | Ulsan, Corée du Sud |
| Autre(s) moteur(s) : | V6 3,3l 242ch/226lb-pi (12,2 l/100km) |
| Autre(s) rouage(s) : | intégrale |
| Autre(s) transmission(s) : | manuelle 5 rapports / automatique 5 rapports |

## DANS LA MÊME CATÉGORIE

Chevrolet Equinox - Dodge Nitro - Ford Escape - Honda CR-V - Jeep Liberty - Mazda CX-7 - Mitsubishi Outlander - Pontiac Torrent - Saturn Vue - Suzuki Grand Vitara/XL7 - Toyota Rav4

## DU NOUVEAU EN 2008

Pas de changement majeur

## NOS IMPRESSIONS

| | |
|---|---|
| Agrément de conduite : | 🚗🚗🚗🚗 |
| Fiabilité : | 🚗🚗🚗🚗 |
| Sécurité : | 🚗🚗🚗🚗 |
| Qualités hivernales : | 🚗🚗🚗🚗½ |
| Espace intérieur : | 🚗🚗🚗🚗 |
| Confort : | 🚗🚗🚗🚗 |

## LE CHOIX DE L'ÉQUIPE

3.3 GL AWD Premium

---

dépassement ou pour monter une côte. Le 2,7 litres, amputé de 57 chevaux par rapport au 3,3 fait montre de plus de retenue lors d'accélérations. Alors que le 3,3 abat le 0-100 en 9,4 secondes, le 2,7 fait de même en 10,3, ce qui est tout de même pas mal ! Quant aux reprises, le 2,7 ne prend que quatre dixièmes de secondes de plus que le 3,3 (7,75 secondes contre 7,34). Ce 2,7 n'est pas désagréable à utiliser, mais il doit faire confiance à une manuelle à cinq rapports ou à une automatique à quatre rapports seulement. Cette dernière ne recevra jamais de contravention pour excès de vitesse lors du passage des rapports, du moins par température froide. Je ne crois pas que ce soit vraiment mieux l'été…

Le Santa Fe s'avère tout d'abord une traction (roues avant motrices). La livrée 3,3 GLS, lire haut de gamme, bénéficie du rouage intégral. À l'instar des autres mécanismes du même genre, celui du Santa Fe fait preuve de compétence dans des sentiers boueux et dans la neige. Aidé de bons pneus à neige, il ajoute à la sécurité active. De plus, il est possible de barrer ce rouage pour diriger 50 % du couple aux roues avant et 50 % aux roues arrière, question d'améliorer le cœfficient de traction à basse vitesse.

### SERAIT-CE UNE LEXUS ?

Sur la route, le Santa Fe surprend par sa douceur de roulement. Un peu plus et on se croirait au volant d'une Lexus ! Même si le *feedback* du volant est passablement timide, la direction est précise. Lors d'un brusque changement de voie, le volant durcit au centre, ce qui est franchement désagréable. Par contre, même en accélération, on ressent très peu d'effet de couple, c'est-à-dire que le volant (des versions traction) ne cherche pas à aller de gauche à droite à la moindre poussière sur la chaussée. Dans les courbes, peu importe l'amplitude, le Santa Fe démontre de solides aptitudes. La caisse penche certes un peu mais ce n'est rien de dramatique. Grâce à ses suspensions indépendantes judicieusement calibrées, le confort n'est jamais compromis.

Le Santa Fe a récemment acquis beaucoup de maturité. Si ses dimensions et ses capacités sur la route se sont grandement améliorées, le prix, heureusement, n'a pas suivi la même tangente. Même la fiabilité générale a fait des bonds prodigieux ces dernières années ! Que tous ceux qui ne prennent pas Hyundai au sérieux lèvent la main…

**Alain Morin**

# LE BONHEUR DU JUSTE MILIEU

La Sonata est non seulement une berline offrant un excellent rapport qualité-prix, mais elle permet aussi de constater une fois de plus à quel point le constructeur coréen a fait des progrès marqués dans la conception de ses nouveaux produits. Avant l'arrivée de la présente Sonata, ce modèle se vendait surtout en raison de son habitabilité et de son prix. Cette nouvelle génération peut se mesurer à ce qu'il se fait de mieux dans cette catégorie, et ce, à tous les chapitres, qui plus est à un prix très compétitif.

Il est certain que tout n'est pas parfait, mais l'actuelle Sonata est capable de tenir son bout. Par contre, vous devrez accepter une silhouette plus classique qu'autre chose. Les stylistes maison ne jouent pas très innovateurs, et se contentent de suivre les canons esthétiques en vigueur. Force est d'admettre que le résultat n'est pas vilain, mais on ne peut s'empêcher de trouver des ressemblances, ou du moins des inspirations, avec plusieurs modèles actuellement sur le marché. Avant de critiquer, ajoutons cependant que la qualité de la peinture et de la finition de la caisse est impressionnante pour la catégorie. En fait, je me suis amusé à comparer une BMW Série 3 à ma Sonata d'essai et la coréenne a facilement eu le dessus. Un peu à l'image des publicités de Hyundai qui aime comparer ses modèles à des véhicules se vendant souvent deux ou trois fois plus cher.

## BON POUR LA VISITE

Non seulement la Sonata est mieux finie que le modèle qu'elle remplace, mais son habitabilité en fait une berline capable de transporter cinq adultes en tout confort. D'ailleurs, au bureau du *Guide de l'auto*, nous sommes allés chercher des visiteurs importants à l'aéroport avec notre Sonata de presse en raison de son habitabilité et de son confort !

Les places avant sont bien dégagées alors que la planche de bord est en retrait par rapport aux occupants. De plus, les sièges sont relativement larges, à défaut d'offrir un bon support latéral. Les places arrière nous laissent prendre nos aises concernant l'espace pour les jambes, les coudes et la tête. Et il est intéressant de souligner que le coussin du siège est assez relevé, de sorte que les grandes personnes ne sont pas assises la tête entre les genoux. Le dossier est de type 60/40 et des tirettes en périphérie de l'ouverture du coffre permettent d'abaisser ces sections sans problème. Malheureusement, elles ne se remisent pas complètement à plat. Et si les ingénieurs ont voulu assurer une caisse rigide en dessinant une ouverture du coffre relativement petite, ce faisant ils ont limité le côté pratique de cette berline...

L'ancienne Sonata possédait un habitacle garni de plastiques bon marché et d'appliques en bois synthétiques presque risibles. Cette version est tout le contraire. La texture des plastiques est à revoir, mais c'est tout de même acceptable tout comme le design général de la planche de bord qui brille par sa sobriété. De plus, les éléments du système audio et de la climatisation sont bien départagés. Par contre, les stylistes semblent avoir été en panne d'inspiration lorsqu'est venu le temps de dessiner la section inférieure de la console centrale. Autre

**FEU VERT**
Moteur V6, bonne habitabilité, tenue de route, fiabilité rassurante, équipement complet

**FEU ROUGE**
Moteur 4 cyl. un peu juste, tableau de bord ultra sobre, pneumatiques moyens, souplesse de la suspension, direction trop assistée

bémol, l'utilisation de touches en caoutchouc noir est en profond contraste avec l'harmonie de l'ensemble.

## SURPRENANT!

Deux moteurs sont au programme. Celui qui équipe le modèle de base est un quatre cylindres de 2,4 litres d'une puissance de 162 chevaux. C'est le même moteur qui est offert sur la Dodge Caliber et la Mitsubishi Lancer, puisque ces trois constructeurs développent conjointement des composantes mécaniques. Relativement bruyant, son rendement est bon et il est couplé de série à une boîte manuelle à cinq vitesses dont les rapports sont moyennement bien étagés et dont le levier de vitesse est assez vague. L'automatique à quatre rapports s'acquitte mieux de sa tâche. Même avec cette transmission, la consommation est acceptable.

Le moteur V6 de 3,3 litres disponible en option est couplé à une boîte automatique à cinq vitesses dont les passages de rapports sont très doux. Il ne craint pas les régimes élevés et son rendement impressionne. Il est toutefois dommage que la direction soit quelque peu engourdie et que la suspension, bien que souple, n'arrive pas toujours à filtrer les trous et les bosses.

Bref, cette voiture n'a pas été dessinée pour lutter contre les berlines de sport germaniques, mais pour offrir un excellent équilibre entre l'habitabilité, le confort et l'équipement de base complet. C'est la voiture des gens qui veulent une valeur sûre, et elle devrait se révéler un excellent véhicule de fonction pour les cadres inférieurs des PME qui apprécient le confort et l'habitabilité avant le prestige de l'écusson. Et pour ajouter à cela, sa fiabilité est légèrement supérieure à la moyenne. Reste à savoir si vous recherchez l'originalité ou la tranquillité d'esprit.

**Denis Duquet**

Photos : Hyundai

## VÉHICULE D'ESSAI

| | |
|---|---|
| Version : | GL V6 |
| Emp/Lon/Lar/Haut (mm) : | 2 730/4 800/1 832/1475 |
| Poids : | 1 569 kg |
| Coffre/Réservoir : | 462 litres / 67 litres |
| Nombre de coussins de sécurité : | 6 |
| Suspension avant : | indépendante, bras inégaux |
| Suspension arrière : | indépendante, multibras |
| Freins av./arr. : | disque (ABS) |
| Antipatinage/Contrôle de stabilité : | opt. / opt. |
| Direction : | à crémaillère, assistance variable |
| Diamètre de braquage : | 10,9 m |
| Pneus av./arr. : | P215/60R16 |
| Capacité de remorquage : | 454 kg |

## MOTORISATION À L'ESSAI
Pneus d'origine MICHELIN

| | |
|---|---|
| Moteur : | V6 de 3,3 litres 24s atmosphérique |
| Alésage et course : | 92,0 mm x 83,8 mm |
| Puissance : | 234 ch (174 kW) à 6 000 tr/min |
| Couple : | 226 lb-pi (306 Nm) à 3 500 tr/min |
| Rapport poids/puissance : | 6,71 kg/ch (9,12 kg/kW) |
| Système hybride : | aucun |
| Transmission : | traction, automatique 5 rapports |
| Accélération 0-100 km/h : | 7,9 s |
| Reprises 80-120 km/h : | 6,6 s |
| Freinage 100-0 km/h : | 41,0 m |
| Vitesse maximale : | 195 km/h |
| Consommation (100 km) : | ordinaire, 11,5 litres |
| Autonomie (approximative) : | 583 km |
| Émissions de CO$_2$ : | 4 608 kg/an |

## GAMME EN BREF

| | |
|---|---|
| Échelle de prix : | 23 595 $ à 29 295 $ |
| Catégorie : | berline intermédiaire |
| Historique du modèle : | 5ième génération |
| Garanties : | 5 ans/100 000 km, 5 ans/100 000 km |
| Assemblage : | Montgomery, Alabama, É-U |
| Autre(s) moteur(s) : | 4L 2,4l 162ch/164lb-pi (9,9 l/100km) |
| Autre(s) rouage(s) : | aucun |
| Autre(s) transmission(s) : | automatique 4 rapports |

## DANS LA MÊME CATÉGORIE

Chevrolet Malibu - Chrysler Sebring - Ford Fusion - Honda Accord - Kia Magentis - Mazda 6 - Mitsubishi Galant - Nissan Altima - Toyota Camry

## DU NOUVEAU EN 2008

Aucun changement majeur

## NOS IMPRESSIONS

| | |
|---|---|
| Agrément de conduite : | 🚗 🚗 🚗 ½ |
| Fiabilité : | 🚗 🚗 🚗 🚗 |
| Sécurité : | 🚗 🚗 🚗 🚗 ½ |
| Qualités hivernales : | 🚗 🚗 🚗 🚗 |
| Espace intérieur : | 🚗 🚗 🚗 🚗 ½ |
| Confort : | 🚗 🚗 🚗 🚗 |

## LE CHOIX DE L'ÉQUIPE

GL V6

# HYUNDAI TIBURON

# SUR LES TRACES DE LA CELICA!

Avec à peine 1000 unités vendues au Canada l'an dernier, il est clair que la Tiburon n'est plus très populaire. Comme toute sportive, elle est peu pratique et surtout chère à assurer, ce qui donne des boutons aux acheteurs potentiels. Mais par-dessus tout, l'insuccès de ce modèle résulte du fait que les coupés sport abordables ne sont tout simplement plus à la mode. De nos jours, ça prend une quatre portes! Ainsi, Hyundai a tout intérêt à nous offrir en remplacement une Elantraspeed, Spec H, Type H ou Top Line!

C'est néanmoins le coupé Tiburon qui symbolise toujours le sport chez Hyundai. Il aura dominé de nombreux championnats de rallye et aura fait tourner les têtes lors de son lancement en 2003 mais cette voiture n'est plus à l'avant plan aujourd'hui. Il faut dire qu'en observant les retouches esthétiques apportées l'an dernier, on constate que les stylistes ne se sont pas creusé les méninges bien longtemps. De nouveaux phares, des jantes plus actuelles et une grille de calandre qui ressemble à s'y méprendre à celle de la dernière et désormais défunte Toyota Celica. C'est à croire qu'on veut nous passer le message que sous peu, la Tiburon disparaîtra elle aussi!

## POUR LES PETITS!

Plaisant davantage à la gent féminine, la Tiburon s'ouvre sur un habitacle qui ne répond certainement pas à tous les gabarits. Évidemment, les places arrière ne sont adéquates que pour des enfants, mais il faut aussi savoir que la garde au toit, principalement sur les modèles dotés d'un toit ouvrant, est très réduite. Une personne de ma taille (5 pieds 10 pouces) sera tout juste correcte pour ne pas toucher au plafond, à condition bien sûr de ne pas porter de casquette!

À bord, on nous propose un poste de conduite très invitant. Les sièges sont confortables et enveloppants, l'espace accordé aux jambes et aux épaules est généreux et la position de conduite correcte. Seul bémol à ce niveau, on souhaiterait un volant télescopique. La planche de bord légèrement revue l'an dernier a désormais une console centrale plus moderne. L'éclairage bleuté contribue aussi à créer une ambiance des plus intéressantes, ce qui compense pour le reste de l'habitacle, entièrement vêtu de noir.

Côté équipement, le modèle GS Sport à moteur quatre cylindres me semble le plus attrayant par rapport aux prix. Pour à peine plus de 20000$, il reçoit tout l'équipement du modèle GS en plus du toit ouvrant, du climatiseur, du système audio à six haut-parleurs, des garnitures de cuir et du télédéverrouillage.

## AVANTAGE 2,0 LITRES

Chaque fois que je mentionne que la Tiburon à moteur quatre cylindres me semble plus intéressante, les gens répliquent en me disant: «Voyons donc, ça doit pas marcher c't'affaire-là!» Et ils ont raison! Seulement, si vous avez en tête de vous procurer une Tiburon pour les performances du moteur, vous ne cognez pas à la bonne porte. Car

**FEU VERT**
Ligne agréable, prix attrayant, bel agrément de conduite, position de conduite intéressante, garantie sérieuse

**FEU ROUGE**
Moteur V6 lourd et à bout de souffle, dégagement réduit pour la tête, visibilité précaire, coût élevé des assurances, boîte automatique paresseuse

**306**

| VÉHICULE D'ESSAI | |
| --- | --- |
| Version : | GT Limited |
| Emp./Lon./Lar./Haut(mm) : | 2 530/4 395/1 760/1 330 |
| Poids : | 1 333 kg |
| Coffre/Réservoir : | 419 litres / 55 litres |
| Nombre de coussins de sécurité : | 4 |
| Suspension avant : | indépendante, jambes de force |
| Suspension arrière : | indépendante, multibras |
| Freins av./arr. : | disque (ABS) |
| Antipatinage/Contrôle de stabilité : | non / non |
| Direction : | à crémaillère, assistée |
| Diamètre de braquage : | 10,9 m |
| Pneus av./arr. : | P215/45R17 |
| Capacité de remorquage : | non recommandé |

même le V6 fait un peu pitié à ce niveau. Par exemple, une Civic Si s'avère nettement plus rapide.

Pour ma part, je favorise le quatre cylindres de 2,0 litres pour son équilibre d'ensemble. Identique à celui de l'Elantra, il est bien sûr moins gourmand mais permet aussi à la voiture de mieux se comporter au quotidien. Le poids supplémentaire du V6 désavantage le confort et l'équilibre de la voiture, et contribue aussi à augmenter radicalement l'effet de couple en accélération. Et puis il faut l'avouer, ce V6 n'est plus dans le coup. Il est paresseux et gourmand et fait mal paraître chaque véhicule dans lequel il se trouve. On se console toutefois en constatant que sa fiabilité est honorable.

Je n'ai sans doute pas besoin de vous dire que le choix de la boîte manuelle me semble nettement plus intéressant, si vous souhaitez optimiser les performances. Cette dernière n'est pas exemplaire mais s'avère tout de même adéquate pour une sportive. En revanche, l'automatique est paresseuse et donne l'impression que l'on traîne un boulet. Curieusement, ce sentiment s'accentue davantage avec le V6.

Ne lui enlevons rien, la Tiburon demeure malgré tout une sportive agréable à conduire. Ce n'est certainement pas une Volkswagen GTI, mais le plaisir est tout de même au rendez-vous. En version quatre cylindres, elle surprend par son agilité et sa maniabilité, alors que la V6 nous laisse quelque peu sur notre appétit. Encore une fois, le poids supplémentaire du V6 nuit au comportement, ce qui par le fait même, se fait ressentir dans la direction. En contrepartie, la version GT affiche un roulis légèrement moins prononcé en virage, en raison d'une suspension un tantinet plus ferme et de ses jantes surdimensionnées. Mais qu'importe votre préférence, sachez qu'il ne faut pas se procurer une Tiburon si le but de l'achat est de conduire sportivement. Il s'agit davantage d'un petit *boulevard cruiser* agile (un peu comme l'Eclipse de Mitsubishi) que d'une authentique sportive.

Bref, si vous êtes séduit, la Tiburon peut s'avérer une voiture fort intéressante. Étonnamment fiable, elle coûte peu en entretien et ne consomme pas beaucoup (en version quatre cylindres). Qui plus est, sa garantie de cinq ans vous assurera une protection complète tout au long de la période de location, si vous considérez cette option. Et ne tentez pas de trouver un coupé sport moins cher ailleurs, ça n'existe tout simplement pas. Mais en revanche, ne soyez pas surpris si Hyundai supprime ce modèle d'ici quelques années.

**Antoine Joubert**

### MOTORISATION À L'ESSAI

| | |
| --- | --- |
| Moteur : | V6 de 2,7 litres 24s atmosphérique |
| Alésage et course : | 86,7 mm x 75,0 mm |
| Puissance : | 172 ch (128 kW) à 6 000 tr/min |
| Couple : | 181 lb-pi (245 Nm) à 3 800 tr/min |
| Rapport poids/puissance : | 7,75 kg/ch (10,5 kg/kW) |
| Système hybride : | aucun |
| Transmission : | traction, manuelle 6 rapports |
| Accélération 0-100 km/h : | 8,7 s |
| Reprises 80-120 km/h : | 6,8 s |
| Freinage 100-0 km/h : | 43,0 m |
| Vitesse maximale : | 220 km/h |
| Consommation (100 km) : | ordinaire, 12,7 litres |
| Autonomie (approximative) : | 433 km |
| Émissions de CO2 : | 5 136 kg/an |

### GAMME EN BREF

| | |
| --- | --- |
| Échelle de prix : | 18 995 $ à 28 993 $ (2007) |
| Catégorie : | coupé |
| Historique du modèle : | 3ième génération |
| Garanties : | 5 ans/100 000 km, 5 ans/100 000 km |
| Assemblage : | Ulsan, Corée du Sud |
| Autre(s) moteur(s) : | 4L 2,0l 138ch/136lb-pi (9,6 l/100km) |
| Autre(s) rouage(s) : | aucun |
| Autre(s) transmission(s) : | automatique 4 rapports/ manuelle 5 rapports |

### DANS LA MÊME CATÉGORIE

Chevrolet Cobalt SS coupé - Ford Mustang V6 - Honda Civic - Mitsubishi Eclipse - Pontiac G5 coupé - Volkswagen New Beetle

### DU NOUVEAU EN 2008

Refonte majeure

### NOS IMPRESSIONS

| | |
| --- | --- |
| Agrément de conduite : | 🚗 🚗 🚗 🚗 |
| Fiabilité : | 🚗 🚗 🚗 🚗 |
| Sécurité : | 🚗 🚗 🚗 ½ |
| Qualités hivernales : | 🚗 🚗 🚗 🚗 |
| Espace intérieur : | 🚗 🚗 |
| Confort : | 🚗 🚗 🚗 ½ |

### LE CHOIX DE L'ÉQUIPE

GS Sport

Photos : Hyundai

Hyundai Tucson

# VIEILLIR EN BEAUTÉ

Vous ne le croirez pas, mais ces deux véhicules qui semblent encore tout chauds entament en 2008 leur quatrième année d'existence. C'est donc dire à quel point les concepteurs de Hyundai ont réussi leur pari, en introduisant un VUS encore plus petit que le Santa Fe! Offrant à prix défiant toute concurrence un véhicule compact, polyvalent et joliment tourné, il était clair que le succès cognait à la porte. Aujourd'hui, quelques « *price buster* » (Jeep Compass / Patriot) viennent ralentir son élan, mais force est d'admettre que ce duo est toujours dans le coup.

Au fait, je m'exprime en citant le Tucson, mais la même chose s'applique au Kia Sportage. Car malgré la croyance, ces deux véhicules sont, à une carrosserie près, totalement identiques. Il n'en tient donc qu'à vous de savoir si vous préférez le style plus sage et sympathique du Sportage ou celui plus musclé du Tucson.

Chose certaine, que vous optiez pour l'un ou l'autre, vous en obtiendrez beaucoup pour votre argent. De la petite version de base à deux roues motrices et boîte manuelle jusqu'au modèle tout équipé, avec moteur V6, traction intégrale, boîte automatique et sellerie de cuir, le prix est toujours compétitif. À preuve, un modèle tout garni coûte environ 30 000 $, soit le prix du modèle d'entrée de gamme à rouage intégral chez Honda ou Toyota. Toutefois, il faut guetter le récent Santa Fe qui lui aussi, s'avère compétitif. Mais nous y reviendrons.

Question de goût, je vous dirais que la présentation intérieure du Sportage me plaît davantage. Ne serait-ce que pour les teintes utilisées et la configuration de la console centrale, on a l'impression d'être à bord d'un véhicule plus cossu. Mais il n'en demeure pas moins que l'aménagement général, l'équipement et les commandes sont identiques. Dans les deux cas, on obtient donc plus d'espace qu'il n'en

faut pour accueillir quatre adultes et leurs bagages. Le conducteur profite d'une bonne position de conduite, d'un aménagement ergonomique et d'un siège très confortable. Selon la version choisie, il est possible de se gâter avec des sièges chauffants à l'avant, ce qui s'avère, vous vous en douterez, très agréable par temps froid.

## MODULARITÉ 101
Bien assemblé et offrant une qualité de finition étonnante, l'habitacle brille par sa grande modularité. Non seulement on peut ajuster l'inclinaison des dossiers de la banquette arrière, mais on peut les rabattre pour obtenir un plancher de chargement entièrement plat. Mieux encore, on peut aussi rabattre à plat le dossier du siège du passager avant, de façon à charger des objets très longs.

Côté équipement, les modèles de base reçoivent, pour environ 21 000 $, des glaces, des rétroviseurs et le verrouillage électriques, un radio CD/MP3, des jantes de 16 pouces ainsi qu'une foule de petits détails qui nous permettent d'affirmer que le prix est très alléchant. Chez Hyundai comme chez Kia, les versions offertes sont aussi nombreuses qu'intéressantes, ce qui vous permettra de choisir l'équipement qui vous convient, à prix concurrentiel. Sachez

**FEU VERT**
Rapport équipement/prix imbattable, qualité générale surprenante, style accrocheur, confort étonnant, grand choix de versions

**FEU ROUGE**
Le Santa Fe est aussi un concurrent (voir texte), performances ordinaires (4-cyl.), prix de transport/préparation élevé

| | |
|---|---|
| Version : | Kia Sportage LX Commodité |
| Emp/Lon/Lar/Haut(mm) : | 2 630/4 350/1 800/1 695 |
| Poids : | 1 547 kg |
| Coffre/Réservoir : | 667 à 1 887 litres / 58 litres |
| Nombre de coussins de sécurité : | 6 |
| Suspension avant : | indépendante, jambes de force |
| Suspension arrière : | indépendante, multibras |
| Freins av./arr. : | disque (ABS) |
| Antipatinage/Contrôle de stabilité : | oui / oui |
| Direction : | à crémaillère, assistée |
| Diamètre de braquage : | 10,8 m |
| Pneus av./arr. : | P235/60R16 |
| Capacité de remorquage : | 454 kg |

**MOTORISATION À L'ESSAI**

| | |
|---|---|
| Moteur : | 4L de 2 litres 16s atmosphérique |
| Alésage et course : | 82,0 mm x 93,5 mm |
| Puissance : | 140 ch (104 kW) à 6 000 tr/min |
| Couple : | 136 lb-pi (184 Nm) à 4 500 tr/min |
| Rapport poids/puissance : | 11,05 kg/ch (15,02 kg/kW) |
| Système hybride : | aucun |
| Transmission : | intégrale, man. 5 rapports |
| Accélération 0-100 km/h : | 12,3 s |
| Reprises 80-120 km/h : | 9,7 s |
| Freinage 100-0 km/h : | 39,4 m |
| Vitesse maximale : | 185 km/h |
| Consommation (100 km) : | ordinaire, 10,9 litres |
| Autonomie (approximative) : | 532 km |
| Émissions de CO2 : | 4 656 kg/an |

**GAMME EN BREF**

| | |
|---|---|
| Échelle de prix : | 21 695 $ à 30 935 $ (2007) |
| Catégorie : | utilitaire sport compact |
| Historique du modèle : | 1ère génération |
| Garanties : | 5 ans/100 000 km, 5 ans/100 000 km |
| Assemblage : | Ulsan, Corée du Sud |
| Autre(s) moteur(s) : | V6 2,7l 173ch/178lb-pi (12,4 l/100km) |
| Autre(s) rouage(s) : | traction |
| Autre(s) transmission(s) : | auto. mode man. 4 rapports |

**DANS LA MÊME CATÉGORIE**

Chevrolet Equinox - Ford Escape - Honda CR-V - Jeep Compass/Patriot - Mitsubishi Outlander - Nissan Rogue - Pontiac Torrent - Saturn VUE - Suzuki Grand Vitara - Subaru Forester - Toyota Rav4

**DU NOUVEAU EN 2008**

Pas de changement majeur

**NOS IMPRESSIONS**

| | |
|---|---|
| Agrément de conduite : | 🚗🚗🚗½ |
| Fiabilité : | 🚗🚗🚗🚗 |
| Sécurité : | 🚗🚗🚗🚗 |
| Qualités hivernales : | 🚗🚗🚗🚗 |
| Espace intérieur : | 🚗🚗🚗🚗 |
| Confort : | 🚗🚗🚗🚗 |

**LE CHOIX DE L'ÉQUIPE**

Sportage LX V6 ou Tucson GLS

---

cependant que le prix de transport/préparation est très élevé (1 495 $), et qu'il faut toujours le considérer en faisant vos calculs !

### AVANTAGE 4 CYLINDRES

Personnellement, je vous dirais que les versions à moteur quatre cylindres semblent plus intéressantes. Bien sûr, la puissance n'est pas très impressionnante, mais le rendement demeure honnête, tout comme la consommation qui se situe autour de 10 litres aux 100 kilomètres. Il est également possible de choisir avec ce moteur une version à deux ou quatre roues motrices. Toutefois, sachez que seule la boîte manuelle est offerte avec le rouage intégral, permettant ainsi de mieux exploiter la puissance du moteur.

En optant pour le V6, qui n'est vendu qu'avec l'automatique, on se rapproche dangereusement du prix d'un Hyundai Santa Fe à équipement équivalent. Par exemple, un Tucson GL V6 à deux roues motrices et un Santa Fe doté d'un équipement et d'une configuration mécanique similaire n'ont qu'un écart de prix de seulement 900 $. Et pour une version à rouage intégral, le Santa Fe est environ plus cher de 1 500 $, mais reçoit un moteur 3,3 litres nettement plus convaincant. Peut-être préférerez-vous le Tucson / Sportage pour ses dimensions, mais vous en obtiendrez encore plus pour votre argent avec un Santa Fe qu'avec un Tucson V6.

Sur la route, le Tucson adopte un comportement identique à celui d'une Elantra. Et c'est normal, puisque ces deux véhicules partagent la même plate-forme et les mêmes composantes mécaniques. La sensibilité aux vents latéraux est un brin supérieure, les performances sont évidemment moins relevées en raison du poids et le roulis est plus important mais sinon, c'est très semblable. Le véhicule est donc bien équilibré de manière à offrir une belle maniabilité et un excellent confort. Il faut aussi mentionner que ce duo de VUS arrive de série avec beaucoup de caractéristiques de sécurité, tels l'antiblocage des freins, l'antipatinage, le contrôle électronique de stabilité, les six sacs gonflables et les appuie-têtes actifs à l'avant.

Bref, le géant coréen fidèle à sa réputation propose avec les Tucson et Sportage la formule du beaucoup pour peu. Il ne s'agit évidemment pas du véhicule le plus raffiné, mais l'équipement généreux, le comportement sain, le confort étonnant et le côté pratique évident de ce duo nous permettent de comprendre pourquoi tant d'acheteurs se le sont procuré.

**Antoine Joubert**

Photos : Hyundai

# HYUNDAI VERACRUZ

# SEMPER ALTIUS

Voilà dans un latin approximatif ce qui semble être la nouvelle devise de ce constructeur coréen : « Toujours plus haut ». Après s'être fait le champion de la petite voiture bon marché, Hyundai a l'ambition de cibler des acheteurs aussi bien dans le créneau des économiques que dans celui des véhicules plus luxueux. Le Veracruz en est un bel exemple en attendant la berline Genesis dont l'arrivée est prévue l'an prochain. Ce nouveau véhicule multisegment s'attaque aux Acura MDX, Lexus RX350, Nissan Murano et autres.

L e Veracruz est généralement plus spacieux que la concurrence et son niveau d'équipement se veut plus que généreux. Après tout, il ne faut pas manquer d'arguments lorsqu'on tente de convaincre un acheteur de débourser plus de 40 000 $ pour rouler en Hyundai, une marque associée jusqu'à très récemment à des véhicules économiques !

### LA GUERRE DES CHIFFRES
Comme à chaque fois qu'un manufacturier tente de pénétrer un nouveau créneau, la tendance est d'en donner plus que la concurrence. La première étape dans cette démarche a été relativement simple puisqu'il s'agissait de dessiner un véhicule plus spacieux que les autres. Chiffres à l'appui, les représentants de la marque nous ont annoncé - quasiment avec un trémolo dans la voix - que le Veracruz est 110 mm plus long que la Lexus RX350, que son empattement surpasse celui de la Honda Pilot de 108 mm et que son volume intérieur est supérieur à celui d'un Nissan Murano. Et pour bien enfoncer le clou à l'avantage de la Veracruz dans cette guerre des chiffres, on nous

a annoncé avec fierté que ce Hyundai possède un espace de chargement derrière les sièges baquets avant de 2 458 litres versus 2 300 litres par rapport à la Mercedes-Benz de Classe GL, pourtant plus grosse. Quand on peut se comparer avantageusement à cette marque mythique, pourquoi se gêner ?

Si cette donnée est véridique, ces mêmes personnes ont oublié de mentionner que la GL offre un espace de 300 litres une fois la troisième banquette en place alors que la Veracruz n'en propose que 184. Comme vous voyez, on peut faire dire presque tout aux chiffres... Pour clore ce débat, il est sans doute plus intéressant de savoir que le nouveau multisegment de Hyundai est 165 mm plus long qu'un Santa Fe et que son empattement est supérieur de 105 mm. Et détail à ne pas négliger, le Veracruz est une version allongée et élargie -55 mm- de sa cadette. C'est tout de même une référence quand même fort respectable.

### MARCEL ! LE DESIGN !
Au cours des récentes années, Hyundai et les autres constructeurs coréens, ceci inclut GM DAT, nous ont démontré hors de tout doute que les stylistes maison étaient doués. Le Veracruz est certainement élégant et même s'il est difficile d'ignorer la troublante ressemblance de la fenestration latérale avec celle de la Honda CR-V, la présentation d'ensemble est réussie. Les tôles sont tendues sur les parois latérales et les designers ont su tirer bon parti de l'harmonisation des phares avant et des feux arrière avec la ligne de caisse. Cette silhouette sied bien à la catégorie et est juste ce qu'il faut. Par contre, les stylistes d'Hyundai ne sont pas des chefs de file en fait de stylisme comme le sont ceux de certaines marques plus anciennes. En cherchant bien on peut trouver un air de déjà vu ici et là, mais dans l'ensemble, c'est bien.

L'habitacle est sobre, d'une finition impeccable tandis que les matériaux sont de première qualité. Il n'y a rien de bon marché, que ce soit la

sellerie en cuir des sièges, les plastiques du tableau de bord ou les sensations tactiles des nombreux boutons et touches de commande. À ce chapitre, il y a trop de touches similaires placées les unes à côté des autres, mais les gens devraient s'y habituer assez facilement.

Le raffinement s'affiche un peu partout dans ce véhicule. Le seuil des portières avant sont dotés d'une plaque de protection en inox brillant, et le soir, le mot Hyundai est rétro-illuminé sur le modèle Limited, le plus luxueux, la console centrale comporte un compartiment réfrigéré, et les rétroviseurs extérieurs sont équipés d'une lumière pointant vers le sol afin d'éviter que les occupants marchent dans une flaque d'eau ou dans la boue lorsqu'ils descendent du véhicule dans l'obscurité. Toutefois, pas

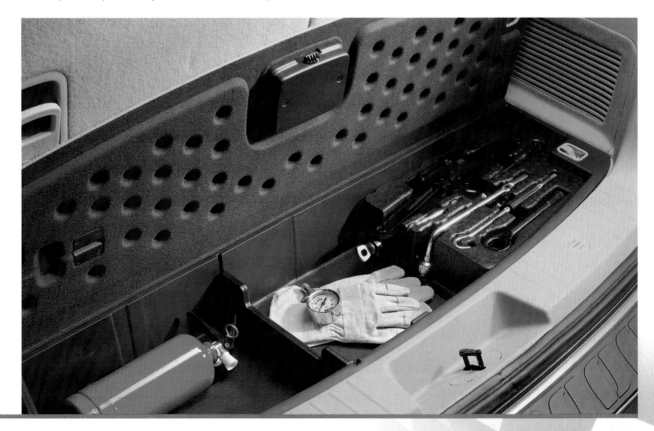

# HYUNDAI VERACRUZ

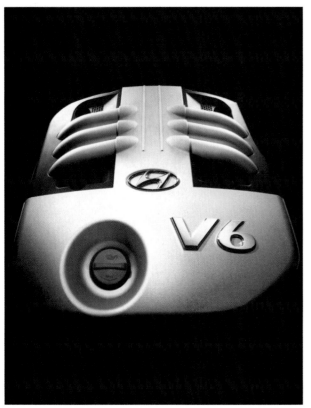

de prise dans la radio pour un lecteur MP3, pas de système de navigation par satellite et pas de caméra de recul!

Et comme tout VUS ou multisegment de ces dimensions, le Veracruz arrive avec trois rangées de sièges. S'il est facile d'y accéder, l'habitabilité n'est pas le point fort de ce siège arrière qui sert davantage à dépanner qu'à accueillir des gens pour de longs trajets. Et une fois en place, ce troisième banc ne laisse pas beaucoup d'espace dans le coffre. Par contre, les passagers y sont assis plus haut que les occupants des rangées qui les précèdent.

### 6+6

Plus un véhicule monte en prix, plus les gens s'attendent à ce que les performances soient remarquables. Les ingénieurs d'Ulsan ont donc modifié le moteur V6 3,8 litres de l'Azera afin de l'adapter aux besoins d'un véhicule multisegment. Sa puissance est de 260 chevaux par rapport aux 263 équidés de la berline, tandis qu'il offre un avantage de 2 lb-pi de couple avec un total de 257 lb-pi de couple. La boîte automatique à six rapports est fabriquée par Aisen, et ses rapports sont bien espacés et conviennent à l'utilisation anticipée. Soulignons au passage que la capacité de remorquage est de 1 588 kg (3 500 lb) ce qui est correct pour la catégorie.

Toujours au chapitre de l'inventaire technique, le rouage intégral est de série, que l'on achète la GLS ou la Limited. Ce système est dérivé de celui du Santa Fe, mais son intervention est plus rapide en raison d'un nombre moins important de capteurs. De fabrication japonaise, ce mécanisme est appelé «Couple sur demande» et intervient pratiquement

**FEU VERT**
Équipement complet, moteur bien adapté, tenue de route saine, finition impeccable, prix compétitif

**FEU ROUGE**
Certains bruits éoliens, siège avant trop plat, faible espace de rangement derrière le 3ᵉ siège, oncurrence prestigieuse, sous-vireuse à la limite

**312**

avant que les roues patinent. Un bouton placé sur le tableau de bord, à gauche du volant, mais assez difficile d'accès, permet de verrouiller le mécanisme afin d'obtenir une répartition 50-50 de la puissance aux roues arrière et avant. Par contre, comme le mentionne le communiqué de presse, ce rouage sert davantage pour affronter différentes conditions d'adhérence sur route que pour aller jouer les aventuriers dans le fin fond des bois.

Sont également de série le système antipatinage couplé à un système de stabilité latérale doté d'un mécanisme antiretournement et les freins ABS. Il est difficile de trouver à redire à propos de la fiche technique.

## OPÉRATION DOUCEUR

Le Veracruz a droit à l'étiquette de voiture de luxe aussi bien en raison de sa fabrication que de son comportement routier. Le moteur est silencieux, doux et sa puissance est relativement linéaire. De bonnes notes également pour la boîte de vitesses dont les rapports se succèdent en douceur. Et même si le système Shiftronic permet de passer les rapports manuellement sans à-coup, rares seront les gens qui utiliseront cette caractéristique, sauf dans certaines occasions bien précises. Et l'assistance de la direction est également bien calibrée, celle-ci est vraiment progressive, et il est donc facile d'enchaîner les virages. Vitesses supérieures à la moyenne ou non, le Veracruz demeure imperturbable, même si les virages se resserrent. Par contre, poussez encore davantage, et un sous-virage fait son apparition. Les pneus de 18 pouces, de série, se plaignent d'un tel traitement en émettant des crissements assez forts. Mais vous devrez vraiment pousser pour en arriver là !

Il est certain que plusieurs concurrents sont dotés d'une personnalité plus marquée, d'une silhouette plus distinctive et leur réputation de qualité est déjà bien établie. Mais force est d'admettre que cette Hyundai est capable de leur faire la vie dure aussi bien par sa qualité d'ensemble que par son équipement plus que complet. Je vous fais grâce de la nomenclature de toutes les caractéristiques de série, surtout sur la version Limited.

Les gens voudront-ils débourser des dizaines de milliers de dollars pour une marque qui était limitée à des modèles économiques il y a moins de cinq ans ? Une chose est certaine, la qualité est au rendez-vous. Reste maintenant la crédibilité, une implication des concessionnaires à fournir un service à la hauteur de la catégorie et l'acceptation du public.

**Denis Duquet**

Photos : Hyundai

## VÉHICULE D'ESSAI

| | |
|---|---|
| Version : | GLS |
| Emp/Lon/Lar/Haut(mm) : | 2 805/4 840/1 945/1 807 |
| Poids : | 2 010 kg |
| Coffre/Réservoir : | 184 à 2 458 litres / 78 litres |
| Nombre de coussins de sécurité : | 6 |
| Suspension avant : | indépendante, jambes de force |
| Suspension arrière : | indépendante, multibras |
| Freins av./arr. : | disque (ABS) |
| Antipatinage/Contrôle de stabilité : | oui / oui |
| Direction : | à crémaillère, assistée |
| Diamètre de braquage : | 11,2 m |
| Pneus av./arr. : | P245/65R17 |
| Capacité de remorquage : | 1 588 kg |

## MOTORISATION À L'ESSAI

Pneus d'origine
**MICHELIN**

| | |
|---|---|
| Moteur : | V6 de 3,8 litres 24s atmosphérique |
| Alésage et course : | 96,0 mm x 87,0 mm |
| Puissance : | 260 ch (194 kW) à 6 500 tr/min |
| Couple : | 257 lb-pi (348 Nm) à 4 500 tr/min |
| Rapport poids/puissance : | 7,73 kg/ch (10,52 kg/kW) |
| Système hybride : | aucun |
| Transmission : | intégrale, automatique 6 rapports |
| Accélération 0-100 km/h : | 8,4 s |
| Reprises 80-120 km/h : | 7,5 s |
| Freinage 100-0 km/h : | 39,5 m |
| Vitesse maximale : | 195 km/h |
| Consommation (100 km) : | ordinaire, 13,9 litres |
| | (données d'essai) |
| Autonomie (approximative) : | 561 km |
| Émissions de CO2 : | n.d. |

## GAMME EN BREF

| | |
|---|---|
| Échelle de prix : | 39 993 $ à 45 995 $ (2007) |
| Catégorie : | utilitaire sport intermédiaire |
| Historique du modèle : | 1ière génération |
| Garanties : | 5 ans/100 000 km, 5 ans/100 000 km |
| Assemblage : | Ulsan, Corée du Sud |
| Autre(s) moteur(s) : | aucun |
| Autre(s) rouage(s) : | aucun |
| Autre(s) transmission(s) : | aucune |

## DANS LA MÊME CATÉGORIE

Chrysler Pacifica - Ford Taurus X - GMC Acadia - Mazda CX-9 - Mitsubishi Endeavor - Nissan Murano - Saturn Outlook - Subaru Tribeca - Toyota Highlander

## DU NOUVEAU EN 2008

Nouveau modèle

## NOS IMPRESSIONS

| | |
|---|---|
| Agrément de conduite : | 🚗 🚗 🚗 🚗 |
| Fiabilité : | Nouveau modèle |
| Sécurité : | 🚗 🚗 🚗 🚗 ½ |
| Qualités hivernales : | 🚗 🚗 🚗 🚗 |
| Espace intérieur : | 🚗 🚗 🚗 🚗 ½ |
| Confort : | 🚗 🚗 🚗 🚗 ½ |

## LE CHOIX DE L'ÉQUIPE

GLS

**313**

# L'ART DE BIEN VIEILLIR

Il y a de ces véhicules qui semblent vieillir moins bien que d'autres, parfois même quelques années après leur introduction dans certains cas. Dans le cas du Infiniti FX, malgré les nombreuses années qui se sont écoulées depuis son introduction, en 2003, et une légère refonte en 2006, il demeure toujours attrayant et au goût du jour. Le secret de sa longévité tient principalement à ses lignes audacieuses qui en font un VUS unique, mariant à merveille les termes sport et utilitaire. En fait, le FX s'oriente fortement du coté de la sportivité, là ou des véhicule tels le BMW X5, le Porsche Cayenne et l'Audi Q7 de disputent le titre du plus sportif des VUS.

**M**ême si le FX ne court pas les rues, on doit tout de même lui reconnaître plusieurs éléments intéressants, notamment son niveau d'équipement élevé, ainsi que son prix compétitif par rapport à ses rivaux, qui curieusement sont en grande majorité germaniques. Voilà un des beaux succès japonais en matière de sportivité pure, un des rares éléments dans lequel les Japonais n'ont toujours pas réussi à exceller.

## SPORTIF OU VÉRITABLE BÊTE ?

Cette année, le FX nous revient sans véritable transformation. L'appellation des deux versions proposées découle de leurs motorisations respectives. Le FX35 abrite donc un moteur V6 de 3,5 litres développant 275 chevaux à 6 200 tr/min pour un couple de 268 lb-pied à 4 800 tr/min. Ce n'est pas piqué des vers pour un modèle de base. De son côté, le FX45 est animé par un moteur V8 de 4,5 litres déployant une puissance de 320 chevaux pour un couple de 335 lb-pied. De quoi transformer le FX en véritable bolide, capable de laisser loin dernière plusieurs berlines sport ! Les deux motorisations reçoivent de série une boîte automatique à cinq rapports incluant un mode manuel. Sans être un modèle de technologie, elle s'acquitte bien de sa tâche et n'essuie pas de véritable reproche.

Contrairement à nos voisins du Sud qui peuvent commander le FX35 en version à propulsion, ici, les deux modèles proposés disposent d'un rouage intégral offert de série. Baptisé ATTESA, le rouage intégral du FX favorise principalement les performances, plutôt que les capacités hors route du véhicule. Il faut bien l'avouer, le FX est tout sauf un VUS destiné à gravir les montagnes. Dirigeant surtout la motricité aux roues arrière en condition normale, le système ATTESA pourra faire varier le couple disponible à chaque roue selon l'adhérence.

## UN ROADSTER À QUATRE PATTES

Le charme du FX tient principalement dans son style hors du commun qui tranche radicalement de ce que l'on retrouve sur le marché. Décrire le FX est assez simple. On dirait un roadster, haut sur pattes. Son style élancé et massif est dû principalement à son long capot, ainsi qu'à une ceinture de caisse élevée et une ligne de toit basse. Dans le cas du FX45, cet effet est rehaussé par des jantes de 20 pouces chromées qui attirent indéniablement les regards et qui nous font aussi songer aux coûts associés à de telles montures… Ajoutez des porte-à-faux réduits et vous obtenez un véritable *muscle car*, version VUS !

**FEU VERT**
Style sportif, bon duo de moteurs, comportement dynamique, bon niveau d'équipement, prix compétitif

**FEU ROUGE**
Habitacle étriqué, visibilité arrière restreinte, consommation élevée, options dispendieuses

Capable d'accueillir cinq passagers, l'habitacle du FX s'apparente beaucoup plus à celui d'une berline sport qu'a celui d'un VUS classique. Cependant, certaines personnes pourront se sentir quelque peu à l'étroit, l'habitacle écopant de certains désavantages découlant du style du véhicule. Le tout débute par des zones vitrées restreintes, un toit bas ainsi qu'un tableau nous enrobant complètement. Résultat : un habitacle plus étriqué que la moyenne des VUS du genre, ce qui pourrait déplaire à certains. De plus, la visibilité arrière en souffre aussi.

Du reste, l'habitacle transmet bien l'impression de richesse et de qualité à laquelle on s'attend d'un tel véhicule. On craque pour la sellerie de cuir et les nombreuses garnitures en aluminium brossé présentes sur le tableau de bord. Belle nouveauté pour 2008, les audiophiles seront séduits par la chaîne Bose de 300 watts qui comprend également 11 haut-parleurs, maintenant de série dans les deux versions. Trois passagers pourront s'asseoir à l'arrière, mais la ligne du toit plongeante limite quelque peu les dégagements à la tête. Cet élément gruge aussi l'espace de chargement qui demeure petit par rapport à certains rivaux.

### ADN D'UNE BERLINE SPORT

Puisant son ADN chez des véhicules tels la Nissan 350Z et l'Infinit G35, le FX procure un réel plaisir de conduite, surtout lorsqu'équipé du moteur huit cylindres. Cette version s'avère certes moins économique en carburant, mais il faut avouer que ses 320 chevaux lui fournissent des performances de haut niveau, le tout accompagné d'une riche sonorité de la part du moteur. Le FX nous donne un bon sentiment de contrôle, notamment en raison de sa direction précise et de son volant offrant une bonne prise en main. Une suspension favorisant un peu plus les performances que le confort sur route lui permet d'enfiler aisément les virages, le tout bien appuyé par des pneus larges à profil bas.

Le FX s'inscrit dans la lignée des VUS axés sur les performances et sur le plaisir de conduite. On l'apprécie pour son style hors du commun, ainsi que pour son prix compétitif par rapport à ses principaux rivaux. En fait, on croirait beaucoup plus être au volant d'une berline sport que d'un VUS.

**Sylvain Raymond**

Photos : Infiniti

## VÉHICULE D'ESSAI

| | |
|---|---|
| Version : | FX45 |
| Emp/Lon/Lar/Haut (mm) : | 2 850/4 803/1 925/1 674 |
| Poids : | 1 957 kg |
| Coffre/Réservoir : | 776 à 1 710 litres / 90 litres |
| Nombre de coussins de sécurité : | 6 |
| Suspension avant : | indépendante, jambes de force |
| Suspension arrière : | indépendante, multibras |
| Freins av./arr. : | disque (ABS) |
| Antipatinage/Contrôle de stabilité : | oui / oui |
| Direction : | à crémaillère, assistance variable |
| Diamètre de braquage : | 11,8 m |
| Pneus av./arr. : | P265/50R20 |
| Capacité de remorquage : | 1 587 kg |

## MOTORISATION À L'ESSAI

| | |
|---|---|
| Moteur : | V8 de 4,5 litres 32s atmosphérique |
| Alésage et course : | 93,0 mm x 82,7 mm |
| Puissance : | 320 ch (239 kW) à 6 000 tr/min |
| Couple : | 335 lb-pi (454 Nm) à 4 000 tr/min |
| Rapport poids/puissance : | 6,12 kg/ch (8,29 kg/kW) |
| Système hybride : | aucun |
| Transmission : | intégrale, auto. mode man. 5 rapports |
| Accélération 0-100 km/h : | 7,1 s |
| Reprises 80-120 km/h : | 5,5 s |
| Freinage 100-0 km/h : | 41,0 m |
| Vitesse maximale : | 220 km/h |
| Consommation (100 km) : | super, 16,4 litres |
| Autonomie (approximative) : | 549 km |
| Émissions de CO2 : | 6 864 kg/an |

## GAMME EN BREF

| | |
|---|---|
| Échelle de prix : | 54 900 $ à 62 800 $ (2007) |
| Catégorie : | multisegment |
| Historique du modèle : | 1ière génération |
| Garanties : | 4 ans/100 000 km, 6 ans/110 000 km |
| Assemblage : | Tochigi, Japon |
| Autre(s) moteur(s) : | V6 3,5l 275ch/268lb-pi (14,4 l/100km) FX35 |
| Autre(s) rouage(s) : | aucun |
| Autre(s) transmission(s) : | aucune |

## DANS LA MÊME CATÉGORIE

Audi Q7 - BMW X5 - Cadillac SRX - Mercedes-Benz Classe R - Porsche Cayenne - Volvo XC90

## DU NOUVEAU EN 2008

Pas de changement majeur

## NOS IMPRESSIONS

| | |
|---|---|
| Agrément de conduite : | 🚗🚗🚗🚗🚗 |
| Fiabilité : | 🚗🚗🚗🚗 |
| Sécurité : | 🚗🚗🚗🚗 |
| Qualités hivernales : | 🚗🚗🚗🚗½ |
| Espace intérieur : | 🚗🚗🚗½ |
| Confort : | 🚗🚗🚗🚗 |

## LE CHOIX DE L'ÉQUIPE

FX35

**315**

Infiniti G37 coupé

# L'ENVIE EST UN PÉCHÉ... PARDONNÉ !

Il est difficile de ne pas associer la nouvelle Infiniti G et l'envie. Qu'il s'agisse du visage des gens qui voudraient bien pouvoir un jour se payer une Infiniti, de l'anticipation de l'expérience de conduite ou de la façon dont les autres manufacturiers regardent les Infiniti G35, G35x et G37, l'envie prend tout son sens. Et dans ce cas-ci, elle est parfaitement justifiée. Non pas que les Infiniti G soient des voitures parfaites, loin de là, mais la marque de luxe de Nissan a réussi à créer des voitures à la hauteur de ses ambitions.

Lorsque l'Infiniti G35 est débarquée en sol américain en 2003, il était évident que la Série 3 de BMW était dans la mire. Même si la G35 s'avérait l'une des voitures japonaises les plus (sinon la plus) agréables à conduire, il lui manquait encore ce petit quelque chose que seuls les Allemands semblaient avoir trouvé : un amalgame parfait de raffinement, de solidité et de performances. Et voilà que cette année, Infiniti présente une G35 améliorée. BMW n'a qu'à bien se tenir !

Même si la G35 a été présentée l'automne dernier, la date de tombée du *Guide* ne nous avait pas permis de faire son essai. Depuis, nous avons eu amplement le temps de faire connaissance avec les deux modèles, soit la G35 et la G35x, une version avec rouage intégral. Et depuis à peine les concessionnaires offrent le modèle coupé, nommé G37. Une partie de la désignation des modèles Infiniti réfère à la cylindrée du moteur. On parle donc d'un 3,5 litres pour la G35 et d'un 3,7 litres pour la G37.

**SORTEZ LE CASH !**
Pour chacune des versions de la G35, Infiniti

propose les livrées Premium, Sport et Sport M (pour la transmission manuelle). Seule la G35x, à cause de son rouage intégral, ne peut recevoir cette transmission. Les modèles de base ne sont pas si de base que ça. Par exemple, une G35 «toute nue» reçoit quand même des sièges en cuir, le toit ouvrant, un système audio de haute fidélité et j'en passe. Comme sur toute marque de prestige qui se respecte (et on sait qu'elles se respectent beaucoup!), on ne retrouve pas beaucoup d'options mais plutôt des groupes d'options facturés à prix élevés. Par exemple, pour avoir droit au système de navigation, il faut cocher l'ensemble Navigation à 2 950 $. Sauf que pour obtenir cet ensemble, on doit au préalable avoir choisi le groupe Tourisme à 4 200 $...

Au chapitre de l'équipement, la G37 Coupé, de par son statut plus exclusif, en offre un peu plus que la berline… à un prix toutefois plus élevé! Le modèle de base comprend entre autres, le système audio Bose Studio on Wheels qui vous caressera le marteau et l'enclume presque aussi bien que le Mark Levinson d'une Lexus. Énumérer tout l'équipement standard suffirait à remplir douze pages de ce *Guide*! Les modèles G37 Sport ont droit à des accessoires et à des composantes mécaniques qui accentuent leur côté sportif.

### DEUX V6

Si Infiniti a choisi de nommer sa voiture d'après la cylindrée du moteur, c'est que ce dernier élément est sans doute celui qui a primé dans le cahier de charges. La G35 est donc propulsée par un V6 3,5 litres de 306 chevaux et 268 livres-pied de couple. Pour diriger la puissance aux roues arrière, Infiniti fait appel à une automatique à cinq rapports avec passage manuel des rapports ou à une manuelle à six rapports. Chez Infiniti, la transmission manuelle est considérée comme un modèle à part. La G35 M6 (manuelle six rapports) a droit, vous l'aurez deviné, à une transmission manuelle à six rapports! La première génération de la G35 devait composer avec deux puissances différentes selon que la voiture possédait une automatique ou une manuelle mais ce n'est plus le cas. Un peu plus haut dans la hiérarchie, on retrouve l'Infiniti G35x qui

propose un rouage intégral. Dans ce cas, seule l'automatique est disponible. Vient enfin la G37 avec son V6 de 3,7 litres. Il s'agit en fait du 3,5 litres amené à 3,7. Ce moteur dispose de 330 chevaux et 270 livres-pied de couple et est relié aux roues arrière par une manuelle à six rapports ou une automatique à cinq rapports. En passant, ces deux moteurs ne fonctionnent qu'au super...

Le 3,7 donne quasiment des ailes à la G37. Sa sonorité est plus agréable à écouter que celle de la génération précédente et, surtout, il ne semble jamais épuiser sa réserve de chevaux. Ce moteur profite de la technologie V VEL, soit Variable Valve Event and Lift, une nouvelle interprétation du calage variable des soupapes de la part d'Infiniti. L'action de ce

# INFINITI G35/G35X/G37 COUPE

système nous est apparue moins brusque que sur certaines Acura (CSX Type S centre autres) équipées du VTEC. La transmission automatique qu'on peut lui accoler possède un mode manuel qui assure des performances plus relevées. Lorsque le conducteur pousse le levier sur le mode manuel, la transmission se retrouve alors sur le mode SD (Sport Drive). On sent aisément que le passage des rapports s'avère plus viril et que le frein moteur est plus présent. Il est aussi possible de changer les rapports manuellement, à l'aide du levier ou des palettes situées derrière le volant. Quant à la manuelle à six rapports, la course de son levier est courte et son action donne une impression «mécanique» pas désagréable du tout. De plus, le pédalier permet une utilisation facile de la technique «pointe-talon».

Même si nous venons d'encenser le moteur 3,7 litres, il ne faudrait pas négliger le 3,5 pour autant. Souple et performant, lui non plus n'est pas avare de ses chevaux même s'il ne bénéficie pas du V VEL. Quant à sa sonorité, elle se montre aussi intéressante que celle du 3,5 litres et on se surprend toujours à enfoncer l'accélérateur pour écouter les chevaux galoper. Tout comme la G37, les transmissions automatiques ou manuelles qui l'accompagnent fonctionnent avec rapidité, mais on souhaiterait que le passage des rapports en mode manuel sur l'automatique soit à l'occasion un peu moins brusque. Dans la G35x, le rouage intégral assure à la voiture une tenue de route relevée d'un cran sur surfaces sèches ainsi qu'une meilleure traction durant la blanche saison. Il n'est pas dit qu'une G35 propulsion se débrouillerait bien dans trois pouces de neige, mais je n'aurais aucune crainte au volant d'une G35x équipée de bons pneus à neige.

**FEU VERT**
Plaisir garanti, châssis super rigide, G37 Coupé très performant, équipement de base relevé, transmissions agréables à utiliser

**FEU ROUGE**
Prix de certains groupes d'options frauduleux, places arrière coupées (coupé), coffre étriqué (coupé), suspensions quelquefois trop sèches

Si le moteur et les transmissions adoptent un comportement professionnel, on peut en dire autant du châssis. Encore une fois, l'exécution est quasiment parfaite. Celui de la G35 ne montre aucune flexion et, aidé de suspensions indépendantes certes un peu dures, il assure une très bonne tenue de route. En conduite sportive, on ne sent presque pas de roulis et le contrôle de stabilité latérale (VDC) laisse la voiture aller un peu à la dérive avant de tempérer ses ardeurs. Il est toutefois possible de débrancher ce système. La direction s'avère un peu lourde à basse vitesse mais se fait pardonner en offrant un très bon *feedback*. De plus, les sièges retiennent bien en virage, une qualité plus rare qu'on ne le croit dans l'industrie automobile. Les freins impressionnent par leur force et la douceur de leur ABS. Les impressions de conduite de la G37 sont comparables à celles de la G35 tout en étant une coche plus relevées, les deux véhicules partageant le même châssis. Aussi, il y a la possibilité d'équiper la G37 Sport du 4WAS (4 Wheel Active Steer). Il s'agit d'un mécanisme qui permet aux roues arrière de pivoter de un degré dans la même direction que les pneus avant. Ce système n'aide pas à se stationner mais il assure encore une meilleure tenue de route. Oui, la G35, la G35x et la G37 sont des machines à plaisir! Ce n'est pas un péché tant qu'on ne se fait pas prendre…

## BIEN PLUS QUE DEUX PORTES EN MOINS

Lorsqu'est venu le temps pour Infiniti de créer une version coupé, les designers auraient très bien pu enlever deux portes à la G35 et le tour aurait été joué. Mais oh que non! Tout d'abord, les dimensions ne sont pas les mêmes. La G37 se montre plus courte, moins haute et plus large que la G35. Elle semble donc plus trapue et mieux rivée au sol que la G35. Outre les poignées de porte, les deux voitures ne partagent aucune pièce de carrosserie. Par exemple, le capot de la berline s'avère beaucoup moins courbé que celui du coupé. La G35 possède une grille de calandre unique en son genre. Les barres horizontales qui la forment imitent les lames des sabres des samouraïs. C'est du grand art (qui coûtera une fortune à réparer en cas de collision) mais, malheureusement, il ne se retrouve pas sur la G37. On a simplement imité l'imitation et ce n'est pas très convaincant.

Les G35, G35x et G37 s'avèrent des réussites qui, pour une rare fois, feront sérieusement trembler les BMW Série 3. Ces dernières jouissent encore d'une réputation de sportivité inégalée, mais Infiniti propose quasiment autant de plaisir, plus de puissance et, sans aucun doute, une meilleure fiabilité. La lutte s'annonce passionnante, BMW n'ayant pas l'habitude de se laisser marcher sur les… pneus!

**Alain Morin**

Infiniti G35

Photos : Alain Morin

## VÉHICULE D'ESSAI

| | |
|---|---|
| Version : | G35x berline |
| Emp/Lon/Lar/Haut(mm) : | 2 850/4 750/1 773/1 453 |
| Poids : | 1 680 kg |
| Coffre/Réservoir : | 382 litres / 76 litres |
| Nombre de coussins de sécurité : | 6 |
| Suspension avant : | indépendante, bras inégaux |
| Suspension arrière : | indépendante, multibras |
| Freins av./arr. : | disque (ABS) |
| Antipatinage/Contrôle de stabilité : | oui / oui |
| Direction : | à crémaillère, assistance variable |
| Diamètre de braquage : | 10,8 m |
| Pneus av./arr. : | P225/55R17 |
| Capacité de remorquage : | n.d. |

Pneus d'origine MICHELIN

## MOTORISATION À L'ESSAI

| | |
|---|---|
| Moteur : | V6 de 3,5 litres 24s atmosphérique |
| Alésage et course : | 89,0 mm x 93,0 mm |
| Puissance : | 306 ch (228 kW) à 6 800 tr/min |
| Couple : | 268 lb-pi (363 Nm) à 4 800 tr/min |
| Rapport poids/puissance : | 5,49 kg/ch (7,47 kg/kW) |
| Système hybride : | aucun |
| Transmission : | intégrale, auto. mode man. 5 rapports |
| Accélération 0-100 km/h : | 6,2 s |
| Reprises 80-120 km/h : | 4,6 s |
| Freinage 100-0 km/h : | 39,0 m |
| Vitesse maximale : | 220 km/h (estimé) |
| Consommation (100 km) : | super, 12,2 litres |
| Autonomie (approximative) : | 623 km |
| Émissions de CO2 : | 4 944 kg/an |

## GAMME EN BREF

| | |
|---|---|
| Échelle de prix : | 39 990 $ à 55 350 $ |
| Catégorie : | berline sport |
| Historique du modèle : | 2ième génération |
| Garanties : | 4 ans/100 000 km, 6 ans/110 000 km |
| Assemblage : | Tochigi, Japon |
| Autre(s) moteur(s) : | V6 3,7l 330ch/270lb-pi (11,9 l/100km) G37 Coupé |
| Autre(s) rouage(s) : | propulsion |
| Autre(s) transmission(s) : | manuelle 6 rapports |

## DANS LA MÊME CATÉGORIE

Audi A4 - BMW Série 3 - Cadillac CTS - Chrysler 300 - Lexus IS - Saab 9-3 - Subaru Impreza WRX

## DU NOUVEAU EN 2008

Modèle G37 Coupé

## NOS IMPRESSIONS

| | |
|---|---|
| Agrément de conduite : | 🚗 🚗 🚗 🚗 ½ |
| Fiabilité : | Nouveau modèle |
| Sécurité : | 🚗 🚗 🚗 🚗 |
| Qualités hivernales : | 🚗 🚗 🚗 🚗 |
| Espace intérieur : | 🚗 🚗 🚗 ½ |
| Confort : | 🚗 🚗 🚗 🚗 |

## LE CHOIX DE L'ÉQUIPE

G35x

# LA MEILLEURE INFINITI

Force est d'admettre que la division Infiniti de Nissan a connu une carrière en dents de scie en ce qui concerne ses berlines. Pendant des années, on a tenté de nous convaincre que la Q45 était ce qui se faisait de mieux sur la planète. Malheureusement pour Infiniti, les automobilistes n'ont pas été convaincus par les arguments du constructeur. L'arrivée des nouvelles M435 et M45, il y une couple d'années, a scellé le sort de la Q45 qui s'est éclipsée en faveur de cette berline qui a tous les atouts pour affronter une concurrence affûtée.

Toutefois, si d'emblée on avait un reproche à faire à celle-ci, c'est de ne pas posséder une silhouette qui la distingue au premier coup d'œil. À mon avis, elle ressemble de trop près à la G35. Mais il aurait été difficile de ne pas s'en inspirer compte tenu de la pluie d'éloges qui a été adressée à propos de la G35 pour son élégance et ses lignes réussies. Un peu plus d'imagination à ce chapitre n'aurait pas fait de tort pour la M. Du moins, pour convaincre les gens d'effectuer un essai routier de cette berline. Par la suite, ses nombreuses qualités auraient été un plaidoyer éloquent en sa faveur. En passant, il se peut que ce modèle soit obligé de changer sa nomenclature suite à un procès intenté par BMW qui clame que l'utilisation de la lettre M lui appartient en raison de la commercialisation des M3, M5 et autres. Infiniti a porté le jugement en appel après le jugement initial en faveur du constructeur bavarois.

### JOYEUX TRIO

L'acheteur intéressé par la berline M a le choix entre deux moteurs et deux rouages d'entraînement. Bien entendu, la M35 est propulsée par l'incontournable moteur V6 de 3,5 litres qui est utilisé à toutes les sauces par Nissan. Je suis persuadé que certains acheteurs auraient souhaité que ce moteur soit exclusif à Infiniti au lieu de se retrouver également

sous une forme ou une autre sur les Nissan Maxima ou Altima, mais il s'agit de l'un des meilleurs sinon le meilleur moteur V6 de l'industrie. Donnant au moins un argument en sa faveur dans le clan Infiniti puisque les G35 et M45 sont des propulsions, ce V6 est donc sérieusement modifié pour être monté longitudinalement. Il est associé à une boîte automatique à cinq rapports dont le fonctionnement est impeccable. Et son mode manumatique est rapide et précis. La M35x est dotée de la transmission intégrale ATESSA qui fait un travail honnête, mais qui est tout de même en retrait derrière les systèmes proposés par Audi et Acura, entre autres.

Les conducteurs plus sportifs choisiront d'emblée le moteur V8 de 4,5 litres d'une puissance de 325 chevaux toujours associé à une boîte manumatique à cinq rapports. Il permet des temps d'accélération plus que rapides alors que le 0-100 km/h est franchi en six secondes et des poussières. Par contre, son poids plus élevé tend à faire sentir sa présence dans les virages serrés.

### ÉLECTRONIQUE À GOGO

Il suffit de s'assoir derrière le volant pour conclure que les commandes et les contrôles électroniques jouent un rôle primordial dans la conduite

**FEU VERT**
Plate-forme sophistiquée, moteur V8, tenue de route saine, versions M35X/M45X, finition supérieure

**FEU ROUGE**
Version Sport trop chère, essence Super, détecteur de franchissement des lignes, applique en bois bidon

| VÉHICULE D'ESSAI | |
|---|---|
| Version : | M35x |
| Emp/Lon/Lar/Haut(mm) : | 2 900/4 900/1 798/1 509 |
| Poids : | 1 764 kg |
| Coffre/Réservoir : | 422 litres / 76 litres |
| Nombre de coussins de sécurité : | 6 |
| Suspension avant : | indépendante, bras inégaux |
| Suspension arrière : | indépendante, multibras |
| Freins av./arr. : | disque (ABS) |
| Antipatinage/Contrôle de stabilité : | oui / oui |
| Direction : | à crémaillère, assistée |
| Diamètre de braquage : | 11,2 m |
| Pneus av./arr. : | P245/45R18 |
| Capacité de remorquage : | 454 kg |

**MOTORISATION À L'ESSAI** — Pneus d'origine MICHELIN

| | |
|---|---|
| Moteur : | V6 de 3,5 litres 24s atmosphérique |
| Alésage et course : | 95,5 mm x 81,4 mm |
| Puissance : | 275 ch (205 kW) à 6 200 tr/min |
| Couple : | 268 lb-pi (363 Nm) à 4 800 tr/min |
| Rapport poids/puissance : | 6,41 kg/ch (8,73 kg/kW) |
| Système hybride : | aucun |
| Transmission : | propulsion, auto. mode man. 5 rapports |
| Accélération 0-100 km/h : | 8,1 s |
| Reprises 80-120 km/h : | 7,1 s |
| Freinage 100-0 km/h : | 39,4 m |
| Vitesse maximale : | 250 km/h |
| Consommation (100 km) : | super, 13,2 litres |
| Autonomie (approximative) : | 576 km |
| Émissions de CO2 : | 5 328 kg/an |

**GAMME EN BREF**

| | |
|---|---|
| Échelle de prix : | 56 400 $ à 73 400 $ |
| Catégorie : | berline de luxe |
| Historique du modèle : | 2ième génération |
| Garanties : | 4 ans/100 000 km, 6 ans/110 000 km |
| Assemblage : | Tochigi, Japon |
| Autre(s) moteur(s) : | V8 4,5l 325ch/336lb-pi (13,5 l/100km) M45 |
| Autre(s) rouage(s) : | intégrale |
| Autre(s) transmission(s) : | aucune |

**DANS LA MÊME CATÉGORIE**

Audi A6 - BMW Série 5 - Buick Lucerne - Cadillac STS - Jaguar X-Type - Lexus GS 350/430 - Volvo S80

**DU NOUVEAU EN 2008**

M45x, groupe sport, nouveau système de navigation

**NOS IMPRESSIONS**

| | |
|---|---|
| Agrément de conduite : | 🚗 🚗 🚗 🚗 |
| Fiabilité : | 🚗 🚗 🚗 🚗 ½ |
| Sécurité : | 🚗 🚗 🚗 🚗 ½ |
| Qualités hivernales : | 🚗 🚗 🚗 🚗 |
| Espace intérieur : | 🚗 🚗 🚗 🚗 |
| Confort : | 🚗 🚗 🚗 🚗 |

**LE CHOIX DE L'ÉQUIPE**

M35x

---

de cette voiture ou tout au moins dans la gestion de ses principales fonctions. Curieusement, les rares critiques que mérite cette berline portent sur ses systèmes électroniques de contrôle de traction, de stabilité latérale et même de traction intégrale.

Revenons dans l'habitacle alors que nous sommes confrontés à un volant dont le pourtour du moyeu est garni de commandes audio et du régulateur de vitesse, tandis que les cadrans indicateurs électroluminescents sont bien à l'abri dans une nacelle en demi-lune. Au centre de la planche de bord, un écran LCD sert de centre de contrôle, affiche la carte de navigation ou d'écran pour la caméra de recul. Le tout commandé par un gros bouton ceinturé de plusieurs autres en relief servant à choisir les fonctions principales. Il faut ajouter que ce système est relativement simple à déchiffrer. Un détail en passant, les appliques en bois ressemblent davantage à du MacTac qu'à une authentique substance ligneuse...

Nous avons essayé une M35x qui s'est avérée intéressante sur plusieurs points. Il faut tout d'abord souligner l'équilibre général de cette voiture qui se révèle neutre en virage tandis que le rouage intégral intervient assez discrètement. Par contre, j'ai immédiatement désactivé l'indicateur de franchissement de lignes blanches, trop intrusif en conduite urbaine. Ce gadget est beaucoup plus utile sur les autoroutes. Autre irritant, la suspension arrière réagit parfois brutalement au passage de certains trous et bosses.

La M45 est plus rapide, mieux équipée et plus spectaculaire, mais la M45 Sport est à ne pas ignorer en raison de ses attributs esthétiques exclusifs et de ses roues de 19 pouces. C'est une suspension plus ferme qui permet de tirer avantage de toute cette cavalerie. Amenez une M45 Sport sur une route parsemée de courbes et vous aurez du plaisir. Du moins, si vous êtes friand de conduite sportive. Malheureusement, une différence de prix élevée entre ces deux voitures tend à refroidir les ardeurs ... Et en 2008, la version M45x à traction intégrale est disponible.

Bien assemblées, performantes, agréables à conduire, les berlines de la famille M ne sont pas des intruses dans la catégorie des intermédiaires de luxe.

**Denis Duquet**

Photos : Denis Duquet

# ⚛ INFINITI QX56 / NISSAN ARMADA

# VISIONS DE GRANDEUR

Lorsque Carlos Goshn est devenu le grand patron de Nissan, il a décidé de développer des VUS de grande taille afin de permettre à ce constructeur de profiter de la manne que représentait cette catégorie à l'époque. S'ils sont devenus les mal-aimés du marché, il faut se souvenir qu'il n'y a pas si longtemps, ces gros utilitaires sport étaient très demandés et généraient des profits intéressants. Et s'il faut se fier au gabarit du QX56 et de l'Armada, on ne peut que conclure que Monsieur Goshn voyait grand.

**P**our développer ces tout-terrain de façon la plus économique qui soit, les ingénieurs de Nissan ont imité leurs confrères des autres compagnies automobiles : ils ont utilisé le châssis d'une grosse camionnette, dans ce cas ce fut le Nissan Titan. Avec son robuste châssis de type échelle et ses dimensions imposantes, il représentait la plate-forme idéale pour développer un nouveau produit. D'autant plus que cette camionnette venait tout juste d'être commercialisée. Pour améliorer le produit, l'essieu arrière rigide a été remplacé dans les deux cas par une suspension arrière indépendante.

## PRENEZ VOS AISES !

Une chose est certaine, ces deux véhicules, identiques sur le plan des dimensions et de la mécanique, plairont aux plus claustrophobes d'entre vous car une fois à bord, vous avez de l'espace, beaucoup d'espace. En effet, l'habitacle ne vient qu'en une seule taille : XXXXL. Ce qui signifie que les six ou sept occupants ne se sentiront pas à l'étroit bien que la troisième banquette soit réservée à des personnes fluettes. Si vous voulez offrir le maximum de confort à vos passagers, il est plus sage d'opter pour des sièges baquets à la rangée médiane. C'est beaucoup plus confortable.

Dans le but de réaliser des économies d'échelles, le QX56 et l'Armada se partagent pratiquement tout et sont d'ailleurs assemblés à la même usine, à Canton dans le Mississippi. Ce qui signifie que le modèle Infiniti hérite des plastiques bon marché de la Nissan... Et on aura beau vous offrir un équipement de série fort complet et la sellerie en cuir, ces plastiques durs sont une tache au dossier du QX56. Par ailleurs, si l'Infiniti est livré tout garni de série, l'Armada est plus chiche à cet égard. Et le coût des options risque de la pénaliser si vous vous emballez à propos de certaines options qui vous semblent indispensables et qui feront grimper la facture. Si tel est le cas, le QX56 peut s'avérer un meilleur achat.

La silhouette de ce duo est similaire d'un modèle à l'autre à l'exception des feux de route, des grilles de calandre et de quelques détails d'aménagement. Les deux se partagent également un tableau de bord très étroitement dérivé de celui de la camionnette Titan. Sans être moche, c'est plus fonctionnel qu'autre chose. Bien entendu, la version Infiniti remplace le plastique du Nissan par des appliques en bois véritable qui ressemblent à du... plastique !

**FEU VERT**
Moteur puissant, cabine spacieuse, bonne capacité de remorquage, équipement complet, finition améliorée

**FEU ROUGE**
Consommation impressionnante, encombrement garanti, prix élevé, conduite urbaine déconseillée

**322**

## AMI DES PÉTROLIÈRES

Il n'est pas surprenant de constater que le moteur choisi est le même que celui utilisé sur le Titan, soit un imposant moteur V8 de 5,6 litres à doubles arbres à cames en tête et produisant 320 chevaux. Mais le plus impressionnant est son couple de 393 lb-pi. En fait, je dis des faussetés! Le plus impressionnant n'est pas le couple de ce moteur, mais sa consommation qui est de 18 litres aux 100 km officiellement, mais qui dépasse souvent le seuil des 20 litres aux 100 km lorsque chargé ou si on y attelle une remorque. En passant, la capacité de remorquage est de 4 057 kg. À ce chapitre, les moteurs V8 de General Motors sont quasiment exemplaires avec une consommation de carburant qui est au moins inférieure de 20% en moyenne. Et comme si ce n'était pas assez, ce gros moteur de 5,6 litres s'abreuve au super.

Si cela ne vous décourage pas, vous serez quand même heureux d'apprendre que l'un ou l'autre de ces mastodontes se débrouille pas mal sur la grand-route. Le confort est relativement bon tandis que la sensibilité aux vents latéraux est perceptible, mais pas dramatique non plus. Par contre, rouler en ville avec un tel engin suppose que vous n'êtes pas effrayé par la circulation dense, que vous êtes un as du stationnement parallèle et que vous faites confiance à vos rétroviseurs extérieurs qui sont de dimensions très généreuses soit dit en passant. En outre, vous devrez vous habituer à un diamètre de braquage imposant, ce qui demande un certain doigté en ville. Ajoutez les dimensions encombrantes de l'un ou de l'autre véhicule et vous n'avez plus envie de demeurer en ville.

Pendant que vous vous échinez dans la circulation, vos passagers sont confortablement assis et bénéficient d'une habitabilité hors-norme. Toutefois, les enfants auront de la difficulté à monter à bord tant le seuil des portières est élevé. Et si la soute à bagages est littéralement caverneuse, le seuil de chargement est haut et il faut avoir les bras forts pour y placer des objets lourds. C'est probablement la raison du mot sport dans VUS. À ce chapitre, aussi bien l'Armada que le Titan se débrouillent correctement en conduite hors route, mais leurs dimensions sont parfois un handicap.

Bref, le dicton qui veut que plus c'est gros, meilleur c'est ne s'applique pas avec ces deux VUS.

**Denis Duquet**

Photos: Infiniti

## VÉHICULE D'ESSAI

| | |
|---|---|
| Version : | QX56 |
| Emp/Lon/Lar/Haut(mm) : | 3 130/5 255/2 002/1 998 |
| Poids : | 2 608 kg |
| Coffre/Réservoir : | 566 à 2 750 litres / 105 litres |
| Nombre de coussins de sécurité : | 6 |
| Suspension avant : | indépendante, bras inégaux |
| Suspension arrière : | indépendante, bras inégaux |
| Freins av./arr. : | disque (ABS) |
| Antipatinage/Contrôle de stabilité : | oui / oui |
| Direction : | à crémaillère, assistance variable |
| Diamètre de braquage : | 12,5 m |
| Pneus av./arr. : | P265/70R18 |
| Capacité de remorquage : | 4 057 kg |

## MOTORISATION À L'ESSAI

Pneus d'origine MICHELIN

| | |
|---|---|
| Moteur : | V8 de 5,6 litres 32s atmosphérique |
| Alésage et course : | 98,0 mm x 92,0 mm |
| Puissance : | 320 ch (239 kW) à 5 200 tr/min |
| Couple : | 393 lb-pi (533 Nm) à 3 400 tr/min |
| Rapport poids/puissance : | 8,15 kg/ch (11,05 kg/kW) |
| Système hybride : | aucun |
| Transmission : | intégrale, automatique 5 rapports |
| Accélération 0-100 km/h : | 9,1 s |
| Reprises 80-120 km/h : | 8,2 s |
| Freinage 100-0 km/h : | 44,3 m |
| Vitesse maximale : | 180 km/h |
| Consommation (100 km) : | super, 18,0 litres |
| Autonomie (approximative) : | 583 km |
| Émissions de CO2 : | 7 344 kg/an |

## GAMME EN BREF

| | |
|---|---|
| Échelle de prix : | 61 798 $ à 78 500 $ |
| Catégorie : | utilitaire sport grand format |
| Historique du modèle : | 1ère génération |
| Garanties : | 4 ans/100 000 km, 6 ans/110 000 km |
| Assemblage : | Canton, Mississippi, É-U |
| Autre(s) moteur(s) : | V8 5,6l 317ch/385lb-pi (17,8 l/100km) Armada |
| Autre(s) rouage(s) : | aucun |
| Autre(s) transmission(s) : | aucune |

## DANS LA MÊME CATÉGORIE

Cadillac Escalade - Chrysler Aspen - Ford Expedition - Lincoln Navigator

## DU NOUVEAU EN 2008

Avant redessiné, tableau de bord modifié, système de navigation à disque dur, roues de 20 pouces

## NOS IMPRESSIONS

| | |
|---|---|
| Agrément de conduite : | 🚗 🚗 🚗 🚗 |
| Fiabilité : | 🚗 🚗 🚗 🚗 |
| Sécurité : | 🚗 🚗 🚗 🚗 ½ |
| Qualités hivernales : | 🚗 🚗 🚗 🚗 ½ |
| Espace intérieur : | 🚗 🚗 🚗 🚗 🚗 |
| Confort : | 🚗 🚗 🚗 🚗 ½ |

## LE CHOIX DE L'ÉQUIPE

Armada

**323**

# JAGUAR S-TYPE

# UNE NOUVELLE GÉNÉRATION, SVP !

Introduite initialement en 1999, la S-Type se positionne dans la gamme Jaguar entre le modèle d'entré de gamme X-Type, et le modèle phare du constructeur, la XJ. Conçue à l'origine afin de concurrencer des véhicules tels la BMW de Série 5 et la Mercedes de Classe E, ont doit malheureusement constater que la S-Type n'a jamais réussi à s'attirer la faveur des consommateurs, affichant des chiffres de vente de loin inférieurs à ses principales rivales. Peu importe les qualités de cette voiture, il semble que Jaguar a beaucoup à faire pour convaincre les acheteurs de se tourner vers la célèbre marque anglaise.

Pourtant, Jaguar jouit toujours d'une renommée et d'un prestige auprès du public en général, mais le constructeur n'a jamais profité de cet élément depuis son arrivée au sein du Premier Automotive Group, la division qui regroupe les marques de luxe de Ford. Ford étant dans la tourmente depuis quelque temps, voilà qui n'aide pas la cause de Jaguar. On nous annonce cependant une nouvelle génération de S-Type, un peu plus tard en 2008. Selon les quelques informations disponibles, il est permis de croire que cette nouvelle génération redonnera à Jaguar ses lettres de noblesse.

### TROIS MODÈLES POUR AUTANT DE MOTORISATION

Histoire d'offrir une gamme étendue, Jaguar propose la S-Type en trois versions se distinguant principalement par leurs motorisations. On retrouve à la base la S-Type 3.0 qui dispose d'un moteur V6 de 235 chevaux. Voilà une puissance un peu juste si l'on tient compte du poids de la voiture et surtout, si on la compare à ses rivales. Pour plus de puissance, la S-Type 4.2 reçoit de série un moteur huit cylindres de 4,2 litres développant 300 chevaux combiné de série à la boîte automatique ZF, celle qui équipe d'ailleurs toutes les S-Type. Il faut avouer que la S-Type n'est pas la plus moderne du lot, tant au chapitre du style que des composantes mécaniques. Son comportement révèle peu de

sportivité, alors ceux pour qui le plaisir de conduite passe après le confort seront servis.

Histoire de rivaliser avec les puissants modèles AMG de Mercedes-Benz et M de chez BMW, Jaguar a introduit la S-Type R, un bolide de 400 chevaux qui transforme ce salon sur roues en véhicule capable d'en surprendre plusieurs. Son couple généreux apporté par son moteur suralimenté procure à cette édition des accélérations franches et des reprises beaucoup plus énergiques. Quant à son comportement, elle est certes plus rapide, mais pour ce qui est de l'agilité, on repassera. Elle reçoit plus de puissance et des freins de dimensions supérieures, mais la mollesse du châssis, un excès poids et une direction surassistée ne lui donnent pas tout le dynamisme qu'une telle version devrait posséder. Disons que les grandes sportives comparables n'ont rien à craindre de la S-Type R.

### LE STYLE QUI PRIME

Le style de la S-Type est un élément des plus positifs. On peut rapidement tomber sous son charme et il faut avouer que l'intérêt apporté par la nouvelle XK joue actuellement en faveur de Jaguar. On peut adresser quelques critiques au constructeur, mais on ne peut lui reprocher de nous présenter des voitures banales. Sobre et relativement discrète, la

**FEU VERT**
Style agréable, nom prestigieux,
moteurs performants,
boîte automatique ZF emballante

**FEU ROUGE**
Fiabilité incertaine, valeur de revente,
dégagements réduits, moteur six cylindres un peu juste,
comportement peu exaltant

**324**

S-Type R se distingue par quelques éléments trahissant ses aspirations plus sportives, notamment des jantes sport laissant entrevoir des freins Brembo de large dimension. Quant à l'intérieur, on apprécie l'utilisation massive du cuir, ce qui procure à la voiture un habitacle somptueux. Cependant, on déplore le manque d'espace tant pour les passagers avant qu'arrière, surtout aux jambes. La concurrence fait mieux à ce chapitre. L'imposant tableau de bord amplifie également cet effet alors que l'ergonomie de certaines commandes n'est pas au mieux.

Au volant de la S-type, on retrouve une conduite fortement axée sur le confort. Le six cylindres n'est certes pas le choix idéal en raison de sa puissance un peu juste, le huit cylindres est beaucoup plus approprié. Il faut donner le crédit à Jaguar concernant la boîte automatique ZF, l'une des meilleurs sur le marché. Cette dernière répond promptement à vos moindres demandes et elle se veut d'une souplesse exemplaire. Son mode manuel vous permettra aussi de dynamiser la conduite et de pousser les régimes au maximum. Finalement, cette boîte à six rapports n'ingurgite pas trop d'essence. Bref, la voiture demeure performante et on retrouve nombre d'astuces destinées à assurer un meilleur confort.

Il faut l'avouer, peu de consommateurs canadiens ont en tête la S-Type lorsque vient le temps de se procurer une berline intermédiaire de luxe. Son prix est loin d'être compétitif, ses technologies et son style commencent à dater alors que la féroce concurrence innove sans cesse. Il lui reste certes le nom prestigieux et le style classique typique des anglaises, mais il semble que cet élément ne réussit pas à convaincre les acheteurs. Espérons que la nouvelle génération saura raviver l'intérêt de ce modèle, car pour le moment, il y a beaucoup mieux.

**Sylvain Raymond**

## VÉHICULE D'ESSAI

| | |
|---|---|
| Version : | 4.2 |
| Emp/Lon/Lar/Haut (mm) : | 2 909/4 956/2 060/1 422 |
| Poids : | 1 751 kg |
| Coffre/Réservoir : | 400 litres / 70 litres |
| Nombre de coussins de sécurité : | 6 |
| Suspension avant : | indépendante, leviers triangulés |
| Suspension arrière : | indépendante, leviers triangulés |
| Freins av./arr. : | disque (ABS) |
| Antipatinage/Contrôle de stabilité : | oui / oui |
| Direction : | à crémaillère, assistance variable |
| Diamètre de braquage : | 11,5 m |
| Pneus av./arr. : | P235/50R17 |
| Capacité de remorquage : | non recommandé |

## MOTORISATION À L'ESSAI

Pneus d'origine MICHELIN

| | |
|---|---|
| Moteur : | V8 de 4,2 litres 32s atmosphérique |
| Alésage et course : | 86,0 mm x 90,3 mm |
| Puissance : | 300 ch (224 kW) à 6 000 tr/min |
| Couple : | 310 lb-pi (420 Nm) à 4 100 tr/min |
| Rapport poids/puissance : | 5,84 kg/ch (7,92 kg/kW) |
| Système hybride : | aucun |
| Transmission : | propulsion, automatique 6 rapports |
| Accélération 0-100 km/h : | 7,9 s |
| Reprises 80-120 km/h : | 6,0 s |
| Freinage 100-0 km/h : | 42,5 m |
| Vitesse maximale : | 194 km/h |
| Consommation (100 km) : | super, 13,0 litres |
| Autonomie (approximative) : | 538 km |
| Émissions de CO2 : | 5 232 kg/an |

## GAMME EN BREF

| | |
|---|---|
| Échelle de prix : | 62 000 $ à 86 400 $ |
| Catégorie : | berline de luxe |
| Historique du modèle : | 1ère génération |
| Garanties : | 4 ans/80 000 km, 4 ans/80 000 km |
| Assemblage : | Birmingham, Angleterre |
| Autre(s) moteur(s) : | V6 3,0l 235ch/216lb-pi (12,4 l/100km) |
| | V8 4,2l suralimenté 400ch/413lb-pi (13,9 l/100km) R |
| Autre(s) rouage(s) : | aucun |
| Autre(s) transmission(s) : | aucune |

## DANS LA MÊME CATÉGORIE

Acura RL - Audi A6 - BMW Série 5 - Cadillac STS - Infiniti M45 - Lexus GS - Mercedes-Benz Classe E - Volvo S80

## DU NOUVEAU EN 2008
Pas de changement majeur

## NOS IMPRESSIONS

| | |
|---|---|
| Agrément de conduite : | 🚗 🚗 🚗 ½ |
| Fiabilité : | 🚗 🚗 🚗 |
| Sécurité : | 🚗 🚗 🚗 🚗 |
| Qualités hivernales : | 🚗 🚗 🚗 |
| Espace intérieur : | 🚗 🚗 🚗 ½ |
| Confort : | 🚗 🚗 🚗 🚗 |

## LE CHOIX DE L'ÉQUIPE
4.2

Photos : Jaguar

# IL ÉTAIT TEMPS !

Après s'être fait reprocher pendant des années de ne pas avoir modernisé sa XJ, Jaguar est passé aux actes en 2004 en dévoilant une berline dotée d'une plate-forme et d'une mécanique toutes nouvelles. Par contre, même si cela paraît incompréhensible, la silhouette est demeurée quasiment inchangée. Chez Jag, on nous répondait que la différence était plus importante qu'il n'y paraissait, mais il semble que les acheteurs n'étaient pas de cet avis. Il aura fallu attendre quatre ans, mais la XJ fait enfin peau neuve cette année.

**M**ais je vous avertis tout de suite que si les changements sont notables, il ne s'agit pas d'une transformation totale comme tendent à le souligner les communiqués de presse du constructeur. Les modifications réussissent tout juste à mettre la voiture au goût du jour.

### NOUVELLE ALLURE

La partie avant est changée : la grille de calandre est plus haute et le pare-choc avant intègre maintenant en sa partie centrale une prise d'air plus importante. Cela a pour effet de durcir les lignes et de donner un peu plus de mordant à la silhouette. Comme sur certaines voitures-concepts de la marque, les stylistes ont retenu cette prise d'air latérale chromée qui est d'un bel effet. La partie arrière de la caisse est également modernisée avec l'arrivée d'un déflecteur dont la présence est soulignée par une languette de chrome. De nouvelles roues en alliage de 19 pouces complètent l'apparence.

L'habitacle bénéficie également de quelques améliorations. Les sièges avant sont nouveaux et fournissent un meilleur support latéral. Ce qui est bienvenu puisque la version antérieure semblait être simplement dérivée d'un fauteuil de salon. Ils sont chauffants en équipement standard et vous pouvez opter pour leur climatisation par le biais du catalogue des options. Toujours à propos de ces sièges, leur dossier est moulé de façon à octroyer plus d'espace aux occupants de la banquette arrière.

Ces améliorations sont notables, mais le fait demeure que la présentation intérieure et extérieure ne fait pas tellement moderne. C'est beau, l'approche classique dans l'habitacle, les cuirs de luxe et les appliques en bois exotique, mais les concurrents allemands ou japonais offrent les mêmes caractéristiques sans que l'habitacle ressemble à un club pour lords anglais de la fin du 19e siècle. Sur une note plus moderne, Jaguar est tout fier de proposer la radio HD en première mondiale, mais la présentation de ce même tableau de bord n'est plus tellement de notre époque. C'est un peu comme si Mercedes s'entêtait à conserver le même tableau de bord qu'en 1955...

De plus, le dossier arrière ne se replie pas, on pourrait tout au moins installer une trappe à skis afin de rehausser le caractère pratique de cette berline. Mais si les Britanniques ne semblent par skier souvent, ce sont des golfeurs enthousiastes et le coffre à bagages est capable d'engranger plusieurs sacs de golf.

**FEU VERT**
Moteurs puissants, silhouette plus moderne, excellentes routières, habitacle somptueux, version allongée

**FEU ROUGE**
Fiabilité inégale, ergonomie perfectible, faible diffusion, dépréciation corsée, visibilité moyenne

## CONFORT ET PUISSANCE

S'il est facile de reprocher ses airs rétro à la XJ8, celle-ci est carrément moderne sur le plan technique. La plate-forme et la carrosserie sont tout en aluminium. Cela allège la voiture sans toutefois affecter la rigidité de la plate-forme qui est exemplaire. Mais ce «tout alu» ne doit pas être de tout repos à réparer en cas d'accident... La motorisation offerte est également du tout dernier cri : le moteur de base est un V8 de 4,2 litres produisant 300 chevaux. Il est couplé à une boîte automatique ZF à six rapports, là aussi, une composante tout ce qu'il y a de moderne.

Mais, de nos jours, une berline de luxe ne doit pas se contenter de nous proposer confort, insonorisation et douceur de roulement, elle doit aussi satisfaire les amateurs de conduite sportive. Les modèles XJ8R et SuperV8 — le modèle à empattement allongé — sont donc propulsés par une version suralimentée du même moteur V8 de 4,2 litres. Cette fois, la puissance est de 400 chevaux! Bien entendu, ces deux félins musclés sont équipés d'une suspension plus ferme et de pneus à taille basse. Par contre, bien que les deux bouclent le 0-100 km/h en un peu moins de six secondes, elles ne sont pas tout à fait en mesure de surclasser les Mercedes AMG E 6,3 et BMW M5. Enfin, leur direction un peu trop assistée leur fait également perdre des points dans cette comparaison.

Les versions équipées du moteur de 300 chevaux sont des berlines offrant confort, prestige et raffinement tout en assurant une bonne tenue de route. Cette Jag compte beaucoup sur ses systèmes électroniques d'assistance au pilotage, un peu comme les avions de chasse ultramodernes. Il suffit de désactiver le système de stabilité latérale et l'antipatinage pour se retrouver au volant d'une voiture imprévisible en fait de comportement routier. Mieux vaut laisser les systèmes électroniques effectuer leur magie.

Somme toute, la XJ8 s'est améliorée sous toutes ses coutures, mais ses principales concurrentes le font avec plus d'empressement. Les ventes de ce modèle sont plutôt confidentielles, mais il y a beaucoup de personnes qui ignorent cette auto, car elles veulent se distinguer en roulant au volant des meilleures bagnoles, mais pas nécessairement des laissées pour compte... C'est dommage, car la XJ8 mérite un meilleur sort, surtout qu'elle est finalement dotée d'une mécanique moderne.

**Denis Duquet**

### VÉHICULE D'ESSAI

| | |
|---|---|
| Version : | XJ8 |
| Emp/Lon/Lar/Haut(mm) : | 3 033/5 090/2 108/1 448 |
| Poids : | 1 690 kg |
| Coffre/Réservoir : | 464 litres / 85 litres |
| Nombre de coussins de sécurité : | 6 |
| Suspension avant : | indépendante, bras inégaux |
| Suspension arrière : | indépendante, multibras |
| Freins av./arr. : | disque (ABS) |
| Antipatinage/Contrôle de stabilité : | oui / oui |
| Direction : | à crémaillère, assistance variable |
| Diamètre de braquage : | 12,0 m |
| Pneus av./arr. : | P235/50R18 |
| Capacité de remorquage : | 454 kg |

### MOTORISATION À L'ESSAI

Pneus d'origine MICHELIN

| | |
|---|---|
| Moteur : | V8 de 4,2 litres 32s atmosphérique |
| Alésage et course : | 86,1 mm x 90,4 mm |
| Puissance : | 300 ch (224 kW) à 6 000 tr/min |
| Couple : | 310 lb-pi (420 Nm) à 4 100 tr/min |
| Rapport poids/puissance : | 5,63 kg/ch (7,65 kg/kW) |
| Système hybride : | aucun |
| Transmission : | propulsion, automatique 6 rapports |
| Accélération 0-100 km/h : | 6,7 s |
| Reprises 80-120 km/h : | 5,5 s |
| Freinage 100-0 km/h : | 41,7 m |
| Vitesse maximale : | 195 km/h |
| Consommation (100 km) : | super, 12,8 litres |
| Autonomie (approximative) : | 664 km |
| Émissions de CO2 : | 5 136 kg/an |

### GAMME EN BREF

| | |
|---|---|
| Échelle de prix : | 90 000 $ à 126 000 $ |
| Catégorie : | berline de grand luxe |
| Historique du modèle : | 4ième génération |
| Garanties : | 4 ans/80 000 km, 4 ans/80 000 km |
| Assemblage : | Coventry, Angleterre |
| Autre(s) moteur(s) : | V8 4,2l suralimenté 400ch/413lb-pi (13,9 l/100km) |
| Autre(s) rouage(s) : | aucun |
| Autre(s) transmission(s) : | aucune |

### DANS LA MÊME CATÉGORIE

Audi A8 / A8L - BMW Série 7 - Lexus LS 460 - Mercedes-Benz Classe S

### DU NOUVEAU EN 2008

Avant redessiné, tableau de bord remanié, radio HD

### NOS IMPRESSIONS

| | |
|---|---|
| Agrément de conduite : | 🚗 🚗 🚗 🚗 |
| Fiabilité : | 🚗 🚗 🚗 ½ |
| Sécurité : | 🚗 🚗 🚗 🚗 ½ |
| Qualités hivernales : | 🚗 🚗 🚗 ½ |
| Espace intérieur : | 🚗 🚗 🚗 ½ |
| Confort : | 🚗 🚗 🚗 🚗 |

### LE CHOIX DE L'ÉQUIPE

Super V8

Photos : Jaguar

# LA BELLE ORPHELINE?

C'est la fin de 2007 et Jaguar vit encore et toujours dans la tourmente alors que Ford cherche un acheteur pour ses marques de luxe afin d'aider au redressement de son bilan financier. Si les opérations de Volvo et Land Rover ont rapporté des revenus à Ford au cours des récentes années, ce ne fut pas le cas de Jaguar et d'Aston Martin. D'ailleurs, cette dernière a déjà été larguée par le géant américain en cours d'année 2007. Quel sera donc le sort réservé à la marque au célèbre félin?

C'est paradoxal, mais c'est grâce à l'argent de Ford que les installations de Jaguar ont pu être modernisées et que la marque a été en mesure de produire ses plus récents modèles, dont les coupés et cabriolets XK. La marque survivra sans aucun doute au départ du géant américain, mais quelles seront les intentions des nouveaux acheteurs quant à la suite des choses? Voilà qui relève de l'inconnu.

## JAGUARDRIVE

Pourtant, ce ne sont pas les projets qui manquent chez Jaguar qui a entrepris de moderniser ses voitures par le développement de nouveaux éléments comme le système JaguarDrive, vu sur le véhicule-concept C-XF, et dont le début est programmé pour l'année-modèle 2009. Ce nouveau dispositif remplace le traditionnel levier de vitesse avec parcours en «J» par un élément circulaire localisé sur la console centrale et commandant la sélection des rapports de la boîte automatique qui provient du fournisseur ZF. Il s'agit donc d'une nouvelle commande électronique permettant d'interagir avec la boîte qui servirait non seulement les XK mais aussi la prochaine berline de Jaguar.

Les Jaguar ont toujours été reconnues pour l'élégance et le classicisme de leurs lignes et la XK en est un parfait exemple. Elle

ressemble beaucoup aux voitures de marque Aston Martin, ce qui n'est pas un hasard puisque Ian Callum, le designer en chef chez Jaguar, a également œuvré du côté de la marque qui fournit ses voitures à James Bond. Les modèles XKR, coupé ou cabriolet, sont encore plus séduisants avec leurs roues surdimensionnées et leur allure encore plus sportive que les simples modèles XK. Sous l'élégante carrosserie se cache une structure toute en aluminium dont les éléments sont collés et rivetés, la récente XK imitant ainsi la berline XJ.

En plus de pouvoir compter sur un châssis léger mais très rigide, la XK dispose de suspensions actives contrôlées par ordinateur, et de capteurs mesurant le transfert de poids longitudinal et latéral pour ensuite commander la réponse des amortisseurs selon les paramètres évalués par le système. Sur la route, ce système constitue un bon compromis entre confort et tenue de route, et celui des versions XKR est calibré en fonction de la vocation plus sportive de ces modèles. Avec 300 chevaux, le V8 des modèles de base ne livre pas de performances enthousiasmantes, et la plupart des voitures rivales offrent une puissance supérieure. Il faut plutôt choisir la XKR pour compter sur 420 chevaux qui donnent plus de tonus à la voiture et qui vont de pair avec sa conduite plus directe.

 **FEU VERT**
Style classique et élégant, sonorité du moteur, suspensions efficaces, puissance du moteur suralimenté

**FEU ROUGE**
Fiabilité à démontrer, prix élevé, entretien onéreux, antenne électrique rétro, habitacle intimiste

## LA VIE À BORD

Intimiste. C'est le premier mot qui me vient à l'esprit pour caractériser la sensation que l'on ressent dans cette voiture, car la console centrale est vraiment très large, ce qui fait que certaines personnes pourront se retrouver un peu à l'étroit. La qualité d'assemblage est loin d'être égale à celle des Audi ou des Lexus, mais les matériaux sont de qualité et le charme opère par le biais de superbes boiseries et d'appliques en aluminium. L'écran tactile qui permet d'interagir avec la chaîne audio et le système de navigation est très facile d'utilisation, sauf dans les cabriolets où la lecture de l'écran est impossible lorsqu'on roule en plein soleil.

Mais s'il y a un élément qui détonne complètement dans cette voiture qui joue la modernité avec sa structure tout alu, c'est son antenne radio... Les amateurs de rétro apprécieront peut-être le déploiement de l'antenne électrique localisée sur l'aile arrière du côté passager, mais le sifflement qu'elle provoque à haute vitesse devient rapidement perceptible, même dans le cas des coupés, et carrément insupportable au volant des cabriolets. Il me semble qu'il aurait été préférable de consacrer une infime partie du budget à la conception d'une antenne plus moderne, intégrée à la lunette arrière ou encore en forme d'aileron de requin sur le toit, mais il faut croire qu'on a manqué de temps ou de ressources. Il s'agit d'un petit détail, mais c'est un élément qui illustre bien la position actuelle de Jaguar qui est coincée entre deux époques.

Le style est toujours au rendez-vous, le moteur suralimenté performe et la boîte automatique est l'une des meilleures. La Jaguar XK n'est pas dénuée de qualités, c'est juste qu'elle a de la difficulté à faire sa place en raison de la piètre fiabilité des modèles antérieurs dans un créneau où les acheteurs n'exigent rien de moins que l'excellence qui devrait aller de pair avec le prix demandé.

**Gabriel Gélinas**

Photos : Sylvain Raymond

**JAGUAR XK8**

### VÉHICULE D'ESSAI

| | |
|---|---|
| Version : | XK Cabriolet |
| Emp/Lon/Lar/Haut(mm) : | 2 752/4 791/2 070/1 322 |
| Poids : | 1 595 kg |
| Coffre/Réservoir : | 201 à 314 litres / 74 litres |
| Nombre de coussins de sécurité : | 4 |
| Suspension avant : | indépendante, multibras |
| Suspension arrière : | indépendante, multibras |
| Freins av./arr. : | disque (ABS) |
| Antipatinage/Contrôle de stabilité : | oui / oui |
| Direction : | à crémaillère, assistance variable |
| Diamètre de braquage : | 11,0 m |
| Pneus av./arr. : | P245/45ZR18 / P255/45ZR18 |
| Capacité de remorquage : | non recommandé |

### MOTORISATION À L'ESSAI

| | |
|---|---|
| Moteur : | V8 de 4,2 litres 32s atmosphérique |
| Alésage et course : | 86,1 mm x 90,3 mm |
| Puissance : | 300 ch (224 kW) à 6 000 tr/min |
| Couple : | 310 lb-pi (420 Nm) à 4 100 tr/min |
| Rapport poids/puissance : | 5,32 kg/ch (7,22 kg/kW) |
| Système hybride : | aucun |
| Transmission : | propulsion, auto. mode man. 6 rapports |
| Accélération 0-100 km/h : | 6,2 s (constructeur) |
| Reprises 80-120 km/h : | 5,4 s (constructeur) |
| Freinage 100-0 km/h : | 34,6 m (constructeur) |
| Vitesse maximale : | 250 km/h |
| Consommation (100 km) : | super, 13,1 litres |
| Autonomie (approximative) : | 565 km |
| Émissions de CO2 : | 5 184 kg/an |

### GAMME EN BREF

| | |
|---|---|
| Échelle de prix : | 103 000 $ à 127 000 $ (2007) |
| Catégorie : | coupé/cabriolet |
| Historique du modèle : | 1ière génération |
| Garanties : | 4 ans/80 000 km, 4 ans/80 000 km |
| Assemblage : | Coventry, Angleterre |
| Autre(s) moteur(s) : | V8 4,2l 420ch/413lb-pi (14,5 l/100km) XKR |
| Autre(s) rouage(s) : | aucun |
| Autre(s) transmission(s) : | aucune |

### DANS LA MÊME CATÉGORIE

BMW Série 6 - Mercedes-Benz CLK - Porsche 911

### DU NOUVEAU EN 2008

Pas de changement majeur

### NOS IMPRESSIONS

| | |
|---|---|
| Agrément de conduite : | 🚗 🚗 🚗 🚗 ½ |
| Fiabilité : | 🚗 🚗 🚗 |
| Sécurité : | 🚗 🚗 🚗 🚗 |
| Qualités hivernales : | 🚗 🚗 🚗 |
| Espace intérieur : | 🚗 🚗 🚗 |
| Confort : | 🚗 🚗 🚗 🚗 |

### LE CHOIX DE L'ÉQUIPE

XKR

# JAGUAR X-TYPE

# UN FEU DE PAILLE...

Jaguar voulait avec la X-Type apporter un vent de fraîcheur à sa gamme. On souhaitait également rejoindre une clientèle plus nombreuse avec un modèle de plus grande diffusion. L'instant d'un moment, j'ai cru que cette stratégie était celle qui devait être adoptée pour se sortir d'un marasme financier. Mais encore fallait-il que l'exécution du produit soit à la hauteur... Et comme nous pouvons le constater depuis maintenant six ans, ce n'est pas le cas. Résultat, cette belle anglaise est reléguée aux oubliettes...

Il ne faut pas non plus oublier que cette petite, comme sa sœur la S-Type, reprend plusieurs éléments issus des coffres de Ford. Et ça, les acheteurs n'aiment pas l'entendre. C'est encore pire lorsqu'on leur mentionne que la voiture est bâtie à partir d'une plate-forme d'ancienne génération de la Ford Mondeo (notre défunte Contour), ce qui n'a rien de flatteur. Annoncez-leur en plus qu'ils profiteront d'un vieux moteur de Ford Taurus, et vous êtes assuré qu'ils rebrousseront chemin! Bref, ce seul élément pourrait expliquer pourquoi l'ensemble des concessionnaires canadiens de Jaguar ont à peine réussi à écouler l'an dernier, une moyenne de 24 unités mensuellement!

### NICE LOOKING, MY DEAR!

Au-delà des nombreux attributs qui font d'elle une espèce de Ford ingénieusement déguisée, il faut admettre que les ingénieurs ont eu la main heureuse pour retransmettre la saveur très *british* attribuable à toute Jaguar. À preuve, la ligne est encore aujourd'hui superbe et ne cessera probablement jamais de l'être. Quant à la familiale, appelée Sportwagon, un seul regard à sa carrosserie est suffisant pour nous faire automatiquement voyager sur le vieux continent.

L'acheteur qui contemple d'abord les lignes extérieures et qui se laisse séduire verra toutefois son émerveillement diminuer en ouvrant la portière. D'abord, il constatera que la planche de bord n'a rien de très actuelle et que l'ergonomie en souffre énormément. C'est que cette espèce de console centrale en relief occupe beaucoup d'espace, ce qui pénalise par conséquent le dégagement aux jambes et les espaces de rangements. Et puisque cet habitacle n'est déjà pas très spacieux, il ne faut pas se surprendre de s'y sentir un peu à l'étroit.

Derrière le volant, seuls le logo de la marque et les fines boiseries séduisent. Tout le reste déçoit, tant pour la présentation que la qualité générale. Car il faut l'admettre, cet habitacle revêt des plastiques de qualité très décevante. Et ceci est sans compter que l'assemblage n'est nullement à la hauteur d'une voiture portant un écusson aussi prestigieux. Par conséquent, il en résulte un nombre important de craquements et de bruits de caisse.

La déception se poursuit au simple toucher des leviers de clignotants et des essuie-glaces, si lâches et bon marché qu'ils semblent avoir été empruntés à la Chevrolet Aveo! Mais le comble, c'est que les sièges n'offrent aucunement le confort auquel on serait en droit de s'attendre.

 **FEU VERT** Lignes sublimes, version familiale originale, bonne maniabilité, équipement complet

 **FEU ROUGE** Boîte automatique paresseuse, assemblage et finition décevant, planche de bord dépassée, nombreux craquements à bord, forte dépréciation

D'accord, ils sont jolis et recouverts d'un cuir de qualité considérable, mais sont trop peu rembourrés pour être véritablement confortables.

Avec un moteur turbo-diesel offrant l'avantage d'un couple généreux et d'une véritable économie d'essence, sans doute que cette Jaguar serait plus populaire chez nous. Cette motorisation offerte en Europe ne nous est toutefois pas destinée, ce qui nous laisse comme seule option un V6 de 3,0 litres dont les origines sont fort modestes. Il s'agit en fait du 3,0 litres bien connu chez Ford, lequel est toujours utilisé sous le capot de la Fusion. Quelques réglages et modifications permettent d'en extirper une puissance légèrement supérieure, mais il s'agit essentiellement du même moteur. Avouez qu'on est loin du turbo diesel !

### ELLE BOUGE MALGRÉ TOUT

Pas très raffiné, ce V6 demeure tout de même adéquat en ce qui concerne la puissance. Les accélérations sont vives et les reprises ne manquent jamais de mordant. En revanche, la boîte automatique à cinq rapports est un brin paresseuse, ce qui laisse place à un certain délai de réponse au moment d'un dépassement. Pour en diminuer l'effet, il vaut donc mieux conserver lea mode sport de la boîte toujours activé. La consommation d'essence s'en ressentira quelque peu, mais vous n'aurez pas à composer avec ce sentiment qu'un mollusque se charge de faire passer les vitesses.

Vous vous attendiez au comportement dynamique d'une Audi A4 ou d'une BMW de Série 3 ? Eht bien, détrompez-vous ! Cette Jaguar n'est pas une berline sport. Certes, sa traction intégrale et sa direction précise permettent une belle maniabilité, mais la suspension est à ce point souple qu'on a parfois l'impression de conduire une grosse américaine. Immédiatement, le parallèle avec la Lincoln MKZ s'est donc fait dans ma tête, surtout en considérant que ces deux voitures se retrouvent dans la même famille. Mais à tous les égards, sauf peut-être au chapitre du design, la Lincoln l'emporte…

Bref, voilà une voiture mal née et aujourd'hui à bout de souffle. Sans doute que l'excentrique en vous pourra composer avec ses nombreux vices, mais à ce moment, je vous dirigerais davantage vers la familiale, plus rare mais aussi plus pratique. Sachez toutefois que votre désir de rouler dans une voiture ornée de ce chat sauvage pourrait vous coûter passablement cher. Car avec un produit Jaguar, la fiabilité n'est jamais garantie.

**Antoine Joubert**

Photos : Jaguar

## VÉHICULE D'ESSAI

| | |
|---|---|
| Version : | berline 3.0 |
| Emp/Lon/Lar/Haut(mm) : | 2 710/4 669/1 788/1 440 |
| Poids : | 1 627 kg |
| Coffre/Réservoir : | 453 litres / 61 litres |
| Nombre de coussins de sécurité : | 6 |
| Suspension avant : | indépendante, jambes de force |
| Suspension arrière : | indépendante, multibras |
| Freins av./arr. : | disque (ABS) |
| Antipatinage/Contrôle de stabilité : | oui / oui |
| Direction : | à crémaillère, assistance variable |
| Diamètre de braquage : | 10,8 m |
| Pneus av./arr. : | P225/45ZR17 |
| Capacité de remorquage : | 454 kg |

## MOTORISATION À L'ESSAI
*Pneus d'origine* MICHELIN

| | |
|---|---|
| Moteur : | V6 de 3,0 litres 24s atmosphérique |
| Alésage et course : | 89,0 mm x 80,0 mm |
| Puissance : | 227 ch (169 kW) à 6 800 tr/min |
| Couple : | 206 lb-pi (279 Nm) à 3 000 tr/min |
| Rapport poids/puissance : | 7,17 kg/ch (9,74 kg/kW) |
| Système hybride : | aucun |
| Transmission : | intégrale, auto. mode man. 5 rapports |
| Accélération 0-100 km/h : | 7,5 s |
| Reprises 80-120 km/h : | 6,6 s |
| Freinage 100-0 km/h : | 37,0 m |
| Vitesse maximale : | 230 km/h |
| Consommation (100 km) : | super, 13,2 litres |
| Autonomie (approximative) : | 462 km |
| Émissions de CO2 : | 5 424 kg/an |

## GAMME EN BREF

| | |
|---|---|
| Échelle de prix : | 47 000 $ à 51 000 $ (2007) |
| Catégorie : | berline de luxe/familiale |
| Historique du modèle : | 1ière génération |
| Garanties : | 4 ans/80 000 km, 4 ans/80 000 km |
| Assemblage : | Halewood, Angleterre |
| Autre(s) moteur(s) : | aucun |
| Autre(s) rouage(s) : | aucun |
| Autre(s) transmission(s) : | aucune |

### DANS LA MÊME CATÉGORIE
Audi A4 - BMW Série 3 - Cadillac CTS - Infiniti G35 - Lexus IS - Lincoln MKZ - Mercedes-Benz Classe C - Saab 9-3 / Sportcombi - Volvo S60/V70

### DU NOUVEAU EN 2008
Pas de changement majeur

### NOS IMPRESSIONS

| | |
|---|---|
| Agrément de conduite : | 🚗 🚗 🚗½ |
| Fiabilité : | 🚗 🚗 🚗 |
| Sécurité : | 🚗 🚗 🚗 🚗 |
| Qualités hivernales : | 🚗 🚗 🚗 🚗 |
| Espace intérieur : | 🚗 🚗 🚗 |
| Confort : | 🚗 🚗 🚗½ |

### LE CHOIX DE L'ÉQUIPE
Sportwagon

# MARKETING AU CARRÉ

Un sage a déjà dit que si le marché de l'automobile était dicté par la raison, nous serions tous au volant de voitures compactes à moteur turbodiesel se vendant moins de 20 000 $. Le Jeep Commander est pour sa part la preuve que les acheteurs ne sont absolument pas rationnels et que les constructeurs se creusent les méninges pour tenter de répondre à leurs caprices. Lors de son dévoilement en 2006, ce VUS avait pour mission d'offrir sept places et de pouvoir tracter une lourde remorque.

Je sais que les conducteurs québécois s'interrogent toujours face à ces gros VUS sept places qui sont plus ou moins appréciés sur notre marché. Mais faut-il encore le souligner ? Nous sommes une goutte d'eau comparativement au marché américain où cette catégorie jouit encore d'une certaine popularité. Le documentaire d'Al Gore sur le réchauffement climatique et les hausses du prix du pétrole ont provoqué une baisse des ventes, malgré tout, les adeptes sont nombreux au pays de l'Oncle Georges.

### LE DESIGN DU BOULON

Il aurait été plus simple et plus économique de concevoir un Grand Cherokee sept places, mais il semble que les gurus du marketing ont préféré commercialiser un autre Jeep afin de pouvoir marchander à la hausse le caractère « *Premium* » du Commander. Et pour qu'on ne s'aperçoive pas trop que les dimensions de ces deux modèles sont presque identiques, les stylistes ont dessiné une silhouette très équarrie. La hauteur du véhicule, ses flancs plats, sa partie arrière totalement verticale et un museau épaté de même que des pare-chocs protubérants sont autant de trucs du métier qui ont été utilisés pour donner du coffre au Commander. Autre astuce : les garnitures de passages de roue en relief augmentent cette impression d'avoir

affaire à un costaud. Autre détail, les décideurs sont friands de ces faux boulons à prise carrée qui parsèment ces mêmes garnitures de passages de roue et qui ornent aussi le tableau de bord. Je suis prêt à parier qu'un fournisseur a dû leur offrir un bon prix pour ces décorations superflues !

Toujours pour respecter ce thème de bête de travail en habit de gala, le tableau de bord du Commander est doté de buses circulaires en remplacement des rectangles de ventilation que l'on retrouve sur le Grand Cherokee. Par contre, le volant est identique. Mais le Commander possède deux places de plus, ceci afin de répondre à l'engouement d'un certain public pour le genre. Un VUS sept places avec une soute à bagages dérisoire est un non-sens, mais c'est ce que les gens désirent. Le Commander ne déroge pas à cette règle. En effet, la troisième banquette est non seulement difficile d'accès, mais inconfortable pour presque tous les gabarits, à l'exception de jeunes enfants qui seraient assez peu traumatisés par un manque de confort. Donc, le plus irritant est l'absence quasi totale de capacité de chargement une fois cette banquette en place. C'est le comble du ridicule de se retrouver au volant d'un si gros véhicule et avoir juste assez d'espace pour y mettre votre mallette d'ordinateur et une

 **FEU VERT**
Rouage intégral sans égal, choix de moteurs, authentique 4x4, habitacle confortable, silhouette appropriée

 **FEU ROUGE**
Moteur Hemi inutile, consommation élevée, espace limité pour bagages derrière 3ᵉ rangée, fiabilité inégale, sensible aux vents latéraux

couple de sacs d'épicerie! À ce compte, une SMART est plus pratique. Du moins si vous laissez les cinq autres occupants sur le trottoir!

## GÈNES ASSURÉS

Depuis quelques années, les rédacteurs de communiqués de presse des grands constructeurs aiment bien mentionner à satiété qu'un tel véhicule possède l'ADN de la marque et d'un tel modèle en particulier. Ils veulent ainsi nous faire observer que ce véhicule affiche toutes les qualités tant appréciées chez ses prédécesseurs. Chez Jeep, cette analogie a été utilisée à plus d'une reprise. En fait, pour le grand public, on affiche une petite plaquette sur les ailes avant portant la mention «Trail Rated», signifiant que, comme presque tous les autres VUS de la marque, ce véhicule est capable de se tirer d'affaire lorsque les sentiers deviennent impraticables, que les cailloux sont gros comme des ruminants et que la boue a remplacé la terre ferme. Et puisqu'il partage ses gènes avec le Grand Cherokee, le Commander arbore fièrement cette plaquette sur ses ailes. Il est également possible de commander en option le groupe d'accessoires hors route comprenant, entre autres, des plaques de protection. Mais je suis persuadé que si vous optez pour ce modèle en raison de ses sept places, il y a fort à parier que l'ensemble «Info Divertissement» vous intéressera davantage que les plaques de protection ou tout autre accessoire tant prisé des maniaques de la conduite hors route.

Même si la suspension me semble plus ferme que celle du Grand Cherokee et qu'une longue randonnée sur mauvaise route nous incite à faire des arrêts plus fréquents, le comportement routier est sain pour autant qu'on respecte les limites de la catégorie. Et il est certain que si vous avez l'intention de roulez souvent avec le nombre maximum de passagers, un seul choix s'impose: le moteur V8 4,7 litres de 305 chevaux. Il s'agit d'un compromis acceptable entre le moteur V6 3,7 litres un peu juste en cas de surcharge et le gros Hemi V8 de 5,7 dont les 330 chevaux assurent de bonnes performances et une imposante capacité de remorquage, mais avec une facture de carburant passablement corsée...

Avec sa silhouette quasiment rétro, son habitacle confortable, une longue liste d'options, ses rouages Quadra Trac et Quadra Drive ainsi que d'excellentes qualités en conduite hors route, le Commander saura répondre aux besoins des personnes... qui en ont vraiment besoin!

**Denis Duquet**

Photos : Jeep

## VÉHICULE D'ESSAI

| | |
|---|---|
| Version : | Limited |
| Emp/Lon/Lar/Haut (mm) : | 2 781/4 787/1 900/1 826 |
| Poids : | 2 322 kg |
| Coffre/Réservoir : | 170 à 1 951 litres / 80 litres |
| Nombre de coussins de sécurité : | 6 |
| Suspension avant : | indépendante, bras inégaux |
| Suspension arrière : | essieu rigide, ressorts hélicoïdaux |
| Freins av./arr. : | disque (ABS) |
| Antipatinage/Contrôle de stabilité : | oui / oui |
| Direction : | à crémaillère, assistée |
| Diamètre de braquage : | 11,2 m |
| Pneus av./arr. : | P245/65R17 |
| Capacité de remorquage : | 3 265 kg |

### MOTORISATION À L'ESSAI

| | |
|---|---|
| Moteur : | V8 de 5,7 litres 16s atmosphérique |
| Alésage et course : | 99,5 mm x 90,9 mm |
| Puissance : | 330 ch (246 kW) à 5 000 tr/min |
| Couple : | 375 lb-pi (509 Nm) à 4 000 tr/min |
| Rapport poids/puissance : | 7,04 kg/ch (9,56 kg/kW) |
| Système hybride : | aucun |
| Transmission : | intégrale, auto. mode man. 5 rapports |
| Accélération 0-100 km/h : | 8,2 s |
| Reprises 80-120 km/h : | 6,3 s |
| Freinage 100-0 km/h : | 41,8 m |
| Vitesse maximale : | 200 km/h |
| Consommation (100 km) : | ordinaire, 16,5 litres |
| Autonomie (approximative) : | 485 km |
| Émissions de CO2 : | 6 816 kg/an |

### GAMME EN BREF

| | |
|---|---|
| Échelle de prix : | 42 295 $ à 53 395 $ |
| Catégorie : | utilitaire sport intermédiaire |
| Historique du modèle : | 1ière génération |
| Garanties : | 3 ans/60 000 km, 5 ans/100 000 km |
| Assemblage : | Détroit, Michigan, É-U |
| Autre(s) moteur(s) : | V6 3,7l 210ch/235lb-pi (14,8 l/100km) |
| | V8 4,7l 305ch/334lb-pi (15,6 l/100km) |
| Autre(s) rouage(s) : | aucun |
| Autre(s) transmission(s) : | aucune |

### DANS LA MÊME CATÉGORIE

Acura MDX - Buick Enclave - Chevrolet Trailblazer - Chrysler Aspen - Dodge Durango - Ford Explorer - GMC Envoy - Nissan Pathfinder - Toyota 4Runner

### DU NOUVEAU EN 2008

Moteur V8 4.7 litre revisé, version 5 places, système de contrôle de déscente de pentes «*Hill Start Assist*»

### NOS IMPRESSIONS

| | |
|---|---|
| Agrément de conduite : | 🚗🚗🚗🚗 |
| Fiabilité : | 🚗🚗🚗½ |
| Sécurité : | 🚗🚗🚗🚗 |
| Qualités hivernales : | 🚗🚗🚗🚗🚗 |
| Espace intérieur : | 🚗🚗🚗🚗½ |
| Confort : | 🚗🚗🚗🚗 |

### LE CHOIX DE L'ÉQUIPE

Sport

Voiture économique

Jeep Patriot

# JEEP + BAS PRIX = SUCCÈS !

On le sait, DaimlerChrysler tirait de la patte dans le segment des compactes (rappelez-vous la Neon !). On s'est donc résolu à abandonner toute rivalité avec les Mazda3 et Honda Civic, en se concentrant plutôt sur la production de véhicules compacts non traditionnels. Il en est donc résulté un véhicule comme la Dodge Caliber, mais aussi les Jeep Compass et Patriot qui, grâce à leur emblème, leur charme et leur bas prix, se comparent difficilement avec tout ce qui roule. Et ne serait-ce que pour cette raison, l'exercice est réussi !

Sur la route depuis plusieurs mois, ces jumeaux non identiques prouvent qu'ils peuvent séduire. Les acheteurs craquent pour l'un ou l'autre des deux véhicules qui, disons-le, ne se distinguent pratiquement que par leur robe respective. D'ailleurs, DaimlerChrysler qui ne croyait au départ commercialiser que l'un de ces deux modèles, a choisi d'aller de l'avant avec les deux formules, suite à des résultats d'études de marché. Mais par-dessus tout, il faut dire que la marque Jeep est très à la mode, ce qui permet d'attirer une clientèle qui n'aurait autrement jamais franchit les portes d'un concessionnaire DaimlerChrysler.

### DEUX STYLES, DEUX APPROCHES

Alors que le Compass séduit par son allure contemporaine, le Patriot joue à la fois la carte du muscle et du classicisme. En effet, plusieurs éléments stylistiques propres à ce modèle sont inspirés du légendaire Cherokee. La calandre plate, les glaces latérales angulaires et le pare-brise moins incliné que la moyenne sont notamment des signes de cette inspiration. Pour distinguer les trois versions des Compass et Patriot, dites-vous que le modèle Sport est dépourvu de jantes d'alliage, que le North (le plus populaire) affiche un style monochrome et que le Limited affectionne les roues surdimensionnées, les appliques argentées et le chrome.

À bord, les deux véhicules sont presque identiques. Même planche de bord, mêmes sièges, mêmes garnitures esthétiques. En fait, de l'intérieur, on ne distingue les véhicules que par le degré d'inclinaison du pare-brise et du hayon arrière, ce qui octroie un léger avantage au Patriot en matière de capacité de chargement. Esthétique et ergonomique, la planche de bord plaît quant à elle pour la disposition de ses éléments, et notamment pour son levier de vitesse placé à même la console centrale. Par conséquent, mais aussi parce qu'il repose sur un siège confortable et facilement réglable, le conducteur peut bénéficier d'une excellente position de conduite. On aurait toutefois souhaité voir une meilleure qualité de finition intérieure, particulièrement en ce qui a trait aux plastiques qui ont la fâcheuse tendance de refléter dans le pare-brise et de s'égratigner en un rien de temps.

Convenablement équipée, la version North constitue dans les deux cas la plus intéressante des trois. Pour un prix raisonnable, elle offre un groupe électrique complet, le climatiseur, une chaîne audio satisfaisante ainsi qu'un certain nombre de gadgets souvent réservés à des véhicules de plus haute facture. Bien sûr, le prix de départ oscillant autour de 17 000 $ attire l'attention, mais par contre, vous serez

**FEU VERT**
Véhicule compact et polyvalent, facture alléchante, lignes agréables, rabais gouvernemental applicable, plusieurs gadgets innovateurs

**FEU ROUGE**
Moteur parfois à bout de souffle, agrément de conduite moyen, finition intérieure bon marché, faible autonomie

privé de toute forme de luxe. C'est à ce point vrai que Jeep n'a même pas daigné offrir une sellerie de tissu de série, proposant plutôt un vinyle de qualité douteuse…

### LE *WORLD ENGINE*, UNE VRAIE PETITE FOURMI

Issu de l'association entre Mitsubishi, Hyundai et DaimlerChrysler, le World Engine de 2,4 litres travaille ici comme une vraie petite fourmi. Il faut dire que ses 172 chevaux (un peu paresseux) doivent trimbaler des carcasses pouvant peser plus de 1500 kilos, ce qui n'est pas rien. Passablement bruyant et pas nécessairement raffiné, il convient davantage aux conducteurs au tempérament peu fronceur. Plus appréciable lorsqu'accouplé à la boîte manuelle, ce moteur consomme raisonnablement en conduite normale. Toutefois, la faible autonomie due à un réservoir de seulement 51 litres vous forcera à copiner régulièrement avec le pompiste du coin. Quant à la boîte CVT (automatique à variation continue), elle parvient à offrir un rendement convenable à condition que vous n'ayez pas le pied trop insistant. Sinon, ce désagréable sentiment de glissement perpétuel s'installera, faisant du même coup rugir le moteur qui vous suppliera à son tour de calmer vos ardeurs!

Efficace, le système de rouage intégral Freedom-Drive I s'accompagne d'un mode de verrouillage central du différentiel, ce que plusieurs VUS compacts n'offrent pas. Toutefois, seul le Patriot pourvu du Freedom-Drive II reçoit la désormais célèbre mention Trail Rated, et se distingue par son mode de démultiplication «Low», ses pneus tout-terrain et sa garde au sol élevée d'un pouce (25 mm) par rapport aux autres modèles. Qu'ils soient ou non équipés d'un rouage intégral, Compass et Patriot proposent une conduite équilibrée, très près de celle d'une voiture compacte. Ce n'est rien de bien enivrant, mais ces Jeep font tout convenablement, même en matière de sécurité.

Alors, à moins que vous n'optiez pour une version Limited dotée de nombreux gadgets, les Compass et Patriot constituent un choix réfléchi, voire judicieux. En plus d'ouvrir la voie à un nouveau type de VUS, ils affichent un prix d'achat des plus alléchants. Ils ne sont ni très raffinés, ni passionnants à conduire, mais proposent une formule attrayante dans un marché où l'originalité est souvent indispensable. Et comble de bonheur, le plus récent budget Harper a dernièrement accordé à certaines versions de ces véhicules une exemption de taxes de 1000$, se qualifiant comme le VUS non hybride le moins gourmand du marché. Avouez que c'est attirant!

**Antoine Joubert**

Photos : Denis Duquet

### VÉHICULE D'ESSAI

| | |
|---|---|
| Version : | Compass Limited AWD |
| Emp/Lon/Lar/Haut(mm) : | 2635/4405/1811/1631 |
| Poids : | 1430 kg |
| Coffre/Réservoir : | 643 à 1518 litres / 51 litres |
| Nombre de coussins de sécurité : | 4 |
| Suspension avant : | indépendante, jambes de force |
| Suspension arrière : | indépendante, multibras |
| Freins av./arr. : | disque (ABS) |
| Antipatinage/Contrôle de stabilité : | oui / oui |
| Direction : | à crémaillère, assistée |
| Diamètre de braquage : | 11,2 m |
| Pneus av./arr. : | P215/55R18 |
| Capacité de remorquage : | 454 kg |

### MOTORISATION À L'ESSAI

| | |
|---|---|
| Moteur : | 4L de 2,4 litres 16s atmosphérique |
| Alésage et course : | 88,0 mm x 97,0 mm |
| Puissance : | 172 ch (128 kW) à 6000 tr/min |
| Couple : | 165 lb-pi (224 Nm) à 4400 tr/min |
| Rapport poids/puissance : | 8,31 kg/ch (11,26 kg/kW) |
| Système hybride : | aucun |
| Transmission : | intégrale, CVT |
| Accélération 0-100 km/h : | 10,7 s |
| Reprises 80-120 km/h : | 8,2 s |
| Freinage 100-0 km/h : | 42,0 m |
| Vitesse maximale : | 185 km/h |
| Consommation (100 km) : | ordinaire, 9,9 litres |
| Autonomie (approximative) : | 515 km |
| Émissions de CO2 : | 4416 kg/an |

### GAMME EN BREF

| | |
|---|---|
| Échelle de prix : | 17995$ à 22555$ (2007) |
| Catégorie : | utilitaire sport compact |
| Historique du modèle : | 1ère génération |
| Garanties : | 3 ans/60000 km, 5 ans/100000 km |
| Assemblage : | Détroit, Michigan, É-U |
| Autre(s) moteur(s) : | 4L 2l 158ch/141lb-pi (9 l/100km) |
| Autre(s) rouage(s) : | traction |
| Autre(s) transmission(s) : | manuelle 5 rapports |

### DANS LA MÊME CATÉGORIE

Ford Escape - Honda CR-V - Hyundai Tucson - Kia Sportage - Subaru Forester - Suzuki Grand Vitara - Toyota Rav4

### DU NOUVEAU EN 2008

Nouvelles options

### NOS IMPRESSIONS

| | |
|---|---|
| Agrément de conduite : | 🚗 🚗 🚗 🚗 |
| Fiabilité : | 🚗 🚗 🚗 ½ |
| Sécurité : | 🚗 🚗 🚗 🚗 |
| Qualités hivernales : | 🚗 🚗 🚗 🚗 |
| Espace intérieur : | 🚗 🚗 🚗 ½ |
| Confort : | 🚗 🚗 🚗 ½ |

### LE CHOIX DE L'ÉQUIPE

North

**335**

# GO DIESEL GO !

Les temps sont durs pour les VUS ! Leur popularité en a pris un coup depuis que les prix du carburant augmentent... Sans compter une sensibilisation de plus en plus forte envers notre environnement... Bref, tout ça ne les rend pas tellement politiquement corrects. Par contre, si un VUS est un véhicule en grande partie inutile pour un citadin, c'est autre chose si vous devez allez en forêt plusieurs fois par année ou encore si vous habitez une région montagneuse aux hivers rigoureux. Certaines personnes ont vraiment besoin d'un 4X4.

**P**our faire face à cette situation et permettre aux amateurs de tels véhicules de ne pas dépenser une fortune en carburant, la direction de Jeep a trouvé une solution intéressante qui permet d'économiser l'essence sans être pénalisé au chapitre des performances et du rendement : une version à moteur diesel.

### UN MOTEUR MERCEDES SOUS LE CAPOT

Les péripéties corporatives de Daimler-Benz et de Chrysler n'ont pas cessé de défrayer les manchettes, mais ce qui nous intéresse pour l'instant, c'est que ce Grand Cherokee au gazole est propulsé par un moteur V6 turbodiesel 3,0 litres fabriqué par Mercedes-Benz dans une usine située à Berlin en Allemagne. Et contrairement à ce qu'on serait porté à croire, il ne s'agit pas d'un moteur Bluetec, même si la marque à l'étoile d'argent nous a habitués depuis quelques mois à associer automatiquement Bluetec et moteur diesel. Il faut savoir que la technologie Bluetec n'est pas celle d'un moteur en particulier, mais d'un ensemble de technologies, et ce V6 ne l'offre pas. Ce qui ne l'empêche pas pour autant d'avoir une consommation fort intéressante de 12 litres aux 100 km en ville et de 9,0 litres aux 100 km sur la grand-route.

Ce qui ne signifie pas que Mercedes-Benz a refilé un moteur techniquement désuet à Jeep ! En fait, ce V6 turbodiesel a été nommé parmi les 10 meilleurs moteurs au monde, selon la revue spécialisée Ward's. Cela ne devrait pas être trop mal comme groupe propulseur et ce V6 est couplé au rouage intégral Quadra-Drive II.

Performant en raison de son impressionnant couple de 376 lb-pi, les accélérations sont surprenantes de la part d'un V6 3,0. Il m'a fallu 9,3 secondes pour boucler le 0-100 km/h et les reprises permettent de réaliser le 80-120 km/h en 8 secondes et des poussières. La capacité de remorquage de ce véhicule est de 3 400 kg. (7 400 lbs)

Ce moteur relativement doux et silencieux, démarrant au quart de tour, passera inaperçu pour la personne qui ne sait pas qu'un tel moteur se cache sous le capot, à moins qu'elle ne tende vraiment l'oreille. Quant au reste, le comportement routier est semblable aux autres modèles. Certains objecteront qu'un moteur de cette catégorie est généralement plus lourd. Taratata, ce V6 est en aluminium et il est moins lourd que le gros V8 de 6,1 litres du SRT-8, na !

**FEU VERT**
Moteur diesel génial, rouage intégral efficace, habitacle confortable, tenue de route correcte, fiabilité en progrès

**FEU ROUGE**
Prix de la version diesel, apprécié des voleurs, agrément de conduite mitigé, finition perfectible

## LE RESTE DE LA FAMILLE

Il est par ailleurs certain que plusieurs acheteurs de Grand Cherokee ne se poseront même pas la question à savoir s'ils devraient envisager la version à moteur diesel. Pour ces gens, la réponse est non. Ils auront toutefois le choix parmi le V6 de 3,7 litres et les V8 de 4,7 litres ainsi que le Hemi de 5,7 litres sans oublier le gros V8 de 6,1 litres mentionné précédemment, tous reliés à une boîte automatique à cinq rapports. Au fait, le moteur V8 de 5,7 litres est doté du mécanisme de désactivation automatique des cylindres lorsque le moteur n'est pas en charge.

Peu importe le groupe propulseur choisi, le Grand Cherokee propose toujours une silhouette qui reprend les grands canons esthétiques de la marque avec sa calandre à sept ouvertures verticales et les feux arrière équarris. Personnellement, je n'ai jamais trouvé que cette génération était particulièrement attrayante. Mais force est d'admettre que l'équilibre des masses et le petit côté juste assez macho donnent de la crédibilité à ses prétentions de pouvoir franchir n'importe quoi ou presque. Par contre, la qualité de la peinture de ce coureur des routes et des bois est inégale. À l'intérieur, l'habitacle pourrait être celui de toute berline de milieu de gamme. Les plastiques sont de qualité, le tableau de bord bien organisé, mais c'est froid et peu inspirant. Et si la plupart de mes collègues n'ont pas de difficulté à régler le siège du conducteur, je cherche encore la combinaison gagnante...

Si le choix du nouveau moteur diesel semble être la solution logique, ceux dont le budget est restreint pourraient adopter le moteur V6 de 3,7 litres dont les 210 chevaux sont adéquats. Mais il ne faut pas avoir l'intention de remorquer quoi que ce soit ou partir lourdement chargé! C'est pourquoi le choix du moteur V8 de 4,7 litres, entièrement revu en 2008, est celui de tant de gens. Son couple de 334 lb-pi permet de transporter et de remorquer davantage qu'avec le moteur V6, mais sans nécessairement devenir un fidèle client des pétrolières. Si c'est votre désir, les V8 de 5,7 litres et de 6,1 litres devraient vous satisfaire. Les performances sont là et vous pourrez damer le pion à bien des gens lors des «Grand Prix de feux circulation», mais la consommation est à l'avenant. Quant au SRT-8, il fait partie des véhicules qui répondent à une question qui n'a jamais été posée. Il faut toutefois avouer que l'exécution et les performances sont tout de même impressionnantes. Les factures d'essence également...

**Denis Duquet**

Photos : Alain Morin

---

### VÉHICULE D'ESSAI

| | |
|---|---|
| Version : | Limited |
| Emp/Lon/Lar/Haut(mm) : | 2 780/4 740/1 862/1 720 |
| Poids : | 2 053 kg |
| Coffre/Réservoir : | 978 à 1 909 litres / 78 litres |
| Nombre de coussins de sécurité : | 4 |
| Suspension avant : | indépendante, bras inégaux |
| Suspension arrière : | essieu rigide, ressorts hélicoïdaux |
| Freins av./arr. : | disque (ABS) |
| Antipatinage/Contrôle de stabilité : | oui / non |
| Direction : | à crémaillère, assistée |
| Diamètre de braquage : | 11,3 m |
| Pneus av./arr. : | P245/65R17 |
| Capacité de remorquage : | 2 948 kg |

### MOTORISATION À L'ESSAI

| | |
|---|---|
| Moteur : | V8 de 5,7 litres 16s atmosphérique |
| Alésage et course : | 99,5 mm x 90,9 mm |
| Puissance : | 330 ch (246 kW) à 5 000 tr/min |
| Couple : | 375 lb-pi (509 Nm) à 4 000 tr/min |
| Rapport poids/puissance : | 6,22 kg/ch (8,45 kg/kW) |
| Système hybride : | aucun |
| Transmission : | intégrale, automatique 5 rapports |
| Accélération 0-100 km/h : | 7,9 s |
| Reprises 80-120 km/h : | 6,0 s |
| Freinage 100-0 km/h : | 40,8 m |
| Vitesse maximale : | 200 km/h |
| Consommation (100 km) : | ordinaire, 16,5 litres |
| Autonomie (approximative) : | 473 km |
| Émissions de CO2 : | 6 816 kg/an |

### GAMME EN BREF

| | |
|---|---|
| Échelle de prix : | 41 095 $ à 49 995 $ (2008) |
| Catégorie : | utilitaire sport intermédiaire |
| Historique du modèle : | 3ème génération |
| Garanties : | 3 ans/60 000 km, 5 ans/100 000 km |
| Assemblage : | Détroit, Michigan, É-U |

Autre(s) moteur(s) : V8 4,7l 305ch/334lb-pi (15,6 l/100km)
V6 3,7l 210ch/235lb-pi (14,2 l/100km)
V8 6,1l 420ch/420lb-pi (19,1 l/100km) SRT-8
V6 3,0l 215ch/376lb-pi (12 l/100km) Diesel

| | |
|---|---|
| Autre(s) rouage(s) : | aucun |
| Autre(s) transmission(s) : | aucune |

### DANS LA MÊME CATÉGORIE

Chevrolet Trailblazer - Chrysler Aspen - Dodge Durango - Ford Explorer - GMC Envoy - Jeep Commander - Kia Sorento - Nissan Pathfinder - Toyota 4Runner

### DU NOUVEAU EN 2008

Nouveau moteur diesel, moteur V8 4.7 litres plus puissant, équipement plus complet

### NOS IMPRESSIONS

| | |
|---|---|
| Agrément de conduite : | 🚗🚗🚗½ |
| Fiabilité : | 🚗🚗🚗🚗 |
| Sécurité : | 🚗🚗🚗🚗 |
| Qualités hivernales : | 🚗🚗🚗🚗 |
| Espace intérieur : | 🚗🚗🚗🚗 |
| Confort : | 🚗🚗🚗🚗 |

### LE CHOIX DE L'ÉQUIPE

Laredo Diesel

**JEEP** GRAND CHEROKEE

# MAINTENANT CLONÉ !

Rien de plus facile que de rédiger un article tout de suite après avoir passé plusieurs heures au volant d'un véhicule. Cependant, il arrive que l'on ait à écrire sur un produit pour lequel nous n'avons que très peu d'informations. C'est le cas du nouveau Liberty qui, malheureusement, sera présenté à la presse canadienne seulement trois semaines après la date de tombée de cet ouvrage. Aussi, j'ai tenté, dans la mesure du possible, de recueillir auprès des responsables des relations publiques de Chrysler, un maximum d'informations.

D'entrée de jeu, il est de mon devoir de vous dire que ce véhicule est tiré du Dodge Nitro qui a été lancé l'an dernier. L'évolution du bien-aimé Liberty n'est donc pas authentique mais constitue plutôt le clone d'un autre véhicule. Cela m'amène à vous recommander immédiatement de vous rendre à la page 244 où se trouve l'évaluation du Dodge Nitro, d'en faire la lecture pour ensuite revenir à ces pages...

Alors, vous comprenez ? De tous les véhicules qui m'ont été donnés d'essayer cette année, le Dodge Nitro figurait dans le top 3 des pires. Finition bâclée, qualité d'assemblage inégale, suspension et sièges inconfortables, consommation élevée, bref trop d'éléments négatifs étaient présents pour garder mon degré d'optimisme à un niveau raisonnable. En apprenant par la suite que le Liberty (un véhicule que j'apprécie depuis son arrivée en 2002) allait pour 2008 être basé sur le Nitro, les deux bras me sont tombés.

### JEEP SAIT VENDRE !
« Passer du premier au quatrième trio, ça ne se peut pas ! », me disais-je d'un air découragé. Ce faisant, il m'aura fallu longuement réfléchir pour en arriver à une conclusion. D'abord, le Liberty est un nom et

un produit déjà bien connu du public, ce qui s'ajoute au fait que Jeep sait vendre des utilitaires sport depuis des lunes. Chez Dodge, ce n'est pas le cas. De plus, les acheteurs de Jeep recherchent ce côté aventurier et coureur des bois, alors que les acheteurs du Nitro penchent plutôt pour son côté macho. Qui plus est, les deux véhicules à priori identiques aux chapitres structurel et mécanique se retrouveront tous les deux dans la même salle d'exposition du concessionnaire. Certains iront vers le Dodge, d'autres iront vers le Jeep, mais il ne risque pas d'y avoir beaucoup de chevauchement de clientèle entre les deux véhicules. C'est du moins ce que pensent les stratèges de Chrysler.

Il me faut admettre qu'à défaut d'apprécier les lignes du Nitro, celles du Liberty me plaisent. Il s'agit toujours d'une boîte carrée ingénieusement décorée, mais le véhicule affiche esthétiquement un meilleur équilibre, ce qui le fait paraître moins grossier. Par ailleurs, sa calandre traditionnelle à sept barres verticales et ses pourtours d'ailes angulaires permettent de l'associer automatiquement aux autres véhicules de la marque. Bref, les stylistes ont su lui donner ce qu'il fallait pour qu'il conserve, du moins en apparence, une saveur typiquement Jeep.

**FEU VERT**
Style réussi, espace intérieur amélioré, aptitudes hors route, prix probablement compétitif

**FEU ROUGE**
Moteur V6 décevant, assemblage et finition (voir Nitro), pas de diesel pour le moment, c'est un clone...

Dans tous ses communiqués, Jeep nous parle de la polyvalence de ce nouvel habitacle et du volume supérieur de chargement disponible. C'est vrai, la banquette arrière est repliable à plat de façon 60/40, tout comme le siège du passager avant. Et oui, l'habitacle est plus grand qu'auparavant, ce qui n'était entre vous et moi pas bien difficile à battre. Toutefois, nulle part on ne mentionne la présence du système Load'n Go offert sur le Nitro, qui permet un chargement plus facile à l'arrière. Pour le reste, l'habitacle du Liberty ne semble se démarquer que par une instrumentation d'apparence différente, une utilisation spécifique des contrastes de couleurs et un toit ouvrant optionnel appelé Sky Slider, qui n'est pas sans rappeler celui qui était proposé sur la défunte Renault 5.

### DÉSOLÉ...

Le Liberty, comme c'était le cas en 2007, ne nous sera présenté pour 2008 qu'avec le satané V6 de 3,7 litres développant 210 chevaux. Comme vous avez pu le lire dans le texte du Nitro, je n'ai que peu de choses positives à dire à son sujet. Il est rugueux, bruyant, très gourmand, ce qui en 2008, me semble simplement inadéquat. En plus, on nous le sert avec une boîte manuelle à six rapports, qui sera sans doute impopulaire, ou une automatique à seulement quatre rapports. Bref, côté motorisation, ce n'est pas le Pérou !

En revanche, il est plus que probable qu'on ajoute d'ici peu au Liberty un deuxième moteur à la gamme. Et non, il ne s'agira pas du V6 de 4,0 litres du Nitro, mais bien du moteur 3,0 litres turbo diesel du Grand Cherokee. Voilà qui serait drôlement mieux !

En conclusion, il faudrait que Chrysler ait peaufiné plusieurs points négatifs du Nitro pour que ce Liberty m'impressionne. On sent que le constructeur a fait tout ce qu'il a pu pour que la saveur Jeep soit au rendez-vous, mais à première vue, on est loin d'une révolution. Et si certains gadgets comme le toit ouvrant Sky Slider et le système d'infodivertissement MyGIG sont intéressants, ils ne peuvent l'être autant que le moteur diesel qui pourrait voir le jour sous son capot. À suivre...

**Antoine Joubert**

Photos : Alain Morin

## VÉHICULE D'ESSAI

| | |
|---|---|
| Version : | North |
| Emp/Lon/Lar/Haut(mm) : | 2 694/4 493/1 838/1 808 |
| Poids : | 1 872 kg |
| Coffre/Réservoir : | 892 à 1 818 litres / 74 litres |
| Nombre de coussins de sécurité : | 4 |
| Suspension avant : | indépendante, bras inégaux |
| Suspension arrière : | essieu rigide, multibras |
| Freins av./arr. : | disque (ABS) |
| Antipatinage/Contrôle de stabilité : | oui / oui |
| Direction : | à crémaillère, assistance variable |
| Diamètre de braquage : | n.d. |
| Pneus av./arr. : | P235/70R16 |
| Capacité de remorquage : | 2 268 kg |

## MOTORISATION À L'ESSAI

| | |
|---|---|
| Moteur : | V6 de 3,7 litres 12s atmosphérique |
| Alésage et course : | 93,0 mm x 91,0 mm |
| Puissance : | 210 ch (157 kW) à 5 200 tr/min |
| Couple : | 235 lb-pi (319 Nm) à 4 000 tr/min |
| Rapport poids/puissance : | 8,91 kg/ch (12,08 kg/kW) |
| Système hybride : | aucun |
| Transmission : | 4RM, automatique 4 rapports |
| Accélération 0-100 km/h : | 10,4 s (estimé) |
| Reprises 80-120 km/h : | 8,9 s (estimé) |
| Freinage 100-0 km/h : | 41,0 m (estimé) |
| Vitesse maximale : | 170 km/h |
| Consommation (100 km) : | ordinaire, 13,5 litres (estimé) |
| Autonomie (approximative) : | 548 km |
| Émissions de $CO_2$ : | 5 616 kg/an |

## GAMME EN BREF

| | |
|---|---|
| Échelle de prix : | 27 695 $ à 32 795 $ |
| Catégorie : | utilitaire sport compact |
| Historique du modèle : | 2ième génération |
| Garanties : | 3 ans/60 000 km, 5 ans/100 000 km |
| Assemblage : | Toledo, Ohio, É-U |
| Autre(s) moteur(s) : | aucun |
| Autre(s) rouage(s) : | aucun |
| Autre(s) transmission(s) : | manuelle 6 rapports |

## DANS LA MÊME CATÉGORIE

Chevrolet Equinox - Dodge Nitro - Ford Escape - Hyundai Santa Fe - Mazda Tribute - Nissan XTerra - Saturn Vue - Suzuki Grand Vitara - Toyota Rav4

## DU NOUVEAU EN 2008
Nouveau modèle

## NOS IMPRESSIONS

| | |
|---|---|
| Agrément de conduite : | n.d. |
| Fiabilité : | Nouveau modèle |
| Sécurité : | 🚗 🚗 🚗 ½ |
| Qualités hivernales : | 🚗 🚗 🚗 🚗 ½ |
| Espace intérieur : | 🚗 🚗 🚗 ½ |
| Confort : | n.d. |

## LE CHOIX DE L'ÉQUIPE
North

**339**

# UN VRAI DE VRAI

De nos jours, la tendance envers les VUS urbains s'accélère. Les gens veulent profiter du caractère pratique de cette catégorie de véhicule, mais sans nécessairement devoir subir les inconvénients d'une conception surtout axée en faveur d'une utilisation hors route avec tout ce que cela implique. Mais le Jeep Wrangler ne déroge pas à sa vocation initiale qui est de porter le flambeau de la marque en fait de tout-terrain capable d'affronter les pires conditions de conduite hors route.

La famille Wrangler, autrefois le TJ au Canada, a connu plusieurs changements au cours des deux dernières années. En 2006, le TJ de l'époque était offert en version à empattement court ou allongé, celle-ci étant identifiée comme le modèle Unlimited. L'an dernier, une nouvelle Unlimited était dévoilée et il s'agissait d'un modèle quatre portes recevant d'une toute nouvelle plate-forme. Ce véhicule demeure jusqu'à ce jour le seul cabriolet quatre portes sur le marché.

### LES AVANTAGES

Mieux vaut régler cela tout de suite! Le Wrangler à empattement ordinaire demeure fidèle aux autres modèles deux portes de cette catégorie. L'empattement court ne fait pas bon ménage avec les trous et les bosses sur la chaussée et le train arrière à essieu rigide y va de quelques ruades bien senties. Puisque ce Jeep est essentiellement conçu pour la conduite hors route, sa configuration mécanique avec des essieux rigides à l'avant comme à l'arrière ne priorise pas le confort, c'est certain. Mais, à ce jour, on n'a rien trouvé de mieux pour franchir les obstacles d'un sentier impraticable.

Et c'est là que je veux en venir avec ce long préambule! L'Unlimited, la version quatre portes, est à mon avis un meilleur choix pour la personne

qui désire conduire un Wrangler quotidiennement. Non seulement son empattement plus long est un net avantage au chapitre du confort, mais sa plate-forme est d'une rigidité exemplaire. Cela a une incidence sur la tenue de route et l'Unlimited se défend assez bien à ce chapitre, même sur une route sinueuse.

Il faut cependant mettre les choses en perspective. Ce 4X4 n'est pas conçu pour la conduite sportive, mais pour le franchissement d'obstacles et de sentiers rocailleux ou boueux. Il faut toujours avoir ce facteur en tête lorsqu'on conduit un Wrangler, Unlimited ou pas.

Celles et ceux qui ont déjà été propriétaires d'un Jeep cabriolet se sont sans cesse battus avec la capote souple qui était non seulement bruyante en roulant, mais très difficile à enlever ou replacer. Cette fois, il est possible de faire la paix avec le nouveau toit. Appelé Freedom Top, ce toit modulaire rigide est constitué de trois parties. Cette configuration permet d'enlever un panneau, deux panneaux à l'avant ou encore la troisième section qui couvre les places arrière et la soute à bagages. Les deux premiers éléments peuvent être remisés dans l'habitacle tandis que l'élément arrière doit être laissé à la maison. Il est également possible de commander le toit souple

**FEU VERT**
Authentique 4X4, plate-forme rigide, bonne habitabilité, moteur bien adapté, toit polyvalent

**FEU ROUGE**
Finition inégale, accès à bord ardu, ergonomie irritante, insonorisation à revoir, suspension peu confortable

traditionnel « Sunrider », plus facile à utiliser qu'autrefois mais demandant toujours une bonne dose de patience tout en étant bruyant.

Bien sûr, les portières s'enlèvent, tandis que la soute à bagages est plus que généreuse : une capacité de 1 314 litres avec les sièges arrière en place, et de 2 322 litres une fois ceux-ci repliés. Enfin, même si l'ergonomie de ce modèle est plus irritante qu'autre chose, le tableau de bord est élégant, le volant à quatre branches se prend bien en main, et les sièges avant sont confortables en plus d'offrir un support adéquat. Mais un Jeep demeure toujours un Jeep avec des bas de portes élevés, des plastiques d'une texture douteuse et une finition en progrès mais combien perfectible ! Il faut toutefois temporiser ce jugement en tenant compte du prix demandé pour le Wrangler qu'il ait deux portes ou quatre portes.

### @#%!!!***???

Voilà l'une des nombreuses expressions signifiant mon irritation concernant la conduite d'un modèle Unlimited à boîte manuelle à six rapports. Le moteur V6 3,8 litres de 202 chevaux est bien adapté et la boîte manuelle est correcte même si le troisième rapport semble mal adapté. En revanche, la course de la pédale d'embrayage est à revoir car la prise était beaucoup trop haute. Mais disons que ça pouvait aller. Par contre, la jambe gauche n'a pas beaucoup de place pour se loger et la direction pourrait être plus précise.

La disposition des commandes semble avoir été pensée par un comité dont l'objectif premier était d'irriter le conducteur. Mais il suffit de quitter la route pour se lancer sur un sentier secondaire quasiment impraticable pour découvrir la vraie nature de ce Jeep. Comme le veut la tradition des modèles portant l'affichette « Trail Rated », ce 4X4 passe partout. Et si vous faites partie des spécialistes de ce type de conduite ou si vous êtes tout simplement audacieux, la version Rubicon est équipée de barres antiroulis pouvant être désactivées, de la boîte de transfert « Rock-Trac » à démultipliée encore plus agressive et de pneus hors route dont le dessin de la semelle est plus vigoureux. Même le modèle le plus urbain, soit le « X », c'est sa désignation, est capable de franchir sans peine les obstacles les plus intimidants.

En conclusion, le Wrangler, ordinaire ou Unlimited, est un outil de transport spécialisé qui plaira aux amateurs du genre et qui risque d'irriter les autres conducteurs en utilisation courante.

**Denis Duquet**

Photos : Alain Morin

## VÉHICULE D'ESSAI

| | |
|---|---|
| Version : | Wrangler Unlimited Rubicon |
| Emp/Lon/Lar/Haut(mm) : | 2 946/4 684/1 877/1 836 |
| Poids : | 2 011 kg |
| Coffre/Réservoir : | 1 314 à 2 322 litres / 80 litres |
| Nombre de coussins de sécurité : | 2 |
| Suspension avant : | essieu rigide, bras inégaux |
| Suspension arrière : | essieu rigide, multibras |
| Freins av./arr. : | disque (ABS) |
| Antipatinage/Contrôle de stabilité : | oui / oui |
| Direction : | à crémaillère, assistance variable |
| Diamètre de braquage : | 12,6 m |
| Pneus av./arr. : | P255/70R17 |
| Capacité de remorquage : | 1 588 kg |

## MOTORISATION À L'ESSAI

| | |
|---|---|
| Moteur : | V6 de 3,8 litres 12s atmosphérique |
| Alésage et course : | 96,0 mm x 87,0 mm |
| Puissance : | 202 ch (151 kW) à 5 200 tr/min |
| Couple : | 237 lb-pi (321 Nm) à 4 000 tr/min |
| Rapport poids/puissance : | 9,96 kg/ch (13,5 kg/kW) |
| Système hybride : | aucun |
| Transmission : | 4X4, manuelle 6 rapports |
| Accélération 0-100 km/h : | 11,9 s |
| Reprises 80-120 km/h : | 10,5 s |
| Freinage 100-0 km/h : | 45,0 m |
| Vitesse maximale : | 150 km/h |
| Consommation (100 km) : | ordinaire, 14,9 litres |
| Autonomie (approximative) : | 537 km |
| Émissions de CO2 : | 6 432 kg/an |

## GAMME EN BREF

| | |
|---|---|
| Échelle de prix : | 19 995 $ à 30 595 $ |
| Catégorie : | utilitaire sport compact |
| Historique du modèle : | 5ième génération |
| Garanties : | 3 ans/60 000 km, 5 ans/100 000 km |
| Assemblage : | Toledo, Ohio, É-U |
| Autre(s) moteur(s) : | aucun |
| Autre(s) rouage(s) : | aucun |
| Autre(s) transmission(s) : | automatique 4 rapports |

## DANS LA MÊME CATÉGORIE

Hummer H3 - Nissan Xterra - Toyota FJ Cruiser

## DU NOUVEAU EN 2008

Nouveau groupe Sahara, nouveau rapport de pont 3.73, télédémarreur optionnel, indicateur de basse pression des pneus

## NOS IMPRESSIONS

| | |
|---|---|
| Agrément de conduite : | 🚗 🚗 🚗 |
| Fiabilité : | 🚗 🚗 🚗 🚗 ½ |
| Sécurité : | 🚗 🚗 🚗 🚗 🚗 |
| Qualités hivernales : | 🚗 🚗 🚗 🚗 ½ |
| Espace intérieur : | 🚗 🚗 🚗 ½ |
| Confort : | 🚗 🚗 🚗 |

## LE CHOIX DE L'ÉQUIPE

Wrangler Rubicon

**341**

# EUH...NON !

Vous savez quoi ? Ça fait environ une demi-heure que je suis installé devant mon écran d'ordinateur, à chercher une façon de décrire poliment cette tentative d'insertion dans le monde luxueux, de la part de Kia. Mais comme le temps passe et que cette voiture ne mérite pas qu'on s'y attarde trop longtemps, je vous la décrirai comme suit : l'Amanti, c'est tout simplement un produit qui rate sa cible (même si elle est améliorée depuis l'an dernier), et sans doute la voiture la plus kitsch qui soit actuellement commercialisée.

Et je m'excuse auprès des rares acheteurs qui se sont procuré cette voiture au cours des quatre dernières années. Entre vous et moi, n'auriez-vous pas préféré rouler en Chrysler 300 ou en Buick Lucerne ? Sans doute que oui. Bien sûr, je vous entends d'ici me dire que les rivales de l'Amanti sont plus chères, ce qui explique que vous ne vous êtes pas déplacé pour aller en faire l'essai ! Alors oui, je dois admettre que cette Kia est compétitive au niveau du prix, mais au moins, la valeur de revente des concurrentes ne tombe pas à ce point en chute libre dès la sortie du concessionnaire.

### UN PEU MOINS KITSCH

Je n'irais pas jusqu'à dire que l'Amanti est maintenant plus belle, mais disons qu'elle est moins laide qu'avant ! Légèrement retouchée l'an dernier, l'Amanti a subi des changements esthétiques discrets mais qui réduisent son aspect, disons-le, un peu kétaine. L'avant affiche donc toujours ces quatre phares ronds et son immense grille de calandre, qui ne sont pas sans rappeler le museau de la Jaguar S-Type. Mais parce que cette partie est davantage inclinée et mieux profilée, on obtient un résultat plus acceptable. La partie arrière a elle aussi reçu sa part de changements et exhibe maintenant des feux verticaux plus élégants. Néanmoins, le style rococo demeure omniprésent, ce mélange

esthétique de Lincoln, de Mercedes-Benz et de Jaguar étant un peu trop chargé...

À bord, force est d'admettre que les améliorations apportées l'an dernier sont parvenues à nous faire oublier la surabondance de faux bois des modèles antérieurs que l'on pouvait presque confondre avec la mélamine d'une étagère à assembler de chez Zellers ! Désormais, la présentation est plus sobre et nettement plus gracieuse. On a remplacé le similibois par des appliques anthracite et on a redessiné la console centrale ainsi que toute la partie supérieure de la planche de bord.

Évidemment, pour dorloter votre fessier, les sièges sont ultramœlleux et confortables. Chauffants à toutes les positions et réglables de multiples façons à l'avant, ils permettent à des personnes de toutes tailles de s'y sentir à l'aise. Mais de toute manière, l'espace accordé à chacun des passagers (même derrière) est à ce point généreux qu'il me semble invraisemblable de penser que quelqu'un pourrait être gêné par un manque de dégagement. Et selon vos mœurs, sachez que le coffre peut facilement accueillir huit caisses de bière, trois sacs de golf ou deux cadavres !

**FEU VERT**
Confort exceptionnel, puissance intéressante, équipement généreux, habitabilité surprenante, suspension mieux calibrée

**FEU ROUGE**
Design raté, image de la marque problématique, consommation importante, forte dépréciation

## PLUS DE PUNCH

De 3,5 litres, la cylindrée du V6 est passée l'an dernier à 3,8 litres, ce qui a permis de faire grimper la puissance de 64 chevaux (pour un total de 264). Vous comprendrez donc que les accélérations comme les reprises sont beaucoup plus punchées, et que les performances répondent bien mieux aux exigences de la clientèle. Toutefois, il faut savoir que cette Kia demeure extrêmement lourde et que par conséquent, la consommation s'en ressent. À titre de comparaison, une Toyota Avalon qui propose sensiblement la même puissance, mais à laquelle on retranche 200 kilos, se contente de 85 % du carburant utilisé par la Kia. Et bien sûr, les accélérations sont encore plus relevées.

Sur la route, on constate tout de suite que cette Amanti s'est améliorée en matière de suspension. Mieux calibrée, elle n'est plus comme jadis, c'est-à-dire d'une décourageante mollesse. Néanmoins, son principal travail sera d'offrir aux occupants un confort de première classe, ce qui explique la souplesse tout de même importante des amortisseurs. Et comme la voiture repose sur des pneumatiques à gros flancs, de piètre qualité par-dessus le marché, vous devinerez que la tenue de route n'est pas très impressionnante... La voiture tangue énormément en courbe et ne donne aucunement l'impression d'être bien accrochée au bitume. On sent d'ailleurs le train avant très léger, particulièrement en accélération. De ce fait, sachez que l'augmentation substantielle de puissance du moteur ne s'est pas faite sans engendrer un effet de couple considérable.

Outre cela, il faut admettre que la vie à bord d'une Amanti n'est pas désagréable, pour qui apprécie ce genre de confort. L'insonorisation est poussée, le confort des sièges est royal et les bruits de caisse sont carrément absents, signe d'un assemblage sérieux. Mais malgré tout, la carrière de cette berline est condamnée à l'échec (les chiffres de ventes le prouvent!). Car même si la voiture est compétitive en matière de prix, bien construite, bien garantie et généralement fiable, les acheteurs de ce type de produits désirent habituellement un produit plus mûr, plus joli et mieux réputé. Car il faut aussi dire que Kia et luxe ne riment pas ensemble. Même Hyundai, qui œuvre dans ce marché depuis 2001, peine toujours à percer, et ce, même si la nouvelle Azera est une voiture nettement mieux réussie que la présente Kia. Il faudra donc attendre une véritable refonte, avec une carrosserie plus sobre et un comportement encore mieux équilibré, pour que le succès puisse avoir lieu...

Antoine Joubert

Photos : Kia

### VÉHICULE D'ESSAI

| | |
|---|---|
| Version : | version unique |
| Emp/Lon/Lar/Haut(mm) : | 2 800/5 000/1 850/1 485 |
| Poids : | 1 790 kg |
| Coffre/Réservoir : | 450 litres / 70 litres |
| Nombre de coussins de sécurité : | 8 |
| Suspension avant : | indépendante, jambes de force |
| Suspension arrière : | indépendante, multibras |
| Freins av./arr. : | disque (ABS) |
| Antipatinage/Contrôle de stabilité : | oui / oui |
| Direction : | à crémaillère, assistance variable |
| Diamètre de braquage : | 11,4 m |
| Pneus av./arr. : | P235/55R17 |
| Capacité de remorquage : | 454 kg |

### MOTORISATION À L'ESSAI

Pneus d'origine MICHELIN

| | |
|---|---|
| Moteur : | V6 de 3,8 litres 24s atmosphérique |
| Alésage et course : | 96,0 mm x 87,1 mm |
| Puissance : | 264 ch (197 kW) à 6 000 tr/min |
| Couple : | 260 lb-pi (353 Nm) à 4 500 tr/min |
| Rapport poids/puissance : | 6,78 kg/ch (9,23 kg/kW) |
| Système hybride : | aucun |
| Transmission : | traction, automatique 5 rapports |
| Accélération 0-100 km/h : | 7,1 s |
| Reprises 80-120 km/h : | 5,5 s |
| Freinage 100-0 km/h : | 41,7 m |
| Vitesse maximale : | 220 km/h |
| Consommation (100 km) : | ordinaire, 12,6 litres |
| Autonomie (approximative) : | 556 km |
| Émissions de CO2 : | 5 088 kg/an |

### GAMME EN BREF

| | |
|---|---|
| Échelle de prix : | 37 195 $ |
| Catégorie : | berline de luxe |
| Historique du modèle : | 1ère génération |
| Garanties : | 5 ans/100 000 km, 5 ans/100 000 km |
| Assemblage : | Hwasung, Corée du Sud |
| Autre(s) moteur(s) : | aucun |
| Autre(s) rouage(s) : | aucun |
| Autre(s) transmission(s) : | aucune |

### DANS LA MÊME CATÉGORIE

Buick Allure/Lucerne - Chevrolet Impala - Chrysler 300 - Ford Taurus - Hyundai Azera - Lexus ES350 - Nissan Maxima - Pontiac Grand Prix - Toyota Avalon

### DU NOUVEAU EN 2008

Aucun changement

### NOS IMPRESSIONS

| | |
|---|---|
| Agrément de conduite : | 🚗 🚗 🚗 ½ |
| Fiabilité : | 🚗 🚗 🚗 ½ |
| Sécurité : | 🚗 🚗 🚗 🚗 |
| Qualités hivernales : | 🚗 🚗 🚗 |
| Espace intérieur : | 🚗 🚗 🚗 🚗 ½ |
| Confort : | 🚗 🚗 🚗 🚗 |

### LE CHOIX DE L'ÉQUIPE

Version unique

#  KIA MAGENTIS

# SI VOUS AIMEZ LES BONNES AFFAIRES

Appelée Optima sur le marché des États-Unis et Magentis au Canada, cette berline intermédiaire est en fait une Hyundai Sonata revue et modifiée par Kia. Au cas où vous ne le sauriez pas, ces deux constructeurs font partie de la même compagnie. Conscients qu'il ne fallait pas proposer un clone de la Sonata, les responsables du développement chez Kia ont concocté un modèle qui reprend les grandes qualités de base de la Sonata, mais en le modifiant suffisamment pour le rendre attrayant.

Afin de ne pas singulariser ces voitures de façon trop marquée, les décideurs se sont contentés de greffer à la Magentis une grille de calandre distincte et des feux de route exclusifs. La même approche a été utilisée à l'arrière alors que les feux sont différents tout comme le couvercle du coffre. Bref, des changements assez simples qui ne coûtent pas trop cher mais qui permettent de différencier assez facilement la Magentis de la Sonata. Par contre, le tableau de bord et le niveau d'équipement de la Magentis la démarquent davantage.

### LA POLITIQUE DU PLUS

N'ayez crainte, je ne vous déclinerai pas par le menu détail de la liste d'équipements de série de cette berline! Vous devez tout de même savoir qu'elle est sans doute l'une des mieux équipées par rapport à son prix de base. En effet, elle est dotée de sièges chauffants, un accessoire généralement offert avec le groupe cuir sur beaucoup d'autres modèles concurrents. Et les ingénieurs ne se sont pas uniquement occupés du confort de votre popotin, car la climatisation vous tiendra au frais au cours de l'été! Par ailleurs, six coussins de sécurité des freins ABS, des glaces à commande électrique et une télécommande de verrouillage des portes figurent sur

cette liste… que je ne vous déclinerai pas par le menu détail! Mais je me retiens….

Par le passé, cette Kia perdait des points en raison d'un habitacle terne à mort – le vrai mot en québécois est «ultra-dull man», selon mon neveu de 17 ans – et de matériaux de faible qualité. La situation s'est modifiée depuis l'an dernier. Le tableau de bord ne gagnera peut-être pas de concours de design, mais il est dans la bonne moyenne en plus d'être pratique. Toujours en comparaison avec la Sonata, celui de la Magentis est un peu mieux réussi tandis que les deux sont dotés de plastiques et de matériaux de qualité. Il y a bien des plastiques durs ici et là, mais rien de comparable avec les modèles antérieurs à 2007. Soulignons également que le volant est doté de boutons de commande du système audio et du régulateur de vitesse, comme sur une voiture se vendant des milliers de dollars plus cher.

L'habitabilité est par ailleurs très bonne. Les places arrière sont moyennement confortables et les sièges avant sont moelleux. Le confort passe en premier, ce qui explique sans doute pourquoi le support latéral de ces sièges pourrait être meilleur. Mais compte

 **FEU VERT**
Équipement complet, moteur 4 cylindres bien adapté,
silence de roulement, sièges confortables,
bonne habitabilité

**FEU ROUGE**
Moteur V6 mal adapté, pneumatiques à revoir,
silhouette anonyme,
faible valeur de revente

**344**

## VÉHICULE D'ESSAI

| | |
|---|---|
| Version : | LX |
| Emp/Lon/Lar/Haut (mm) : | 2 720/4 735/1 805/1 480 |
| Poids : | 1 425 kg |
| Coffre/Réservoir : | 420 litres / 62 litres |
| Nombre de coussins de sécurité : | 6 |
| Suspension avant : | indépendante, jambes de force |
| Suspension arrière : | indépendante, multibras |
| Freins av./arr. : | disque (ABS, EBD) |
| Antipatinage/Contrôle de stabilité : | opt. / opt. |
| Direction : | à crémaillère, assistance variable |
| Diamètre de braquage : | 10,4 m |
| Pneus av./arr. : | P205/60R16 |
| Capacité de remorquage : | 454 kg |

## MOTORISATION À L'ESSAI

| | |
|---|---|
| Moteur : | 4L de 2,4 litres 16s atmosphérique |
| Alésage et course : | 88,0 mm x 97,0 mm |
| Puissance : | 161 ch (120 kW) à 5 800 tr/min |
| Couple : | 163 lb-pi (221 Nm) à 4 250 tr/min |
| Rapport poids/puissance : | 8,85 kg/ch (12,08 kg/kW) |
| Système hybride : | aucun |
| Transmission : | traction, manuelle 5 rapports |
| Accélération 0-100 km/h : | 10,9 s |
| Reprises 80-120 km/h : | 9,3 s |
| Freinage 100-0 km/h : | 41,0 m |
| Vitesse maximale : | 190 km/h |
| Consommation (100 km) : | ordinaire, 9,6 litres |
| Autonomie (approximative) : | 646 km |
| Émissions de CO2 : | 3 936 kg/an |

## GAMME EN BREF

| | |
|---|---|
| Échelle de prix : | 21 895 $ à 27 995 $ |
| Catégorie : | berline intermédiaire |
| Historique du modèle : | 2ième génération |
| Garanties : | 5 ans/100 000 km, 5 ans/100 000 km |
| Assemblage : | Hwasung, Corée du Sud |
| Autre(s) moteur(s) : | V6 2,7l 185ch/182lb-pi (10,6 l/100km) |
| Autre(s) rouage(s) : | aucun |
| Autre(s) transmission(s) : | automatique 5 rapports |

## DANS LA MÊME CATÉGORIE

Chevrolet Malibu - Chrysler Sebring - Honda Accord - Hyundai Sonata - Mitsubishi Galant - Nissan Altima

## DU NOUVEAU EN 2008

Pas de changement majeur

## NOS IMPRESSIONS

| | |
|---|---|
| Agrément de conduite : | 🚗🚗🚗🚗 |
| Fiabilité : | 🚗🚗🚗½ |
| Sécurité : | 🚗🚗🚗🚗 |
| Qualités hivernales : | 🚗🚗🚗🚗 |
| Espace intérieur : | 🚗🚗🚗🚗 |
| Confort : | 🚗🚗🚗🚗 |

## LE CHOIX DE L'ÉQUIPE

LX

---

tenu de la personnalité de cette voiture, je ne crois pas que les gens vont se procurer une Magentis pour conduire sportivement.

### PRIORITÉ AU MOTEUR 2,4 LITRES

Deux moteurs sont au catalogue, un V6 de 2,7 litres et un quatre cylindres de 2,4 litres. Concernant le V6, la Sonata l'emporte par 50 chevaux, soit 235 chevaux de la part de son 3,3 litres alors que la Kia doit compter sur seulement 185 équidés. Par contre, les deux moteurs quatre cylindres ont la même cylindrée et la même puissance, soit 161 ch. Chez Kia, on a beau dire que la différence de puissance entre les V6 est compensée par le fait que la suspension avant de la Magentis est plus sportive, c'est vraiment une explication... qui ne tient pas tellement la route ! Si la Kia se conduit avec plus de précision, cet avantage ne parvient pas à combler les 50 chevaux manquants. Dans les deux cas, seule une boîte manumatique à cinq rapports est offerte avec le moteur V6.

Dans le cas de la Magentis, le choix du V6 repose sur une meilleure économie de carburant et son équipement de base très complet. Soulignons au passage que ce moteur est très doux et bien adapté à la boîte automatique. De plus, le silence de roulement est digne de mention.

Il est toutefois certain que le modèle le plus intéressant est celui équipé du quatre cylindres dont le rendement est satisfaisant. De plus, la boîte manuelle est correcte concernant la précision du levier de vitesses et l'étagement des rapports. Ce n'est pas aussi précis que sur certaines japonaises, mais c'est dans la bonne moyenne.

Ce qui impressionne le plus dans cette berline est son homogénéité aussi bien en fait de douceur de roulement que de comportement routier sans surprise. Ne recherchez pas des sensations de conduites relevées ou encore des performances à vous caler dans le siège, mais contentez-vous d'une voiture confortable et docile qui ne vous décevra pas dans la plupart des circonstances. Et il est certain que son prix et son niveau d'équipement demeurent ses atouts les plus importants, suivis de près par un comportement d'ensemble très équilibré tandis que la finition s'est encore améliorée.

**Denis Duquet**

Photos : Kia

# QUESTION DE PERCEPTION

Si les gens avaient le choix, bien peu de Kia Rio (et autres sous-compactes) rouleraient sur nos routes. Ferrari, Lamborghini, Bentley, Maserati, Aston Martin formeraient le gros de la vie automobile. Il y aurait tellement de ces super voitures, qu'elles ne seraient super. Bah, il y aurait bien quelques snobs avec leurs Bugatti Veyron qui nous feraient sentir petits mais on ne leur en tiendrait pas rigueur. Et un jour, un hurluberlu nous arriverait avec une Kia Rio, un p'tit char coréen. Après des rires moqueurs, quelques initiés se mettraient à apprécier le fait de passer moins de temps à la pompe, de voir tout autour quand on conduit et de payer infiniment moins cher pour l'entretien tout en se faisant moins brasser.

L a Kia Rio deviendrait alors une vedette! Tout est une question de perception, vous voyez bien! Malheureusement, les modèles Kia souffrent, encore aujourd'hui, d'un certain snobisme, surtout par rapport à la marque sœur Hyundai qui commercialise l'Accent, la cousine très germaine de la Rio. Question de marketing, sans doute. Pourtant, la Rio n'a rien à envier aux autres voitures de sa catégorie. L'an dernier, lors d'un match comparatif impliquant sept sous-compactes, la Rio avait terminé quatrième, devant la… Hyundai Accent! L'élégance des lignes de la version cinq portes et la qualité de la finition ont été soulignées.

La Kia Rio se présente en deux versions. La Rio tout court prend les traits d'une berline (quatre portières et un coffre séparé), tandis que la Rio5 est un *hatchback* cinq portes (incluant le hayon). Si le premier modèle se retrouve sur la Hyundai Accent, le deuxième appartient à la Kia seulement. Hyundai, de son côté, commercialise une version *hatchback* trois portes. Côté moteur, ce n'est pas très compliqué puisqu'on en retrouve un seul. La Rio reçoit un quatre cylindres 1,6 litre de 110 chevaux et 107 livres-pied de couple. Ce moteur, très moderne avec ses 16 soupapes et sa géométrie constamment variable du jeu de ses soupapes (CVVT) est relié, de série, à une boîte manuelle à cinq rapports ou, en option, à une automatique à quatre rapports.

## SÉRAPHIN ET LA MÉCANIQUE

«Pourquoi faire plus de soupe?» demandait Séraphin à Donalda dont le père bien-aimé s'en venait souper. «Mets plus d'eau, ça va faire pareil…» Avec des temps d'accélération un peu longuets, accompagnés d'une sonorité bien audible, l'ensemble moteur/transmission semble avoir été conçu par Séraphin Poudrier. «Pourquoi mettre plus de puissance? Mets plus de son, ça va faire pareil…» Il faut cependant avouer que les performances, sans être enivrantes, se situent dans la moyenne de la catégorie. La transmission automatique, bien qu'elle pénalise un peu les accélérations, effectue un boulot très honnête. La manuelle, bien étagée, possède toutefois un embrayage et un levier de vitesse très «beurre»… et du beurre mou en plus!

Le comportement général de la voiture se place dans la bonne moyenne. Les suspensions, indépendante à l'avant et semi-indépendante à l'arrière, font un travail très correct et réussissent, avec l'aide d'un châssis, ma foi, fort rigide, à garder le contact entre les pneus (14 ou 15 pouces selon la version) et la chaussée. De plus, sur une voiture à vocation économique, il est intéressant de noter que ces suspensions, surtout celle à l'arrière, ne coûteront pas une fortune à réparer, le temps venu. La Rio affiche un comportement sous-vireur. Ce type de comportement

**FEU VERT**
Consommation peu élevée, lignes agréables (Rio5), comportement routier adéquat, finition sérieuse, espace de chargement intéressant (Rio5)

**FEU ROUGE**
Insonorisation pauvre, freins ABS non disponibles sur versions de base, embrayage flou (manuelle), modèles de base peu équipés, rapport qualité/prix moins évident sur modèles luxueux

## VÉHICULE D'ESSAI

| | |
|---|---|
| Version : | Rio5 EX Sport |
| Emp/Lon/Lar/Haut(mm) : | 2 500/3 990/1 695/1 470 |
| Poids : | 1 192 kg |
| Coffre/Réservoir : | 448 à 1 405 litres / 45 litres |
| Nombre de coussins de sécurité : | 6 |
| Suspension avant : | indépendante, jambes de force |
| Suspension arrière : | demi-ind., poutre déformante |
| Freins av./arr. : | disque/tambour (ABS) |
| Antipatinage/Contrôle de stabilité : | non / non |
| Direction : | à crémaillère, assistée |
| Diamètre de braquage : | 11,8 m |
| Pneus av./arr. : | P195/55R15 |
| Capacité de remorquage : | non recommandé |

## MOTORISATION À L'ESSAI

Pneus d'origine *MICHELIN*

| | |
|---|---|
| Moteur : | 4L de 1,6 litre 16s atmosphérique |
| Alésage et course : | 76,5 mm x 87,0 mm |
| Puissance : | 110 ch (82 kW) à 6 000 tr/min |
| Couple : | 107 lb-pi (145 Nm) à 4 500 tr/min |
| Rapport poids/puissance : | 10,84 kg/ch (14,72 kg/kW) |
| Système hybride : | aucun |
| Transmission : | traction, automatique 4 rapports |
| Accélération 0-100 km/h : | 12,8 s |
| Reprises 80-120 km/h : | 11,4 s |
| Freinage 100-0 km/h : | 45,0 m |
| Vitesse maximale : | 180 km/h |
| Consommation (100 km) : | ordinaire, 8,1 litres |
| Autonomie (approximative) : | 556 km |
| Émissions de CO2 : | 3 360 kg/an |

## GAMME EN BREF

| | |
|---|---|
| Échelle de prix : | 13 595 $ à 18 295 $ |
| Catégorie : | sous-compacte |
| Historique du modèle : | 1ère génération |
| Garanties : | 5 ans/100 000 km, 5 ans/100 000 km |
| Assemblage : | Sohari, Corée du Sud |
| Autre(s) moteur(s) : | aucun |
| Autre(s) rouage(s) : | aucun |
| Autre(s) transmission(s) : | manuelle 5 rapports |

## DANS LA MÊME CATÉGORIE

Chevrolet Aveo - Honda Fit - Hyundai Accent - Nissan Versa - Pontiac Wave - Toyota Yaris - Volkswagen Golf City

## DU NOUVEAU EN 2008

Aucun changement majeur

## NOS IMPRESSIONS

| | |
|---|---|
| Agrément de conduite : | 🚗 🚗 🚗 |
| Fiabilité : | 🚗 🚗 🚗 ½ |
| Sécurité : | 🚗 🚗 🚗 ½ |
| Qualités hivernales : | 🚗 🚗 🚗 |
| Espace intérieur : | 🚗 🚗 🚗 ½ |
| Confort : | 🚗 🚗 🚗 ½ |

## LE CHOIX DE L'ÉQUIPE

EX Commodité

est généralisé dans le monde des sous-compactes et n'est pas dangereux pour deux sous si l'on s'en tient aux limites de vitesse. Malheureusement, comme dans la plupart des voitures de la catégorie, on ne retrouve aucun contrôle de traction. Les freins sont à disque à l'avant et à tambour à l'arrière, mais soulignons que l'ABS est standard uniquement sur la version la plus luxueuse, de même que les quatre freins à disque. La direction, pas nécessairement très précise, se montre un peu trop légère. Mentionnons que le dessous de la Rio reçoit, en usine, un bon traitement antirouille.

### BEL ASSEMBLAGE

La carrosserie des quelques modèles essayés présentait une qualité de finition que plusieurs voitures beaucoup plus dispendieuses lui auraient enviée ! Dans l'habitacle, la même remarque s'applique. La plupart des plastiques sont de belle facture et leur assemblage est bien rendu. La visibilité, peu importe qu'il s'agisse de la version berline ou cinq portes, s'avère excellente. Les jauges se consultent facilement et la radio a, depuis quelques années, perdu ses affreux petits boutons. Désormais, il n'est plus besoin de les manipuler avec un cure-dents... La sonorité, par contre, n'a pas réellement évolué... Personnellement, j'ai trouvé les sièges trop durs et peu confortables tandis que la position de conduite n'est pas évidente à trouver. À l'arrière, curieusement, les sièges font preuve de plus de confort ! Compte tenu de la catégorie, l'espace réservé aux jambes et à la tête est adéquat.

Dans la berline, il est possible d'abaisser les dossiers des places arrière pour augmenter l'espace disponible dans le coffre, mais cette opération est ardue et demande même une certaine force physique lorsque vient le temps de les ramener à leur position initiale. La version *hatchback* bénéficie aussi de sièges rabattables mais leur maniement n'est pas plus aisé.

Puisque la Kia Rio s'adresse généralement à un public moins fortuné, le prix devient un élément décisif. Oubliez les 169 $ mensuels pour la location, proclamés bien haut par les publicités. La réalité est toujours bien plus élevée. De plus, si les versions de base s'avèrent de véritables aubaines, il faut savoir que les modèles plus huppés le sont moins. À plus de 18 000 $ pour une berline, il pourrait être plus avantageux de regarder du côté d'une Spectra, par exemple. Et cette dernière se dépréciera beaucoup moins rapidement.

**Alain Morin**

Photos : Kia

# KIA RONDO

# BELLE SURPRISE

Il faut l'avouer, je n'ai jamais été un grand fanatique des minifourgonnettes. Cependant, depuis quelque temps, on note l'apparition de nouveaux véhicules dérivés des minifourgonnettes, mais en format réduit. Baptisés monospaces en Europe, ils offrent une conduite similaire à celle d'une voiture tout en ayant de l'espace pour plus de 5 passagers. Si Mazda fait bonne figure dans ce créneau avec sa Mazda5, Kia s'est joint à la danse avec l'ajout de sa Rondo. Après plusieurs centaines de kilomètres à son volant, je dois avouer que la Rondo s'avère une belle surprise.

Il ne faut pas se le cacher, Kia n'a pas bâti sa réputation sur le grand luxe de ses autos, mais bien sur la bonne valeur qu'elles représentent. La Rondo poursuit dans la même veine et elle assume très bien ses prémices d'origines. Voilà un véhicule offrant une généreuse liste d'équipement de série, un comportement agréable et surtout, un prix très compétitif. Ajoutez à cela un excellent programme de garantie, et vous obtenez un véhicule qui correspond amplement aux besoins de plusieurs acheteurs. À voir les chiffres de vente de la Rondo, qui est pratiquement le véhicule le plus populaire chez Kia depuis quelque temps, il semble que plusieurs partagent cette opinion.

### DEUX MOTEURS, DEUX CONFIGURATIONS
Capable d'accueillir sept passagers, la Rondo est un peu plus petite que la majeure partie des VUS compacts, mais s'apparente à la Toyota Matrix ou à la Mazda5 concernant les dimensions. Vous pourrez choisir une configuration à cinq ou sept passagers, alors que deux motorisations sont proposées pour l'une ou l'autre des configurations.

On retrouve à la base un moteur quatre cylindres de 2,4 litres développant 162 chevaux pour un couple pratiquement équivalent. On comprend ici que ce moteur ne placera pas la Rondo au rang des plus

puissantes, mais il convient à la tâche, tout en permettant une bonne économie de carburant.

Pour ceux qui voudraient un peu plus de puissance, Kia présente aussi un moteur V6 de 2,7 litres déployant 20 chevaux de plus, soit 182. Ce dernier est combiné de série à une boîte automatique à cinq rapports, tandis que le quatre cylindres se voit marié à une boîte automatique à quatre rapports. Outre une puissance légèrement supérieure, c'est surtout la boîte à cinq rapports qui se révélera le véritable avantage du six cylindres.

Bien équipée, la Rondo se distingue principalement par ses nombreux équipements de sécurité. De ce lot, toutes les versions arrivent de série avec quatre coussins gonflables (avant et latéraux), des rideaux gonflables, des freins ABS ainsi qu'un système de contrôle de la traction. Au moins, le prix compétitif de la Rondo ne se fait pas au détriment de la sécurité.

### DES LIGNES AGRÉABLES
Difficile de positionner la Rondo au premier coup d'œil. En raison de ses dimensions assez réduites, peu de gens s'imaginent qu'elle peut

**FEU VERT**
Espace intérieur, habticale polyvalent,
comportement agréable, véhicule sécuritaire,
bonne garantie

**FEU ROUGE**
Puissance un peu juste (4 cylindres),
fiabilité à déterminer,
valeur de revente moins favorable

accueillir avec aise jusqu'à sept passagers. Le secret réside dans son style qui favorise l'espace intérieur, notamment grâce à ses porte-à-faux réduits et à son toit élevé. Malgré tout, les designers auront réussi à lui donner un aspect intéressant. Elle demeure agréable à l'œil. Ses larges zones vitrées servent la visibilité à bord, tout en minimisant les angles morts.

À l'intérieur, la Rondo offre de bons dégagements pour les passagers, et la troisième banquette dispose d'un peu plus d'espace que celle de la Mazda5. Notons que toutes les banquettes peuvent être rabattues à plat, facilitant ainsi le chargement d'objets plus longs. Bref, la Rondo s'ouvre sur un habitacle pratique et modulable à souhait.

J'ai toujours de la difficulté à trouver une bonne position de conduite dans ce type de véhicules, mais je dois avouer que la Rondo m'a agréablement surpris. Je me suis retrouvé rapidement à mon aise, alors que ma position de conduite s'est révélée très similaire à celle adoptée dans une voiture. Quant à la finition, il faut reconnaître que Kia a fait de bons efforts. On ne se sent pas à bord d'une voiture axée sur le budget et c'est tant mieux.

Au volant, on note une bonne insonorisation de l'habitacle qui ne trahit une sonorité plus élevée du moteur que sous forte accélération. Le six cylindres s'acquitte un peu mieux de sa tâche, effectuant des reprises à haute vitesse plus énergiques. Élément encore plus intéressant lorsque vous transportez plusieurs passagers. La boîte automatique à cinq rapports exploite un peu mieux les régimes du moteur, permettant un régime moindre à vitesse de croisière, donc un meilleur rendement. Seuls bémols, la direction est un peu trop surassistée et la suspension se révèle un peu trop molle.

En fait, la Rondo dispose pratiquement de tous les atouts des minifourgonnettes classiques, avec un peu moins d'espace certes, mais avec en revanche un comportement plus intéressant et surtout, une consommation moindre. Et on peut se passer des portes coulissantes!

**Sylvain Raymond**

## VÉHICULE D'ESSAI

| | |
|---|---|
| Version : | EX-V6 |
| Emp/Lon/Lar/Haut(mm) : | 2 700/4 545/1 820/1 650 |
| Poids : | 1 562 kg |
| Coffre/Réservoir : | 185 à 2 083 litres / 60 litres |
| Nombre de coussins de sécurité : | 6 |
| Suspension avant : | indépendante, jambes de force |
| Suspension arrière : | indépendante, multibras |
| Freins av./arr. : | disque (ABS, EBD) |
| Antipatinage/Contrôle de stabilité : | oui / oui |
| Direction : | à crémaillère, assistée |
| Diamètre de braquage : | 10,8 m |
| Pneus av./arr. : | P205/60R16 |
| Capacité de remorquage : | non recommandé |

## MOTORISATION À L'ESSAI

| | |
|---|---|
| Moteur : | V6 de 2,7 litres 24s atmosphérique |
| Alésage et course : | n/a |
| Puissance : | 182 ch (136 kW) à 6 000 tr/min |
| Couple : | 182 lb-pi (247 Nm) à 4 000 tr/min |
| Rapport poids/puissance : | 8,58 kg/ch (11,66 kg/kW) |
| Système hybride : | aucun |
| Transmission : | traction, automatique 5 rapports |
| Accélération 0-100 km/h : | 9,7 s |
| Reprises 80-120 km/h : | 7,6 s |
| Freinage 100-0 km/h : | 42,0 m |
| Vitesse maximale : | 180 km/h |
| Consommation (100 km) : | ordinaire, 11,8 litres |
| Autonomie (approximative) : | 508 km |
| Émissions de CO2 : | 4 800 kg/an |

## GAMME EN BREF

| | |
|---|---|
| Échelle de prix : | 19 995 $ à 26 095 $ |
| Catégorie : | familiale |
| Historique du modèle : | 1ère génération |
| Garanties : | 5 ans/100 000 km, 5 ans/100 000 km |
| Assemblage : | Hwasung, Corée du Sud |
| Autre(s) moteur(s) : | 4L 2,4l 162ch/163lb-pi (11 l/100km) |
| Autre(s) rouage(s) : | aucun |
| Autre(s) transmission(s) : | automatique 4 rapports |

## DANS LA MÊME CATÉGORIE

Chevrolet HHR - Chrysler PT Cruiser - Dodge Caliber - Mazda5 - Pontiac Vibe - Toyota Matrix

## DU NOUVEAU EN 2008

Pas de changement majeur

## NOS IMPRESSIONS

| | |
|---|---|
| Agrément de conduite : | 🚗 🚗 🚗 ½ |
| Fiabilité : | 🚗 🚗 🚗 ½ |
| Sécurité : | 🚗 🚗 🚗 🚗 |
| Qualités hivernales : | 🚗 🚗 🚗 ½ |
| Espace intérieur : | 🚗 🚗 🚗 🚗 |
| Confort : | 🚗 🚗 🚗 🚗 |

## LE CHOIX DE L'ÉQUIPE

EX-V6

Photos : Denis Duquet

Hyundai Entourage

# DES JUMEAUX!

Malgré une entrée tardive sur le marché de la fourgonnette, le duo dynamique que représentent la Kia Sedona et la Hyundai Entourage aura très bien su faire sa place jusqu'à présent. La présentation est simple, efficace et le tout est offert à bas prix, que demander de plus? Évidemment, on sait tous que les ventes dans ce marché sont en baisse et que les gens délaissent ce type de véhicule, mais il y a fort à parier que ces deux modèles resteront assurément parmi les derniers à se battre pour la survie de la race.

H yundai n'y est pas allé à la légère en créant sa fourgonnette. Les lignes sont harmonieuses, les proportions bien agencées et le design est assez intemporel. Quelques éléments extérieurs chromés viennent ajouter une touche de prestige, alors que les phares, avant et arrière, sont volontairement de dimensions exagérées afin de donner une impression de sécurité et de robustesse.

**PLUS GRAND DEDANS QUE DEHORS**

Les concepteurs de l'Entourage auront réussi un incroyable tour de force en offrant un espace intérieur très généreux. C'est qu'à l'intérieur de cette fourgonnette, on ne se sent pas coincé entre deux sièges, trois accoudoirs et des espaces de rangement sans parler de l'écran du système de divertissement mal placé ou la tablette inutile entre les deux sièges avant. L'espace y est généreux tout simplement parce que tout a été étudié avec soin et rien ne parait avoir été ajouté tardivement, tout juste avant la production. L'intérieur est épuré et classique, laissant toute la place aux passagers. Les sièges peuvent sembler très rudimentaires mais sont d'un excellent confort, même après plusieurs heures de route. Les passagers des sièges médians seront agréablement surpris de constater que les vitres des portières coulissantes s'abaissent. Mentionnons toutefois que ces mêmes sièges médians ne se rabattent pas complètement dans le plancher comme ceux du système «Stow'n Go» de Dodge. Pour ce qui est de la troisième rangée, les sièges sont également très confortables et l'espace y est des plus généreux. Notons l'emplacement d'un astucieux bouton permettant aux passagers arrière d'ouvrir eux-mêmes les glaces latérales. Il n'est pas nécessaire de voyager léger à bord de l'un ou l'autre de ces deux véhicules. L'espace de chargement derrière la troisième banquette est abondant et la baie d'entreposage des sièges arrière permet d'y insérer un nombre impressionnant d'objets. La manipulation des sièges de dernière rangée est simple et une fois ceux-ci entreposés dans le plancher, l'espace offert est plus que généreux. Il va sans dire que l'espace disponible dans l'habitacle permet de dissimuler ça et là divers colis de plus petites dimensions.

**COMME EN 1972!**

À l'image des Russes venus apprendre à jouer au hockey en 1972, Hyundai a pris le temps d'observer la concurrence avant de lancer son modèle de fourgonnette. Hyundai s'est alors efforcé de ne prendre que les qualités des modèles concurrents et de les améliorer, laissant le superflu de côté. Et comme pour les Russes, Hyundai en a surpris plus d'un en présentant son produit, hautement concurrentiel et sans la moindre lacune. Outre l'excellente qualité de finition et le design

**FEU VERT**
Bon rapport qualité/prix, espace disponible généreux, design intérieur intéressant, silhouette classique, fiabilité assurée

**FEU ROUGE**
Pneumatiques mal adaptés, distance de freinage un peu longue, poids élevé, consommation au-dessus de la moyenne

**350**

## VÉHICULE D'ESSAI

| | |
|---|---|
| Version : | Sedona EX |
| Emp/Lon/Lar/Haut(mm) : | 3 020/5 130/1 985/1 760 |
| Poids : | 1 989 kg |
| Coffre/Réservoir : | 912 à 4 007 litres / 80 litres |
| Nombre de coussins de sécurité : | 6 |
| Suspension avant : | indépendante, jambes de force |
| Suspension arrière : | semi-ind., multibras |
| Freins av./arr. : | disque (ABS) |
| Antipatinage/Contrôle de stabilité : | non / non |
| Direction : | à crémaillère, assistance variable |
| Diamètre de braquage : | 12,6 m |
| Pneus av./arr. : | P225/70R16 |
| Capacité de remorquage : | 1 588 kg |

## MOTORISATION À L'ESSAI

Pneus d'origine MICHELIN

| | |
|---|---|
| Moteur : | V6 de 3,8 litres 24s atmosphérique |
| Alésage et course : | 96,0 mm x 87,0 mm |
| Puissance : | 250 ch (186 kW) à 6 000 tr/min |
| Couple : | 253 lb-pi (343 Nm) à 3 500 tr/min |
| Rapport poids/puissance : | 7,96 kg/ch (10,81 kg/kW) |
| Système hybride : | aucun |
| Transmission : | traction, auto. mode man. 5 rapports |
| Accélération 0-100 km/h : | 10,5 s |
| Reprises 80-120 km/h : | 9,8 s |
| Freinage 100-0 km/h : | 47,0 m |
| Vitesse maximale : | 180 km/h |
| Consommation (100 km) : | ordinaire, 13,2 litres |
| Autonomie (approximative) : | 606 km |
| Émissions de CO2 : | 5 376 kg/an |

## GAMME EN BREF

| | |
|---|---|
| Échelle de prix : | 29 495 $ à 37 795 $ |
| Catégorie : | fourgonnette |
| Historique du modèle : | 1ière génération |
| Garanties : | 5 ans/100 000 km, 5 ans/100 000 km |
| Assemblage : | Asan, Corée du Sud |
| Autre(s) moteur(s) : | V6 3,8l 242ch/251lb-pi (13,2 l/100km) Entourage |
| Autre(s) rouage(s) : | aucun |
| Autre(s) transmission(s) : | aucune |

sobre et épuré, la fourgonnette est étonnante quelle que soit la conduite privilégiée. Possédant un des moteurs les plus puissants de la catégorie, il n'est pas surprenant de constater à quel point la Sedona est nerveuse et performante lorsqu'elle est sollicitée. Les accélérations sont très intéressantes et amplement suffisantes pour ce type de véhicule. Même en virages serrés, le roulis est minime et les suspensions travaillent correctement. La direction est bien dosée mais un peu molle, ce qui ne signifie pas pour autant qu'elle est décevante. Le freinage est satisfaisant tout au plus, car les distances de freinage obtenues lors de nos tests étaient un peu longues malgré la présence de disques aux quatre roues. Les nombreuses randonnées sur autoroute permettront d'apprécier le confort et le silence de l'habitacle. L'absence de bruit de caisse et de vent jumelée à une bonne insonorisation permet d'obtenir un niveau sonore très faible dans l'habitacle. Ainsi, maman n'aura pas à crier pour s'adresser aux enfants assis à la troisième rangée.

On doit cependant avouer qu'une partie de ce confort est malheureusement obtenu grâce au poids élevé du véhicule. Plus important que la plupart des modèles concurrents, ce gain de poids procure une stabilité accrue sur l'autoroute et une résistance additionnelle aux vents latéraux. C'est probablement pourquoi, malgré une mécanique en constante évolution, la consommation de carburant mesurée est légèrement au-dessus de la moyenne pour ce type de véhicule. Ce n'est évidemment pas une raison pour dénigrer cette fourgonnette, mais pour celui ou celle voyageant beaucoup, la différence peut devenir énorme, surtout avec la récente flambée du prix du pétrole.

Avec un prix très abordable et une fiabilité éprouvée, les produits de Hyundai et Kia sont dorénavant à considérer pour quiconque désire acheter une fourgonnette. Les incitatifs à l'achat étant également très généreux (une des meilleures garanties sur le marché et un taux de financement régulièrement à 0 %), il n'est guère possible de rayer l'Entourage et la Sedona aussi facilement de sa liste d'épicerie. Et pour ceux qui hésitent entre les deux modèles, sachez que les produits sont très similaires et que seule une visite chez votre concessionnaire favori viendra trancher le dilemme.

**Guy Desjardins**

## DANS LA MÊME CATÉGORIE

Chevrolet Uplander - Dodge Grand Caravan - Honda Odyssey - Nissan Quest - Pontiac Montana SV6 - Toyota Sienna

## DU NOUVEAU EN 2008

Pas de changement majeur

## NOS IMPRESSIONS

| | |
|---|---|
| Agrément de conduite : | 🚗 🚗 🚗 🚗 |
| Fiabilité : | 🚗 🚗 🚗 🚗 |
| Sécurité : | 🚗 🚗 🚗 🚗 |
| Qualités hivernales : | 🚗 🚗 🚗 ½ |
| Espace intérieur : | 🚗 🚗 🚗 🚗 ½ |
| Confort : | 🚗 🚗 🚗 🚗 |

## LE CHOIX DE L'ÉQUIPE

Entourage GL ou Sedona LX

Photos : Guy Desjardins

# DANS LA BONNE DIRECTION?

Introduit en 2003, le Kia Sorento a su s'attirer la faveur de plusieurs acheteurs. On pouvait certes lui adresser quelques reproches, notamment sa consommation élevée et sa puissance un peu juste, mais ce VUS s'avérait à l'époque assez intéressant. On reconnaissait son style et surtout, sa bonne valeur. Force est d'admettre que l'intérêt aura diminué avec le temps parce que la concurrence aura rattrapé le Sorento, mais également en raison de ventes générales à la baisse chez les VUS plus traditionnels.

Kia nous présente le Sorento 2008 comme un véhicule à l'aise sur la route, mais toujours aussi capable en hors route. On nous vante son châssis à échelle dérivée de celui d'une camionnette, sa garde au sol relevée, ainsi que son rouage à quatre roues motrices qui comprend un mode gamme basse (low gear). Voilà tous les éléments qui donnent au Sorento de bonnes aptitudes hors des sentiers battus. Mais sachant que très peu d'acheteurs vont véritablement jouer dans la boue avec leurs VUS, que la concurrence abandonne les châssis à échelle au profit des châssis monocoques et surtout que les ventes de VUS traditionnels se déplacent à grands pas vers des VUS de type multisegments, on peut se demander si Kia se dirige dans la bonne direction.

## LA REFONTE SE POURSUIT

Pour 2008, Kia nous propose un nouveau Sorento qui au premier coup d'œil pourrait nous sembler assez similaire au modèle précédent, ce qui ne serait pas faux. Les changements touchent principalement le groupe motopropulseur. En fait, la refonte du Sorento a commencé l'an passé alors que le constructeur remplaçait le moteur V6 3,5 litres de 195 chevaux par un tout nouveau moteur de 3,8 litres, plus puissant, avec ses 262 chevaux et ses 260 lb-pi de couple. Ce moteur est d'ailleurs utilisé chez Hyundai, entre autres dans le Santa Fe. Finalement, en

2007, Kia avait aussi effectué quelques changements esthétiques qui sont reconduits dans la livrée de 2008.

Pour 2008, le Sorento arrive en version de base équipée d'un nouveau moteur V6 de 3,3 litres, développant 20 chevaux de moins que le 3,8 litres, soit 242. Plus abordable, cette version se distingue par un niveau d'équipement plus sommaire. Cependant, son nouveau moteur lui apportera une économie d'essence supérieure. Selon Kia, cette version représentera 80 % des ventes du Sorento. Quant à la version LX Luxury, elle propose une liste d'équipements de série plus complète et reçoit le V6 de 3,8 litres. Peu importe le V6 choisi, il sera couplé avec une boîte automatique à cinq rapports, la seule disponible.

## UN PEU PLUS D'ESPACE INTÉRIEUR

À l'extérieur, le Sorento 2008 demeure reconnaissable. En fait, on note très peu de changements par rapport à 2007. Le constructeur a légèrement modifié le pare-choc arrière, ainsi que les phares avant. La version de base nous est livrée en couleur monochrome alors que le Sorento EX Luxury reçoit une peinture deux tons, qui fait plus chic, en plus des jantes de 17 pouces au lieu de 16 pour la

**FEU VERT**
Bon niveau d'équipement,
moteur V6 bien adapté, nombreux équipements de sécurité,
rouage intégral performant

**FEU ROUGE**
Suspension trop molle,
consommation assez élevée,
moteur 3,3 litres un peu juste

version de base. Si le style reste pratiquement inchangé, Kia aura tout de même allongé quelque peu le véhicule.

Encore une fois, quelques changements subtils ici et là dans l'habitacle offrent un peu de renouveau au Sorento 2008. Cependant, l'aspect général du tableau de bord nous rappelle celui des modèles précédents. On ne fait malheureusement pas du neuf avec du vieux, ce qui est assez apparent dans le Sorento... Malgré cet élément, on apprécie la disposition des commandes et l'ergonomie du tableau de bord. Ce n'est pas des plus modernes, mais au moins, tout est fonctionnel. On trouve une bonne position de conduite grâce à des sièges dotés de nombreux réglages, mais les sièges en tissu de la version de base se révèlent plus fermes en conduite prolongée. Toutefois, les motifs du tissu n'ont rien pour remporter un concours d'art... Sans pécher par excès de snobisme, la sellerie de cuir de la version LX Luxury s'avère plus confortable et surtout, plus attirante.

### UN PEU DE MOLLESSE
Au volant, le Sorento affiche un comportement sain, malgré ses aspirations de rebelle du hors route. On apprécie la puissance des deux moteurs alors que le V6 de 3,3 litres ne demande pratiquement aucun compromis au chapitre des performances. Il faut dire qu'il ne déballe que 20 chevaux de moins. De plus, il présente une économie d'essence supérieure tout en ayant une bonne capacité de remorquage, voilà ici le véritable atout de la construction plus classique du Sorento. La boîte automatique à cinq rapports se montre un peu lente parfois, mais elle exploite bien la puissance disponible dans les deux livrées.

Quant à son comportement, le Sorento est un tantinet trahi par sa suspension trop molle qui semble également ne pas offrir de débattement assez important. Le véhicule rebondit trop mollement. On aurait intérêt à raffermir le tout. Du reste, on aime l'insonorisation de l'habitacle habitable ainsi que la paire de V6, relativement silencieux.

Le Sorento 2008 n'a rien pour révolutionner son créneau, mais on reconnaît sa bonne valeur et surtout, ses nombreuses caractéristiques de sécurité. Kia ne lésine pas à ce chapitre et c'est tant mieux. Finalement, vous pourrez compter sur une excellente garantie, gage d'une bonne tranquillité d'esprit.

**Sylvain Raymond**

Photos : Sylvain Raymond

## VÉHICULE D'ESSAI

| | |
|---|---|
| Version : | LX Luxury |
| Emp/Lon/Lar/Haut(mm) : | 2 710/4 590/1 884/1 810 |
| Poids : | 2 024 kg |
| Coffre/Réservoir : | 898 à 1 880 litres / 80 litres |
| Nombre de coussins de sécurité : | 5 |
| Suspension avant : | indépendante, bras inégaux |
| Suspension arrière : | essieu rigide, ressorts hélicoïdaux |
| Freins av./arr. : | disque (ABS, EBD) |
| Antipatinage/Contrôle de stabilité : | oui / oui |
| Direction : | à crémaillère, assistance variable |
| Diamètre de braquage : | 10,8 m |
| Pneus av./arr. : | P245/65R17 |
| Capacité de remorquage : | 2 268 kg |

## MOTORISATION À L'ESSAI
Pneus d'origine MICHELIN

| | |
|---|---|
| Moteur : | V6 de 3,8 litres 24s atmosphérique |
| Alésage et course : | 96,0 mm x 87,0 mm |
| Puissance : | 262 ch (195 kW) à 6 000 tr/min |
| Couple : | 260 lb-pi (353 Nm) à 4 500 tr/min |
| Rapport poids/puissance : | 7,73 kg/ch (10,49 kg/kW) |
| Système hybride : | aucun |
| Transmission : | 4RM, automatique 5 rapports |
| Accélération 0-100 km/h : | 8,1 s |
| Reprises 80-120 km/h : | 6,9 s |
| Freinage 100-0 km/h : | 42,0 m |
| Vitesse maximale : | 190 km/h |
| Consommation (100 km) : | ordinaire, 14.0 litres |
| Autonomie (approximative) : | 571 km |
| Émissions de $CO_2$ : | 5 808 kg/an |

## GAMME EN BREF

| | |
|---|---|
| Échelle de prix : | 32 495 $ à 38 995 $ |
| Catégorie : | utilitaire sport intermédiaire |
| Historique du modèle : | 2ième génération |
| Garanties : | 5 ans/100 000 km, 5 ans/100 000 km |
| Assemblage : | Hwasung, Corée du Sud |
| Autre(s) moteur(s) : | V6 3,3l 242ch/228lb-pi (13,5 l/100km) LX |
| Autre(s) rouage(s) : | aucun |
| Autre(s) transmission(s) : | aucune |

### DANS LA MÊME CATÉGORIE
Chevrolet Equinox - Jeep Liberty - Mitsubishi Endeavor - Nissan Pathfinder - Pontiac Torrent - Saturn VUE - Toyota Highlander - Toyota FJ Cruiser

### DU NOUVEAU EN 2008
Nouvelle version de base avec moteur 3,3 litres, quelques modifications esthétiques ici et là

### NOS IMPRESSIONS

| | |
|---|---|
| Agrément de conduite : | 🚗 🚗 🚗 ½ |
| Fiabilité : | 🚗 🚗 🚗 ½ |
| Sécurité : | 🚗 🚗 🚗 🚗 |
| Qualités hivernales : | 🚗 🚗 🚗 🚗 |
| Espace intérieur : | 🚗 🚗 🚗 🚗 |
| Confort : | 🚗 🚗 🚗 ½ |

### LE CHOIX DE L'ÉQUIPE
LX

# KIA KIA SPECTRA / SPECTRA 5

## APPARENCES TROMPEUSES

Vous vous souvenez de cette pub télévisée où, dans la première séquence, on voyait un jeune voyou bousculer une dame âgée ? Dans la deuxième prise de vue, on revoyait exactement la même scène mais d'un autre angle. On se rendait compte que le voyou était en fait un homme bien intentionné qui, en bousculant la dame avant qu'elle se fasse frapper par une voiture, lui avait sauvé la vie… La perception peut quelquefois jouer de bien mauvais tours. Avant de juger la Kia Spectra, essayez-la donc !

Lorsqu'un manufacturier s'installe dans une nouvelle contrée, ses produits sont examinés à la loupe. Et si ceux-ci ne sont pas à la hauteur des attentes, il aura besoin d'un service (concessionnaires, relations avec les médias, garanties, etc.) exemplaire pour renverser la vapeur. C'est exactement ce qui est arrivé à Kia à ses débuts chez nous en 2000. Sauf que pour le service, on avait déjà vu mieux. Les Coréens, comme les Japonais avant eux, apprennent incroyablement vite. Si, au début, seul l'argument du prix jouait en faveur de Kia, aujourd'hui les produits de cette marque ont d'autres atouts pour se faire apprécier.

Alors que la Spectra est une berline (quatre portes et un coffre séparé de l'habitacle), la Spectra 5 se veut une familiale de style *hatchback* à cinq portes, en comptant le hayon. Les deux reposent sur le même empattement et sur la même mécanique. On parle ici d'un quatre cylindres 2,0 litres de conception moderne. Il engendre 138 chevaux et 136 livres-pied de couple. L'acheteur a le choix entre deux transmissions : de série, on retrouve une manuelle à cinq rapports et, en option, d'une automatique à quatre rapports. Comme il est de mise dans ce type de voiture, les roues avant sont motrices.

### COMPORTEMENT ROUTIER DE BON ALOI

Au chapitre de la conduite, on ne dénote pas de différences particulières entre la berline et la *hatchback*. Le moteur n'est pas des plus performants mais son rendement est tout à fait dans l'esprit d'une voiture économique. Les accélérations et reprises ne s'avèrent pas mauvaises (le 0-100 s'effectue sous les 11 secondes) mais la puissance est un peu juste à bas régime. Et s'il était un peu plus discret en accélération, personne ne s'en plaindrait ! La transmission manuelle n'a aucune chance de se retrouver chirurgienne un jour tant elle est imprécise même si son étagement est bien étudié. Quant à l'automatique, si elle semble gober quelques chevaux au passage, son fonctionnement s'avère des plus doux, du moins sur la version essayée. La direction se montre assez précise mais un peu plus de *feedback* ne serait pas superflu. Les freins, à disque et à tambour sans ABS sur les versions moins dispendieuses, sont assez faciles à moduler et n'ont tendance à bloquer qu'en fin de parcours. Tous ces éléments contribuent à un comportement routier très sain, pour peu qu'on respecte les limites de la Spectra. La voiture affiche un bel équilibre dans les courbes mais, poussée plus que de raison, on dénote un certain sous-virage. À ce moment, la caisse penche passablement. Et il ne faut pas se fier à un quelconque système de contrôle de la traction ou de la stabilité latérale… Il n'y en a pas, peu importe la

**FEU VERT**
Moteur économique, finition très correcte, comportement routier sain, fiabilité éprouvée, garantie généreuse

**FEU ROUGE**
Insonorisation pauvre, sécurité réservée aux versions huppées, certains plastiques bon marché, certaines versions moins alléchantes, valeur de revente

**354**

GUIDE DE L'AUTO 2008                              www.leguidedelauto.com

### VÉHICULE D'ESSAI

| | |
|---|---|
| Version : | Spectra 5 groupe commodité |
| Emp/Lon/Lar/Haut(mm) : | 2 610/4 350/1 735/1 470 |
| Poids : | 1 362 kg |
| Coffre/Réservoir : | 518 à 1 494 litres / 53 litres |
| Nombre de coussins de sécurité : | 2 |
| Suspension avant : | indépendante, jambes de force |
| Suspension arrière : | indépendante, multibras |
| Freins av./arr. : | disque/tambour |
| Antipatinage/Contrôle de stabilité : | non / non |
| Direction : | à crémaillère, assistée |
| Diamètre de braquage : | 10,9 m |
| Pneus av./arr. : | P195/60R15 |
| Capacité de remorquage : | 454 kg |

### MOTORISATION À L'ESSAI

| | |
|---|---|
| Moteur : | 4L de 2,0 litres 16s atmosphérique |
| Alésage et course : | 86,5 mm x 100,0 mm |
| Puissance : | 138 ch (103 kW) à 6 000 tr/min |
| Couple : | 136 lb-pi (184 Nm) à 4 500 tr/min |
| Rapport poids/puissance : | 9,87 kg/ch (13,35 kg/kW) |
| Système hybride : | aucun |
| Transmission : | traction, automatique 4 rapports |
| Accélération 0-100 km/h : | 10,8 s |
| Reprises 80-120 km/h : | 7,7 s |
| Freinage 100-0 km/h : | 43,0 m |
| Vitesse maximale : | 185 km/h |
| Consommation (100 km) : | ordinaire, 8,7 litres |
| Autonomie (approximative) : | 609 km |
| Émissions de CO2 : | 3 648 kg/an |

### GAMME EN BREF

| | |
|---|---|
| Échelle de prix : | 15 995 $ à 22 375 $ |
| Catégorie : | berline compacte/familiale |
| Historique du modèle : | 2ième génération |
| Garanties : | 5 ans/100 000 km, 5 ans/100 000 km |
| Assemblage : | Asan Bay, Corée du Sud |
| Autre(s) moteur(s) : | aucun |
| Autre(s) rouage(s) : | aucun |
| Autre(s) transmission(s) : | manuelle 5 rapports |

version ! Cependant, de meilleurs pneus de base rehausseraient grandement les qualités dynamiques de la voiture tout en réduisant le niveau sonore. Malgré tout, il est difficile de prendre le confort en défaut et une journée de plus de 1 000 km à son volant nous a prouvé ses aptitudes.

En général, la finition extérieure se situe dans la bonne moyenne. C'est toutefois plus réussi dans l'habitacle où les joints entre les différents panneaux de plastique sont réussis. Il faut par contre noter que quelques morceaux de plastique ici et là font dans le très *cheap*. Pour certaines personnes, il est très difficile de trouver une bonne position de conduite alors que d'autres n'ont pas ce problème. Tous cependant s'accordent pour louanger la visibilité. À moins d'opter pour une version très de base, le climatiseur fait partie de l'équipement de série. La radio AM/FM/CD (nous pourrions parler de système audio mais ce serait un peu exagéré…) possède une sonorité très basique et sa réception n'est guère meilleure. Les passagers montant à l'arrière auront droit à des sièges plus ou moins confortables. À tout le moins, l'espace pour les pieds et la tête s'avère une agréable surprise pour une voiture de ce gabarit, surtout dans la Spectra 5.

### ÇA SE PASSE À L'ARRIÈRE

Évidemment, la plus grande différence entre la Spectra et la Spectra 5 se situe au niveau du coffre. Celui de la berline, comme on s'y attend, se montre moins généreux de son espace que celui de la *hatchback*. Heureusement, il est possible d'abaisser les dossiers des sièges arrière qui malgré ça ne forment pas un plancher plat. La Spectra 5, de son côté, présente un coffre plus vaste et de quelques espaces de rangement sont prévus sous le tapis. Son cache-bagages est facile à manipuler et s'enlève facilement.

Avec un prix de base d'environ 16 000 $ pour la Spectra et 16 500 $ pour la Spectra 5, ces petites Kia peuvent en découdre avec plusieurs concurrentes. Mais il faut alors être prêt à sacrifier un peu de confort et d'éléments de sécurité. Puis on se dit que pour quelques centaines de dollars supplémentaires, on pourrait en avoir un peu plus. Et pourquoi pas investir encore juste un peu pour avoir droit à des freins ABS, par exemple ? Ça ne paraîtra pas beaucoup sur le paiement mensuel… Et c'est ainsi qu'on peut se retrouver avec une Kia Spectra 5 de 22 ou 23 000 $. À ce prix, oubliez l'aubaine !

**Alain Morin**

### DANS LA MÊME CATÉGORIE

Chevrolet Optra - Ford Focus - Honda Civic - Hyundai Elantra - Mazda3 / 3 Sport - Mitsubishi Lancer - Nissan Sentra - Suzuki Sx-4 - Toyota Corolla

### DU NOUVEAU EN 2008

Pas de changement majeur

### NOS IMPRESSIONS

| | |
|---|---|
| Agrément de conduite : | 🚗🚗🚗🚗 |
| Fiabilité : | 🚗🚗🚗🚗 |
| Sécurité : | 🚗🚗🚗🚗 |
| Qualités hivernales : | 🚗🚗🚗½ |
| Espace intérieur : | 🚗🚗🚗🚗 |
| Confort : | 🚗🚗🚗½ |

### LE CHOIX DE L'ÉQUIPE

Spectra5 base

Photos : Kia

## PRISE DEUX

Au cours des trois dernières années, j'ai eu un contact étroit avec deux exemplaires de la Lamborghini Gallardo par ma participation au Challenge Trioomph sur le Circuit Mont-Tremblant. La première de ces voitures a fait preuve d'une fiabilité très aléatoire, sa boîte robotisée E-gear s'avérant être son talon d'Achille et elle a été remplacée en 2007 par une autre Gallardo qui, après des débuts peu reluisants, s'est finalement montrée à la hauteur des attentes.

Cette fois-ci aura donc été la bonne pour nous avec la marque italienne, et ce, même si le moteur de la nouvelle voiture a fait défaillance dès ses débuts. Les gens de Lamborghini ont alors choisi de nous expédier un moteur neuf d'Italie et celui qui équipait notre voiture est retourné dans son pays d'origine pour analyse. Depuis cet incident, la Gallardo tourne rond pour notre plus grand plaisir. Pur produit italo-germanique, elle fait tourner les têtes avec sa couleur blanc perle et ses sièges en cuir noir rehaussés de coutures blanches. Visuellement, la Gallardo est une voiture frappante avec ses lignes ciselées et ses angles droits, et sa présence est remarquée partout où elle passe. Les portières ont beau être traditionnelles, plutôt qu'en élytre comme sur la Murcielago, le charme de la petite Lamborghini opère sans faille.

Étant donné ses origines, la Gallardo hérite de plusieurs éléments en provenance de chez Audi comme le système de chauffage/climatisation, la chaîne audio ainsi que plusieurs commutateurs et commandes. Si vous avez conduit une Audi récemment, vous ne serez pas dérouté par le poste de pilotage de la Gallardo qui convient à des gabarits moyens, les conducteurs faisant plus de six pieds ayant parfois de la difficulté à trouver une position de conduite idéale et confortable. La visibilité vers l'avant est bonne, mais ça se gâte vers l'arrière. Quant à l'espace de chargement situé à l'avant de la voiture, précisons que son volume est limité à 4 pieds cubes (113 litres), donc on oublie le panier à pique-nique !

### CONSTRUCTION TOUT ALU

Sa construction tout aluminium signifie que cette exotique sportive appartient à la catégorie des poids plume puisqu'elle n'affiche que 1 535 kilos à la pesée, malgré le fait qu'elle soit animée par un moteur V10 de 5,0 litres développant 520 chevaux, ce qui représente tout un exploit sur le plan technique. Logé en position centrale, ce V10 est jumelé à une boîte manuelle courante à six vitesses ou encore à la boîte robotisée E-Gear, proposée en option et dotée de paliers de commande au volant. La motricité est livrée aux 4 roues par l'entremise d'un rouage intégral selon une répartition de deux tiers vers les roues arrière et d'un tiers vers les roues avant en conduite normale. Pour décoller rapidement avec la Gallardo, il suffit de désactiver le système de contrôle de la motricité, de sélectionner le mode sport qui commande le passage des vitesses en 12 millièmes de seconde et simplement d'accélérer à fond. La motricité initiale est fabuleuse et le bond en avant prodigieux, courtoisie de la traction intégrale. Une fois en piste au Circuit Mont-Tremblant, la traction intégrale représente encore un léger handicap puisqu'un faible

**FEU VERT**
Puissance accrue du moteur V10,
l'exotisme par excellence sur quatre roues,
traction intégrale de série, tenue de route plus qu'électrisante

**FEU ROUGE**
Prix très élevé, fiabilité perfectible,
visibilité très réduite vers l'arrière,
places exigues

sous-virage est toujours présent, mais je dois avouer que l'adhérence est tout de même impressionnante, la Gallardo étant capable de tenir 1G en virage.

## LES NOUVELLES VARIANTES

Lamborghini propose également la Gallardo Superleggera, qui est plus légère d'environ 100 kilos et, par conséquent, plus rapide. La Superleggera ne sera produite qu'à 350 exemplaires au cours des prochaines années, et elle a été conçue pour donner la réplique aux versions plus performantes de la Ferrari F430, comme la récente Scuderia, dévoilée au Salon de l'auto de Francfort. Ayant perdu une centaine de kilos par rapport à la Gallardo habituelle, la Superleggera obtient un rapport poids/puissance de 2,5 kg par cheval-vapeur, ce qui est remarquable. La fibre de carbone est utilisée pour plusieurs éléments de carrosserie comme le capot du moteur et les rétroviseurs latéraux. La Superleggera est dotée d'un aileron arrière fixe qui est lui aussi réalisé en fibre de carbone. La traction intégrale est encore au programme, et le V10 de 5,0 litres demeure inchangé mis à part certaines modifications apportées à l'admission d'air et au système d'échappement. Contrairement à la Gallardo habituelle, la Superleggera reçoit la boîte robotisée E-gear de série alors que la boîte manuelle est optionnelle. Quant aux freins, précisons qu'ils sont en composite de céramique. L'habitacle est beaucoup plus dépouillé. La climatisation est toujours de mise, mais la Superleggera n'a pas de radio, ses sièges ont été allégés, le vitrage est moins épais et elle possède moins de matériaux insonores, en vue de réduire le poids de la voiture.

De plus, Lamborghini procéderait actuellement à des essais effectués avec une Gallardo animée par le moteur V8 de 4,2 litres développé par Audi pour la récente R8. Lamborghini appartenant au groupe Volkswagen, tout comme Audi, voilà qui permettrait des économies d'échelle tout en offrant à la clientèle un nouveau modèle moins cher. Comme la Gallardo est plus légère, cette version à moteur V8 serait plus rapide que la Audi R8 qui devrait cependant corriger ce petit impair en recevant un moteur V10 dans les dix-huit prochains mois. Voilà pour la valse des motorisations dans l'univers Audi-Lamborghini!

**Gabriel Gélinas**

### VÉHICULE D'ESSAI

| | |
|---|---|
| Version : | Coupé |
| Emp/Lon/Lar/Haut (mm) : | 2 560/4 300/1 900/1 165 |
| Poids : | 1 535 kg |
| Coffre/Réservoir : | 110 litres / 90 litres |
| Nombre de coussins de sécurité : | 4 |
| Suspension avant : | indépendante, bras inégaux |
| Suspension arrière : | indépendante, multibras |
| Freins av./arr. : | disque (ABS) |
| Antipatinage/Contrôle de stabilité : | oui / oui |
| Direction : | à crémaillère, assistance variable |
| Diamètre de braquage : | 11,5 m |
| Pneus av./arr. : | P235/35ZR19 / P295/30ZR19 |
| Capacité de remorquage : | non recommandé |

### MOTORISATION À L'ESSAI

| | |
|---|---|
| Moteur : | V10 de 5,0 litres 40s atmosphérique |
| Alésage et course : | 82,5 mm x 92,8 mm |
| Puissance : | 520 ch (388 kW) à 8 000 tr/min |
| Couple : | 377 lb-pi (511 Nm) à 4 250 tr/min |
| Rapport poids/puissance : | 2,95 kg/ch (4,01 kg/kW) |
| Système hybride : | aucun |
| Transmission : | intégrale, manuelle 6 rapports |
| Accélération 0-100 km/h : | 4,2 s |
| Reprises 80-120 km/h : | 4,5 s |
| Freinage 100-0 km/h : | 33,4 m |
| Vitesse maximale : | 309 km/h |
| Consommation (100 km) : | super, 20,4 litres |
| Autonomie (approximative) : | 441 km |
| Émissions de $CO_2$ : | 8 016 kg/an |

### GAMME EN BREF

| | |
|---|---|
| Échelle de prix : | 259 860 $ à 317 600 $ (2007) |
| Catégorie : | coupé/roadster |
| Historique du modèle : | 1ière génération |
| Garanties : | 2 ans/km illimité, 2 ans/km illimité |
| Assemblage : | Sant'Agata, Italie |
| Autre(s) moteur(s) : | aucun |
| Autre(s) rouage(s) : | aucun |
| Autre(s) transmission(s) : | séquentielle 6 rapports |

### DANS LA MÊME CATÉGORIE

Aston Martin DB9 - Ferrari F430 - Porsche 911 turbo - Chevrolet Corvette Z06 - Dodge Viper SRT-10 - Mercedes-Benz SL55 AMG

### DU NOUVEAU EN 2008

Version ultra légère Superleggera

### NOS IMPRESSIONS

| | |
|---|---|
| Agrément de conduite : | 🚗 🚗 🚗 🚗 ½ |
| Fiabilité : | 🚗 🚗 ½ |
| Sécurité : | 🚗 🚗 🚗 ½ |
| Qualités hivernales : | 🚗 🚗 ½ |
| Espace intérieur : | 🚗 🚗 ½ |
| Confort : | 🚗 🚗 🚗 |

### LE CHOIX DE L'ÉQUIPE

Coupé

Photos : Lamborghini

**357**

# LAMBORGHINI MURCIELAGO

# COURT GALOP AVEC 640 CHEVAUX

C'est au Circuit Mont-Tremblant que j'ai pris contact avec la variante LP640 de la Murcielago pour un court galop d'essai réalisé exclusivement sur piste. Cette situation particulière s'est matérialisée à la demande du propriétaire d'une LP640 qui voulait voir ce dont sa voiture était capable. Voilà le genre d'invitation que l'on ne refuse pas, et c'est ainsi que j'ai pris le volant avec mon passager pour découvrir la plus performante des Murcielago!

La désignation technique de ce modèle LP640 s'explique ainsi : les lettres LP signifient longitudinale posteriore, et font référence à la disposition du moteur, alors que le chiffre 640 indique la puissance développée par cette version du V12 dont la cylindrée est passée de 6,2 à 6,5 litres et qui reçoit un nouveau dispositif de calage variable des soupapes. Dès la sortie des puits, la puissance du V12 s'exprime avec une sonorité basse et profonde, et la poussée vers l'avant est phénoménale, la LP640 est équipée de la traction intégrale, tout comme la Murcielago, ce qui lui donne une motricité exceptionnelle. La boîte de vitesses est commandée par un bon vieux levier dont le maniement est assez précis, mais qui demande un peu d'efforts de la part du conducteur lors du passage des rapports.

Au freinage pour les «esses», on sent que le poids de la LP640 est tout de même élevé (plus de 1 600 kilos), et les freins mis au point par Brembo font leur travail pour ralentir la voiture efficacement. Dès la réaccélération à la sortie des «esses», le V12 se remet à hurler sa joie, alors que l'on file vers l'enchaînement du virage six et du redoutable virage sept qui est aveugle et dont le dévers devient négatif à partir du point de corde jusqu'à la sortie. C'est dans ce virage que l'on peut voir si une voiture est bien équilibrée, ce qui est le cas avec la LP640, la

présence d'éléments du rouage intégral à l'avant de la voiture permettant justement d'équilibrer les masses.

À la sortie du virage huit, on attaque la ligne droite arrière du circuit, qui n'en est pas vraiment une, puisqu'on y retrouve un léger virage à gauche qui est cependant pris à fond. C'est dans ce plus rapide secteur du circuit que j'ai constaté que le surcroît de puissance de la LP640, par rapport à la simple Murcielago, se trouve dans les hauts régimes. À 8 000 tours/minute, le son du moteur est extrêmement présent dans l'habitacle ce qui donne l'impression que l'on roule encore plus vite et l'expérience est carrément envoûtante.

## SUBTILES RETOUCHES ESTHÉTIQUES

Par rapport à la Murcielago, la LP640 est dotée de subtiles retouches esthétiques qui peuvent facilement passer inaperçues. Ainsi, le déflecteur avant adopte un profil différent, les feux arrière ont été redessinés, et juste en dessous de ces feux, on note que les panneaux de carrosserie sont ventilés afin d'extraire la chaleur dégagée dans le compartiment moteur. L'unique tubulure d'échappement est énorme et les roues, d'un diamètre de 18 pouces, sont d'un design particulier à ce modèle.

**FEU VERT**
Style distinctif, toujours plus de puissance,
tenue de route ennivrante,
exclusivité assurée

**FEU ROUGE**
Freins peu endurants, accessibilité peu convaincante,
assise exagérément basse,
utilisation annuelle de très courte durée (Québec)

## VÉHICULE D'ESSAI

| | |
|---|---|
| Version : | roadster |
| Emp/Lon/Lar/Haut(mm) : | 2 665/4 580/2 045/1 135 |
| Poids : | 1 650 kg |
| Coffre/Réservoir : | n.d. / 100 litres |
| Nombre de coussins de sécurité : | 4 |
| Suspension avant : | indépendante, bras inégaux |
| Suspension arrière : | indépendante, bras inégaux |
| Freins av./arr. : | disque (ABS, DRP) |
| Antipatinage/Contrôle de stabilité : | oui / oui |
| Direction : | à crémaillère, assistée |
| Diamètre de braquage : | 12,5 m |
| Pneus av./arr. : | P245/35ZR18 / P335/30ZR18 |
| Capacité de remorquage : | non recommandé |

## MOTORISATION À L'ESSAI

| | |
|---|---|
| Moteur : | V12 de 6,5 litres 48s atmosphérique |
| Alésage et course : | 88,0 mm x 89,0 mm |
| Puissance : | 640 ch (477 kW) à 8 000 tr/min |
| Couple : | 487 lb-pi (660 Nm) à 6 000 tr/min |
| Rapport poids/puissance : | 2,58 kg/ch (3,5 kg/kW) |
| Système hybride : | aucun |
| Transmission : | intégrale, manuelle 6 rapports |
| Accélération 0-100 km/h : | 3,8 s |
| Reprises 80-120 km/h : | 4,4 s |
| Freinage 100-0 km/h : | 30,7 m |
| Vitesse maximale : | 330 km/h |
| Consommation (100 km) : | super, 25,9 litres |
| Autonomie (approximative) : | 386 km |
| Émissions de CO2 : | 10 224 kg/an |

À l'approche de la LP640, on ne manque pas d'être frappé par le fait que la voiture est très basse puisqu'elle ne fait que 44 pouces en hauteur, alors que sa largeur hors tout est de 80 pouces et demi. En s'installant au volant, on note immédiatement que l'on est assis très bas dans la voiture, ce qui gêne un peu la visibilité tout en créant un habitacle plus intimiste en raison de la ceinture de caisse qui paraît alors surélevée. Il y a cependant assez d'espace pour accommoder les grands gabarits qui souffriront moins aux commandes de la Murcielago qu'au volant de certaines rivales. L'ergonomie déficiente des défuntes Countach et Diablo fait désormais place à un habitacle signé Audi qui ne prête pas flanc à la critique à cet égard, exception faite des boutons de la chaîne audio qui sont très petits.

### LES ROADSTERS

La LP640, de même que la Murcielago, se décline également en versions roadster qui sont équipées d'un toit de conception tellement simpliste que l'acheteur est prévenu de ne pas rouler à plus de 160 kilomètres/heure tandis que celui-ci est en place parce qu'il pourrait tout simplement partir au vent… Quand le toit est retiré et remisé dans le coffre, il est encore plus facile d'apprécier la sonorité particulière du V12 lorsque celui-ci dépasse la barre des 5 000 tours/minute. La carrosserie de ce bolide italien est réalisée presque entièrement en fibre de carbone à l'exception du toit et des portières qui sont en acier. Quant à la conception des portières en élytre de la Murcielago, il est évident que cela ajoute une touche d'exotisme à la voiture tout en permettant une certaine filiation avec les modèles précédents, mais ces portières ne facilitent pas l'accès à bord.

Véritable brute, la LP640 a de la gueule et du cœur et permet à Lamborghini de prolonger la durée de vie de la Murcielago en attendant l'arrivée de sa remplaçante qui devrait se pointer au début de la prochaine décennie.

**Gabriel Gélinas**

## GAMME EN BREF

| | |
|---|---|
| Échelle de prix : | 419 860 $ à 449 860 $ (2007) |
| Catégorie : | coupé/roadster |
| Historique du modèle : | 2ième génération |
| Garanties : | 2 ans/km illimité, 2 ans/km illimité |
| Assemblage : | Sant'Agata, Italie |
| Autre(s) moteur(s) : | aucun |
| Autre(s) rouage(s) : | aucun |
| Autre(s) transmission(s) : | aucune |

## DANS LA MÊME CATÉGORIE

Aston Martin Vanquish - Ferrari 599 Fiorano - Porsche Carrera GT

## DU NOUVEAU EN 2008

Modèle LP640

## NOS IMPRESSIONS

| | |
|---|---|
| Agrément de conduite : | 🚗 🚗 🚗 🚗 |
| Fiabilité : | 🚗 🚗 🚗 |
| Sécurité : | 🚗 🚗 🚗 ½ |
| Qualités hivernales : | Nulle |
| Espace intérieur : | 🚗 🚗 🚗 |
| Confort : | 🚗 🚗 🚗 |

## LE CHOIX DE L'ÉQUIPE

Coupé LP640

Photos : Lamborghini

# LAND ROVER LR2

# PASSE-PARTOUT DE LUXE

Le Freelander n'était pas un mauvais véhicule, mais il souffrait du «problème des trop»: trop lourd, trop cher, trop peu puissant, trop peu fiable et sa silhouette avait des allures des années 80. La direction de Land Rover a commencé la révision complète de ses produits avec le Discovery qui est devenu le LR3. Et lorsque le cadet de la famille a été modifié, il est devenu le LR2 sur notre marché. Plus moderne et plus élégant, ce modèle possède les qualités inhérentes à tout Land Rover, notamment d'excellentes qualités en conduite hors route.

**D'**ailleurs, quand ce modèle a été présenté à la presse, l'itinéraire comprenait une randonnée de 650 km qui nous a permis d'affronter des conditions routières très variées ainsi que des sections hors route. Mais en plus, nous avons eu la chance de terminer ce test sur les célèbres dunes de Pismo Beach, un endroit que je connais bien pour y avoir fait du VTT. Nous étions en mesure de voir ce que le Land Rover LR2 avait dans le ventre!

### BAS PRIX!
Un prix de détail suggéré de 44 900 $, ne place pas le LR2 dans la catégorie des aubaines... C'est d'ailleurs ce tarif assez élevé qui l'a empêché de faire partie de notre match comparatif des VUS compacts. Mais chez ce constructeur, il s'agit vraiment d'un véhicule d'entrée de gamme. À ce prix, ses concurrents sont des modèles comme l'Acura RDX et la BMW X3. Mais le LR2 se distingue par ses gènes qui proviennent des véhicules de cette marque reconnus pour leurs capacités à affronter des conditions difficiles et parfois extrêmes. C'est bien connu, il y a des Land Rover partout sur la planète et ils ont fait leurs

360

preuves. Ils sont reconnus comme étant des véhicules pouvant tout affronter. Certes, la fiabilité n'est pas toujours présente, mais quand vient le moment de passer sur un gros rocher ou dans une énorme mare de boue, rares sont ceux qui ont autant de compétence.

La silhouette sympathique du Land Rover plaira autant aux femmes qu'aux hommes. Tout est bien harmonisé à l'extérieur pour lui conférer une allure de robustesse tout en demeurant élégant et actuel. Il y a un curieux mélange de lignes fluides se combinant aux formes ciselées des parois latérales. Chaque partie de la carrosserie semble se lier à une autre comme des blocs Lego. Tout cela donne une impression de mouvement. Mais c'est surtout à l'intérieur que les gens vont l'apprécier. Sur le modèle que j'ai testé, j'ai eu droit à une sellerie en cuir de très bonne qualité et à une habitabilité plus que généreuse. Lors de l'essai dans les dunes, j'étais accompagné par un expert de Land Rover qui mesurait 1,95 m et il restait pas mal d'espace au-dessus de sa tête! La visibilité est très bonne, mais pas au chapitre des commandes qui sont difficiles à consulter durant la conduite. Pour ce qui est des places arrière, j'ai été surpris du bon dégagement pour les jambes et comme les sièges arrière sont plus hauts, on obtient une très bonne visibilité vers l'avant.

Le LR2 jouit d'un tout nouveau moteur 6 cylindres en ligne de 3,2 litres qui génère 230 chevaux. En fait, il est identique à celui qu'on retrouve dans la Volvo S80 et il est joint à une transmission automatique à 6 rapports dotée d'un mode manumatique qui vous permet de passer les rapports manuellement. Cette boîte de vitesses, la seule disponible d'ailleurs, comporte aussi un mode «Sport» afin d'obtenir de meilleures performances. J'ai constaté la différence de conduite que procure le mode «Sport» sur un chemin de 100 km qui serpentait les montagnes du désert. Les reprises en sortie de virage étaient nettement plus vives, car le couple maximal est obtenu à un régime moins élevé. On exploite alors mieux le potentiel de ce moteur six cylindres. Sur la grand-route, il nous laisse un peu sur notre appétit. Notamment lors des dépassements, alors qu'il est parfois un peu juste.

Le LR2 est pourvu d'un cadre rigide et on le sent immédiatement dans les virages. Le bon travail des ingénieurs en matière de suspension a permis de minimiser le roulis en virage, tout en conservant un degré de fermeté qui est très loin d'être inconfortable. En fait, après quelque temps à le conduire, on perd l'impression de conduire un VUS tellement la suspension est bien adaptée pour toutes les conditions. La conduite est d'une étonnante précision pour un véhicule de la sorte et dans une enfilade de virages très sinueux, j'avais plein contrôle tout en maintenant une bonne cadence de conduite. Même sur les bosses, la suspension n'avait pas trop de rebonds, ce qui éliminait l'impression d'être assis sur un ballon de plage, comme certains de ses concurrents.

# LAND ROVER LR2

Le confort est également rehaussé par une insonorisation de l'habitacle qui témoigne d'une finition et d'une attention au détail de haut niveau. D'ailleurs, pour votre information, ce nouveau modèle est assemblé dans une usine qui a obtenu les plus fortes notes en matière de qualité. C'est une nette amélioration si l'on compare avec les vieux Defender ou autres qui manquaient tout simplement de rigueur concernant la fiabilité et la finition. Ces jours-là font partie du passé.

## PASSE-PARTOUT

Le LR2 respecte la tradition et a l'âme d'un explorateur avec un angle d'attaque de 31 degrés et une garde au sol de 210 mm. Cela signifie que vous pouvez descendre une pente abrupte sans risquer trop de casse à la partie avant du véhicule. Mais l'aspect le plus impressionnant est sans aucun doute le système « *Terrain Response*» qui comporte 4 modes distincts de traction selon les conditions, dont les modes; «pavement», «sand», «snow» et «mud». Cette transmission à quatre roues motrices permanente agit différemment d'après le mode choisi, car le système maximise l'adhérence en jouant sur le système antipatinage. Lors de notre essai dans des conditions hors route, j'ai pu aisément constater les différences, car le couple est déployé de sorte à maximiser la traction à bas régime.

Pour ce qui est des descentes très abruptes, vous pourrez les sécuriser grâce au contrôle de descente qui s'active automatiquement. Vous pouvez donc relâcher le frein et le Rover rampera tout simplement jusqu'en bas. Bien qu'il ne soit pas pourvu d'une boîte de transfert comportant une plage démultipliée *Low*, le système de traction est très efficace. On apprécie le fait de ne pas être obligé d'appuyer sur une commande

**FEU VERT**
Excellentes capacités hors-route,
très bonne finition, ligne distinctive,
habitacle spacieux

**FEU ROUGE**
Moteur pourrait être plus puissant, capacité de remorquage limitée,
est-ce que la fiabilité sera au rendez-vous?,
commandes parfois compliquées

supplémentaire pour bénéficier d'un maximum de traction et de couple à très bas régime en ascension ou quand vient le moment de passer sur un obstacle. Choisissez votre mode de traction à la volée et le LR2 saura tirer le maximum de la situation.

## ESPOIR ET DÉSESPOIR

Sur une note positive, le LR2, ou Freelander 2 comme il est appelé dans d'autres pays, marque un grand pas pour ce fabricant, car il permet de rejoindre une clientèle qui a toujours désiré un Land Rover, mais sans jamais être capable de s'en payer un. Il fait très bonne figure sur la route, mais dans des conditions hors route, il fait presque classe à part dans sa catégorie. D'ailleurs, un match comparatif entre ce dernier et l'Acura RDX et la BMW X3 serait des plus intrigants...

Parmi les bémols, il faut souligner qu'il manque un peu de souffle lors des dépassements tandis que ses commandes sont difficiles à consulter. Après tout, il faut être fidèle à la tradition! En revanche, quand je me suis amusé sur les énormes dunes de Pismo Beach et que j'ai vu à quel point il était compétent dans le sable mou, je savais que j'avais affaire à un Land Rover pur et dur qui ferait rapidement oublier son prédécesseur.

Par contre, le spectre du manque de fiabilité vient toujours hanter les acheteurs potentiels... Pourtant, chaque communiqué du constructeur nous vante le fait que tous les modèles de la marque atteignent des cotes de fiabilité égales sinon supérieures à ce que les meilleures japonaises ou allemandes peuvent offrir. Néanmoins, lorsque les chroniqueurs automobiles se rencontrent et que la fiabilité ou l'absence de fiabilité est amenée sur le tapis, les histoires d'horreur impliquant les Land Rover fusent de toutes parts... Il y a ce journaliste qui roulait au volant d'une Range Rover de presse dans une pluie diluvienne alors que toutes les glaces se sont abaissées par elles-mêmes, inondant le conducteur et tout l'habitacle! Et la dernière en liste, un journaliste de Montréal avait laissé une rutilante LR2 orange dans le stationnement de l'aéroport Pierre-Elliot Trudeau. À son retour de voyage, le véhicule a refusé de démarrer... Ah, au fait, on était en été et le temps était splendide! What a pity!

**Robert Jetté**

Photos : Land Rover

# ROBUSTESSE À L'ANGLAISE

Land Rover demeure une marque méconnue et ce n'est pas le nombre de véhicules présents sur nos routes qui va aider à la faire connaître. Plusieurs ont en mémoire ces véhicules hors route capable de traverser les déserts et de circuler durant des années dans les contrées africaines, et ils n'ont pas tort. Depuis un demi-siècle, les véhicules du constructeur ont acquis une réputation d'indestructibilité. À preuve, il n'est pas rare de voir de vieux modèles toujours sur la route. C'est là la nature des véhicules de Land Rover, mais disons que c'était hier. Les choses ont bien changé depuis.

D e nos jours, il faut être bien nanti pour se présenter chez un concessionnaire Land Rover puisque ces véhicules sont devenus des objets servant à afficher un statut social plutôt qu'à traverser montagnes et marais... C'est dans cette optique que le constructeur a introduit le LR3, se positionnant dans la gamme entre le LR2, nouvellement remanié, et le Range Rover, son grand frère.

### LE V8, S.V.P.

Remplaçant du modèle Discovery, ce nom est toujours utilisé sur d'autres continents, le LR3 se décline en trois versions incluant deux motorisations. Histoire d'offrir un prix de base plus attrayant, Land Rover a introduit en 2006 une version à moteur V6. Le LR3 SE V6 possède donc sous le capot un moteur V6 de 4,0 litres développant 216 chevaux et quelques équipements en moins. Les LR3 SE V8 et HSE disposent quant à eux d'un moteur V8 de 4,4 litres produisant 300 chevaux, soit une puissance plus qu'intéressante. Ce moteur est en fait une version modifiée du V8 de 4,2 litres de Jaguar. Ces deux moteurs sont combinés de série à une transmission automatique à six rapports ZF, une excellente boîte de vitesse. Ne perdez pas votre temps avec la motorisation V6, cette dernière affiche une consommation équivalente, voire supérieure, alors que la puissance s'avère

un peu juste. Il faut avouer qu'avec ses 2460 kilos, le LR3 n'est pas un poids plume.

Il serait certes trop long de parler des nombreux équipements et gadgets qui outillent le LR3. Voilà en fait le genre de véhicule avec lequel on doit inévitablement plonger le nez dans le manuel du propriétaire afin de comprendre un tant soit peu tous les éléments à portée de mains. Ce sont surtout les multiples systèmes destinés à maximiser les prestances du véhicule en hors route qui attirent le plus l'attention, tant par l'ergonomie des commandes que par leur complexité. Tout n'est pas très intuitif, mais ça a au moins le charme d'étonner tout visiteur à bord.

### LE PETIT RANGE ROVER

À l'extérieur, on pourrait pratiquement se méprendre sur le LR3 tant il ressemble à son grand frère le Range Rover, surtout en ce qui a trait à sa partie avant. Ce sont principalement ses dimensions réduites qui le trahissent. Ce n'est pas négatif, car le Range Rover est selon moi le plus stylisé des VUS de sa catégorie. Quant au LR3, on l'aime ou on ne l'aime pas, certains le trouveront trop carré, d'autres affectionneront son style qui ressort de la masse. En fait, le LR3 correspond à ce à quoi le constructeur anglais Land Rover nous a habitués. Un des éléments

**FEU VERT**
Bon groupe motopropulseur, habitacle invitant et spacieux, bonnes capacités hors route, sièges confortable

**FEU ROUGE**
Prix des options, consommations élevée, fiabilité douteuse

**VÉHICULE D'ESSAI**

| | |
|---|---|
| Version : | HSE |
| Emp/Lon/Lar/Haut(mm) : | 2 885/4 848/1 915/1 891 |
| Poids : | 2 461 kg |
| Coffre/Réservoir : | 280 à 2 557 litres / 86 litres |
| Nombre de coussins de sécurité : | 6 |
| Suspension avant : | indépendante, double triangles |
| Suspension arrière : | indépendante, double triangles |
| Freins av./arr. : | disque (ABS, EBD) |
| Antipatinage/Contrôle de stabilité : | oui / oui |
| Direction : | à crémaillère, assistée |
| Diamètre de braquage : | 11,5 m |
| Pneus av./arr. : | P255/55R19 |
| Capacité de remorquage : | 3 500 kg |

**MOTORISATION À L'ESSAI**

| | |
|---|---|
| Moteur : | V8 de 4,4 litres 32s atmosphérique |
| Alésage et course : | 88,0 mm x 90,3 mm |
| Puissance : | 300 ch (224 kW) à 5 500 tr/min |
| Couple : | 315 lb-pi (427 Nm) à 4 000 tr/min |
| Rapport poids/puissance : | 8,2 kg/ch (11,14 kg/kW) |
| Système hybride : | aucun |
| Transmission : | intégrale, automatique 6 rapports |
| Accélération 0-100 km/h : | 9,8 s |
| Reprises 80-120 km/h : | 9,0 s |
| Freinage 100-0 km/h : | 42,1 m |
| Vitesse maximale : | 193 km/h |
| Consommation (100 km) : | super, 17,2 litres |
| Autonomie (approximative) : | 500 km |
| Émissions de $CO_2$ : | 7 032 kg/an |

**GAMME EN BREF**

| | |
|---|---|
| Échelle de prix : | 57 990 $ à 69 250 $ (2007) |
| Catégorie : | utilitaire sport intermédiaire |
| Historique du modèle : | 1ère génération |
| Garanties : | 4 ans/80 000 km, 4 ans/80 000 km |
| Assemblage : | Solihull, Angleterre |
| Autre(s) moteur(s) : | V6 4,0l 216ch/269lb-pi (17,1 l/100km) |
| Autre(s) rouage(s) : | aucun |
| Autre(s) transmission(s) : | aucune |

**DANS LA MÊME CATÉGORIE**

Acura MDX - BMW X5 - Cadillac SRX - Infiniti FX -
Lexus GX 470 - Mercedes-Benz Classe M -
Porsche Cayenne - Volkswagen Touareg

**DU NOUVEAU EN 2008**

Pas de changement majeur

**NOS IMPRESSIONS**

| | |
|---|---|
| Agrément de conduite : | 🚗🚗🚗🚗 |
| Fiabilité : | 🚗🚗🚗½ |
| Sécurité : | 🚗🚗🚗🚗½ |
| Qualités hivernales : | 🚗🚗🚗🚗½ |
| Espace intérieur : | 🚗🚗🚗🚗 |
| Confort : | 🚗🚗🚗🚗 |

**LE CHOIX DE L'ÉQUIPE**

HSE

distinctifs du LR3 est assurément son style asymétrique à l'arrière, élément peu commun et assez osé puisqu'on a toujours primé la symétrie comme référence. La partie avant du véhicule est certainement la plus réussie du véhicule avec ses phares stylisés et ses ailes avant intégrant de larges prises d'air fonctionnelles.

## LE GRAND CONFORT

Au premier coup d'œil, le LR3 présente un habitacle contemporain et distinctif. Ses larges zones vitrées, son empattement allongé et sa fenestration à l'arrière tout en hauteur créent un intérieur spacieux, bien éclairé dont la visibilité est excellente, éléments moins communs chez les VUS modernes. On constate rapidement toute la technologie présente à bord du LR3 lorsqu'on regarde la console centrale avec ses nombreuses commandes. Les sièges s'avèrent très confortables alors qu'on apprécie les appuie-bras réglables en hauteur. Land Rover est le seul à offrir cette petite subtilité. Autre élément intéressant : la troisième banquette optionnelle qui permet de transporter jusqu'à sept passagers avec relativement d'aise. Cette dernière pourra être rabattue à plat créant ainsi plus d'espace de chargement.

Au volant, on aime la position de conduite élevée, nous donnant l'impression de dominer toute situation. Le LR3 n'a pas à faire ses preuves en hors route, sa conduite sur pavé demeure agréable, notamment grâce à une suspension bien adaptée qui minimise bien les transferts de poids. L'habitacle est également silencieux. Que vous optiez pour l'une ou l'autre des motorisations, il faudra vous attendre à une consommation élevée. En fait, le LR3 pourra engloutir plus de 15 L/100 km si vous devenez trop enthousiaste au volant.

On ne peut mettre en doute les aptitudes hors route du LR3. Peu de VUS de sa catégorie pourraient le suivre hors des sentiers battus, mais la réalité est qu'une infime partie de la population ira exploiter un tel potentiel. Quant à ses allures de m'as-tu-vu, elles demeurent intéressantes, mais d'autres constructeurs sont plus compétents à ce chapitre tout en possédant une notoriété supérieure, un élément souvent recherché chez les acheteurs de VUS de luxe.

**Sylvain Raymond**

Photos : Land Rover

# OUBLIEZ LES PRÉJUGÉS !

Le Range Rover est l'un des véhicules le moins politiquement corrects de cet ouvrage. Après tout, qui a besoin d'un gros VUS se vendant plus de 100 000 $ combinant le luxe d'un manoir anglais avec les capacités hors route d'un Hummer ? Et comme le plus petit moteur disponible produit 305 chevaux, c'est plus que suffisant pour donner des boutons aux environnementalistes. Pourtant, les ventes mondiales du Range Rover ont progressé de 19 pour cent au cours de 2007...

Si jamais vous vous rendez à Beverley Hills en Californie et circulez sur Wilshire Boulevard ou Rodeo Drive, vous allez croire que le Range est le véhicule le plus vendu de la planète tant vous en verrez. Ceci confirme le fait que ce modèle et toute la marque font des progrès sur la plupart des marchés, contrairement à la croyance populaire voulant que les ventes soient toujours confidentielles.

Les méchantes langues souligneront qu'il n'est pas dangereux de les conduire à Beverley Hills puisqu'il suffit de prendre un taxi pour rentrer à la maison en cas de panne. C'est moins inquiétant que de tomber en panne en pleine forêt. Mais, la réalité est que tous les véhicules de cette marque sont nettement plus fiables qu'auparavant, selon les rapports de la firme J.D. Powers & Associates.

Malgré cela, les véhicules de presse de Land Rover Canada utilisés par les journalistes sont souvent victimes de pannes mineures toutes aussi loufoques les unes que les autres. Par exemple, un collègue s'est fait réveiller à plusieurs reprises au cours de la nuit par le système antivol qui se déclenchait inopinément. Un autre a vu toutes les glaces descendre, impossible de les remonter, alors qu'il roulait à -40°C !

## ENCORE PLUS DE RAFFINEMENTS

Il est certain qu'une personne ne débourse pas 100 000 $ et plus pour se procurer un véhicule tout-terrain uniquement en raison de ses capacités en conduite hors route. Cet élément est un préalable, mais il faut également que le luxe et le raffinement soient de la partie. À ce chapitre, les origines britanniques du Range Rover se traduisent par des sièges en cuir fins, avec des appliques en bois exotique sur la planche de bord et sur les garnitures de portière. Les commandes du tableau de bord sont parfois énigmatiques, bien que d'importants progrès aient été réalisés.

Et bien entendu, toute la panoplie habituelle d'accessoires de luxe tels la navigation par satellite, le système audio à haut rendement et un système de climatisation à réglage électronique sont au menu. Toujours dans cette veine, Land Rover, est fier de nous annoncer que sept essences de bois sont offertes pour les appliques et que lesdites essences proviennent de forêts renouvelables. Il va de soi que le pommeau du levier de vitesse est harmonisé à l'essence de bois choisie.

Cette année, plusieurs petites améliorations ont été apportées à l'habitacle, notamment l'arrivée d'un système de climatisation à quatre

 **FEU VERT**
Moteurs puissants, habitacle confortable,
tout terrain efficace,
suspension sophistiquée, tenue de route saine

 **FEU ROUGE**
Détails de finition à revoir,
fiabilité inégale, prix intimidants,
consommation élevée

zones et la possibilité pour les passagers arrière d'effectuer les réglages eux-mêmes. L'appuie-bras central arrière a été redessiné et son espace de rangement est plus grand. Il permet de remiser la télécommande de réglage du système vidéo. Par ailleurs, l'an dernier, ce véhicule a été équipé de glaces spéciales réfléchissant davantage les rayons solaires et prévenant ainsi le réchauffement excessif de l'habitacle lorsque le véhicule est immobilisé sous le soleil.

## LA QUESTION DE 95 CHEVAUX

95 chevaux, c'est la différence de puissance entre le modèle «ordinaire» et la version Supercharged dont le moteur V8 suralimenté de 4,2 litres produit 400 chevaux. Et la facture est également plus élevée d'environ 20 000 $... La différence ne se situe pas uniquement au chapitre des chevaux et du prix puisque la version Supercharged se démarque par une apparence légèrement différente et un équipement plus complet. Ces 95 chevaux se traduisent aussi par une diminution de 1,2 seconde du temps requis pour boucler le 0-100 km/h.

Mais si le modèle plus puissant est plus véloce et plus luxueux, les deux modèles sont dotés d'un rouage d'entraînement intégral à commande électronique appelé «Terrain Response», permettant d'adapter le comportement du véhicule selon les conditions de route ou de hors route. La suspension pneumatique permet d'obtenir la garde au sol nécessaire. À ma connaissance, Land Rover a été la première compagnie à développer un système électronique de contrôle de vitesse de descente de pente.

Malgré ses dimensions vraiment supérieures à la moyenne, ce gros VUS est d'une surprenante agilité en conduite tout-terrain et se débrouille très bien sur la route. Le roulis de caisse est important et la direction engourdie, mais c'est tout de même fort acceptable et nettement supérieur à ce que peut nous proposer une Lexus LX470 pourtant vendue elle aussi à plus de 100 000 $. Par contre, la japonaise l'emporte au niveau de la fiabilité. Malgré ce fait, le Range Rover distance la Lexus en fait de prestige. Après tout, c'est le véhicule de prédilection de la famille royale britannique et du Prince de Galles !

**Denis Duquet**

### VÉHICULE D'ESSAI

| | |
|---|---|
| Version : | HSE |
| Emp/Lon/Lar/Haut(mm) : | 2 880/4 972/1 956/1 905 |
| Poids : | 2 483 kg |
| Coffre/Réservoir : | 530 à 1 760 litres / 104,5 litres |
| Nombre de coussins de sécurité : | 7 |
| Suspension avant : | indépendante, jambes de force |
| Suspension arrière : | indépendante, multibras |
| Freins av./arr. : | disque (ABS) |
| Antipatinage/Contrôle de stabilité : | oui / oui |
| Direction : | à crémaillère, assistance variable |
| Diamètre de braquage : | 11,6 m |
| Pneus av./arr. : | P255/55R19 |
| Capacité de remorquage : | 3 500 kg |

### MOTORISATION À L'ESSAI

| | |
|---|---|
| Moteur : | V8 de 4,4 litres 32s atmosphérique |
| Alésage et course : | 88,0 mm x 90,3 mm |
| Puissance : | 305 ch (227 kW) à 5 750 tr/min |
| Couple : | 325 lb-pi (441 Nm) à 4 000 tr/min |
| Rapport poids/puissance : | 8,14 kg/ch (11,08 kg/kW) |
| Système hybride : | aucun |
| Transmission : | intégrale, automatique 6 rapports |
| Accélération 0-100 km/h : | 10,2 s |
| Reprises 80-120 km/h : | 9,1 s |
| Freinage 100-0 km/h : | 44,0 m |
| Vitesse maximale : | 225 km/h |
| Consommation (100 km) : | super, 17,4 litres |
| Autonomie (approximative) : | 601 km |
| Émissions de CO2 : | 7 008 kg/an |

### GAMME EN BREF

| | |
|---|---|
| Échelle de prix : | 100 900 $ à 121 400 $ |
| Catégorie : | utilitaire sport grand format |
| Historique du modèle : | 3ème génération |
| Garanties : | 4 ans/80 000 km, 4 ans/80 000 km |
| Assemblage : | Solihull, Angleterre |
| Autre(s) moteur(s) : | V8 4,2l suralimenté 400ch/420lb-pi (17,7 l/100km) |
| Autre(s) rouage(s) : | aucun |
| Autre(s) transmission(s) : | aucune |

### DANS LA MÊME CATÉGORIE

Cadillac Escalade - Infiniti QX56 - Lexus LX570 - Lincoln Navigator - Mercedes-Benz Classe GL

### DU NOUVEAU EN 2008

Climatiseur raffiné, appuie-bras arrière redessiné, glaces anti chaleur

### NOS IMPRESSIONS

| | |
|---|---|
| Agrément de conduite : | 🚗🚗🚗🚗½ |
| Fiabilité : | 🚗🚗🚗 |
| Sécurité : | 🚗🚗🚗🚗½ |
| Qualités hivernales : | 🚗🚗🚗🚗½ |
| Espace intérieur : | 🚗🚗🚗½ |
| Confort : | 🚗🚗🚗🚗 |

### LE CHOIX DE L'ÉQUIPE

Supercharged

Photos : Land Rover

# ANTI-PORSCHE CAYENNE?

Le segment des véhicules utilitaires sport de luxe a évolué avec l'arrivée du Porsche Cayenne. Auparavant, il suffisait de doter un tout-terrain d'un habitacle luxueux, d'un moteur puissant et d'un rouage intégral sophistiqué pour être de la partie. Le Porsche Cayenne est venu ajouter l'élément sportif et l'agrément de conduite à cette équation. Longtemps le champion incontesté de cette catégorie, Land Rover se devait de répliquer, d'autant plus que BMW et Mercedes-Benz s'étaient également invités à la partie.

Compte tenu des ressources physiques et financières de Land Rover, il aurait été suicidaire de la part de ce constructeur de développer une plate-forme exclusive à une version plus sportive. C'est pourquoi on a fait appel à des composantes mécaniques déjà en service.

### LA HIÉRARCHIE EST RESPECTÉE

Il semble qu'aux yeux de plusieurs, cela aurait été un crime de lèse-majesté de faire appel à la plate-forme du Range Rover pour la modifier en version plus sportive. Ce qui nous paraît logique à vous et moi, ne le semble pas aux yeux des ingénieurs de la compagnie qui lui ont préféré celle de la LR3, l'ex Discovery. Je ne crois pas que ce sont des considérations de respect de hiérarchie qui ont eu le dessus. Tout simplement parce que cette plate-forme date du printemps 2004. Elle est donc plus moderne et constituée d'éléments formés par pression hydraulique. L'empattement est plus court de 140 millimètres par rapport à la LR3 tandis que sa longueur hors tout cède 162 millimètres au Range Rover.

Empattement plus court que les LR3 et Range, longueur hors tout également inférieure à ces deux modèles, voilà qui devrait assurer une meilleure agilité en conduite sportive.

Si la plate-forme est dérivée de celle de la LR3, les moteurs proviennent du Range Rover. Le moteur de base est un V8 4,4 litres de 300 chevaux, cependant les sportifs lorgneront du côté du moteur suralimenté V8 4,2 litres de 390 chevaux. Les deux sont couplés à une boîte manumatique à six rapports. En fait, comme sur le Range Rover proprement dit, toute cette motorisation provient de chez Jaguar, une autre compagnie appartenant à Ford, du moins au moment d'écrire ces lignes.

Il faut souligner que le développement de la suspension de ce véhicule a été réalisé suite à de nombreux essais sur la piste du Nurburgring en Allemagne. Cela a permis aux ingénieurs de mettre au point la suspension pneumatique à commande électronique. Celle-ci est reliée à des barres antiroulis actives qui s'adaptent automatiquement aux conditions de la conduite et de la chaussée. Ce système est également utilisé sur la BMW série 7. Curieusement, Land Rover a déjà appartenu au constructeur bavarois. Et pour compléter le tout, la Sport roule sur des pneus de 20 pouces à taille basse.

Compte tenu du fait que la distribution des masses est presque parfaite, ce véhicule surprend par son agilité et sa tenue de route. Malgré un poids de 2572 kg, ce gros Range Rover est capable de tenir son bout

**FEU VERT**
Bonne routière, moteurs performants, rouage intégral sophistiqué, freins puissants, habitacle luxueux

**FEU ROUGE**
Direction engourdie, pneus mal adaptés, habitabilité moyenne, fiabilité toujours incertaine, silhouette quasiment rétro

sur une route sinueuse, même sur une piste de course, bien que ce genre d'exercice soit totalement superflu. Il est malheureux que la direction gomme quelque peu les sensations de la route. De plus, l'assise des sièges avant est haute. On a l'impression d'être assis sur un escabeau!

## L'ÉLECTRONIQUE DOMINE

La conduite sportive du Range Rover Sport nous a convaincus qu'il est capable de croiser le fer sans honte avec les meilleures sportives de la catégorie. C'est quelque peu contradictoire avec la vocation de véhicules hors route de la catégorie, mais les caprices du marché n'ont pas de logique. Ce qui n'empêche pas ce Range Rover Sport d'être équipé pour aller rouler loin dans la forêt. Un bémol en partant toutefois, si ses capacités de tout-terrain sont sans équivoque, il est certain que des pneus de 20 pouces à profil bas ne conviennent pas tellement aux cailloux, aux souches et aux mares de boue... Dans le monde irréel où nous vivons, il est plus souvent apprécié d'être équipé pour le faire que de le faire. C'est un peu comme s'acheter des chaussures de montagne pour aller travailler au centre-ville!

Quoi qu'il en soit, ce n'est pas le potentiel de conduite hors route de ce véhicule qui fait défaut. Le système est à contrôle électronique et il est possible de le régler en cinq modes d'utilisation afin d'optimiser les passages de la boîte de vitesses, la hauteur de la garde au sol et j'en passe. Il y a même un mode destiné à rouler sur de grosses roches. Et comme pour tout produit Land Rover, le tableau de bord est parsemé de boutons et commandes qu'il faut un certain temps pour apprivoiser et déchiffrer. Au point qu'il vous faudra potasser le manuel du propriétaire quelques minutes afin de faire fonctionner efficacement le système de navigation par satellite offert en option ou encore l'excellent système audio Harmon Kardon...

**Denis Duquet**

## VÉHICULE D'ESSAI

| | |
|---|---|
| Version : | Supercharged |
| Emp/Lon/Lar/Haut(mm) : | 2 745/4 788/1 928/1 817 |
| Poids : | 2 572 kg |
| Coffre/Réservoir : | 960 à 2 013 litres / 88 litres |
| Nombre de coussins de sécurité : | 6 |
| Suspension avant : | ind. pneumatique, jambes de force |
| Suspension arrière : | ind. pneumatique, multibras |
| Freins av./arr. : | disque (ABS) |
| Antipatinage/Contrôle de stabilité : | oui / oui |
| Direction : | à crémaillère, assistance variable |
| Diamètre de braquage : | 11,6 m |
| Pneus av./arr. : | P275/40R20 |
| Capacité de remorquage : | 3 500 kg |

## MOTORISATION À L'ESSAI

| | |
|---|---|
| Moteur : | V8 de 4,2 litres 32s suralimenté |
| Alésage et course : | 86,0 mm x 90,3 mm |
| Puissance : | 400 ch (298 kW) à 5 750 tr/min |
| Couple : | 420 lb-pi (570 Nm) à 3 500 tr/min |
| Rapport poids/puissance : | 6,43 kg/ch (8,75 kg/kW) |
| Système hybride : | aucun |
| Transmission : | 4X4, automatique 6 rapports |
| Accélération 0-100 km/h : | 8,9 s |
| Reprises 80-120 km/h : | 7,0 s (estimé) |
| Freinage 100-0 km/h : | 41,0 m |
| Vitesse maximale : | 225 km/h |
| Consommation (100 km) : | super, 17,7 litres |
| Autonomie (approximative) : | 497 km |
| Émissions de CO2 : | 7 128 kg/an |

## GAMME EN BREF

| | |
|---|---|
| Échelle de prix : | 78 300 $ à 94 400 $ |
| Catégorie : | utilitaire sport grand format |
| Historique du modèle : | 1ère génération |
| Garanties : | 4 ans/80 000 km, 4 ans/80 000 km |
| Assemblage : | Solihull, Angleterre |
| Autre(s) moteur(s) : | V8 4,4l 300ch/315lb-pi (17,1 l/100km) HSE |
| Autre(s) rouage(s) : | aucun |
| Autre(s) transmission(s) : | aucune |

## DANS LA MÊME CATÉGORIE

Audi Q7 - BMW X5 - Cadillac Escalade - Lexus LX 470 - Lincoln Navigator - Volkswagen Touareg - Mercedes-Benz Classe M - Porsche Cayenne - Volvo XC90

## DU NOUVEAU EN 2008

Aucun changement majeur

## NOS IMPRESSIONS

| | |
|---|---|
| Agrément de conduite : | 🚗 🚗 🚗 🚗 |
| Fiabilité : | 🚗 🚗 🚗 |
| Sécurité : | 🚗 🚗 🚗 🚗 |
| Qualités hivernales : | 🚗 🚗 🚗 🚗 🚗 |
| Espace intérieur : | 🚗 🚗 🚗 ½ |
| Confort : | 🚗 🚗 🚗 🚗 |

## LE CHOIX DE L'ÉQUIPE

Suralimenté

Photos : Land Rover

# LEXUS ES350

# HAVRE DE PAIX

Pas de cachettes, cette Lexus émane de la Toyota Camry. Néanmoins, il n'y a aucune raison pour que cette information devienne un obstacle pour l'acheteur. D'une part, les différences sont suffisamment majeures entre les deux voitures pour justifier l'écart de prix, puis secundo, cette pratique est on ne peut plus courante dans l'industrie. D'ailleurs, plus de 50 % des rivales de cette Lexus dérivent de modèles moins huppées.

Fait intéressant, alors que plusieurs manufacturiers de voitures de luxe prennent soit le chemin du confort ou de la sportivité en ce qui a trait à leur berline d'entrée de gamme, d'autres jouent sur les deux terrains. C'est le cas de Lexus qui propose aux sportifs la IS, puis aux moins sportifs, la ES. Cette dernière, vous l'aurez compris, n'a donc rien d'une BMW de Série 3 ou d'une Infiniti G35. Son objectif est de vous offrir un environnement paisible et sécuritaire où le confort domine.

## À FORCE DE TRAVAIL...

Lancée en 1991, la première ES était une laideur sur quatre roues. Un an plus tard, la bagnole était entièrement remaniée, affichant un style tout en rondeurs qui manquait visiblement de finesse. En 1997, les traits avaient été peaufinés afin d'ajouter davantage d'élégance. Le résultat était certes mieux, mais la ligne demeurait d'un ennui mortel. Puis, en 2002, les traits étirés et les lignes non continues font presque croire qu'on a laissé un aveugle dessiner la voiture ! C'est toutefois l'an dernier que Lexus aura accouché d'un premier design intéressant pour la ES. Bien sûr, elle n'a pas la finesse et l'élégance de la nouvelle Mercedes de Classe C, mais ses traits délicats, ses accents de chrome et son museau plongeant lui donnent beaucoup plus de charisme que par le passé. À ce chapitre, seule la partie arrière surélevée laisse encore place à la critique.

On se glisse à bord de cette Lexus comme dans un fauteuil moelleux. Vous pensiez que ce type de confort était dépassé ? Alors, détrompez-vous ! Il n'y a pas que les sièges ultrafermes d'une BMW qui plaisent. Par conséquent, les baquets sont souples et ouatés. Cela ne les empêche toutefois pas d'épouser adéquatement les formes corporelles. Évidemment, qui dit luxe, dit boiseries. Et ici, les ingénieurs ont réussi à les faire briller comme s'il s'agissait d'un bois véritable. Chrome et accents métalliques apportent également de la chaleur dans cet environnement douillet duquel on ne veut tout simplement plus sortir.

La planche de bord affiche pour sa part une ergonomie sans faille, permettant au conducteur d'utiliser instinctivement chacune des commandes. Bien sûr, celui qui optera pour la navigation devra passer plus de temps le nez plongé dans le manuel du propriétaire, mais c'est aujourd'hui la norme ! Bien installé, le conducteur profite également d'une belle position de conduite, grâce au siège réglable en huit directions et au volant télescopique.

Très élégant, l'habitacle respire la qualité. L'assemblage est à première vue impeccable, les matériaux sont d'excellente qualité et les contrastes de couleur sont de très bon goût. Toutefois, j'explique mal cette décision

**FEU VERT**
Habitacle très confortable, moteur V6 magnifique, grand confort de roulement, faible consommation, présentation intérieure soignée

**FEU ROUGE**
Antipatinage fixe, direction très légère, quelques craquements à bord, style de la partie arrière

### VÉHICULE D'ESSAI

| | |
|---|---|
| Version : | ES350 |
| Emp/Lon/Lar/Haut(mm) : | 2 775/4 855/1 820/1 450 |
| Poids : | 1 624 kg |
| Coffre/Réservoir : | 425 litres / 70 litres |
| Nombre de coussins de sécurité : | 7 |
| Suspension avant : | indépendante, jambes de force |
| Suspension arrière : | indépendante, multibras |
| Freins av./arr. : | disque (ABS) |
| Antipatinage/Contrôle de stabilité : | oui / oui |
| Direction : | à crémaillère, assistance variable |
| Diamètre de braquage : | 11,8 m |
| Pneus av./arr. : | P215/55R17 |
| Capacité de remorquage : | non recommandé |

Pneus d'origine **MICHELIN**

### MOTORISATION À L'ESSAI

| | |
|---|---|
| Moteur : | V6 de 3,5 litres 24s atmosphérique |
| Alésage et course : | 79,0 mm x 81,5 mm |
| Puissance : | 272 ch (203 kW) à 6 200 tr/min |
| Couple : | 254 lb-pi (344 Nm) à 4 700 tr/min |
| Rapport poids/puissance : | 5,97 kg/ch (8,12 kg/kW) |
| Système hybride : | aucun |
| Transmission : | traction, automatique 6 rapports |
| Accélération 0-100 km/h : | 7,2 s |
| Reprises 80-120 km/h : | 4,7 s |
| Freinage 100-0 km/h : | 41,0 m |
| Vitesse maximale : | 220 km/h |
| Consommation (100 km) : | ordinaire, 10,9 litres |
| Autonomie (approximative) : | 642 km |
| Émissions de CO2 : | 4 464 kg/an |

d'avoir installé à la fois une instrumentation à éclairage blanc électroluminescent et une console centrale dont l'éclairage verdâtre rappelle celui d'une Corolla 1992. De plus, les deux modèles mis à l'essai laissaient entendre quelques craquements et bruits de caisse. Serait-ce que la rigueur dans l'assemblage est en déclin chez Lexus ?

## UN AN CHEZ ENERGIE CARDIO ?

C'est à croire que cette Lexus a passé une année entière chez Energie Cadio, sans le dire à personne. Car dire que le moteur V6 de cette Lexus est puissant est un euphémisme. En fait, les 272 chevaux qui s'en extirpent sont à ce point en verve qu'il faut apprendre à doser l'accélérateur. Bref, cette Lexus qui était jusqu'à tout récemment bien calme est aujourd'hui une véritable bombe. Il faut dire que ce V6 de 3,5 litres est une pure merveille, tant pour son rendement et ses performances que pour ce qu'il consomme. Ainsi, vous aurez non seulement droit à un rendement doux, à une souplesse incroyable et une puissance époustouflante, mais vous ne consommerez jamais plus de 11 litres aux 100 kilomètres ! N'est-ce pas formidable ?

Passablement maniable, cette Lexus n'est évidemment pas la plus agile des berlines de luxe. Sa suspension souple et sa direction surassistée font en sorte que le sentiment de mollesse est omniprésent. Ce ne l'est pas à l'excès, mais juste assez pour plaire à la clientèle cible. Son comportement équilibré n'est cependant pas à dédaigner puisque la voiture est stable et prévisible. Le freinage est également excellent, ce qui n'a pas toujours été le cas sur ce modèle. Je vous dirais toutefois qu'en accélération franche, l'effet de couple se met de la partie. Encore une fois, ce n'est pas démesuré, mais il fallait s'y attendre avec une telle puissance. Oh, et sachez que si l'on aime la présence des nombreux systèmes d'assistance à la conduite, on apprécie nettement moins le fait que le système antipatinage ne puisse être désactivé. Vous verrez qu'en hiver, les deux roues avant dans un banc de neige, le système antipatinage est votre pire ennemi !

Bien réussie, cette Lexus n'a rien à envier à personne, sauf peut-être le système de traction intégrale offert sur sa rivale la plus proche, la Lincoln MKZ. Finalement élégante, confortable, performante et luxueuse, elle propose tout ce dont l'acheteur a besoin, avec en plus la tranquillité d'esprit Lexus qui l'accompagne. Mais bien sûr, tout ça, ça se paye…

**Antoine Joubert**

### GAMME EN BREF

| | |
|---|---|
| Échelle de prix : | 42 900 $ (2007) |
| Catégorie : | berline intermédiaire |
| Historique du modèle : | 2ième génération |
| Garanties : | 3 ans/60 000 km, 5 ans/100 000 km |
| Assemblage : | Kyushu, Japon |
| Autre(s) moteur(s) : | aucun |
| Autre(s) rouage(s) : | aucun |
| Autre(s) transmission(s) : | aucune |

### DANS LA MÊME CATÉGORIE

Acura TL - Buick Lucerne - Cadillac CTS - Chrysler 300 - Hyundai Azera - Kia Amanti - Lincoln MKZ - Nissan Maxima - Saab 9-5 - Toyota Avalon - Volkswagen Passat

### DU NOUVEAU EN 2008

Pas de changement majeur

### NOS IMPRESSIONS

| | |
|---|---|
| Agrément de conduite : | 🚗 🚗 🚗 |
| Fiabilité : | 🚗 🚗 🚗 🚗 ½ |
| Sécurité : | 🚗 🚗 🚗 🚗 |
| Qualités hivernales : | 🚗 🚗 🚗 |
| Espace intérieur : | 🚗 🚗 🚗 🚗 |
| Confort : | 🚗 🚗 🚗 🚗 ½ |

### LE CHOIX DE L'ÉQUIPE

Modèle unique

Photos : Lexus

# RIEN DE MIEUX?

Le renouvellement du modèle en 2006 aura donné un regain aux ventes de la gamme GS. La voiture, déjà presque parfaite dans l'ancienne version, a subi de nombreuses améliorations tant au niveau technique qu'esthétique. Les aides électroniques à la conduite abondent alors que la silhouette affiche la nouvelle philosophie de Lexus. Autrefois oubliée, elle est maintenant bien positionnée dans sa catégorie et se compare avantageusement aux concurrentes que sont les Infiniti, Acura, BMW et Mercedes. Avec un choix de versions bien ciblé, l'offre semble en tout point parfaite.

Tellement parfaite qu'il est presque impossible de trouver quoi que ce soit de mal à dire au sujet de la GS. La ligne extérieure, fluide et classique, fait montre d'une touche d'agressivité, élément nécessaire afin d'inspirer agilité, performance et puissance. La partie arrière, trapue, bénéficie d'une ligne de toit plongeante à la manière d'un coupé alors que la partie avant, longue et basse laisse présager la présence d'une motorisation imposante. Vraiment, le style extérieur est réussi. Par contre, dans la jungle urbaine où les voitures se ressemblent de plus en plus, la GS passera probablement inaperçue aux yeux de bien des gens, du moins en version de base. Pour ce qui est de l'intérieur, tout semble avoir été étudié avec minutie et le résultat est impressionnant. Richesse des matériaux, qualité de finition et ergonomie sont irréprochables. L'éclairage même du véhicule est hallucinant utilisant de multiples sources disposées dans l'habitacle et produisant un éclairage bleuté qui ajoute une touche de raffinement au véhicule. On déplorera cependant l'utilisation un peu exagérée de plastique bon marché sur le tableau de bord qui aurait plutôt avantage à se faire discret.

### SILENCE, ON ROULE!

Les occupants de la GS pourront assurément tenir une conversation agréable dans l'habitacle, bien assis dans des sièges de cuir soutenant à merveille. L'insonorisation y est effectivement très poussée et les matériaux choisis dans l'habitacle permettent d'assourdir les bruits extérieurs. Sur l'autoroute, même le moteur ne laisse transparaître aucun son, signe que cette voiture n'est pas faite pour ceux qui veulent s'enivrer de sensations fortes. En fait, tout est si feutré dans l'habitacle que quelquefois, on se demande si la voiture est en marche ou encore si le clignotant est bien actionné. Inutile donc de mentionner que l'expérience de conduite se résume à confort et douceur de roulement. Non pas que l'agrément de conduite est nul, mais avec toute l'attention mise à procurer une ambiance de salon au conducteur, le *feedback* transmis au pilote se veut résolument dilué. Électrique, électronique et automatique, c'est ce que vous lirez à profusion dans les spécifications techniques de la GS! Évidemment, ce n'est pas mal en soi et bien que la plupart de tous ces systèmes soient très efficaces sur le plan de la technologie, il n'en demeure pas moins que certains finissent par être un peu trop intrusifs et agaçants à notre goût.

Notre voiture d'essai nous aura effectivement permis de constater à quel point il est facile et agréable de conduire une GS. Les accélérations sont vives et la transmission exploite à merveille le régime moteur sur toute sa plage. Les reprises sont donc instantanées et assurent une puissance

## FEU VERT
Motorisation adéquate, comportement sportif, freinage efficace, fiabilité assurée, design plaisant

## FEU ROUGE
Suspensions sèches, agrément de conduite dilué, trop de dispositifs automatiques, direction électrique trop assistée, ouverture du coffre étroite

maximale en tout temps. Le caractère sportif de la voiture est dû en grande partie au calibrage des suspensions et à la présence de pneus à profil bas. Le roulis est absent, tout comme l'effet de plongée lors de puissants freinages. Très agréable lorsqu'on pousse la voiture à sa limite, cette configuration s'avère plutôt sèche sur mauvais revêtements. En contrepartie, il en résulte une stabilité impressionnante sur autoroute alors que la GS semble coller à la route. Malheureusement, la direction vient sabrer cet effet car il y a un manque flagrant de *feedback* dans certains cas. Très bien dosée en conduite urbaine, l'assistance électrique progressive en fonction de la vitesse n'offre pas suffisamment de résistance pour bien sentir la route à des vitesses plus élevées. En version à propulsion ou intégrale, la GS350 propose une seule motorisation. Et malgré les hivers rigoureux du Québec, sachez que la propulsion se débrouille fort bien sur la neige d'autant plus qu'elle dispose du contrôle de la traction et de la stabilité du véhicule.

## ENCORE MIEUX

Si l'idée vous prends de vouloir mieux qu'une 350 (on en veut toujours plus), il est possible d'opter pour la 430. Reprenant l'essentiel de la 350, la 430 propose cependant un moteur 8 cylindres et des pneus de 18 pouces. Curieusement, le V8 concède quelques chevaux aux 6 cylindres, mais a un couple nettement supérieur permettant d'obtenir des prestations beaucoup plus enivrantes. Voilà un bon point pour une voiture jusqu'à présent un peu trop ennuyante à notre goût. Puis vient la 450h, un véhicule encore plus efficace, plus silencieux et moins énergivore. La combinaison du V6 au système électrique produit une puissance supérieure au V8 tout en offrant une consommation de carburant inférieure. L'essai de la version hybride nous a également permis de constater l'effroyable couple développé par l'ensemble de la motorisation, la totalité de ce couple étant disponible à bas régime et procurant des accélérations linéaires constantes et fulgurantes.

La GS représente, pour l'heure, ce qui se fait de meilleur dans l'industrie. Les concepteurs n'ont rien oublié produisant ainsi un véhicule presque parfait. Le design, autrefois conservateur, a maintenant laissé place à un peu d'audace alors que la version hybride permet d'ajouter une option «verte» à la gamme. L'efficacité de tous les systèmes électroniques d'assistance, malgré l'apport indéniable à la conduite et à la sécurité, nous aura cependant laissés quelque peu sur notre faim lors de notre essai.

**Guy Desjardins**

Photos: Guy Desjardins

### VÉHICULE D'ESSAI

| | |
|---|---|
| Version : | GS350 RWD |
| Emp/Lon/Lar/Haut(mm) : | 2 850/4 825/1 820/1 425 |
| Poids : | 1 680 kg |
| Coffre/Réservoir : | 360 litres / 71 litres |
| Nombre de coussins de sécurité : | 8 |
| Suspension avant : | indépendante, bras inégaux |
| Suspension arrière : | indépendante, multibras |
| Freins av./arr. : | disque (ABS) |
| Antipatinage/Contrôle de stabilité : | oui / oui |
| Direction : | à crémaillère, assistance variable électrique |
| Diamètre de braquage : | 11,2 m |
| Pneus av./arr. : | P225/50R17 |
| Capacité de remorquage : | non recommandé |

### MOTORISATION À L'ESSAI

Pneus d'origine MICHELIN

| | |
|---|---|
| Moteur : | V6 de 3,5 litres 24s atmosphérique |
| Alésage et course : | 87,0 mm x 90,7 mm |
| Puissance : | 303 ch (226 kW) à 6 200 tr/min |
| Couple : | 274 lb-pi (372 Nm) à 4 800 tr/min |
| Rapport poids/puissance : | 5,54 kg/ch (7,53 kg/kW) |
| Système hybride : | en parallèle |
| Transmission : | propulsion, auto. mode man. 6 rapports |
| Accélération 0-100 km/h : | 7,2 s |
| Reprises 80-120 km/h : | 6,4 s |
| Freinage 100-0 km/h : | 37,0 m |
| Vitesse maximale : | 240 km/h |
| Consommation (100 km) : | ordinaire, 11,0 litres |
| Autonomie (approximative) : | 645 km |
| Émissions de CO2 : | 4 512 kg/an |

### GAMME EN BREF

| | |
|---|---|
| Échelle de prix : | 59 750 $ à 76 900 $ (2007) |
| Catégorie : | berline de luxe |
| Historique du modèle : | 3ième génération |
| Garanties : | 4 ans/80 000 km, 6 ans/110 000 km |
| Assemblage : | Tahara, Japon |
| Autre(s) moteur(s) : | V8 4,3l 290ch/319lb-pi (12,8 l/100km) GS430 |
| | V6 3,5l 339ch/267lb-pi moteur ess seulement (8,7 l/100km) GS450h |
| Autre(s) rouage(s) : | intégrale |
| Autre(s) transmission(s) : | CVT (Hybrid) |

### DANS LA MÊME CATÉGORIE

Acura RL - Audi A6 - BMW Série 5 - Jaguar S-Type - Mercedes-Benz Classe E - Saab 9-5

### DU NOUVEAU EN 2008

Pas de changement majeur

### NOS IMPRESSIONS

| | |
|---|---|
| Agrément de conduite : | 🚗🚗🚗🚗½ |
| Fiabilité : | 🚗🚗🚗🚗½ |
| Sécurité : | 🚗🚗🚗🚗½ |
| Qualités hivernales : | 🚗🚗🚗🚗 |
| Espace intérieur : | 🚗🚗🚗🚗 |
| Confort : | 🚗🚗🚗🚗½ |

### LE CHOIX DE L'ÉQUIPE

GS430

**373**

# LEXUS GX470

# L'ART DE LA TRANSFORMATION

Il est de bon ton de nos jours d'offrir un véhicule dans chaque catégorie. C'est du moins la politique adoptée par la division Lexus qui nous inonde de versions de toutes sortes. Et puisque la famille ne comptait pas de véhicules 4X4 dans la catégorie intermédiaire, le GX 470 a été commercialisé pour la première fois en 2005. Compte tenu du marché tout de même assez limité dans ce créneau, il aurait été prohibitif de développer un modèle unique. Une fois de plus, c'est Toyota qui fournit les éléments de base.

E t il est fascinant de constater comment un produit essentiellement utilitaire et relativement drabe parvient à se déguiser en modèle Lexus et à exiger un prix de beaucoup supérieur en utilisant bien des composantes similaires. C'est un art dans lequel Lexus est passé maître.

### DIFFÉRENCES

Il est difficile pour les concepteurs de démarquer deux modèles lorsque l'un sert de plate-forme à l'autre. Je ne parle pas des composantes mécaniques et de la suspension, mais bien de la présentation extérieure. Trop de similitudes et vous passez à côté de l'objectif. D'autant plus que les clients potentiels vont alors se tourner vers la version plus économique au lieu d'acheter un clone endimanché. Dans le cas du GX470, il se différencie juste assez pour ne pas tomber dans ce piège. Dans le cas qui nous concerne, la grille de calandre typique à Lexus avec ses barres chromées transversales sert de différence majeure à l'avant tandis que le pare-chocs comprend deux prises d'air à chaque extrémité au lieu de la grande ouverture du Toyota 4Runner. Par contre, les garnitures de caisse et les passages de roue en relief sont pratiquement similaires. Malgré tout, au premier coup d'œil, les deux diffèrent l'une de l'autre puisque l'équilibre visuel de la Lexus est modifié en raison d'une hauteur inférieure et d'une largeur supérieure. C'est l'histoire de

quelques millimètres dans les deux cas, mais cela produit ce petit style à part que les gens semblent apprécier. Autre différence, le large pilier C du 4Runner a été fortement modifié sur la Lexus tandis que la section arrière est presque identique dans les deux cas.

Là où les stylistes se reprennent, c'est au niveau de l'habitacle alors que les cuirs fins propres à toute Lexus, les cadrans électroluminescents et les nombreuses appliques en bois fournissent le cachet luxueux qui séduit les inconditionnels de cette marque. Les sièges avant sont confortables, même si leur support latéral laisse à désirer, mais l'habitabilité est bonne pour les deux premières rangées. Par contre, le GX470 est livré d'office avec une troisième rangée qui est d'un usage assez limité puisque l'espace disponible est à peine adéquat pour de jeunes enfants.

Comme sur plusieurs autres modèles de cette marque, le système audio Mark Levinson est supérieur à la moyenne. Il faut cependant s'y retrouver à travers cette panoplie de boutons placés sous l'écran de navigation. Et soulignons au passage que les commandes de la climatisation nécessitent un certain temps avant de pouvoir régler le tout selon nos besoins. Enfin, je n'ai pas encore maîtrisé toutes les subtilités des commandes vocales.

**FEU VERT**
4X4 efficace, habitacle luxueux, fiabilité éprouvée, châssis solide, équipement complet

**FEU ROUGE**
Consommation élevée, moteur gourmand, prix prohibitif, troisième rangée peu utile

## VÉHICULE D'ESSAI

| | |
|---|---|
| Version : | version unique |
| Emp/Lon/Lar/Haut(mm) : | 2 790/4 780/1 880/1 895 |
| Poids : | 2 150 kg |
| Coffre/Réservoir : | 1 238 à 2 513 litres / 87 litres |
| Nombre de coussins de sécurité : | 6 |
| Suspension avant : | indépendante, bras inégaux |
| Suspension arrière : | essieu rigide, ressorts elliptiques |
| Freins av./arr. : | disque (ABS) |
| Antipatinage/Contrôle de stabilité : | oui / oui |
| Direction : | à crémaillère, assistée |
| Diamètre de braquage : | 11,7 m |
| Pneus av./arr. : | P265/65R17 |
| Capacité de remorquage : | 2 948 kg |

Pneus d'origine
MICHELIN

## MOTORISATION À L'ESSAI

| | |
|---|---|
| Moteur : | V8 de 4,7 litres 32s atmosphérique |
| Alésage et course : | 94,0 mm x 84,0 mm |
| Puissance : | 263 ch (196 kW) à 5 400 tr/min |
| Couple : | 323 lb-pi (438 Nm) à 3 400 tr/min |
| Rapport poids/puissance : | 8,17 kg/ch (11,08 kg/kW) |
| Système hybride : | aucun |
| Transmission : | intégrale, automatique 5 rapports |
| Accélération 0-100 km/h : | 10,0 s |
| Reprises 80-120 km/h : | 9,1 s |
| Freinage 100-0 km/h : | 42,0 m |
| Vitesse maximale : | 186 km/h |
| Consommation (100 km) : | ordinaire, 15,3 litres |
| Autonomie (approximative) : | 569 km |
| Émissions de $CO_2$ : | 6 528 kg/an |

## GAMME EN BREF

| | |
|---|---|
| Échelle de prix : | 68 150 $ |
| Catégorie : | utilitaire sport intermédiaire |
| Historique du modèle : | 1ère génération |
| Garanties : | 4 ans/80 000 km, 6 ans/110 000 km |
| Assemblage : | Tahara, Japon |
| Autre(s) moteur(s) : | aucun |
| Autre(s) rouage(s) : | aucun |
| Autre(s) transmission(s) : | aucune |

## DANS LA MÊME CATÉGORIE

Acura MDX - BMW X5 - Cadillac Escalade - GMC Envoy - Mercedes-Benz Classe M

## DU NOUVEAU EN 2008

Pas de changement majeur

## NOS IMPRESSIONS

| | |
|---|---|
| Agrément de conduite : | 🚗 🚗 🚗 ½ |
| Fiabilité : | 🚗 🚗 🚗 🚗 🚗 |
| Sécurité : | 🚗 🚗 🚗 🚗 ½ |
| Qualités hivernales : | 🚗 🚗 🚗 🚗 🚗 |
| Espace intérieur : | 🚗 🚗 🚗 🚗 |
| Confort : | 🚗 🚗 🚗 🚗 ½ |

## LE CHOIX DE L'ÉQUIPE

GX470 sans groupe Premium

## ESSIEU RIGIDE ?

J'ai titré ce paragraphe ainsi afin d'attirer votre attention sur le fait que ce véhicule d'environ 70 000 $ est pourvu d'un essieu arrière rigide, tout comme le 4Runner. Sachez qu'il aurait fallu investir de fortes sommes pour transformer la suspension arrière du GX470 et qu'il est capable d'excursions hors route assez intimidantes puisque cette configuration demeure toujours celle privilégiée par les vrais amateurs de 4X4.

En outre, l'électronique embarquée qui optimise le potentiel hors route de ce Lexus n'est pas piquée des vers avec un différentiel central que l'on peut verrouiller et qui est également de type autobloquant. Le tout est relié à l'incontournable moteur V8 de 4,7 litres dont les 263 chevaux sont transmis aux quatre roues motrices par le biais d'une transmission automatique à cinq rapports. Cette énumération ne serait pas complète si je ne mentionnais pas le système de stabilité latérale, un autre de contrôle de descente de pente et enfin celui qui facilite le démarrage sur un plan incliné. Somme toute, il faut vraiment être un nul pour rester pris ! Autre détail, ce véhicule est un authentique 4X4 alors que le couple est réparti aux roues avant et arrière. Il ne s'agit pas d'un système sur demande qui ne se transforme en rouage intégral que lorsqu'il y a perte d'adhérence. Il s'agit d'une intégrale en tout temps.

Sur la route, le comportement routier a été réglé essentiellement en faveur du confort. La suspension pneumatique compense passablement pour l'essieu arrière rigide et la suspension active réglable contribue également au confort. Par contre, le centre de gravité de ce véhicule de 2 150 kg est élevé et sa direction relativement imprécise. Le bon jugement et l'essentielle prudence devraient inciter le conducteur à s'en tenir aux limites de vitesse affichées et à se laisser bercer par le système audio Mark Levinson. C'est plus sage que de tenter de doubler cette Mercedes-Benz AMG qui vous nargue... Attendez que les conditions de la route se détériorent, vous aurez votre revanche !

**Denis Duquet**

Photos : Lexus

# LE RÊVE INACHEVÉ

Il nous est tous arrivé de se faire réveiller alors que notre cerveau nous jouait un très beau rêve... On a beau essayer de se rendormir mais rien n'y fait. L'impression d'inachevé convient parfaitement à la Lexus IS qui tente de séduire les cœurs passionnés. Au-delà des promesses et des lignes qui permettent les rêves les plus fantasques, que reste-t-il? Beaucoup de positif, mais le quotidien reprend vite ses droits...

Mentionnons tout d'abord que la génération actuelle de la IS (la deuxième) est sur le marché depuis déjà trois ans sans grands changements. La première génération tirait à bout portant sur la sportive série 3 de BMW. Mais puisque, telle une écolière frustrée, elle tirait des bouts d'efface et des trombones, la marque allemande ne s'est pas trop inquiétée. Lexus ne présente plus sa sportive comme une anti-BMW. Et c'est tant mieux puisque la IS peut vivre sa vie, les complexes en moins

La IS est, sans contredit, la plus sportive des Lexus. Ses lignes sont tendues là où il le faut et relevées aux bons endroits. Elles font preuve de plus d'équilibre que dans les modèles de la série GS, par exemple. Sans se démarquer de façon criarde, cette carrosserie reflète le bon goût des dessinateurs de Lexus tout en respectant les spécificités de la marque.

On a attribué deux moteurs à la IS. Le premier, un V6 de 2,5 litres, développe 204 chevaux et 185 livres-pied de couple. Il est associé à la IS250 et à la IS250 AWD, cette dernière possédant le rouage intégral. Si les données techniques ci-haut mentionnées semblent anémiques, il n'en est pourtant rien, surtout en version propulsion. La relative légèreté de l'ensemble en fait une voiture agréable à piloter, particulièrement

avec la transmission manuelle à six rapports. L'automatique ne s'est jamais montrée des plus enthousiastes, et ce, sur plusieurs IS testées. La version intégrale n'ajoute que 56 kilos mais paraît beaucoup plus lourde. Les accélérations entre 0 et 100 km/h sont handicapées d'environ une seconde. Par contre, l'AWD apporte un élément de sécurité non négligeable dans notre climat. Ce rouage ne s'accommode que de la transmission automatique.

### 3,5 À LA RESCOUSSE

L'autre moteur propose une écurie des plus dynamiques. En effet, le V6 de 3,5 litres abandonne ses 306 chevaux à qui veut bien les exploiter. Dire que les accélérations et reprises sont exaltantes tient de l'euphémisme! Quelques tests d'accélérations par temps froid (-10 degrés Celcius) ont montré une moyenne de 6,8 secondes tandis que le 80-120 était expédié en 5,0 secondes. De plus, malgré le froid et nos tests, nous avons obtenu une moyenne de 10,8 litres aux cent kilomètres! Bravo!

Au début de l'année 2008, Lexus dévoilera la IS-F, une bête vivant grâce à un V8 de 5,0 litres de plus de 400 chevaux et une transmission à huit rapports.

**FEU VERT**
Lignes joliment réussies, moteur V6 performant, fiabilité attachante, comportement routier sain, qualité de fabrication indéniable

**FEU ROUGE**
Moteur 2,5 manque de tonus, boîte automatique lente, contrôles de sécurité active trop intrusifs, coffre peu logeable, suspensions un peu sèches

**376**

Au chapitre du comportement routier, les différentes IS se comportent avec dignité. Le châssis est fort rigide et les suspensions, toujours un peu sèches, surtout en version 350, exécutent un excellent boulot. Au niveau des paramètres électroniques de sécurité active, cependant, la IS perd des plumes. Le contrôle de traction, par exemple, entre en action beaucoup trop rapidement avec, en plus, un bip plus stressant que sécuritaire. Le système de stabilité latérale, lui, intervient avec une diligence et une autorité jamais vue depuis les Frères Maristes. Il est possible de débrancher le contrôle de traction mais, à ce moment, il devient impératif d'y aller mollo sur l'accélérateur, surtout avec une IS350 sur une chaussée glacée, même chaussée de bons pneus à neige. Je me suis enlisé dans deux centimètres de gadoue en voulant quitter un espace de stationnement dans une rue en montée. Si le contrôle de traction était opérant, le moteur coupait, carrément. Si j'enlevais ledit contrôle de traction, les pneus patinaient au moindre coup d'accélérateur. Après quelques mots choisis dans le petit catéchisme et l'aide d'un passant qui se réjouissait de dépanner un « riche » dans sa Lexus, j'ai réussi à quitter l'endroit maudit.

## COINCÉE

Si la IS ne semble pas faite pour le côté nordique de notre climat, il en va tout autrement l'été. La IS350, surtout, avec la belle sonorité de son V6, incite au péché routier. Cependant, la IS cherche un peu son public, coincée entre une Mercedes-Benz Classe C plus confortable et des Audi A4 et, surtout, BMW série 3 définitivement plus acérées.

Comme sur toute Lexus qui se respecte, la qualité de la finition et des matériaux, autant à l'extérieur qu'à l'intérieur est irréprochable. La liste de l'équipement standard est assez longue, mais comment expliquer que les versions IS250 et IS250 AWD n'aient même pas droit à des sièges avant chauffants (au demeurant très confortables), alors que la IS350 propose, de série, des sièges en cuir chauffants… et ventilés ? Si l'espace habitable se révèle une belle surprise, les occupants des places arrière risquent de ne pas approuver…

La Lexus IS, malgré quelques imperfections qui, espérons-le, seront un jour corrigées, a tous les attributs pour faire une belle carrière. Mais elle doit encore s'incliner devant les allemandes. Ces dernières, par contre, ne lui arrivent pas à la cheville au chapitre de la fiabilité !

**Alain Morin**

## VÉHICULE D'ESSAI

| | |
|---|---|
| Version : | IS350 |
| Emp/Lon/Lar/Haut(mm) : | 2 730/4 575/1 800/1 425 |
| Poids : | 1 600 kg |
| Coffre/Réservoir : | 378 litres / 65 litres |
| Nombre de coussins de sécurité : | 8 |
| Suspension avant : | indépendante, bras inégaux |
| Suspension arrière : | indépendante, multibras |
| Freins av./arr. : | disque (ABS) |
| Antipatinage/Contrôle de stabilité : | oui / oui |
| Direction : | à crémaillère, assistance variable |
| Diamètre de braquage : | 10,2 m |
| Pneus av./arr. : | P225/45R17 / P245/45R17 |
| Capacité de remorquage : | non recommandé |

## MOTORISATION À L'ESSAI

Pneus d'origine MICHELIN

| | |
|---|---|
| Moteur : | V6 de 3,5 litres 24s atmosphérique |
| Alésage et course : | n.d. |
| Puissance : | 306 ch (228 kW) à 6 400 tr/min |
| Couple : | 277 lb-pi (376 Nm) à 4 800 tr/min |
| Rapport poids/puissance : | 5,23 kg/ch (7,11 kg/kW) |
| Système hybride : | aucun |
| Transmission : | propulsion, automatique 6 rapports |
| Accélération 0-100 km/h : | 6,5 s |
| Reprises 80-120 km/h : | 4,7 s |
| Freinage 100-0 km/h : | 40,8 m |
| Vitesse maximale : | 250 km/h |
| Consommation (100 km) : | super, 10,8 litres |
| Autonomie (approximative) : | 602 km |
| Émissions de CO2 : | 4 512 kg/an |

## GAMME EN BREF

| | |
|---|---|
| Échelle de prix : | 42 150$ à 49 150$ (2007) |
| Catégorie : | berline sport |
| Historique du modèle : | 2ième génération |
| Garanties : | 4 ans/80 000 km, 6 ans/110 000 km |
| Assemblage : | Tahara, Japon |
| Autre(s) moteur(s) : | V6 2,5l 204ch/185lb-pi (9,7 l/100km) IS250 et IS250 AWD |
| Autre(s) rouage(s) : | intégrale |
| Autre(s) transmission(s) : | manuelle 6 rapports |

## DANS LA MÊME CATÉGORIE

Acura TL - Audi A4 - BMW Série 3 - Cadillac CTS - Infiniti G35/G35x - Jaguar X-Type - Mercedes-Benz Classe C - Saab 9.3 - Volvo S60

## DU NOUVEAU EN 2008

Pas de changement majeur, modèle IS-F dévoilé en cours d'année

## NOS IMPRESSIONS

| | |
|---|---|
| Agrément de conduite : | 🚗🚗🚗🚗 |
| Fiabilité : | 🚗🚗🚗🚗½ |
| Sécurité : | 🚗🚗🚗🚗½ |
| Qualités hivernales : | 🚗🚗🚗🚗 |
| Espace intérieur : | 🚗🚗🚗🚗 |
| Confort : | 🚗🚗🚗🚗 |

## LE CHOIX DE L'ÉQUIPE

IS250 AWD

Photos: Lexus

# LA SURENCHÈRE TECHNOLOGIQUE

Lors du lancement en grandes pompes de l'actuelle génération de la LS au Salon de l'auto de Detroit, les dirigeants américains de la marque se sont empressés de faire une référence oblique à la Mercedes-Benz de Classe S en spécifiant que la boîte automatique de la LS comptait un rapport de plus que celle de sa concurrente allemande, soit huit versus sept. Ce détail, qui peut sembler anodin, révèle à quel point la lutte pour la suprématie sur le plan technologique demeure une préoccupation constante pour la division de voitures de luxe de Toyota.

L
a génération actuelle de la LS est donc commercialisée au Canada en trois configurations à empattement normal (LS 460), et en cinq configurations à empattement allongé (LS 460 L). Par ailleurs, l'année modèle 2008 a vu le lancement d'une nouvelle version à motorisation hybride de la berline de grand luxe qui devient le fleuron de la gamme en étant aussi dotée d'une transmission à variation continue, ainsi que de la traction intégrale de série. Cette nouvelle LS 600h L est donc animée par un V8 de 5,0 litres et par un moteur électrique qui développe une puissance combinée de 438 chevaux. Cependant, la cylindrée de la version hybride est de 5,0 litres, donc supérieure à celle des modèles à motorisation habituelle de la gamme qui font appel à un V8 de 4,6 litres livrant 380 chevaux, ce qui est pour le moins paradoxal, vous en conviendrez…

### ZÉRO DE CONDUITE…

Après avoir fait l'essai de versions à empattement normal et allongé de la LS, le score est le suivant : confort dix et agrément de conduite zéro… Autant vous le préciser tout de suite, si vous avez l'intention de vous payer une voiture de grand luxe pour en apprécier le dynamisme et les performances, allez plutôt voir du côté de l'Audi A8, de la BMW Série 7 ou de la Mercedes-Benz de Classe S, tellement la LS est soporifique à

conduire. Avec la Lexus, toute notion d'agrément de conduite ou de contact avec la route est occultée…

Cette voiture devient l'une des meilleures pour s'endormir au volant, puisque tous ses éléments semblent avoir été calibrés justement pour isoler conducteur et passagers de la route. Suspensions, direction et pneumatiques font tous dans la guimauve, et le système de contrôle électronique de la stabilité se met en mode panique dès que l'on sollicite un peu la voiture en tenue de route. Pour vous donner une idée des priorités de cette voiture, sachez qu'elle peut être équipée en option d'un système de stationnement automatique. Pas seulement d'un ensemble de capteurs visant à mesurer la distance qui vous sépare des autres véhicules et vous avertissant de leur proximité grandissante au moyen de bips, mais bien d'un système qui gare la voiture en parallèle ou en recul dans une case de stationnement. Mais ça prend tellement de temps à accomplir cette simple manœuvre qu'un conducteur le moindrement expérimenté a trois fois le temps de la réussir par lui-même !

Sur le plan technique, la LS fait étalage de toute une panoplie de gadgets avec entre autres un régulateur de vitesse avec radar permettant de conserver une distance pré-établie avec le véhicule qui précède et même

 **FEU VERT**
Silhouette classique, boîte automatique à 8 rapports, silence de roulement exemplaire, confort serein, bonne fiabilité

 **FEU ROUGE**
Freinage perfectible, absence d'agrément de conduite, gabarit imposant, tableau de bord anonyme, gadgets inutiles

de freiner la voiture en cas de ralentissement du flot de la circulation, ou encore des phares adaptatifs dont certaines lentilles s'orientent dans le sens du braquage du volant.

## QUAND AUTO RIME AVEC DODO…

Vous en avez donc déduit que la LS est d'un ennui mortel pour le conducteur mais d'un confort superlatif pour les passagers, surtout pour ceux s'assoiront à l'arrière du modèle le plus luxueux à empattement allongé équipé de l'ensemble d'options «Executive». Dans ce cas précis, les passagers peuvent écrire des notes sur une table de travail escamotable, regarder un DVD, relaxer en allongeant les fauteuils chauffants et climatisés et en activant leur fonction de massage ordinaire ou de shiatsu.

Auparavant, on aura fermé les stores électriques pour se soustraire aux regards indiscrets! Le silence de roulement est exemplaire, et la boîte automatique de huit rapports autorise des accélérations tout en souplesse, ce qui bonifie d'autant plus le confort absolu qui règne à bord.

La qualité d'assemblage est sans reproches et les concepteurs de Lexus ne manquent pas d'expliquer que pendant l'application des couches de peinture successives, toutes les LS sont polies deux fois à la main par un artisan. Caractérisée par la nouvelle philosophie de design appelée L-Finesse par Lexus, la LS demeure une voiture anonyme qui ne fait absolument pas étalage de sa richesse ou de son luxe.

En fait, le *look* est presque celui d'une Camry surdimensionnée de la génération précédente, ce qui donne l'impression que les designers n'ont voulu prendre aucun risque afin de ne pas déplaire à quelque acheteur que ce soit. La réputation de la marque est solidement établie en ce qui a trait à la fiabilité et la satisfaction de la clientèle. D'ailleurs, grâce à ces critères, la LS trône au sommet des palmarès américains. C'est donc une voiture hyperconfortable et extrêmement fiable à bord de laquelle il vaut mieux être passager que conducteur…

**Gabriel Gélinas**

## VÉHICULE D'ESSAI

| | |
|---|---|
| Version : | LS460 L |
| Emp/Lon/Lar/Haut(mm) : | 3 090/5 150/1 875/1 475 |
| Poids : | 2 025 kg |
| Coffre/Réservoir : | 510 litres / 84 litres |
| Nombre de coussins de sécurité : | 7 |
| Suspension avant : | indépendante, multibras |
| Suspension arrière : | indépendante, multibras |
| Freins av./arr. : | disque (ABS) |
| Antipatinage/Contrôle de stabilité : | oui / oui |
| Direction : | à crémaillère, assistance variable |
| Diamètre de braquage : | 12,1 m |
| Pneus av./arr. : | P235/50R18 |
| Capacité de remorquage : | non recommandé |

## MOTORISATION À L'ESSAI
Pneus d'origine MICHELIN

| | |
|---|---|
| Moteur : | V8 de 4,6 litres 32s atmosphérique |
| Alésage et course : | 94,0 mm x 83,0 mm |
| Puissance : | 380 ch (283 kW) à 6 400 tr/min |
| Couple : | 367 lb-pi (498 Nm) à 4 100 tr/min |
| Rapport poids/puissance : | 5,33 kg/ch (7,23 kg/kW) |
| Système hybride : | en parallèle |
| Transmission : | propulsion, auto. mode man. 8 rapports |
| Accélération 0-100 km/h : | 5,7 s |
| Reprises 80-120 km/h : | 5,0 s |
| Freinage 100-0 km/h : | 38,5 m (estimé) |
| Vitesse maximale : | 250 km/h |
| Consommation (100 km) : | super, 12,6 litres |
| Autonomie (approximative) : | 667 km |
| Émissions de CO2 : | 5 184 kg/an |

## GAMME EN BREF

| | |
|---|---|
| Échelle de prix : | 86 400$ à 132 000$ (2007) |
| Catégorie : | berline de grand luxe |
| Historique du modèle : | 4ième génération |
| Garanties : | 4 ans/80 000 km, 6 ans/110 000 km |
| Assemblage : | Tahara, Japon |
| Autre(s) moteur(s) : | V8 5l moteur hybride essence-électricité 438ch/ 385lb-pi (10,6 l/100km) LS600h L |
| Autre(s) rouage(s) : | aucun |
| Autre(s) transmission(s) : | aucune |

## DANS LA MÊME CATÉGORIE
Audi A8 - BMW Série 7 - Mercedes-Benz Classe S

## DU NOUVEAU EN 2008
Pas de changement majeur

## NOS IMPRESSIONS

| | |
|---|---|
| Agrément de conduite : | 🚗 🚗 🚗 |
| Fiabilité : | 🚗 🚗 🚗 🚗 |
| Sécurité : | 🚗 🚗 🚗 🚗 ½ |
| Qualités hivernales : | 🚗 🚗 🚗 🚗 |
| Espace intérieur : | 🚗 🚗 🚗 🚗 |
| Confort : | 🚗 🚗 🚗 🚗 🚗 |

## LE CHOIX DE L'ÉQUIPE
LS460

**LEXUS** LS460 / LS460 L / LS600h L

# LEXUS LX 470/570

Lexus LX570

# À CONTRE-COURANT

Il est de ces gens qui, peu importe leurs actions, ne font jamais rien comme les autres. Cela ne veut pas dire qu'ils font les choses mal. C'est juste qu'ils les font différemment. Prenez mon beau-frère. Au lieu de se fabriquer un cabanon 16' x 16', ce qui aurait été assez grand à mes yeux de citadin, il s'en est monté un de 25' x 30'. Il peut désormais dormir en paix, ses deux bicyclettes ne s'entrechoqueront pas durant la nuit. Quant à sa voiture, elle a son propre garage, voyons! Si mon beau-frère avait eu à concevoir un véhicule, il aurait certainement créé le Lexus LX470.

Le Lexus LX470, directement dérivé du Toyota Land Cruiser (offert aux États-Unis mais pas au Canada) est apparu dans les salles d'exposition des concessionnaires en 1997. À l'époque, il s'appelait LX450, à cause de son moteur six cylindres en ligne de 4,5 litres. À peine deux années plus tard, il devenait le LX470. Et cette fois, la marque de prestige de Toyota lui avait donné les moyens de ses ambitions avec un V8 de 4,7 litres. Mais le temps, cet impitoyable ami, a porté quelques coups à ce VUS pour gens très riches et, d'ici quelques mois, il sera remplacé par un modèle entièrement nouveau et deviendra alors le LX570. Bien entendu, son moteur sera un V8 de 5,7 litres.

## QUAND TOUT EST PLUS

Mais avant de parler de ce nouveau venu dont nous savons finalement bien peu de choses au moment d'écrire ces lignes, attardons-nous un peu à celui qui, comme mon beau-frère, ne fait jamais rien comme les autres, le LX470. La plupart du temps, les gens très riches aiment bien afficher leur aisance. D'autres, cependant, aiment moins être dans la mire. C'est pour ces gens que Lexus existe! Outre l'excessive SC430, tous les véhicules de Lexus ne font pas dans le tape-à-l'œil et le LX470 ne fait pas exception à cette règle.

Dans l'habitacle, par contre, les choses se présentent un peu mieux et on ne se lasse pas des beaux cuirs, des boiseries véritables, de l'équipement pléthorique et du luxe omniprésent. Mais c'est surtout l'assemblage maniaque des différentes pièces qui éblouit. Bien entendu, à plus de 100 000 $ l'unité, on ne s'attend pas à moins. Les sièges redéfinissent le mot confort, autant à l'avant que pour la deuxième rangée. Il y a bien une troisième rangée mais son accès est difficile et le maniement des sièges l'est tout autant.

Les qualités sportives du LX470 sont à peu près nulles même s'il s'accroche avec ténacité au pavé. Le centre de gravité élevé ne peut déjouer les lois de la physique. Le moteur, on l'a vu, est un V8 de 4,7 litres de 268 chevaux et 328 livres-pied de couple. Il faut entendre ce moteur rugir en pleine accélération! De toute beauté. Quant à la consommation d'essence, mieux vaut passer à un autre sujet... Dans sa quête d'immensité, Lexus a doté le LX470 d'un rouage intégral d'une rare compétence. Comme si les gens qui achetaient ce type de véhicule allaient jouer dans la boue ou dans les roches toutes les fins de semaines! En fait, ce qui est important, ce n'est pas tellement de le faire. C'est de savoir qu'on PEUT le faire!

**FEU VERT**
Confort exceptionnel, assemblage maniaque, rouage intégral performant, silence monacal, version LX570 encore plus exclusive

**FEU ROUGE**
Prix démentiel, silhouette anonyme (LX470), consommation déplorable, dimensions intimidantes (pire avec le LX570!), aucune sportivité

**380**

## ADIEU LX470, BIENVENUE LX570!

Tout ça, c'est bien beau, mais le Lexus LX470 s'apprête à s'éclipser sans n'avoir jamais réussi à s'imposer malgré ses dimensions, son moteur et ses capacités hors route. Il sera bientôt remplacé par le LX 570, dévoilé au dernier Salon de l'auto de New York. Cette nouvelle génération (la troisième) se distinguera plus facilement du Land Cruiser et adoptera les lignes L-Finesse vues jusqu'à présent sur des automobiles. Malgré tout, les lignes générales sont demeurées passablement les mêmes.

Comme si l'ancienne génération n'était pas assez imposante, le nouveau Lexus, en dépit d'un empattement similaire, sera plus long d'environ 10 cm et plus large de 2,5 cm. L'espace supplémentaire devrait surtout profiter aux occupants de la troisième rangée qui en ont bien besoin. Cette rangée sera désormais à commande électrique. Le tableau de bord s'harmonisera mieux avec l'ensemble de la gamme Lexus et le luxe, le confort, l'équipement et la qualité de la finition seront assurément au rendez-vous. Lexus promet, entre autres délicatesses, un système audio Mark Levinson à 19 haut-parleurs (!), un climatiseur à quatre zones et un système d'avertissement de présence dans l'angle mort (un peu à la manière du Blis de Volvo). Mon beau-frère n'aurait pas fait mieux!

Le châssis autonome du LX570 est tout nouveau et servira aux futures Toyota Land Cruiser. Puisque l'empattement est demeuré le même et que la longueur totale a gagné plusieurs centimètres, il faut en conclure que les angles d'attaque et de départ, si importants en hors route, seront diminués, à moins que la suspension pneumatique compense ces quelques degrés. Pourtant, les dirigeants de la marque de prestige de Toyota prédisent des qualités hors routes inhabituelles. Un système qui nous apparaît semblable à celui de Land Rover et comportant plusieurs réglages (selon le type de terrain) fera partie de l'équipement de base du LX570. Grâce à sa suspension pneumatique, le LX570 fera preuve de galanterie et s'abaissera de plus ou moins 5 cm pour permettre aux occupants de monter à bord. Lexus promet que cette suspension réduira le roulis d'au moins 30%. Si nous étions méchants, nous écririons que ça ne sera pas difficile…

Jouet pour gens très riches et pouvant faire face à toutes les situations sur ou à côté de la route, le LX570, sera officiellement dévoilé au début 2008. Le niveau de luxe et de technologie dont Lexus nous fait part laisse présager un prix bien au-dessus de ce que la populace peut s'offrir. Et c'est parfait comme ça, doivent se dire plusieurs personnes en moyen!

**Alain Morin**

Photos: Lexus

---

### VÉHICULE D'ESSAI

| Version : | version unique |
|---|---|
| Emp/Lon/Lar/Haut(mm) : | 2850/4890/1940/1850 |
| Poids : | 2450 kg |
| Coffre/Réservoir : | 510 à 2560 litres / 96 litres |
| Nombre de coussins de sécurité : | 6 |
| Suspension avant : | indépendante, barres de torsion |
| Suspension arrière : | indépendante, bras inégaux |
| Freins av./arr. : | disque (ABS) |
| Antipatinage/Contrôle de stabilité : | oui / oui |
| Direction : | à crémaillère, assistance variable |
| Diamètre de braquage : | 12,1 m |
| Pneus av./arr. : | P275/60R18 |
| Capacité de remorquage : | 2948 kg |

### MOTORISATION À L'ESSAI

Pneus d'origine MICHELIN

| Moteur : | V8 de 4,7 litres 32s atmosphérique |
|---|---|
| Alésage et course : | 94,0 mm x 84,0 mm |
| Puissance : | 268 ch (200 kW) à 5400 tr/min |
| Couple : | 328 lb-pi (445 Nm) à 3400 tr/min |
| Rapport poids/puissance : | 9,14 kg/ch (12,44 kg/kW) |
| Système hybride : | aucun |
| Transmission : | intégrale, automatique 5 rapports |
| Accélération 0-100 km/h : | 9,5 s |
| Reprises 80-120 km/h : | 7,2 s |
| Freinage 100-0 km/h : | 44,3 m |
| Vitesse maximale : | 180 km/h |
| Consommation (100 km) : | super, 17,5 litres |
| Autonomie (approximative) : | 549 km |
| Émissions de CO2 : | 7440 kg/an |

### GAMME EN BREF

| Échelle de prix : | 101 400 $ |
|---|---|
| Catégorie : | utilitaire sport grand format |
| Historique du modèle : | 2ième génération |
| Garanties : | 4 ans/80 000 km, 6 ans/110 000 km |
| Assemblage : | Araco, Japon |
| Autre(s) moteur(s) : | aucun |
| Autre(s) rouage(s) : | aucun |
| Autre(s) transmission(s) : | aucune |

### DANS LA MÊME CATÉGORIE

Cadillac Escalade - Infiniti QX56 - Land Rover Range Rover - Lincoln Navigator - Mercedes-Benz Classe G

### DU NOUVEAU EN 2008

LX470 sera remplacé par le LX570 au début 2008

### NOS IMPRESSIONS

| Agrément de conduite : | 🚗 🚗 🚗 🚗 ½ |
|---|---|
| Fiabilité : | 🚗 🚗 🚗 🚗 |
| Sécurité : | 🚗 🚗 🚗 🚗 |
| Qualités hivernales : | 🚗 🚗 🚗 🚗 |
| Espace intérieur : | 🚗 🚗 🚗 ½ |
| Confort : | 🚗 🚗 🚗 🚗 |

### LE CHOIX DE L'ÉQUIPE

Version unique

---

Voiture économique

# TOUJOURS LA RÉFÉRENCE

Le premier RX est arrivé sur notre marché sans tambour ni trompette. La direction de Lexus au Canada nous a présenté ce véhicule en nous disant tout simplement : « Voici un nouveau concept de véhicule multisegment de luxe, et nous savons qu'il plaira au public. » Avec le temps, avec sa silhouette élégante, son moteur V6 et un habitacle capable de se mesurer aux meilleures berlines de luxe, le RX est devenu la référence et le demeure.

Depuis son arrivée sur notre marché, plusieurs concurrents sont venus tester sa suprématie, mais la gamme RX est toujours dans le peloton de tête. Révisé en 2003, le véhicule était devenu le RX330, et s'appelle RX350 depuis l'an dernier, avec l'arrivée d'un moteur V6 de 3,5 litres de 270 chevaux.

## LE SECRET

Après quasiment une décennie sur notre marché, ce véhicule continue d'avoir la cote, et ce, sans avoir changé radicalement de forme et de mécanique. Les moteurs V6 se sont succédé sous le capot et la plate-forme s'est raffinée, mais cela ne représente rien de bien spectaculaire. Le secret de ce succès, c'est tout simplement que cette Lexus propose un équilibre général à presque tous les niveaux. La silhouette n'a rien de moderne ou d'avant-gardiste, mais elle est toujours élégante et de son époque. Au fil des années, son esthétique est quasiment devenue intemporelle. Et à ceci s'ajoute des dimensions qui sont justes ce qu'il faut. Par exemple, une Volvo XC90 est plus longue, tout comme la Mercedes-Benz Classe M. Elles le sont de peu, et j'utilise leurs dimensions uniquement à titre d'exemple. Mais, qu'importe, le RX n'est ni trop long, ni trop court.

Et que dire de son habitacle dont la finition est tout aussi exemplaire que celle des autres berlines Lexus. On y retrouve l'incontournable volant dont certaines sections du boudin sont en bois exotique, tandis que les cadrans électroluminescents sont aussi élégants que faciles à consulter. Comme il se doit sur toute Lexus, la qualité des matériaux est impeccable, j'ai bien regardé de près et j'aurais aimé trouver quelque chose à redire, mais ce fut peine perdue ! Par contre, le tableau de bord commence à faire vieux jeu, surtout avec les montants latéraux en forme de V qui encadrent l'écran d'affichage. Et puisque le RX a été l'un des premiers véhicules à offrir une caméra de recul, celle-ci est toujours en place. Enfin, soulignons que les sièges sont relativement mous et que la toile servant de cache-bagages dans le coffre n'est pas la plus facile à utiliser qui soit.

À ces considérations d'ordre esthétique et pratique se joint un comportement routier correct. Plusieurs autres véhicules de cette catégorie peuvent facilement distancer un RX sur une route sinueuse. Par contre, établissez une cote générale pour la conduite en ville, en campagne, sur l'autoroute et en hiver, et il est certain que la Lexus ne s'en laisse pas imposer. Ajoutez à cela une fiabilité à toute épreuve et vous savez maintenant pourquoi tant de gens l'ont adoptée.

**FEU VERT**
Version hybride, fiabilité rassurante, finition impeccable, comportement routier sans surprise, équipement complet

**FEU ROUGE**
Direction engourdie, antipatinage trop sensible, roulis en virage, silhouette générique, pneumatiques moyens

Toujours au chapitre de la conduite, le comportement d'ensemble est surtout axé vers le confort avec une suspension à grand débattement qui explique sans doute le roulis en virage. Les performances du moteur de 3,5 litres sont correctes avec un temps d'accélération inférieur à 8 secondes. C'est satisfaisant en fait de performances, mais il est certain que les gens apprécient principalement ce moteur pour sa douceur et son silence. Quant à la boîte automatique à cinq rapports, elle est d'une grande douceur elle aussi, bien que j'aie noté un soupçon d'hésitation entre le second et le troisième rapport.

Pour résumer, je me contenterai de citer un amateur de voitures de luxe qui a eu sa part de véhicules de haut de gamme, et qui me disait en me parlant de sa RX 330 : « J'ai eu une RX 330 et j'ai roulé plus de 270 000 km à son volant sans la ménager. Après tous ces kilomètres, elle n'affichait aucune faiblesse ! C'est le meilleur véhicule que je n'ai jamais possédé. » Ce qui prouve qu'il ne faut pas nécessairement être le meilleur, mais le plus fiable.

## PERFORMANCE EN HYBRIDE

Comme ce fut le cas dans la catégorie des berlines compactes et intermédiaires, Toyota a été le premier constructeur à commercialiser des VUS à moteur hybride. En développant son système Hybrid Synergy Drive et en l'adoptant dans plusieurs modèles, Toyota a pris une sérieuse avance sur ses concurrents. Donc, si vous avez besoin d'un véhicule multi-segment mais que vous avez l'intention de collaborer à la lutte contre le les gaz à effets de serre, la RX400h vous est destinée.

Avec son V6 de 3,3 litres de 208 chevaux associé à deux moteurs électriques qui permet de compter sur une puissance de 268 chevaux, elle surprend par ses performances, Mais puisque les moteurs électriques ont beaucoup de couple, les reprises sont très musclées. Et il arrive ce qui doit arriver : le conducteur ne peut s'empêcher d'enfoncer l'accélérateur au plancher lors des dépassements afin de pouvoir ressentir cette accélération de type coup de pied au derrière qui caractérise la 400h. Pour plusieurs, c'est la performance qui prime et non le fait qu'on puisse rouler seulement en mode électrique jusqu'à 40 km/h et ainsi se trouver au volant d'un véhicule plus écologique. Par la suite, ces mêmes personnes se plaignent de ne pas obtenir une consommation de carburant similaire à celle annoncée par le constructeur !

**Denis Duquet**

Photos : Lexus

### VÉHICULE D'ESSAI

| | |
|---|---|
| Version : | RX400h |
| Emp/Lon/Lar/Haut(mm) : | 2 715/4 755/1 845/1 740 |
| Poids : | 1 981 kg |
| Coffre/Réservoir : | 900 à 2 050 litres / 65 litres |
| Nombre de coussins de sécurité : | 7 |
| Suspension avant : | indépendante, jambes de force |
| Suspension arrière : | indépendante, multibras |
| Freins av./arr. : | disque (ABS) |
| Antipatinage/Contrôle de stabilité : | oui / oui |
| Direction : | à crémaillère, assistance variable |
| Diamètre de braquage : | 11,4 m |
| Pneus av./arr. : | P235/55R18 |
| Capacité de remorquage : | 1 587 kg |

### MOTORISATION À L'ESSAI

Pneus d'origine *MICHELIN*

| | |
|---|---|
| Moteur : | V6 de 3,3 litres 24s atmosphérique |
| Alésage et course : | 92,0 mm x 83,0 mm |
| Puissance : | 268 ch (200 kW) à 5 600 tr/min |
| Couple : | 212 lb-pi (287 Nm) à 4 400 tr/min |
| Rapport poids/puissance : | 7,39 kg/ch (10,06 kg/kW) |
| Système hybride : | double en assistance |
| Transmission : | intégrale, CVT |
| Accélération 0-100 km/h : | 9,2 s |
| Reprises 80-120 km/h : | 7,3 s |
| Freinage 100-0 km/h : | 42,0 m |
| Vitesse maximale : | 190 km/h |
| Consommation (100 km) : | essence/élect., 7,7 litres |
| Autonomie (approximative) : | 844 km |
| Émissions de CO2 : | 3 792 kg/an |

### GAMME EN BREF

| | |
|---|---|
| Échelle de prix : | 51 550 $ à 62 250 $ |
| Catégorie : | utilitaire sport intermédiaire |
| Historique du modèle : | 2ième génération |
| Garanties : | 4 ans/80 000 km, 6 ans/110 000 km |
| Assemblage : | Kyushu, Japon |
| Autre(s) moteur(s) : | V6 3,5l 270ch/251lb-pi |
| | (12,8 l/100km) RX350 |
| Autre(s) rouage(s) : | aucun |
| Autre(s) transmission(s) : | automatique 5 rapports |

### DANS LA MÊME CATÉGORIE

Acura MDX - BMW X5 - Jeep Commander - Land Rover LR3 - Mercedes-Benz Classe M - Saab 9-7x - Volkswagen Touareg

### DU NOUVEAU EN 2008

Aucun changement

### NOS IMPRESSIONS

| | |
|---|---|
| Agrément de conduite : | 🚗 🚗 🚗 🚗 |
| Fiabilité : | 🚗 🚗 🚗 🚗 |
| Sécurité : | 🚗 🚗 🚗 🚗 🚗½ |
| Qualités hivernales : | 🚗 🚗 🚗 🚗 |
| Espace intérieur : | 🚗 🚗 🚗 🚗 |
| Confort : | 🚗 🚗 🚗 🚗 |

### LE CHOIX DE L'ÉQUIPE

RX400h

# LEXUS SC430

# ASCÈTES S'ABSTENIR

Chez Lexus, la direction ne souffre d'aucun complexe. Mieux encore, il arrive parfois de déceler un soupçon d'arrogance chez les employés... Comme on n'a pas de problème à afficher sa supériorité, il était nécessaire au tournant du siècle d'aller s'attaquer à la catégorie reine des voitures de grand tourisme, le roadster de luxe. Histoire d'aller croiser le fer avec les Mercedes-Benz SL, les BMW Série 6 et même la Cadillac XLR, la SC430 est devenue le porte-étendard de la marque.

**M**alheureusement pour Lexus, si la marque a connu de grands succès avec d'autres modèles, son coupé de luxe n'arrive pas à ébranler la concurrence. En fait, il ne sert qu'à souligner les lacunes de cette division lorsque vient le temps de concevoir un produit faisant appel à la passion et au plaisir de la conduite.

## NAUTISME ET MENUISERIE

J'ai eu la chance de côtoyer un compagnon de travail dont la tenue vestimentaire était l'égale de celle du regretté Claude Blanchard et qui s'était procuré une Lexus SC430 pour l'élégance de sa carrosserie. Devinez sa surprise quand les membres du *Guide de l'auto* lui ont fait savoir que cette voiture ressemblait plus à une embarcation de type runabout qu'à une voiture de luxe. Et lorsqu'il arrivait au travail au volant de sa SC430, plusieurs lui soulignaient qu'il était venu travailler en bateau !

Nous l'avons répété à maintes reprises, les goûts et les couleurs ne se discutent pas. Mais force est d'admettre que la silhouette de cette Lexus fait l'unanimité. Les emprunts des stylistes à différentes voitures de la catégorie ont eu pour résultat final cette silhouette baroque qui suscite plus l'étonnement que la passion. Il faut tout de même ajouter

que ce coupé est plus élégant une fois le toit rigide en place. D'ailleurs, ce dernier se rétracte dans le coffre en moins de 30 secondes et comme tous les autres accessoires du genre, il occupe une bonne partie du coffre...

Délaissons le design pour un instant, car la qualité d'assemblage et de finition de cette voiture est impeccable. La peinture, les interstices de la caisse, le choix des matériaux dans l'habitacle, vraiment, il est difficile de faire mieux. Les responsables de la conception de l'habitacle semblent avoir eu le feu vert pour utiliser les cuirs les plus fins et les bois les plus rares. Le tableau de bord est garni d'appliques en noyer de Californie, une essence de bois foncé qui ajoute au caractère luxueux de la voiture.

Par contre, au risque de me répéter, la finition et l'attention au détail ne peuvent masquer le fait que le design du tableau de bord oscille entre le rétro et le baroque. Heureusement que les sièges avant sont confortables, même si leur support latéral est moyen. Et je me demande toujours pourquoi les concepteurs de ces roadsters de luxe s'entêtent à nous offrir des sièges arrière qui sont trop exigus même pour un enfant de deux ans !

**FEU VERT**
Finition hors norme, toit rigide escamotable, moteur ultra doux, équipement complet

**FEU ROUGE**
Silhouette discutable, tenue de route à revoir, prix hors norme, places arrière symboliques, dépassée par la concurrence

## LE CONFORT EN PREMIER

La SC 430 est une automobile dont plusieurs des éléments sont contradictoires. Par exemple, elle est propulsée par un moteur V8 de 4,3 litres d'une puissance de 288 chevaux, capable de boucler le 0-100 km/h en moins de sept secondes et assurant des reprises très sportives. Mais là s'arrête le caractère sportif de cette voiture. Si son moteur V8 se démarque par sa douceur et sa puissance, il ronronne dans un châssis qui a été conçu pour le confort et les balades à vitesse moyenne sur les grands boulevards. Il est certain que vous pourrez apprécier une randonnée sur une route sinueuse, mais à condition de ne pas trop vous énerver. Si jamais vous décidez d'enfreindre les lois, vous découvrirez très rapidement que le châssis manque de rigidité, ce qui ne convient pas nécessairement à une conduite sportive. Et puisque le volant manque de précision et que son assistance est trop généreuse, mieux vaut vous contenter de respecter les limites de vitesse et vous laisser bercer par l'impressionnante sonorité du système audio Mark Levinson.

Bref, en attendant la relève, cette SC430 doit faire avec et attirer ses acheteurs éventuels par sa finition sans faille, son équipement ultracomplet et la réputation de fiabilité à tout casser de la marque. Et pour en revenir à mon compagnon de travail qui s'était laissé convaincre de s'acheter une SC430, il nous a avoué qu'il ne pouvait pas laisser passer une telle aubaine, le prix demandé étant nettement en dessous du prix de détail suggéré par le manufacturier. Voilà un argument à prendre en ligne de compte si le vendeur vous propose un prix défiant toute concurrence !

S'il est vrai que ce roadster de luxe est en fin de carrière et dépourvu de toute aspiration sportive, cela n'empêche pas ses propriétaires de se déclarer entièrement satisfaits de leur achat. Ils en vantent la fiabilité, l'équipement de base plus que complet et une rassurante valeur de revente. Ce dernier élément se limite essentiellement aux États-Unis, là où le luxe et la réputation délirante de Lexus viennent éponger les restrictions que les Québécois ont à propos de la SC430.

**Denis Duquet**

### VÉHICULE D'ESSAI

| | |
|---|---|
| Version : | version unique |
| Emp/Lon/Lar/Haut(mm) : | 2 620/4 534/1 825/1 350 |
| Poids : | 1 742 kg |
| Coffre/Réservoir : | 266 litres / 75 litres |
| Nombre de coussins de sécurité : | 6 |
| Suspension avant : | indépendante, bras inégaux |
| Suspension arrière : | indépendante, bras inégaux |
| Freins av./arr. : | disque (ABS) |
| Antipatinage/Contrôle de stabilité : | oui / oui |
| Direction : | à crémaillère, assistance variable |
| Diamètre de braquage : | 10,8 m |
| Pneus av./arr. : | P245/40ZR18 |
| Capacité de remorquage : | non recommandé |

### MOTORISATION À L'ESSAI

| | |
|---|---|
| Moteur : | V8 de 4,3 litres 32s atmosphérique |
| Alésage et course : | 91,0 mm x 82,5 mm |
| Puissance : | 288 ch (215 kW) à 5 600 tr/min |
| Couple : | 317 lb-pi (430 Nm) à 3 400 tr/min |
| Rapport poids/puissance : | 6,05 kg/ch (8,22 kg/kW) |
| Système hybride : | aucun |
| Transmission : | propulsion, automatique 6 rapports |
| Accélération 0-100 km/h : | 6,5 s |
| Reprises 80-120 km/h : | 4,9 s |
| Freinage 100-0 km/h : | 36,6 m |
| Vitesse maximale : | 250 km/h |
| Consommation (100 km) : | super, 12,8 litres |
| Autonomie (approximative) : | 586 km |
| Émissions de CO2 : | 5 280 kg/an |

### GAMME EN BREF

| | |
|---|---|
| Échelle de prix : | 93 250 $ |
| Catégorie : | cabriolet |
| Historique du modèle : | 1ière génération |
| Garanties : | 4 ans/80 000 km, 6 ans/110 000 km |
| Assemblage : | Tahara, Japon |
| Autre(s) moteur(s) : | aucun |
| Autre(s) rouage(s) : | aucun |
| Autre(s) transmission(s) : | aucune |

### DANS LA MÊME CATÉGORIE

Jaguar XK8 - Mercedes-Benz SL500

### DU NOUVEAU EN 2008

Pas de changement majeur

### NOS IMPRESSIONS

| | |
|---|---|
| Agrément de conduite : | 🚗 🚗 🚗 ½ |
| Fiabilité : | 🚗 🚗 🚗 🚗 ½ |
| Sécurité : | 🚗 🚗 🚗 |
| Qualités hivernales : | 🚗 🚗 ½ |
| Espace intérieur : | 🚗 🚗 ½ |
| Confort : | 🚗 🚗 🚗 🚗 |

### LE CHOIX DE L'ÉQUIPE

Version unique

Photos : Lexus

# AVIATOR, PRISE 2!

Après la constatation de l'échec de l'Aviator, Lincoln avait prévu remettre ça en proposant un tout nouveau véhicule portant la même nomenclature, mais à la conception entièrement nouvelle. Mais voilà, cet Aviator qui nous avait été présenté en tant que concept en janvier 2005 nous est finalement apparu l'an dernier, portant le nom de MKX. Et force est d'admettre qu'à défaut d'être très original, cette appellation permet d'une part d'associer une fois de plus les lettres «MK» (pour Mark) à la marque, mais aussi au véhicule de mieux s'identifier face à une concurrence appelée XC, X5, RX, FX, SRX et MDX!

É légant, moderne et stylisé, le MKX est un véhicule esthétiquement très réussi et qui porte bien le fait qu'il soit cloné à partir d'un autre véhicule. Car bien sûr, il ne faut pas être devin pour constater qu'il dérive du Ford Edge, ce qui au passage, n'a rien de dérangeant. À ce niveau, l'exercice est mieux réussi qu'avec sa petite sœur MKZ, dérivée de la Fusion. Ici, la grille de calandre qui donnera probablement du fil a retorde aux «astiqueurs», parvient à symboliser luxe et grâce avec grande efficacité. Le surplus de chrome et la partie arrière visiblement très moderne permettent également de le distinguer du Edge, ainsi que de tous les autres VUS du marché. Et c'est sans doute en raison de son allure séduisante que le MKX est le seul Lincoln à pouvoir se vanter de ne pas être autant victime de l'image de la marque qui, avouons-le, a déjà été plus à la mode. En effet, ce véhicule fait entrer une nouvelle clientèle chez les concessionnaires, un peu comme ce fût le cas avec le Buick Rendezvous il y a quelques années.

À bord, un superbe travail a été effectué pour rendre cet habitacle luxueux et encore plus attrayant. Tout d'abord, mentionnons le magnifique éclairage d'ambiance et de la planche de bord qui, le soir venu, nous donne l'impression de conduire un véhicule deux fois plus cher. Les élégantes boiseries et les diverses appliques métalliques sont aussi de

très bon goût et rendent honneur aux sept lettres qui ornent la planche de bord. Plus moelleux que ceux du Edge, les sièges fournissent un excellent confort, tout en mettant l'accent sur le soutien latéral. Devant comme derrière, l'espace est généreux, mais vous constaterez toutefois l'absence d'une troisième banquette, une caractéristique de plus en plus commune dans cette catégorie.

Côté luxe, Lincoln propose une panoplie de caractéristiques appréciables, comme les sièges avant chauffants et ventilés, la banquette arrière rabattable au moyen d'un simple bouton, la chaîne audio THX, le système de navigation à écran tactile et le toit panoramique presque entièrement vitré. Et même si certains de ces éléments sont offerts en option, on parvient à obtenir un MKX «full au bouchon» pour moins de 50 000$. Pas mal n'est-ce pas?

### UN SEUL MOTEUR, LE BON!

Ici, pas de vétuste V6 de 4,0 litres issu de l'Explorer ou de V8 assoiffé. On nous propose que le plus récent V6 provenant de chez Ford, soit un Duratec de 3,5 litres multisoupapes, produisant 265 chevaux et 250 lb-pi de couple. Performant et plus souple que le 3,0 litres du même nom, ce moteur est bien en verve et parfaitement adapté au véhicule.

**FEU VERT**
Silhouette élégante, présentation intérieure soignée, habitacle très confortable, insonorisation poussée, comportement équilibré

**FEU ROUGE**
Boîte automatique paresseuse, direction peu communicative, cinq places seulement, consommation légèrement trop élevée

| VÉHICULE D'ESSAI | |
|---|---|
| Version : | MKX TI |
| Emp/Lon/Lar/Haut (mm) : | 2 824/4 737/1 925/1 715 |
| Poids : | 2 004 kg |
| Coffre/Réservoir : | 900 à 1 954 litres / 76 litres |
| Nombre de coussins de sécurité : | 6 |
| Suspension avant : | indépendante, jambes de force |
| Suspension arrière : | indépendante, multibras |
| Freins av./arr. : | disque (ABS) |
| Antipatinage/Contrôle de stabilité : | oui / oui |
| Direction : | à crémaillère, assistance variable |
| Diamètre de braquage : | 12,5 m |
| Pneus av./arr. : | P245/60R18 |
| Capacité de remorquage : | 1 588 kg |

## MOTORISATION À L'ESSAI
Pneus d'origine MICHELIN

| | |
|---|---|
| Moteur : | V6 de 3,5 litres 24s atmosphérique |
| Alésage et course : | 92,5 mm x 86,7 mm |
| Puissance : | 265 ch (198 kW) à 6 250 tr/min |
| Couple : | 250 lb-pi (339 Nm) à 4 500 tr/min |
| Rapport poids/puissance : | 7,56 kg/ch (10,28 kg/kW) |
| Système hybride : | aucun |
| Transmission : | intégrale, automatique 6 rapports |
| Accélération 0-100 km/h : | 8,3 s |
| Reprises 80-120 km/h : | 6,5 s |
| Freinage 100-0 km/h : | 46,8 m |
| Vitesse maximale : | 190 km/h |
| Consommation (100 km) : | ordinaire, 13,2 litres |
| Autonomie (approximative) : | 576 km |
| Émissions de CO2 : | 5 328 kg/an |

## GAMME EN BREF

| | |
|---|---|
| Échelle de prix : | 43 749 $ à 45 749 $ (2007) |
| Catégorie : | multisegment |
| Historique du modèle : | 1ère génération |
| Garanties : | 4 ans/80 000 km, 6 ans/110 000 km |
| Assemblage : | Oakville, Ontario, Canada |
| Autre(s) moteur(s) : | aucun |
| Autre(s) rouage(s) : | traction |
| Autre(s) transmission(s) : | aucune |

## DANS LA MÊME CATÉGORIE

Acura MDX - Audi Q7 - BMW X5 - Buick Enclave - Cadillac SRX - Infiniti FX35 - Land Rover LR3 - Lexus RX350 - Mercedes-Benz ML350 - Saab 9-7x - Volkswagen Touareg - Volvo XC90

## DU NOUVEAU EN 2008

Moteur 3,5 litres, boîte automatique à six rapports, système Ford Sync, toit ouvrant Vista

## NOS IMPRESSIONS

| | |
|---|---|
| Agrément de conduite : | 🚗 🚗 🚗 ½ |
| Fiabilité : | 🚗 🚗 🚗 ½ |
| Sécurité : | 🚗 🚗 🚗 🚗 ½ |
| Qualités hivernales : | 🚗 🚗 🚗 🚗 ½ |
| Espace intérieur : | 🚗 🚗 🚗 🚗 |
| Confort : | 🚗 🚗 🚗 🚗 ½ |

## LE CHOIX DE L'ÉQUIPE

MKX TI

---

Sa consommation d'essence tournant autour de 14 litres aux 100 kilomètres déçoit légèrement, mais est loin d'être aussi alarmante que celle qui affligeait le défunt Aviator. On accouple le moteur à une boîte automatique à six rapports qui pour sa part, gagnerait à être un tantinet moins paresseuse. Voilà sans doute pourquoi Ford n'a pas cru bon de la doter d'un mode manuel ! Néanmoins, cette dernière est étagée correctement et assure des passages de vitesse en douceur.

Première constatation en prenant la route, le MKX est encore mieux insonorisé que son petit frère (le Edge), qui jouit aussi d'une bonne réputation en la matière. La suspension confortable et bien calibrée garantit une conduite saine et prévisible, ainsi qu'un roulis modérée en virage. Comparativement au Lexus RX350, son principal rival, le système de contrôle de stabilité est plus efficace parce que plus permissif. Par exemple, lorsque vient le temps de grimper une côte glacée ou de sortir d'un banc de neige, il ne faut pas composer avec un système qui vous freine inutilement.

Malheureusement, derrière ce splendide volant se cache une direction qui affiche une légère imprécision au centre et qui gagnerait à offrir un meilleur cercle de braquage, car les manœuvres serrées sont souvent complexes. Cette dernière est également responsable du manque d'agrément ressenti derrière le volant, puisqu'elle ne transmet pas une bonne sensation de la route.

### UNE CONCURRENCE FÉROCE, MAIS PLUS CHÈRE !

Pour se faire une place dans cette catégorie dominée par les produits importés, Lincoln se devait de proposer à la clientèle une formule attrayante, tant en matière de produit que de prix. Et c'est là la beauté de la chose, puisqu'après avoir fait connaissance avec le MKX et découvert qu'il est étonnant, vous constaterez que son prix est on ne peut plus concurrentiel. À équipement comparable, cela signifie donc que vous économiserez environ 7 000 $ par rapport à une Lexus ou une Acura, et je ne vous parle pas des véhicules européens ! Bien sûr, la valeur de revente risque de ne pas être aussi élevée que chez Lexus, qui jouit d'une réputation presque surfaite, mais cette économie ne vaut-elle pas la peine de réfléchir ? Bref, le MKX mérite de laisser de côté ses préjugés face à la marque et de s'y attarder avec plus d'attention. Et parions que parmi ceux qui oseront franchir les portes du concessionnaire, un bon nombre ressortiront avec un contrat dans la main !

**Antoine Joubert**

Photos : Alain Morin

# LINCOLN MKZ

# LA LEXUS ES350 D'ONCLE SAM

Avec la MKZ (feu la Zephyr), Lincoln a adopté la même stratégie que Lexus pour concevoir son modèle d'entrée de gamme. En effet, comme en ce qui concerne la ES 350, la MKZ dérive directement de la populaire berline intermédiaire issue de la marque maîtresse, en l'occurrence la Ford Fusion. Comme la Lexus, la voiture a été lancée l'an dernier, utilisant en plus un V6 de 3,5 litres offrant une puissance quasi similaire, donnant ainsi lieu à des performances comparables. Il n'est donc pas surprenant de savoir que la plus grande rivale de la MKZ, c'est justement la Lexus ES 350!

Je vous avouerai qu'à mon premier contact avec la MKZ, je ne m'attendais pas à grand-chose. Après tout, il ne s'agissait que d'une Zephyr «rebadgée», se dotant d'un moteur plus puissant. Au premier coup d'œil, les différences esthétiques avec sa devancière sont nulles. Il faut vraiment observer les deux modèles côte à côte pour constater que la calandre est légèrement différente, tout comme le carénage des feux antibrouillards. Tout le reste, mis à part bien sûr les quelques écussons, est identique. Donc, la voiture demeure encore passablement semblable à la Fusion, ce qui ne fait généralement pas l'affaire des acheteurs de voitures de luxe, souhaitant souvent se différencier. À ce niveau, Lexus a mieux fait. Cela ne signifie pas pour autant que la voiture manque d'élégance, bien au contraire. Les quelques accents de chrome et les superbes jantes d'alliage la font paraître très noble, tout comme la grille de calandre, typiquement Lincoln.

## PLUS QU'UNE FUSION

C'est au premier contact de la planche de bord que la valeur ajoutée par rapport à la Fusion se justifie vraiment. D'abord, comme sur la Lexus, on remplace l'instrumentation à éclairage verdâtre traditionnel par un nouvel affichage très élégant, à éclairage électroluminescent. Et bravo, on a

pris soin d'éclairer les commandes situées sur le volant et dans les portières, ce que plusieurs manufacturiers oublient. Les formes angulaires des cadrans indicateurs comme de la planche de bord s'inspirent quant à elles du passé, comme dans le cas de plusieurs nouveaux produits de la marque. La présentation intérieure est rehaussée par un choix de boiseries ou de faux aluminium.

Bien sûr, la MKZ propose des sièges ultraconfortables, mais qui n'ont heureusement rien de comparable avec ceux de la Town Car. Le conducteur n'a donc pas droit à un LAZ-Y-BOY, mais bien à un véritable siège, juste assez ferme et enveloppant. Réglables de multiples façons, le siège du conducteur et la colonne de direction permettent une excellente position de conduite. Quant à l'équipement, il varie de riche à très riche, selon le nombre d'options choisies. Sachez toutefois qu'en sélectionnant le tout, la facture grimpe dramatiquement.

## 1/2 LITRE DE PLUS, ÇA CHANGE TOUT!

Autant le moteur 3,0 litres de la Zephyr décevait, autant ce nouveau V6 de 3,5 litres impressionne. Avec 42 chevaux en renfort, il est normal que l'amélioration soit notable, mais ce moteur est aussi plus vivant, plus enjoué. Il affectionne les hauts régimes, s'exprime par un langage plus

**FEU VERT**
Moteur V6 impressionnant, traction intégrale disponible, construction sérieuse, voiture très confortable, excellent comportement routier

**FEU ROUGE**
Lignes un peu trop Fusion, image de la marque, consommation considérable, nombreuses options

**388**

raffiné et démontre une souplesse que son devancier n'aurait jamais même pu imaginer. Ainsi, il réussit à rejoindre sa rivale Lexus en matière de puissance et d'accélération. Il faut néanmoins admettre que le moulin nippon possède ce petit «oumph» de plus, qui n'est pas désagréable. Qui plus est, le moteur Lexus consomme environ 15 % moins de carburant que celui de la Lincoln, dont la moyenne se situe autour de 12,5 litres aux 100 kilomètres.

Lincoln se reprend cependant en proposant, pour un supplément de 2 000 $, une version à traction intégrale. Voilà une preuve que Lincoln ne se contente plus de suivre la concurrence, comme ce fut longtemps le cas. Ce système impressionne par son efficacité en matière de traction, mais transforme aussi la voiture qui se veut ainsi plus agile. Bien agrippée au sol, elle se moque des virages et démontre un agrément de conduite insoupçonné. Pour cela, il faut aussi remercier les éléments de suspension qui savent allier avec brio confort et fermeté.

La direction passablement lourde est elle aussi très agréable, mais gagnerait à être un brin plus rapide. Quant à la boîte automatique à six rapports, elle ne s'attire que de bons mots. Sachez toutefois que le mode manuel n'est pas offert, ce qui personnellement ne m'affecte pas.

Deux sérieux essais de la MKZ me permettent de confirmer que la voiture mérite de se retrouver chez les grandes de ce monde. Elle est bien construite, confortable, agile et puissante, et innove en plus en proposant certaines caractéristiques peu communes. Ceci étant dit, il faut maintenant que Lincoln réussisse à se défaire de cette image, cette réputation de bagnoles de grand-père traînée comme un boulet depuis des décennies. Il faudra pour cela passer par-dessus les problèmes financiers en accouchant d'autres produits modernes (comme le MKX), tout en lançant d'excellentes campagnes publicitaires. Et ça, ce n'est pas chose faite…

**Antoine Joubert**

## VÉHICULE D'ESSAI

| | |
|---|---|
| Version : | MKZ TA |
| Emp/Lon/Lar/Haut(mm) : | 2 728/4 839/1 834/1 453 |
| Poids : | 1 573 kg |
| Coffre/Réservoir : | 447 litres / 66 litres |
| Nombre de coussins de sécurité : | 6 |
| Suspension avant : | indépendante, bras inégaux |
| Suspension arrière : | indépendante, multibras |
| Freins av./arr. : | disque (ABS) |
| Antipatinage/Contrôle de stabilité : | oui / oui |
| Direction : | à crémaillère, assistance variable |
| Diamètre de braquage : | 12,2 m |
| Pneus av./arr. : | P225/50R17 |
| Capacité de remorquage : | 454 kg |

## MOTORISATION À L'ESSAI

Pneus d'origine MICHELIN

| | |
|---|---|
| Moteur : | V6 de 3,5 litres 24s atmosphérique |
| Alésage et course : | 92,5 mm x 86,7 mm |
| Puissance : | 263 ch (196 kW) à 6 250 tr/min |
| Couple : | 249 lb-pi (338 Nm) à 4 500 tr/min |
| Rapport poids/puissance : | 5,93 kg/ch (8,04 kg/kW) |
| Système hybride : | aucun |
| Transmission : | traction, auto. mode man. 6 rapports |
| Accélération 0-100 km/h : | 7,8 s |
| Reprises 80-120 km/h : | 5,2 s |
| Freinage 100-0 km/h : | 41,7 m |
| Vitesse maximale : | 210 km/h |
| Consommation (100 km) : | ordinaire, 12,6 litres |
| Autonomie (approximative) : | 524 km |
| Émissions de CO2 : | 5 040 kg/an |

## GAMME EN BREF

| | |
|---|---|
| Échelle de prix : | 37 899 $ à 39 899 $ |
| Catégorie : | berline de luxe |
| Historique du modèle : | 1ère génération |
| Garanties : | 4 ans/80 000 km, 6 ans/110 000 km |
| Assemblage : | Hermosillo, Mexique |
| Autre(s) moteur(s) : | aucun |
| Autre(s) rouage(s) : | intégrale |
| Autre(s) transmission(s) : | aucune |

## DANS LA MÊME CATÉGORIE

Acura TL - Buick Lucerne - Cadillac CTS - Hyundai Azera - Jaguar X-Type - Lexus ES350 - Mercedes-Benz Classe C - Nissan Maxima - Saab 9-5 - Toyota Avalon - Volvo S60

## DU NOUVEAU EN 2008

Radio Sirius de série, sièges de cuir perforé chauffants et ventilés de série, système d'info-divertissement Sync disponible plus tard dans l'année, système de navigation comprend désormais l'activation vocale

## NOS IMPRESSIONS

| | |
|---|---|
| Agrément de conduite : | 🚗 🚗 🚗 🚗 |
| Fiabilité : | 🚗 🚗 🚗 ½ |
| Sécurité : | 🚗 🚗 🚗 🚗 |
| Qualités hivernales : | 🚗 🚗 🚗 🚗 |
| Espace intérieur : | 🚗 🚗 🚗 🚗 |
| Confort : | 🚗 🚗 🚗 🚗 |

## LE CHOIX DE L'ÉQUIPE

MKZ TI

Photos : Alain Morin

# GO-KART IMMATRICULÉ

Si votre plus grand rêve est que la route se transforme en circuit, il existe un moyen de vous en rapprocher. Naturellement, les corps policiers ne disparaîtront pas comme par enchantement et les nids-de-poule seront toujours de la partie, mais c'est au volant de cette Lotus que vous découvrirez peut-être vos talents de pilote. Et même si vous n'avez pas la flamme d'un Villeneuve, vous apprécierez le fait que ce bolide décuple le plaisir ressenti au volant de toute autre voiture. Bref, la firme britannique nous propose depuis deux ans ce qui peut à mon sens être qualifié de la plus jouissive des autos-jouets.

En posant les yeux sur elle, on est en mesure de constater que cette Lotus ne s'adresse pas à une clientèle du troisième âge désireuse de se rendre chaque dimanche dans la maison de Dieu... Spectaculaire et exotique, elle laisse plutôt présager que son conducteur est une personne débordante de dynamisme. Elle peut aussi agir telle une bonne cure pour le dépressif en mal de sensations, mais règle générale, seuls les puristes optent pour ce genre de bolide.

Cette année, l'arrivée de la Exige vient compléter la gamme Lotus. Alors que l'Elise se veut plus civilisée (mais si peu), l'autre vise directement les dévoreurs d'asphalte. Dotée d'un toit rigide où se loge une prise d'air additionnelle, elle affiche une allure encore plus racée. Elle se pavane avec son aileron arrière, ses entrées d'air grillagées et ses jantes ultralégères comme un footballeur le ferait avec ses épaulettes et son casque. L'Elise reçoit quant à elle une robe tout aussi charmante, mais avec une saveur de compétition moins accentuée. Elle est également la seule à pouvoir se découvrir, portant comme chapeau une toile à bouton-pression ou un panneau rigide en fibre de verre. D'ailleurs, sachez que la carrosserie est entièrement faite de ce matériau.

À bord, ne tentez aucun parallèle avec une Boxster ou même une S2000. La notion de confort n'a ici jamais fait partie du développement. Ainsi, ceux qui voudront jouer les « look at me » mais qui n'ont pas nécessairement une soif de sportivité le paieront très cher. Car qu'il s'agisse des sièges, de l'espace alloué ou de l'équipement offert, le confort/prix est carrément atroce. En revanche, le puriste ne peut qu'apprécier ce sentiment d'être bien coincé dans cet habitacle d'aluminium où deux sièges enveloppants et durs comme le roc nous tiennent en place. Il n'y a rien de plus approprié pour ressentir cette relation mécanique tant recherchée.

Sans sellerie de cuir ni même de glaces électriques, on n'achète pas la Lotus pour le luxe. En se tournant vers le livre des options, il est toutefois possible d'y mettre plusieurs accessoires. L'ensemble Touring vous fait profiter d'une moquette de sol complète, de matériaux insonores et d'une chaîne stéréo digne de ce nom.

### DU TOYOTA SOUS LE CAPOT
Plutôt que de développer une mécanique à gros prix qui aurait sans doute été très capricieuse, Lotus a choisi d'opter pour un partenariat avec le nouveau numéro un mondial, c'est-à-dire Toyota. De ce fait, on retrouve

**FEU VERT**
Du plaisir comme sur un go-kart, lignes spectaculaires, rigidité structurelle étonnante, poids plume, moteur Toyota bien connu

**FEU ROUGE**
Le luxe? Connaît pas!, inconfort garanti, prix très anglais, réseau de concessionnaire embryonnaire

sous le capot arrière le même moteur qui occupait les défuntes Celica GTS et Corolla XRS. Déployant 190 chevaux grâce à une unité de commande électronique moins restrictive, ce dernier parvient à faire de l'Elise une véritable bombe. Qui plus est, il se marie à merveille avec la boîte manuelle à six rapports qui l'accompagne. Quant à ceux qui auraient préféré une boîte automatique ou séquentielle, Lotus vous dit : allez voir ailleurs !

L'Exige, encore plus performante, reprend pour sa part la même motorisation, à laquelle s'ajoute toutefois un compresseur volumétrique permettant un gain de 30 chevaux. Avec une telle puissance et un poids excédant à peine 800 kilos, inutile de vous dire que ce bolide n'a rien à envier à un T-Rex ! À preuve, on franchit le 0-100 km/h en seulement 4,3 secondes, un chiffre normalement réservé qu'aux exotiques à huit, dix ou douze cylindres !

## LA VOITURE, C'EST VOUS !

Compacte et ultramaniable, cette voiture se pilote comme un go-kart. Bien sûr, la direction est moins primitive et le moteur n'est pas issu d'une tondeuse à gazon, mais le sentiment d'être accroché au bitume à quelques pouces du sol est similaire. Cette sportive de premier rang a aussi le mérite de transmettre au conducteur un sentiment unique, comme s'il faisait corps avec la voiture. Il faut dire que la direction non assistée le fait travailler parfois durement, lui qui découvre bien souvent la vraie définition du mot sport.

Sur la route, il faut donc s'attendre à une conduite radicalement sportive. La tenue de route est sensationnelle, le roulis est inexistant et le freinage est stupéfiant. Et quel équilibre ! Jamais on ne sent la voiture trop légère ou mal balancée. Le survirage est également une notion qui lui est inconnue, puisque le poids du moteur central se charge d'appuyer constamment la voiture au sol. En revanche, son incroyable agilité peut jouer des tours au conducteur en mal d'expérience qui ne saura nullement détecter le manque d'adhérence du train avant. Il est clair que les pneus Yokohama se chargent solidement de l'agripper au sol mais dans certaines situations, la perte de contrôle peut survenir sans avertissement.

Bref, cette sportive mérite de grands éloges, pour l'ensemble de son œuvre. Mais tenez-vous-le pour dit, il s'agit d'un jouet de luxe qui n'a aucun côté pratique

**Antoine Joubert**

## VÉHICULE D'ESSAI

| | |
|---|---|
| Version : | Elise |
| Emp/Lon/Lar/Haut (mm) : | 2 301/3 785/1 720/1 143 |
| Poids : | 942 kg |
| Coffre/Réservoir : | 112 litres / 40 litres |
| Nombre de coussins de sécurité : | 2 |
| Suspension avant : | indépendante, bras inégaux |
| Suspension arrière : | indépendante, bras inégaux |
| Freins av./arr. : | disque (ABS) |
| Antipatinage/Contrôle de stabilité : | opt. / non |
| Direction : | à crémaillère, assistance variable |
| Diamètre de braquage : | 10,0 m |
| Pneus av./arr. : | P175/55R16 / P225/45R17 |
| Capacité de remorquage : | non recommandé |

## MOTORISATION À L'ESSAI

| | |
|---|---|
| Moteur : | 4L de 1,8 litre 16s atmosphérique |
| Alésage et course : | 82,0 mm x 85,0 mm |
| Puissance : | 190 ch (142 kW) à 7 800 tr/min |
| Couple : | 134 lb-pi (182 Nm) à 6 800 tr/min |
| Rapport poids/puissance : | 4,96 kg/ch (6,73 kg/kW) |
| Système hybride : | aucun |
| Transmission : | propulsion, manuelle 6 rapports |
| Accélération 0-100 km/h : | 5,2 s (constructeur) |
| Reprises 80-120 km/h : | n.d. |
| Freinage 100-0 km/h : | 33,5 m (constructeur) |
| Vitesse maximale : | 240 km/h (constructeur) |
| Consommation (100 km) : | super, 11,5 litres (estimé) |
| Autonomie (approximative) : | 348 km |
| Émissions de CO2 : | n.d. |

## GAMME EN BREF

| | |
|---|---|
| Échelle de prix : | 59 990 $ à 75 900 $ |
| Catégorie : | roadster |
| Historique du modèle : | 1ère génération |
| Garanties : | 3 ans/60 000 km, 3 ans/60 000 km |
| Assemblage : | Angleterre |
| Autre(s) moteur(s) : | 4L 1,8l 220ch/165lb-pi (0,0 l/100km) |
| Autre(s) rouage(s) : | aucun |
| Autre(s) transmission(s) : | aucune |

## DANS LA MÊME CATÉGORIE
Honda S2000 - Porsche Boxster

## DU NOUVEAU EN 2008
Arrivée du modèle Exige plus tard dans l'année

## NOS IMPRESSIONS

| | |
|---|---|
| Agrément de conduite : | 🚗🚗🚗🚗🚗 |
| Fiabilité : | 🚗🚗🚗 |
| Sécurité : | 🚗🚗 |
| Qualités hivernales : | Nulles |
| Espace intérieur : | 🚗 ½ |
| Confort : | 🚗 ½ |

## LE CHOIX DE L'ÉQUIPE
Elise

Photos : Lotus

# BELLISSIMA

Peu de gens auraient parié gros sur les chances de Maserati de survivre après les années catastrophiques de l'ère DiTomaso. Il aura fallu que Ferrari injecte des millions et des millions d'euros pour que la marque au trident puisse de nouveau avoir des véhicules dignes de son glorieux passé. Et encore, les premiers coupés du renouveau apparus au tournant du siècle ont laissé bien des gens sur leur appétit; et il faudra l'arrivée de la Quattroporte en 2004 pour que Maserati redevienne une marque de prestige.

Il faut bien admettre que le coupé possédait une silhouette assez particulière qui ne faisait pas nécessairement tourner les têtes. Et lorsque cela se produisait, c'était davantage en raison de sa rareté que de son esthétique. Toutefois, l'arrivée d'un coupé en 2008 devrait permettre à ce modèle de connaître le succès.

### ÉLÉGANT ET PRATIQUE

Cette fois, les stylistes de chez Pininfarina ont eu le coup de crayon heureux puisque la majorité des gens s'accorde pour souligner la beauté de la silhouette de ce gros coupé quatre places. Je dois admettre que le gris ne lui sied pas tellement, mais habillé du bleu de la marque, les ressemblances avec une Ferrari Scaglietti nous viennent immédiatement à l'esprit. Par contre, la GT est plus voluptueuse, moins angulée et sa partie arrière moins découpée. Bref, des rondeurs propres à la marque qui nous font oublier les lignes anonymes de la version précédente. Et pas besoin d'être un spécialiste en design pour voir les nombreuses similitudes avec le coupé et la berline Quattroporte!

Et cette similitude ne se limite pas à la présentation extérieure puisque ce gros coupé emprunte sa plate-forme et son moteur à la QP. La présence de deux places arrière dans la Gran Turismo n'est pas le fruit du hasard. Chez Maserati, on souligne d'ailleurs que des sondages auprès de la clientèle ont incité la direction à opter pour un coupé plus spacieux et plus volumineux, donc plus confortable. Et aucune autre voiture sur le marché, à part l'autre Maserati, n'offre un tel raffinement des cuirs des sièges et des garnitures de porte, le tout associé à des bois exotiques et à une finition haut de gamme. Par contre, un bémol pour le volant qui semble avoir été emprunté à une Fiat Stylo ou à une Alfa Romeo 169.

Ce modèle est doté d'un moteur V8 4,2 litres produisant 395 chevaux et couplé à une boîte automatique ZF à six rapports. Ce qui permet de boucler le 0-100 km/h en cinq secondes et des poussières tandis que la vitesse de pointe est de 275 km/h! Pour donner une idée des dimensions de cette belle italienne, elle est plus légère d'environ 100 kg comparée à une Mercedes-Benz CL et de 500 kg par rapport à une Bentley Continental GT. Cette nouvelle boîte automatique est également offerte sur la Quattro Porte. Ces deux modèles peuvent aussi être équipés de la boîte semi-automatique séquentielle qui est efficace mais plus brusque. Celle-ci convient moins au caractère raffiné de la GT.

L'automatique comporte trois réglages: neige, régulier et sport. En mode sport, les passages de rapports s'effectuent à des régimes plus

**FEU VERT**
Coupé spectaculaire, boîte ZF moderne, moteur performant, habitacle sensuel, berline à découvrir

**FEU ROUGE**
Fiabilité inégale, allergique à nos hivers, diffusion confidentielle, valeur de revente incertaine

élevés et se font plus rapidement. Sur la route, cette Maserati surprend par son agilité en dépit de dimensions assez imposantes, tandis que la direction s'avère précise et bien assistée sur un parcours de montagne. En conduite en ville, elle est un peu engourdie au centre.

Pour simplifier, il s'agit presque d'une Quattro Porte en version plus sportive et elle en possède pratiquement toutes les qualités. Ce qui explique certainement pourquoi la direction est aussi optimiste pour l'avenir.

### SIX BONNES RAISONS

Pour 2008, les modifications esthétiques sont pratiquement nulles sur la Quattro Porte, mais la possibilité de commander cette voiture avec une boîte automatique à six rapports devrait certainement épaissir les carnets de commandes. Fabriquée par ZF, cette transmission permet de bénéficier d'une conduite plus en douceur. Auparavant, la boîte séquentielle semi-manuelle assurait des passages de rapports éclair, mais pas toujours en douceur.

Pour adapter cette nouvelle boîte, les ingénieurs ont apporté beaucoup de changements à la mécanique, rapatriant la transmission derrière le moteur alors qu'avant elle était juste devant l'essieu arrière. Les performances sont un peu moins pointues avec cette boîte, mais on gagne en douceur et en agrément de conduite. Et pour les puristes, la boîte séquentielle demeure au catalogue.

La popularité de cette Maserati quatre portes s'explique principalement en raison de sa silhouette et de son habitacle luxueux. Il faut ajouter à cette équation un prix très compétitif compte tenu de l'équipement et qui vous permet de bénéficier d'une bonne dose d'exclusivité à bon coût. Mais la raison majeure de l'engouement des gens bien nantis pour cette dernière est son agilité sur la route, ses performances et son agrément de conduite. Et la possibilité de commander la boîte automatique est un autre argument de poids qui milite en sa faveur.

La direction de Maserati espère atteindre un volume de production annuelle de 10 000 unités d'ici 2009 et cet objectif n'est pas utopique, bien au contraire!

**Denis Duquet**

Photos : Maserati

## VÉHICULE D'ESSAI

| | |
|---|---|
| Version : | Quattroporte |
| Emp/Lon/Lar/Haut(mm) : | 3 065/5 052/1 895/1 438 |
| Poids : | 1 985 kg |
| Coffre/Réservoir : | 450 litres / 90 litres |
| Nombre de coussins de sécurité : | 6 |
| Suspension avant : | indépendante, bras inégaux |
| Suspension arrière : | indépendante, bras inégaux |
| Freins av./arr. : | disque (ABS) |
| Antipatinage/Contrôle de stabilité : | oui / oui |
| Direction : | à crémaillère, assistée |
| Diamètre de braquage : | 12,3 m |
| Pneus av./arr. : | P245/45ZR18 / P285/40ZR18 |
| Capacité de remorquage : | non recommandé |

## MOTORISATION À L'ESSAI

| | |
|---|---|
| Moteur : | V8 de 4,2 litres 32s atmosphérique |
| Alésage et course : | 92,0 mm x 79,8 mm |
| Puissance : | 395 ch (295 kW) à 7 250 tr/min |
| Couple : | 326 lb-pi (442 Nm) à 4 750 tr/min |
| Rapport poids/puissance : | 5,03 kg/ch (6,82 kg/kW) |
| Système hybride : | aucun |
| Transmission : | propulsion, séquentielle 6 rapports |
| Accélération 0-100 km/h : | 5,2 s |
| Reprises 80-120 km/h : | 4,8 s |
| Freinage 100-0 km/h : | 38,0 m |
| Vitesse maximale : | 275 km/h |
| Consommation (100 km) : | super, 16,9 litres |
| Autonomie (approximative) : | 533 km |
| Émissions de CO2 : | 6 720 kg/an |

## GAMME EN BREF

| | |
|---|---|
| Échelle de prix : | 135 000 $ |
| Catégorie : | berline de grand luxe |
| Historique du modèle : | 5ième génération |
| Garanties : | 3 ans/80 000 km, 3 ans/80 000 km |
| Assemblage : | Modène, Italie |
| Autre(s) moteur(s) : | aucun |
| Autre(s) rouage(s) : | aucun |
| Autre(s) transmission(s) : | aucune |

## DANS LA MÊME CATÉGORIE

BMW Série 7 - Jaguar XJ8 - Lexus LS460 - Mercedes-Benz Classe S

## DU NOUVEAU EN 2008

Nouveau modèle Gran Turismo, nouvelle boîte six rapports, intérieur modifié

## NOS IMPRESSIONS

| | |
|---|---|
| Agrément de conduite : | 🚗 🚗 🚗 🚗 |
| Fiabilité : | 🚗 🚗 🚗 ½ |
| Sécurité : | 🚗 🚗 🚗 |
| Qualités hivernales : | 🚗 |
| Espace intérieur : | 🚗 🚗 🚗 |
| Confort : | 🚗 🚗 🚗 ½ |

## LE CHOIX DE L'ÉQUIPE

Quattroporte

**393**

# EN PERTE DE VITESSE

Lancée en grandes pompes en 2002 par Mercedes-Benz, la marque Maybach devait s'imposer comme l'une des références dans la catégorie des voitures de très grand luxe en livrant une concurrence directe aux marques établies telles que Rolls-Royce et Bentley. Cinq ans plus tard, c'est un constat d'échec pour cette division du constructeur allemand Mercedes-Benz, les ventes de Maybach n'ayant jamais atteint les sommets envisagés.

Le marché des États-Unis représente le plus grand bassin d'acheteurs potentiels pour les voitures très luxueuses comme Maybach, Rolls-Royce et Bentley. Alors que Bentley réussit à vendre 3 856 voitures chez nos voisins du Sud en 2006, la marque Maybach n'en a vendu que 146, soit 6 voitures de moins qu'en 2005 et 98 de moins qu'en 2004... Le constat est clair, Maybach, qui n'a jamais atteint son rythme de croisière, est déjà en perte de vitesse sur ce marché crucial.

### MAYBACH OU MERCEDES-BENZ?

Lorsque la voiture-concept Ocean Drive a été dévoilée au Salon de l'auto de Detroit en janvier 2007, ce cabriolet à quatre portes animé par un moteur V12 devait porter l'insigne Maybach, mais arborait plutôt l'étoile d'argent de Mercedes-Benz, la haute direction du constructeur allemand ayant changé d'idée quant à l'attribution de ce nouveau modèle à la dernière minute. Cet élément, conjugué aux ventes décevantes des modèles actuels de la marque, a donc servi de catalyseur pour la machine à rumeurs, certains observateurs allant même jusqu'à invoquer la possibilité que Maybach disparaisse du paysage automobile. Pourtant, c'est tout le contraire qui a été déclaré par la haute direction de Mercedes-Benz qui ne renonce

pas et qui annonce l'arrivée éventuelle de nouveaux modèles pour Maybach.

L'élément clé qui explique le manque de succès de la marque est le design de ses modèles qui sont perçus comme des versions allongées et plus luxueuses de la Classe S de Mercedes-Benz, et non pas comme des voitures uniques et distinctives. C'est pourquoi la relance passerait par de nouveaux modèles beaucoup plus typés pour ce qui est du design. Ainsi, le très grand succès obtenu par le coupé à quatre portes CLS de Mercedes-Benz pourrait inspirer les concepteurs de Maybach à développer un modèle semblable qui ferait un plus grand étalage de luxe.

Aussi, Maybach pourrait hériter d'une version haut de gamme du sport-utilitaire GL. Une autre option serait celle de créer de nouvelles déclinaisons des modèles actuels sur commande spéciale. Bref, plusieurs projets semblent être à l'étude pour les années à venir, et ces nouveaux véhicules seraient tous animés par un moteur V12.

### LES MODÈLES ACTUELS

Pour l'heure, Maybach poursuit sa route avec deux modèles à empattement normal, soit les 57 et 57S, le chiffre 57 faisant référence à la

**FEU VERT**
Performances surprenantes,
confort total (62S), exclusivité garantie,
possibilité de personnalisation à l'extrême

**FEU ROUGE**
Boîte automatique à 5 rapports,
silhouette quelconque,
prix élevés, agrément de conduite mitigé

longueur de la voiture qui est de 5,73 m. Deux modèles à empattement allongé (et longs de 6,17 m) reçoivent l'appellation 62 et 62S. Dans les deux cas, la lettre S désigne les versions «Spezial» de ces berlines de grand luxe dont la vocation est plus sportive; ce qui paraît paradoxal lorsque l'on tient compte du fait que ces voitures pèsent plus de deux tonnes et demie…

La différence majeure entre les modèles S et les modèles habituels est l'accroissement de la puissance du V12 biturbo qui est alors chiffrée à 612 chevaux et 738 livres-pied de couple, soit 62 chevaux de plus que le moteur des modèles courants. Ce tour de force sur le plan technique est l'œuvre de la division AMG, et chacun de ces moteurs est assemblé à la main par un seul technicien dont le nom est inscrit sur une plaque fixée au moteur lui-même. De plus, la 57 S possède des suspensions aux calibrations plus fermes, mais la 62 S conserve les suspensions choisies pour les modèles communs.

Ayant eu l'occasion de conduire une Maybach 57, je peux vous préciser que cette voiture rend essentiellement les mêmes sensations de conduite qu'une Mercedes-Benz de Classe S, avec plus de puissance mais un poids plus élevé. C'est donc une voiture au volant de laquelle on adopte immédiatement une conduite plus fluide, histoire d'en apprécier le grand confort, tout en sachant que l'on dispose d'une réserve de puissance immédiate sous le pied droit.

S'installer à l'arrière et se faire conduire s'avère une expérience encore plus feutrée et décontractée, surtout si l'on est à bord d'une Maybach 62 ou 62 S équipées de sièges en cuir inclinables avec repose-pieds. Assis en tout confort, les passagers peuvent consulter un indicateur de vitesse situé au plafond, regarder des DVD ou même s'ouvrir une bouteille de champagne conservée dans le minifrigo. Au chapitre du confort, les Maybach livrent le grand jeu, mais il est toutefois dommage que le style des modèles actuels laisse la clientèle ciblée plutôt froide.

**Gabriel Gélinas**

Photos : Maybach

## MAYBACH 57 / 57 S / 62 / 62 S

### VÉHICULE D'ESSAI

| | |
|---|---|
| Version : | 57 S |
| Emp/Lon/Lar/Haut (mm) : | 3 391/5 723/1 981/1 575 |
| Poids : | 2 744 kg |
| Coffre/Réservoir : | 605 litres / 110 litres |
| Nombre de coussins de sécurité : | 7 |
| Suspension avant : | indépendante, bras inégaux |
| Suspension arrière : | indépendante, multibras |
| Freins av./arr. : | disque (ABS) |
| Antipatinage/Contrôle de stabilité : | oui / oui |
| Direction : | à billes, assistée |
| Diamètre de braquage : | 13,4 m |
| Pneus av./arr. : | P275/45R20 |
| Capacité de remorquage : | non recommandé |

### MOTORISATION À L'ESSAI

Pneus d'origine MICHELIN

| | |
|---|---|
| Moteur : | V12 de 6,0 litres 36s biturbo |
| Alésage et course : | 82,6 mm x 93,0 mm |
| Puissance : | 612 ch (450 kW) à 4 800 tr/min |
| Couple : | 738 lb-pi (1001 Nm) de 2 000 à 4 000 tr/min |
| Rapport poids/puissance : | 4,54 kg/ch (6,17 kg/kW) |
| Système hybride : | aucun |
| Transmission : | propulsion, auto. mode man. 5 rapports |
| Accélération 0-100 km/h : | 5,0 s |
| Reprises 80-120 km/h : | 3,2 s |
| Freinage 100-0 km/h : | 39,2 m |
| Vitesse maximale : | 250 km/h |
| Consommation (100 km) : | super, 16,4 litres (constructeur) |
| Autonomie (approximative) : | 671 km |
| Émissions de $CO_2$ : | 7 660 kg/an |

### GAMME EN BREF

| | |
|---|---|
| Échelle de prix : | 380 000 $ (US) |
| Catégorie : | berline de grand luxe |
| Historique du modèle : | 1ière génération |
| Garanties : | 4 ans/km illimité, 4 ans/ km illimité |
| Assemblage : | Sindelfingen, Allemagne |
| Autre(s) moteur(s) : | V12 5,5l 550ch/ 660lb-pi (16,7 l/100km) |
| Autre(s) rouage(s) : | aucun |
| Autre(s) transmission(s) : | aucune |

### DANS LA MÊME CATÉGORIE

Bentley Arnage - Mercedes-Benz Classe S - Rolls-Royce Phantom

### DU NOUVEAU EN 2008

Pas de changement majeur

### NOS IMPRESSIONS

| | |
|---|---|
| Agrément de conduite : | 🚗🚗🚗 |
| Fiabilité : | 🚗🚗🚗🚗🚗 |
| Sécurité : | 🚗🚗🚗🚗🚗 |
| Qualités hivernales : | 🚗🚗🚗 |
| Espace intérieur : | 🚗🚗🚗🚗🚗 |
| Confort : | 🚗🚗🚗🚗🚗 |

### LE CHOIX DE L'ÉQUIPE

57 S

**395**

**Voiture économique**

# BIEN NÉE !

Chez ce constructeur, la voiture culte n'est pas la nouvelle CX9 ou encore la CX7, les plus récentes additions à la famille, mais bien la Mazda 3. Elle est non seulement la plus vendue des voitures d'Hiroshima, mais elle fait la vie dure à ses concurrentes, la Civic et la Corolla, entre autres. Et année après année, elle est nommée la meilleure de sa catégorie dans plusieurs classements d'évaluation. Ce n'est pas que les autres voitures de ce segment ne sont pas bonnes, c'est juste que la Mazda leur est supérieure.

Le modèle actuel en est théoriquement à sa dernière année avant de profiter d'une refonte complète. Et je n'aimerais pas être dans les souliers des personnes responsables du développement du nouveau modèle. Il est toujours difficile de proposer une successeure à l'une des meilleures compactes de l'histoire de l'automobile. Je ne sais pas quel était l'alignement des planètes lorsque cette Mazda a été conçue et dessinée, mais c'était positif !

### POLYVALENCE

Il est certain que l'élégante silhouette de cette Mazda incite bien des gens à se la procurer. Bien que sur le marché depuis 6 ans maintenant, la berline est toujours dans le coup, tandis qu'aucun modèle ne peut venir gêner la Sport, un *hatchback* cinq portes. Cette petite japonaise réussit presque à la perfection à conjuguer le caractère pratique d'une familiale avec une conduite relativement sportive. En effet, elle ne vient qu'avec le moteur 2,3 litres de 156 chevaux et il est couplé à une boîte manuelle à cinq rapports dont le guidage du levier est précis et l'étagement sans reproche. Si vous appréciez davantage la transmission automatique, la boîte à cinq rapports est également efficace. Par contre, la consommation de carburant augmente avec cette transmission et elle est déjà passablement élevée avec la boîte manuelle... Je sais qu'il est

facile de franchir la barre des 10 litres aux 100 km à son volant, mais pour la défense de ce moteur, sa sportivité incite bien des gens à adopter une conduite plus vigoureuse, d'où la soif de ce moteur. En revanche, il est capable d'en prendre, car des versions plus vitaminées permettent d'aller chercher plus de 100 chevaux supplémentaires, comme sur la Mazdaspeed 3 dont nous parlerons un peu plus loin dans le texte.

Il ne faut pas oublier que la majorité des Mazda 3 vendues au Québec sont propulsées par le moteur quatre cylindres 2,0 litres de 148 chevaux, soit huit de moins que l'autre groupe propulseur disponible. À première vue, la différence de puissance semble anodine. Mais si le moteur de plus grosse cylindrée est plus performant, c'est surtout que son couple est supérieur et que son maximum est atteint à un régime moteur inférieur.

Mais peu importe le moteur, l'agrément de conduite est toujours supérieur à la moyenne avec une direction précise qui fait sentir sa présence dans le volant. Certains trouvent que l'amortissement de la Mazda 3 est ferme, mais c'est la raison de son comportement routier exemplaire, en plus de la rigidité de la plate-forme. Soulignons au passage que celle-ci a servi de base pour les modèles Volvo C70, S40 et V50. Pas si mal !

**FEU VERT**
Agrément de conduite assuré, tableau de bord réussi, bonne position de conduite, version Sport, Mazda Speed démoniaque

**FEU ROUGE**
Consommation élevée, ouverture du coffre petite, certaines versions onéreuses, effet de couple dans le volant (Speed)

Pour compléter notre tour d'horizon de cette voiture, je suis toujours aussi épaté par la qualité de l'habitacle et du tableau de bord. Je persiste à croire que quelqu'un chez Mazda s'est trompé et a dépensé beaucoup plus que le budget prévu pour l'intérieur : les matériaux sont de qualité et la présentation nous porte à croire que la voiture vaut au moins 10 000 $ de plus.

### VROOM ! VROOM !

Chez Mazda, on aime parler de Vroom ! Vroom ! pour décrire la philosophie de la compagnie quant à la conception de ses voitures et leur rendement sur la route. Et la Mazdaspeed3 est celle qui illustre le plus cette ligne de pensée. Ses concepteurs ont pris un modèle Sport cinq portes, vitaminé le moteur 2,3 litres à l'aide d'un turbo afin d'obtenir une puissance de 263 chevaux et 280 livres-pied de couple, et ils ont monté des pneus à profil bas – des P215/45R18 – sur des jantes de 18 pouces. Voilà la recette pour créer un bolide d'enfer !

Mais avant de vous emballer, sachez qu'il s'agit d'une traction et que toute cette puissance se manifeste par un sérieux effet de couple lorsqu'on décide de tirer profit de toute cette cavalerie. Dosez la progression de l'accélérateur et vous n'aurez pas à vous plaindre. Et puisque la Sport en configuration ordinaire est déjà agréable à piloter, la Mazdaspeed3 a de quoi séduire les amateurs du genre. Quant à son prix d'environ 30 000 $, il est jugé raisonnable par certains et prohibitif par d'autres.

Mais peu importe le modèle choisi, cette Mazda continue d'être la référence de la catégorie et son seul péché mignon est une consommation assez élevée. Malgré cela, cette voiture est la chouchoute des automobilistes québécois, ce qui en fait la plus populaire sur le marché.

**Denis Duquet**

## MAZDA 3 / MAZDASPEED 3

### VÉHICULE D'ESSAI

| | |
|---|---|
| Version : | Berline GT |
| Emp/Lon/Lar/Haut (mm) : | 2 640/4 540/1 755/1 465 |
| Poids : | 1 286 kg |
| Coffre/Réservoir : | 322 litres / 55 litres |
| Nombre de coussins de sécurité : | 6 |
| Suspension avant : | indépendante, jambes de force |
| Suspension arrière : | indépendante, multibras |
| Freins av./arr. : | disque (ABS) |
| Antipatinage/Contrôle de stabilité : | non / non |
| Direction : | à crémaillère, assistée |
| Diamètre de braquage : | 10,4 m |
| Pneus av./arr. : | P205/50R17 |
| Capacité de remorquage : | non recommandé |

### MOTORISATION À L'ESSAI

| | |
|---|---|
| Moteur : | 4L de 2,3 litres 16s atmosphérique |
| Alésage et course : | 87,5 mm x 94,0 mm |
| Puissance : | 156 ch (116 kW) à 6 500 tr/min |
| Couple : | 150 lb-pi (203 Nm) à 4 000 tr/min |
| Rapport poids/puissance : | 8,24 kg/ch (11,18 kg/kW) |
| Système hybride : | aucun |
| Transmission : | traction, manuelle 5 rapports |
| Accélération 0-100 km/h : | 8,7 s |
| Reprises 80-120 km/h : | 7,5 s |
| Freinage 100-0 km/h : | 40,0 m |
| Vitesse maximale : | 190 km/h |
| Consommation (100 km) : | ordinaire, 9,2 litres |
| Autonomie (approximative) : | 598 km |
| Émissions de CO2 : | 3 888 kg/an |

### GAMME EN BREF

| | |
|---|---|
| Échelle de prix : | 16 895 $ à 31 095 $ |
| Catégorie : | berline compacte/familiale |
| Historique du modèle : | 1ière génération |
| Garanties : | 3 ans/80 000 km, 5 ans/110 000 km |
| Assemblage : | Hiroshima, Japon |
| Autre(s) moteur(s) : | 4L 2,0l 148ch/135lb-pi (9,1 l/100km) |
| | 4L 2,3l 263ch/280lb-pi (11,8 l/100km) Speed3 |
| Autre(s) rouage(s) : | aucun |
| Autre(s) transmission(s) : | manuelle 6 rapports / automatique 4 rapports |

### DANS LA MÊME CATÉGORIE

Chevrolet Optra - Ford Focus - Honda Civic - Mitsubishi Lancer - Nissan Sentra - Subaru Impreza

### DU NOUVEAU EN 2008

Aucun changement majeur

### NOS IMPRESSIONS

| | |
|---|---|
| Agrément de conduite : | 🚗 🚗 🚗 🚗 ½ |
| Fiabilité : | 🚗 🚗 🚗 🚗 |
| Sécurité : | 🚗 🚗 🚗 |
| Qualités hivernales : | 🚗 🚗 🚗 ½ |
| Espace intérieur : | 🚗 🚗 🚗 ½ |
| Confort : | 🚗 🚗 🚗 🚗 |

### LE CHOIX DE L'ÉQUIPE

Sport GT

**397**

Photos : Mazda

# PLUS GROSSE MAIS PLUS PETITE

Pour plusieurs personnes, la seule vue d'une fourgonnette dans leur entrée de cour suffit à les déprimer. Devenir mononcle ou matante lorsqu'on n'est pas prêt, ça donne tout un coup de vieux ! Mazda, dans sa grande bienveillance, a décidé de remédier à cette pénible situation en proposant la 5. Plus grosse qu'une familiale mais plus petite qu'une fourgonnette, cette Mazda5 a mérité le titre de voiture de l'année par *Le Guide de l'auto 2006*. Et le temps prouve que nous avions raison !

Pour parvenir à offrir six places dans un véhicule relativement petit, Mazda a utilisé la plate-forme de la 3, qu'elle a allongée et solidifiée. Il suffit de regarder sous le véhicule pour y voir des éléments de suspension provenant de la génitrice. La suspension arrière est donc indépendante, contrairement aux fourgonnettes qui affichent presque toutes des suspensions rigides. Les éléments mécaniques aussi proviennent de la 3 mais, dans ce cas, le résultat est plus mitigé. En fait, il s'agit du quatre cylindres 2,3 litres de la Mazda3 GT. Ce moteur fait des merveilles dans la 3, puisque la 5 est plus lourde de plus de 200 kg, quelques chevaux de plus – 25 par exemple – auraient été bénéfiques. Les performances ne sont pas mauvaises et il est possible de passer de 0 à 100 km/h en dix secondes, ce qui n'est pas mal. Mais il ne faut pas oublier que la 5 est une voiture à six places et quand plusieurs personnes seront à bord, certaines côtes risquent d'être pénibles à grimper... La consommation s'avère très acceptable mais, encore une fois, lorsque le véhicule est chargé, elle augmente substantiellement. Avant de clore ce rapide tour de la mécanique, mentionnons que l'ouverture du réservoir de lave-glace est trop petite et placée trop bas, ce qui est loin de faciliter son remplissage. Je crois même avoir entendu sacrer une sœur cloîtrée qui tentait l'opération par moins quinze degrés Celsius. De plus, il peut facilement être confondu avec les réservoirs d'antigel et de la servodirection. Et tant qu'à y être, dénonçons l'alternateur et le compresseur du climatiseur, parfaitement situés pour faire augmenter une facture de réparation...

Deux transmissions sont proposées : une automatique à cinq rapports avec mode manuel et une manuelle à cinq rapports. Le fonctionnement de l'automatique ne s'attire aucun commentaire négatif et le rapport supplémentaire qu'elle gagne cette année améliorera la consommation tout en réduisant le bruit dans l'habitacle. La manuelle, répond aussi très bien et ceux qui auraient des appréhensions sur la localisation du levier de vitesse au tableau de bord n'ont rien à craindre.

## DÉPANNER AVEC PANACHE

La Mazda5, nous l'avons vu, est donc plus une auto qu'une fourgonnette même si elle emprunte aux deux catégories. Les portes arrière coulissantes sont un charme à utiliser et la version GT offre même l'assistance électrique pour assurer une fermeture tout en douceur. Ces portes autorisent un très bon accès aux sièges de deuxième rangée et, dans une moindre mesure, à ceux de la troisième rangée. Si ceux de la deuxième rangée s'avèrent très confortables, ceux de la troisième ont plutôt été créés pour dépanner. Mais comme solution de dépannage,

**FEU VERT**
Agrément de conduite, dimensions intelligentes, polyvalence garantie, excellente visibilité, mécanique fiable

**FEU ROUGE**
Moteur trop juste, antirouille « cheapette », toisième rangée symbolique, espace chargement restreint si 5 ou 6 personnes

| VÉHICULE D'ESSAI | |
| --- | --- |
| Version : | GT |
| Emp/Lon/Lar/Haut (mm) : | 2 750/4 610/1 755/1 630 |
| Poids : | 1 523 kg |
| Coffre/Réservoir : | 112 à 857 litres / 60 litres |
| Nombre de coussins de sécurité : | 6 |
| Suspension avant : | indépendante, jambes de force |
| Suspension arrière : | indépendante, multibras |
| Freins av./arr. : | disque (ABS) |
| Antipatinage/Contrôle de stabilité : | non / non |
| Direction : | à crémaillère, assistance variable électrique |
| Diamètre de braquage : | 10,6 m |
| Pneus av./arr. : | P205/50R17 |
| Capacité de remorquage : | non recommandé |

c'est réussi! Leur seul vrai problème, c'est qu'ils amputent royalement l'espace de chargement. Et quand on voyage à cinq ou six, on amène généralement plus de bagages… Il est heureusement possible de les remiser dans le plancher de façon 50/50, (les sièges pas les bagages!) et ainsi former un fond plat. Lorsque les dossiers des sièges de la deuxième rangée sont baissés eux aussi, l'espace de chargement est franchement impressionnant pour un véhicule de cette grosseur. Sous les sièges de la deuxième rangée, on retrouve d'ingénieux espaces de rangement. Notons que le hayon s'ouvre à deux positions différentes soit «haut» et «plus haut». Ainsi, les petites personnes n'ont pas à transporter un escabeau pour pouvoir l'attraper quand vient le temps de le refermer et les grandes ne se cognent pas le coco dessus!

### ON A UN PEU FORCÉ SUR LE SUFFIXE

Les personnes qui montent à l'avant reçoivent elles aussi beaucoup d'attention. Le conducteur fait face à une instrumentation facile à consulter et à des commandes ergonomiques. La position de conduite est assez haute et la visibilité ne cause aucun problème. En réalité, la conduite de la Mazda5 réfère beaucoup plus à une auto qu'à autre chose, mais il faut tenir compte du poids plus élevé et de la hauteur plus importante de la 5. Même si la 5 se pare du suffixe GT, cela n'en fait absolument pas une voiture sport. Le roulis est considérable et les sièges retiennent bien peu conducteur et passagers. La direction, bien dosée, ne transmet pas aussi bien les informations de la route que celle de la Mazda3. Quant aux gros freins à disque, ils effectuent un excellent boulot.

Jusqu'à présent, la Mazda5 était pratiquement seule dans sa catégorie mais la Kia Rondo vient de débarquer. Cette dernière propose sept places plutôt que six, à un prix équivalent… De plus, la plus prolétaire des Rondo coréennes possède un système de contrôle de la stabilité et de la traction, ce qui n'est pas le cas chez la Mazda5… Malgré ces quelques manquements, la Mazda5 demeure l'une des valeurs les plus sures de l'industrie et a remporté le match comparatif en première partie de ce *Guide*!

**Alain Morin**

| MOTORISATION À L'ESSAI | |
| --- | --- |
| Moteur : | 4L de 2,3 litres 16s atmosphérique |
| Alésage et course : | 87,5 mm x 94,0 mm |
| Puissance : | 153 ch (114 kW) à 6 500 tr/min |
| Couple : | 148 lb-pi (201 Nm) à 4 500 tr/min |
| Rapport poids/puissance : | 9,95 kg/ch (13,48 kg/kW) |
| Système hybride : | aucun |
| Transmission : | traction, manuelle 5 rapports |
| Accélération 0-100 km/h : | 10,2 s |
| Reprises 80-120 km/h : | 9,9 s (4ième) |
| Freinage 100-0 km/h : | 42,4 m |
| Vitesse maximale : | 192 km/h |
| Consommation (100 km) : | ordinaire, 10,6 litres |
| Autonomie (approximative) : | 566 km |
| Émissions de CO2 : | 4 512 kg/an |

| GAMME EN BREF | |
| --- | --- |
| Échelle de prix : | 19 995 $ à 22 895 $ (2007) |
| Catégorie : | fourgonnette |
| Historique du modèle : | 1ère génération |
| Garanties : | 3 ans/80 000 km, 5 ans/100 000 km |
| Assemblage : | Hiroshima, Ujina, Japon |
| Autre(s) moteur(s) : | aucun |
| Autre(s) rouage(s) : | aucun |
| Autre(s) transmission(s) : | automatique 5 rapports |

### DANS LA MÊME CATÉGORIE

Chevrolet HHR - Chrysler PTCruiser - Kia Rondo - Pontiac Vibe - Toyota Matrix

### DU NOUVEAU EN 2008

Boîte automatique à 5 rapports, retouches esthétiques extérieures, six sacs gonflables de série

### NOS IMPRESSIONS

| | |
| --- | --- |
| Agrément de conduite : | 🚗 🚗 🚗 🚗 |
| Fiabilité : | 🚗 🚗 🚗 🚗 |
| Sécurité : | 🚗 🚗 🚗 🚗½ |
| Qualités hivernales : | 🚗 🚗 🚗 🚗 |
| Espace intérieur : | 🚗 🚗 🚗 🚗½ |
| Confort : | 🚗 🚗 🚗 🚗 |

### LE CHOIX DE L'ÉQUIPE

GS manuelle

Photos : Alain Morin

# MAZDA 6

# TOUJOURS EN PISTE

Avec nous depuis 2003, la Mazda 6 entre dans sa 6ᵉ année de production. Bien qu'elle ait profité de nombreux changements techniques et esthétiques depuis, elle affiche sensiblement la même silhouette qu'à ses débuts. Comme elle aura été la bougie d'allumage du redressement de Mazda et qu'elle se vend toujours bien, il aurait été futile à ce stade-ci de remodeler le véhicule. Mais il faudra faire attention parce que dans un milieu aussi compétitif que celui des berlines intermédiaires sport, il est important de garder l'intérêt des acheteurs en offrant un peu de nouveauté.

E t dans le but de stimuler les ventes de son modèle intermédiaire, Mazda a décidé cette année de… mettre fin à la production des versions familiale et Speed6. Les raisons de leur retrait sont nébuleuses, mais parions qu'un ménage s'effectue au sein du modèle afin de mettre la table pour une refonte prochaine. Les acheteurs auront donc le choix cette année entre la berline et la version sport (variante *hatchback* de la 6). Pour les motorisations, chacune des versions pourra recevoir un 4 cylindres ou un V6. Les prix restent pratiquement inchangés alors qu'il sera possible de se procurer une 6 sous les 25 000 dollars. Au chapitre des nouveautés pour 2008, rien d'extraordinaire si ce n'est l'ajout et le retrait de couleurs extérieures et la présence de série du moniteur de pression des pneus sur les modèles équipés de jantes de 17 et 18 pouces.

### ENCORE DANS LE COUP

Notre récent essai routier nous aura permis de constater à quel point la 6 vieillit bien malgré son âge. Le design de la ligne extérieure plaît encore énormément alors que les bas de caisse, les jantes, les feux et la calandre projettent toujours une image sportive et agressive. La version GT à moteur V6 est assurément la plus agréable à l'œil avec ses jantes de 18 pouces et son béquet arrière. C'est celle qui affirme davantage le caractère sportif et dynamique de la voiture. Toutefois, ceux qui opteront

pour la version de base hériteront tout de même d'un modèle indémodable et fiable en choisissant la GS à moteur 4 cylindres. L'aménagement intérieur de notre version d'essai présente également un résultat impressionnant puisque malgré un design datant du début des années 2000, tout semble avoir été si bien pensé que cet intérieur pourrait faire encore l'envie de bien des constructeurs. Au volant de la voiture, on constate immédiatement l'insistance mise sur le caractère sportif avec de gros cadrans cerclés de chrome trônant au centre de la console. Cette présentation est retenue pour les buses de ventilation et les différentes commandes sur la console centrale. Une fois bien assis dans le siège du conducteur, on ne pourra passer sous silence l'impression de voiture de course avec le volant à trois branches et le pommeau de la transmission qui ne demandent qu'à être utilisés avec passion. Les sièges de cuir sont très confortables mais l'assise nous semble un peu trop haute, surtout pour les personnes de grande taille.

### DYNAMIQUE MAIS DÉFICIENTE

Bien que les concepteurs de la 6 aient mis l'accent sur une tenue de route sportive, les deux moteurs manquent malheureusement de puissance pour vraiment parler de comportement sportif. Vous aurez compris ici qu'on regrette déjà la version Speed. Pourtant, la 6 propose plusieurs

**FEU VERT**
Comportement solide et sportif, présentations extérieure et intérieure réussies, freinage puissant, finition de qualité, prix intéressants

**FEU ROUGE**
Manque de puissance, transmission rugueuse, volume de l'habitacle, retrait de la version Speed

400

éléments permettant d'exploiter ses qualités dynamiques. Une suspension calibrée en fonction de la tenue de route, la disponibilité d'une transmission 6 vitesses avec mode manuel et des pneus de 18 pouces en option, permettent de prendre la piste sans envier la concurrence. C'est plutôt au niveau de la motorisation que la voiture perd des plumes face à des concurrentes plus vitaminées. Mais avons-nous vraiment besoin de plus de puissance ? Disons seulement qu'il est plutôt rassurant pour un bon nombre de Nord-américains de savoir qu'ils disposent de plus de chevaux que leur voisin d'en face... Quoi qu'il en soit, c'est surtout en poussant la voiture que ce manque de puissance se fait sentir, car en conduite urbaine, la cavalerie disponible suffit à la tâche, autant pour le quatre cylindres que pour le V6.

Bien exploitée, la mécanique permet tout de même à la 6 de procurer aux occupants des sensations bien au-delà de ce que peut offrir la concurrence. Le roulis est pratiquement absent, la direction se veut précise, le freinage effectué par 4 freins à disque est puissant alors que le châssis rigide s'assure d'éliminer les bruits de caisse et l'effet de torsion en virage serré. La 6 sacrifie cependant un peu de confort et de douceur de roulement pour arriver à ces résultats. Si votre priorité est l'agrément de conduite, choisissez la GT à motorisation V6. Mais sachez que la suspension sera plus sèche et que les pneus de 18 pouces émettront plus de bruits de roulement. Par contre, à l'opposé, en optant pour une GS avec 4 cylindres, le confort sera meilleur et la douceur de roulement plus agréable.

Les dirigeants de Mazda, étant toujours à l'écoute de la clientèle et désirant conserver leur part de marché, ne nous surprendront certainement pas en nous murmurant à l'oreille qu'il y aura bientôt du nouveau pour la 6. Les rumeurs vont bon train et à ce qu'il paraît, la prochaine génération de la berline sera plus puissante et plus spacieuse que l'ancienne version. Si Mazda garde tous les éléments gagnants de l'actuelle version, la prochaine génération risque fort de mettre de la bisbille dans la catégorie des berlines intermédiaires sport. Mais en attendant, la version actuelle de la 6 est toujours dans le coup et toujours parmi les meilleures de l'industrie.

**Guy Desjardins**

---

## VÉHICULE D'ESSAI

| | |
|---|---|
| Version : | Berline GS V6 |
| Emp/Lon/Lar/Haut(mm) : | 2 675/4 745/1 780/1 440 |
| Poids : | 1 530 kg |
| Coffre/Réservoir : | 429 litres / 68 litres |
| Nombre de coussins de sécurité : | 6 |
| Suspension avant : | indépendante, bras inégaux |
| Suspension arrière : | indépendante, multibras |
| Freins av./arr. : | disque (ABS) |
| Antipatinage/Contrôle de stabilité : | oui / non |
| Direction : | à crémaillère, assistance variable |
| Diamètre de braquage : | 11,8 m |
| Pneus av./arr. : | P215/50R17 |
| Capacité de remorquage : | 454 kg |

Pneus d'origine MICHELIN

## MOTORISATION À L'ESSAI

| | |
|---|---|
| Moteur : | V6 de 3,0 litres 24s atmosphérique |
| Alésage et course : | 89,0 mm x 79,5 mm |
| Puissance : | 212 ch (158 kW) à 6 000 tr/min |
| Couple : | 197 lb-pi (267 Nm) à 5 000 tr/min |
| Rapport poids/puissance : | 7,22 kg/ch (9,81 kg/kW) |
| Système hybride : | aucun |
| Transmission : | traction, auto. mode man. 6 rapports |
| Accélération 0-100 km/h : | 7,4 s |
| Reprises 80-120 km/h : | 6,3 s |
| Freinage 100-0 km/h : | 39,0 m |
| Vitesse maximale : | 210 km/h |
| Consommation (100 km) : | ordinaire, 12,0 litres |
| Autonomie (approximative) : | 567 km |
| Émissions de CO2 : | 4 896 kg/an |

## GAMME EN BREF

| | |
|---|---|
| Échelle de prix : | 24 495 $ à 33 895 $ |
| Catégorie : | berline intermédiaire/*hatchback* |
| Historique du modèle : | 1ière génération |
| Garanties : | 3 ans/80 000 km, 5 ans/100 000 km |
| Assemblage : | Flat Rock, Michigan, É-U |
| Autre(s) moteur(s) : | 4L 2,3l 156ch/154lb-pi (10,0 l/100km) |
| Autre(s) rouage(s) : | aucun |
| Autre(s) transmission(s) : | manuelle 5 rapports / auto. mode man. 5 rapports |

## DANS LA MÊME CATÉGORIE

Chevrolet Malibu - Chrysler Sebring - Ford Fusion - Honda Accord - Hyundai Sonata - Kia Magentis - Mitsubishi Galant - Nissan Altima - Subaru Legacy - Toyota Camry

## DU NOUVEAU EN 2008

Modèle MazdaSpeed6 abandonné

## NOS IMPRESSIONS

| | |
|---|---|
| Agrément de conduite : | 🚗 🚗 🚗 🚗 |
| Fiabilité : | 🚗 🚗 🚗 🚗 |
| Sécurité : | 🚗 🚗 🚗 🚗 |
| Qualités hivernales : | 🚗 🚗 🚗 🚗 |
| Espace intérieur : | 🚗 🚗 🚗½ |
| Confort : | 🚗 🚗 🚗½ |

## LE CHOIX DE L'ÉQUIPE

GT V6

# FUSION DES GENRES

Le constructeur nippon Mazda a beau faire partie du portefeuille des marques de Ford, il n'en demeure pas moins que le manufacturier japonais maintient encore son indépendance par rapport au géant américain et continue de proposer des véhicules innovateurs qui viennent souvent chambouler l'ordre établi. La récente CX-7, qui a été lancée l'an dernier, se conforme à ce principe et présente la fusion des caractéristiques d'un véhicule sport utilitaire et l'allure athlétique, voire musclée, d'une authentique sportive.

La CX-7 évoque presque les sportives de Lamborghini ou encore un TGV avec son pare-brise — incliné à soixante-six degrés — qui est l'élément visuel le plus frappant de ce véhicule. À cela, on peut ajouter les ailes élargies, qui rappellent la sportive RX-8, de même que les très grandes ouvertures pratiquées à l'avant afin d'assurer un refroidissement adéquat du moteur turbocompressé.

L'effet produit est celui d'une sportive surélevée qui ne manque pas de plaire à l'œil et qui marque un clivage avec l'approche retenue par plusieurs marques concurrentes qui choisissent plutôt d'adopter les lignes carrées plus classiques des sport utilitaires habituels pour la réalisation de leurs véhicules multisegments.

Lors de la conception de la CX-7, les ingénieurs ont d'abord privilégié l'espace accordé aux places avant, suivi de l'espace de chargement pour ensuite s'attarder aux places arrière qui ne sont donc pas aussi spacieuses que celles d'en avant. Le design très moderne de la planche de bord est en harmonie avec le style évocateur de la carrosserie et l'assemblage est réalisé avec une belle qualité de finition. On apprécie particulièrement la disposition des trois cadrans cerclés d'une bande de couleur titane et l'allure du volant emprunté à la MX-5.

## MOTORISATION ÉVOLUÉE

Alors que la plupart des véhicules multisegments sont animés par des V6, encore une fois Mazda joue la carte de l'originalité en adoptant un quatre cylindres turbo qui représente une version légèrement modifiée de celui qui animait, jusqu'à cette année, la MazdaSpeed 6. Sous le capot de la CX-7, ce moteur développe 244 chevaux, soit 30 de moins que lorsqu'il est installé dans la MazdaSpeed 6, le turbocompresseur lui-même ayant été revu afin de réduire le temps de réponse à l'accélérateur et de permettre au moteur de livrer son couple maximal à un régime plus bas, soit à 2 500 tours/minute.

L'unique boîte disponible est une automatique à six rapports empruntée à la Mazda 6 à moteur V6 qui livre la puissance aux seules roues avant dans les cas des modèles à traction ou aux quatre roues dans le cas des modèles à traction intégrale. Précisons par ailleurs que le rouage intégral fait en sorte que la répartition du couple est de 100 pour cent à l'avant en conditions normales et que le système n'intervient que si l'ordinateur détecte le patinage des roues avant, auquel cas il peut envoyer jusqu'à 50 pour cent du couple aux roues arrière.

**FEU VERT**
Moteur performant, disponibilité de la traction intégrale, boîte automatique à 6 rapports, silhouette moderne bon agrément de conduite

**FEU ROUGE**
Visibilité arrière moyenne, consommation élevée, demande du carburant super, écran difficile à lire

## AGRÉMENT DE CONDUITE AU RENDEZ-VOUS

Au volant de la CX-7, on a carrément l'impression de disposer d'un V6 tellement la livrée de la puissance est linéaire et sans effort, grâce au turbo qui entre rapidement en action. En fait, seule la sonorité un peu plus rauque qui est caractéristique d'un moteur à quatre cylindres nous rappelle à l'ordre à ce chapitre. La tenue de route est impressionnante et avec sa direction très précise, la CX-7 inspire confiance.

C'est un charme de la conduire sur une route sinueuse où l'on peut apprécier le caractère sportif qui fait maintenant partie du code génétique de la marque. Aussi, il est important de préciser que les aides électroniques au pilotage n'entrent en jeu que si la situation le demande vraiment, contrairement à certains autres véhicules qui ne permettent pas d'exploiter pleinement tout le potentiel de performance disponible en intervenant trop rapidement ou trop brusquement.

Bref, la CX-7 permet de bien sentir la route et répond sans hésitation à toutes les actions du conducteur. Règle générale, lorsque la tenue de route est à ce point performante, on en paye le prix côté confort, mais ce n'est pas le cas avec la CX-7 qui offre un excellent compromis de ce côté. Parmi les bémols, notons la consommation élevée en conduite sportive et le fait que le moteur exige du carburant super dont le prix est évidemment plus prohibitif…

En terminant, la CX-7 représente un choix très intéressant pour l'acheteur qui a toujours conduit des sportives ou des berlines sport et qui doit maintenant opter pour un véhicule plus polyvalent. Le style est accrocheur et le comportement routier est à la hauteur des attentes créées par la carrosserie, c'est donc un autre pari gagné par Mazda.

**Gabriel Gélinas**

### VÉHICULE D'ESSAI

| | |
|---|---|
| Version : | GT AWD |
| Emp/Lon/Lar/Haut(mm) : | 2 750/4 675/1 872/1 645 |
| Poids : | 1 782 kg |
| Coffre/Réservoir : | 848 à 1 658 litres / 69 litres |
| Nombre de coussins de sécurité : | 6 |
| Suspension avant : | indépendante, jambes de force |
| Suspension arrière : | indépendante, multibras |
| Freins av./arr. : | disque (ABS) |
| Antipatinage/Contrôle de stabilité : | oui / oui |
| Direction : | à crémaillère, assistance variable |
| Diamètre de braquage : | 11,4 m |
| Pneus av./arr. : | P235/60R18 |
| Capacité de remorquage : | 907 kg |

### MOTORISATION À L'ESSAI

| | |
|---|---|
| Moteur : | 4L de 2,3 litres 16s turbocompressé |
| Alésage et course : | 87,5 mm x 94,0 mm |
| Puissance : | 244 ch (182 kW) à 5 000 tr/min |
| Couple : | 258 lb-pi (350 Nm) à 2 500 tr/min |
| Rapport poids/puissance : | 7,3 kg/ch (9,9 kg/kW) |
| Système hybride : | aucun |
| Transmission : | intégrale, auto. mode man. 6 rapports |
| Accélération 0-100 km/h : | 7,5 s |
| Reprises 80-120 km/h : | 6,8 s |
| Freinage 100-0 km/h : | 41,2 m |
| Vitesse maximale : | 210 km/h |
| Consommation (100 km) : | super, 12,9 litres |
| Autonomie (approximative) : | 535 km |
| Émissions de CO2 : | 5 376 kg/an |

### GAMME EN BREF

| | |
|---|---|
| Échelle de prix : | 32 095 $ à 35 295 $ |
| Catégorie : | multisegment |
| Historique du modèle : | 1ière génération |
| Garanties : | 3 ans/80 000 km, 5 ans/110 000 km |
| Assemblage : | Hiroshima, Japon |
| Autre(s) moteur(s) : | aucun |
| Autre(s) rouage(s) : | traction |
| Autre(s) transmission(s) : | aucune |

### DANS LA MÊME CATÉGORIE

Acura RDX - Ford Edge - Nissan Murano

### DU NOUVEAU EN 2008

Aucun changement majeur

### NOS IMPRESSIONS

| | |
|---|---|
| Agrément de conduite : | 🚗 🚗 🚗 🚗 ½ |
| Fiabilité : | 🚗 🚗 🚗 🚗 |
| Sécurité : | 🚗 🚗 🚗 🚗 |
| Qualités hivernales : | 🚗 🚗 🚗 🚗 ½ |
| Espace intérieur : | 🚗 🚗 🚗 🚗 |
| Confort : | 🚗 🚗 🚗 🚗 |

### LE CHOIX DE L'ÉQUIPE

GT AWD

Photos : Mazda

# UNE MAZDA HISTORIQUE

Non seulement la CX-9 est-elle la plus grosse Mazda jamais fabriquée, mais c'est également la plus luxueuse. Pourtant, il ne s'agit pas d'une grosse berline de luxe, mais d'un élégant VUS capable d'affronter différentes conditions de route. Signe des temps, le marché des berlines est plafonné, celui des véhicules multifonctions à la hausse. Et l'arrivée de la CX-9 n'est pas le fruit du hasard puisqu'elle suit les traces de la très populaire CX-7, nommée véhicule de l'année par *Le Guide de l'auto 2007*.

Et même si les deux possèdent une silhouette plus ou moins similaire, il serait erroné de conclure que la CX-9 n'est rien d'autre qu'une version allongée de la première. Elle est beaucoup plus que cela. Il suffit d'ailleurs de placer ces deux Mazda côte à côte pour voir la différence. Non seulement la CX-9 est plus grosse, mais sa partie avant est fort différente.

### MODÈLE UNIQUE

Si la CX-7 est en fait dérivée de la Mazdaspeed6 dont elle emprunte la plate-forme, le rouage intégral et le moteur, la CX-9 est élaborée à partir de la plate-forme du Ford Edge et du Lincoln MKX. Mais, là encore, il ne faut pas croire à une simple duplication entre ces modèles. La Mazda est plus longue de 357 mm tandis que son empattement a un avantage de 51 mm par rapport à ses consœurs de chez FoMoCo. Ce qui lui permet d'offrir une troisième rangée de sièges alors que les deux américaines se contentent de proposer cinq places. Toujours au chapitre des différences, la CX-9 est assemblée au Japon et sa boîte automatique à six rapports est fournie par Aisin tandis que le tandem Edge/MKX utilise une transmission fabriquée par Ford.

Toutefois, les trois se partagent le même moteur V6 de 3,5 litres qui a été développé par Ford et produit par cette compagnie. Ils sont virtuellement identiques sauf que celui de la CX-9 dispose de deux chevaux de moins que celui des nord-américaines. Cette différence s'explique sans doute en raison d'un passage d'admission d'air plus restrictif sur la japonaise. Un détail d'importance quand on connaît les fluctuations des prix, ce V6 n'exige pas du super, ce qui permet d'économiser à la pompe. La consommation moyenne observée lors de notre test hivernal a été de 13,6 litres aux 100 km. Le Ford et le Lincoln ont été testés au cours de la même période et leur moyenne est similaire.

### LUXE ET CONFORT

Pour éviter que la CX-9 vienne nuire à la CX-7, il faut qu'elles se démarquent. La première propose un moteur V6, l'autre un quatre cylindres turbocompressé. Et le plus gros des deux peut transporter sept personnes au lieu de cinq. Voici comment on accède à la troisième banquette : il suffit de faire basculer vers l'avant le dossier de la banquette médiane pour que celle-ci s'avance automatiquement afin de faciliter l'accès à l'arrière. Comme vous pouvez le constater, l'opération est relativement facile et, une fois installé, ce n'est pas trop mal, du moins pour les enfants et les adultes de petite taille. Bien entendu, dès la troisième rangée déployée, l'espace pour les bagages est limité. Et détail à souligner, ces places arrière sont de type cinéma et sont surélevées par rapport aux autres. La visibilité vers l'avant est très bonne et les glaces latérales assez généreuses pour qu'on ne se sente pas prisonnier.

Et compte tenu de sa position de véhicule de luxe dans la gamme Mazda, la CX-9 n'est pas chiche en fait d'équipements de série. La gamme se décline en version GS et GT, la seconde étant la plus luxueuse des deux. Celle-ci est équipée de série de roues de 20 pouces tandis que la GS roule sur des pneus de 18 pouces. La GT offre en équipement de base des phares à décharge à haute intensité (HID) au xénon, des phares antibrouillard, des appliques en similibois sur le tableau de bord, le garnissage en cuir, des sièges avant chauffés et un toit ouvrant vitré à

commande électrique. Un système de navigation par satellite et le groupe « divertissement » peuvent être également demandés.

Sans vouloir faire une numération par le menu détail, la GS est tout de même bien équipée puisqu'un seul moteur et une seule transmission sont au catalogue. Par contre, l'intégrale peut être commandée en option autonome. Vous pouvez l'obtenir sans être obligé de payer pour d'autres accessoires qui vous sont imposés.

Mais une liste d'équipements de série, toute complète soit-elle, doit également s'intégrer dans un habitacle à la hauteur des attentes des acheteurs. Déjà, la CX-7 a mérité des commentaires élogieux l'an

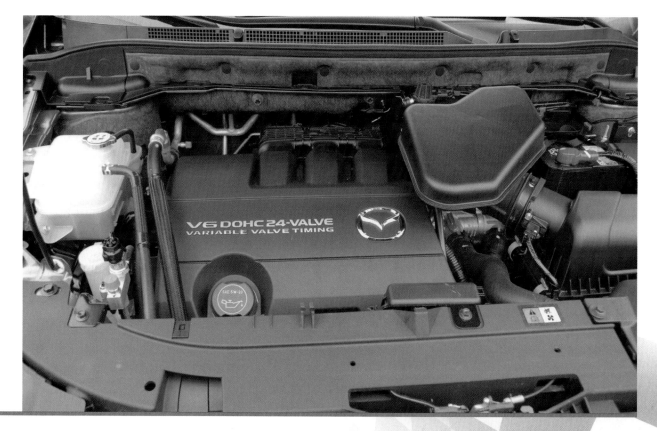

dernier aussi bien en raison de son design intérieur que pour la qualité des matériaux et de la finition. Comme c'est pratiquement toujours le cas chez ce constructeur, autant les matériaux que la finition sont supérieurs à la moyenne. Le tableau de bord est bien dégagé et la pièce maîtresse de sa présentation est ce centre de commande vertical logé en plein milieu de la planche de bord. Sur les versions qui en sont équipées, on retrouve l'écran de navigation LCD qui se transforme en écran vidéo. Métamorphose utile pour afficher la vue de la caméra de recul qui est actionnée dès que le levier de vitesse est positionné en marche arrière. Ce gadget est très pratique et contribue à la sécurité, mais il faut le nettoyer presque quotidiennement en hiver puisque l'objectif de la caméra placé tout près de la plaque d'immatriculation se salit rapidement... Comme sur la majorité des véhicules dotés d'écrans semblables, des boutons decommande montés de chaque côté permettent de régler la climatisation, le système audio, la navigation, etc. Il faut également ajouter que la position de conduite est très bonne tandis qu'un repose-pied très large amplifie le confort sur de longues distances.

## ASSURANCE ROUTE

Pour vous expliquer la différence entre la CX-7 et la CX-9 au chapitre du comportement routier, il suffit de décrire la première comme étant la sportive de la famille et la seconde comme un véhicule de grand tourisme à traction intégrale.

Je vous mentirais si je vous avouais que je préfère la « 9 » à la « 7 ». Cette dernière est moins raffinée en fait de confort, d'insonorisation

**FEU VERT**
Groupe propulseur bien adapté, un vrai sept places, traction intégrale en option, équipement complet, suspension confortable

**FEU ROUGE**
Direction aseptisée, roulis en virage, roues 20 pouces onéreuses à remplacer, agrément de conduite mitigé

et d'équipement, mais ses sensations de conduite sont plus sportives et plus directes. Autant de qualités que j'apprécie en priorité.

Mais si vous recherchez tenue de route, confort et équilibre général, la CX-9 a le dessus. Et il ne faut pas oublier qu'elle peut confortablement transporter deux personnes de plus. L'équipement de série est également plus cossu et plus complet. Pour certains, et ils sont certainement plus nombreux que vous ne le croyez, son gabarit plus imposant représente un atout. Il faut ajouter à cette liste des considérations d'ordre esthétique qui ne sont pas à négliger, surtout en fait de présentation intérieure. La CX-7 est exemplaire, mais sa grande sœur nous en donne davantage.

Et si elle ne possède pas la nervosité de cette dernière, la CX-9 l'emporte au chapitre du silence de roulement. Le moteur V6 est adéquat et il aurait été superflu d'offrir un V8 dans cette catégorie. Les accélérations et les reprises sont correctes alors qu'il faut près de huit secondes pour boucler le 0-100 km/h et une seconde de moins pour exécuter le 80-120 km/h. Pour avoir conduit les Edge/MKX et la Mazda, je peux affirmer que la transmission de cette dernière se charge de passer les rapports plus rapidement que ses vis-à-vis *Made in USA*.

Et malgré son gabarit plus imposant que ces dernières, il donne une impression de « grosseur » — surtout ressentie lors de la conduite de l'Edge — ne se fait pas sentir au volant de la Mazda. Ce n'est pas aussi nerveux que la CX-7, mais la tenue en virage est bonne et le *feedback* de la direction adéquat. Le fait que celle-ci soit à assistance variable contribue à négocier les virages avec plus de précision tout en n'étant pas intimidée pendant des manœuvres de stationnement.

Bref, la Mazda CX-9 est un multisegment capable de tout faire ou presque. Il ne faut toutefois pas se leurrer en croyant qu'il s'agit d'un gros tout-terrain sept places! Cette Mazda n'en a ni les aptitudes, ni la mécanique et encore moins la robustesse.

C'est le genre de véhicule qui plaira aux amateurs de la marque, à ceux qui apprécieront son style ou encore son équilibre général.

**Denis Duquet**

Photos : Denis Duquet

## VÉHICULE D'ESSAI

| | |
|---|---|
| Version : | GT AWD |
| Emp/Lon/Lar/Haut (mm) : | 2 875 / 5 074 / 1 936 / 1 728 |
| Poids : | 2 062 kg |
| Coffre/Réservoir : | 487 à 2 851 litres / 76 litres |
| Nombre de coussins de sécurité : | 6 |
| Suspension avant : | indépendante, jambes de force |
| Suspension arrière : | indépendante, multibras |
| Freins av./arr. : | disque (ABS) |
| Antipatinage/Contrôle de stabilité : | oui / oui |
| Direction : | à crémaillère, assistance variable |
| Diamètre de braquage : | 11,4 m |
| Pneus av./arr. : | P245/50R20 |
| Capacité de remorquage : | 1 588 kg |

## MOTORISATION À L'ESSAI

| | |
|---|---|
| Moteur : | V6 de 3,5 litres 24s atmosphérique |
| Alésage et course : | 92,5 mm x 86,7 mm |
| Puissance : | 263 ch (196 kW) à 6 250 tr/min |
| Couple : | 249 lb-pi (338 Nm) à 4 500 tr/min |
| Rapport poids/puissance : | 7,84 kg/ch (10,63 kg/kW) |
| Système hybride : | aucun |
| Transmission : | intégrale, automatique 6 rapports |
| Accélération 0-100 km/h : | 7,9 s |
| Reprises 80-120 km/h : | 6,8 s |
| Freinage 100-0 km/h : | 39,8 m |
| Vitesse maximale : | 225 km/h |
| Consommation (100 km) : | ordinaire, 12,6 litres (voiture d'essai) |
| Autonomie (approximative) : | 603 km |
| Émissions de CO2 : | n.d. |

## GAMME EN BREF

| | |
|---|---|
| Échelle de prix : | 39 595 $ à 48 995 $ |
| Catégorie : | multisegment |
| Historique du modèle : | 1ère génération |
| Garanties : | 3 ans/80 000 km, 5 ans/110 000 km |
| Assemblage : | Ujina, Japon |
| Autre(s) moteur(s) : | aucun |
| Autre(s) rouage(s) : | traction |
| Autre(s) transmission(s) : | aucune |

## DANS LA MÊME CATÉGORIE

Acura MDX - Buick Enclave - Chrysler Pacifica - GMC Acadia - Infiniti FX35/45 - Lincoln MKX - Nissan Murano - Subaru Tribeca - Volvo XC70

## DU NOUVEAU EN 2008

Aucun changemet majeur

## NOS IMPRESSIONS

| | |
|---|---|
| Agrément de conduite : | 🚗 🚗 🚗 ½ |
| Fiabilité : | 🚗 🚗 🚗 🚗 |
| Sécurité : | 🚗 🚗 🚗 🚗 ½ |
| Qualités hivernales : | 🚗 🚗 🚗 🚗 ½ |
| Espace intérieur : | 🚗 🚗 🚗 🚗 |
| Confort : | 🚗 🚗 🚗 🚗 🚗 |

## LE CHOIX DE L'ÉQUIPE

GT

# ROADSTER PAR EXCELLENCE

Depuis son arrivée sur le marché en 1990, la MX-5, autrefois connue sous le nom de Miata, est devenue le roadster le plus populaire de l'histoire de l'automobile. Le concept de cette sportive à deux places à toit souple était d'une simplicité désarmante, et consistait à revoir à la moderne les roadsters de marques britanniques qui ont marqué l'histoire de l'automobile. Le modèle actuel représente une évolution de la Miata de première génération et s'offre, depuis l'an dernier, un toit rigide rétractable en option.

Développé par la firme allemande Webasto, le toit rigide rétractable permet à Mazda d'élargir sa clientèle en proposant une alternative à ceux qui ne veulent pas d'un toit souple pour des raisons de confort (bruit de vent sur autoroute) ou de sécurité (vol de contenu ou vandalisme en déchirant la toile).

Ce toit à commande électrique se replie ou se déploie en seulement 12 secondes, un record, mais le conducteur doit encore et toujours déverrouiller le loquet central au sommet du pare-brise au préalable, tout comme sur les modèles dotés du toit souple. Par ailleurs, ce toit rigide rétractable se replie dans le même espace de rangement que le toit souple et n'empiète donc pas dans le volume du coffre, contrairement à plusieurs véhicules dotés d'un toit de conception semblable (Volkswagen EOS, Pontiac G6, Volvo C70, entre autres).

De ce côté, il faut préciser que la MX-5 possède l'avantage de n'être qu'une deux places et donc d'avoir un toit de dimensions réduites. Mazda avait prévu le coup en développant la troisième génération de cette voiture en tenant compte de l'ajout éventuel du toit rigide rétractable. Le volume du coffre demeure cependant très limité avec seulement 150 litres d'espace, donc laissez le sac de golf au clubhouse, mais il est cependant plus spacieux et plus pratique que celui des Pontiac Solstice et Saturn Sky.

## LÉGÈREMENT PLUS LOURDE

Le toit rigide rétractable ajoute 37 kilos au poids de la MX-5, ce qui fait que ce modèle est moins rapide d'environ trois dixièmes de seconde pour le sprint de 0 à 100 kilomètres/heure que la MX-5 équipée d'un toit souple. Pour le reste, les caractéristiques de comportement routier sont remarquablement similaires, et hormis le fait que le modèle à toit rigide rétractable ait un centre de gravité légèrement plus élevé que le modèle à toit souple, les deux rendent essentiellement les mêmes sensations de conduite.

Conduire une MX-5 entraîne immédiatement l'apparition d'un sourire aux lèvres du conducteur qui est porté sur l'agrément de conduite, car la voiture est dotée d'un parfait équilibre et répond illico à la moindre sollicitation. Bien sûr, ce n'est pas la plus rapide des sportives en accélération franche, mais la MX-5 est tout à fait conforme à la philosophie d'un roadster et le plaisir de se retrouver à son volant ne se dément pas.

**FEU VERT**
Agrément de conduite, disponibilité du toit rigide rétractable, habitacle confortable, levier de vitesse précis, boîte automatique à six rapports

**FEU ROUGE**
Coffre très petit, prix des versions plus équipées, sautillement sur mauvaises routes, puissance un peu juste

Comme la voiture est parfaitement équilibrée (50 % du poids à l'avant et 50 % à l'arrière), il est très facile de la contrôler en conduite sportive et la direction précise ajoute au plaisir de conduire la MX-5 sur une route de campagne sinueuse. De plus, la rigidité du châssis fait en sorte que la voiture ne présente pas de bruits de caisse, mais la conduite sur routes dégradées à vitesse élevée peut entraîner un sautillement du train arrière. La conjonction de tous ces éléments fait en sorte que la MX-5 est de loin supérieure aux Saturn Sky et Pontiac Solstice et s'impose comme la référence de la catégorie.

De toutes les versions proposées, il faut privilégier celles dotées de la boîte manuelle à six vitesses (plutôt que cinq pour les modèles de base), l'ajout du sixième rapport permettant de réduire quelque peu le régime moteur à vitesse d'autoroute ce qui bonifie le confort.

## HABITACLE INTIMISTE

La MX-5 de troisième génération a beau être plus large de quatre centimètres, conducteur et passager se retrouveront encore et toujours dans un habitacle qui peut être qualifié d'intimiste. Il est cependant surprenant de constater que les personnes de grande taille (1 mètre 80) seront beaucoup plus à l'aise qu'à bord des modèles des générations antérieures, quoique l'on aurait apprécié que la voiture soit dotée d'un volant télescopique et non pas seulement inclinable. La qualité des matériaux utilisés pour la confection de la planche de bord est très bonne et l'assemblage est réalisé avec soin.

On ne peut que déplorer le fait que le prix de la MX-5 grimpe encore et toujours vers de nouveaux sommets et que la facture qui accompagne l'achat d'un modèle pleinement équipé peut refroidir les ardeurs. Par ailleurs, la MX-5 sera opposée à une nouvelle rivale dès l'an prochain, alors que BMW lancera la nouvelle Z2, plus petite et moins chère que l'actuelle Z4, afin de livrer une concurrence plus solide à la reine de la catégorie. Histoire à suivre.

**Gabriel Gélinas**

## VÉHICULE D'ESSAI

| | |
|---|---|
| Version : | GT (toit souple) |
| Emp/Lon/Lar/Haut(mm) : | 2 330/3 990/1 720/1 245 |
| Poids : | 1 134 kg |
| Coffre/Réservoir : | 150 litres / 48 litres |
| Nombre de coussins de sécurité : | 4 |
| Suspension avant : | indépendante, bras inégaux |
| Suspension arrière : | indépendante, multibras |
| Freins av./arr. : | disque (ABS) |
| Antipatinage/Contrôle de stabilité : | oui / non |
| Direction : | à crémaillère, assistance variable |
| Diamètre de braquage : | 9,4 m |
| Pneus av./arr. : | P205/45R17 |
| Capacité de remorquage : | non recommandé |

## MOTORISATION À L'ESSAI

| | |
|---|---|
| Moteur : | 4L de 2,0 litres 16s atmosphérique |
| Alésage et course : | 87,5 mm x 83,1 mm |
| Puissance : | 166 ch (124 kW) à 6 700 tr/min |
| Couple : | 140 lb-pi (190 Nm) à 5 000 tr/min |
| Rapport poids/puissance : | 6,83 kg/ch (9,3 kg/kW) |
| Système hybride : | aucun |
| Transmission : | propulsion, manuelle 6 rapports |
| Accélération 0-100 km/h : | 7,5 s |
| Reprises 80-120 km/h : | 7,1 s |
| Freinage 100-0 km/h : | 37,8 m |
| Vitesse maximale : | 206 km/h |
| Consommation (100 km) : | super, 9,7 litres |
| Autonomie (approximative) : | 495 km |
| Émissions de CO2 : | 4 128 kg/an |

## GAMME EN BREF

| | |
|---|---|
| Échelle de prix : | 28 195 $ à 34 500 $ |
| Catégorie : | roadster |
| Historique du modèle : | 3ème génération |
| Garanties : | 3 ans/80 000 km, 5 ans/110 000 km |
| Assemblage : | Hofu, Japon |
| Autre(s) moteur(s) : | aucun |
| Autre(s) rouage(s) : | aucun |
| Autre(s) transmission(s) : | auto. mode man. 6 rapports / manuelle 5 rapports |

## DANS LA MÊME CATÉGORIE

Ford Mustang - Mitsubishi Eclipse - Pontiac Solstice - Saturn Sky - Toyota Solara - Volkswagen New Beetle

## DU NOUVEAU EN 2008

Pas de changement majeur

## NOS IMPRESSIONS

| | |
|---|---|
| Agrément de conduite : | 🚗 🚗 🚗 🚗 ½ |
| Fiabilité : | 🚗 🚗 🚗 🚗 |
| Sécurité : | 🚗 🚗 🚗 ½ |
| Qualités hivernales : | 🚗 🚗 |
| Espace intérieur : | 🚗 🚗 🚗 |
| Confort : | 🚗 🚗 🚗 ½ |

## LE CHOIX DE L'ÉQUIPE

GT manuelle 6 rapports

Photos : Alain Morin

**MAZDA** RX-8

# ON PEUT LUI PARDONNER...

Si la Mazda RX-8 s'est attiré la faveur de plusieurs acheteurs dans les premières années de sa commercialisation, il semble que l'intérêt commence peu à peu à s'estomper. Les nouveaux modèles se font un peu plus rares sur nos routes. Pour sa défense, il faut avouer que le créneau des coupés sport a toujours mené la vie dure aux modèles plus vieillissants. Dans ce segment, c'est la nouveauté qui vend et la RX-8 n'y échappe pas. Nonobstant quelques ajouts au fil des années, la RX-8 n'a subi qu'une lente évolution, sans véritable refonte majeure.

**M**algré tout, la Mazda RX-8 continue de séduire, notamment en raison de son style réussi. L'élément central de ce design est sans contredit son moteur rotatif dont la configuration du rotor inspire plusieurs éléments intérieurs et extérieurs du véhicule. Tout y est pour souligner la sportivité de cette voiture, avant agressif, ligne de toit plongeante et jantes stylisées de bonnes dimensions, sur lesquelles sont montés des pneus de performance. Bref, malgré son âge, la RX-8 continue de faire tourner les têtes!

### UN MOTEUR ROTATIF CAPRICIEUX
Mazda demeure l'unique constructeur à proposer une voiture équipée d'un moteur rotatif puisqu'il est le seul à posséder les droits d'utilisation du moteur Wankel, baptisé ainsi en l'honneur de son inventeur, Félix Wankel. Contrairement au moteur classique, qui utilise des pistons dans un mouvement linéaire, le moteur rotatif utilise plutôt un rotor triangulaire qui, par un mouvement circulaire, entraîne directement le vilebrequin. Positionné au centre du véhicule, ce moteur possède plusieurs avantages, notamment un poids moindre et une consommation censée être réduite. Cette dernière affirmation n'est que théorique car dans les faits, la RX-8 est tout sauf économique. Il faudra vous habituer à visiter fréquemment la station-service, non seulement pour y faire le plein

d'essence, du super s.v.p., mais aussi pour vérifier le niveau d'huile. Eh oui, au fil du temps, le moteur rotatif se révèle friand de fluides!

Certains continuent de se demander pourquoi Mazda persiste à vouloir utiliser son moteur rotatif, mais d'autres, y voient toujours un tour de force de la part de Mazda qui, ici, fait preuve d'audace.

Outre la notoriété acquise avec son moteur rotatif, la RX-8 se distingue également grâce à son aspect plus pratique, élément apporté principalement en raison de ses deux demi-portières s'ouvrant à contresens et permettant l'accès aux deux places arrière. Voilà un élément peu commun chez les coupés sport, et la RX-8 aura réussi à séduire plusieurs consommateurs désireux de s'offrir un coupé sport racé, mais devant composer avec les besoins familiaux. Un avantage concurrentiel que peu de rivales peuvent se vanter d'offrir.

Du reste, l'habitacle est doté d'une finition exemplaire alors que le tableau de bord profite d'une bonne ergonomie. Tout est bien accessible et simple à comprendre. Facile d'accès, les deux places arrière pourront même accommoder des adultes, particulièrement si les passagers avant ne sont pas trop grands. Cependant, assis en arrière, ils pourront

 **FEU VERT**
Style séduisant, aspect pratique (4 portes), comportement sportif, aménagement et finition intérieure, exclusivité du moteur rotatif

 **FEU ROUGE**
Utilisation et entretien plus pointu, faible couple à bas régime, consommation élevée, boîte automatique moins intéressante

**410**

## VÉHICULE D'ESSAI

| | |
|---|---|
| Version : | GT |
| Emp/Lon/Lar/Haut (mm) : | 2 700/4 424/1 770/1 340 |
| Poids : | 1 389 kg |
| Coffre/Réservoir : | 290 litres / 60 litres |
| Nombre de coussins de sécurité : | 6 |
| Suspension avant : | indépendante, bras inégaux |
| Suspension arrière : | indépendante, multibras |
| Freins av./arr. : | disque (ABS) |
| Antipatinage/Contrôle de stabilité : | oui / oui |
| Direction : | à crémaillère, assist. variable électronique |
| Diamètre de braquage : | 10,6 m |
| Pneus av./arr. : | P225/45R18 |
| Capacité de remorquage : | non recommandé |

se plaindre, surtout les enfants, d'une visibilité réduite à l'extérieur, notamment en raison de la hauteur des sièges avant.

## HAUTES RÉVOLUTIONS

Lorsqu'on prend le volant de la RX-8, on s'aperçoit rapidement que le moteur rotatif de 1,3 litre doit tourner à des régimes élevés avant de livrer sa puissance. C'est vrai pendant les accélérations, mais c'est aussi vrai lors des manœuvres de dépassement. En version manuelle, il vous faudra jouer du levier pour exploiter toute la puissance disponible, ce qui ne plaira pas à tous. De plus, le tout s'accompagne d'une sonorité distincte du moteur. À l'opposé, la boîte automatique à six rapports vous évitera ces désagréments, mais elle ampute également de la puissance puisque le moteur passe à 212 chevaux, comparativement à 232 chevaux quand il est couplé à la boîte manuelle.

En conduite plus sportive, on découvre une voiture bien équilibrée dont la direction nous permet de la diriger du bout des doigts. À peine sous-vireuse, la RX-8 colle à la route et vous donne l'impression d'être au volant d'une voiture de course. Ce comportement est notamment apporté par le poids et la taille réduite du moteur, mais aussi par une répartition de poids idéale, c'est-à-dire 50/50. Ajoutez une suspension bien calibrée et vous obtenez un coupé sport à propulsion dont la dynamique de conduite s'apparente à celle de grandes sportives de renom vendues à gros prix.

Malgré l'audace du constructeur de nous proposer une voiture à moteur rotatif, il semble que le temps aura montré le caractère plus pointu de cette sportive. La Mazda RX-8 se révèle toujours une sportive intéressante, mais elle exige un peu plus de son conducteur, tant au chapitre de l'entretien qu'en conduite quotidienne. En fait, c'est lorsqu'on pousse la RX-8 que l'on apprécie le plus ses qualités et son caractère

**Sylvain Raymond**

## MOTORISATION À L'ESSAI

| | |
|---|---|
| Moteur : | Rotatif de 1,3 litre |
| Alésage et course : | n.d. |
| Puissance : | 232 ch (170 kW) à 8 500 tr/min |
| Couple : | 159 lb-pi (211 Nm) à 5 500 tr/min |
| Rapport poids/puissance : | 5,99 kg/ch (8,17 kg/kW) |
| Système hybride : | aucun |
| Transmission : | propulsion, manuelle 6 rapports |
| Accélération 0-100 km/h : | 6,7 s |
| Reprises 80-120 km/h : | 7,9 s |
| Freinage 100-0 km/h : | 35,0 m |
| Vitesse maximale : | 235 km/h |
| Consommation (100 km) : | super, 12,9 litres |
| Autonomie (approximative) : | 465 km |
| Émissions de CO2 : | 5 280 kg/an |

## GAMME EN BREF

| | |
|---|---|
| Échelle de prix : | 37 295 $ à 40 495 $ |
| Catégorie : | coupé |
| Historique du modèle : | 1ière génération |
| Garanties : | 3 ans/80 000 km, 5 ans/100 000 km |
| Assemblage : | Hiroshima, Japon |
| Autre(s) moteur(s) : | 1,3 rotatif 212ch/159 lb-pi |
| Autre(s) rouage(s) : | aucun |
| Autre(s) transmission(s) : | auto. mode man. 6 rapports |

## DANS LA MÊME CATÉGORIE

Audi TT - BMW Série 3 coupé - Chrysler Crossfire - Ford Mustang - Infiniti G37 - Nissan 350Z

## DU NOUVEAU EN 2008

Aucun changement majeur

## NOS IMPRESSIONS

| | |
|---|---|
| Agrément de conduite : | 🚗🚗🚗🚗 |
| Fiabilité : | 🚗🚗🚗🚗 |
| Sécurité : | 🚗🚗🚗 |
| Qualités hivernales : | 🚗🚗🚗 |
| Espace intérieur : | 🚗🚗🚗 |
| Confort : | 🚗🚗🚗 |

## LE CHOIX DE L'ÉQUIPE

GT avec boîte manuelle

Photos : Sylvain Raymond

# MERCEDES-BENZ CLASSE B

# LUXE ACCESSIBLE

La rivalité de nos jours est telle que plusieurs constructeurs, reconnus pour offrir des modèles plus abordables, se lancent dans la vente de véhicules de luxe, affrontant ainsi des marques bien établies. Par conséquent, Mercedes et quelques autres doivent maintenant faire face à une concurrence plus marquée de la part d'une gamme plus étendue de constructeurs. Œil pour œil, dent pour dent, Mercedes a répliqué il y a deux ans en introduisant une gamme de modèles plus abordables, la Classe B

La Classe B devient donc le modèle d'entrée de gamme du constructeur à l'étoile d'argent. Difficile de décrire précisément la Classe B. Elle fait partie de ces véhicules qui empruntent les caractéristiques de différentes gammes, histoire d'offrir le meilleur de chacune d'entre elles. Dans le cas de la Classe B, prenez une voiture compacte, ajoutez le style d'une familiale et donnez-lui un dégagement supérieur, vous obtenez un véhicule s'apparentant à une minifourgonnette, mais dans un format réduit. En Europe, on les nomme Monospace.

## UNE PETITE CLASSE R

Il est beaucoup plus facile pour un constructeur de véhicule de luxe d'offrir des modèles plus abordables que l'inverse. Le seul véritable risque pourrait être de froisser sa clientèle en introduisant des modèles un peu moins prestigieux alors que de leur côté, les concessionnaires devront composer avec un nouveau type de clientèle. Qu'à cela ne tienne, Mercedes a pris le pari et il faut avouer que le résultat est probant. Offerte à un prix légèrement au-dessus des 30000$, la Classe B offre le raffinement typique aux modèles de gamme supérieure dans un format intéressant.

Dotée d'un style qui tranche de la masse, la Classe B exhibe des lignes fluides soulignant son dynamisme. Sa ligne de capot basse et son toit

plongeant à l'arrière contribuent à améliorer l'aérodynamisme ainsi que la visibilité à partir de l'intérieur. Sa hauteur supérieure lui donne des airs de fourgonnette, mais les portes coulissantes typiques de ce type de véhicule font place, dans le cas de la Classe B, à quatre portières traditionnelles. Lorsqu'on la regarde de près, on a l'impression de déjà vu. C'est parce qu'en fait de style, la Classe B s'apparente à la Classe R, mais en format réduit.

## QUALITÉ SIGNÉE MERCEDES-BENZ

Mercedes est réputée pour la qualité de ses habitacles et heureusement, la Classe B poursuit dans la tradition. Une fois à bord, on découvre un environnement où règne le souci du détail alors que les matériaux utilisés sont de bonne facture. On apprécie l'ergonomie des différentes commandes et la simplicité du tableau de bord. Seul bémol, le levier des clignotants, qui permet aussi de contrôler les essuie-glaces avant et arrière, est caché derrière l'un des rayons du volant. On le cherche, ce qui nous force à quitter la route des yeux. Capable d'accueillir quatre passagers avec amplement d'espace (cinq si on aime l'intimité !), la Classe B offre des sièges en tissu qui s'avèrent confortables, mais beaucoup plus fermes comparés à ce que l'on retrouve dans les modèles plus haut de gamme. Certaines personnes rencontrées m'en ont d'ailleurs fait

**FEU VERT**
Lignes agréables, nombreux équipement de sécurité, finition soignée, habitacle spacieux, comportement agréable

**FEU ROUGE**
Options dispendieuses, moteur bruyant en accélération, version de base peu équipée

**412**

la remarque. Pratique, cette petite familiale est dotée d'un espace de chargement généreux capable de recevoir tout l'attirail du week-end.

## MOTEUR ATMOSPHÉRIQUE OU SURALIMENTÉ

La Classe B se compose de deux modèles se distinguant principalement par leur motorisation. Tous deux possèdent un moteur quatre cylindres de 2,0 litres qui dans le cas de la B200 développe 134 chevaux, et 193 chevaux pour la B200 Turbo puisque son moteur reçoit en prime un turbocompresseur. Dans les deux cas, une boîte manuelle, à cinq ou six rapports selon le modèle, est offerte de série alors qu'une autre automatique à variation continue est proposée en option. Au volant, on découvre une position de conduite élevée, typique des minifourgonnettes. Cet élément, combiné à de larges zones vitrées, procure au conducteur une excellente visibilité. Forte de ses 134 chevaux, la B200 n'est pas surpuissante, surtout en présence de la boîte CVT qui vous donne un peu moins de contrôle sur le niveau des régimes. De plus, lorsque couplé à cette boîte, le moteur s'avère assez bruyant quand on accélère fortement. Sans être toutefois déplaisante, cette version offre une économie d'essence supérieure.

Pour ceux qui apprécient un peu plus les performances, la version B200 T à moteur suralimenté transforme cette voiture en petite familiale sportive, particulièrement avec la boîte manuelle à six rapports. Cependant, il faudra la nourrir au carburant super, ce qui augmentera le coût des visites à la pompe... Du reste, les deux modèles demeurent agréables à conduire, notamment en raison d'une suspension bien adaptée et de la rigidité du châssis.

La Mercedes de Classe B a tout des modèles haut de gamme du constructeur dans un format plus familial et économique. Elle jouit d'une qualité d'assemblage sans tâche, d'un habitacle spacieux et polyvalent. Cependant, tout comme ses grandes sœurs, la Classe B profite d'un généreux catalogue d'options, faisant rapidement grimper la facture. Dans les faits, elle demeure tout de même une compacte... de luxe. Et en terminant, il s'agit de la seule traction chez Mercedez-Benz.

**Sylvain Raymond**

Photos : Denis Duquet

## VÉHICULE D'ESSAI

| | |
|---|---|
| Version : | B200 |
| Emp/Lon/Lar/Haut (mm) : | 2 778/4 270/ 1975/1 604 |
| Poids : | 1 400 kg |
| Coffre/Réservoir : | 544 à 1 530 litres / 54 litres |
| Nombre de coussins de sécurité : | 6 |
| Suspension avant : | indépendante, jambes de force |
| Suspension arrière : | demi-ind., essieu parabolique |
| Freins av./arr. : | disque (ABS) |
| Antipatinage/Contrôle de stabilité : | oui / oui |
| Direction : | à crémaillère, assistance variable électrique |
| Diamètre de braquage : | 11,9 m |
| Pneus av./arr. : | P205/55R16 |
| Capacité de remorquage : | 1 500 kg |

## MOTORISATION À L'ESSAI

| | |
|---|---|
| Moteur : | 4L de 2,0 litres 16s atmosphérique |
| Alésage et course : | 83,0 mm x 94,0 mm |
| Puissance : | 134 ch (100 kW) à 5 500 tr/min |
| Couple : | 136 lb-pi (184 Nm) de 3 500 à 4 000 tr/min |
| Rapport poids/puissance : | 10,45 kg/ch (14,14 kg/kW) |
| Système hybride : | aucun |
| Transmission : | traction, CVT |
| Accélération 0-100 km/h : | 10,3 s |
| Reprises 80-120 km/h : | 7,8 s |
| Freinage 100-0 km/h : | 42,0 m |
| Vitesse maximale : | 190 km/h |
| Consommation (100 km) : | ordinaire, 9,2 litres |
| Autonomie (approximative) : | 587 km |
| Émissions de CO2 : | 3 888 kg/an |

## GAMME EN BREF

| | |
|---|---|
| Échelle de prix : | 29 900 $ à 33 900 $ |
| Catégorie : | multisegment |
| Historique du modèle : | 1ière génération |
| Garanties : | 4 ans/80 000 km, 4 ans/80 000 km |
| Assemblage : | Rastatt, Allemagne |
| Autre(s) moteur(s) : | 4L 2,0l turbo 193ch/ 206lb-pi (9,5 l/100km) B200T |
| Autre(s) rouage(s) : | aucun |
| Autre(s) transmission(s) : | manuelle 5 rapports / manuelle 6 rapports |

## DANS LA MÊME CATÉGORIE

Audi A3 - Chevrolet HHR - Chrysler PTCruiser - Mazda 5 - Pontiac Vibe - Toyota Matrix

## DU NOUVEAU EN 2008

Régulateur de vitesse standard sur B200, sièges chauffants standards sur B200T, quelques ajouts au niveau de l'équipement standard

## NOS IMPRESSIONS

| | |
|---|---|
| Agrément de conduite : | 🚗🚗🚗½ |
| Fiabilité : | 🚗🚗🚗½ |
| Sécurité : | 🚗🚗🚗🚗 |
| Qualités hivernales : | 🚗🚗🚗½ |
| Espace intérieur : | 🚗🚗🚗🚗 |
| Confort : | 🚗🚗🚗🚗 |

## LE CHOIX DE L'ÉQUIPE

B200 turbo manuelle

# UN CARACTÈRE À PART

Avec la succession de nouvelles Mercedes-Benz au cours des deux dernières années, il serait facile de conclure que la nouvelle Classe C n'est qu'une simple version plus compacte de la berline de Classe E qui serait à son tour un dérivé de la Classe S, en plus petit. C'est une façon de voir les choses, mais il est important de souligner que chacune de ces berlines possède une personnalité qui lui est propre. Et la dernière arrivée ne se débrouille pas trop mal merci !

Il est vrai que la version précédente a joui d'une grande popularité. Elle a même été la Mercedes-Benz la plus vendue de l'histoire. Mais il suffisait de prendre le volant après avoir roulé avec une S ou une E pour réaliser à quel point des changements s'imposaient. En outre, ce modèle était confronté sur le marché à une Série 3 de BMW renouvelée depuis peu, tandis que l'Audi A4 avait également bénéficié d'une révision esthétique et mécanique en 2004.

Mais contrairement à Audi qui a révisé son A4 il y a trois ans assez tièdement, à Stuttgart, on a mis le paquet sur la petite dernière. Pas question de se contenter de rafraîchir la silhouette et le tableau de bord afin de l'harmoniser avec les autres. La refonte a été complète et il faut admettre que le travail n'a pas été bâclé. Et cette fois, elle fait plus qu'offrir les qualités traditionnelles de la marque à prix plus abordable. La nouvelle Classe C nous est non seulement réussie sur le plan esthétique, mais son agrément de conduite a remarquablement progressé.

**414**

## DE LA SUITE DANS LES IDÉES

BMW a joué les iconoclastes en adoptant une silhouette déhanchée sur ses axes, avec des bourrelets servant à délimiter les surfaces pour rompre le moule, soulignait Chris Bangle, le père de cette hérésie visuelle selon certains. Chez Mercedes-Benz, on a préféré l'approche évolutive se déclinant des nouvelles versions des Classe S et E. La silhouette propose une allure plus sportive que précédemment avec une partie passablement inclinée vers l'avant tandis que la section arrière plus élevée reprend cette forme en coin typique des autos à vocation sportive. La signature visuelle de cette voiture est cette ligne latérale en relief qui débute aux roues avant pour ensuite s'élever progressivement vers l'arrière afin de terminer au niveau du feu arrière. Bref, une foule de petits détails qui concilient élégance et sportivité. Et cette Classe C 2008 ne possède pas de déflecteur intégré au coffre comme c'est souvent le cas. Les aérodynamiciens ont préféré canaliser l'air vers les feux arrière et l'expulser par l'intermédiaire d'orifices pratiqués dans la lentille de ces mêmes feux. Cela élimine la turbulence et améliore le coefficient de traînée qui est de 0,27, le meilleur de la catégorie. Soulignons au passage qu'un cœfficient de pénétration dans l'air de .30 était jugé exceptionnel il n'y a pas si longtemps.

L'habitacle est plus spacieux puisque la largeur et l'empattement ont été augmentés. Mais le plus important est le design intérieur. Ce n'est pas flyé comme dans une Alfa Romeo ou d'un chic certain comme chez Audi, mais il s'en dégage une impression d'équilibre, de modernité et d'efficacité. L'écran du système de navigation se replie discrètement derrière unpanneau mobile, les cadrans indicateurs sont cerclés d'aluminium brossé et leur affichage est électroluminescent. Enfin, le volant à quatre branches de nos modèles d'essais était à des années-lumière des anciens volants de type autobus utilisés pendant si longtemps chez ce constructeur.

Les sièges sont fermes mais confortables et les gens de tout gabarit y trouveront place avec confort. Non seulement le support latéral de ces

sièges est-il impressionnant, mais la course du siège devrait accommoder facilement les personnes de grande taille.

## ACIER, ALUMINIUM ET LASER

De nos jours, la légèreté fait loi ou presque dans le développement de nouveaux modèles. Par contre, les ingénieurs affectés au développement d'un nouveau produit doivent aussi concevoir un véhicule rigide offrant encore plus de sécurité qu'auparavant. Ces objectifs ne permettent pas de militer pour un matériau en particulier. Pour eux, il s'agit d'utiliser le bon produit au bon endroit. Par exemple, cette nouvelle berline est dotée d'une carrosserie en acier ultrarigide qui est également plus léger. Ce qui explique d'ailleurs pourquoi la caisse de la nouvelle C

# MERCEDES-BENZ CLASSE C

est plus légère de 8 kg que le modèle antérieur. Par contre, l'aluminium n'est pas ignoré puisque les ailes avant sont de ce métal qui est utilisé à plusieurs autres endroits de la voiture. En outre, les techniciens ont développé un nouveau système de soudure au laser qui assure précision et rigidité.

Sur le plan technique, la suspension avant est de type MacPherson, mais fait appel à des bras multiples inférieurs afin d'optimiser le contrôle et réduire les vibrations. La direction à pignon et crémaillère est montée plus vers l'avant et son boîtier ancré plus solidement. En 1983, la nouvelle Classe C de l'époque était la première voiture de cette marque à utiliser une suspension arrière à bras multiples. Celle-ci a été adoptée par la suite sur toutes les autres berlines Mercedes-Benz. Cette fois, les ingénieurs ont poursuivi le raffinement de son design en révisant les points d'ancrage, le positionnement des barres ainsi que la rigidité des éléments cinétiques.

Mais l'élément clé de cette suspension est le nouveau système «Agility» qui permet aux amortisseurs d'offrir une fermeté variable en fonction de la vitesse et des conditions de conduite. Purement mécanique, ce système est très efficace. Et il l'est plus avec l'option «Advanced Agility» qui permet de passer du mode «Confort» au mode «Sport» au simple toucher d'un bouton. Cette fois, les réglages sont électroniques.

Deux moteurs sont initialement destinés pour le marché canadien. Le premier est le V6 de 3,0 litres d'une puissance de 228 chevaux alors que la C350 sera propulsée par un autre moteur V6. La cylindrée de ce dernier est de 3,5 litres et sa puissance de 268 chevaux. Il est

**FEU VERT**
Agrément de conduite relevé, silhouette élégante, plate-forme ultra rigide , moteurs bien adaptés, éventuelle C63 AMG

**FEU ROUGE**
Certaines versions onéreuses, suspension ferme selon modèle, silhouette austère d'après certains, fiabilité inconnue

**416**

## VÉHICULE D'ESSAI

| | |
|---|---|
| Version : | C350 berline |
| Emp/Lon/Lar/Haut(mm) : | 2 760/4 580/1 770/1 445 |
| Poids : | 1 640 kg |
| Coffre/Réservoir : | 475 litres / 66 litres |
| Nombre de coussins de sécurité : | 6 |
| Suspension avant : | indépendante, jambes de force |
| Suspension arrière : | indépendante, multibras |
| Freins av./arr. : | disque (ABS) |
| Antipatinage/Contrôle de stabilité : | oui / oui |
| Direction : | à crémaillère, assistance variable |
| Diamètre de braquage : | 10,8 m |
| Pneus av./arr. : | P225/45R17 / P245/40R17 |
| Capacité de remorquage : | n.d. |

## MOTORISATION À L'ESSAI

Pneus d'origine *MICHELIN*

| | |
|---|---|
| Moteur : | V6 de 3,5 litres 24s atmosphérique |
| Alésage et course : | 92,9 mm x 86,0 mm |
| Puissance : | 268 ch (200 kW) à 6 000 tr/min |
| Couple : | 258 lb-pi (350 Nm) de 2 400 à 5 000 tr/min |
| Rapport poids/puissance : | 6,12 kg/ch (8,32 kg/kW) |
| Système hybride : | aucun |
| Transmission : | propulsion, automatique 7 rapports |
| Accélération 0-100 km/h : | 6,5 s |
| Reprises 80-120 km/h : | 5,8 s |
| Freinage 100-0 km/h : | 38,7 m |
| Vitesse maximale : | 250 km/h |
| Consommation (100 km) : | super, 9,4 litres |
| Autonomie (approximative) : | 564 km |
| Émissions de CO2 : | n.d. |

## GAMME EN BREF

| | |
|---|---|
| Échelle de prix : | 41 000 $ à 50 100 $ |
| Catégorie : | berline intermédiaire |
| Historique du modèle : | 3ième génération |
| Garanties : | 4 ans/80 000 km, 4 ans/80 000 km |
| Assemblage : | Sindelfingen, Allemagne |
| Autre(s) moteur(s) : | V6 3l 228ch/221lb-pi (9,4 l/100km) C300 |
| Autre(s) rouage(s) : | intégrale |
| Autre(s) transmission(s) : | manuelle 6 rapports |

## DANS LA MÊME CATÉGORIE

Acura TL - Audi A4 / S4 - BMW Série 3 - Buick Lucerne - Cadillac CTS / CTS-V - Infiniti G35 / G35x - Jaguar X-Type - Lexus IS - Saab 9-5 - Volvo S60 / S60R

## DU NOUVEAU EN 2008

Nouveau modèle

## NOS IMPRESSIONS

| | |
|---|---|
| Agrément de conduite : | 🚗 🚗 🚗 🚗 ½ |
| Fiabilité : | Nouveau modèle |
| Sécurité : | 🚗 🚗 🚗 🚗 🚗 |
| Qualités hivernales : | 🚗 🚗 🚗 🚗 |
| Espace intérieur : | 🚗 🚗 🚗 🚗 |
| Confort : | 🚗 🚗 🚗 🚗 |

## LE CHOIX DE L'ÉQUIPE

C350

couplé à une boîte manumatique à sept rapports. Les deux moteurs offrent une consommation de 9,4 litres aux 100 km.

## OUBLIEZ LE PASSÉ !

La majorité des acheteurs de la Classe C ont rarement acheté cette voiture pour sa sportivité. Les raisons qui justifiaient leur achat reposaient sur la solidité, la sécurité et le comportement routier équilibré de ce modèle. Mais c'était hier. Aujourd'hui, la nouvelle C est une voiture dont les qualités dynamiques sont à souligner avec insistance. Même la version «ordinaire» dépasse de beaucoup tout ce que sa devancière pouvait nous offrir en fait d'agrément de conduite et de performances. Malgré tout, pour plusieurs, cette Mercedes-Benz demeurera un achat de raison, car elle possède en mieux les qualités de base propres à tous les véhicules de la marque. Mais la nouvelle suspension «Agility» a considérablement transformé le comportement routier. La tenue de route est non seulement meilleure, mais le *feedback* de la direction et les sensations d'ensemble sont nettement plus affûtés. Cette nouvelle génération est beaucoup plus agréable à conduire. Mais ce n'est pas fini, puisqu'il existe des versions encore plus intéressantes et excitantes.

En effet, une C350 équipée du système «Advanced Agility» est vraiment dans une classe à part. En mode «Confort», la voiture se comporte comme une C350 ordinaire, ce qui est déjà bien. Mais appuyez sur la touche «Sport» située en bas des contrôles de climatisation et vous vous retrouvez au volant d'une voiture encore plus plaisante à piloter. La direction est plus rapide, la suspension se raffermit et vous transmet les informations de la route plus rapidement tandis que la tenue en virage est supérieure. Cette fois, l'épithète sport n'est pas usurpée. Bien entendu, les freins sont puissants et progressifs.

Mais Mercedes-Benz nous réserve une autre belle surprise en cours d'année avec l'arrivée de la C63 AMG et de son spectaculaire moteur V8 de 6,2 litres. Un collègue américain a eu l'occasion d'essayer un modèle de préproduction sur le légendaire circuit du Nürburgring et je lui avais demandé de me transmettre ses impressions afin de mieux vous informer. Son courriel ne contenait que deux lignes ! Sur la première, on pouvait lire : «Wow !» et sur la seconde : «Meilleure qu'une M3, sans problème !» Voilà, difficile d'en rajouter.

**Denis Duquet**

Photos : Denis Duquet

# MERCEDES-BENZ CLASSE CL

# CL POUR «CONSULTEZ LE LEXIQUE»!

«Pureté moderne», c'est en ces termes que Peter Pfeiffer, l'actuel chef du design chez Mercedes-Benz, caractérise le stylisme qui a été adopté à la fois pour la berline de Classe S et pour le coupé CL qui représente une évolution plus avancée de ce concept par rapport à la berline, toujours selon le designer. Il faut reconnaître que dans ce créneau du marché où la concurrence a pour nom Aston Martin DB9, Bentley Continental GT ou BMW Série 6, le design a souvent une influence démesurée.

Étroitement dérivé de la berline de Classe S, le coupé CL représente en quelque sorte la vitrine technologique de Mercedes-Benz qui ne manque pas de faire étalage de son savoir-faire sur le plan technique avec cette septième génération du coupé de luxe dont la lignée remonte à la 300S de 1952. Dans le cas du coupé CL la filiation avec les modèles précédents est assurée par la présence de la calandre traditionnelle qui est toutefois plus inclinée sur ce nouveau modèle et qui reçoit également des appliques de chrome. Le coupé CL ne partage aucun panneau de carrosserie avec la berline de Classe S dont il est dérivé, et les dimensions extérieures ont été légèrement bonifiées par rapport au modèle antérieur, le coupé CL faisant maintenant plus de 5 mètres de longueur et 1 mètre 87 de largeur.

## AMG : UN V12 BITURBO DE 603 CHEVAUX...

Pour 2008, l'acheteur devra choisir entre deux modèles courants et deux modèles développés par la division AMG, dont le CL65 AMG et son moteur V12 biturbo de 6,0 litres qui déploie 603 chevaux, soit seulement 14 de moins que celui de la très puissante SLR... Comme toujours, on ne fait pas dans la dentelle chez AMG qui a également conçu un tout nouveau moteur V8 atmosphérique de 6,2 litres et

518 chevaux pour animer le coupé CL63 AMG qui dispose de la boîte automatique à sept rapports, alors que le coupé CL65 AMG doit composer avec la boîte automatique à cinq rapports en raison du couple énorme de 738 livres-pied produit par le V12 biturbo... La philosophie établie chez la division haute-performance de Mercedes-Benz reste encore et toujours valide puisque chacun des moteurs produits chez AMG est assemblé par un seul technicien qui y appose ensuite une plaque sur laquelle figure sa signature.

Les deux modèles plus «classiques» demeurent les CL550 et CL600, et possèdent les mêmes motorisations que la berline de Classe S, soit le V8 de 5,5 litres et 382 chevaux ainsi que le V12 biturbo de 510 chevaux. Au volant du coupé CL550, on perçoit facilement que le poids est en hausse par rapport au modèle précédent (2 035 kilos pour le CL550 et 2 218 pour le CL600), mais les performances en accélération sont plus que convenables, et comme la voiture semble taillée d'un seul bloc plutôt qu'assemblée de plusieurs pièces, le confort est souverain. D'ailleurs, au volant du coupé CL550, il est très facile de rouler à plus de 160 kilomètres/heure tout en ayant l'impression que l'on ne roule pas si vite que ça, ce qui est le propre d'une voiture de grand luxe.

 **FEU VERT**
Technologie de pointe, moteurs performants, boîte automatique à sept rapports (CL550 et CL63 AMG), systèmes de sécurité avancés, finition soignée

 **FEU ROUGE**
Prix élevés, boîte automatique à cinq rapports (CL600 et CL65 AMG), complexité de certains systèmes, espace limité aux places arrière

**418**

## CONSULTEZ LE LEXIQUE

La désignation CL doit vouloir signifier «Consultez Lexique». C'est du moins ce qu'on pourrait croire en prenant contact avec ce coupé truffé de dispositifs électroniques de toutes sortes, et tous désignés par une série d'acronymes à faire pâlir d'envie les ingénieurs de la NASA. Ainsi, le coupé CL reçoit en dotation de série le système de télématique multifonction COMAND, la suspension pneumatique AIRMATIC, le freinage électrohydraulique Brake Assist Plus, ainsi que le dispositif PRE-SAFE décelant la potentialité d'une situation d'urgence et préparant la voiture à l'impact !

Ce coupé reçoit également le régulateur de vitesse intelligent assisté par radar DISTRO-NIC Plus, ainsi que le système de contrôle actif du châssis ABC (Active Body Control) de même que le dispositif ESP qui intervient automatiquement sur le moteur et les freins de façon sélective en vue d'éviter les sorties de route provoquées par une maladresse du conducteur. Ouf !

Notre modèle d'essai était même équipé du système de vision nocturne dont les images sont retransmises sur l'écran où s'affiche normalement le bloc d'instruments, le coupé CL, tout comme la Classe S, ne disposant pas de cadrans ordinaires mais de représentations graphiques. La planche de bord et la console centrale sont grandement inspirées de la berline de Classe S, mais le coupé CL propose un environnement exclusivement décliné sur un choix d'agencements de couleurs mêlant le cuir, l'aluminium et les bois exotiques avec une rare harmonie.

De plus, l'habitacle est illuminé au moyen de diodes et de câblage à fibre optique, ce qui permet de situer précisément le faisceau de certaines sources d'éclairage de façon à créer une ambiance feutrée et intimiste qui est du plus bel effet la nuit.

Véritable vitrine technologique de la marque, le coupé CL permet à l'acheteur de disposer d'une voiture de grand luxe qui est plus expressive côté design et dont les quatre déclinaisons proposent des motorisations développant de 382 à 603 chevaux. À vous de décider si vous êtes souvent pressé dans vos déplacements…

**Gabriel Gélinas**

### VÉHICULE D'ESSAI

| | |
|---|---|
| Version : | CL550 |
| Emp/Lon/Lar/Haut(mm) : | 2 955/5 065/2 139/1 418 |
| Poids : | 2 035 kg |
| Coffre/Réservoir : | 490 litres / 90 litres |
| Nombre de coussins de sécurité : | 7 |
| Suspension avant : | indépendante, multibras |
| Suspension arrière : | indépendante, multibras |
| Freins av./arr. : | disque (ABS) |
| Antipatinage/Contrôle de stabilité : | oui / oui |
| Direction : | à crémaillère, assistance variable |
| Diamètre de braquage : | 11,5 m |
| Pneus av./arr. : | P255/40R19 / P275/40R19 |
| Capacité de remorquage : | non recommandé |

### MOTORISATION À L'ESSAI

Pneus d'origine MICHELIN

| | |
|---|---|
| Moteur : | V8 de 5,5 litres 32s atmosphérique |
| Alésage et course : | 98,0 mm x 90,5 mm |
| Puissance : | 382 ch (285 kW) à 5 000 tr/min |
| Couple : | 391 lb-pi (530 Nm) à 3 000 tr/min |
| Rapport poids/puissance : | 5,33 kg/ch (7,24 kg/kW) |
| Système hybride : | aucun |
| Transmission : | propulsion, auto. mode man. 7 rapports |
| Accélération 0-100 km/h : | 5,6 s (constructeur) |
| Reprises 80-120 km/h : | 5,0 s (estimé) |
| Freinage 100-0 km/h : | 38,1 m (estimé) |
| Vitesse maximale : | 250 km/h |
| Consommation (100 km) : | super, 15,4 litres |
| Autonomie (approximative) : | 584 km |
| Émissions de CO$_2$ : | 6 144 kg/an |

### GAMME EN BREF

| | |
|---|---|
| Échelle de prix : | 131 900 $ à 236 500 $ |
| Catégorie : | coupé |
| Historique du modèle : | 2ième génération |
| Garanties : | 4 ans/80 000 km, 4 ans/80 000 km |
| Assemblage : | Stuttgart, Allemagne |
| Autre(s) moteur(s) : | V12 6,0l biturbo 510ch/ |
| | 612lb-pi (14,3 l/100km) CL600 |
| | V8 6,2l 518ch/465lb-pi (13,9 l/100km) CL63 AMG |
| | V12 6l biturbo 603ch/738lb-pi (0,0 l/100km) CL65 AMG |
| Autre(s) rouage(s) : | aucun |
| Autre(s) transmission(s) : | automatique 5 rapports |

### DANS LA MÊME CATÉGORIE

Bentley Continental GT - BMW Série 6 -
Maserati Gran Tursimo - Jaguar XK

### DU NOUVEAU EN 2008

Modèles AMG (CL63 et CL65), roues de 19 pouces (CL550 et CL600), ensemble d'options Premiun (CL550), système Distronic Plus amélioré

### NOS IMPRESSIONS

| | |
|---|---|
| Agrément de conduite : | 🚗 🚗 🚗 🚗 |
| Fiabilité : | 🚗 🚗 🚗 ½ |
| Sécurité : | 🚗 🚗 🚗 🚗 ½ |
| Qualités hivernales : | 🚗 🚗 🚗 |
| Espace intérieur : | 🚗 🚗 🚗 ½ |
| Confort : | 🚗 🚗 🚗 🚗 ½ |

### LE CHOIX DE L'ÉQUIPE

CL600

# MERCEDES-BENZ CLASSE CLK

# LA RÉALITÉ ET LE RÊVE

Je sais! Généralement, les gens parlent du rêve avant de mentionner la réalité, mais dans le cas qui nous concerne, c'est le contraire. Nous allons tout d'abord vous parler de ce qui est disponible, la réalité, pour ensuite vous faire part d'une voiture de rêve, absente du marché canadien. Malgré tout, compte tenu de sa teneur hors-norme, ce serait quasiment un crime de ne pas vous en parler! Mais avant, comme promis, voici la réalité.

Depuis quelques années, la Classe CLK s'est diversifiée en offrant un cabriolet et un coupé qui ont gagné en raffinement au fil des ans. L'an dernier, le CLK Cabriolet était proposé en version AMG dont le moteur V8 de 6,2 litres en faisait l'une des décapotables les plus rapides sur le marché.

## LA RÉALITÉ

Le coupé «ordinaire» de la Classe CLK est l'une des valeurs sûres de ce constructeur. Sa silhouette est moderne, élégante tandis que l'habitacle est confortable, bien agencé et d'une ergonomie exemplaire. Si les performances ne sont pas une priorité, le moteur V6 3,5 litres est bien adapté, d'autant plus que sa boîte automatique est fort efficace. Et si vous optez pour le moteur V8 de 5,5 litres, la CLK est surtout appréciée pour son confort, sa sécurité et sa tenue de route. Autant de qualités qui sont retenues dans le cabriolet, la version la plus populaire. Ce qui explique pourquoi la seule version AMG de ce modèle est le cabriolet.

Ajoutez les multiples accessoires offerts par ce constructeur et vous pouvez vous bâtir une voiture personnalisée qui saura combler les plus exigeants. Malheureusement, le modèle le plus spectaculaire

n'arrivera pas sur notre marché, empêché par une vulgaire législation à propos du pare-choc arrière...

## LE RÊVE

Malgré son absence chez nous, je me sens obligé de vous raconter mon expérience à son volant. Cette voiture est la CLK 63 AMG Black Serie, un coupé ultra sportif inspiré très étroitement de la voiture de tête Mercedes-Benz utilisée dans les épreuves du Championnat du monde de Formule 1. En effet, c'est pour célébrer son 40e anniversaire que AMG a concocté cette version plus que spéciale.

Et comme c'est de mise sur une voiture de ce prix et de cette catégorie, la CLK AMG 63 Black Serie ne se contente pas de faux accessoires et d'artifices inutiles. Cette voiture, c'est la vraie chose, traduction boiteuse de l'expression anglaise: «It's the real thing!». Tout d'abord, les places arrière ont pris le bord car elles n'ont pas leur place dans une automobile de grand sport. Et puis, la voiture de sécurité en Formule Un n'en a pas non plus, alors…

Toute la partie avant est similaire à cette vedette de la piste: prises d'air surdimensionnées et extracteurs latéraux en fibre de carbone. Le tout est

**FEU VERT**
Dimensions correctes, plate-forme rigide, version AMG, boîte automatique 7 rapports, finition impeccable

**FEU ROUGE**
AMG coupé non disponible (voir texte), coupé peu populaire, places arrière peu confortables, fiabilité perfectible

**420**

## VÉHICULE D'ESSAI

| | |
|---|---|
| Version : | CLK350 Cabriolet |
| Emp/Lon/Lar/Haut(mm) : | 2 715/4 652/1 991/1 413 |
| Poids : | 1 625 kg |
| Coffre/Réservoir : | 152 à 244 litres / 62 litres |
| Nombre de coussins de sécurité : | 8 |
| Suspension avant : | indépendante, jambes de force |
| Suspension arrière : | indépendante, multibras |
| Freins av./arr. : | disque (ABS) |
| Antipatinage/Contrôle de stabilité : | oui / oui |
| Direction : | à crémaillère, assistée |
| Diamètre de braquage : | 10,8 m |
| Pneus av./arr. : | P225/45R17 / P245/40R17 |
| Capacité de remorquage : | non recommandé |

## MOTORISATION À L'ESSAI

Pneus d'origine **MICHELIN**

| | |
|---|---|
| Moteur : | V6 de 3,5 litres 24s atmosphérique |
| Alésage et course : | 97,0 mm x 84,0 mm |
| Puissance : | 268 ch (200 kW) à 6 000 tr/min |
| Couple : | 258 lb-pi (350 Nm) de 2 700 à 5 000 tr/min |
| Rapport poids/puissance : | 6,06 kg/ch (8,25 kg/kW) |
| Système hybride : | aucun |
| Transmission : | propulsion, automatique 7 rapports |
| Accélération 0-100 km/h : | 6,6 s |
| Reprises 80-120 km/h : | 4,7 s |
| Freinage 100-0 km/h : | 35,6 m |
| Vitesse maximale : | 250 km/h |
| Consommation (100 km) : | super, 12,3 litres |
| Autonomie (approximative) : | 504 km |
| Émissions de CO$_2$ : | 4 944 kg/an |

## GAMME EN BREF

| | |
|---|---|
| Échelle de prix : | 68 100 $ à 117 900 $ |
| Catégorie : | coupé/cabriolet |
| Historique du modèle : | 2$^{ième}$ génération |
| Garanties : | 4 ans/80 000 km, 4 ans/100 000 km |
| Assemblage : | Stuttgart, Allemagne |
| Autre(s) moteur(s) : | V8 5,5l 382ch/ 391lb-pi (14,5 l/100km) CLK550 V8 6,2l 475ch/465lb-pi (18,4 l/100km) CLK63AMG |
| Autre(s) rouage(s) : | aucun |
| Autre(s) transmission(s) : | aucune |

accentué par des passages de roue en relief et un aileron arrière également en fibre de carbone. Et cette fois, il s'agit de vraies fibres de carbone et pas ces ersatz dont les tuners sont si friands. Ce matériau se retrouve également sur le tableau de bord et sur la console.

Comme toute voiture de sport qui se respecte, cette CLK d'exception est propulsée par un moteur V8 AMG de 6,3 litres d'une puissance de 507 chevaux couplé à une boîte automatique à sept rapports. Cette boîte est programmée pour afficher un passage des rapports plus rapide que sur les autres versions. La suspension est naturellement dessinée pour améliorer la tenue de route avec des barres antiroulis plus fermes et des amortisseurs plus performants. Mieux encore, cette même suspension peut être réglée en fermeté et en hauteur afin d'optimiser la tenue de route. Les pneus Pirelli P Zero de 19 pouces sont adhérents tout en n'étant pas démesurément fermes.

Un essai sur la route et sur la piste m'a convaincu des performances de cette allemande, on s'en doutait déjà, mais aussi de son équilibre général. Et sa docilité lorsque poussée à la limite me porte à conclure que cette ultrasportive est capable de sortir les griffes, mais sans que nous en soyons pénalisés. De plus, son système de stabilité latérale n'est pas trop intrusif, et ses freins en composite semblent résister à l'échauffement de façon presque illimitée. Détail intéressant, bien que ce coupé soit de type *hardtop*, sa rigidité est exemplaire.

Et pas besoin de toujours rouler à fond pour apprécier l'excellent support latéral des sièges ou la sonorité gutturale d'un système d'échappement entièrement révisé, et pour avoir le plaisir de prendre en main un volant sport galbé de cuir en suède dont le diamètre plus petit est prisé. Le système audio qui équipe cette voiture est de qualité, c'est toujours utile dans les embouteillages !

Il est dommage qu'un tel véhicule ne soit pas vendu aux automobilistes canadiens. Par contre, il démontre de façon convaincante que Mercedes-Benz a changé de poil depuis quelques années et est capable de se mesurer à tous les autres constructeurs sport. Mieux encore, des modèles exclusifs comme ce Black Serie risquent de devenir plus nombreux au cours des années à venir. C'est du moins la ferme intention d'AMG. Encore faut-il espérer que ces autos rouleront au Canada. En guide de consolation, la CLK AMG 6,3 cabriolet, n'est pas mal non plus.

**Denis Duquet**

## DANS LA MÊME CATÉGORIE

Audi A5 - BMW Série 3 - Lexus SC 430 - Nissan 350Z - Porsche Cayman

## DU NOUVEAU EN 2008

Aucun changement majeur

## NOS IMPRESSIONS

| | |
|---|---|
| Agrément de conduite : | 🚗 🚗 🚗 🚗 ½ |
| Fiabilité : | 🚗 🚗 🚗 |
| Sécurité : | 🚗 🚗 🚗 🚗 |
| Qualités hivernales : | 🚗 🚗 🚗 |
| Espace intérieur : | 🚗 🚗 🚗 ½ |
| Confort : | 🚗 🚗 🚗 ½ |

## LE CHOIX DE L'ÉQUIPE

CLK550 cabriolet

Photos : Mercedez-Benz

# ET EN AVANT LA MUSIQUE!

Les jeunes lecteurs n'ont probablement aucune idée de ce qu'était «Soirée canadienne». Lorsque son animateur, le toujours souriant Jean-Louis Bilodeau s'éclipsait du champ visuel en déclarant «Et en avant la musique!», les rigodons ou les sets carrés se mettaient en branle. Quand la Mercedes-Benz CLS a été dévoilée, c'est un peu comme si la marque à l'étoile d'argent avait annoncé le début de la mode des coupés quatre portes. En effet, depuis que Mercedes a lancé la musique, Aston Martin, Porsche et plus récemment BMW et Jaguar ont dévoilé leurs modèles coupé quatre portes, rivalisant d'esthétisme et de luxe.

Et la mode ne fait que débuter. Curieusement, même si la Mercedes-Benz CLS est loin d'être démunie au chapitre du prestige et du luxe, tous les autres concepts ci-haut mentionnés font dans le très, très haut de gamme. À tel point que la CLS semble un peu chiche! D'ici quelques années, l'offre dans ce créneau spécialisé devrait même se bonifier. Peut-être qu'un jour, Kia dévoilera un coupé quatre portes! En passant, un coupé est un véhicule à deux portes. Dans le cas qui nous intéresse, la voiture possède quatre portes mais adopte les lignes d'un coupé. Quoi qu'il en soit, la Mercedes-Benz Classe CLS est une voiture d'une extrême beauté. À tel point que les gens nous arrêtent dans les stationnements publics pour nous féliciter pour notre bon goût!

### SYMPHONIE EN HUIT MAJEUR

La CLS bénéficie du châssis de la Classe E, ce qui est une excellente nouvelle. De cette génitrice, la CLS ne conserve que les deux moteurs les plus puissants, soit les V8 5,5 litres et 6,2 litres. Le premier de ces moteurs fait dans les 382 chevaux et 391 livres-pied de couple. Il permet à la CLS550 d'accélérer et d'effectuer des reprises tout à fait honorablement, le tout avec une belle sonorité. Si ce moteur se distingue par sa souplesse (il semble toujours y avoir de la puissance, peu

importe le régime), il ne brille pas par sa consommation qui se situe à plus de 15 litres aux cent kilomètres, selon Transport Canada. Notre essai s'est soldé par un plus réaliste 13,0 litres aux 100 km. Le problème, avec ce type de voiture, c'est qu'on est souvent porté à écraser le champignon, question de bien vérifier si notre ouïe n'a pas défailli depuis le départ de la maison... L'autre moteur, le 6,2 litres de la CLS63 AMG livre ses 503 chevaux et 465 livres-pied de couple avec une aisance émouvante. Et si nous étions charmés par la sonorité du 5,5 litres, celle du 6,2 relève carrément de la symphonie. Ce moteur, assemblé par un technicien spécialisé qui y a apposé sa signature, est une œuvre d'art, rien de moins.

Dans les deux cas, une transmission automatique à sept rapports fonctionne avec une douceur de grand-mère. Heureusement, elle n'en a pas la lenteur et les passages des rapports s'effectuent avec célérité. Les deux modèles possèdent un mode manuel qui n'est pas de la frime. Le volant de la CLS63 AMG présente des palettes encore plus agréables à utiliser, d'autant plus que le passage des rapports est plus rapide dans cette version. Cette transmission relaie la puissance aux roues arrière. Contrairement à la Classe E, l'intégrale n'est pas proposée. Si vous désirez vous payer une simili CLS63 AMG, il est possible de doter la

---

**FEU VERT**
Lignes superbes, puissance époustouflante (AMG), habitacle luxueux, rayon de braquage très court, freins de F1 (presque...)

**FEU ROUGE**
Visibilité arrière pénible, seuil du coffre élevé, consommation irréaliste (AMG), suspensions un peu dures, entretien dispendieux

CLS550 de l'ensemble «AMG Sport Package» qui, moyennant quelques milliers de dollars, offre les roues, les pneus et les palettes derrière le volant de la vraie AMG.

Contrairement à ce qu'on pourrait penser, les suspensions de la CLS550 s'avèrent un peu dures, surtout sur nos routes dignes d'une table de billard… qu'on aurait fait exploser! Mais comme les sièges sont particulièrement confortables, leur dureté est en partie annihilée. Ces suspensions proposent trois modes, soit «confort», «sport 1» et «sport 2». Si les différences ne sont pas tellement marquées entre les deux premières positions, elles le sont beaucoup plus entre la première et la dernière. La tenue de route, à moins d'exagération du pied droit combinée à une diminution du quotient intellectuel, saura satisfaire les plus exigeants. Si jamais vous présentiez les deux caractéristiques que nous venons d'énumérer, sachez que le contrôle de stabilité n'intervient pas immédiatement mais quand il se décide, il le fait très impérieusement.

Pour repousser encore plus loin les limites, la CLS63 AMG est tout indiquée. Ses suspensions tapent dur, mais ce trait est compensé par une tenue surréaliste en virage. Par contre, sur une AMG essayée en Allemagne, les pneus, très larges, avaient une tendance beaucoup trop marquée à suivre les moindres interstices de la route, surtout à basse vitesse. L'accélérateur demande un certain temps d'adaptation mais dès qu'on s'y est fait, notre conduite s'avère beaucoup plus coulée. La direction est précise et son *feedback* est très bien dosé, tandis que le rayon de braquage se montre très court.

## CHER TOIT…

Dans l'habitacle, on a déjà vu pire! Les matériaux sont de belle facture et la finition est telle qu'un moine en développerait un complexe d'infériorité. Les sièges, on l'a vu, sont très confortables à l'avant. À l'arrière aussi, mais ils sont plus difficiles d'accès, gracieuseté de la courbure prononcée du toit. De plus, l'espace pour les jambes et surtout pour la tête est sérieusement compté. La configuration du toit a une autre incidence pas très heureuse: la visibilité vers l'arrière et les trois quarts arrière n'est pas terrible.

La Classe CLS de Mercedes-Benz a marqué sa génération, et nombre de véhicules du même acabit lui emboîteront bientôt le pas. Ce qui, selon nous, représente le plus bel hommage qu'on puisse rendre aux gens de Stuttgart.

**Alain Morin**

Photos: Mercedez-Benz

### VÉHICULE D'ESSAI

| | |
|---|---|
| Version: | CLS550 |
| Emp/Lon/Lar/Haut(mm): | 2 854/4 910/1 873/1 390 |
| Poids: | 1 810 kg |
| Coffre/Réservoir: | 362 litres / 80 litres |
| Nombre de coussins de sécurité: | 6 |
| Suspension avant: | indépendante, bras inégaux |
| Suspension arrière: | indépendante, multibras |
| Freins av./arr.: | disque (ABS) |
| Antipatinage/Contrôle de stabilité: | oui / oui |
| Direction: | à crémaillère, assistée |
| Diamètre de braquage: | 11,2 m |
| Pneus av./arr.: | P245/40R18 |
| Capacité de remorquage: | non recommandé |

### MOTORISATION À L'ESSAI

Pneus d'origine MICHELIN

| | |
|---|---|
| Moteur: | V8 de 5,5 litres 32s atmosphérique |
| Alésage et course: | 97,0 mm x 84,0 mm |
| Puissance: | 382 ch (285 kW) à 6 000 tr/min |
| Couple: | 391 lb-pi (530 Nm) de 2 800 à 4 800 tr/min |
| Rapport poids/puissance: | 4,74 kg/ch (6,44 kg/kW) |
| Système hybride: | aucun |
| Transmission: | propulsion, automatique 7 rapports |
| Accélération 0-100 km/h: | 6,2 s |
| Reprises 80-120 km/h: | 5,3 s |
| Freinage 100-0 km/h: | 39,0 m |
| Vitesse maximale: | 250 km/h |
| Consommation (100 km): | super, 15,6 litres |
| Autonomie (approximative): | 513 km |
| Émissions de $CO_2$: | 6 240 kg/an |

### GAMME EN BREF

| | |
|---|---|
| Échelle de prix: | 93 200 à 128 000 $ |
| Catégorie: | berline de grand luxe |
| Historique du modèle: | 1ière génération |
| Garanties: | 4 ans/80 000 km, 4 ans/80 000 km |
| Assemblage: | Stuttgart, Allemagne |
| Autre(s) moteur(s): | V8 6,2l 503ch/ 465lb-pi (17,6 l/100km) CLS63 AMG |
| Autre(s) rouage(s): | aucun |
| Autre(s) transmission(s): | aucune |

### DANS LA MÊME CATÉGORIE

Audi A8 - BMW Série 7 - Infiniti Q45 - Jaguar XJ8 - Lexus LS 460

### DU NOUVEAU EN 2008

Équipement de série bonifié

### NOS IMPRESSIONS

| | |
|---|---|
| Agrément de conduite: | 🚗🚗🚗🚗 |
| Fiabilité: | 🚗🚗🚗🚗 |
| Sécurité: | 🚗🚗🚗🚗½ |
| Qualités hivernales: | 🚗🚗🚗🚗 |
| Espace intérieur: | 🚗🚗🚗½ |
| Confort: | 🚗🚗🚗🚗 |

### LE CHOIX DE L'ÉQUIPE

CLS550

**423**

# LA BONNE À TOUT FAIRE

Laura était servante chez un de mes amis. Cette femme réussissait à faire tout son travail et trouvait même le temps d'élever les trois enfants pourris gâtés des patrons ! Malgré la douceur infinie de Laura, les jeunes avaient intérêt à observer ses préceptes. Sinon, ceux qui se trouvaient au mauvais endroit au mauvais moment avaient droit à un bref mais intense serrage de bras. Il y a quelques années, lorsque Laura a pris sa retraite, mon ami, devenu grand et riche (c'est de famille !), lui a offert la voiture de ses rêves : une Mercedes Classe E.

Cet ami aurait cherché la voiture parfaite qu'il ne serait pas mieux tombé. La Classe E, revue l'année dernière, est la bonne à tout faire de Mercedes. Certaines versions sont toutes douces, presque « papis », une autre étonnamment économe tandis que la livrée AMG, déchaînée, a de quoi intimider. Entre ces deux extrémités, on retrouve une version familiale. Sans oublier les modèles 4Matic qui s'agrippent à la route comme Laura à un bras.

## LA GAMME EN BREF

Au bas de la gamme (le mot « bas » n'est peut-être pas très bien choisi), on retrouve la E280. Avec son moteur V6 de 3,0 litres développant 228 chevaux et sa transmission automatique à cinq rapports, la E280 ne fait pas dans la haute performance mais ne ralentit pas le trafic non plus. Comme toute Mercedes qui se respecte, le niveau de sécurité est élevé. La Mercedes-Benz E350 s'avère la plus polyvalente puisqu'elle est proposée en versions berline et familiale. Et il s'agit aussi de celle qui offre le meilleur compromis entre performances et prix. La E550, avec son gros V8 qui en met plein les oreilles, ne s'adresse pas à tous les goûts ni à toutes les bourses avec son prix d'environ 85 000 $. Mais si vous désirez une voiture capable d'en découdre avec d'imposantes sportives, cette E550 est faite pour vous. Pourtant, ce n'est rien comparativement

à la E63 AMG. Oh wow ! 507 chevaux et 465 livres-pied de couple capables de lancer ce missile de 1 880 kilos de 0 à 100 km/h en 4,5 petites secondes. Les suspensions abaissées, les pneus larges et la suspension Airmatic collent cette AMG à la route avec une incroyable ténacité. Bien entendu, il faut être prêt à se départir d'environ 120 000 $ pour accéder à de telles joies...

Toutes ces voitures, sauf les modèles AMG et Bluetec (nous en parlerons plus loin), ont droit au rouage intégral 4Matic. Munie de bons pneus d'hiver, une Classe E 4Matic peut passer à peu près n'importe où d'autant plus que plusieurs systèmes veillent sur vous (ESP, ABS, BAS, ASR, PRE-SAFE, etc.).

## PLACE À LA VEDETTE

La grande vedette de la Classe E, c'est la E320 CDI Bluetec. Son V6 de 3,0 litres turbocompressé fonctionne au diesel mais, contrairement aux anciennes générations de ce carburant, il ne pollue pratiquement pas. D'ailleurs, au dernier Salon de l'auto de New York, cette voiture a mérité le titre de « Voiture verte de l'année », devant la BMW Hydrogen 7 et la Volkswagen Polo BlueMotion. Il suffit de passer un doigt dans le tuyau d'échappement pour constater qu'il n'y a pratiquement aucun résidu de

**FEU VERT**
Moteur Bluetec révolutionnaire, sécurité de haut niveau, bon antirouille de base, confort de première classe, prestige assuré

**FEU ROUGE**
Rapport puissance/consommation pauvre (E280), coût de certaines options offusquant, sportivité en retrait (sauf AMG bien entendu !)

suie. Ce V6 ne développe que 210 chevaux mais se reprend avec un couple de 400 livres-pied disponible dès 1 600 tours/minute. Si on ne retrouve plus la fumée noire caractéristique des anciens diesels, le cliquetis propre à ce type de moteur se fait encore entendre, surtout à froid. Mais ce bruit est passablement étouffé par l'épais matériel isolant placé sous le capot. Les performances sont au rendez-vous et le plus intéressant demeure le passage à la pompe. Même en «brassant» cette lourde intermédiaire, la consommation reste sous les dix litres aux cent kilomètres, grâce à ce moteur, une note habituellement accordée à des voitures beaucoup plus petites. De là à dire que le diesel est la voie de l'avenir, il n'y a qu'un pas que l'auteur de ces lignes franchit à la course. Et lorsqu'il est associé au Bluetec, c'est le monde idéal! Le système Bluetec consiste, en gros, en une série de pots catalytiques et d'un filtre à particules qui suppriment les particules d'oxyde de nitrogène. Une solution aqueuse, appelée AdBlue, est injectée dans le système d'échappement et contribue, par une réaction chimique, à éliminer la presque totalité des éléments polluants.

Mais peu importe la Mercedes-Benz Classe E (de n'importe quelle Mercedes, en fait!), les coûts d'entretien et de réparation sont incroyablement élevés. Il suffit de regarder sous la voiture pour constater que le système d'échappement demandera l'équivalent de la valeur d'un yacht de 40 pieds lorsque viendra le temps de le changer. J'exagère un peu. Mettons 35 pieds. Chaque Mercedes compte sur un châssis d'une solidité incroyable, sur plusieurs coussins gonflables, sur une direction précise à défaut d'être communicative et sur des freins irréprochables. L'habitacle, d'un classicisme pur et dur, reproduit le silence d'une voûte. Les matériaux sont de grande qualité mais leur couleur foncée n'égaye pas beaucoup l'atmosphère. De plus, certaines options sont facturées à des prix indécents. Comment expliquer que pour obtenir des dossiers de siège arrière rabattables, il faille cocher un ensemble de 3 000 $? Et que dire de la chaîne audio qui ne propose, de série, qu'un lecteur à un CD?

Aux dernières nouvelles, Laura possèdait toujours sa Mercedes. Ses commentaires? Elle déplore le fait de ne pouvoir relever les essuie-glaces lorsque vient le temps de dégla-cer le pare-brise. Et elle remercie le ciel d'avoir fait d'un «p'tit morveux» un homme riche et reconnaissant!

**Alain Morin**

## VÉHICULE D'ESSAI

| | |
|---|---|
| Version : | E320 Bluetec |
| Emp/Lon/Lar/Haut(mm) : | 2 854/4 856/1 806/1 483 |
| Poids : | 1 750 kg |
| Coffre/Réservoir : | 408 litres / 80 litres |
| Nombre de coussins de sécurité : | 6 |
| Suspension avant : | indépendante, bras inégaux |
| Suspension arrière : | indépendante, multibras |
| Freins av./arr. : | disque (ABS) |
| Antipatinage/Contrôle de stabilité : | oui / oui |
| Direction : | à crémaillère, assistance variable |
| Diamètre de braquage : | 11,4 m |
| Pneus av./arr. : | P225/55R16 |
| Capacité de remorquage : | non recommandé |

## MOTORISATION À L'ESSAI

Pneus d'origine MICHELIN

| | |
|---|---|
| Moteur : | V6 de 3 litres 24s turbodiesel |
| Alésage et course : | 83,0 mm x 92,0 mm |
| Puissance : | 210 ch (157 kW) à 3 800 tr/min |
| Couple : | 400 lb-pi (542 Nm) de 1 600 à 2 700 tr/min |
| Rapport poids/puissance : | 8,33 kg/ch (11,29 kg/kW) |
| Système hybride : | aucun |
| Transmission : | propulsion, automatique 7 rapports |
| Accélération 0-100 km/h : | 8,0 s |
| Reprises 80-120 km/h : | 6,3 s |
| Freinage 100-0 km/h : | 37,0 m |
| Vitesse maximale : | 210 km/h |
| Consommation (100 km) : | diesel, 9,0 litres |
| Autonomie (approximative) : | 889 km |
| Émissions de CO2 : | 4 104 kg/an |

## GAMME EN BREF

| | |
|---|---|
| Échelle de prix : | 65 800 $ à 121 100 $ |
| Catégorie : | berline de luxe/familiale |
| Historique du modèle : | 3ième génération |
| Garanties : | 4 ans/80 000 km, 4 ans/80 000 km |
| Assemblage : | Stuttgart, Allemagne |
| Autre(s) moteur(s) : | V6 3l 228ch/ 221lb-pi (13,0 l/100km) E280 |
| | V6 3,5l 268ch/258lb-pi (12,9 l/100km) E350 |
| | V8 5,5l 382ch/391lb-pi (15,6 l/100km) E550 |
| | V8 6,2l 507ch/465lb-pi (17,2 l/100km) E63 AMG |
| Autre(s) rouage(s) : | intégrale |
| Autre(s) transmission(s) : | automatique 5 rapports |

## DANS LA MÊME CATÉGORIE

Acura RL - Audi A6 - BMW Série 5 - Jaguar S-Type - Infiniti M45 - Lexus GS 350/430 - Volvo S80

## DU NOUVEAU EN 2008

Moteur Bluetec

## NOS IMPRESSIONS

| | |
|---|---|
| Agrément de conduite : | 🚗🚗🚗🚗 |
| Fiabilité : | 🚗🚗🚗🚗 |
| Sécurité : | 🚗🚗🚗🚗½ |
| Qualités hivernales : | 🚗🚗🚗🚗 |
| Espace intérieur : | 🚗🚗🚗½ |
| Confort : | 🚗🚗🚗🚗 |

## LE CHOIX DE L'ÉQUIPE

E320 Bluetec

Photos: Mercedez-Benz

# DÉFIER LA LOGIQUE

Dans une industrie où cinq années font office d'éternité, où le design prime royalement sur la fonctionnalité, où une consommation d'essence le moindrement élevée est aussi bien perçue qu'un pasteur américain se faisant prendre avec une prostituée, la Mercedes-Benz Classe G peut être considérée comme une héroïne! Alors que, logiquement, elle n'aurait pas dû passer à travers les années 80, années drabes s'il en fut (dans le domaine de l'automobile en tout cas), le Gelandewagen, ou le G, tout simplement, est toujours vivant en 2008! L'an dernier, nous pensions que l'introduction de la Classe GL sonnerait son glas mais il n'en est rien. Compte-rendu d'un véhicule hors de l'ordinaire...

Arrivée sur le marché en 1979 (le disco, les T-Tops de Firebird, le magazine Croc, vous vous souvenez?), la Classe G était déjà bizarre. Sa carrosserie de congélateur le plaçait irrémédiablement dans une classe à part. Plusieurs années plus tard, on la pointait de l'index comme étant le véhicule le plus polluant de la planète. Pourtant, sa consommation d'essence n'est pas si élevée que ça, mais entre consommation et efficacité énergétique, il y a un grand pas que la Classe G n'a jamais pu franchir. Toujours est-il qu'on la retrouve encore dans les pages du *Guide 2008*, pas tellement différente de la version originale. Côté mécanique, par contre, c'est une autre histoire. En Amérique du Nord, Mercedes-Benz n'importe que la version à quatre portes à essence, tandis que l'Europe a droit à trois versions (quatre portes, deux portes et décapotable) et à des moteurs à essence et diesel. Or, le nombre d'unités vendues annuellement sur notre continent ne justifie sans doute pas l'importation de plusieurs modèles.

### 493 CHEVAUX?

Les versions canadiennes comprennent la G500 et la G55 AMG. La première compte sur un V8 de 5,0 litres développant 296 chevaux et 336 livres-pied de couple pour déplacer son imposante masse de 2 500 kilos, soit l'équivalent de deux Aveo et demie! Sa transmission

automatique à sept rapports dirige le couple vers les quatre roues via un rouage intégral des plus efficaces. Ce moteur peut, croyez-le ou non, faire passer la G de zéro à cent kilomètres/heure en moins de 10 secondes, au prix de quelques burn-out chez les écolos, certes... Et à peine se relèvent-ils, ces gens carburant à la pensée d'une planète propre, qu'il faut leur rappeler que Mercedes-Benz commercialise une autre Classe G, encore plus extrême. Il s'agit de la G55 AMG. Son V8 de 5,5 litres crache 493 chevaux et quelque 517 livres de couple. Puisque la transmission à sept rapports ne peut supporter un tel couple, AMG a dû se contenter de l'automatique à cinq rapports. Elle reçoit le même rouage intégral que la G500. En passant, de tous les véhicules modifiés par AMG (AMG est le pendant sportif de Mercedes-Benz au même titre que M pour BMW ou SRT pour Chrysler), seule la Classe G semble hors-norme... encore une fois.

### TROIS DIFFÉRENTIELS

Le rouage intégral de la G500 est, en fait, un système 4x4 à prise constante. Donc, les quatre roues sont toujours en prise et, si jamais le besoin s'en faisait sentir, le conducteur peut engager la gamme basse (Lo) ou bloquer un des trois différentiels quand ce ne sont pas les trois en même temps. Aidée par sa garde au sol généreuse, ses plaques de protection

**FEU VERT**
Véhicule préféré des archéologues, moteurs performants, rouage 4x4 inébranlable, luxe de première classe, excellente visibilité

**FEU ROUGE**
Véhicule démodé, énergétiquement peu efficace, aérodynamique de «bulldozer», version AMG inutile, comportement routier d'une autre époque

## VÉHICULE D'ESSAI

| | |
|---|---|
| Version : | G500 |
| Emp/Lon/Lar/Haut(mm) : | 2 850/4 680/1 760/1 945 |
| Poids : | 2 500 kg |
| Coffre/Réservoir : | 1 280 à 2 250 litres / 96 litres |
| Nombre de coussins de sécurité : | 2 |
| Suspension avant : | essieu rigide, ressorts hélicoïdaux |
| Suspension arrière : | essieu rigide, ressorts hélicoïdaux |
| Freins av./arr. : | disque (ABS) |
| Antipatinage/Contrôle de stabilité : | oui / oui |
| Direction : | à billes, assistée |
| Diamètre de braquage : | 13,3 m |
| Pneus av./arr. : | P265/60R18 |
| Capacité de remorquage : | 3 175 kg |

## MOTORISATION À L'ESSAI

| | |
|---|---|
| Moteur : | V8 de 5,0 litres 24s atmosphérique |
| Alésage et course : | 97,0 mm x 84,0 mm |
| Puissance : | 296 ch (221 kW) à 5 500 tr/min |
| Couple : | 336 lb-pi (456 Nm) de 2 800 à 4 000 tr/min |
| Rapport poids/puissance : | 8,45 kg/ch (11,47 kg/kW) |
| Système hybride : | aucun |
| Transmission : | 4X4, automatique 7 rapports |
| Accélération 0-100 km/h : | 9,7 s |
| Reprises 80-120 km/h : | 7,7 s |
| Freinage 100-0 km/h : | 47,1 m |
| Vitesse maximale : | 190 km/h |
| Consommation (100 km) : | super, 16,7 litres |
| Autonomie (approximative) : | 575 km |
| Émissions de CO2 : | 8 041 kg/an |

## GAMME EN BREF

| | |
|---|---|
| Échelle de prix : | 111 900 $ à 152 450 $ |
| Catégorie : | utilitaire sport grand format |
| Historique du modèle : | 1ière génération |
| Garanties : | 4 ans/80 000 km, 4 ans/80 000 km |
| Assemblage : | Graz, Autriche |
| Autre(s) moteur(s) : | V8 5,5l 493ch/ 517lb-pi (18,1 l/100km) G55 AMG |
| Autre(s) rouage(s) : | aucun |
| Autre(s) transmission(s) : | automatique, 5 rapports |

## DANS LA MÊME CATÉGORIE

Hummer H2 - Infiniti QX56 - Land Rover Range Rover - Lexus LX 470 / 570

## DU NOUVEAU EN 2008

Tableau de bord partiellement redessiné, caméra de recul standard, feux arrière redessinés

## NOS IMPRESSIONS

| | |
|---|---|
| Agrément de conduite : | 🚗 🚗 🚗 ½ |
| Fiabilité : | 🚗 🚗 🚗 🚗 |
| Sécurité : | 🚗 🚗 🚗 🚗 |
| Qualités hivernales : | 🚗 🚗 🚗 🚗 🚗 |
| Espace intérieur : | 🚗 🚗 🚗 🚗 |
| Confort : | 🚗 🚗 🚗 ½ |

## LE CHOIX DE L'ÉQUIPE

G500

---

et ses angles d'attaque et de départ se rapprochant de celles d'un Hummer H3, la Classe G est équipée pour veiller tard. Cependant, bien peu de gens ayant dépensé au bas mot 110 000 $ (et plus de 150 000 $ pour la G55 AMG !) vont se payer une petite virée dans le bois... Mais remarquez que le pourcentage de gens n'utilisant pas les capacités de leur VUS de 30 000 $ doit être à peu près le même !

Si la G500 peut en découdre à côté de la route, elle se montre un peu moins à l'aise dessus. Certes, les performances ne sont pas à dédaigner, mais la moindre courbe fait rapidement prendre conscience des limites de la direction, cette dernière est tellement vague que seuls les surfeurs l'apprécient ! En fait, cette imprécision devient une qualité quand, en hors route, le volant effectue un vif retour à la suite d'un contact brutal avec un obstacle. Ainsi, de nombreux pouces ont évité le plâtre. Quant aux suspensions... elles ont pour mandat de suspendre le véhicule au-dessus des roues, point. Empêcher la G500 de pencher en courbe ne fait pas partie de leur programme.

Côté luxe, par contre, la Classe G ne s'en laisse pas imposer. Tout ce que vous pouvez imaginer d'équipements électronique, pneumatique, de sécurité ou de divertissement est là. Cette année, Mercedes-Benz a revu la partie centrale du tableau de bord, question de mieux y intégrer le système de navigation. Le réceptacle contenant les jauges a lui aussi été redessiné. Aussi bizarre que cela puisse paraître dans un véhicule si gros, on s'y sent à l'étroit. Les portières et les glaces verticales et la large console centrale contribuent à ce sentiment. La visibilité est excellente, sauf vers l'arrière où le pneu de secours, accroché sur la porte bloque un peu la vision. Encore une fois victime de son apparence, la Classe G, plus petite que la GL, permet à moins de bagages d'entrer dans sa soute. Mais elle n'est pas démunie pour autant !

La Classe G de Mercedes-Benz est le plus illogique des véhicules vendus au Canada. Mais sa présence peut rassurer dans le sens où elle représente un lien avec un passé très lointain, « automobilement » parlant. Et elle est aussi le seul véhicule neuf que l'on pourrait voir sur les terrains d'exposition de voitures anciennes !

**Alain Morin**

Photos : Mercedez-Benz

# QUEL VOLUME!

Quand le prix de l'essence ne cesse de grimper, conduire un tel véhicule revêt une certaine folie. Évidemment, plusieurs diront que celui qui a de quoi se payer ce véhicule ne doit pas rouler avec de l'ordinaire, mais bien avec du super, et sans limites de budget. Alors, à quoi bon dire aux gens intéressés par ce gros VUS qu'il consomme plus de 17 litres aux 100 kilomètres et que le seul fait d'accélérer à fond fait baisser l'aiguille du réservoir d'essence à vue d'œil? Il va de soi que ce genre de véhicule n'est pas un «ami» de la planète! Espérons que ceux qui le convoitent en auront réellement besoin...

Soucieuse de l'environnement, Mercedes aura toutefois pensé à ceux dont la conscience ou le portefeuille représentent un obstacle à l'achat de ce mastodonte. C'est pourquoi le GL est aussi disponible en version diesel sous les traits d'un 6 cylindres de 3,0 litres. Entre vous et moi, c'est n'est pas tout à fait pour respecter l'environnement que ce moteur est proposé. En consommant moins de carburant, Mercedes s'assure de respecter les normes globales de consommation de la flotte, ce qui lui permet d'offrir des modèles AMG par exemple, beaucoup plus énergivores mais combien attrayants pour la clientèle! Quoi qu'il en soit, ce moteur est le bienvenu car il est très économique si on le compare à la version huit cylindres.

### TROIS PÉCHÉS!

Conduire un GL450 est une expérience bien spéciale. Oubliez le prix de détail pour quelques secondes et imaginez-vous au volant d'un des plus gros véhicules sur le marché, un Mercedes de surcroît. Vous êtes évidemment assis au-dessus de presque tous les autres conducteurs (sentiment de dominance), vous baignez dans le luxe d'un intérieur très classique (sentiment d'opulence) et vous avez sous le capot plus de cavalerie que la 5e division de l'infanterie (sentiment de puissance). Alors, comment ne pas frémir au moment d'appuyer sur l'accélérateur

et de s'enfoncer dans le siège en cuir tout en écoutant du Rachmaninov? Ah, ce que les gens riches peuvent être heureux!

Le GL se débrouille très bien sur la route: la suspension est très bien dosée et les enfilades de virages se négocient à merveille. Les accélérations sont foudroyantes si on prend en considération les dimensions et le poids du véhicule. C'est à tout le moins impressionnant. Le roulis est pratiquement absent et la direction précise. On ne peut que féliciter les concepteurs du GL et louanger l'ensemble du produit dont la conduite hors route n'a pas été négligée. À la vue du sentier, il suffira d'appuyer sur un bouton situé sur la console centrale afin de faire «grandir» le véhicule et d'ajouter quelques centimètres de plus à la garde au sol. Une fois bien campé, vous pourrez sans aucun problème vous engager dans les sentiers les plus arides. Il faut également mentionner la présence d'un système de gestion hors route qui se met en fonction par la simple pression d'un bouton additionnel, placé lui aussi sur la console centrale, juste à côté de celui servant à ajuster la suspension. Cet attirail n'attribue cependant pas au GL un qualificatif du type «Trail rated», mais assure au conducteur inexpérimenté une assistance rassurante afin de franchir certains obstacles.

**FEU VERT**
Moteur puissant, tenue de route exemplaire, insonorisation époustouflante, système audio de qualité, comportement sportif possible

**FEU ROUGE**
Consommation notable, freinage difficile à doser, accès aux places arrières ardu

**428**

## BELLES LIGNES!

Il n'est certainement pas question ici d'une certaine poudre blanche mais bien de la ligne extérieure du VUS! Avec ses ailes proéminentes, ses feux surdimensionnés et son importante surface vitrée, le GL ne fait pas ses dimensions. Ce n'est qu'en le stationnant au côté d'un véhicule utilitaire sport standard qu'on s'aperçoit de son gabarit fort imposant. Il est plus gros qu'une fourgonnette! Malheureusement, l'espace intérieur n'est pas aussi généreux que celui d'une fourgonnette. Pour les places avant et médianes, ça va. Par contre, la troisième banquette n'offre pas le confort espéré alors que l'espace disponible pour les jambes et assez réduit. Comme on dit dans le milieu automobile: y'a d'la place juste pour des enfants dans ces sièges-là! Outre ce petit détail (à moins d'avoir 5 enfants), l'intérieur du GL est très sobre et notre véhicule d'essai mariait un appliqué d'aluminium brossé au cuir noir des sièges dans une présentation très classique. Ce qui permet du coup d'assortir le GL à votre maison en pierre du style «trois portes de garage». À un prix de plus de 70 000 $, le GL propose une panoplie de gadgets très sympathiques qui nous font regretter le retour au volant de notre propre petite voiture: avertisseurs de stationnement, écrans DVD dans chaque appuie-tête, système d'élévation de la suspension, dispositif antirecul, mode hors route, écran de navigation GPS, sièges arrière chauffants, hayon arrière motorisé et phares au xénon bidirectionnels. Avons-nous aimé notre expérience à bord de la classe GL? Bien sûr que oui! Seule une petite larme coulait de notre œil à l'approche des stations d'essence. C'est qu'elle était gourmande notre monture!

Le GL fait partie d'un cercle fermé ou les concurrents directs offrent sensiblement le même produit. Seul un préjugé favorable du client fera pencher la balance d'un côté ou de l'autre lorsque viendra le temps de signer le contrat. Certains préféreront un VUS japonais (Lexus ou Infiniti) alors que d'autres voudront à tout prix un américain (Lincoln ou Cadillac). Outre ces préjugés, nous croyons que le GL est polyvalent, efficace et indémodable. Il possède en outre l'aura de la marque allemande. Si le prix vous dérange, vous n'êtes pas fait pour ce type de véhicule.

**Guy Desjardins**

---

## MERCEDES-BENZ CLASSE GL

### VÉHICULE D'ESSAI

| | |
|---|---|
| Version: | GL450 |
| Emp/Lon/Lar/Haut(mm): | 3 075/5 090/1 920/1 840 |
| Poids: | 2 430 kg |
| Coffre/Réservoir: | 300 à 2 300 litres / 100 litres |
| Nombre de coussins de sécurité: | 8 |
| Suspension avant: | indépendante, multibras |
| Suspension arrière: | indépendante, multibras |
| Freins av./arr.: | disque (ABS) |
| Antipatinage/Contrôle de stabilité: | oui / oui |
| Direction: | à crémaillère, assistance variable |
| Diamètre de braquage: | 11,6 m |
| Pneus av./arr.: | P265/60R18 |
| Capacité de remorquage: | 3 402 kg |

### MOTORISATION À L'ESSAI

Pneus d'origine MICHELIN

| | |
|---|---|
| Moteur: | V8 de 4,6 litres 32s atmosphérique |
| Alésage et course: | 92,9 mm x 86,0 mm |
| Puissance: | 335 ch (250 kW) à 6 000 tr/min |
| Couple: | 339 lb-pi (460 Nm) de 2 700 à 5 000 tr/min |
| Rapport poids/puissance: | 7,25 kg/ch (9,84 kg/kW) |
| Système hybride: | aucun |
| Transmission: | intégrale, auto. mode man. 7 rapports |
| Accélération 0-100 km/h: | 7,4 s |
| Reprises 80-120 km/h: | 6,1 s |
| Freinage 100-0 km/h: | 39,5 m |
| Vitesse maximale: | 205 km/h |
| Consommation (100 km): | super, 16,3 litres |
| Autonomie (approximative): | 613 km |
| Émissions de CO2: | 6 816 kg/an |

### GAMME EN BREF

| | |
|---|---|
| Échelle de prix: | 71 500 $ à 91 000 $ |
| Catégorie: | utilitaire sport grand format |
| Historique du modèle: | 1ière génération |
| Garanties: | 4 ans/80 000 km, 4 ans/80 000 km |
| Assemblage: | Tuscaloosa, Alabama, É-U |
| Autre(s) moteur(s): | V6 3,0l 215ch/ 398lb-pi (11,6 l/100km) GL320 CDI V8 5,5l 382ch/391lb-pi GL550 |
| Autre(s) rouage(s): | aucun |
| Autre(s) transmission(s): | aucune |

### DANS LA MÊME CATÉGORIE

Audi Q7 - Cadillac Escalade - Infiniti QX56 - Land Rover Range Rover - Lexus LX 570 - Lincoln Navigator

### DU NOUVEAU EN 2008

Nouvelle version GL550, système audio de série rehaussé, système de comm. Bluetooth de série

### NOS IMPRESSIONS

| | |
|---|---|
| Agrément de conduite: | 🚗 🚗 🚗 🚗 ½ |
| Fiabilité: | 🚗 🚗 🚗 |
| Sécurité: | 🚗 🚗 🚗 🚗 🚗 |
| Qualités hivernales: | 🚗 🚗 🚗 🚗 🚗 |
| Espace intérieur: | 🚗 🚗 🚗 🚗 🚗 |
| Confort: | 🚗 🚗 🚗 🚗 ½ |

### LE CHOIX DE L'ÉQUIPE

GL450

**429**

# LE PRÉCURSEUR INNOVE ENCORE

Dix ans se sont écoulés depuis l'arrivée du tout premier Mercedes ML, précurseur à ce moment d'une nouvelle catégorie de véhicules qui allait connaître par la suite un succès phénoménal. Plusieurs rivaux auront eu au cours des années la chance de la surpasser en ne répétant pas les mêmes erreurs, mais il faut tout de même concéder à Mercedes qu'ils ont été les premiers à oser. Aujourd'hui, Mercedes-Benz qui s'est fait violemment critiquer pour la qualité de ses produits, remet les pendules à l'heure. Un nouveau ML (déjà âgé de deux ans) nous est offert, apportant de belles innovations.

D'abord, un mot à ceux qui ont déjà roulé en ML. Il serait compréhensible que vous, anciens propriétaires de ML, ne vouliez plus prendre le risque de vous retrouver avec une montagne de problèmes, comme ce fut le cas avec votre précédent véhicule. Toutefois, j'oserais dire que Mercedes a réussi à améliorer ce nouveau ML à tous les niveaux. La qualité semble être au rendez-vous et les plaintes des propriétaires sont en baisse. Voilà qui vous rassurera peut-être. Maintenant, est-ce suffisant ?

Bien sûr que non, car une simple amélioration de la fiabilité ne peut faire le poids face aux MDX, Q7, X5, RX, LR3 et XC90 qui connaissent un grand succès. Dans certains cas, ces VUS sont même la vache à lait, donc le meilleur vendeur de leur constructeur respectif ! Voilà pourquoi Mercedes ne pouvait s'asseoir sur ses lauriers. De ce fait, ils proposent pour 2008 un véhicule extrêmement intéressant et à la fine pointe de la technologie. Et pour s'assurer d'un très large auditoire (aussi large qu'il puisse être), le ML se décline en quatre versions, faisant de lui le VUS intermédiaire de luxe à la gamme la plus complète.

## L'ART DU RAFFINEMENT
Au premier regard, on constate que les stylistes n'ont pas tenté de

révolutionner la chose, au risque de déplaire. On s'est contenté de raviver les traits du modèle initial qui grâce à son style, a connu un succès immédiat. Plus profilé, il affiche cependant une allure plus distinguée qui risque d'attirer une autre catégorie d'acheteurs. Bien sûr, la version ML63 AMG annonce un caractère esthétique nettement plus sportif, mais ça n'a rien de déplacé.

Chez le concessionnaire, vous aurez le choix entre le ML et le GL. Le second, plus costaud d'apparence, propose l'avantage d'une troisième rangée de sièges, ce que notre sujet ne fait pas. Il partage malgré tout plusieurs éléments avec le ML, à commencer par sa planche de bord, dont le dessin est très élégant. Cette dernière est également ergonomique, ce qui n'est pas le cas de plusieurs de ses rivaux. Le secret ? L'absence d'un centralisateur informatique dont l'utilisation exige parfois une maîtrise en informatique...

Désormais, le ficelage de cet habitacle tient du grand art. La qualité d'assemblage est rigoureuse et les matériaux utilisés laissent voir l'image que Mercedes a toujours souhaité refléter. Et bien sûr, les sièges sont d'un grand confort, qu'importe l'endroit où vous vous assoyez.

**FEU VERT**
Un moteur diesel (merci !), comportement routier exemplaire, confort exceptionnel, finition intérieure irréprochable, *look* plus distingué

**FEU ROUGE**
Consommation démesurée (ML63 AMG), facture à l'allemande, beaucoup d'options, fiabilité à long terme inconnue

## POUR OU CONTRE LA PLANÈTE

À vous de choisir : Mercedes vous offre d'abord le choix traditionnel d'un V6 et d'un V8. Le premier procure de bonnes performances alors que le second, qui voit cette année sa puissance passer à 382 chevaux, incite à la délinquance au volant. Dans les deux cas, vous bénéficiez d'une souplesse et d'une douceur considérables, mais il est clair que le V8 déchaîne une rage que le V6 n'a pas.

Si vous êtes de ceux qui, sans regrets, font brûler leurs vieux pneus en guise de feux de camp, Mercedes vous propose le plus polluant de tous les VUS de notre marché selon Énerguide. Le ML63 AMG, fort de ses 503 chevaux, rejette dans l'atmosphère plus d'émissions de $CO_2$ que n'importe quel autre véhicule du genre, incluant le Hummer ! Pour se faire pardonner, le constructeur a lancé l'an dernier la version ML320 CDI, qui me semble de loin la plus intéressante. Avec elle, on obtient essentiellement les mêmes performances qu'avec le V6. Toutefois, ce moteur turbodiesel nous permet de bénéficier d'un très grand couple tout en ne consommant que 70 % du carburant. Voilà donc un VUS de luxe costaud et performant au rendement exceptionnel, qui contribue par le fait même à réduire votre consommation, diminuant ainsi les gaz à effet de serre. Vous êtes sceptique ? Que diriez-vous de parcourir 847 kilomètres avec un seul plein ? C'est ce que j'ai fait !

Confort et maniabilité sont au cœur du comportement de chacun des ML. La direction précise, la traction intégrale efficace, le châssis rigide et la suspension toujours à la hauteur font du ML un utilitaire de premier rang. Ce n'est pas aussi ferme et sportif qu'un X5 mais ici, on peut certainement plaire à davantage d'acheteurs. Je vous conseille la suspension AirMatic optionnelle avec contrôle de l'amortissement : non seulement elle permet plus de polyvalence, mais son efficacité est tout simplement exceptionnelle.

Bref, le ML excelle dans l'art de satisfaire tous les désirs des nombreux acheteurs qui ne jurent désormais que par ce type de véhicule. Précurseur d'une mode qui perdure toujours, il innove aujourd'hui avec un moteur turbodiesel qui permet de contredire les écologistes qui voient d'un mauvais œil l'existence des VUS.

**Antoine Joubert**

Photos : Mercedez-Benz

---

### VÉHICULE D'ESSAI

| | |
|---|---|
| Version : | ML320 CDI |
| Emp/Lon/Lar/Haut(mm) : | 2 915/4 788/1 910/1 815 |
| Poids : | 2 210 kg |
| Coffre/Réservoir : | 833 à 2 050 litres / 83 litres |
| Nombre de coussins de sécurité : | 6 |
| Suspension avant : | indépendante, barres de torsion |
| Suspension arrière : | indépendante, multibras |
| Freins av./arr. : | disque (ABS) |
| Antipatinage/Contrôle de stabilité : | oui / oui |
| Direction : | à crémaillère, assistance variable |
| Diamètre de braquage : | 11,6 m |
| Pneus av./arr. : | P255/55R18 |
| Capacité de remorquage : | 3 265 kg |

### MOTORISATION À L'ESSAI

Pneus d'origine MICHELIN

| | |
|---|---|
| Moteur : | V6 de 3 litres 24s atmosphérique |
| Alésage et course : | 83,0 mm x 92,0 mm |
| Puissance : | 215 ch (160 kW) à 4 000 tr/min |
| Couple : | 398 lb-pi (540 Nm) de 1 600 à 2 400 tr/min |
| Rapport poids/puissance : | 10,28 kg/ch (13,99 kg/kW) |
| Système hybride : | aucun |
| Transmission : | intégrale, séquentielle 7 rapports |
| Accélération 0-100 km/h : | 8,8 s |
| Reprises 80-120 km/h : | 7,7 s |
| Freinage 100-0 km/h : | 36,4 m |
| Vitesse maximale : | 210 km/h |
| Consommation (100 km) : | diesel, 11,0 litres |
| Autonomie (approximative) : | 755 km |
| Émissions de $CO_2$ : | 5 238 kg/an |

### GAMME EN BREF

| | |
|---|---|
| Échelle de prix : | 61 400 $ à 97 500 $ |
| Catégorie : | utilitaire sport intermédiaire |
| Historique du modèle : | 2ᵉ génération |
| Garanties : | 4 ans/80 000 km, 4 ans/80 000 km |
| Assemblage : | Tuscaloosa, Alabama, É-U |
| Autre(s) moteur(s) : | V6 3,5l 268ch/258lb-pi (14,1 l/100km) ML350 |
| | V8 5,5l 382ch/391lb-pi (16,0 l/100km) ML550 |
| | V8 6,2l 503ch/465lb-pi (20,1 l/100km) ML63 AMG |
| Autre(s) rouage(s) : | aucun |
| Autre(s) transmission(s) : | aucune |

### DANS LA MÊME CATÉGORIE

Acura MDX - Audi Q7 - BMW X5 - Cadillac SRX - Infiniti FX - Land Rover LR3 - Lexus RX - Lincoln MKX - Porsche Cayenne - Saab 9-7x - Volkswagen Touareg - Volvo XC90

### DU NOUVEAU EN 2008

Nouveau moteur V8 de 5,5 litres (ML550), changeur 6 CD et système audio Harman/Kardon de série

### NOS IMPRESSIONS

| | |
|---|---|
| Agrément de conduite : | 🚗 🚗 🚗 ½ |
| Fiabilité : | 🚗 🚗 🚗 |
| Sécurité : | 🚗 🚗 🚗 🚗 ½ |
| Qualités hivernales : | 🚗 🚗 🚗 🚗 🚗 |
| Espace intérieur : | 🚗 🚗 🚗 🚗 |
| Confort : | 🚗 🚗 🚗 🚗 |

### LE CHOIX DE L'ÉQUIPE
ML320 CDI

# C'EST QUOI ÇA ?

Tout comme pour la Smart Fortwo, la Classe R de Mercedes fait tourner bien des têtes sur son passage. Non pas pour sa beauté légendaire, mais bien parce que la plupart des gens ne connaissent pas du tout ce modèle et restent drôlement surpris lorsqu'ils voient le logo étoilé sur la calandre. C'est une Mercedes, ça ? Évidemment, certains se demandent pourquoi Mercedes fait un véhicule si bizarre alors que d'autres le comparent à un corbillard. Quoi qu'il en soit, tous sont unanimes pour dire que ce modèle n'est pas le plus beau et qu'il doit être difficile à manœuvrer en ville.

En regardant nos photos, vous aurez l'impression que le véhicule ne semble pas tellement plus long qu'une Dodge Caliber mais sachez, chers lecteurs, que la R est plus longue et plus large qu'une Grand Caravan de Dodge. Le véhicule est donc plus gros qu'une fourgonnette ! L'apparence trompeuse est principalement obtenue en dotant le véhicule de pneus de 19 pouces, de phares surdimensionnés et de portières arrière allongées. En fait, si les portes arrière étaient coulissantes, on pourrait assurément parler de fourgonnette dans le cas de la classe R.

### EN PREMIÈRE CLASSE

Avec de telles dimensions extérieures, il n'est pas étonnant de retrouver un habitacle des plus spacieux. Précisons que notre véhicule d'essai disposait du toit vitré panoramique, ajoutant davantage à l'impression d'espace. Toutefois, malgré le fait que l'on s'assoit au volant d'une voiture de marque Mercedes, le luxe n'est pas à outrance mais plutôt judicieusement présenté.

Les sièges en cuir sont d'ailleurs très enveloppants et l'assise en suède permet d'obtenir un maintien latéral très surprenant en virage. La présentation générale du tableau de bord est sobre et le noir omniprésent de la planche est accentué par quelques éléments au fini d'aluminium brossé. Les diverses commandes à la console centrale sont bien disposées et toutes à portée de main. De plus, la présentation est homogène et rien ne semble avoir été greffé à la dernière minute. Le fonctionnement de la radio mérite qu'on s'y attarde, tout comme celui du système de ventilation. Impossible de tout déchiffrer en conduisant, un arrêt et la lecture du manuel du propriétaire viendront résoudre bien des questionnements. Toutefois, une fois maîtrisés, ces systèmes deviennent alors faciles à opérer. Il va sans dire que l'espace disponible pour les passagers est très généreux. L'accès à la troisième banquette exige un peu de contorsions, mais aussitôt assis, on s'y sent bien à l'aise, une qualité rare pour des véhicules offrant une troisième rangée de sièges.

### SPORT TOURER, VOUS DITES ?

La Classe R arrive en trois versions, soit la R320 CDI, la R350 et la R500. Bien sûr, ces modèles réfèrent principalement à leur motorisation. Vous aurez donc compris que la 320 CDI propose une motorisation diesel. Et malgré le poids et les dimensions du véhicule, ce moteur se débrouille assez bien grâce à son couple plus que généreux à bas régime. La R350 offre, quant à elle, un V6 tandis que la R500 dispose d'un puissant moteur huit cylindres.

### FEU VERT
Freinage impressionnant, bruit de vent absent, insonorisation exemplaire, espace intérieur abondant, style provocateur

### FEU ROUGE
Roulis en virages serrés, transmission rugueuse, certains plastiques bas de gamme, dimensions extérieures encombrantes, portes arrière trop longues

Qu'importe le choix, les trois versions offrent la traction intégrale 4Matic ainsi que la suspension AIRMATIC assurant une tenue de route et un confort exceptionnels. En fait, avec son empattement de plus de 3,2 mètres et une insonorisation à couper le souffle, vos déplacements sur autoroute vous sembleront un charme et surtout une béatitude, pour ceux et celles qui veulent fuir les cris des enfants. Quelle que soit la motorisation envisagée, sachez que les accélérations sont très dynamiques et que les reprises le sont tout autant. Le freinage est supérieur à la moyenne et sa puissance ahurissante. Cependant, comme sur tous les produits Mercedes, la pédale de frein s'avère sensible et difficile à doser. La direction est bien assistée selon la vitesse et également très précise. Toutefois, malgré ses nombreuses qualités, la R est un véhicule que l'on sent lourd à manœuvrer, spécialement dans le cas de la 350. Avec un poids de plus de 2 200 kg et des dimensions titanesques, il fallait s'y attendre. Il faut donc plutôt parler d'un comportement plus «tourer» que «sport». Et c'est précisément en grande routière que la R se distingue le plus. Quelques bruits de caisse sont perceptibles en virage, mais la présence du toit panoramique vitré en est assurément la cause.

Contrairement aux années précédentes, il n'est plus possible de se faire livrer une R directement des usines d'AMG. Disposant alors d'un impressionnant moteur V8 de 6,3 litres, la R63 AMG cachait un peu plus de 500 chevaux sous le capot. Les accélérations étaient évidemment foudroyantes et les reprises tout aussi enivrantes. On a peine à imaginer l'extase procurée par le son du moteur et ce n'est qu'en appuyant sur l'accélérateur à fond qu'on assouvissait son désir de dominance. Malgré toute cette puissance, le véhicule n'affichant aucune faiblesse structurelle et l'effet de couple était pratiquement inexistant lors de fortes accélérations. La consommation se montrait toutefois à la hauteur de la puissance, c'est-à-dire énorme, frôlant les 20 l/100km en conduite «normale».

Avec une suspension AIRMATIC, un empattement démesuré, une excellente insonorisation ainsi qu'une douceur de roulement impressionnante (surtout avec le moteur V8), cette voiture s'avère un charme à conduire et propose un confort assuré pour les passagers. Le seul bémol restera son gabarit, un peu trop volumineux pour être apprécié à sa juste valeur en ville.

**Guy Desjardins**

Photos : Guy Desjardins

## VÉHICULE D'ESSAI

| | |
|---|---|
| Version : | R350 |
| Emp/Lon/Lar/Haut(mm) : | 3 216/5 156/1 923/1 661 |
| Poids : | 2 270 kg |
| Coffre/Réservoir : | 266 à 2 044 litres / 95 litres |
| Nombre de coussins de sécurité : | 6 |
| Suspension avant : | indépendante, bras inégaux |
| Suspension arrière : | indépendante, multibras |
| Freins av./arr. : | disque (ABS) |
| Antipatinage/Contrôle de stabilité : | oui / oui |
| Direction : | à crémaillère, assistance variable |
| Diamètre de braquage : | 12,4 m |
| Pneus av./arr. : | P255/55R18 |
| Capacité de remorquage : | 1 136 kg |

Pneus d'origine **MICHELIN**

## MOTORISATION À L'ESSAI

| | |
|---|---|
| Moteur : | V6 de 3,5 litres 24s atmosphérique |
| Alésage et course : | n.d. |
| Puissance : | 268 ch (200 kW) à 5 600 tr/min |
| Couple : | 258 lb-pi (350 Nm) à 2 400 tr/min |
| Rapport poids/puissance : | 8,47 kg/ch (11,52 kg/kW) |
| Système hybride : | aucun |
| Transmission : | intégrale, automatique 7 rapports |
| Accélération 0-100 km/h : | 9,0 s |
| Reprises 80-120 km/h : | 6,8 s |
| Freinage 100-0 km/h : | 41,0 m |
| Vitesse maximale : | 210 km/h |
| Consommation (100 km) : | super, 14,4 litres |
| Autonomie (approximative) : | 660 km |
| Émissions de CO2 : | 6 000 kg/an |

## GAMME EN BREF

| | |
|---|---|
| Échelle de prix : | n.d. |
| Catégorie : | multisegment |
| Historique du modèle : | 1ière génération |
| Garanties : | 4 ans/80 000 km, 4 ans/80 000 km |
| Assemblage : | Tuscaloosa, Alabama, É-U |
| Autre(s) moteur(s) : | V6 3,0l 221ch/ 398lb-pi (11,2 l/100km) R320 V8 5,0l 302ch/339lb-pi (17,5 l/100km) R500 |
| Autre(s) rouage(s) : | aucun |
| Autre(s) transmission(s) : | aucune |

## DANS LA MÊME CATÉGORIE

Chrysler Pacifica - Infiniti FX35/45 - Lexus RX 350/400h - BMW X5

## DU NOUVEAU EN 2008

Pas de changement majeur, retrait de la version AMG

## NOS IMPRESSIONS

| | |
|---|---|
| Agrément de conduite : | 🚗 🚗 🚗 |
| Fiabilité : | 🚗 🚗 🚗 🚗 |
| Sécurité : | 🚗 🚗 🚗 🚗 |
| Qualités hivernales : | 🚗 🚗 🚗 🚗 |
| Espace intérieur : | 🚗 🚗 🚗 🚗 |
| Confort : | 🚗 🚗 🚗 🚗 |

## LE CHOIX DE L'ÉQUIPE

R500

**433**

# MERCEDES-BENZ CLASSE S

# ROUES DE FORTUNE

La marque allemande Mercedes-Benz représente, pour plusieurs, le trophée ultime, la récompense d'une vie d'économies et de sueurs. Ceux-là ont bien mérité leur Mercedes Classe C ou, mieux, E. La Classe S, elle, n'est pas nécessairement un but ultime. Elle n'est que la suite logique d'une vie professionnellement bien remplie et vient généralement remplacer un modèle déjà inaccessible à la plupart des mortels. L'an dernier, Mercedes-Benz devait moderniser cette icône…

La toute dernière génération de la Classe S s'avère donc plus luxueuse, spacieuse et performante que sa devancière. Remarquez l'ordre des adjectifs… Extérieurement, les feux arrière empruntent sans vergogne à la très exclusive Maybach, tandis que les phares ont dicté ceux de la Classe CL, un coupé reprenant le châssis de la Classe S. Quant aux passages de roue très proéminents, ils auraient pu être caricaturaux mais les designers ne sont pas tombés dans le panneau de l'excès. Dans l'habitacle, les matériaux d'excellente qualité côtoient un design d'une facture sobre et de bon goût.

### QUAND LE BAS DE L'ÉCHELLE EST AU DEUXIÈME ÉTAGE…

Le ticket d'entrée à la gamme S de Mercedes-Benz se trouve dans la 550. Pour un coût d'environ 120 000 $, sans les options que l'entreprise de Stuttgart ne manque pas de facturer à prix quelquefois indécents, la Classe S mise sur un V8 de 5,5 litres de 382 chevaux et 391 livres-pied de couple. L'énergie engendrée par ce moteur est canalisée par une transmission automatique à sept rapports. C'est ainsi que, malgré ses 2025 kilos, la Classe S offre des performances éblouissantes.

Les hivers québécois ne sont peut-être plus ce qu'ils étaient il y a plusieurs décennies, mais il n'en reste pas moins qu'une bonne traction

au sol demeure primordiale quand la chaussée devient glissante. La S550 se pare du rouage 4Matic pour une couple de milliers de dollars. Cette transmission intégrale aussi sophistiquée qu'efficace permet à la grosse berline d'affronter des situations corsées sans défaillir. Prévoir environ un litre supplémentaire d'essence super par 100 kilomètres. Si ce dernier point vous fait hésiter, de grâce, tournez-vous vers une Lexus LS600h (hybride) ou vers une Hyundai Accent.

Deux autres versions de la Classe S sont proposées. Produites en quantités très limitées, les S600 et S65 AMG, avec leur V12 capable de faire pleurer Al Gore, distribuent le plaisir comme un croupier distribue des cartes. La S600 fait dans les 510 chevaux tandis que la AMG en compte 603. Franchement, de tels chiffres ne donnent leur pleine mesure que sur une piste de course et, sur les routes publiques, on peut s'amuser autant avec 510 chevaux qu'avec 603. Mais c'est sûr que les 230 000 $ demandés par la AMG paraissent bien mieux dans l'entrée de garage que les maigres 182 000 $ de la S600…

Dans tous les cas, le conducteur (la Classe S est peut-être quelquefois conduite par un chauffeur mais, dans la majorité des cas, elle sera pilotée par son propriétaire), le conducteur, donc, a droit à des performances de

**FEU VERT**
Prestige confirmé, moteurs expressifs, traction intégrale, confort de première classe, versions AMG prisées

**FEU ROUGE**
Prix démentiels (AMG), options dispendieuses, électronique complexe, système GPS plutôt sommaire, direction aseptisée

**434**

### VÉHICULE D'ESSAI

| | |
| --- | --- |
| Version : | S550 |
| Emp/Lon/Lar/Haut(mm) : | 3 165/5 210/1 872/1 473 |
| Poids : | 2 025 kg |
| Coffre/Réservoir : | 462 litres / 88 litres |
| Nombre de coussins de sécurité : | 9 |
| Suspension avant : | indépendante, multibras |
| Suspension arrière : | indépendante, multibras |
| Freins av./arr. : | disque (ABS) |
| Antipatinage/Contrôle de stabilité : | oui / oui |
| Direction : | à crémaillère, assistance variable |
| Diamètre de braquage : | 12,2 m |
| Pneus av./arr. : | P255/45R18 |
| Capacité de remorquage : | non recommandé |

### MOTORISATION À L'ESSAI

Pneus d'origine MICHELIN

| | |
| --- | --- |
| Moteur : | V8 de 5,5 litres 32s atmosphérique |
| Alésage et course : | 98,0 mm x 90,5 mm |
| Puissance : | 382 ch (285 kW) à 6 000 tr/min |
| Couple : | 391 lb-pi (530 Nm) à 3 800 tr/min |
| Rapport poids/puissance : | 5,3 kg/ch (7,21 kg/kW) |
| Système hybride : | aucun |
| Transmission : | propulsion, automatique 7 rapports |
| Accélération 0-100 km/h : | 6,3 s |
| Reprises 80-120 km/h : | 5,0 s |
| Freinage 100-0 km/h : | 37,0 m |
| Vitesse maximale : | 250 km/h |
| Consommation (100 km) : | super, 15,0 litres |
| Autonomie (approximative) : | 587 km |
| Émissions de CO2 : | 5 952 kg/an |

### GAMME EN BREF

| | |
| --- | --- |
| Échelle de prix : | 123 000 $ à 229 500 $ |
| Catégorie : | berline de grand luxe |
| Historique du modèle : | 9ième génération |
| Garanties : | 4 ans/80 000 km, 4 ans/80 000 km |
| Assemblage : | Stuttgart, Allemagne |
| Autre(s) moteur(s) : | V8 4,7l 335ch/339lb-pi (S450 4Matic) |
| | V12 5,5l 510ch/612lb-pi |
| | (18,4 l/100km) S600 |
| | V12 6l S65 AMG 603ch/738lb-pi (18,8 l/100km) |
| Autre(s) rouage(s) : | intégrale |
| Autre(s) transmission(s) : | automatique 5 rapports |

### DANS LA MÊME CATÉGORIE

Audi A8/S8 - Bentley Flying Spur - BMW Série 7 - Jaguar Série XJ - Lexus LS - Maserati Quattroporte

### DU NOUVEAU EN 2008

Version S450 4Matic à venir

### NOS IMPRESSIONS

| | |
| --- | --- |
| Agrément de conduite : | 🚗🚗🚗½ |
| Fiabilité : | 🚗🚗🚗½ |
| Sécurité : | 🚗🚗🚗🚗½ |
| Qualités hivernales : | 🚗🚗🚗🚗 |
| Espace intérieur : | 🚗🚗🚗🚗½ |
| Confort : | 🚗🚗🚗🚗½ |

### LE CHOIX DE L'ÉQUIPE

S550 4Matic

haut niveau. La direction des S550 et S550 4Matic n'est pas des plus enthousiastes mais cela change passablement quand on tombe dans la catégorie V12 ! Les suspensions font un travail formidable, rendant la Classe S aussi confortable qu'un tapis volant et assurant une tenue de route relevée même si la sportivité ne fait pas partie de ses gènes. Même sur chaussée dégradée, il est possible d'atteindre des vitesses quasiment supersoniques sans que la stabilité ne soit mise en cause. Dans les courbes, on dénote un roulis certain mais, s'il fallait que les choses se corsent, une panoplie de systèmes électroniques freinerait le véhicule avec autorité. Sur une version AMG, par contre, le système s'avère tout aussi imposant tout en étant plus permissif et, surtout, beaucoup plus progressif. Il est toutefois possible d'annuler le contrôle de la stabilité et de la traction et contrôler la voiture à l'accélérateur. Ben quoi, tous les propriétaires de Classe S font ça régulièrement… Lorsque la voiture sent que la soupe chaude, elle avise le système « Pre-Safe » qui tend les ceintures de sécurité, ferme les vitres et le toit ouvrant en attendant la collision.

### BIEN ASSIS DANS L'ÉCHELLE SOCIALE

À l'intérieur, l'ambiance demeure feutrée, peu importe les conditions de la route. Le silence est d'or, gracieuseté de glaces ultraépaisses et, la nuit venue, une lumière orange tamise l'habitacle. Superbe ! Inutile de mentionner que tous les sièges font preuve d'un confort à toute épreuve. Par contre, il faut opter pour un ensemble de près de 2 500 $ pour les avoir chauffants ! Au chapitre de l'électronique, ça pourrait être pire. Le Command Controller, une sorte de souris de console, équivalent du diabolique i-Drive de BMW, nous est apparu infiniment moins complexe dans la Mercedes-Benz. L'appuie-poignet cache un clavier téléphonique. Bravo, mais je persiste à croire que pour changer de station de radio, un bouton, facile à trouver, devrait suffire… Le coffre arrière est grand mais pas de type à y perdre une maison. Malheureusement, le dossier des sièges arrière ne s'abaisse pas et on n'y retrouve même pas de passage pour les skis !

Plus confortable mais moins sportive qu'une BMW Série 7 ou une Audi A8, moins charmeuse tout en étant beaucoup plus fiable qu'une Jaguar XJ8 et moins aseptisée que la nouvelle Lexus LS460, la Mercedes-Benz Classe S réussit, encore une fois, à marquer le pas dans la catégorie des voitures de prestige.

**Alain Morin**

Photos : Denis Duquet

# MERCEDES-BENZ CLASSE SL / SLR

# LE CLASSIQUE DES CLASSIQUES

S'il est une voiture de prestige qui est demeurée au sommet des palmarès, c'est bien la Classe SL de Mercedes-Benz. Et je ne parle pas de ventes, mais de son aura, de son prestige. C'est la première voiture « halo » de l'industrie et elle demeure la plus respectée de toutes. Elle n'est peut-être pas la plus sportive, ni la plus rapide, mais elle réussit à amalgamer un ensemble de caractéristiques qui font la référence. À son volant, vous ressentez que les gens respectent non seulement la marque, mais le modèle d'exception qu'est la SL.

Cinquième génération de ce classique, la SL actuelle a été dévoilée en 2001 et a subi plusieurs modifications esthétiques et mécaniques en 2007. Il n'en demeure pas moins que la silhouette au capot allongé et à l'arrière tronqué se reconnaît au premier coup d'œil.

**LUXE ET POLYVALENCE**

Si ce modèle jouit d'une telle réputation, c'est qu'il est capable de satisfaire les personnes à la recherche d'une voiture de grand tourisme, et également celles qui apprécient les modèles plus sportifs, plus incisifs. Il est vrai qu'avec une longueur hors tout de 4532 mm et un poids de 1 900 kg, la SL n'est pas un poids mouche ou une petite voiture. Malgré cela, elle n'est pratiquement jamais prise au dépourvu. Par ailleurs, son toit rigide amovible ajoute à sa polyvalence en plus d'assurer plus de rigidité une fois le toit en place. Malheureusement, comme tous les autres véhicules dotés de cet accessoire, la capacité du coffre est considérablement réduite une fois la coquille métallique servant de toit remisée dans le coffre.

Le modèle le plus équilibré de la gamme est indubitablement la SL550 qui, avec son moteur V8 de 5,5 litres d'une puissance de 382 chevaux, est capable d'accélérer de 0 à 100 km/h en 5,4 secondes. Ce moteur est

plus léger que les V12 optionnels, ce qui lui assure un peu plus d'agilité. Ce V8 est couplé à une boîte automatique à sept rapports qui permet de bien utiliser la bande de puissance du moteur. Si ce nombre d'équidés vous laisse sur votre appétit, il y a toujours la version SL55/AMG dont le V8 de même cylindrée produit 510 chevaux grâce à la magie de la suralimentation. Toutefois, la boîte de vitesses automatique est une unité à cinq rapports en raison du couple éléphantesque de ce moteur qui est de 531 lb-pi.

Pour les personnes qui ne se contentent que de ce qui est plus gros et plus puissant, les SL600 et SL65AMG sont à leur mesure. Les deux modèles possèdent un moteur V12, l'un de 5,5 litres l'autre de 6,0 litres, ce dernier étant doté de deux turbos. La version SL600 déploie 510 chevaux tandis que celle revue et corrigée par AMG en fournit 603. Sur ces deux modèles, on retrouve également la boîte automatique à cinq rapports, toujours en raison du couple supérieur produit par ces deux moteurs.

Il est possible de différencier un modèle de l'autre à l'aide de quelques astuces au niveau de la carrosserie, par des roues différentes ou par des écussons. Mais peu importe le moteur ou le modèle, toutes les SL se

**FEU VERT**
Silhouette d'enfer, choix de moteurs, tenue de route sans faille, boîte automatique sept rapports, finition impeccable

**FEU ROUGE**
Prix élevé, SL 600 moins agile, usure rapide des pneus, coffre exigu une fois le toit baissé

## VÉHICULE D'ESSAI

| | |
|---|---|
| Version : | SL550 |
| Emp/Lon/Lar/Haut(mm) : | 2 560/4 532/2 033/1 298 |
| Poids : | 1 910 kg |
| Coffre/Réservoir : | 235 litres / 80 litres |
| Nombre de coussins de sécurité : | 4 |
| Suspension avant : | indépendante, bras inégaux |
| Suspension arrière : | indépendante, multibras |
| Freins av./arr. : | disque (ABS) |
| Antipatinage/Contrôle de stabilité : | oui / oui |
| Direction : | à crémaillère, assistance variable électrique |
| Diamètre de braquage : | 11,0 m |
| Pneus av./arr. : | P255/40R18 / P285/35R18 |
| Capacité de remorquage : | non recommandé |

## MOTORISATION À L'ESSAI

Pneus d'origine MICHELIN

| | |
|---|---|
| Moteur : | V8 de 5,5 litres 24s atmosphérique |
| Alésage et course : | 98,0 mm x 90,5 mm |
| Puissance : | 382 ch (285 kW) à 6 000 tr/min |
| Couple : | 391 lb-pi (530 Nm) de 2 800 à 4 800 tr/min |
| Rapport poids/puissance : | 5 kg/ch (6,8 kg/kW) |
| Système hybride : | aucun |
| Transmission : | propulsion, automatique 7 rapports |
| Accélération 0-100 km/h : | 5,4 s |
| Reprises 80-120 km/h : | 4,1 s |
| Freinage 100-0 km/h : | 37,0 m |
| Vitesse maximale : | 210 km/h |
| Consommation (100 km) : | super, 16,5 litres |
| Autonomie (approximative) : | 485 km |
| Émissions de CO2 : | 6 432 kg/an |

## GAMME EN BREF

| | |
|---|---|
| Échelle de prix : | 133 500 $ à 248 000 $ |
| Catégorie : | coupé/cabriolet |
| Historique du modèle : | 9ème génération |
| Garanties : | 4 ans/80 000 km, 4 ans/80 000 km |
| Assemblage : | Bremen, Allemagne |
| Autre(s) moteur(s) : | V8 5,5l 510ch/531lb-pi |
| | (17,4 l/100km) SL55 AMG |
| | V8 5,5l 617ch/575lb-pi McLaren SLR |
| | V12 5,5l 510ch/612lb-pi (18,5 l/100km) SL600 |
| | V12 6,0l 603ch/738lb-pi (19,0 l/100km) SL65 AMG |
| Autre(s) rouage(s) : | aucun |
| Autre(s) transmission(s) : | automatique 5 rapports |

## DANS LA MÊME CATÉGORIE

Dodge Viper - Jaguar XKR - Porsche 911 turbo

## DU NOUVEAU EN 2008

SLR McLaren Roadster

## NOS IMPRESSIONS

| | |
|---|---|
| Agrément de conduite : | 🚗🚗🚗🚗½ |
| Fiabilité : | 🚗🚗🚗🚗½ |
| Sécurité : | 🚗🚗🚗 |
| Qualités hivernales : | 🚗🚗½ |
| Espace intérieur : | 🚗🚗½ |
| Confort : | 🚗🚗🚗½ |

## LE CHOIX DE L'ÉQUIPE

SL550

---

démarquent par une tenue de route stable en ligne droite et une rassurante adhérence dans les virages. Toutefois, les moteurs V12 font sentir leur présence à cause de leur poids plus élevé et viennent perturber quelque peu l'équilibre d'ensemble, surtout dans les virages serrés. Avec une SL600 ou SL65AMG, vous gagnerez la bataille du prestige ou des accélérations en ligne droite, mais vous devrez tenir compte de ce poids supplémentaire à l'avant. Le modèle offrant la meilleure performance et la meilleure tenue de route est donc la SL55 AMG. Mais ce serait ignorer la SLR McLaren.

### DEUX BONNES NOUVELLES

Il est vrai que cette voiture hors de prix n'est fabriquée à la main que sur commande et son prix de vente est de 450 000 dollars US, mais il faut tout de même vous annoncer deux bonnes nouvelles. La première est la hausse du dollar canadien face au dollar américain, ce qui pourrait inciter l'un de vous à faire une «folie» puisque notre peso du nord a pris du muscle. La seconde bonne nouvelle est l'arrivée d'une version roadster de ce bolide de légende.

Tandis que la SL est de type «deux dans un», les SLR peuvent être commandées en version coupé ou roadster. Ce dernier n'est pas doté d'un toit amovible rigide, mais d'une capote en toile. Malgré tout, la vitesse de pointe est similaire à celle du coupé : 322 km/h !

Dans les deux cas, la carrosserie et le châssis sont réalisés en grande partie en fibre de carbone pour obtenir la rigidité et la légèreté voulues. Ils se partagent le même moteur V8 5,5 litres AMG suralimenté, monté en position centrale avant et produisant 626 chevaux. Cette cavalerie explique le temps de 3,8 secondes pour effectuer le 0-100 km/h. Par contre, la seule boîte de vitesses offerte une automatique à cinq rapports avec commande de passages des vitesses avec des pastilles derrière le volant.

Voilà donc un duo qui fera frémir les environnementalistes et qui passionnera les amateurs de voitures racées et performantes.

**Denis Duquet**

Photos : Mercedes-Benz

# PLAISIR SANS COMPROMIS

Offerte depuis 2005 en modèle de seconde génération, la Mercedes-Benz SLK se veut le roadster le plus abordable du constructeur, affrontant notamment des véhicules tels l'Audi TT, la BMW Z4 et la Porsche Boxster, trois modèles qui ne sont pas du tout piqués des vers. Dans ce créneau, la SLK tire son épingle du jeu en raison de son choix de modèles, de son habitacle plus luxueux et surtout, grâce à son toit rigide qui permet de combiner les avantages du cabriolet et du coupé sport. Bref, une voiture qui laisse place à peu de compromis.

**S**i deux versions existaient initialement, une troisième est proposée depuis deux ans, soit une version de base, plus abordable. Il faut comprendre que comme toutes les Mercedes, la SLK nous arrive avec une facture assez salée... On est loin de la voiture de M. Tout-le-Monde. On retrouve donc à la base une version 280 qui est propulsée par un moteur V6 de 3,0 litres de 228 chevaux. Certes un peu moins sportive, on appréciera de cette version son prix inférieur et un niveau d'équipement somme toute respectable. Voilà une SLK un peu plus accessible à la masse.

### MOINS ABORDABLES, MAIS PLUS INTÉRESSANTES

Certainement la version la plus intéressante, la SLK 350 rehausse d'un cran les performances grâce à son V6 de 3,5 litres développant 268 chevaux. Pas mal si l'on tient compte du poids de la voiture, supérieur à quelques rivales. Ceux qui sont friands d'exclusivité et de puissance pourront se rabattre sur le modèle SLK 55 AMG, un véritable bolide offert en quantité limitée et affligé d'une liste d'attente. La SLK 55 AMG propose un puissant moteur V8 de 355 chevaux, et se distingue par une boîte de vitesses automatique à sept rapports 7G-TRONIC offerte de série, alors que les deux autres versions reçoivent de série une boîte manuelle à six rapports.

Dans le segment des cabriolets biplaces, le style se révèle assurément un des éléments les plus importants, aux côtés du prestige de la marque, bien entendu. À ce propos, la SLK ne déçoit pas. Avec ses proportions typiques des roadsters, soit un long capot, un habitacle reculé et des porte-à-faux réduits, la SLK fait tourner les têtes, surtout en version AMG qui hérite d'encore plus de caractère. Le style de la SLK nous apparaît fortement inspiré de celui de la SL et même de la SLR McLaren, ce qui nous fait véritablement sentir que la SLK descend d'une lignée de grandes sportives.

### TOIT RIGIDE ESCAMOTABLE

L'élément le plus notable et qui la démarque face à la concurrence est sans contredit son toit rigide rétractable. Ce type de toit éclipse de plus en plus les capotes souples puisqu'il possède tous les avantages des toits rigides sans aucunement altérer le style de la voiture, ce qui n'est pas le cas de tous les cabriolets à toit souple. D'une simple pression d'un bouton, la voiture se transforme en cabriolet en environ 22 secondes. C'est un spectacle technologique impressionnant de voir le toit se plier et se ranger dans la valise. Un cache-bagages rigide permet de circonscrire le toit et évite tout choc entre les éléments du toit et les bagages. Une fois le toit abaissé, il reste tout de même assez d'espace de chargement pour ranger quelques articles, hormis votre sac de golf.

**FEU VERT**
Toit rigide, conduite emballante, rigdité du châssis, habitacle soigné, système AIRSCARF

**FEU ROUGE**
Prix des options, habitabilité, volume du coffre, partie avant fragile

## UN SOUFFLE D'AIR CHAUD

Mercedes a innové en présentant un nouveau système très intéressant et unique au constructeur. Baptisé AIRSCARF, ce système vous permet d'allonger la saison estivale. Appuyez sur un bouton et le AIRSCARF dirigera un flux d'air chaud dans votre cou, via des buses d'aération aménagées à même les appuie-têtes. En outre, des sièges chauffants vous procureront un confort supérieur lorsque la température sera moins favorable. Bien entendu, ce système s'avère optionnel, comme c'est la mode dans les véhicules de luxe...

Au plan dynamique, la SLK démontre des aptitudes sportives tout aussi intéressantes que plusieurs rivales de renom. Normalement, Mercedes s'oriente un peu plus vers le luxe et le confort que vers la sportivité pure, si l'on ne tient pas compte de la gamme AMG. Dans le cas de la SLK, on retrouve non seulement une voiture luxueuse et confortable, mais également un véhicule qui fait preuve d'un comportement sportif à souhait. On apprécie la rigidité du châssis qui offre peu de torsion ou de vibrations, bien appuyé par une suspension sport clouant la voiture au bitume lors des virages. Grâce à une direction précise, on aime diriger le museau pointu de la voiture, de virage en virage, là ou la voiture dévoile ses réelles aptitudes. Le V6 de 3,5 litres de la SLK 350 ne ménage pas ses efforts et fournit amplement de puissance pour vous clouer au siège, tout en émettant une riche sonorité par la même occasion. Son couple généreux est disponible à bas régime, ce qui favorise les reprises.

La boîte manuelle à six rapports se révèle le meilleur atout pour quiconque affectionne les plaisirs de la conduite sportive. Agréable et précise, elle permet de bien exploiter la puissance disponible, surtout dans la SLK 280. La boîte automatique à sept rapports, la seule offerte dans la SLK AMG, n'est pas dénudée d'intérêt non plus, se révélant tout aussi performante que la boîte manuelle. Cependant, de par sa nature, elle enlève quelque peu le plaisir de conduite. Même les commandes manuelles situées sur le volant ne réussissent pas à nous donner tout l'enthousiasme d'une boîte manuelle.

Si mon titre mentionne que la SLK représente le plaisir sans compromis, c'est n'est pas tout à fait vrai. Le seul compromis à faire est de devoir laisser la voiture à la maison lorsque vous avez plus que deux passagers... Tout ne peut être parfait !

**Sylvain Raymond**

Photos : Sylvain Raymond

## VÉHICULE D'ESSAI

| | |
|---|---|
| Version : | SLK350 |
| Emp/Lon/Lar/Haut(mm) : | 2 430/4 089/1 969/1 296 |
| Poids : | 1 495 kg |
| Coffre/Réservoir : | 190 litres / 70 litres |
| Nombre de coussins de sécurité : | 4 |
| Suspension avant : | indépendante, multibras |
| Suspension arrière : | indépendante, multibras |
| Freins av./arr. : | disque (ABS) |
| Antipatinage/Contrôle de stabilité : | oui / oui |
| Direction : | à crémaillère, assistée |
| Diamètre de braquage : | 10,6 m |
| Pneus av./arr. : | P225/45ZR17 / P245/40ZR17 |
| Capacité de remorquage : | non recommandé |

Pneus d'origine MICHELIN

## MOTORISATION À L'ESSAI

| | |
|---|---|
| Moteur : | V6 de 3,5 litres 24s atmosphérique |
| Alésage et course : | 92,9 mm x 86,0 mm |
| Puissance : | 268 ch (200 kW) à 6 000 tr/min |
| Couple : | 258 lb-pi (350 Nm) de 2 400 à 5 000 tr/min |
| Rapport poids/puissance : | 5,58 kg/ch (7,59 kg/kW) |
| Système hybride : | aucun |
| Transmission : | propulsion, auto. mode man. 7 rapports |
| Accélération 0-100 km/h : | 5,5 s |
| Reprises 80-120 km/h : | 5,9 s |
| Freinage 100-0 km/h : | 45,0 m |
| Vitesse maximale : | 250 km/h |
| Consommation (100 km) : | super, 12,5 litres |
| Autonomie (approximative) : | 560 km |
| Émissions de CO2 : | 5 088 kg/an |

## GAMME EN BREF

| | |
|---|---|
| Échelle de prix : | 60 500 $ à 87 500 $ |
| Catégorie : | roadster |
| Historique du modèle : | 2ème génération |
| Garanties : | 4 ans/80 000 km, 5 ans/120 000 km |
| Assemblage : | Bremen, Allemagne |
| Autre(s) moteur(s) : | V6 3,0l 228ch/ |
| | 221lb-pi (12,1 l/100km) SLK280 |
| | V8 5,5l SLK55 AMG 355ch/376lb-pi (15,0 l/100km) |
| Autre(s) rouage(s) : | aucun |
| Autre(s) transmission(s) : | manuelle 6 rapports |

## DANS LA MÊME CATÉGORIE

Audi TT - BMW Z4 - Honda S2000 - Lotus Elise - Porsche Boxster

## DU NOUVEAU EN 2008

Nouveau groupe sport, nouveau groupe divertissement

## NOS IMPRESSIONS

| | |
|---|---|
| Agrément de conduite : | 🚗 🚗 🚗 🚗 ½ |
| Fiabilité : | 🚗 🚗 🚗 🚗 |
| Sécurité : | 🚗 🚗 🚗 🚗 |
| Qualités hivernales : | 🚗 🚗 🚗 |
| Espace intérieur : | 🚗 🚗 🚗 ½ |
| Confort : | 🚗 🚗 🚗 🚗 |

## LE CHOIX DE L'ÉQUIPE

SLK350

Voiture économique

# LA SUITE LOGIQUE

La gamme des Mini Cooper s'enrichit en 2008 d'un tout nouveau modèle à empattement allongé appelé Clubman. Ainsi, la marque étoffe son offre et propose une voiture plus spacieuse à ceux qui sont tombés sous le charme de la séduisante anglaise, mais qui ne l'achetaient pas parce qu'ils la jugeaient trop petite et pas assez pratique. La Mini Cooper moderne s'inspire donc encore et toujours du passé, puisqu'un modèle Clubman Estate a déjà fait partie de la famille Mini entre 1960 et 1982.

Le modèle Clubman se démarque des Mini habituelles par l'adoption de deux portes s'ouvrant à l'horizontale qui remplacent le hayon à ouverture verticale, et surtout par la présence d'une troisième portière à ouverture inversée du côté droit de la voiture permettant un accès plus facile pour les passagers arrière.

Il est intéressant de noter que cette porte suicide, appelée Clubdoor, sera toujours du côté droit de la voiture, même dans le cas des modèles destinés aux pays où la conduite est à droite, ce qui fait en sorte que ces voitures seront équipées de deux portes côté conducteur et d'une seule côté passager. Cette situation a d'ailleurs provoqué des protestations de la part des journalistes spécialisés en automobile en Grande-Bretagne, pays d'origine de la Mini...

La Mini Clubman est plus longue de vingt-quatre centimètres et son empattement a progressé de huit centimètres, ce qui fait que la transformation n'est pas tellement radicale et que le volume d'espace habitable ainsi que le volume du coffre n'auront été que légèrement améliorés. Déclinée en deux versions, Mini Clubman et Mini Clubman S, ces nouvelles variantes héritent des mêmes motorisations que celles des Mini habituelles, mais comme le poids est supérieur en raison des dimensions accrues de la Clubman, il faut s'attendre à des performances un peu en retrait par rapport aux modèles déjà connus.

## CABRIOLETS ET TRACTION INTÉGRALE

Il faut également prévoir dans un avenir rapproché l'arrivée des modèles cabriolet élaborés sur la plus récente version de la Mini Cooper et de sa variante S, toutes deux lancées en 2007, et il est aussi question que la Mini puisse recevoir la traction intégrale dès 2009. Ces modèles à traction intégrale seraient le fruit d'une collaboration entre BMW et le spécialiste des boîtes de vitesses Getrag ou encore d'un partenariat avec Magna Steyr qui assemble déjà les X3 pour BMW dans son usine autrichienne. Histoire à suivre...

En attendant l'arrivée de la Clubman dans le premier tiers de 2008 et des modèles cabriolets des Mini Cooper et Cooper S qui suivront, les Mini poursuivent leur route sans grands changements puisqu'elles ont été renouvelées l'an dernier. Les modifications les plus importantes ont été apportées aux motorisations qui sont maintenant assurées par un nouveau moteur 4 cylindres de 1,6 litre qui adopte l'injection directe de carburant pour le modèle de base et la turbocompression pour la Cooper S.

**FEU VERT**
Motorisations performantes, très bonne tenue de route, boîtes manuelle et automatique à six rapports, modèles Clubman plus spacieux

**FEU ROUGE**
*Look* presqu'identique au modèle précédent, volume du coffre, espace limité aux places arrière, confort relatif

440

| VÉHICULE D'ESSAI | |
|---|---|
| Version : | Cooper S |
| Emp/Lon/Lar/Haut(mm) : | 2 467/3 699/1 683/1 407 |
| Poids : | 1 210 kg |
| Coffre/Réservoir : | 160 à 680 litres / 50 litres |
| Nombre de coussins de sécurité : | 4 |
| Suspension avant : | indépendante, jambes de force |
| Suspension arrière : | indépendante, multibras |
| Freins av./arr. : | disque (ABS) |
| Antipatinage/Contrôle de stabilité : | oui / opt. |
| Direction : | à crémaillère, assistée |
| Diamètre de braquage : | 10.6 m |
| Pneus av./arr. : | P195/55R16 |
| Capacité de remorquage : | non recommandé |

## MOTORISATION À L'ESSAI

| | |
|---|---|
| Moteur : | 4L de 1.6 litre 16s turbocompressé |
| Alésage et course : | 77.0 mm x 85.8 mm |
| Puissance : | 172 ch (128 kW) à 5 500 tr/min |
| Couple : | 177 lb-pi (240 Nm) à 4 000 tr/min |
| Rapport poids/puissance : | 7.37 kg/ch (10 kg/kW) |
| Système hybride : | aucun |
| Transmission : | traction, manuelle 6 rapports |
| Accélération 0-100 km/h : | 7.0 s (estimé) |
| Reprises 80-120 km/h : | 7.5 s (estimé) |
| Freinage 100-0 km/h : | 41.1 m (estimé) |
| Vitesse maximale : | 215 km/h |
| Consommation (100 km) : | super, 8.0 litres |
| Autonomie (approximative) : | 625 km |
| Émissions de CO2 : | 3 408 kg/an |

Développé par BMW, ce nouveau moteur a intéressé le groupe PSA qui s'est allié à BMW dans un nouveau partenariat permettant de réaliser des économies d'échelle. Fort de 175 chevaux, le moteur turbocompressé par deux turbines de la Cooper S est doté d'une plage de couple maximal très large, soit de 1 600 à 5 000 tours/minute, et l'abandon de la suralimentation par compresseur au profit de la turbocompression a permis de rencontrer deux objectifs, soit d'améliorer les performances et de réduire la consommation de carburant.

**SUR LE CIRCUIT**

Premier constat, la nouvelle Cooper S est plus rapide que l'ancienne et plus facile à conduire à la limite, les suspensions ayant été à la fois allégées et recalibrées tout en adoptant des barres antiroulis à l'avant comme à l'arrière. Alors que le modèle précédent faisait figure de véritable go-kart avec sa grande agilité et sa nervosité en virages rapides, la nouvelle Mini est beaucoup plus prévisible à la limite tout en conservant cette agilité propre à un go-kart, la direction du nouveau modèle étant maintenant électromécanique plutôt qu'électrohydraulique.

Bref, il s'agit toujours d'une voiture agile et incisive, mais elle est plus facile à piloter en conduite sportive, ses réactions étant prévisibles. Le secret de ces performances améliorées est imputable non seulement au nouveau moteur turbo, mais aussi aux nouvelles boîtes de vitesses, dont les versions manuelle ainsi qu'automatique comptent six rapports qui ont été allongés comparés au modèle antérieur.

Développée et mise au point à très peu de frais, la Mini Clubman vient donc ajouter à une gamme qui ne comptait que sur un seul modèle, bien que décliné en plusieurs versions. Pour les adeptes de la marque, séduits depuis le début de l'aventure par l'allure et le style de vie associés à la Mini, la Clubman présente une autre variation sur thème.

**Gabriel Gélinas**

## GAMME EN BREF

| | |
|---|---|
| Échelle de prix : | 22 950 $ à 36 600 $ (2007) |
| Catégorie : | coupé/cabriolet |
| Historique du modèle : | 2ième génération |
| Garanties : | 4 ans/80 000 km, 4 ans/80 000 km |
| Assemblage : | Oxford, Angleterre |
| Autre(s) moteur(s) : | 4L 1.6l 118ch/114lb-pi (7.3 l/100km) |
| Autre(s) rouage(s) : | aucun |
| Autre(s) transmission(s) : | séquentielle 6 rapports |

## DANS LA MÊME CATÉGORIE

Acura RSX - Ford Focus ST - Honda Civic Si - Mazda MX-5 - Volkswagen GTI - Volkswagen New Beetle / Cabrio

## DU NOUVEAU EN 2008

Nouveaux modèles Clubman et Clubman S

## NOS IMPRESSIONS

| | |
|---|---|
| Agrément de conduite : | 🚗🚗🚗🚗 |
| Fiabilité : | 🚗🚗🚗½ |
| Sécurité : | 🚗🚗🚗½ |
| Qualités hivernales : | 🚗🚗🚗🚗 |
| Espace intérieur : | 🚗🚗🚗 |
| Confort : | 🚗🚗🚗½ |

## LE CHOIX DE L'ÉQUIPE

Cooper S

Mini Clubman

# ROUTIÈRE DE STYLE

L'Eclipse s'avère certainement la voiture qui a la meilleure renommée chez Mitsubishi, et ce, même avant son arrivée en sol canadien en 2002. La réputation de ce coupé sport traversait notre frontière alors que plusieurs passionnés admiraient déjà cette voiture. Chez nous, on pouvait à l'époque se tourner vers l'Eagle Talon, un modèle équivalent vendu par Chrysler. Depuis quelques années maintenant, l'Eclipse fait partie de notre paysage et il faut avouer que Mitsubishi ne ménage pas ses efforts pour en faire un coupé sport de choix.

Tandis qu'une nouvelle génération nous était présentée il y a deux ans, 2007 marquait l'arrivée du cabriolet. Si le coupé se distingue par ses lignes ultrasportives, le cabriolet offre de son côté le plaisir de la conduite à ciel ouvert grâce à sa capote souple. Il faut l'admettre, les lignes de l'Eclipse de nouvelle génération sont toutes sauf banales. C'est un véhicule qui vous permettra de ne pas passer inaperçu, surtout si la carrosserie est peinte en orange Sunset. D'ailleurs, le style de l'Eclipse se révèle certainement son principal atout. On apprécie sa ceinture de caisse élevée, ses feux translucides et sa voie élargie à l'arrière. À mon avis, l'Eclipse représente l'un des plus beaux coupés sport offerts actuellement sur le marché, spécialement dans sa gamme de prix.

### UN PEU TROP DE PUISSANCE AUX ROUES AVANT

Si l'Eclipse conserve le style audacieux des modèles de génération précédente, son comportement a aussi évolué au fil des années. D'agile et sportive, elle est devenue un peu plus une voiture de grand tourisme, principalement depuis l'ajout du moteur V6. Fort de ses 263 chevaux, 260 pour le cabriolet, ce V6 de 3,8 litres dote la voiture de performances intéressantes, mais les ingénieurs n'auront pas réussi à inhiber l'effet de couple. Sous fortes accélérations, l'avant se dirige de gauche à

droite, ce qui s'avère déplaisant. De plus, le train a tendance à patiner fortement. On s'ennuie également du rouage intégral qui équipait les modèles turbo du passé. Voilà un élément qui aurait sans doute amélioré le comportement de la voiture, d'autant plus que Mitsubishi est réputé en matière de traction intégrale avec ses modèles EVO.

Si le cabriolet et le coupé GT reçoivent de série le six cylindres, les versions GS sont quant à elles nanties d'un moteur quatre cylindres de 2,4 litres développant 162 chevaux à 6000 tr/min pour un couple équivalent. Malgré son niveau d'équipement inférieur, cette version n'est pas à rejeter puisque son moteur, sans être surpuissant, s'acquitte bien de sa tâche tout en ayant une consommation moindre. Par ailleurs, son poids inférieur dote la voiture de dynamiques pratiquement égales à celles de la version à moteur V6.

Quant aux boîtes de vitesse, la plus intéressante demeure la manuelle à six rapports qui se marie aux six cylindres. Elle rehausse l'expérience de conduite tout en exploitant bien la puissance disponible. Le quatre cylindres reçoit de série une boîte manuelle à cinq rapports alors qu'une automatique à quatre rapports, cinq dans le cas de la version GT, s'avère optionnelle.

**FEU VERT**
Moteur V6 performant, style distinctif, bonne garantie, aménagement intérieur

**FEU ROUGE**
Effet de couple marqué (V6), visibilité arrière, places arrières exigües, moteur quatre cylindres un peu juste

Si le coupé offre une bonne rigidité, on se rend compte que l'ablation du toit dans le cas du cabriolet aura donné un peu plus de mollesse au châssis. Cependant, les deux modèles sont dotés d'une suspension bien adaptée et d'une direction précise, facilitant le contrôle de la voiture en virage.

## BOUM, BOUM, BOUM

Au premier regard, l'habitacle nous semble moderne, notamment en raison du style des commandes, mais également de leur disposition. On croirait une cabine de pilotage d'avion! Tout est ergonomique et simple d'utilisation. Les sièges sont enveloppants et leur maintien favorise une conduite un peu plus sportive. Difficile de résister à la teinte terra cotta qui rehausse grandement l'aspect de l'habitacle. Grâce à sa configuration 2+2, l'Eclipse pourra accommoder deux passagers arrière, mais disons que l'intimité sera au rendez-vous… De plus, l'angle des sièges, qui sont pratiquement droits, rendra l'assise inconfortable, et ce, assez rapidement.

Mitsubishi a toujours mis l'emphase sur les systèmes de sonorisation et l'Eclipse n'y échappe pas. Malgré une sonorité intéressante émanant du moteur V6, les audiophiles pourront se tourner vers un système audio optionnel signé Rockford Fosgate. D'une puissance de 600 watts, ce dernier comprend neuf haut-parleurs, dont un de sous-graves situé entre les banquettes arrière. Si les lignes de la voiture attirent les regards, ce système fera indéniablement friser les oreilles.

Chez les coupés sport, c'est la nouveauté et le style qui vendent. Voilà certes des éléments que possède l'Eclipse. Elle se distingue par ses lignes audacieuses et par son prix compétitif face à ses rivales. Ajoutez une excellente garantie, vous obtenez une voiture qui vous procurera amplement de plaisirs. Il ne manque qu'un comportement à la hauteur du style de la voiture pour la rendre quasi parfaite.

**Sylvain Raymond**

## VÉHICULE D'ESSAI

| | |
|---|---|
| Version : | Spyder GT V6 |
| Emp/Lon/Lar/Haut(mm) : | 2 575/4 565/1 835/1 381 |
| Poids : | 1 705 kg |
| Coffre/Réservoir : | 147 litres / 67 litres |
| Nombre de coussins de sécurité : | 4 |
| Suspension avant : | indépendante, jambes de force |
| Suspension arrière : | indépendante, multibras |
| Freins av./arr. : | disque (ABS, EBD) |
| Antipatinage/Contrôle de stabilité : | oui / non |
| Direction : | à crémaillère, assistance variable |
| Diamètre de braquage : | 12,2 m |
| Pneus av./arr. : | P235/45R18 |
| Capacité de remorquage : | non recommandé |

## MOTORISATION À L'ESSAI

| | |
|---|---|
| Moteur : | V6 de 3,8 litres 24s atmosphérique |
| Alésage et course : | 95,0 mm x 90,0 mm |
| Puissance : | 260 ch (194 kW) à 5 750 tr/min |
| Couple : | 258 lb-pi (350 Nm) à 4 500 tr/min |
| Rapport poids/puissance : | 6,56 kg/ch (8,93 kg/kW) |
| Système hybride : | aucun |
| Transmission : | traction, manuelle 6 rapports |
| Accélération 0-100 km/h : | 6,9 s |
| Reprises 80-120 km/h : | 6,5 s |
| Freinage 100-0 km/h : | 39,7 m |
| Vitesse maximale : | 215 km/h |
| Consommation (100 km) : | ordinaire, 13,3 litres |
| Autonomie (approximative) : | 504 km |
| Émissions de CO2 : | 5 280 kg/an |

## GAMME EN BREF

| | |
|---|---|
| Échelle de prix : | 25 998 $ à 37 298 $ |
| Catégorie : | coupé/cabriolet |
| Historique du modèle : | 4ième génération |
| Garanties : | 5 ans/100 000 km, 10 ans/160 000 km |
| Assemblage : | Normal, Illinois, É-U |
| Autre(s) moteur(s) : | 4L 2,4l 162ch/162lb-pi (10,6 l/100km) V6 3,8l 263ch/260lb-pi (13,3 l/100km) GT Coupé |
| Autre(s) rouage(s) : | aucun |
| Autre(s) transmission(s) : | automatique 5 rapports / automatique 4 rapports / manuelle 5 rapports |

## DANS LA MÊME CATÉGORIE

Ford Mustang - Hyundai Tiburon - Mini Cooper - Toyota Solara - Volkswagen New Beetle - Volkswagen GTI

## DU NOUVEAU EN 2008

Pas de changement majeur

## NOS IMPRESSIONS

| | |
|---|---|
| Agrément de conduite : | 🚗 🚗 🚗 🚗 |
| Fiabilité : | 🚗 🚗 🚗 🚗 |
| Sécurité : | 🚗 🚗 🚗 ½ |
| Qualités hivernales : | 🚗 🚗 🚗 |
| Espace intérieur : | 🚗 🚗 🚗 ½ |
| Confort : | 🚗 🚗 🚗 ½ |

## LE CHOIX DE L'ÉQUIPE

Coupé GS manuelle

Photos : Sylvain Raymond

**443**

# MITSUBISHI ENDEAVOR

# PAS DE PUB, PAS DE CLIENTS !

En faisant l'essai de l'Endeavor, je me mettais dans la peau du vendeur Mitsubishi, peaufinant ses arguments de vente afin que les quelques rares clients qui entrent chez le concessionnaire puissent en sortir avec un contrat dans la poche. Pauvre gars! Si seulement Mitsubishi l'aidait un peu! Car il faut le dire, le principal défi avec ce véhicule, et ce, depuis le début, est d'attirer la clientèle. On a réussi avec les nouveaux Outlander et Lancer, mais l'Endeavor demeure comme la Galant, un produit ignoré. Y a-t-il quelque chose à faire pour contrer ce problème ?

**C**ertainement, car si l'Endeavor ne connaît pas de succès, ce n'est pas parce qu'il s'agit d'un mauvais produit. Au contraire, je vous avouerais même qu'à trois reprises depuis son introduction en 2004, ce véhicule m'a agréablement surpris. Mais lorsque le constructeur ne fait pas les efforts nécessaires pour peaufiner son image et que les concessionnaires semblent davantage souhaiter vendre des voitures d'occasion que les produits de leur bannière, on peut s'attendre à des résultats de ventes comme ceux de l'Endeavor. Ainsi, pendant que Nissan et Honda écoulaient en 2006 plus de 5000 Murano et Pilot, Mitsubishi parvenait tout juste à vendre 800 Endeavor...

En se concentrant sur le produit, on constate néanmoins que ce VUS est mûr et de grande qualité. Sa ligne originale, qui constitue son premier attrait, se démarque par des flancs latéraux musclés et une galerie de toit tubulaire que l'on associerait davantage à un véhicule lunaire. Le résultat peut ne pas plaire à tous, mais à tout le moins, il est audacieux. Rappelons au passage que ce véhicule est maintenant âgé de quatre ans et que son style est toujours actuel.

Chaque fois que je monte à bord de l'Endeavor, je n'ai que de bons mots pour ces sièges qui offrent un excellent confort. Celui du conducteur est

également appréciable pour la position de conduite qu'il procure, et ce, malgré l'absence d'un volant télescopique. Bien installé, le conducteur profite d'une planche de bord au design original, qui s'apparente en fait très bien aux lignes extérieures. Les gros boutons servant à la chaîne audio et au système de ventilation sont faciles à utiliser et donnent du même coup une impression de solidité rassurante. À ce propos, mentionnons que la qualité d'assemblage est relevée, même si certains matériaux font un peu bon marché.

## PAS DE TROISIÈME RANGÉE DE SIÈGES

En concevant son VUS en 2004, Mitsubishi n'a pas cru bon de le doter d'une troisième rangée de sièges, comme le proposent aujourd'hui plusieurs rivaux, ainsi que son petit frère l'Outlander. Certains se plaindront sans doute de cet aspect, mais l'absence d'un tel élément n'empêche pas Ford de connaître beaucoup de succès avec le récent Edge. L'acheteur intéressé pourra donc en contrepartie profiter d'un espace de chargement extrêmement généreux, qui peut bien sûr être agrandi en abaissant la banquette arrière.

Mitsubishi propose sous le capot de l'Endeavor son réputé V6 de 3,8 litres à simple arbre à cames en tête. Il ne s'agit pas du plus puissant

 **444**

 **FEU VERT**
Confort étonnant, véhicule stable et maniable, moteur V6 très doux, fiabilité rassurante, excellente garantie

**FEU ROUGE**
Pas de troisième banquette, véhicule mal publicisé (donc méconnu), dépréciation importante, certains concessionnaires amateurs, boîte automatique à seulement quatre rapports

ni du plus raffiné, mais son rendement est sans reproche et son couple généreux permet d'exploiter plus facilement la puissance disponible. Je vous dirais également qu'il affiche une grande douceur en vitesse de croisière et ne semble aucunement forcer pour trimbaler les quelque 1 890 kilos que pèse l'Endeavor. En revanche, j'admets que l'ajout d'un cinquième rapport à la transmission permettrait de raccourcir tous les autres et ainsi réduire les secousses au passage des vitesses ainsi que la consommation. Ne vous en faites toutefois pas, l'Endeavor consomme raisonnablement si on le compare à ses rivaux. En moyenne, il faut calculer environ 13 litres aux 100 kilomètres.

## AMENEZ-EN DES TEMPÊTES !

Je me souviendrai toujours de cette solide tempête de neige qui s'abattait sur nous au moment où j'effectuais le classique trajet Montréal-Québec, histoire de me rendre au Salon de l'auto de notre capitale. Mitsubishi m'avait alors confié un Endeavor chaussé de pneus d'hiver Bridgestone Blizzak, ce qui m'avait permis d'affronter Dame Nature sans trop de difficulté. En fait, je dirais plutôt que ce trajet a été une vraie partie de plaisir, car rares sont les véhicules de cette trempe qui m'ont semblé aussi stables en de pareilles conditions. Non seulement la direction et le rouage intégral efficace parvenaient-ils à assurer une excellente tenue de cap, mais les sièges et la suspension contribuaient également à ce que tout se passe dans un confort de première classe.

En conduite de tous les jours, je vous accorderais que l'Endeavor est un peu mou, mais il n'est certainement pas pire que les Highlander, Tribeca et Pacifica de ce monde. Tout de même, le roulis en courbe demeure important, ce qui nous rappelle parfois à l'ordre. Mais côté confort, il n'a rien à envier à personne. Un essai de quelques kilomètres vous le prouvera.

En terminant, sachez que l'Endeavor est couvert par une excellente garantie et que son taux de satisfaction et de fiabilité est supérieur à la moyenne. Et comme son prix est aujourd'hui plus compétitif, puisqu'il n'a pas vraiment augmenté en quatre ans, l'Endeavor est plus intéressant que jamais. Il faut par contre dénicher un concessionnaire digne de satisfaire vos attentes en matière de service après-vente, car certains d'entre eux manquent franchement de sérieux.

**Antoine Joubert**

Photos : Alain Morin

### VÉHICULE D'ESSAI

| | |
|---|---|
| Version : | LS AWD |
| Emp./Lon/Lar/Haut(mm) : | 2 750/4 830/1 870/1 784 |
| Poids : | 1 890 kg |
| Coffre/Réservoir : | 1 153 à 2 163 litres / 81 litres |
| Nombre de coussins de sécurité : | 6 |
| Suspension avant : | indépendante, jambes de force |
| Suspension arrière : | indépendante, multibras |
| Freins av./arr. : | disque (ABS) |
| Antipatinage/Contrôle de stabilité : | oui / oui |
| Direction : | à crémaillère, assistée |
| Diamètre de braquage : | 11,4 m |
| Pneus av./arr. : | P235/65R17 |
| Capacité de remorquage : | 1 588 kg |

### MOTORISATION À L'ESSAI

| | |
|---|---|
| Moteur : | V6 de 3,8 litres 24s atmosphérique |
| Alésage et course : | 95,0 mm x 90,0 mm |
| Puissance : | 225 ch (168 kW) à 5 000 tr/min |
| Couple : | 255 lb-pi (346 Nm) à 3 750 tr/min |
| Rapport poids/puissance : | 8,4 kg/ch (11,39 kg/kW) |
| Système hybride : | aucun |
| Transmission : | intégrale, auto. mode man. 4 rapports |
| Accélération 0-100 km/h : | 8,8 s |
| Reprises 80-120 km/h : | 7,9 s |
| Freinage 100-0 km/h : | 43,0 m |
| Vitesse maximale : | 195 km/h |
| Consommation (100 km) : | ordinaire, 14,0 litres |
| Autonomie (approximative) : | 579 km |
| Émissions de CO2 : | 5 856 kg/an |

### GAMME EN BREF

| | |
|---|---|
| Échelle de prix : | 37 078 $ à 40 168 $ (2007) |
| Catégorie : | utilitaire sport intermédiaire |
| Historique du modèle : | 1ière génération |
| Garanties : | 5 ans/100 000 km, 10 ans/160 000 km |
| Assemblage : | Normal, Illinois |
| Autre(s) moteur(s) : | aucun |
| Autre(s) rouage(s) : | traction |
| Autre(s) transmission(s) : | aucune |

### DANS LA MÊME CATÉGORIE

Ford Escape - Honda CR-V - Hyundai Santa Fe - Kia Sportage - Subaru Forester - Suzuki Grand Vitara - Toyota Rav4

### DU NOUVEAU EN 2008

Pas de changement majeur

### NOS IMPRESSIONS

| | |
|---|---|
| Agrément de conduite : | 🚗 🚗 🚗 ½ |
| Fiabilité : | 🚗 🚗 🚗 ½ |
| Sécurité : | 🚗 🚗 🚗 🚗 |
| Qualités hivernales : | 🚗 🚗 🚗 🚗 |
| Espace intérieur : | 🚗 🚗 🚗 🚗 |
| Confort : | 🚗 🚗 🚗 🚗 |

### LE CHOIX DE L'ÉQUIPE

Limited AWD

**445**

# ÉCLIPSÉE

L'arrivée de la très attendue et superbe Lancer fera assurément ombrage à la Galant. Il faut cependant dire que les ventes de la Galant n'ont jamais été très reluisantes et que l'allure du véhicule, la réputation de la marque Mitsubishi et les difficultés financières récentes du constructeur sont également des éléments qui ont repoussé les acheteurs par le passé. Pourtant, la Galant est une voiture très bien conçue et qui a été pendant longtemps un des véhicules les mieux cotés au monde. Malheureusement, le marché concurrentiel du Québec fait en sorte que la Galant y trouve difficilement sa place.

F ace aux modèles bien campés que sont la Accord, la Camry, la Mazda 6 et la Sonata, pour ne citer que les gros joueurs de la catégorie, la Galant ne fait tout simplement pas le poids. La réputation et la fiabilité des concurrents se situent à un niveau beaucoup plus élevé dans la perception générale qu'en a la population. Mauvaise publicité, mauvaise stratégie marketing ou trop marginale dans son concept, reste que Mitsubishi offre un véhicule très bien conçu mais très peu connu.

### GAMME LOGIQUE

Si l'idée de vous acheter une Galant est bien arrêtée, il vous faudra ensuite choisir parmi les différents modèles. Une version à moteur quatre cylindres, la ES, une version V6, la LS et le modèle Ralliart pour assouvir son côté « *Rapides et dangereux* ». En offrant une version à moteur quatre cylindres on s'assure de combler les acheteurs voulant économiser l'essence. Pour un peu plus de puissance et de commodités, la version à six cylindres s'avère le choix juste alors que celui qui désire davantage s'afficher pourra opter pour le modèle Ralliart. Ce dernier cache un moteur V6 plus puissant et possède une suspension abaissée, des pneus de 18 pouces à profil bas, un ensemble de jupes extérieures, un intérieur en cuir, un système audio très performant ainsi que plusieurs autres détails exclusifs au modèle. On regrette

cependant que l'allure extérieure manque nettement de panache. La Galant ne fait pas le poids devant la Lancer GTS.

Notre voiture d'essai, la Ralliart, s'avère toutefois la plus attirante de la gamme et devrait être, selon nous, ce que le modèle de base propose. Malgré qu'elle soit la plus intéressante, la voiture affiche de nombreux irritants, à commencer par la suspension un peu trop rigide qui nous fait sursauter au moindre défaut de la route... En contrepartie, cette suspension a été vraisemblablement calibrée plus rigidement afin de favoriser une tenue de route solide et un roulis minime en virage et à ce point, c'est très bien réussi. On notera également un effet de couple assez prononcé au moment où la transmission rétrograde suite à une forte accélération. La voiture a alors tendance à tirer de gauche à droite et la surprise est telle qu'on relâche immédiatement l'accélérateur. Bien dosées, les accélérations sont toutefois vives et franches. Quant à la direction, elle aurait pu être un peu plus précise compte tenu de la vocation sportive de la Ralliart. On semble avoir privilégié la mollesse typiquement rencontrée sur les anciens modèles américains. Dommage, car certains concurrents offrent une direction beaucoup plus sportive! En revanche, la transmission effectue un bon travail et la version semi-automatique de notre Ralliart nous a agréablement surpris. Il ne s'agit

**FEU VERT**
Sièges avant confortables,
espace arrière généreux, garantie rassurante,
*look* Ralliart intéressant, mécanique éprouvée

**FEU ROUGE**
Suspension trop ferme (Ralliart), design intérieur vieillot,
coffre mal insonorisé, rayon de braquage trop grand,
direction trop assistée

## VÉHICULE D'ESSAI

| | |
|---|---|
| Version : | Ralliart |
| Emp/Lon/Lar/Haut(mm) : | 2 750/4 835/1 840/1477 |
| Poids : | 1 700 kg |
| Coffre/Réservoir : | 377 litres / 67 litres |
| Nombre de coussins de sécurité : | 6 |
| Suspension avant : | indépendante, jambes de force |
| Suspension arrière : | indépendante, multibras |
| Freins av./arr. : | disque (ABS) |
| Antipatinage/Contrôle de stabilité : | oui / non |
| Direction : | à crémaillère, assistée |
| Diamètre de braquage : | 12,4 m |
| Pneus av./arr. : | P235/45R18 |
| Capacité de remorquage : | 454 kg |

## MOTORISATION À L'ESSAI

| | |
|---|---|
| Moteur : | V6 de 3,8 litres 24s atmosphérique |
| Alésage et course : | 95,0 mm x 90,0 mm |
| Puissance : | 258 ch (192 kW) à 5 750 tr/min |
| Couple : | 258 lb-pi (350 Nm) à 4 500 tr/min |
| Rapport poids/puissance : | 6,59 kg/ch (8,95 kg/kW) |
| Système hybride : | aucun |
| Transmission : | traction, automatique 5 rapports |
| Accélération 0-100 km/h : | 7,7 s |
| Reprises 80-120 km/h : | 5,5 s |
| Freinage 100-0 km/h : | 42,0 m |
| Vitesse maximale : | 185 km/h |
| Consommation (100 km) : | ordinaire, 12,8 litres |
| Autonomie (approximative) : | 523 km |
| Émissions de CO2 : | 5 088 kg/an |

## GAMME EN BREF

| | |
|---|---|
| Échelle de prix : | 24 998 $ à 34 998 $ |
| Catégorie : | berline intermédiaire |
| Historique du modèle : | 3ième génération |
| Garanties : | 5 ans/100 000 km, 10 ans/160 000 km |
| Assemblage : | Normal, Illinois, É-U |
| Autre(s) moteur(s) : | 4L 2,4l 160ch/157lb-pi (10,4 l/100km) ES |
| | V6 3,8l LS 230ch/250lb-pi (12,6 l/100km) |
| Autre(s) rouage(s) : | aucun |
| Autre(s) transmission(s) : | auto. mode man. 4 rapports |

évidemment pas de la plus rapide et de la mieux synchronisée sur le marché, mais elle s'avère un bon compromis entre une version manuelle et une transmission automatique.

### DEMI RÉTRO ?

Bien qu'on ait voulu insuffler une apparence sportive à l'extérieur avec des ajouts aérodynamiques et une couleur orange brûlée, l'aménagement intérieur vient un peu ternir l'ensemble. Hormis les sièges en cuir, la présentation n'impressionne guère. Le design rappelle celui des voitures des années 90 alors que l'emplacement de l'écran du système de navigation laisse croire qu'on a pensé à l'intégrer au tableau de bord à la dernière minute. Heureusement, le confort des sièges, les appliques en aluminium brossé et les cadrans blancs viendront un peu estomper le manque d'originalité de la Galant. Notons, à l'opposé, la très bonne insonorisation de l'habitacle et la douceur de roulement sur chaussées fraîchement pavées.

C'est cependant sur la route qu'on s'aperçoit de la conception un peu désuète de la Galant. Tout d'abord, le rayon de braquage énorme ne facilite guère les manœuvres de stationnement. Également l'appuie-tête placé beaucoup trop loin à l'arrière ne permet pas de s'installer confortablement lors de longs trajets. On remarquera aussi que les sièges arrière de la Galant ne s'abaissent pas pour permettre d'agrandir l'aire de chargement. À sa défense toutefois, bon nombre de concurrents offrent le même principe de la banquette arrière fixe. Seule une trappe au milieu de la banquette arrière permet le transport de longs éléments. Quelques points mériteraient une attention particulière notamment le coffre qui ne présente aucune finition et dont les éléments d'insonorisation sont absents. Même constat pour les portières qui ferment sèchement avec un bruit de tôle qui ne rassure guère quant à la solidité au moment d'un impact...

Avec une garantie solide et une fiabilité mécanique éprouvée, la Galant représente un très bon achat pour quiconque désire une voiture agréable à conduire en toutes circonstances. Cependant, avec le choix de modèles présenté, il ne faut pas vous laisser tenter par un modèle qui ne conviendra pas à vos besoins. En version de base, la Galant propose peu, mais assure une utilisation générale correcte alors que les versions plus onéreuses semblent plus attrayantes mais n'offrent pas nécessairement beaucoup plus.

**Guy Desjardins**

## DANS LA MÊME CATÉGORIE

Chevrolet Malibu - Dodge Avenger - Ford Fusion - Honda Accord - Hyundai Sonata - Kia Magentis - Mazda 6 - Nissan Altima - Saturn Aura - Subaru Legacy - Toyota Camry - Volkswagen Passat

## DU NOUVEAU EN 2008

Pas de changement majeur

## NOS IMPRESSIONS

| | |
|---|---|
| Agrément de conduite : | 🚗 🚗 🚗 |
| Fiabilité : | 🚗 🚗 🚗 ½ |
| Sécurité : | 🚗 🚗 🚗 ½ |
| Qualités hivernales : | 🚗 🚗 🚗 |
| Espace intérieur : | 🚗 🚗 🚗 🚗 |
| Confort : | 🚗 🚗 🚗 ½ |

## LE CHOIX DE L'ÉQUIPE

Ralliart

Photos : Mitsubishi

# LE PRODUIT CLÉ

Depuis 2003, Mitsubishi tente de se tailler une place sur le marché canadien. Débuts financiers difficiles, changements fréquents de chef de direction, manque de sérieux de certains concessionnaires, bref, tous les problèmes qu'un constructeur ne doit pas connaître étaient de la partie jusqu'à tout récemment. Résultat, le modèle le plus populaire de la gamme, la Lancer, ne s'est vendu qu'à environ 4 500 unités au Canada l'an dernier. Voilà qui est bien maigre à côté de la Civic, dont les chiffres de ventes se multiplient par 15...

**M**ais ces piètres performances commerciales sont bel et bien sur le point de s'achever. D'abord, la compagnie semble beaucoup mieux dirigée, mais on nous propose aussi depuis peu des produits plus intéressants et plus compétitifs qui répondent mieux aux besoins des Nord-américains. Parmi eux se trouve la toute nouvelle Lancer, une voiture qui ne mérite certainement plus de faire carrière que dans les parcs de voitures de location à court terme.

Aujourd'hui, la Lancer est une réelle concurrente des Mazda3, Honda Civic et GM Cobalt/G5. Ces trois rivales qui dominent actuellement le marché offrent une combinaison d'avantages qui font en sorte que la clientèle se rue aux portes des concessionnaires pour s'en procurer. Et à la suite de notre essai de la Lancer, force est de constater qu'il n'y a qu'une piètre représentation commerciale et publicitaire qui pourrait expliquer son insuccès. Bon, il faut aussi admettre que la Lancer aura aussi eu du mal par le passé à convaincre les acheteurs en raison de ses tarifs peu avantageux en location à long terme. En effet, parce que la valeur de rachat au bout du terme était beaucoup plus basse que la moyenne de ses rivales, il était difficile de proposer des mensualités de location avantageuses. Le défi de Mitsubishi était donc de convaincre les clients d'acheter plutôt que de louer, ce qui était souvent un non-sens. Aujourd'hui, le défi est plutôt de créer un engouement pour la voiture, de façon à ce que la valeur résiduelle puisse être augmentée, permettant ainsi d'offrir des modalités de location alléchantes. Et pour 2008, je suis convaincu que le produit permettra à Mitsubishi d'atteindre ses objectifs.

### SÉDUCTRICE ?

Autrefois, seuls les adeptes de performances se retournaient à la vue d'une Lancer Ralliart. D'ailleurs, cette version était en 2006 la plus vendue de toutes, ce qui n'a bien sûr aucun sens. C'est comme si on vous disait que Volkswagen vend plus de GTI que de Rabbit! Bref, voilà la preuve que la version ordinaire n'avait rien de plus à offrir qu'une bonne garantie. Toutefois, il en va autrement aujourd'hui.

Même en version DE de base, la Lancer affiche une force de caractère très accentuée. Pour cela, il faut dire merci aux stylistes qui ont su sculpter une partie avant aussi originale qu'agressive. Cette espèce de gueule de requin qui semble séduire à coup sûr est à elle seule responsable de l'attention que les gens portent à sa vue. Et c'est tant mieux, car on ne peut pas dire que le reste de la carrosserie soit aussi audacieux. Particulièrement à l'arrière, le design me semble plus générique, exception faite de ces feux aux formes trapézoïdales. En optant pour la version GTS, hiérarchiquement au sommet de la gamme, on obtient cependant un ensemble de jupes aérodynamique, un becquet arrière ainsi que des jantes de 18 pouces qui donnent à la voiture une allure dynamiquement très réussie.

À bord, la présentation intérieure n'impressionne pas outre mesure. Cette première perception est causée par l'omniprésence du noir, ce qui vous en conviendrez, n'a rien de bien vivant. De plus, à titre de décoration, on a simplement choisi d'ajouter quelques accents métalliques ou

de carbone. En contrepartie, l'instrumentation à éclairage rouge crée une ambiance finalement chaleureuse le soir venu, ce qui fait oublier cette allure généralement un peu terne.

Bien étudié, le poste de conduite s'avère en revanche très agréable au quotidien. La position de conduite est excellente et l'accès à toutes les commandes est on ne peut plus facile. En revanche, il est dommage de constater que le volant ne soit pas télescopique, même dans la version GTS. Autre élément agaçant, la jauge de température du moteur a été remplacée par un simple voyant lumineux. Pour le reste, on ne peut toutefois pas se plaindre en matière d'équipement. Pour moins de 20 000 $, la version ES, de milieu de gamme, possède tous les éléments

d'un groupe électrique : télédéverrouillage, climatisation, sièges chauffants, jantes d'alliage de 16 pouces, régulateur de vitesse et même la technologie Bluetooth. Voilà qui n'est pas mal !

Très confortables, les sièges sont idéaux pour de longs trajets. Ceux de la version DE sont recouverts d'un tissu franchement bon marché, alors que celui du conducteur n'est pas réglable en hauteur, mais outre cela, ils sont sans grands défauts. Il faut également mentionner que l'espace offert est généreux, même à l'arrière. Le coffre est pour sa part bien volumineux, mais l'accès est rendu difficile par une ouverture limitée. Qui plus est, la banquette de la version DE n'est pas rabattable.

### 27 % PLUS DE PUISSANCE !

Les maigres 120 chevaux de la Lancer 2006 (non, il n'y a pas eu de modèle 2007) faisaient un peu pitié face à la concurrence. Il fallait donc offrir pour 2008 une motorisation bien sûr plus puissante, mais qui allait aussi refléter le caractère sportif annoncé par les lignes. La solution aura été d'utiliser ce fameux *world engine* développé conjointement par Hyundai, Chrysler et Mitsubishi. Aussi monté dans la Dodge Caliber, ce moteur à priori bien ordinaire fait ici meilleure impression. C'est qu'en fait, on a conservé chez Mitsubishi que la base du moteur, tout le reste ayant été modifié. Ainsi, même s'il concède six chevaux à celui de la Caliber (152 chevaux contre 158), les performances sont plus relevées. Il faut aussi savoir que la Lancer bénéficie de 5 lb-pi de plus de couple, ce qui constitue un gros avantage.

Jumelé à une boîte manuelle à cinq rapports, ce moteur fait bonne impression. Le couple est toujours présent et la boîte bien étagée permet

**FEU VERT**
Comportement routier étonnant,
bel agrément de conduite, garantie convaincante,
confort honorable, ligne agressive

**FEU ROUGE**
Manque de couleur à bord, version DE dénudée,
dépréciation inconnue,
certains concessionnaires toujours amateurs

Photos : Denis Duquet

d'exploiter au maximum la puissance disponible. Cela se traduit au quotidien par un rendement légèrement plus doux et une consommation réduite de carburant. Grâce à des réglages électroniques différents, l'automatique à variation continue (CVT) développée par Jatco propose quant à elle un rendement plus agréable que celui de la Caliber, à défaut d'être aussi plaisant qu'une boîte automatique habituelle. Pas trop assoiffé, le moteur 2,0 litres n'a consommé lors de notre essai que 8,6 litres aux 100 kilomètres, ce qui est tout à fait acceptable. Et que vous optiez pour l'une ou l'autre des deux boîtes offertes, la consommation sera sensiblement la même.

Autrefois honnête sans plus, la Lancer est passée en 2008 dans le camp de celles qui dominent le segment en matière d'agrément, de dynamisme et de comportement. Je vous le dis tout de suite, la Lancer est beaucoup plus agile que les Sentra, Elantra, Spectra et Cobalt de ce monde, des voitures avec lesquelles la Lancer était souvent comparée. Aujourd'hui, elle se compare avec les meilleures, soit les Civic, Mazda3 et Rabbit. Bref, cette Mitsubishi jouit maintenant d'un châssis extrêmement moderne, d'une direction vive et précise et d'une suspension très bien calibrée. Il en résulte une excellente stabilité routière, une tenue de route sportive et une maniabilité presque sans pareille. Vous comprendrez que c'est donc sur la route que la voiture m'a finalement convaincu. Et ne vous en faites pas, tous ces éléments ne nuisent aucunement au confort qui, au contraire, étonne par une insonorisation supérieure à la moyenne. Seule déception, la version DE est dépourvue d'une barre antiroulis à l'arrière.

## LA SUITE

Je sais, plusieurs auraient souhaité la venue d'une version à hayon. Soyez patients, le modèle Sportback sera de retour pour 2009, et, nous dit-on, avec une ligne nettement plus dynamique que celle de sa devancière (j'espère bien !). Quant à la version Ralliart, elle devrait aussi nous arriver sous peu avec un moteur 2,4 litres dont la puissance dépassera probablement les 200 chevaux. À suivre ! Oh, sachez aussi que Mitsubishi a confirmé l'arrivée prochaine de la fabuleuse EVO X. Ultime rivale de l'Impreza WRX STi, elle bénéficiera d'un moteur 2,0 litres turbocompressé (puissance à déterminer) et d'une boîte séquentielle à six rapports. Ça promet !

**Antoine Joubert**

## VÉHICULE D'ESSAI

| | |
|---|---|
| Version : | ES |
| Emp/Lon/Lar/Haut(mm) : | 2 635/4 570/1 760/1 490 |
| Poids : | 1 335 kg |
| Coffre/Réservoir : | 328 litres / 59 litres |
| Nombre de coussins de sécurité : | 6 |
| Suspension avant : | indépendante, jambes de force |
| Suspension arrière : | indépendante, multibras |
| Freins av./arr. : | disque (ABS, EBD) |
| Antipatinage/Contrôle de stabilité : | non / non |
| Direction : | à crémaillère, assistée |
| Diamètre de braquage : | 10,0 m |
| Pneus av./arr. : | P205/60R16 |
| Capacité de remorquage : | n.d. |

## MOTORISATION À L'ESSAI

| | |
|---|---|
| Moteur : | 4L de 2 litres 16s atmosphérique |
| Alésage et course : | 86,0 mm x 86,0 mm |
| Puissance : | 152 ch (113 kW) à 6 000 tr/min |
| Couple : | 146 lb-pi (198 Nm) à 4 250 tr/min |
| Rapport poids/puissance : | 8,78 kg/ch (11,92 kg/kW) |
| Système hybride : | aucun |
| Transmission : | traction, manuelle 5 rapports |
| Accélération 0-100 km/h : | 9,1 s |
| Reprises 80-120 km/h : | 7,9 s |
| Freinage 100-0 km/h : | 41,1 m |
| Vitesse maximale : | 200 km/h |
| Consommation (100 km) : | ordinaire, 9,7 litres |
| Autonomie (approximative) : | 608 km |
| Émissions de CO2 : | n.d. |

## GAMME EN BREF

| | |
|---|---|
| Échelle de prix : | 16 598 $ à 21 698 $ |
| Catégorie : | berline compacte |
| Historique du modèle : | 5ième génération |
| Garanties : | 5 ans/100 000 km, 10 ans/160 000 km |
| Assemblage : | Mizushima, Japon |
| Autre(s) moteur(s) : | aucun |
| Autre(s) rouage(s) : | aucun |
| Autre(s) transmission(s) : | CVT |

## DANS LA MÊME CATÉGORIE

Acura CSX - Chevrolet Cobalt/Optra - Ford Focus - Honda Civic - Hyundai Elantra - Kia Spectra - Mazda 3 - Nissan Sentra - Saturn Astra - Suzuki SX4 - Toyota Corolla - Volkswagen Rabbit

## DU NOUVEAU EN 2008

Nouveau modèle

## NOS IMPRESSIONS

| | |
|---|---|
| Agrément de conduite : | 🚗 🚗 🚗 🚗 |
| Fiabilité : | Nouveau modèle |
| Sécurité : | 🚗 🚗 🚗 ½ |
| Qualités hivernales : | 🚗 🚗 🚗 ½ |
| Espace intérieur : | 🚗 🚗 🚗 🚗 |
| Confort : | 🚗 🚗 🚗 ½ |

## LE CHOIX DE L'ÉQUIPE

ES

# UN AUTRE PAS EN AVANT

Les jours d'inquiétude quant à la survie de ce constructeur en sol canadien sont bel et bien révolus. La direction actuelle de Mitsubishi Canada est passée du mode sauvetage au mode progrès et rentabilité. L'équipe en place relève directement du Japon et possède dorénavant les outils et les budgets pour aller de l'avant et progresser au chapitre des ventes. Et comme toute stratégie de relance bien structurée, cette situation repose sur une gamme de produits renouvelés dont fait partie le nouvel Outlander.

Ce modèle a joué un rôle primordial dans la survie de la marque au Canada. Avec la Lancer, également transformée du tout au tout en 2008, ce VUS urbain à défendu le fort avec honneur. Cette fois, il a droit à une refonte complète aussi bien au chapitre de sa plate-forme que du reste de sa mécanique.

### TOUT NOUVEAU

Lorsqu'une compagnie traverse une période difficile, les budgets sont plus limités et les modifications n'ont pas toujours la profondeur nécessaire. Le plus bel exemple de cet énoncé chez Mitsubishi est la Galant. Cette berline intermédiaire a eu droit à une révision en demi-teinte qui n'a pas connu beaucoup de succès. C'était trop peu sur presque toute la ligne.

Ce n'est heureusement pas le cas avec l'Outlander qui bénéficie d'une toute nouvelle plate-forme, appelée Segment-C. Celle-ci est ou sera utilisée sur plusieurs nouveaux modèles, notamment la Lancer, la Lancer Evo 10, la Sportback et l'Outlander. La Sportback est un véhicule de type *hatchback* qui sera éventuellement commercialisé. Peu importe le modèle, cette plate-forme bénéficie de voies avant et arrière plus larges, tandis que la rigidité en torsion a été améliorée de 18 pour cent et de 39 pour cent en flexion. Cette nouvelle venue est également dotée d'un toit en aluminium afin d'améliorer l'équilibre latéral et compenser un centre de gravité plus élevé. Selon le constructeur, cette approche est trois fois plus efficace que l'utilisation d'un capot en aluminium. Et Mitsubishi doit bien avoir appris une chose ou deux suite à ses sept victoires dans le Dakar, un rallye-raid disputé dans les conditions les plus extrêmes.

Comme la catégorie l'exige et pour faire jeu égal avec la concurrence, les suspensions avant et arrière sont indépendantes. Le confort et la tenue de route en bénéficient grandement. Toujours au chapitre de la mécanique, l'Outlander 2008 est équipé d'un nouveau moteur V6 développé en collaboration avec DaimlerChrysler et Hyundai. Appelé MIVEC, ce V6 3,0 litres est le premier moteur V6 offert sur l'Outlander. Sa puissance est de 220 chevaux et il est couplé à une boîte automatique à six rapports. Sur la version XLS, il est possible d'obtenir des palettes en aluminium montées derrière le volant afin de faciliter le passage des rapports. Les modèles de base sont des tractions, mais les versions plus luxueuses sont dotées du rouage intégral AWC pour «All Wheel Control». Grâce à ce mécanisme, le véhicule est une traction lorsque l'adhérence est bonne. Mais si jamais les roues avant commencent à patiner, ne serait-ce que très légèrement, le couple est progressivement transmis aux roues arrière. Enfin, il est également possible de verrouiller le système afin de répartir équitablement le couple à l'avant et à l'arrière. Grâce à un bouton monté sur la console centrale, le pilote choisit entre la traction, le rouage intégral ou il peut verrouiller celui-ci. Ceci permet d'élargir la plage d'utilisation par rapport à la version précédente qui se contentait d'un rouage intégral assez basique presque exclusivement conçu pour les routes dont la surface était peu adhérente. Le nouveau mécanisme ne place pas l'Outlander 2008 dans la catégorie des véhicules «Trail Rated» de Jeep, mais aide le véhicule à affronter des routes secondaires que la version antérieure n'aurait pu négocier.

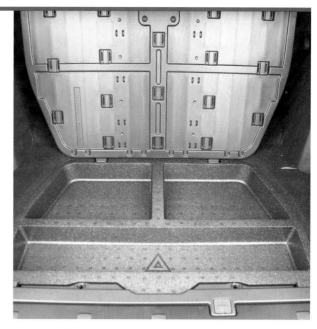

### STYLISME ÉQUILIBRÉ

Par le passé, les stylistes maison tentaient de pallier une mécanique un peu essoufflée par des designs agressifs qui étaient parfois en dehors des goûts en vigueur. D'imposants passages de roue, des museaux agressifs et des feux arrière semblant provenir de la boutique de tuning du coin essayaient de nous convaincre que le résultat global était assez étoffé. Je crois que la version précédente de l'Outlander a connu du succès en raison de sa silhouette équilibrée. C'était juste ce qu'il fallait : pas trop ringard et pas trop science-fiction non plus.

Le modèle actuel est de même inspiration, mais en plus contemporain. Ses lignes sont plus agressives  mais sans faire déborder le vase

cependant. Les phares ont une allure nettement plus moderne, tout comme la grille de calandre qui donne l'impression que toute la partie avant et fortement pointée vers le sol. Le pare-choc est doté d'une prise d'air béante surmontant un bouclier décoratif soulignant ainsi le caractère tout-terrain de ce véhicule. À l'arrière, de larges feux horizontaux permettent de le reconnaître au premier coup d'œil. Ils encadrent une lunette arrière enveloppante. En fait, c'est de profil que l'Outlander nous déçoit. Le très large pilier D est d'une certaine lourdeur en plus de venir obstruer la vue arrière pour le conducteur. Pour compenser cette masse et donner plus de relief, les stylistes ont fait appel à des vitres teintées et des piliers B et C noirs. Une astuce qui permet de sauver les meubles et qui permettra sans doute à la silhouette de convaincre plusieurs acheteurs.

Et si ce n'est pas le cas, le design de l'habitacle pourrait être l'argument qui fera la différence. Le modèle précédent était affublé d'un tableau de bord assez réussi avec des appliques en aluminium brossé et des cadrans de bonnes dimensions. Cette recette est reprise sur la version 2008 alors que les concepteurs jouent avec le contraste entre le plastique noir de la planche de bord et l'aluminium brossé cerclant les commandes et délimitant les buses de ventilation. Sur notre véhicule d'essai la qualité des matériaux était bonne et la finition adéquate. Par contre, il faut déplorer la multitude de panneaux utilisés pour constituer tableau de bord. Et comme ils ne sont pas tous exactement de la même couleur et de la même texture, c'est assez gênant.

Les places avant et arrière sont dans la bonne moyenne en fait de confort tandis que l'habitabilité est supérieure au modèle 2006. Le dossier de la banquette arrière est de type 60/40, et l'accès à la soute à

---

**FEU VERT**
Moteur V6, plate-forme rigide, rouage intégral complet, silhouette moderne, excellente garantie

**FEU ROUGE**
3e rangée symbolique, plastiques durs, routière moyenne, direction lourde, freins spongieux

bagages est facilité par la partie inférieure du hayon qui se déploie. Et les gens de Mitsubishi sont fiers de préciser qu'il est possible de transformer ce demi-hayon en marchepied arrière. En plus, il faut souligner que le seuil de chargement a été abaissé de 206 mm par rapport à l'édition 2006.

## PLUS HOMOGÈNE
La version précédente de l'Outlander se débrouillait assez bien sur la route tout en proposant une conduite adéquate en sentier. En revanche, son moteur quatre cylindres limitait ses capacités. L'arrivée en 2008 d'un moteur V6 et d'une une nouvelle boîte automatique à six rapports améliore de beaucoup les accélérations et les reprises. Ce moteur V6 pourrait être un peu plus silencieux, mais sa bande de puissance est bien répartie et les rapports sont correctement espacés. La boîte de vitesses de type manumatique est efficace et les passages des rapports sont à peine perceptibles. Toutefois, les deuxième et troisième vitesses pourraient être un peu moins longues, mais c'est une affaire de goût. Tout comme la direction qui pourrait offrir un peu plus de *feedback*.

Sur la route, la tenue en virage est stable et l'enchaînement des virages s'effectue sans problème. Toujours au chapitre de la conduite, les sièges offrent un bon support, mais j'ai eu de la difficulté à trouver une bonne position de conduite. Quant aux commandes de la climatisation, les boutons sont faciles d'opération mais leur positionnement un peu bas. Enfin, le porte-bagages émettait des bruits éoliens. Ce facteur a été perçu sur le modèle de préproduction et de production.

Somme toute, cette nouvelle cuvée marque un progrès par rapport au modèle antérieur. C'est sûr que la progression aurait pu être plus spectaculaire, mais c'est quand même un pas en avant. Si cet argument ne vous convainc pas, il est certain que chez Mitsubishi, on vous vantera la longueur de la garantie. Et pour compléter le portrait, l'Outlander a décroché le premier rang de notre match comparatif des VUS compacts (voir en première partie de ce *Guide*).

**Denis Duquet**

Photos : Denis Duquet

### VÉHICULE D'ESSAI

| | |
|---|---|
| Version : | XLS |
| Emp/Lon/Lar/Haut(mm) : | 2 670/4 640/1 800/1 720 |
| Poids : | 1 720 kg |
| Coffre/Réservoir : | 422 à 2 056 litres / 60 litres |
| Nombre de coussins de sécurité : | 6 |
| Suspension avant : | indépendante, jambes de force |
| Suspension arrière : | indépendante, multibras |
| Freins av./arr. : | disque (ABS) |
| Antipatinage/Contrôle de stabilité : | oui / oui |
| Direction : | à crémaillère, assistée |
| Diamètre de braquage : | 10,6 m |
| Pneus av./arr. : | P225/55R18 |
| Capacité de remorquage : | 1 588 kg |

### MOTORISATION À L'ESSAI

| | |
|---|---|
| Moteur : | V6 de 3,0 litres 24s atmosphérique |
| Alésage et course : | 87,6 mm x 82,9 mm |
| Puissance : | 220 ch (164 kW) à 6 250 tr/min |
| Couple : | 204 lb-pi (277 Nm) à 4 000 tr/min |
| Rapport poids/puissance : | 7,82 kg/ch (10,62 kg/kW) |
| Système hybride : | aucun |
| Transmission : | intégrale, auto. mode man. 6 rapports |
| Accélération 0-100 km/h : | 11,2 s |
| Reprises 80-120 km/h : | 10,0 s |
| Freinage 100-0 km/h : | 43,6 m |
| Vitesse maximale : | 185 km/h |
| Consommation (100 km) : | ordinaire, 12,2 litres |
| Autonomie (approximative) : | 492 km |
| Émissions de CO2 : | 5 040 kg/an |

### GAMME EN BREF

| | |
|---|---|
| Échelle de prix : | 25 498 $ à 32 998 $ |
| Catégorie : | utilitaire sport compact |
| Historique du modèle : | 1ière génération |
| Garanties : | 5 ans/100 000 km, 10 ans/160 000 km |
| Assemblage : | Mizushima, Japon |
| Autre(s) moteur(s) : | aucun |
| Autre(s) rouage(s) : | traction |
| Autre(s) transmission(s) : | aucune |

### DANS LA MÊME CATÉGORIE
Ford Escape - Honda CR-V - Hyundai Santa Fe - Kia Sportage - Nissan X-Trail - Subaru Forester - Suzuki Grand Vitara - Toyota Rav4

### DU NOUVEAU EN 2008
Nouveau modèle

### NOS IMPRESSIONS

| | |
|---|---|
| Agrément de conduite : | 🚗 🚗 🚗 🚗 |
| Fiabilité : | Nouveau modèle |
| Sécurité : | 🚗 🚗 🚗 ½ |
| Qualités hivernales : | 🚗 🚗 🚗 🚗 |
| Espace intérieur : | 🚗 🚗 🚗 ½ |
| Confort : | 🚗 🚗 🚗 ½ |

### LE CHOIX DE L'ÉQUIPE
XLS

# IMPRIMANTE À CONTRAVENTIONS !

Je me souviens encore du prototype «Z» que Nissan avait dévoilé au début du présent siècle. À l'heure où la nostalgie était à la mode, ce concept remémorait les beaux jours de la Datsun 240Z, tout en arborant un aspect futuriste spectaculaire. La réaction favorable du public aura ainsi convaincu les stratèges de Nissan d'en faire la production, en ne modifiant que peu d'éléments par rapport au prototype. C'est donc en 2003 qu'on nous l'aura définitivement présenté, créant dès son arrivée un engouement à ce point fort que les listes d'attentes chez les concessionnaires s'allongeaient de semaine en semaine.

Six ans plus tard, la 350Z constitue le plus vieux modèle de toute la gamme Nissan / Infiniti. Et même si la ligne de cette voiture est encore aussi spectaculaire, l'effet «wow!» du début n'est plus le même. Mais quoi qu'on dise, la 350Z demeurera toujours une superbe automobile sur le plan esthétique. Son long museau, sa ceinture de caisse élevée, sa partie arrière tronquée et ses ailes bombées lui procurent une force de caractère indéniable. Voilà sans doute pourquoi plusieurs la qualifient de Corvette à la sauce japonaise.

D'abord lancée sous la forme d'un coupé, la 350Z est aussi déclinée un peu plus tard en roadster. Et c'est normal, puisque dans le segment de la voiture sport, le roadster est probablement le seul à connaître une remontée depuis environ dix ans. Je dois cependant admettre que cette version, néanmoins intéressante, est drôlement moins réussie sur le plan esthétique. Certes, lorsque décapotée, un panneau moulé vient recouvrir la capote de façon à conserver la finesse des lignes, mais quand le toit est en place, la voiture est aussi peu attrayante que dangereuse en raison d'une très mauvaise visibilité.

## L'HABITACLE TRAHIT SON ÂGE

Ceux qui suivent le domaine automobile de plus près se rappelleront à quel point la finition intérieure des Nissan du début du siècle été mauvaise. Le constructeur a heureusement vite fait de corriger ces lacunes en augmentant la qualité d'assemblage et des matériaux. Mais il reste un véhicule qui n'a pas été amélioré à ce niveau. Et vous aurez bien sûr deviné qu'il s'agit de la 350Z.

On explique mal pourquoi Nissan a omis de régler ce problème dans ce bolide, car il m'apparaît ridicule d'exiger une telle somme pour ce piètre niveau de qualité. Vous retrouverez donc à bord un habitacle très «plastique» et austère. L'instrumentation orangée qui a été reprise sur plusieurs autres modèles de la marque pour ensuite être remplacée n'est pour sa part pas vilaine, mais mériterait aussi d'être revue. Et que dire de ce vide-poche planté en plein milieu de la console centrale, ou de ces panneaux de porte sans relief aucun, aussi froids que disgracieux ?

Fort heureusement, la voiture propose aux deux occupants des sièges bien adaptés, parce que fermes, enveloppants et confortables. Vêtus d'un cuir de qualité, ils sont également chauffants, pour un meilleur confort. On aurait seulement souhaité que celui du passager soit réglable verticalement, ma conjointe, toute petite, avait peine à voir à l'extérieur !

**FEU VERT**
Excellentes performances, voiture très agile, ligne toujours magnifique, excellent châssis, sièges confortables

**FEU ROUGE**
Finition intérieure insultante, visibilité réduite (décapotable), suspension très ferme, renouvellement bientôt prévu

**456**

## VÉHICULE D'ESSAI

| | |
|---|---|
| Version : | Coupé Grand tourisme M6 |
| Emp/Lon/Lar/Haut (mm) : | 2 649/4 314/1 815/1 323 |
| Poids : | 1 544 kg |
| Coffre/Réservoir : | 193 litres / 76 litres |
| Nombre de coussins de sécurité : | 6 |
| Suspension avant : | indépendante, bras inégaux |
| Suspension arrière : | indépendante, multibras |
| Freins av./arr. : | disque (ABS) |
| Antipatinage/Contrôle de stabilité : | oui / oui |
| Direction : | à crémaillère, assistance variable |
| Diamètre de braquage : | 10,8 m |
| Pneus av./arr. : | P245/45R18 / P265/35R19 |
| Capacité de remorquage : | non recommandé |

## MOTORISATION À L'ESSAI

| | |
|---|---|
| Moteur : | V6 de 3,5 litres 24s atmosphérique |
| Alésage et course : | 95,5 mm x 81,4 mm |
| Puissance : | 306 ch (228 kW) à 6 800 tr/min |
| Couple : | 268 lb-pi (363 Nm) à 4 800 tr/min |
| Rapport poids/puissance : | 5,05 kg/ch (6,86 kg/kW) |
| Système hybride : | aucun |
| Transmission : | propulsion, manuelle 6 rapports |
| Accélération 0-100 km/h : | 5,9 s |
| Reprises 80-120 km/h : | 6,0 s |
| Freinage 100-0 km/h : | 34,0 m |
| Vitesse maximale : | 250 km/h |
| Consommation (100 km) : | super, 12,0 litres |
| Autonomie (approximative) : | 633 km |
| Émissions de CO2 : | n.d. |

Comme son nom l'indique, la 350Z bénéficie toujours du V6 de 3,5 litres tant exploité chez Nissan, qui déballe dans ce cas-ci une puissance de 306 chevaux. Très performant, souple et offrant beaucoup de couple peu importe le régime, il procure des accélérations et des reprises époustouflantes. Et que vous optiez pour la boîte manuelle ou l'automatique, vous aurez droit à un rendement tout aussi exceptionnel. Mais comme les amateurs de performances en veulent constamment plus, il semble que Nissan modifiera d'ici peu le groupe motopropulseur de cette sportive pour lui greffer le V6 de 3,7 litres de 330 chevaux de la dernière Infiniti G37 coupé. De ce fait, vous aurez compris que la nomenclature sera changée à 370Z.

### SÉLECTE SPORTIVE

Propriétaire de 350Z, il ne vous faut en fait qu'une belle route et un peu de temps pour aller jouer. Car prendre le volant de cette bagnole, c'est se faire vraiment plaisir. Le bonheur ressenti est à ce point élevé qu'il parvient à nous faire oublier toutes les déceptions engendrées par son habitacle morbide. On tourne la clé de contact, on se fait bercer par le magnifique son du moteur, et on appuie sur le champignon pour revivre à chaque fois une expérience de conduite exceptionnelle. Je sais, mes propos frisent la romance, mais je vous garantis que rares sont les voitures sport affichant un tel agrément. Oh, le dernier coupé de Série 3 et la Porsche Cayman S font aussi partie de ce club sélect, mais croyez-moi, il faut conduire une 350Z dix minutes pour comprendre !

Son comportement sportif nuit évidemment au confort, mais la rigidité de son châssis contribue en revanche à assurer ce sentiment de solidité qui nous laisse croire que la bagnole est capable d'en prendre. Contrairement à certaines voitures sport, la 350Z n'est pas désagréable en conduite urbaine. C'est une voiture maniable et facile à conduire. Toutefois, elle démontre toute son aisance sur de belles routes sinueuses, où elle peut s'exprimer de tous ses feux. L'ensemble de ses éléments mécaniques lui permet par conséquent d'avoir une tenue de route stupéfiante et une grande stabilité. Le freinage est également digne d'une grande sportive, étant aussi puissant qu'endurant. Bref, voilà une sportive de premier rang qui mérite malgré ses lacunes, de grands éloges. Mais gare aux contraventions, car avec elle, c'est simplement trop facile de se laisser aller !

**Antoine Joubert**

## GAMME EN BREF

| | |
|---|---|
| Échelle de prix : | 45 798 $ à 53 998 $ (2007) |
| Catégorie : | coupé/roadster |
| Historique du modèle : | 1ière génération |
| Garanties : | 3 ans/60 000 km, 5 ans/100 000 km |
| Assemblage : | Tochigi, Japon |
| Autre(s) moteur(s) : | aucun |
| Autre(s) rouage(s) : | aucun |
| Autre(s) transmission(s) : | auto. mode man. 5 rapports |

## DANS LA MÊME CATÉGORIE

Audi TT - BMW Z4/M Coupe/M Roadster/Série 3 coupé - Chrysler Crossfire - Honda S2000 - Infiniti G37 coupé - Lotus Elise/Exige - Mazda RX-8 - Mercedes-Benz SLK - Porsche Boxster/Cayman

## DU NOUVEAU EN 2008

Aucun changement majeur

## NOS IMPRESSIONS

| | |
|---|---|
| Agrément de conduite : | 🚗 🚗 🚗 🚗 ½ |
| Fiabilité : | 🚗 🚗 🚗 ½ |
| Sécurité : | 🚗 🚗 🚗 ½ |
| Qualités hivernales : | 🚗 🚗 ½ |
| Espace intérieur : | 🚗 🚗 🚗 |
| Confort : | 🚗 🚗 🚗 |

## LE CHOIX DE L'ÉQUIPE

Coupé Grand tourisme M6

Photos : Nissan

# TIR À LA VOLÉE !

Il est quelquefois intéressant de regarder les constructeurs se dépêtrer dans ce qu'est devenue l'industrie automobile depuis quelques années. Il faut plaire à tous, question de ne pas perdre d'argent, tout en ne se mettant pas chacun à dos avec des solutions trop extrémistes. Chez Nissan, on n'a pas pris de risques ! La populaire Altima répond à un public particulièrement large. Les familles peuvent choisir la berline à quatre cylindres, mais les familles qui aiment la performance craqueront pour la berline V6, et les familles ayant à cœur l'environnement jetteront leur dévolu sur la berline à motorisation hybride. Vous n'avez pas de famille ? Pas grave, l'Altima Coupé est là ! Avec un quatre cylindres ou un V6 !

L'an dernier, Nissan présentait une nouvelle génération de l'Altima. Même si les lignes générales reprennent celles du modèle précédent, il ne faut pas conclure pour autant que la voiture n'a pas changé. En fait, la plate-forme est nouvelle et plus rigide qu'auparavant, les suspensions ont été redessinées et les deux moteurs proposés ont connu beaucoup d'améliorations. De plus, l'habitacle a fait peau neuve. L'Altima peut ainsi livrer une lutte plus égale aux Honda Accord, Hyundai Sonata, Mazda6 et Toyota Camry de ce monde.

### ALTIMA BERLINE

La première version à être dévoilée a été la berline. Cette décision s'explique facilement puisqu'il s'agit du modèle le plus populaire. Puis, en janvier dernier la version hybride a été commercialisée et, depuis le début de l'été, le modèle coupé se retrouve dans les salles d'exposition. Nous nous attendions à une sportive SE-R mais il semble que ce modèle très sportif ne verra pas le jour, du moins pas à court terme. Dommage. Autant la berline que le coupé ont droit à deux moteurs. Tout d'abord, Nissan présente un quatre cylindres de 2,5 litres

(Altima 2,5). Ce moteur développe 175 chevaux et 180 livres-pied de couple. Puis, on retrouve un V6 bien connu chez Nissan, le 3,5 litres (Altima 3,5) de 270 chevaux et 258 livres-pied de couple. Ces deux moteurs peuvent être associés, selon les versions, à une transmission manuelle à six rapports ou à une CVT (à rapports continuellement variables) qui comprend un mode manuel. Toutes les Altima sont des tractions (roues avant motrices).

Même si la plupart des gens ont plus de respect pour une voiture à moteur V6 que pour le même modèle à quatre cylindres, ce dernier tire très bien son épingle du jeu. La puissance qu'il affiche, comme on l'a vu précédemment, n'est pas négligeable. Ce 2,5 litres semble mieux s'entendre avec la transmission manuelle à six rapports qu'avec la CVT. L'étagement de la manuelle nous a paru fort correct tandis l'embrayage se montre très progressif et bien dosé mais la course du levier pourrait être un tantinet plus courte. La CVT fonctionne adéquatement, mais elle fait augmenter le niveau sonore dans l'habitacle en plus de n'entraîner que très peu de frein-moteur.

L'autre moteur, comme nous l'avons vu, est un V6 de 3,5 litres. Alors là, accrochez-vous, ça marche ! Les 270 chevaux ne se font pas prier pour faire accélérer la voiture de 0 à 100 km/h en 7,0 pile dans un grondement très apprécié. Par contre, il faut tenir le volant à deux mains, l'effet de couple étant dominant. Malgré les prétentions de Nissan qui disait avoir en bonne partie réglé ce problème, nous devons avouer que ce n'est pas totalement réussi, surtout sur la berline. Le V6 affiche uneconsommation d'essence fort réservée avec des notes de 11,3 litres pour la transmission manuelle et de seulement 10,6 pour la CVT. Encore une fois, question de goût, nous préférons la transmission manuelle pour son agrément de conduite mais il faut avouer que la CVT rend le moteur plus économique. En passant, Nissan suggère de l'essence super pour le V6. Plus le prix de l'essence augmente, moins la suggestion est écoutée…

### ALTIMA COUPE

La vedette de l'année est sans contredit le modèle coupé. Lorsqu'est venu le temps pour Nissan de créer une Altima deux portes, il n'était pas question de simplement enlever deux portières à la berline et d'allonger les deux restantes. Les ingénieurs ont donc raccourci le châssis de 101 mm, amputant ainsi la longueur totale de 185 mm. Dans l'opération, la voiture a perdu environ 50 kilos par rapport à la berline. Même si nous n'avons pu conduire une berline et un coupé l'un après l'autre, il ne fait pas de doute que le coupé possède une sportivité un cran plus relevée. Cependant, la berline, qu'elle soit mue par le quatre cylindres ou le V6, n'est pas en reste. La tenue de route s'avère agréable et inspire la confiance. Autant dans le coupé que dans la berline, le V6, plus lourd,

rend la voiture un peu moins agile et, surtout, moins équilibrée. Qui dit sportivité dit aussi suspensions un peu plus dures. Celles de l'Altima tapent un peu plus dur que la moyenne mais, à moins d'être vraiment sensible du popotin ou de la vertèbre, ce n'est pas dramatique. La direction s'avère un des points forts de l'Altima en étant à la fois précise et directe tout en procurant un bon *feedback*. Bravo! Quant aux freins, ils sont à la hauteur de la tâche. Les distances d'arrêt sont courtes et l'ABS est bien dosé. Il est à noter que pour 2008, tous les modèles profitent de la répartition électronique de la force de freinage (EBD). Yé!

Les gens de Nissan Canada on profité du lancement de l'Altima coupé pour nous dire que seul le capot était le même que sur la berline! Tout le reste n'appartient qu'au coupé. Même la hauteur des vitres latérales n'est pas la même, étant plus réduite. Les portières sont nécessairement plus lourdes que celles de la berline et s'ouvrent sur un habitacle, ma foi, fort réussi. Pour la version coupé, le frein à main loge sur la console étant donné la connotation sportive que cette configuration suggère. La qualité des matériaux et de la finition n'a pu être prise en défaut malgré toute ma mauvaise volonté. Quant à la visibilité, elle est satisfaisante… pour un coupé.

Si l'accès aux places arrière ne cause pas trop de problèmes particuliers dans la berline, il en va autrement dans le coupé. Leur accès n'est pas des plus aisés et il faut vraiment avoir une bonne raison pour aller s'asseoir en arrière. Les places sont étriquées et l'espace est compté. Et dire qu'il y a une place centrale! Ces sièges possèdent des dossiers qui se rabattent de façon 60/40 pour agrandir le coffre. Le couvercle dudit coffre ouvre haut et a une bonne ouverture mais son seuil de chargement est élevé. D'après

**FEU VERT**
Prix abordables, moteurs peu gourmands, moteur quatre cylindres bien adapté, version hybride, direction précise

**FEU ROUGE**
Suspensions un peu dures, effet de couple encore présent (V6), version hybride un peu dispendieuse, transmission CVT à apprivoiser, places arrière étriquées (coupé)

### VÉHICULE D'ESSAI

| | |
|---|---|
| Version : | 3.5 SE Berline |
| Emp/Lon/Lar/Haut(mm) : | 2 776/4 821/1 796/1 471 |
| Poids : | 1 530 kg |
| Coffre/Réservoir : | 371 litres / 76 litres |
| Nombre de coussins de sécurité : | 6 |
| Suspension avant : | indépendante, jambes de force |
| Suspension arrière : | indépendante, multibras |
| Freins av./arr. : | disque (ABS, EBD) |
| Antipatinage/Contrôle de stabilité : | oui / oui |
| Direction : | à crémaillère, assistance variable |
| Diamètre de braquage : | 11,8 m |
| Pneus av./arr. : | P215/55R17 |
| Capacité de remorquage : | 454 kg |

Pneus d'origine *MICHELIN*

### MOTORISATION À L'ESSAI

| | |
|---|---|
| Moteur : | V6 de 3,5 litres 24s atmosphérique |
| Alésage et course : | 95,5 mm x 81,4 mm |
| Puissance : | 270 ch (201 kW) à 6 000 tr/min |
| Couple : | 258 lb-pi (350 Nm) à 4 400 tr/min |
| Rapport poids/puissance : | 5,67 kg/ch (7,69 kg/kW) |
| Système hybride : | en série |
| Transmission : | traction, CVT mode man. variable |
| Accélération 0-100 km/h : | 7,0 s |
| Reprises 80-120 km/h : | 4,8 s |
| Freinage 100-0 km/h : | 40,0 m |
| Vitesse maximale : | 225 km/h |
| Consommation (100 km) : | ordinaire, 10,6 litres |
| Autonomie (approximative) : | 717 km |
| Émissions de CO2 : | 4 464 kg/an |

### GAMME EN BREF

| | |
|---|---|
| Échelle de prix : | 24 398 $ à 31 398 $ |
| Catégorie : | berline intermédiaire/coupé |
| Historique du modèle : | 4ième génération |
| Garanties : | 3 ans/60 000 km, 5 ans/100 000 km |
| Assemblage : | Smyrna, Tennessee, É-U |
| Autre(s) moteur(s) : | 4L 2.5l 175ch/180lb-pi (8.9 l/100km) |
| | 4L 2,5l 198ch/199lb-pi (5,6 l/100km) hybride |
| Autre(s) rouage(s) : | aucun |
| Autre(s) transmission(s) : | manuelle 6 rapports |

### DANS LA MÊME CATÉGORIE

Chevrolet Malibu - Chrysler Sebring - Ford Fusion - Honda Accord - Hyundai Sonata - Kia Magentis - Mazda 6 - Mitsubishi Galant - Subaru Legacy - Toyota Camry - Volkswagen Passat

### DU NOUVEAU EN 2008

Version coupé, répartition électronique de la force de freinage standard, gardes-boue standards

### NOS IMPRESSIONS

| | |
|---|---|
| Agrément de conduite : | 🚗 🚗 🚗 🚗 |
| Fiabilité : | Nouveau modèle |
| Sécurité : | 🚗 🚗 🚗 🚗 |
| Qualités hivernales : | 🚗 🚗 🚗 ½ |
| Espace intérieur : | 🚗 🚗 🚗 🚗 |
| Confort : | 🚗 🚗 🚗 ½ |

### LE CHOIX DE L'ÉQUIPE

Berline 2,5 S

Nissan, le coupé, fabriqué comme la berline à Smyrna au Tennessee, sera surtout acheté par des femmes qui préféreront le quatre cylindres et la transmission CVT.

## ALTIMA HYBRIDE

Il est un modèle dont nous n'avons pas encore traité. Il s'agit de la version hybride. Même si Nissan avait déjà déclaré que l'hybridation de ses véhicules ne l'intéressait pas, l'entreprise a dû se plier aux exigences du marché et produit désormais une Altima Hybride. En fait, plutôt que développer à grands frais un système hybride, Nissan s'est associé à Toyota dont la réputation n'est plus à faire dans ce domaine. L'Altima Hybrid, offerte en livrée berline uniquement, reprend le moteur thermique quatre cylindres 2,5 litres de la version ordinaire en y ajoutant un groupe électrique moteur/générateur. Ce groupe donne un total de 198 chevaux et 199 livres-pied de couple. Le moteur électrique actionne, à lui seul, 199 livres-pied de couple de 0 à 1 500 tours/minute tandis que le moteur à essence en déploie 162 de 2 800 à 4 800. En pleine accélération, les performances de ce moteur hybride sont loin d'être mauvaises mais sa consommation d'essence devient celle du quatre cylindres. Au départ, l'Altima Hybrid se sert uniquement de la batterie (hydrure métallique de nickel, Ni-Mh) puis le moteur à essence vient à la rescousse. En fait, c'est dans la circulation dense que les bénéfices de l'Hybrid sont les plus évidents. Seule la transmission CVT à commande électronique est proposée avec ce modèle et on n'y retrouve pas de mode manuel. La Hybrid revient à peu près au même prix qu'une 2,5 S équivalente (donc équipée à ras bord et à laquelle on préfère généralement une 3,5SE), mais elle est éligible à une remise de 1 500 $ du gouvernement fédéral. Elle peut ainsi paraître une aubaine, d'autant plus qu'elle consomme moins. Mais avant de signer un chèque, informez-vous de la valeur de revente... Dans le cas présent (et dans le cas de tous les hybrides, en fait), la location pourrait s'avérer une bonne idée.

L'Altima propose déjà deux configurations et trois moteurs. Une version décapotable de l'Altima ne semble pas figurer dans les plans de l'entreprise mais personne n'a infirmé cette information non plus... Avec l'Altima, Nissan possède une voiture moderne, bien fignolée et abordable. Mais il ne faudra pas attendre des lunes pour devoir encore améliorer le produit. La compétition est incroyablement féroce dans cette catégorie.

**Alain Morin**

Photos : Alain Morin

**461**

# DIFFICILE À CERNER

Il fut un temps où la Maxima représentait le summum de la marque nipponne. Le mot Maxima était d'ailleurs très bien choisi afin de mettre en valeur le caractère luxueux de la voiture et sa technologie de pointe. Les tout derniers gadgets de Nissan faisaient évidemment partie de la liste des caractéristiques de série, alors que la motorisation de la Maxima était un objet de désir. On peut même affirmer, sans se tromper, qu'à une certaine époque, la Maxima était pour Nissan un vrai véhicule amiral.

Malheureusement pour Nissan, les temps ont bien changé et ce qui s'avérait jadis un véhicule d'exception est aujourd'hui une voiture qui se fond allègrement dans la masse. D'ailleurs, au sein même du constructeur, deux voitures affichant des silhouettes similaires semblent éclipser la Maxima. Outre la nouvelle Altima qui attire par son prix et ses dimensions non loin de sa grande sœur, l'Infiniti G35 se révèle une trouble-fête en offrant luxe et fiabilité à toute épreuve. Or, les acheteurs quelque peu exigeants qui désirent prestige et luxe opteront assurément pour la G35, alors que ceux pour qui le prix importe d'avantage se tourneront évidemment vers l'Altima qui possède le même moteur V6 mais qui arbore une gueule résolument plus jeune et sportive.

### SOBRE ET ÉPURÉ

Le plus grand défaut de la Maxima? Sa présentation extérieure. Ce n'est évidemment pas horrible mais il manque un «je-ne-sais-quoi» qui attire l'œil et qui nous fait désirer la voiture. On a bien essayé l'an dernier de lui refaire une petite beauté et cette année de lui apporter quelques retouches, il n'en reste pas moins que l'effet escompté ne s'est pas fait ressentir sur les ventes. En fait, il lui manque un style distinctif qui la démarquerait de la concurrence, surtout pour la partie avant dont l'identité ne semble pas encore avoir été trouvée jusqu'à présent après plusieurs changements. Malgré tout, l'ensemble – avec des roues en alliage de 18 pouces, des bas de caisse profilés et deux sorties d'échappement à double embouts – est agréable à l'œil. En fait de design, on a vu pire! À l'intérieur, les concepteurs auront privilégié la simplicité avec un tableau de bord épuré mariant le noir et les appliqués d'aluminium brossé. Les trois gros cadrans sont toujours présents alors que la console centrale affiche une présentation ergonomique assortie de nombreux boutons, un peu trop à notre goût d'ailleurs. L'écran du système de navigation, bien positionné et de bonnes dimensions, permette même de contrôler le système audio et la ventilation. On notera toutefois la présence de matériaux très plastiques côtoyant des textures plus riches et nobles: l'effet est contrastant, car certains sont durs et glissants et d'autres sont plutôt caoutchouteux et mous... Espérons que les designers savaient ce qu'ils faisaient! Une fois assis derrière le volant, on remarquera la position de conduite un peu élevée et la visibilité arrière limitée par l'étroitesse de la lunette et des appuie-têtes. Les sièges sont très confortables et ceux d'en arrière sont assez inclinés pour faire une petite sieste en se rendant au travail, si on a un chauffeur bien entendu!

**FEU VERT**
Motorisation sans faille,
comportement dynamique,
transmission CVT efficace, châssis rigide, sièges confortables

**FEU ROUGE**
Choix des matériaux intérieurs,
design extérieur trop sobre, ouverture du coffre limitée,
suspensions parfois sèches

## MÉCANIQUE DYNAMIQUE

Il ne faudrait pas passer sous silence le point fort de la Maxima, sa mécanique. Encensé à maintes reprises, le moteur V6 de 3,5 litres fait encore des merveilles pour Nissan et est maintenant utilisé sur de nombreux modèles. Il offre des prestations époustouflantes, permettant à la Maxima de réaliser des accélérations frôlant les 7 secondes et des reprises tout aussi exceptionnelles pour une berline de ce poids. Les suspensions indépendantes jumelées aux pneus de 18 pouces expliquent le comportement très sportif mais également un peu tape-cul. En outre, l'absence de roulis, la puissance du moteur et l'efficacité des freins nous font quelquefois oublier que l'on se trouve sur la voie publique et non pas sur un circuit fermé... Ajoutons que le châssis très rigide de la voiture élimine pratiquement tous les bruits de caisse et que l'insonorisation de l'habitacle apporte une douceur de roulement impressionnante. Depuis l'an dernier, seule une transmission CVT fait partie de l'équipement de base. Elle adopte cependant un comportement très intéressant et s'avère très transparente. L'utilisation d'une telle transmission permet également de limiter les révolutions du moteur sous les 3 000 tours-minute et ainsi diminuer le bruit du moteur en accélération normale. On regrette toutefois la transmission manuelle 6 vitesses qui permettait une utilisation nettement plus sportive. En conduite civilisée, la consommation de carburant est somme toute dans la moyenne alors que si tous les chevaux sont exploités sans ménagement et sans relâchement, la consommation devient gargantuesque, approchant dangereusement les 15 litres au 100 kilomètres.

Depuis longtemps, la Maxima aura toujours été une des voitures les plus appréciées par la plupart des acheteurs et des chroniqueurs automobiles. Malheureusement, notre récent essai du bolide nous aura laissé quelque peu sur notre faim. Il y a évidement, de nos jours, bon nombre de voitures qui surpassent la Maxima en fait de design, de finition et de luxe. La voiture ne présente toutefois aucun défaut majeur et affiche de nombreuses qualités mais ne se démarque malheureusement pas assez de la concurrence quand vient le temps d'écouter son cœur et sa passion. Une voiture à l'allure tiède qui cache cependant une mécanique brûlante.

**Guy Desjardins**

### VÉHICULE D'ESSAI

| | |
|---|---|
| Version : | 3,5 SE 5 places |
| Emp/Lon/Lar/Haut(mm) : | 2 825/4 938/1 821/1 481 |
| Poids : | 1 641 kg |
| Coffre/Réservoir : | 388 litres / 76 litres |
| Nombre de coussins de sécurité : | 6 |
| Suspension avant : | indépendante, jambes de force |
| Suspension arrière : | indépendante, multibras |
| Freins av./arr. : | disque (ABS, EBD) |
| Antipatinage/Contrôle de stabilité : | oui / oui |
| Direction : | à crémaillère, assistance variable |
| Diamètre de braquage : | 12,2 m |
| Pneus av./arr. : | P245/45R18 |
| Capacité de remorquage : | 454 kg |

### MOTORISATION À L'ESSAI

| | |
|---|---|
| Moteur : | V6 de 3,5 litres 24s atmosphérique |
| Alésage et course : | 95,5 mm x 81,4 mm |
| Puissance : | 255 ch (190 kW) à 6 000 tr/min |
| Couple : | 252 lb-pi (342 Nm) à 4 400 tr/min |
| Rapport poids/puissance : | 6,44 kg/ch (8,73 kg/kW) |
| Système hybride : | aucun |
| Transmission : | traction, CVT mode man. |
| Accélération 0-100 km/h : | 7,2 s |
| Reprises 80-120 km/h : | 5,9 s |
| Freinage 100-0 km/h : | 42,6 m |
| Vitesse maximale : | 225 km/h |
| Consommation (100 km) : | super, 11,1 litres |
| Autonomie (approximative) : | 685 km |
| Émissions de CO2 : | 4 608 kg/an |

### GAMME EN BREF

| | |
|---|---|
| Échelle de prix : | 36 998 $ à 42 498 $ (2007) |
| Catégorie : | berline de luxe |
| Historique du modèle : | 5ième génération |
| Garanties : | 3 ans/60 000 km, 5 ans/100 000 km |
| Assemblage : | Smyrna et Decherd TN, É-U |
| Autre(s) moteur(s) : | aucun |
| Autre(s) rouage(s) : | aucun |
| Autre(s) transmission(s) : | aucune |

### DANS LA MÊME CATÉGORIE

Acura TL - Hyundai Azera - Jaguar X-Type - Kia Amanti - Lincoln MKZ - Saab 9-5 - Volvo S60

### DU NOUVEAU EN 2008

Pas de changement majeur

### NOS IMPRESSIONS

| | |
|---|---|
| Agrément de conduite : | 🚗 🚗 🚗 🚗 |
| Fiabilité : | 🚗 🚗 🚗 ½ |
| Sécurité : | 🚗 🚗 🚗 🚗 |
| Qualités hivernales : | 🚗 🚗 🚗 ½ |
| Espace intérieur : | 🚗 🚗 🚗 🚗 |
| Confort : | 🚗 🚗 🚗 🚗 |

### LE CHOIX DE L'ÉQUIPE

3,5 SL

Photos : Nissan

# UN VUS QUI A DU PANACHE

Depuis le lancement du Murano en 2003, très peu de VUS ont été en mesure de soulever autant les passions que ce dernier. Sa silhouette unique lui a valu un succès instantané et depuis ce jour, les ventes se sont maintenues, bien que cinq années se soient écoulées. Son allure moderne lui permet encore de se distinguer du lot. Ce véhicule est bien né et il vieillit très bien car il est unique en son genre.

Trois versions du Murano sont offertes, soit le modèle S qui correspond au modèle de base, le SL ainsi que le SE. Le plus intéressant de la gamme est le SE qui arrive avec une traction intégrale beaucoup mieux adaptée à nos conditions routières. Sinon, vous pouvez choisir un modèle avec traction avant qui se débrouille tout de même très bien aussi. Pour revenir à la traction intégrale, il est bien important de mentionner que le véhicule n'a pas les compétences pour faire du hors route. Sa garde au sol est trop basse, ce qui fera en sorte qu'il s'embourbera bien facilement si le sentier est parsemé de trous de boue ou d'eau. Cette intégrale transmet la puissance au train avant, mais, lorsque le besoin se fait sentir, le couple sera acheminé au train arrière jusqu'à un maximum de 50 % lorsque les roues avant patinent.

### UN SEUL MOTEUR

Un seul moteur est disponible et il s'agit d'un puissant V6 de 3,5 litres qui développe 240 chevaux et 244 lb-pi de couple. Son accélération est vigoureuse et les reprises sont vraiment à la hauteur. De plus, il n'a pas de difficulté à tracter un poids de 3 500 lb, mais il y a un bémol à cet effet. Son moteur est couplé à une transmission automatique à variation continue, ce qui signifie qu'à la place d'une transmission qui a une série d'engrenages, dans le cas du Murano, on parle d'une courroie en acier

qui est montée sur des poulies qui sont également faites en acier. Le résultat est qu'au lieu de sentir le passage des rapports en accélération, dans le cas d'une transmission de type CVT, il n'y en a aucun. En fait, ça ressemble un peu à la sensation d'une motoneige qui accélère sans aucun délai entre les changements. La transmission X-Tronic fait en sorte de tenir le régime moteur à un niveau maximal en tout temps. Le décollage est moins rapide qu'avec une transmission par engrenages, mais dès qu'il a pris son élan, il est efficace et fait entendre le son de la courroie qui roule sur les poulies. Mais, car il y a un mais, en général, plus la courroie s'use, plus il y a une perte de puissance au fil du temps. J'ai toujours eu un certain doute à tracter une charge lourde avec ce type de transmission, car si je me fie aux VTT qui ont ce genre de transmission, cela ajoute beaucoup de «stress» à la courroie. Alors, je ne suis pas convaincu qu'il soit sage de tirer trop souvent une remorque. En tout cas, la sensation d'une CVT est très différente et ça m'a pris un peu de temps avant de m'y habituer.

L'intérieur de l'habitacle offre beaucoup de modernisme, tout en étant sobre et accueillant. Le tableau de bord est garni de cadrans qui sont facilement lisibles et au centre, se trouve une console où logent les systèmes audio et de climatisation. Les stylistes de Nissan ont vraiment la

**FEU VERT**
Ligne moderne,
très bonne tenue de route,
intérieur spacieux, accélérations vigoureuses

**FEU ROUGE**
Bruit de vent agaçant, finition inégale,
conduite hors-route très limitée,
qualité des plastiques à revoir

## VÉHICULE D'ESSAI

| | |
|---|---|
| Version : | SL TI |
| Emp/Lon/Lar/Haut(mm) : | 2 824/4 765/1 880/1 709 |
| Poids : | 1 820 kg |
| Coffre/Réservoir : | 923 à 2 311 litres / 82 litres |
| Nombre de coussins de sécurité : | 6 |
| Suspension avant : | indépendante, bras inégaux |
| Suspension arrière : | indépendante, multibras |
| Freins av./arr. : | disque (ABS) |
| Antipatinage/Contrôle de stabilité : | oui / oui |
| Direction : | à crémaillère, assistance variable |
| Diamètre de braquage : | 11,4 m |
| Pneus av./arr. : | P235/65R18 |
| Capacité de remorquage : | 1 588 kg |

## MOTORISATION À L'ESSAI

| | |
|---|---|
| Moteur : | V6 de 3,5 litres 24s atmosphérique |
| Alésage et course : | 95,5 mm x 81,4 mm |
| Puissance : | 240 ch (179 kW) à 5 800 tr/min |
| Couple : | 244 lb-pi (331 Nm) à 4 400 tr/min |
| Rapport poids/puissance : | 7,58 kg/ch (10,28 kg/kW) |
| Système hybride : | aucun |
| Transmission : | intégrale, CVT |
| Accélération 0-100 km/h : | 10,1 s |
| Reprises 80-120 km/h : | 7,8 s |
| Freinage 100-0 km/h : | 41,0 m |
| Vitesse maximale : | 195 km/h |
| Consommation (100 km) : | super, 12,1 litres |
| Autonomie (approximative) : | 678 km |
| Émissions de CO2 : | 5 089 kg/an |

## GAMME EN BREF

| | |
|---|---|
| Échelle de prix : | 39 098 $ à 48 598 $ |
| Catégorie : | multisegment |
| Historique du modèle : | 1ière génération |
| Garanties : | 3 ans/60 000 km, 5 ans/100 000 km |
| Assemblage : | Kyushu, Japon |
| Autre(s) moteur(s) : | aucun |
| Autre(s) rouage(s) : | traction |
| Autre(s) transmission(s) : | aucune |

## DANS LA MÊME CATÉGORIE

Acura RDX - Buick Enclave - Chrysler Pacifica -
Ford Edge - Mazda CX-7

## DU NOUVEAU EN 2008

Pas de changement majeur

## NOS IMPRESSIONS

| | |
|---|---|
| Agrément de conduite : | 🚗🚗🚗🚗 |
| Fiabilité : | 🚗🚗🚗🚗 |
| Sécurité : | 🚗🚗🚗🚗 |
| Qualités hivernales : | 🚗🚗🚗🚗½ |
| Espace intérieur : | 🚗🚗🚗🚗½ |
| Confort : | 🚗🚗🚗🚗½ |

## LE CHOIX DE L'ÉQUIPE

SL TI

---

touche quand vient le temps de concevoir un volant qui procure une belle prise, tout en n'étant pas trop volumineux. J'ai toujours aimé les véhicules Nissan pour ce petit détail.

On dispose d'un bel espace de dégagement pour la tête, les sièges ne sont ni trop fermes, ni trop mous, alors les longues randonnées se feront dans un très bon confort. Même les occupants assis derrière jouiront d'un espace ample. La finition est correcte sans plus, car certaines composantes ne se marient pas également avec les autres. Celles-ci sont fabriquées avec des matériaux de bonne qualité, mais c'est à l'assemblage que la sauce se gâche.

La silhouette du Murano est agréable, fluide et moderne, ce qui l'aide à se démarquer de certains de ses concurrents. La calandre avant comporte un large grillage qui, à première vue, semble coller un gros sourire au Nissan. Pour la partie arrière, elle a une allure plus bombée et de bon goût. Bien qu'il en soit à sa cinquième année d'existence, l'allure générale de ce VUS continue à faire tourner les têtes.

### SUR LA ROUTE

Sur la route, le Murano impressionne par sa souplesse et son aplomb en virage, d'ailleurs, j'ai été agréablement surpris par la tenue de route pour ce type de véhicule. Le roulis est très tolérable, les amortisseurs ne sont pas trop fermes, ce qui permet de négocier un virage à plus grande vitesse avec confiance. J'aurais par contre aimé un habitacle plus silencieux, car après quelques minutes de route, des bruits éoliens se font entendre, à tel point que ça devenait même un irritant. Et plus la vitesse est grande, plus ce bruit s'entend... Mais à part ça, le Murano est fait pour nos routes et conditions. Avec les roues de 18 pouces, la douceur de conduite est accentuée, en fait il s'agit de sa plus belle qualité.

Le Murano est unique en son genre. Soit qu'on l'aime ou qu'on le trouve trop caricatural, tout est question de goût, mais une chose est certaine, son allure et son comportement lui ont attiré beaucoup d'éloges de la part de la presse écrite et des consommateurs. Il a de la gueule, du moins pour ce qui est de mes goûts personnels, et à en voir la quantité sur les routes québécoises, les stylistes de Nissan ont su toucher une corde sensible. À vrai dire, ce VUS a beaucoup de panache.

**Robert Jetté**

Photos: Nissan

# 1,20 $ LE LITRE ? UN V8 S.V.P. !

En renouvelant son Pathfinder en 2005, Nissan ne voyait pas la pertinence de l'équiper d'un moteur V8. D'abord, le prix de l'essence était en forte hausse, puis le nouveau V6 de 4,0 litres offert de série était désormais aussi puissant que certains V8 de la concurrence. Ce qu'on ne savait toutefois pas, c'est que ce créneau de véhicule était sur le point de prendre une solide dégringolade en popularité, et que la plupart des quelques acheteurs restants étaient majoritairement intéressés par un V8.

Il aura donc fallu quatre ans avant que Nissan réponde finalement à la demande, en introduisant un premier V8 dans le Pathfinder. Cette arrivée tardive aura semblé d'autant plus curieuse en sachant que Nissan propose depuis 2004 l'un des plus imposants VUS à moteur V8 du marché, soit l'Armada. Mais pourquoi donc est-il si pertinent d'offrir un V8 dans un VUS, alors que le prix du litre de carburant oscille désormais bien au-delà du dollar ? La réponse, c'est bien sûr le remorquage. Autrefois (il y a à peine cinq ans), on se procurait un VUS intermédiaire comme simple véhicule familial. Aujourd'hui, ces acheteurs se sont tournés vers des véhicules moins énergivores, notamment des VUM (Véhicule utilitaire multisegment). En revanche, ceux qui réclament un véhicule robuste et capable de remorquer de lourdes charges n'ont d'autres choix que d'opter pour un VUS comme le Pathfinder.

### LES ÉLÉMENTS POUR SÉDUIRE

Évidemment, le Pathfinder ne s'est pas contenté de demeurer un véhicule utilitaire au sens propre du terme. On a aussi pris soin avec la dernière génération de lui donner plus de muscles, tout en l'embourgeoisant quelque peu. Il en résulte donc un véhicule esthétiquement très costaud mais aussi plus raffiné, qui s'affirme de surcroît par une grande originalité. Les ailes aux formes proéminentes, la configuration particulière des glaces latérales ainsi que les nouvelles jantes de 18 pouces de la version LE ne sont que quelques-uns des éléments qui le caractérisent. Notons au passage que le Pathfinder 2008 reçoit un certain nombre de modifications esthétiques, allant du nouveau traitement visuel avant jusqu'au hayon plus bombé, en passant par l'ajout de garnitures chromées.

À bord aussi, les changements sont considérables. On nous propose toujours une panoplie de fonctionnalités en matière d'espaces de rangement et de diversité de configuration, mais on a ajouté cette année une touche supplémentaire visant à améliorer la qualité de finition et la présentation générale. De ce fait, on nous propose pour 2008 une planche de bord partiellement revue, bénéficiant d'une toute nouvelle console, à laquelle s'intègre dans certains cas un écran multifonction dont l'utilisation est intuitive. On peut même obtenir un système de navigation avec vue à vol d'oiseau et une caméra de recul !

L'ergonomie générale comme la présentation étant donc améliorées, il ne restait maintenant qu'à offrir des matériaux de meilleure facture. Et en montant à bord, on constate au premier contact que cet

**FEU VERT**
Moteur V8 performant, finition intérieure améliorée, ligne originale, comportement routier intéressant, grandes capacités de remorquage

**FEU ROUGE**
Appétit de carburant gargantuesque, moteur V8 avec LE seulement, troisième rangée de sièges symbolique

aspect a aussi progressé. Les plastiques, cuirs et boiseries sont non seulement plus élégants, mais aident du même coup à rehausser le degré de confort et de luxe du véhicule.

On s'assoit sur des sièges confortables à souhait et juste assez enveloppants. Évidemment, excluons de ces propos la banquette de troisième rangée, qui ne peut que dépanner de jeunes enfants. Mais chose certaine, les baquets contribuent à eux seuls à offrir un grand confort et dans le cas du conducteur, une position optimale. Une belle mention doit aussi être faite pour cette nouvelle sellerie de cuir de couleur Russet (brun rougeâtre), du plus bel effet.

## J'AI SOIF!

Qu'importe la version choisie, le Pathfinder fait partie de ces véhicules qui consomment sans gêne. N'espérez même pas obtenir une cote de consommation moyenne inférieure à 15,5 litres aux 100 kilomètres avec le V6, et 17,5 litres avec le V8. Ce serait rêver! On ne peut en fait se consoler qu'en pensant que chez la concurrence, la cote de consommation n'est pas meilleure! Et qu'importe votre choix, sachez que l'un ou l'autre des deux moteurs vous donnera satisfaction. Tous deux se démarquent par un couple généreux et une étonnante souplesse, mais il est clair que le V8 possède un souffle supplémentaire qui impressionne à tous les niveaux.

Sur la route, le V8 fait d'ailleurs figure de véritable guerrier face à la concurrence. Mais le plus beau, c'est qu'il sait également se montrer calme et très doux lorsqu'on le sollicite avec modération. Très équilibré, le Pathfinder est aussi un véhicule qui se comporte très bien sur la route, offrant un grand confort et une stabilité surprenante. Il ne faut pas passer sous silence les grandes capacités hors route du Pathfinder, qui ne recule devant rien pour affronter les sentiers les plus abrupts.

Amélioré, le Pathfinder de cuvée 2008 est certainement plus convaincant que son devancier, à tous les niveaux. Bien sûr, il est toujours aussi gourmand, mais il est mieux assemblé, plus raffiné et plus élégant, et affichant un habitacle désormais plus invitant. Il est cependant dommage de constater que seul le modèle LE, qui commande une facture se situant autour des 50 000 $, puisse être doté du moteur V8. Pourquoi ne pas le monter sur la version SE?

**Antoine Joubert**

Photos : Denis Duquet

### VÉHICULE D'ESSAI

| Version : | LE |
|---|---|
| Emp/Lon/Lar/Haut (mm) : | 2 850/4 884/1 850/1 846 |
| Poids : | 2 313 kg |
| Coffre/Réservoir : | 467 à 2 243 litres / 80 litres |
| Nombre de coussins de sécurité : | 6 |
| Suspension avant : | indépendante, bras inégaux |
| Suspension arrière : | indépendante, multibras |
| Freins av./arr. : | disque (ABS) |
| Antipatinage/Contrôle de stabilité : | oui / oui |
| Direction : | à crémaillère, assistance variable |
| Diamètre de braquage : | 11,9 m |
| Pneus av./arr. : | P265/60R18 |
| Capacité de remorquage : | 3 175 kg |

### MOTORISATION À L'ESSAI

| | |
|---|---|
| Moteur : | V8 de 5,6 litres 32s atmosphérique |
| Alésage et course : | 98,0 mm x 92,0 mm |
| Puissance : | 310 ch (231 kW) à 5 200 tr/min |
| Couple : | 388 lb-pi (526 Nm) à 3 400 tr/min |
| Rapport poids/puissance : | 7,46 kg/ch (10,14 kg/kW) |
| Système hybride : | aucun |
| Transmission : | 4RM, automatique 5 rapports |
| Accélération 0-100 km/h : | 7,2 s |
| Reprises 80-120 km/h : | 5,8 s |
| Freinage 100-0 km/h : | 42,8 m |
| Vitesse maximale : | 195 km/h |
| Consommation (100 km) : | ordinaire, 17,1 litres |
| Autonomie (approximative) : | 468 km |
| Émissions de CO2 : | n.d. |

### GAMME EN BREF

| | |
|---|---|
| Échelle de prix : | 38 398 $ à 49 298 $ |
| Catégorie : | utilitaire sport intermédiaire |
| Historique du modèle : | 4ème génération |
| Garanties : | 3 ans/60 000 km, 5 ans/100 000 km |
| Assemblage : | Kyushu, Japon |
| Autre(s) moteur(s) : | V6 4l 266ch/288lb-pi (15,3 l/100km) |
| Autre(s) rouage(s) : | aucun |
| Autre(s) transmission(s) : | aucune |

### DANS LA MÊME CATÉGORIE

Chevrolet Trailblazer - Dodge Durango - Ford Explorer - GMC Envoy - Honda Pilot - Hummer H3 - Jeep Commander - Kia Sorento - Toyota 4Runner

### DU NOUVEAU EN 2008

Nouveau moteur V8, carrosserie et habitacle retouchés, capacité de remorquage augmentée

### NOS IMPRESSIONS

| | |
|---|---|
| Agrément de conduite : | 🚗 🚗 🚗 🚗 |
| Fiabilité : | 🚗 🚗 🚗 🚗 |
| Sécurité : | 🚗 🚗 🚗 🚗 ½ |
| Qualités hivernales : | 🚗 🚗 🚗 🚗 ½ |
| Espace intérieur : | 🚗 🚗 🚗 🚗 ½ |
| Confort : | 🚗 🚗 🚗 🚗 |

### LE CHOIX DE L'ÉQUIPE

SE

# MATURITÉ

La Quest est réapparue sur notre marché en 2004 arborant une toute nouvelle présentation. Rappelons-nous qu'elle s'était éclipsée à la fin de 2001 dans un anonymat quasi gênant. Nissan nous avait toutefois rassurés en nous promettant un retour spectaculaire de la Quest pour 2004 et ce fut le cas. Tellement spectaculaire qu'on aurait juré voir le prototype lui-même amené directement au stade de production avec tout ses défauts. Depuis ce temps, chaque nouvelle année nous apporte les correctifs nécessaires afin de ramener sur le droit chemin la fourgonnette de Nissan.

I aura donc fallu plus de cinq ans pour que Nissan «s'ajuste» et conçoive un produit de qualité, et ce n'est malheureusement toujours pas parfait. À l'instar des autres produits du constructeur japonais, on observe une prolifération de plastiques bas de gamme et une finition de moins en moins exemplaire... Toutefois, la fourgonnette est sans aucun doute une nette amélioration par rapport au modèle présenté en 2004. À commencer par l'insonorisation de l'habitacle qui propose maintenant un niveau très acceptable pour ce type de véhicule. Les bruits de châssis sont également disparus, à condition de ne pas se laisser tenter par l'option du toit panoramique qui semble manifestement affaiblir la structure.

### HABITACLE SURPRENANT !

Monter à bord de la Quest est une expérience très envoûtante. On remarque tout d'abord la faible hauteur du plancher du véhicule qui facilite grandement l'accès. La grande ouverture des portes permet de libérer l'espace nécessaire, mais une fois assis derrière le volant et au moment de fermer la portière, on trouve que la poignée est bien loin... Une fois que nous sommes confortablement calés dans le siège, nos yeux se tournent immédiatement vers l'originale console centrale. Contrairement à la plupart des véhicules où les commandes de la console sont présentées à la verticale, celles de la Quest sont plutôt à l'horizontale. Telle disposition n'est pas nécessairement mauvaise, mais l'amalgame de commandes rend compliquée leur utilisation, d'autant plus que la console est un peu trop éloignée du conducteur. Autrement, les sièges sont très douillets et l'assise est mœlleuse. Le dossier mériterait cependant un peu plus de soutien latéral car en virage serré (faut bien se faire un peu de plaisir des fois...), on valse allègrement de gauche à droite. Mentionnons également que sur notre véhicule d'essai, il était difficile de trouver une bonne position de conduite étant donné le manque d'ajustement du siège.

Côté pratique, la Quest offre un très généreux espace de chargement derrière la troisième banquette et l'emplacement permettant d'accueillir cette banquette y compte pour beaucoup. Évidemment, comme la Quest est la plus volumineuse des fourgonnettes, elle offre aux passagers beaucoup d'espace intérieur. On s'assoit donc très facilement sur les sièges médians et on n'y est pas à l'étroit. La troisième banquette propose également beaucoup d'espace, mais le confort n'est malheureusement pas des plus alléchants, le siège n'étant pas très enveloppant. Une fois la troisième banquette repliée dans le plancher et les sièges médians repliés sur eux-mêmes, le plancher de chargement est

**FEU VERT**
Roulis minime, mécanique fiable,
espace de chargement volumineux,
seuil du plancher bas, visibilité sans reproche

**FEU ROUGE**
Transmission erratique,
régulateur de vitesse agaçant, finition déficiente
dimensions gigantesques, prix élevés

quasiment plat, les sièges médians étant plus haut de quelques centimètres. Sur notre véhicule d'essai, les portes latérales ainsi que le hayon arrière offraient l'assistance électrique, une option à priori inutile et coûteuse mais combien pratique lorsqu'on souffre de paresse chronique !

## BÂTI SUR DU SOLIDE

Est-ce que papa pourra assouvir son désir de « piloter » sportivement sa fourgonnette ? Eh bien oui, à condition évidemment de ne pas s'imaginer au volant d'une 350Z ! L'unique moteur, un V6, livre de bonnes prestations et s'avère très silencieux. C'est d'ailleurs ce même moteur qui a été déclaré par la revue Ward's Automotive comme étant l'un des dix meilleurs au monde. Alors côté mécanique, rien à redire, d'autant plus que le châssis rigide permet à la Quest de ne pratiquement plus émettre aucun bruit de caisse. Ces deux points, jumelés aux suspensions indépendantes à l'avant comme à l'arrière, produisent un véhicule surprenant en fait de tenue de route. Mentionnons cependant que la largeur de la Quest offre un net avantage par rapport à la concurrence et que le centre de gravité bas permet d'offrir une stabilité rarement rencontrée sur ce type de véhicule. L'impression de conduite est par le fait même très agréable, la direction est ferme et précise et le roulis s'avère minime en virage. Alors, bien que l'apparence affiche encore les traits d'une fourgonnette, le conducteur pourra au moins se consoler en s'imaginant au volant d'un véhicule un peu plus sportif. La Quest perd cependant quelques plumes au niveau de la transmission. Bizarrement, alors que la plupart des véhicules chez Nissan bénéficient de la transmission CVT, la Quest utilise toujours la bonne vieille transmission automatique à 5 rapports. Est-elle trop fragile pour ce type de véhicule ? Il n'empêche que la transmission automatique accompli bien le travail, si ce n'est qu'à basse vitesse où les changements entre le premier et le deuxième rapport sont parfois saccadés. On notera également la piètre efficacité du régulateur de vitesse qui est très intrusif dans son fonctionnement, nous faisant bien remarquer l'utilisation des freins et le passage abusif des vitesses lorsque le moteur est davantage sollicité.

Très marginale, la Quest est néanmoins un bon véhicule. Toutefois, son prix, sa réputation entachée par ses problèmes de conception et ses dimensions titanesques en font une des fourgonnettes les moins attrayantes sur le marché...

**Guy Desjardins**

### VÉHICULE D'ESSAI

| | |
|---|---|
| Version : | 3.5 S |
| Emp/Lon/Lar/Haut(mm) : | 3 150/5 185/1 971/1 826 |
| Poids : | 1 955 kg |
| Coffre/Réservoir : | 915 à 4 126 litres / 76 litres |
| Nombre de coussins de sécurité : | 6 |
| Suspension avant : | indépendante, jambes de force |
| Suspension arrière : | indépendante, multibras |
| Freins av./arr. : | disque (ABS) |
| Antipatinage/Contrôle de stabilité : | oui / oui |
| Direction : | à crémaillère, assistance variable |
| Diamètre de braquage : | 12,1 m |
| Pneus av./arr. : | P225/65R16 |
| Capacité de remorquage : | 1 588 kg |

### MOTORISATION À L'ESSAI

| | |
|---|---|
| Moteur : | V6 de 3,5 litres 24s atmosphérique |
| Alésage et course : | 95,5 mm x 81,4 mm |
| Puissance : | 235 ch (175 kW) à 5 800 tr/min |
| Couple : | 240 lb-pi (325 Nm) à 4 400 tr/min |
| Rapport poids/puissance : | 8,32 kg/ch (11,3 kg/kW) |
| Système hybride : | aucun |
| Transmission : | traction, automatique 5 rapports |
| Accélération 0-100 km/h : | 9,4 s |
| Reprises 80-120 km/h : | 7,2 s |
| Freinage 100-0 km/h : | 40,0 m |
| Vitesse maximale : | 185 km/h |
| Consommation (100 km) : | ordinaire, 12,9 litres |
| Autonomie (approximative) : | 589 km |
| Émissions de $CO_2$ : | 5 232 kg/an |

### GAMME EN BREF

| | |
|---|---|
| Échelle de prix : | 32 498 $ à 46 998 $ |
| Catégorie : | fourgonnette |
| Historique du modèle : | 3ème génération |
| Garanties : | 3 ans/60 000 km, 5 ans/100 000 km |
| Assemblage : | Canton, Mississippi, É-U |
| Autre(s) moteur(s) : | aucun |
| Autre(s) rouage(s) : | aucun |
| Autre(s) transmission(s) : | aucune |

### DANS LA MÊME CATÉGORIE

Chevrolet Uplander - Chrysler Town&Country - Dodge Grand Caravan - Honda Odyssey - Hyundai Entourage - Kia Sedona - Pontiac Montana SV6 - Toyota Sienna

### DU NOUVEAU EN 2008

Pas de changement majeur

### NOS IMPRESSIONS

| | |
|---|---|
| Agrément de conduite : | 🚗🚗🚗🚗½ |
| Fiabilité : | 🚗🚗🚗🚗 |
| Sécurité : | 🚗🚗🚗🚗 |
| Qualités hivernales : | 🚗🚗🚗½ |
| Espace intérieur : | 🚗🚗🚗🚗🚗 |
| Confort : | 🚗🚗🚗🚗 |

### LE CHOIX DE L'ÉQUIPE

3.5 S

Photos : Guy Desjardins

# NISSAN SENTRA

**Voiture économique**

# CONFUSION DES GENRES

La nouvelle Nissan Sentra est arrivée depuis quelques mois sur le marché et ses ventes progressent petit à petit. Malheureusement, la présence de la Versa Hatchback chez les sous-compactes prive certainement la Sentra de plusieurs ventes. La commercialisation de deux modèles si près l'un de l'autre, du moins dans l'esprit des gens, semble créer un problème plus qu'autre chose. Il ne faut pas avoir peur d'affirmer que ces deux autos ont trop de points en commun pour cohabiter sans se nuire.

Je sais d'avance ce que les gens de Nissan me répondront, que la nouvelle Sentra apparue en début d'année est plus grosse que le modèle qu'elle remplace et, par conséquent, se distingue encore plus par rapport à la Versa. Je suis d'accord sur ce point, mais leur silhouette plus ou moins semblable et des échelles de prix assez rapprochées semblent gâter la sauce.

### UN AN PLUS TARD
Pour des raisons que j'ignore, à moins que ce ne soit pour permettre à la Versa de pouvoir être lancée avec succès, l'arrivée de la nouvelle Sentra a été retardée de près d'une année. Ce qui explique sans doute pourquoi la grille de calandre de la nouvelle version est similaire à celle du modèle antérieur, une situation pour le moins saugrenue sur une auto dont la silhouette a été redessinée du tout au tout. Les dimensions ont quand même considérablement progressé puisque l'empattement a été allongé de 149 millimètres, la longueur hors tout de 58 millimètres, tandis que la caisse est plus large de 8 mm et plus haute de 10 mm. Les formes générales de la caisse sont tout en rondeur, ce qui donne une impression de grosse voiture. Il est certain que les phares empruntés à l'Altima, les feux de position piqués à la Z et une partie arrière nous rappelant le design en arc-boutant de

la Maxima lui confèrent un air de famille, mais sans pour autant se démarquer comme la Versa Hatchback le fait.

Le tableau de bord est du style «Nissan Nouveau» avec un volant dont les rayons sont garnis d'appliques en aluminium brossé, tandis que la présentation générale de la planche de bord nous fait songer à celle de sa cadette. Comme cette dernière d'ailleurs, les sièges avant sontconfortables tout en combinant des coussins moelleux et un support latéral adéquat. Par contre, c'est moins réussi à l'arrière. Soulignons toutefois l'ingénieux séparateur qui, lorsque relevé, permet aux objets remisés dans le coffre à bagages de ne pas trop bouger. Lorsque rabattu, il laisse un passage pour les objets plus longs ou plus gros tout en servant de protecteur à la moquette du plancher. Comme vous l'aurez deviné, la banquette arrière de type 60/40 se rabat.

### ADÉQUAT
Je le sais! Les Sentra SE-R et SE-R Spec V sont proposés avec une mécanique plus puissante alors que le moteur de 2,5 litres est offert en version de 177 et 200 chevaux respectivement. Je m'interroge toujours quant à ces modèles compte tenu de la silhouette de «char de mon

**FEU VERT**
Plate-forme rigide, bonne habitabilité, silhouette moderne, moteur adéquat, versions SE-R

**FEU ROUGE**
Suspension mal amortie, silhouette quelconque, places arrière à revoir, surpassée par la Versa

**470**

**VÉHICULE D'ESSAI**

| | |
|---|---|
| Version : | 2.0 S |
| Emp/Lon/Lar/Haut(mm) : | 2 685/4 567/1 790/1 511 |
| Poids : | 1 309 kg |
| Coffre/Réservoir : | 371 litres / 55 litres |
| Nombre de coussins de sécurité : | 6 |
| Suspension avant : | indépendante, jambes de force |
| Suspension arrière : | demi-ind., poutre déformante |
| Freins av./arr. : | disque/tambour (ABS opt.) |
| Antipatinage/Contrôle de stabilité : | non / non |
| Direction : | à crémaillère, assistance variable |
| Diamètre de braquage : | 10,6 m |
| Pneus av./arr. : | P205/55R16 |
| Capacité de remorquage : | non recommandé |

**MOTORISATION À L'ESSAI**

| | |
|---|---|
| Moteur : | 4L de 2,0 litres 16s atmosphérique |
| Alésage et course : | 84,0 mm x 90,1 mm |
| Puissance : | 140 ch (104 kW) à 5 100 tr/min |
| Couple : | 147 lb-pi (199 Nm) à 4 800 tr/min |
| Rapport poids/puissance : | 9,35 kg/ch (12,71 kg/kW) |
| Système hybride : | aucun |
| Transmission : | traction, manuelle 6 rapports |
| Accélération 0-100 km/h : | 10,3 s |
| Reprises 80-120 km/h : | 8,9 s |
| Freinage 100-0 km/h : | 41,6 m |
| Vitesse maximale : | 185 km/h |
| Consommation (100 km) : | ordinaire, 8,3 litres |
| Autonomie (approximative) : | 663 km |
| Émissions de $CO_2$ : | 3 600 kg/an |

**GAMME EN BREF**

| | |
|---|---|
| Échelle de prix : | 16 798 $ à 23 998 $ |
| Catégorie : | berline compacte |
| Historique du modèle : | 4ième génération |
| Garanties : | 3 ans/60 000 km, 5 ans/100 000 km |
| Assemblage : | Aguascalientes, Mexique |
| Autre(s) moteur(s) : | 4L 2,5l 177ch/172lb-pi SE-R |
| | 4L 2,5l 200ch/180lb-pi SE-R Spec V |
| Autre(s) rouage(s) : | aucun |
| Autre(s) transmission(s) : | CVT |

**DANS LA MÊME CATÉGORIE**

Acura CSX - Chevrolet Cobalt - Ford Focus - Honda Civic - Hyundai Elantra - Kia Spectra - Mazda 3 - Mitsubishi Lancer - Saturn Astra - Subaru Impreza - Suzuki SX-4 - Toyota Corolla

**DU NOUVEAU EN 2008**

Équipement plus complet, versions SE-R, poignées de maintien articulées

**NOS IMPRESSIONS**

| | |
|---|---|
| Agrément de conduite : | 🚗🚗🚗½ |
| Fiabilité : | 🚗🚗🚗🚗 |
| Sécurité : | 🚗🚗🚗½ |
| Qualités hivernales : | 🚗🚗🚗🚗 |
| Espace intérieur : | 🚗🚗🚗½ |
| Confort : | 🚗🚗½ |

**LE CHOIX DE L'ÉQUIPE**

2.0 S avec CVT

---

oncle » de cette Sentra. Et je n'invente rien puisque la première génération avait été conçue afin d'offrir à de jeunes universitaires frais diplômés une voiture qui ne ressemble pas à une malheureuse petite économique, d'où l'allure bourgeoise de la caisse, histoire de permettre à son propriétaire de jouer les jeunes professionnels sans passer pour un pauvre ou un fou du volant. Bref, une voiture pour les gens sages et réservés ! Et par la suite, on nous amène les versions sport avec des moteurs plus puissants. Inutile de préciser que l'essieu arrière à poutre est souvent pris au dépourvu. Mais il ne faut pas uniquement se fier à la puissance des moteurs.

Dans la version que l'on pourrait qualifier de « normale », un moteur quatre cylindres 2,0 litres de 140 chevaux a pour mission de lutter contre la gravité. Sur une de nos voitures d'essai, il était couplé à une transmission CVT. Ce qui n'est pas surprenant puisque Nissan s'est fait le champion de ce type de transmission. Il faut admettre que ce constructeur se débrouille pas mal avec sa boîte CVT, beaucoup mieux que Chrysler en tout cas.

Si ce tandem moteur-transmission est adéquat, vous ne serez pas décoiffé par ses accélérations ou encore ses reprises. En usage quotidien, la Sentra est capable de se démarquer autant en raison de son confort, de sa faible consommation de carburant que de sa tenue de route honnête. Il est vrai que la direction est trop assistée, mais ce n'est pas dramatique non plus. Par contre, aventurez-vous sur une route quelque peu bosselée et la suspension arrière vous fait rapidement sentir ses limites avec un cognement sec et un soubresaut qui se transmet dans tout l'habitacle. C'est à ce moment que ma Sentra d'essai a perdu bien des points...

La Versa est plus agile, plus agréable à conduire, moins chère et presque aussi confortable. La Sentra est plus spacieuse, plus grosse, plus puissante et sa configuration de berline est meilleure que celle de la Versa qui se démarque surtout en version *hatchback*. Pas surprenant que la berline Versa soit moins visible sur nos routes et que la Sentra se fasse souvent devancer par la Versa Hatchback lorsque vient le temps de choisir entre les deux.

**Denis Duquet**

Photos : Nissan

*Voiture économique*

# LA BONNE RECETTE

L'an dernier, l'une des vedettes du marché a été la Versa Hatchback. Cette nouvelle venue a non seulement attiré un grand nombre d'acheteurs, mais elle s'est fort bien défendue dans la catégorie des sous-compactes, livrant une chaude lutte aux Honda Fit et Toyota Yaris, entre autres. Mais contrairement à la plupart de ses concurrentes, cette Nissan les surpassait en dimensions et en puissance, autant de considérations qui ont influencé les acheteurs. Par contre, les ventes de la Sentra, également nouvelle en 2007, ont certainement été affectées par le brio de la cadette.

C e qui explique pourquoi les ventes de berline Versa sont assez faibles tandis que le hatchback cartonne toujours. Les amateurs de berline ont choisi la Sentra, plus grosse et plus puissante, alors que les adeptes de *hatchback* ont jeté leur dévolu sur la Versa.

### SURTOUT LE CONFORT

La première chose qui nous frappe lorsqu'on monte à bord de la voiture est le confort des sièges. Ceux-ci sont non seulement larges mais le support pour les cuisses est bon, même pour les personnes de grande taille. De plus, ils sont produits d'une mousse qui supporte bien le corps tout en étant confortable Je suis persuadé que l'influence de Renault s'est fait sentir. Bref, c'est positif, mais à un détail près puisque le levier d'inclinaison du dossier est placé vers la console et ceux qui ont de grosses paluches n'apprécieront pas. Soulignons au passage que l'habitabilité est bonne, le dégagement aux places arrière généreux, et le tableau de bord fort élégant pour la catégorie.

Contrairement à la Honda Fit dont la planche de bord donne l'impression que les stylistes ont ajouté des éléments additionnels pour faire davantage au goût du jour, celle de la Versa est très homogène.

Toujours à propos de l'habitacle, une chose m'intrigue cependant : pourquoi diantre les coussins du dossier arrière se rabattent sans créer une surface complètement plane, comme sur les autres véhicules ?

Compte tenu de la vocation économique de la voiture, la présentation intérieure est bonne, les pièces décoratives de couleur titane apportent un peu plus d'impact visuel. Malheureusement, les cadrans indicateurs sont difficiles à lire.

La silhouette de la version *hatchback* est de loin la mieux réussie des deux modèles Versa : sa partie arrière tronquée est d'un bel effet et lui confère un caractère à part. Pour la berline, c'est correct, mais un peu trop générique.

### GROS MOTEUR, TROIS TRANSMISSIONS

En général, la moyenne de la catégorie quant à la puissance des moteurs se situe aux environs de 105 à 110 chevaux. Cette Nissan les surclasse avec son moteur de 122 chevaux. Bien entendu, avec sa cylindrée de 1,8 litre, il est non seulement le plus puissant, mais le plus gros dans cette catégorie. Il est d'ailleurs le seul à tomber sous la barre des 10 secondes pour boucler le 0-100 km/h. Et à part la Honda Fit

**FEU VERT**
Silhouette réussie, habitacle spacieux,
sièges avant confortables,
moteur puissant, bonne routière

**FEU ROUGE**
Levier imprécis de la boîte manuelle, direction trop assistée,
levier réglage des sièges mal placés,
cadrans indicateurs difficiles à lire

**472**

## VÉHICULE D'ESSAI

| | |
|---|---|
| Version : | 1.8 SL Hatchback |
| Emp/Lon/Lar/Haut(mm) : | 2 600/4 295/1 695/1 535 |
| Poids : | 1 242 kg |
| Coffre/Réservoir : | 504 à 1 427 litres / 50 litres |
| Nombre de coussins de sécurité : | 6 |
| Suspension avant : | indépendante, jambes de force |
| Suspension arrière : | demi-ind., poutre déformante |
| Freins av./arr. : | disque/tambour (ABS, EBD) |
| Antipatinage/Contrôle de stabilité : | non / non |
| Direction : | à crémaillère, assistance variable électrique |
| Diamètre de braquage : | 10,4 m |
| Pneus av./arr. : | P185/65R15 |
| Capacité de remorquage : | non recommandé |

## MOTORISATION À L'ESSAI

| | |
|---|---|
| Moteur : | 4L de 1,8 litre 16s atmosphérique |
| Alésage et course : | 84,0 mm x 81,1 mm |
| Puissance : | 122 ch (91 kW) à 5 200 tr/min |
| Couple : | 127 lb-pi (172 Nm) à 4 800 tr/min |
| Rapport poids/puissance : | 10,18 kg/ch (13,8 kg/kW) |
| Système hybride : | aucun |
| Transmission : | traction, manuelle 6 rapports |
| Accélération 0-100 km/h : | 9,5 s |
| Reprises 80-120 km/h : | 8,3 s (4e) |
| Freinage 100-0 km/h : | 41,5 m |
| Vitesse maximale : | 175 km/h |
| Consommation (100 km) : | ordinaire, 7,9 litres |
| Autonomie (approximative) : | 633 km |
| Émissions de CO2 : | 3 456 kg/an |

## GAMME EN BREF

| | |
|---|---|
| Échelle de prix : | 14 598 $ à 17 598 $ |
| Catégorie : | sous-compacte |
| Historique du modèle : | 1ière génération |
| Garanties : | 3 ans/60 000 km, 5 ans/100 000 km |
| Assemblage : | Aguascalientes, Mexique |
| Autre(s) moteur(s) : | aucun |
| Autre(s) rouage(s) : | aucun |
| Autre(s) transmission(s) : | automatique 4 rapports / CVT |

## DANS LA MÊME CATÉGORIE

Chevrolet Aveo - Honda Fit - Hyundai Accent - Kia Rio - Pontiac Wave - Suzuki Swift+ - Toyota Yaris

## DU NOUVEAU EN 2008

Aucun changement majeur

## NOS IMPRESSIONS

| | |
|---|---|
| Agrément de conduite : | 🚗 🚗 🚗 ½ |
| Fiabilité : | 🚗 🚗 🚗 🚗 |
| Sécurité : | 🚗 🚗 🚗 🚗 |
| Qualités hivernales : | 🚗 🚗 🚗 🚗 |
| Espace intérieur : | 🚗 🚗 🚗 ½ |
| Confort : | 🚗 🚗 🚗 🚗 |

## LE CHOIX DE L'ÉQUIPE

1.8 S

---

qui surclasse de beaucoup la Nissan au chapitre de la consommation de carburant, cette Nissan consomme généralement moins que plusieurs autres de ses concurrentes de la catégorie.

Les ingénieurs qui ont développé cette voiture n'ont pas été chiches sur la transmission puisque l'acheteur a le choix entre trois boîtes de vitesses. La transmission de série est une boîte manuelle à six rapports tandis qu'il est possible de commander une transmission automatique traditionnelle à quatre rapports. Un autre choix est la boîte CVT à rapports continuellement variables.

Sur la route, les performances du moteur sont bonnes. Mais, coté boîte de vitesses, les nouvelles ne sont pas très bonnes. Avec la boîte manuelle, le manque de précision du levier de vitesse est agaçant, et les versions à boîte automatiques à quatre rapports sont bruyantes avec une transmission qui est tout juste correcte. L'option la plus intéressante est la boîte Xtronic CVT. Vous avez bien lu, une transmission à rapports continuellement variables. En effet, Nissan est l'une des rares compagnies avec Audi qui a réussi à dompter les caprices de ces boîtes de vitesses souvent plus agaçantes qu'autre chose.

L'an dernier, la Versa Hatchback a mérité le second rang dans le cadre de notre match comparatif de la catégorie. Elle a été devancée par la Honda Fit mais a eu le dessus sur la Toyota Yaris classée troisième. Sans vouloir renier ce classement, la Fit l'a emporté en raison de son agrément de conduite et sa plus grande versatilité. Par ailleurs, si vous préférez le confort et une conduite plus relaxante, la Versa sera votre choix. La Yaris bénéficie pour sa part d'une silhouette moderne et sa réputation de fiabilité n'est plus à prouver. Par contre, un moteur bruyant et un habitacle aux plastiques assez durs, merci, lui ont fait perdre des points.

**Denis Duquet**

Photos : Guy Desjardins

# DUR À CUIRE ET HEUREUX DE L'ÊTRE !

De tous les véhicules destinés aux citadins qui aiment jouer les aventuriers, le Nissan XTerra est sans doute le meilleur. À tel point que plusieurs cultivateurs et amateurs de hors route l'ont adopté ! Moins imposant que les Nissan Pathfinder, Hummer H3 et Dodge Durango de ce monde, mais plus imposant que les Honda CR-V, Jeep Liberty et Ford Escape, le XTerra se veut le meilleur des deux mondes. Oh, ce n'est pas le plus raffiné des VUS offerts sur le marché mais, comme nous le verrons plus loin, ses capacités hors route compensent amplement.

L e premier Nissan XTerra, lancé en 2000, était élaboré sur le châssis de la camionnette Frontier. Lorsque cette dernière a été entièrement renouvelée en 2006, le XTerra en a été quitte pour subir, lui aussi, une cure de rajeunissement. Nissan en a alors profité pourconserver ce qui faisait d'un XTerra un XTerra et pour changer le reste.

Ce qui fait d'un XTerra un XTerra, c'est d'abord et avant tout le style. Macho à souhait, ses lignes ne laissent planer aucun doute sur ses capacités hors route. Les grosses ailes bien rebondies, les imposants pare-chocs incluant une marche de chaque côté à l'arrière et les poignées de porte surdimensionnées «font la job». Mais ce sont surtout les détails qui donnent au XTerra son allure unique. La porte arrière, par exemple, présente un renflement très caractéristique qui contient une trousse de premiers soins. De plus, la vitre arrière est asymétrique. Mais le summum est représenté par cette galerie de toit qui possède un coffre dans sa partie frontale. En fait, il s'agit d'une astuce pour camoufler le toit en deux niveaux. Ce coffre peut contenir quelques objets et puisque le fond possède des ouvertures, l'eau s'en écoule facilement. Cependant, il ne peut être verrouillé et les pentures permettant son ouverture ne nous semblent pas très solides.

## LAVABLE À L'EAU FROIDE

Dans l'habitacle, c'est du Nissan tout craché. Le tableau de bord reprend plusieurs éléments stylistiques propres à la marque nippone mais c'est davantage la surabondance de plastiques qui surprend. En fait, cela ne devrait pas surprendre dans la mesure où le XTerra est appelé à jouer dans la boue plus souvent que la plupart des autres véhicules. La partie arrière, surtout, est facilement lavable. Le plancher est égal à l'ouverture, très grande, en passant. Lorsque les dossiers des sièges arrière, recouverts de plastique, sont baissés, l'espace de chargement est franchement impressionnant. On retrouve aussi plusieurs bacs de rangement mais la qualité des plastiques est désolante. Il est à noter que le pneu de secours est placé sous le véhicule, ce qui est mieux que sur le hayon (genre Hummer), mais ça vous fera sacrer à coup sûr si vous devez un jour vous en servir, car il sera assurément très sale.

L'accès à bord n'est pas des plus aisés (les marchepieds ne sont livrés qu'avec la version SE, la plus luxueuse) et les sièges ne font pas preuve d'un confort extraordinaire même si on a déjà vu pire. Compte tenu des dimensions et surtout des caractéristiques esthétiques du XTerra, la visibilité n'est pas des meilleures. Heureusement, les rétroviseurs extérieurs sont suffisamment grands. Le tableau de bord présente un jeu complet

**FEU VERT**
Capacités hors-route indéniables, *look* viril, habitacle facilement lavable, couple moteur important, châssis robuste

**FEU ROUGE**
Suspension ferme, plastiques assez «*cheaps*» merci !, accès à bord pas facile, consommation assez élevée, freins peu performants

de jauges, ce qui est beaucoup plus rare qu'on peut l'imaginer et on retrouve plusieurs espaces de rangement.

## PEUR DE RIEN

Nous avons vu un peu plus tôt que lors de la refonte du XTerra, Nissan avait conservé ce qui était bon et modifié ce qui ne l'était pas... comme le groupe motopropulseur. Depuis 2006, le XTerra peut compter sur un robuste V6 de 4,0 litres de 261 chevaux et 281 livres-pied de couple. Ce moteur est suffisamment puissant et, surtout, possède un couple apte à le tirer d'embarras dans la plupart des situations hors route. Sa consommation d'essence, cependant, mérite moins d'éloges... Côté transmission, on retrouve une manuelle à six rapports ou une automatique à cinq rapports. La course du levier de la première est un peu trop longue à notre goût mais l'embrayage se montre bien dosé. L'automatique ne s'attire pas de commentaires négatifs ni positifs. Elle fait son boulot proprement et sans rechigner. Puisque le XTerra veut jouer dans la boue, les ingénieurs de Nissan lui ont donné un rouage à quatre roues motrices avec une gamme haute (Hi) et une gamme basse (LO). Une version Off Road est même proposée. Elle inclut un différentiel à blocage électronique, des amortisseurs pour conduite hors route Bilstein, des plaques de protection et, pour les versions avec transmission automatique, un impressionnant système de contrôle en descente et assistance au démarrage en côte. En temps normal, seules les roues arrière poussent le véhicule. À la demande du conducteur et peu importe la vitesse, les roues avant se mettent de la partie. Un rapide tour sous le véhicule nous montre un antirouille abondant et bien appliqué mais une couette de fils, placée à l'extérieur du cadre et exposée aux intempéries et autres cochonneries étendues sur nos routes, ne devrait pas durer très longtemps.

Bien entendu, on n'attend pas d'un véhicule monté sur un châssis de camionnette le même confort qu'une automobile. Malgré tout, le XTerra n'est pas aussi tape-cul qu'on serait porté à le croire. Certes, la suspension arrière sautille un peu au passage de bosses, et il faut oublier toute ambition sportive à son volant. Les performances du moteur sur la route ne sont pas à dédaigner mais les freins arrière mériteraient des dimensions plus imposantes.

Cette année, le Nissan XTerra poursuit sa carrière sans changements majeurs, outre quelques détails dans les groupes d'options.

**Alain Morin**

## VÉHICULE D'ESSAI

| | |
|---|---|
| Version : | SE |
| Emp/Lon/Lar/Haut(mm) : | 2 700/4 540/1 850/1 903 |
| Poids : | 2 000 kg |
| Coffre/Réservoir : | 388 à 1 869 litres / 80 litres |
| Nombre de coussins de sécurité : | 6 |
| Suspension avant : | indépendante, multibras |
| Suspension arrière : | essieu rigide, ressorts elliptiques |
| Freins av./arr. : | disque (ABS) |
| Antipatinage/Contrôle de stabilité : | oui / oui |
| Direction : | à crémaillère, assistance variable |
| Diamètre de braquage : | 11,3 m |
| Pneus av./arr. : | P265/65R17 |
| Capacité de remorquage : | 2 268 kg |

## MOTORISATION À L'ESSAI

| | |
|---|---|
| Moteur : | V6 de 4,0 litres 24s atmosphérique |
| Alésage et course : | 95,5 mm x 92,0 mm |
| Puissance : | 261 ch (195 kW) à 5 600 tr/min |
| Couple : | 281 lb-pi (381 Nm) à 4 000 tr/min |
| Rapport poids/puissance : | 7,66 kg/ch (10,42 kg/kW) |
| Système hybride : | aucun |
| Transmission : | 4RM, manuelle 6 rapports |
| Accélération 0-100 km/h : | 7,9 s |
| Reprises 80-120 km/h : | 6,2 s |
| Freinage 100-0 km/h : | 42,0 m |
| Vitesse maximale : | 195 km/h |
| Consommation (100 km) : | ordinaire, 13,5 litres |
| Autonomie (approximative) : | 593 km |
| Émissions de CO2 : | 5 760 kg/an |

## GAMME EN BREF

| | |
|---|---|
| Échelle de prix : | 33 848 $ à 37 488 $ |
| Catégorie : | utilitaire sport compact |
| Historique du modèle : | 2ième génération |
| Garanties : | 3 ans/60 000 km, 5 ans/100 000 km |
| Assemblage : | Smyrna, Tenessee, É-U |
| Autre(s) moteur(s) : | aucun |
| Autre(s) rouage(s) : | aucun |
| Autre(s) transmission(s) : | automatique 5 rapports |

## DANS LA MÊME CATÉGORIE

Ford Escape - Honda CR-V - Hyundai Santa Fe - Jeep Liberty - Kia Sorento - Mazda Tribute - Toyota Rav4

## DU NOUVEAU EN 2008

Légères modifications des groupes d'option, rétroviseur intérieur avec compas et température de série, Bluetooth disponible, nouvelle couleur (Red Alert)

## NOS IMPRESSIONS

| | |
|---|---|
| Agrément de conduite : | 🚗🚗🚗🚗 |
| Fiabilité : | 🚗🚗🚗🚗 |
| Sécurité : | 🚗🚗🚗🚗 |
| Qualités hivernales : | 🚗🚗🚗🚗½ |
| Espace intérieur : | 🚗🚗🚗🚗 |
| Confort : | 🚗🚗🚗½ |

## LE CHOIX DE L'ÉQUIPE

S

Photos : Nissan

Nissan Rogue

# BONSOIR ET BONJOUR !

Le Nissan X-Trail est débarqué chez nous en 2005 et déjà il s'apprête à tirer sa révérence. Déjà ? Il faut savoir que ce VUS compact circulait sur les routes du monde depuis plusieurs années. De notre côté de l'Atlantique, il n'était offert qu'au Canada. Après une carrière canadienne bien remplie où il a su se tailler une place de choix dans plusieurs cœurs, il est temps pour le X-Trail de laisser sa place à un nouveau VUS (qui semble tenir plus du multisegment compact) plus moderne et plus confortable. Bienvenue au Rogue !

D e ce nouveau Rogue, dévoilé au Salon de l'auto de Detroit en janvier 2007, nous savons peu choses, la date de tombée du Guide de l'auto se trouvant quelques semaines avant son lancement. Selon les documents de Nissan, le Rogue (fripon ou coquin, en français !) sera proposé en deux niveau d'équipement, soit S et SL . Ce nouveau véhicule est bâti sur la plate-forme monocoque C, la même que celle de la Sentra. On ne parle donc pas ici d'un 4x4 pur et dur mais plutôt d'un VUS compact urbain. À cet effet, le Rogue sera d'abord une traction (roues avant motrices) et, en option, on retrouvera une intégrale. Les freins ABS et le système de contrôle de la traction (VDC pour Vehicle Dynamic Control) seront standards.

### MÉCANIQUE IDENTIQUE MAIS CHÂSSIS DIFFÉRENT
Côté moteur, on retrouvera le quatre cylindres 2,5 litres de 170 chevaux et 175 livres-pied de couple. Ce moteur trouvait déjà sa place dans le X-Trail et dans l'Altima. Côté transmission, seule une CVT (à rapports continuellement variables) sera offerte. Il semble que ce type de transmission devienne de plus en plus populaire chez Nissan. De même, la direction sera assistée électriquement. Même si je n'ai jamais eu d'affinités particulières avec les transmissions CVT et les directions électriques qui procurent moins de feedback, il semble que les propriétaires

ne s'en plaignent pas. Et dans le fond, c'est tout ce qui compte ! Les suspensions, indépendantes aux quatre roues, laissent deviner un confort général assez bon mais seul un essai prolongé pourra nous renseigner à ce sujet. Le Rogue, selon le modèle, roulera sur des pneus de 16" ou 17" et stoppera grâce à des freins à disque aux quatre roues.

Dans l'habitacle, Nissan prédit plusieurs espaces de rangement dont un coffre à gants double et surdimensionné, une imposante console centrale ainsi qu'un ingénieux système de séparation dans la partie arrière. Ce système empêchera les sacs d'épicerie, par exemple, de se promener de tout bord tout côté. Tout ça, c'est bien beau, mais il faudra attendre avant de confirmer si les adjectifs employés par Nissan sont exacts. Ce n'est pas qu'on ne fait pas confiance aux impressions des services de presse des manufacturiers mais il se pourrait qu'ils ne soient pas tout à fait objectifs. Parmi les perles du document de presse du Rogue, mentionnons que « le Rogue possède un style agressif et axé sur la performance » et que son « habitacle orienté vers le pilote et son excellente tenue de route changeront la perception des jeunes acheteurs envers les petits multisegments ». Il s'agit d'une traduction libre d'une idéologie tout aussi libre… Au nombre des éléments optionnels, notons le siège du passager avant pouvant être replié sur lui-même pour permettre le

**FEU VERT**
Nouveau modèle plus moderne (Rogue), rouage intégral efficace (X-Trail), espace chargement important (X-Trail), confort amélioré (Rogue), design plus moderne (Rogue)

**FEU ROUGE**
Modèle en fin de carrière (X-Trail), capacités hors-route à la baisse (Rogue), fiabilité inconnue (Rogue), comportement routier ordinaire (X-Trail)

transport d'objets très longs (GM offre déjà, sans frais, ce type de siège dans plusieurs de ses VUS), des sièges avant et des rétroviseurs chauffants, un système audio Bose, la technologie Bluetooth, des phares au xénon, le toit ouvrant et j'en passe. Pas moins de six coussins gonflables équiperont le Rogue et ce, sans frais additionnels.

Le Rogue, qui sera assemblé à Kyushu au Japon, pourra être vu dans les salles d'exposition dès cet automne. Son prix devrait se situer en deçà de celui du X-Trail mais si ce n'est pas le cas, je n'ai jamais écrit cette phrase...

### UN PETIT PEU DE X-TRAIL POUR TERMINER

Dans le monde de plus en plus encombré des VUS compacts, le Nissan X-Trail a toujours eu une position privilégiée. Son look macho, son châssis robuste et ses aptitudes en tout terrain ont été autant de points qui ont joué en sa faveur. Les journalistes automobiles ont eu beau décrier son comportement routier peu sportif, son moteur rugueux et son confort aléatoire, n'empêche que tous les propriétaires de X-Trail rencontrés au fil des ans se sont dit enchantés de leur achat.

Notre essai hivernal d'un X-Trail Bonavista nous a prouvé que ce modèle en était rendu à la fin de sa vie utile. Son rouage intégral performant et son freinage incisif ne pouvaient compenser pour ses suspensions trop dures et sa tenue de route très moyenne. Remarquez qu'en situation de hors route, le X-Trail ne donne pas sa place. Il y a deux ans, lors d'un match comparatif entre VUS compacts, tout le monde avait décrié plusieurs points du petit Nissan mais tous avaient louangé son comportement dans des situations difficiles. Dans l'habitacle, ce n'est guère plus réjouissant alors que les plastiques d'une qualité très douteuse, le manque d'insonorisation et l'ergonomie déficiente se conjuguent pour donner au X-Trail une facture de bas de gamme. Heureusement, les espaces de rangement et la soute à bagages s'avèrent très conviviaux. Malgré tout, comme nous le mentionnions plus haut, les propriétaires de ce véhicule apprécient sa robustesse, ses capacités dans la neige et la boue et, surtout, sa fiabilité.

Le X-Trail n'est plus (ou presque plus), vive le Rogue !

**Alain Morin**

## VÉHICULE D'ESSAI
DONNÉE PRÉLIMINAIRES

| | |
|---|---|
| Version : | Rogue |
| Emp/Lon/Lar/Haut(mm) : | 2 690/4 645/1 800/1 658 |
| Poids : | n.d. |
| Coffre/Réservoir : | n.d. / n.d. |
| Nombre de coussins de sécurité : | 6 |
| Suspension avant : | indépendante, jambes de force |
| Suspension arrière : | indépendante, multibras |
| Freins av./arr. : | disque (ABS) |
| Antipatinage/Contrôle de stabilité : | oui / oui |
| Direction : | à crémaillère, assistance variable électrique |
| Diamètre de braquage : | n.d. |
| Pneus av./arr. : | P215/70R16 |
| Capacité de remorquage : | n.d. |

## MOTORISATION À L'ESSAI

| | |
|---|---|
| Moteur : | 4L de 2,5 litres 16s atmosphérique |
| Alésage et course : | 89,0 mm x 100,0 mm |
| Puissance : | 170 ch (127 kW) |
| Couple : | 175 lb-pi (237 Nm) |
| Rapport poids/puissance : | n.d. |
| Système hybride : | aucun |
| Transmission : | intégrale, CVT |
| Accélération 0-100 km/h : | 9,0 s (estimé) |
| Reprises 80-120 km/h : | 8,0 s (estimé) |
| Freinage 100-0 km/h : | 40,0 m (estimé) |
| Vitesse maximale : | n.d. |
| Consommation (100 km) : | ordinaire, 11,0 litres (estimé) |
| Autonomie (approximative) : | n.d. |
| Émissions de CO2 : | n.d. |

## GAMME EN BREF

| | |
|---|---|
| Échelle de prix : | n.d. |
| Catégorie : | utilitaire sport compact |
| Historique du modèle : | 1ère génération |
| Garanties : | 3 ans/60 000 km, 5 ans/100 000 km |
| Assemblage : | Kyushu, Japon |
| Autre(s) moteur(s) : | aucun |
| Autre(s) rouage(s) : | traction |
| Autre(s) transmission(s) : | aucune |

## DANS LA MÊME CATÉGORIE

Chevrolet Equinox - Ford Escape - Honda CR-V - Jeep Liberty - Mazda Tribute - Mitsubishi Outlander - Subaru Forester - Toyota Rav4

## DU NOUVEAU EN 2008
Nouveau modèle, abandon du X-Trail

## NOS IMPRESSIONS

| | |
|---|---|
| Agrément de conduite : | n.d. |
| Fiabilité : | n.d. |
| Sécurité : | n.d. |
| Qualités hivernales : | n.d. |
| Espace intérieur : | n.d. |
| Confort : | n.d. |

## LE CHOIX DE L'ÉQUIPE
On verra !

# BELLE FAMILLE

General Motors s'y prend de belle façon pour attirer la clientèle chez ses concessionnaires. La recette est bien simple : on crée tout d'abord un produit agréable à l'œil. Ensuite, on s'efforce de le présenter sous différentes catégories et on s'assure de plaire à tous en greffant plusieurs choix de moteurs. Puis, on garde le prix à un niveau acceptable, voire très abordable, pour le modèle de base en espérant que les gens se laisseront tenter par le modèle haut de gamme. Cette recette n'est pas nouvelle et plusieurs l'ont déjà essayée mais pour la G6, la théorie a été appliquée à la lettre.

É videmment, certaines versions du modèle se vendent moins bien que d'autres mais bon, au moins les gens ont le choix. Il n'est donc pas permis de sortir bredouille d'un concessionnaire Pontiac si vous y étiez entré pour acheter une G6. Impossible de ne pas trouver ce que vous vouliez car la voiture est offerte en versions berline, coupé et cabriolet. Et tout dépendamment de votre préférence, votre voiture sera équipée d'un des quatre moteurs et d'une des trois transmissions disponibles.

### À LA BASE

En version d'entrée de gamme, la G6 se démarque de la concurrence par un prix très compétitif. Se détaillant sous les 24 000 $, la voiture offre beaucoup si on la compare avec les modèles de sa catégorie contre lesquels elle lutte. Les Altima, Accord et Mazda 6, pour ne nommer que celles-là, sont toutes vendues à un prix supérieur et n'ont pas nécessairement autant d'équipement. Notre voiture d'essai, la version cabriolet, était tout particulièrement agréable à regarder avec ses lignes profilées et ses jantes de 17 pouces.

Sachez qu'il est pratiquement impossible pour un adulte de tenir plus de 10 minutes assis dans les sièges arrière... Je parierais même qu'un enfant ne voudrait pas s'y installer à moins de lui promettre un décadent cornet de crème glacée à trois boules ! En version coupé, la G6 reprend les traits du cabriolet mais avec un toit fixe. La ligne reste la même et s'avère très réussie, ce qui représente tout un changement de philosophie si on la compare avec les modèles que Pontiac nous présentait auparavant. Les artifices esthétiques sont chose du passé et les designers misent dorénavant sur un style plus classique avec un design plutôt indémodable.

On retrouvera cependant le style Pontiac dans l'habitacle alors que la disposition des éléments et le choix des matériaux rappellent immanquablement les anciennes Grand Am et Grand Prix avec des buses de ventilation rondes et des lumières multicolores au tableau de bord. Toutefois, l'effort mis à rendre l'intérieur plus sobre et moins disparate est réussi avec des cadrans plus homogènes, un volant épuré et une console centrale moins apparente. Malheureusement, on notera la présence de plastique dur encore en trop grande quantité et aussi la finition quelquefois un peu bâclée de certains éléments. Notre version d'essai disposait de sièges très enveloppants et de nombreux équipements optionnels qui la rendaient très intéressante et qui nous faisaient oublier les détails de finition douteux.

 **FEU VERT**
Design extérieur réussi,
version GXP intéressante,
moteurs efficaces, prix décents en version de base

**FEU ROUGE**
Manque de rigidité du châssis (cabriolet), finition à améliorer,
prix du cabriolet onéreux, choix de moteurs discutable,
transmission 6 rapports offerte seulement sur GXP

## L'ENVERS DE LA MÉDAILLE

Autant son aspect extérieur fait tourner les têtes, autant la rigidité de sa caisse fait tourner la nôtre. Principalement en livrée cabriolet, la G6 a souffert quelque peu du manque de rigidité amené par le toit fixe. Le confort et la tenue de route sont tout de même agréables malgré les nombreux bruits de caisse. On a bien tenté de calibrer la suspension pour absorber le plus possible ce défaut, il reste que le résultat déçoit alors que la voiture affiche un comportement résolument moins sportif que la berline ou le coupé. Un sentiment de déjà vu éprouvé sur les anciennes générations de voitures américaines où tout semblait vouloir tomber en morceaux lorsqu'on traversait une zone cahoteuse. Heureusement, ce genre de comportement est absent sur les autres versions et la tenue de route s'avère solide et sans faille. Concernant la motorisation, rien de nouveau à signaler alors que les moteurs offerts demeurent les mêmes. La version de base de la G6 reçoit le très économe moteur Ecotec de 4 cylindres. Ce moteur s'est montré fiable et efficace, ce qui rend son utilisation agréable avec une puissance tout de même acceptable. Les versions GT de la G6 se voient par ailleurs attribuer un 6 cylindres de 3,5 litres d'une puissance de 219 chevaux alors que la nouvelle version GXP hérite du 3,6 litres de 252 chevaux. Cette dernière version affiche en plus une allure plus performante avec des sièges en cuir, des parties avant et arrière modifiées et des panneaux de portes uniques. Un moteur 3,9 litres est optionnel sur le modèle cabriolet seulement. Il développe moins de chevaux que le 3,6 litres et consomme plus... On se demande bien qui décide du choix de moteurs chez GM, car quelquefois c'est un peu illogique et regrettable. Ajoutez à cela la transmission 4 rapports de série qui équipe la plupart des modèles, tandis qu'une transmission 6 vitesses est disponible uniquement sur le modèle GXP, et vous serez d'accord pour dire que le potentiel de la G6 est bien présent, même si l'ensemble mériterait un peu plus d'attention dans sa mise en marché.

La nouvelle gamme de produits Pontiac est bien réussie. Tout comme avec sa division Saturn, GM présente dorénavant des véhicules au style très accrocheur. Les designers ont su ramener la passion au sein du constructeur en proposant des styles issus du continent européen. On a donc droit à un vent de fraîcheur et à une ligne fluide et épurée. Il faudrait faire suivre ce mouvement aux organes mécaniques et à la qualité de la finition qui souffrent d'un manque d'attention et de rigueur.

**Guy Desjardins**

### VÉHICULE D'ESSAI

| | |
|---|---|
| Version : | GT cabriolet |
| Emp/Lon/Lar/Haut(mm) : | 2 852/4 803/1 793/1 440 |
| Poids : | 1 749 kg |
| Coffre/Réservoir : | 62 à 357 litres / 64 litres |
| Nombre de coussins de sécurité : | 6 |
| Suspension avant : | indépendante, jambes de force |
| Suspension arrière : | indépendante, multibras |
| Freins av./arr. : | disque (ABS) |
| Antipatinage/Contrôle de stabilité : | oui / oui |
| Direction : | à crémaillère, assistance variable |
| Diamètre de braquage : | 12,3 m |
| Pneus av./arr. : | P225/50R18 |
| Capacité de remorquage : | non recommandé |

### MOTORISATION À L'ESSAI

Pneus d'origine MICHELIN

| | |
|---|---|
| Moteur : | V6 de 3,5 litres 12s atmosphérique |
| Alésage et course : | 99,0 mm x 76,0 mm |
| Puissance : | 217 ch (162 kW) à 5 800 tr/min |
| Couple : | 217 lb-pi (294 Nm) à 4 000 tr/min |
| Rapport poids/puissance : | 8,06 kg/ch (10,93 kg/kW) |
| Système hybride : | aucun |
| Transmission : | traction, auto. mode man. 4 rapports |
| Accélération 0-100 km/h : | 8,4 s |
| Reprises 80-120 km/h : | 7,3 s |
| Freinage 100-0 km/h : | 43,0 m |
| Vitesse maximale : | 190 km/h |
| Consommation (100 km) : | ordinaire, 11,9 litres |
| Autonomie (approximative) : | 538 km |
| Émissions de CO2 : | 4 800 kg/an |

### GAMME EN BREF

| | |
|---|---|
| Échelle de prix : | 23 395 $ à 35 995 $ |
| Catégorie : | berline compacte/coupé/cabriolet |
| Historique du modèle : | 1ère génération |
| Garanties : | 3 ans/60 000 km, 5 ans/160 000 km |
| Assemblage : | Orion, Michigan, É-U |
| Autre(s) moteur(s) : | 4L 2,4l 164ch/156lb-pi (10,2 l/100km) |
| | V6 3,5l 219ch/215lb (coupé et berline) |
| | V6 3,9l 222ch/238lb-pi (13,0 l/100km) |
| | V6 3,6l 252ch/251lb-pi (11,9 l/100km) GXP |
| Autre(s) rouage(s) : | aucun |
| Autre(s) transmission(s) : | auto. mode man. 6 rapports |

### DANS LA MÊME CATÉGORIE

Acura CSX - Chrysler Sebring - Ford Focus - Honda Civic - Nissan Altima - Subaru Impreza - Volkswagen Eos

### DU NOUVEAU EN 2008

Nouvelle version GXP remplace GTP, nouvelles couleurs, contrôle de la traction de série, 6 coussins gonflables de série

### NOS IMPRESSIONS

| | |
|---|---|
| Agrément de conduite : | 🚗🚗🚗🚗 |
| Fiabilité : | 🚗🚗🚗🚗 |
| Sécurité : | 🚗🚗🚗½ |
| Qualités hivernales : | 🚗🚗🚗½ |
| Espace intérieur : | 🚗🚗🚗½ |
| Confort : | 🚗🚗🚗½ |

### LE CHOIX DE L'ÉQUIPE

G6 GXP coupé

# PONTIAC GRAND PRIX

# EN ATTENDANT LE G8

Avec le G8 qui s'en vient très prochainement, l'avenir semble un peu incertain pour le modèle Grand Prix. Son talon d'Achille est d'être une traction avant, ce qui l'empêche de vraiment faire concurrence à armes égales aux Dodge Charger et Cie qui sont des propulsions. Malheureusement pour la Pontiac, elle demeurera toujours sous-estimée pour cette raison, car les purs et durs ne jurent que par la propulsion quand vient le moment de se payer une américaine à l'allure plus sportive.

**E**n revanche, malgré le fait qu'il s'agisse d'une traction, les performances de la Grand Prix sont assez surprenantes, Malheureusement, la verson la plus homogène et la plus agréable à conduire, l GT, n'est plus offerte. Son V6 suralimenté produisait 260 chevaux comparativement au six cylindres de base de 200 chevaux qui vous laissera sur votre appétit.

### 303 CHEVAUX !

J'ai effectué un essai de 8 000 km à bord de la version GXP. Équipé d'un gros moteur V8 de 5,3 litres déployant 303 furieux poulains, il est capable de très vives accélérations, principalement quand vient le moment de dépasser. Il rejoint alors rapidement les 200 km/h et, à cette vitesse, il fait sentir qu'il en a encore dans le ventre gros V8 qui n'a pu faire mieux qu'une consommation moyenne de 15,4 litres par cent kilomètres. Faites le calcul quand l'essence bondit à 1,18 $ le litre.... Ce moteur est jumelé à une transmission automatique à 4 rapports seulement et c'est une de ses lacunes. Surtout lorsqu'on emploie le mode manuel de passage des rapports et qu'on change de vitesse au moyen des deux boutons situés derrière le volant. On souhaiterait qu'il y ait deux rapports de plus.

Mais tant de puissance dans une traction avant a un net désavantage au niveau de l'effet de couple dans le volant. Il faut le tenir bien serré si vous enfoncez l'accélérateur. Cet effet est si prononcé que si vous effectuez un dépassement en appuyant au fond, c'est garanti qu'en une fraction de seconde, votre GXP aura changé de voie. Il faut un certain temps avant de pouvoir bien le maîtriser lors d'une conduite plus énergique. En plus, les pneus Potenza dont il est chaussé adhèrent beaucoup au bitume, ce qui amplifie l'effet de couple. Dans les virages, la voiture colle au sol, mais si on pousse trop, un sous-virage assez marqué se manifeste.

La suspension indépendante aux quatre roues est équipée d'amortisseurs au gaz Bilstein de haute performance, permettant au GXP de profiter d'un rebond très lent et progressif, tout en étant capable de réduire au maximum le roulis en virage, au détriment du confort, surtout lorsqu'on roule sur les belles routes québécoises... À ce moment, on ressent toute la fermeté de ces amortisseurs.

### SAPIN DE NOËL

Peu importe le modèle choisi, l'habitacle a un bon dégagement pour les coudes, mais c'est tout autrement si on fait plus de 1,80 m, alors que la

**FEU VERT**
Moteurs performants, V8 carresse l'ouie, lignes fluides, consommation réservée

**FEU ROUGE**
Effet de couple important, transmission à quatre rapports seulement, direction manque de précision, valeur de revente à la traîne, finition quelquefois bâclée

**480**

tête frôle le toit. Il faut donc abaisser le siège au maximum. Le volant en cuir offre une excellente prise, mais bizarrement, on a l'impression qu'il est trop gros et massif. Les cadrans sont de consultation facile, principalement le soir quand tout devient illuminé en rouge. Comme dit mon célèbre confrère Denis Duquet, «On a l'impression d'être installé devant un sapin de Noël», et je dois dire qu'il n'a pas tout à fait tort! En revanche, l'habitabilité est correcte aux places arrière et le coffre à bagages est spacieux.

Un point important à mentionner est que la version GXP est équipée de pneus avant plus larges que ceux qu'on retrouve au train arrière. Ceci afin d'optimiser le transfert de puissance à la route du gros 5,3 litres à traction avant. En contrepartie, lorsque vient le temps d'acheter des pneus d'hiver, vous devrez débourser la bagatelle d'environ 450 $ le pneu.

Bref, la Pontiac Grand Prix est une voiture sous-estimée et il serait intéressant de mettre une version GXP sur une piste pour y faire quelques tours contre plusieurs de ses compétitrices, car je serais très curieux de voir où elle se situerait parmi les autres. Si vous désirez un modèle Grand Prix qui a une silhouette attrayante, tout en ayant un comportement plus sportif, la GT s'avère le meilleur choix pour vous. La GXP n'est pas très pratique ici, pour une utilisation sur les routes du Québec, de la sortir seulement durant la période estivale, tandis que la GT se débrouille bien mieux et est plus prévisible. Mais avec l'arrivée du G8, il faut se demander si les gens de GM vont la garder encore bien longtemps...

**Robert Jetté**

Photos : Pontiac

## VÉHICULE D'ESSAI

| | |
|---|---|
| Version : | GXP |
| Emp/Lon/Lar/Haut (mm) : | 2 807/5 038/1 819/1 420 |
| Poids : | 1 633 kg |
| Coffre/Réservoir : | 453 litres / 64 litres |
| Nombre de coussins de sécurité : | 4 |
| Suspension avant : | indépendante, jambes de force |
| Suspension arrière : | indépendante, multibras |
| Freins av./arr. : | disque (ABS) |
| Antipatinage/Contrôle de stabilité : | oui / oui |
| Direction : | à crémaillère, assistance variable |
| Diamètre de braquage : | 11,6 m |
| Pneus av./arr. : | P255/45R18 / P225/50R18 |
| Capacité de remorquage : | 454 kg |

## MOTORISATION À L'ESSAI

| | |
|---|---|
| Moteur : | V8 de 5,3 litres 16s atmosphérique |
| Alésage et course : | 96,0 mm x 92,0 mm |
| Puissance : | 303 ch (226 kW) à 5 600 tr/min |
| Couple : | 323 lb-pi (438 Nm) à 4 400 tr/min |
| Rapport poids/puissance : | 5,39 kg/ch (7,32 kg/kW) |
| Système hybride : | aucun |
| Transmission : | traction, automatique 4 rapports |
| Accélération 0-100 km/h : | 7,5 s |
| Reprises 80-120 km/h : | 5,2 s |
| Freinage 100-0 km/h : | 43,2 m |
| Vitesse maximale : | 175 km/h |
| Consommation (100 km) : | ordinaire, 12,9 litres |
| Autonomie (approximative) : | 496 km |
| Émissions de CO2 : | 5 088 kg/an |

## GAMME EN BREF

| | |
|---|---|
| Échelle de prix : | 26 230 $ à 36 760 $ |
| Catégorie : | berline grand format |
| Historique du modèle : | 6ème génération |
| Garanties : | 3 ans/60 000 km, 5 ans/160 000 km |
| Assemblage : | Oshawa, Ontario, Canada |
| Autre(s) moteur(s) : | V6 3,8l 200ch/230lb-pi (11,8 l/100km) |
| Autre(s) rouage(s) : | aucun |
| Autre(s) transmission(s) : | aucune |

## DANS LA MÊME CATÉGORIE

Buick Allure - Chrysler 300 - Honda Accord - Nissan Maxima - Mazda 6 - Mitsubishi Galant - Toyota Camry - Volkswagen Passat

## DU NOUVEAU EN 2008

Abandon modèle GT, nouvelles couleurs

## NOS IMPRESSIONS

| | |
|---|---|
| Agrément de conduite : | 🚗 🚗 🚗 ½ |
| Fiabilité : | 🚗 🚗 🚗 ½ |
| Sécurité : | 🚗 🚗 🚗 ½ |
| Qualités hivernales : | 🚗 🚗 🚗 ½ |
| Espace intérieur : | 🚗 🚗 🚗 🚗 |
| Confort : | 🚗 🚗 🚗 ½ |

## LE CHOIX DE L'ÉQUIPE

Base

Pontiac Solstice

# UNE BELLE GUEULE AVANT TOUT

Il est très facile de tomber sous le charme de ce duo dès le premier coup d'œil. Il faut avouer que GM a frappé fort au chapitre du style en lançant récemment deux magnifiques roadsters dont les lignes n'ont rien à envier à quelques grandes sportives offertes à gros prix. Cependant, malgré leurs beaux yeux, la Saturn Sky et la Pontiac Solstice cachent quelques désagréments qui malheureusement entachent leur fiche d'assiduité.

Alors que Mazda, avec sa MX-5, avait le champ libre depuis plusieurs années dans le créneau des roadsters abordables, GM joue les troubles fêtes en introduisant deux véhicules quasiment en même temps. Construites sur une toute nouvelle plate-forme, appelée Kappa, ces deux jumelles partagent toutes leurs composantes mécaniques et ne se distinguent pratiquement que par leur style. Parlant de style, elles en affichent tout un!

### EXOTISME ABORDABLE

Si la Pontiac Solstice s'avère séduisante, la Sky me semble encore plus réussie, notamment en raison de son avant plus agressif et plongeant, de son capot intégrant deux prises d'air factices ceinturées de chrome, et de ses ailes à l'avant imitant celles de la Corvette. Ajoutez des jantes de 18 pouces et vous obtenez une voiture qui vous assure de ne pas rester anonyme. Mon premier contacter avec la Sky s'est fait par une magnifique journée d'été. Une fois la capote rabattue, quel plaisir que de circuler sous le ciel bleu, cheveux au vent tout en écoutant ma musique préférée avec un système audio qui n'est pas piqué des vers. Voilà une voiture qui fera tourner bien des têtes, chose plutôt rare pour un véhicule relativement abordable. C'est ce que GM désire nous vendre.

Cependant, ce joli minois cache quelques vices qui, sous les nuages, peuvent devenir plutôt irritants. Le tout débute par un habitacle dont la finition n'est pas sans reproche. Malgré des améliorations notoires, il manque encore un peu de rafinement. On note également l'absence d'espaces de rangement, et certains n'apprécieront pas l'exiguïté de l'habitacle. Cet élément est notamment apporté par l'imposant tableau de bord, ainsi que par la console centrale qui semble aussi souffrir d'embonpoint. Même s'il faut s'attendre à ce type de problème à bord d'un roadster, la concurrence fait mieux à ce chapitre.

### DU TOIT AU RÉSERVOIR D'ESSENCE

On peut pardonner les quelques désagréments reliés à l'habitacle, mais c'est lorsque l'on manipule la capote souple que l'on découvre les principaux irritants de ce duo de choc. Cette dernière s'avère très difficile à accrocher ou à décrocher (il faut pratiquement être deux). De plus, une fois rabattue, elle ampute presque tout l'espace de chargement, d'autant plus que le réservoir d'essence utilise la majeure partie de cet espace. On se demande comment GM a pu concocter un tel aménagement, surtout qu'il s'agit d'une toute nouvelle plate-forme, donc en théorie, on n'avait aucun compromis à faire. Dommage, puisque ces éléments viennent entacher un produit qui aurait pu être encore plus compétitif.

**FEU VERT**
Style à faire tourner les têtes,
puissance supérieure (modèles GXP et Red line),
tenue de route sportive, rigidité du châssis

**FEU ROUGE**
Habitacle exigu, insonorisation et manipulation du toit,
manque d'espaces de rangement,
modèle de base plutôt anémique

## POUR LE TOURISME AVANT TOUT

De prime à bord, la Sky et la Solstice adoptent un comportement sportif. L'une ou l'autre affiche un bel aplomb en virage, notamment en raison de son châssis rigide et de sa suspension indépendante aux quatre roues. Si on note quelques transferts de poids en accélération ou au freinage, ses jantes de bonnes dimensions atténuent cet effet en virage. En modèle de base, le moteur quatre cylindre de 173 chevaux semble avoir de la difficulté à doter la voiture de réelles performances. En condition normale, il suffit à la tâche, mais en conduite sportive, le poids important de la voiture ainsi que la taille des roues semblent lui nuire.

Les amateurs de performances pourront alors se tourner vers la Solstice GXP ou la Sky Redline, deux modèles dont les performances sont rehaussées par la présence d'un moteur Ecotec de 2,0 litres suralimenté. Fort de ses 260 chevaux, il s'acquitte beaucoup mieux de sa tâche et appuie mieux les prétentions sportives de cette voiture. C'est son couple, soit 260 lb-pi dès les 2 500 tr/min, qui lui procure son principal avantage par rapport au modèle de base. Sa puissance est bien distribuée sur toute la bande de régimes, donc linéaire et sans délai. Voilà un élément propre à bon nombre de moteurs suralimentés. Fait intéressant, l'ajout de l'injection directe permet une économie d'essence accrue, malgré la puissance supérieure de ce moteur.

Finalement, en dépit de quelques désagréments, ce duo est certainement capable de faire chavirer les cœurs. Dans un segment où l'esthétisme prime sur l'aspect fonctionnel, la Sky et la Solstice représentent des choix qui vous permettront de ne pas passer inaperçu. Si la concurrence propose un peu plus de maturité, la Solstice et la Sky offrent en revanche de la nouveauté et de l'exotisme. Avec leur prix relativement abordable, voilà qui explique l'engouement qu'elles suscitent.

**Sylvain Raymond**

### VÉHICULE D'ESSAI

| | |
|---|---|
| Version : | Solstice GXP |
| Emp/Lon/Lar/Haut (mm) : | 2 415 / 3 992 / 1 810 / 1 273 |
| Poids : | 1 350 kg |
| Coffre/Réservoir : | 60 à 153 litres / 52 litres |
| Nombre de coussins de sécurité : | 2 |
| Suspension avant : | indépendante, bras inégaux |
| Suspension arrière : | indépendante, bras inégaux |
| Freins av./arr. : | disque (ABS opt.) |
| Antipatinage/Contrôle de stabilité : | oui / oui |
| Direction : | à crémaillère, assistée |
| Diamètre de braquage : | 10,7 m |
| Pneus av./arr. : | P245/45R18 |
| Capacité de remorquage : | non recommandé |

### MOTORISATION À L'ESSAI

| | |
|---|---|
| Moteur : | 4L de 2,0 litres 16s turbocompressé |
| Alésage et course : | 86,0 mm x 86,0 mm |
| Puissance : | 260 ch (194 kW) à 5 300 tr/min |
| Couple : | 260 lb-pi (353 Nm) de 2 500 à 5 250 tr/min |
| Rapport poids/puissance : | 5,19 kg/ch (7,07 kg/kW) |
| Système hybride : | aucun |
| Transmission : | propulsion, manuelle 5 rapports |
| Accélération 0-100 km/h : | 6,0 s |
| Reprises 80-120 km/h : | 5,4 s |
| Freinage 100-0 km/h : | 40,5 m |
| Vitesse maximale : | 230 km/h |
| Consommation (100 km) : | super, 10,8 litres |
| Autonomie (approximative) : | 481 km |
| Émissions de CO2 : | 4 368 kg/an |

### GAMME EN BREF

| | |
|---|---|
| Échelle de prix : | 27 670$ à 35 800$ |
| Catégorie : | roadster |
| Historique du modèle : | 1ère génération |
| Garanties : | 3 ans/60 000 km, 5 ans/160 000 km |
| Assemblage : | Wilmington, Delaware, É-U |
| Autre(s) moteur(s) : | 4L 2,4l 173ch/167lb-pi (10,8 l/100km) |
| Autre(s) rouage(s) : | aucun |
| Autre(s) transmission(s) : | automatique 5 rapports |

### DANS LA MÊME CATÉGORIE

BMW Z4 - Chrysler Crossfire - Honda S2000 - Mazda MX-5 - Saturn Sky

### DU NOUVEAU EN 2008

Nouvelles couleurs,
centre d'information du conducteur désormais standard,
Stabilitrak standard sur modèle de base

### NOS IMPRESSIONS

| | |
|---|---|
| Agrément de conduite : | 🚗 🚗 🚗 🚗 |
| Fiabilité : | 🚗 🚗 🚗 ½ |
| Sécurité : | 🚗 🚗 🚗 |
| Qualités hivernales : | 🚗 |
| Espace intérieur : | 🚗 🚗 ½ |
| Confort : | 🚗 🚗 🚗 |

### LE CHOIX DE L'ÉQUIPE

GXP

# PORSCHE 911 CARRERA

# L'EMBARRAS DU CHOIX

C'est tout un éventail de modèles qui composent la gamme des 911 Carrera. Chacune de ces variations sur thème est à ce point typée que l'on a parfois l'impression d'être au volant d'une voiture qui diffère complètement des autres, tellement chacune d'entre elles possède sa propre personnalité. En 2007, j'ai eu l'occasion de conduire l'une des plus récentes 911 Carrera, la GT3, sur le circuit de Barber Motorsports Park.

Ce circuit, non loin de Birmingham en Alabama, est non seulement très technique, mais comporte des changements d'élévation demandant encore plus d'adresse, et c'est pourquoi l'environnement était idéal pour prendre contact avec la GT3 qui représente une évolution plus radicale de la 911 Carrera. En quelques mots, c'est la plus légère et la plus directe des 911, celle qui s'approche le plus de la notion d'une voiture de course qui serait capable de rouler sur les routes publiques. Elle n'a pas de sièges arrière, les deux sièges avant sont empruntés à la récente super voiture Carrera GT, la voiture est dotée d'un immense aileron arrière fixe, de roues en alliage de 19 pouces et d'un système d'échappement localisé en plein centre de la partie arrière. Elle est plus large, plus basse et d'allure plus radicale et sportive que la simple 911 Carrera, bref elle est née pour la piste.

## UN GROS CŒUR

Son moteur est de plus petite cylindrée, 3,6 litres versus 3,8 litres pour la Carrera S, mais les ingénieurs ont réussi à l'alléger au maximum, à augmenter son taux de compression, et à lui octroyer un régime maximal de 8400 tours/minute. Le résultat, c'est que la GT3 dispose d'un moteur atmosphérique capable de livrer 415 chevaux à partir de 3,6 litres de cylindrée, ce qui est tout un exploit sur le plan

technique. Sur le circuit, la GT3 permet un contact immédiat et direct entre le pilote et la piste. Elle est plus directe, plus précise et pardonne moins les erreurs de pilotage que toute autre 911. Elle est moins rapide sur le 0-100 kilomètres/heure que la 911 Turbo, mais elle donne l'impression d'être plus rapide en raison du son absolument fabuleux de son moteur.

Ce qui est particulièrement impressionnant au volant de la GT3, c'est de constater jusqu'à quel point les aides électroniques au pilotage travaillent de concert avec vous afin de vous permettre d'aller encore plus vite. La traction asservie est si bien calibrée qu'elle n'intervient que si c'est vraiment nécessaire, et même dans ces moments-là, son action est presque délicate. En fait, ce système est tellement efficace que certains conducteurs expérimentés sont plus rapides sur un tour de piste lorsqu'il est en fonction.

L'équilibre de la voiture est spécialement bien réussi. Contrairement à la 911 Turbo, la GT3 réagit instantanément au dosage de l'accélérateur en milieu de virage. Elle est tellement agile, précise et directe qu'elle semble quasiment en vie, ce qui donne une expérience de conduite hors du commun sur circuit.

**FEU VERT**
Style éternel, performances démentielles (Turbo et GT2), tenue de route incroyable, option Sport Chrono Plus, freinage époustouflant

**FEU ROUGE**
Prix trop élevés, coûts d'utilisation et d'entretien discriminatoires, places arrières symboliques ou inexistantes, transmission Tip Tronic dépassée

**484**

**VÉHICULE D'ESSAI**

| | |
|---|---|
| Version : | Turbo |
| Emp/Lon/Lar/Haut (mm) : | 2 350/4 461/1 808/1 310 |
| Poids : | 1 385 kg |
| Coffre/Réservoir : | 135 litres / 64 litres |
| Nombre de coussins de sécurité : | 4 |
| Suspension avant : | indépendante, jambes de force |
| Suspension arrière : | indépendante, multibras |
| Freins av./arr. : | disque (ABS) |
| Antipatinage/Contrôle de stabilité : | oui / oui |
| Direction : | à crémaillère, assistance variable |
| Diamètre de braquage : | 10,8 m |
| Pneus av./arr. : | P235/35ZR19 / P305/30ZR19 |
| Capacité de remorquage : | non recommandé |

**MOTORISATION À L'ESSAI**   Pneus d'origine MICHELIN

| | |
|---|---|
| Moteur : | H6 de 3,6 litres 24s turbocompressé |
| Alésage et course : | 100,0 mm x 76,4 mm |
| Puissance : | 480 ch (358 kW) à 6 000 tr/min |
| Couple : | 460 lb-pi (624 Nm) de 1 950 à 5 000 tr/min |
| Rapport poids/puissance : | 2,89 kg/ch (3,92 kg/kW) |
| Système hybride : | aucun |
| Transmission : | intégrale, manuelle 6 rapports |
| Accélération 0-100 km/h : | 3,9 s |
| Reprises 80-120 km/h : | 3,5 s |
| Freinage 100-0 km/h : | 37,0 m (estimé) |
| Vitesse maximale : | 293 km/h |
| Consommation (100 km) : | super, 13,3 litres |
| Autonomie (approximative) : | 481 km |
| Émissions de CO2 : | 5 328 kg/an |

**GAMME EN BREF**

| | |
|---|---|
| Échelle de prix : | 100 700 $ à 170 700 $ (2007) |
| Catégorie : | coupé/cabriolet |
| Historique du modèle : | 7ième génération |
| Garanties : | 4 ans/80 000 km, 4 ans/80 000 km |
| Assemblage : | Stuttgart, Allemagne |
| Autre(s) moteur(s) : | H6 3,6l 325ch/273lb-pi (13,0 l/100km) Carrera |
| | H6 3,8l 355ch/295lb-pi (13,6 l/100km) Carrera S |
| | H6 3,6l 415ch/300lb-pi (14,0 l/100km) GT3 |
| | H6 3,6l turbocompressé 530ch/505lb-pi GT2 |
| Autre(s) rouage(s) : | propulsion |
| Autre(s) transmission(s) : | automatique 5 rapports |

La GT3 est donc une voiture idéale pour rouler sur circuit à l'occasion, mais elle peut également être conduite sur la route où il faut toutefois composer avec un niveau de bruit très élevé, l'absence de sièges à l'arrière faisant office de véritable caisse de résonance la voiture n'étant équipée que d'un minimum de matériaux insonores.

## L'ARRIVÉE DE LA GT2

Si la GT3 représente l'évolution ultime de la 911 Carrera à moteur atmosphérique, la GT2 obtient cette distinction pour les modèles équipés du moteur turbocompressé car elle est encore plus puissante et rapide que la légendaire 911 Turbo. Pour la GT2, les ingénieurs ont utilisé la même recette qu'avec la GT3, en réduisant le poids puisqu'elle pèse 145 kilos de moins que la Turbo et que son moteur développe davantage de puissance, soit 530 chevaux. Afin de diminuer le poids de la GT2, ils ont réussi à mettre au point un système d'échappement avec des silencieux en titane…

La GT2 est même équipée d'un dispositif de départ assisté. Il suffit d'appuyer sur l'embrayage et de faire monter le régime moteur jusqu'à ce que la pression dy double turbocompresseur atteigne 13 psi pour relâcher brutalement l'embrayage et se faire catapulter dans le prochain fuseau horaire ! Contrairement à la GT2 de génération précédente, la nouvelle voiture reçoit la traction asservie et le système de contrôle électronique de la stabilité PSM (Porsche Stability Management), ce qui devrait la rendre plus docile tout en offrant un potentiel de performance inégalé dans l'univers Porsche.

Avec l'arrivée de la GT3 et maintenant de la GT2, le choix est devenu encore plus difficile pour l'acheteur qui recherche la performance pure. Comme toujours, et peu importe le modèle choisi, la Porsche 911 Carrera demeure une voiture qui coûte très cher à l'achat comme à l'usage, mais elle se démarque facilement par sa silhouette intemporelle et ses performances spectaculaires.

**Gabriel Gélinas**

**DANS LA MÊME CATÉGORIE**

BMW Série 6 - Chevrolet Corvette - Dodge Viper - Jaguar XK8 - Mercedes-Benz CLK

**DU NOUVEAU EN 2008**

Pas de changement majeur

**NOS IMPRESSIONS**

| | |
|---|---|
| Agrément de conduite : | 🚗 🚗 🚗 🚗 ½ |
| Fiabilité : | 🚗 🚗 🚗 🚗 |
| Sécurité : | 🚗 🚗 🚗 🚗 |
| Qualités hivernales : | 🚗 🚗 🚗 |
| Espace intérieur : | 🚗 🚗 🚗 |
| Confort : | 🚗 🚗 🚗 ½ |

**LE CHOIX DE L'ÉQUIPE**

Carrera 4S boîte manuelle

Photos : Porsche

# PORSCHE BOXSTER

# TOUJOURS LA RÉFÉRENCE

Au cours de l'été 2007, j'ai eu l'occasion de conduire des cabriolets exceptionnels comme la Mercedes-Benz SLR McLaren Roadster avec son moteur de 626 chevaux et sa facture de 495 000 $ US, ou encore la Rolls-Royce Phantom Drophead Coupe dont le prix est similaire à quelques dizaines de milliers de dollars près. Après tous ces excès, reprendre contact avec une Porsche Boxster S pourrait paraître sans attrait et pourtant c'est tout le contraire, la petite Porsche demeurant l'une de mes voitures préférées, toutes catégories confondues.

En fait, je considère la Boxster S comme étant la meilleure voiture de sa catégorie, point final. C'est sans doute pourquoi je n'hésite jamais à la recommander à ceux et celles qui ont les moyens de se faire plaisir à ce point. Il n'y a pas de doute, les Porsche sont chères et comme les listes d'options semblent sans fin, il est possible de faire grimper le montant de la facture vers un sommet encore plus élevé. Ajoutez à cela des coûts d'utilisation qui dépassent largement ceux d'une voiture ordinaire, la conduite enthousiaste d'une Porsche entraînant des changements de plaquettes de frein et de pneumatiques à intervalles réguliers, et vous avez le portrait d'une maîtresse qui vous coûte passablement cher…Cela dit, vivre avec une Boxster S est une expérience incroyablement enrichissante qui vaut amplement les dépenses qui lui sont associées.

### UNE VOITURE PRESQUE PARFAITE

L'an dernier, Porsche a essentiellement greffé les motorisations légèrement plus puissantes des Cayman et Cayman S à la Boxster et la Boxster S, et c'est la raison pour laquelle ces deux voitures se sont retrouvées avec des moteurs développant 245 et 295 chevaux respectivement. Mais ce n'est pas tant du côté de la puissance comme du couple que la différence se fait sentir puisque les Boxster offrent maintenant une

accélération plus vive à partir de la barre des 2 000 tours/minute et que la sonorité de leurs moteurs a été largement bonifiée. Mais plus encore que la puissance de son moteur, ce qui séduit chez la Boxster et, à plus forte raison, sur la Boxster S, c'est l'équilibre de son châssis et le fait qu'il s'agit d'une des voitures les plus homogènes qui soit. Il existe des cabriolets plus puissants et d'autres qui tiennent mieux la route, mais aucune de ces voitures ne proposent la conjonction d'un châssis parfaitement équilibré, d'un moteur performant, d'une boîte manuelle aussi précise et d'une direction qui l'est tout autant, sans parler de freins compétitifs. En quelques mots, la Boxster S est une voiture qui est tellement bien conçue qu'elle représente plus que la somme de ses composantes. La localisation centrale du moteur y est pour beaucoup dans l'agrément de conduite, puisque cela donne une répartition optimale des masses à la Boxster qui adopte toujours un comportement très neutre, même à des vitesses très élevées sur circuit.

### UNE SPORTIVE PRATIQUE

C'est aussi une voiture qui est facile à conduire de façon plus décontractée en admirant simplement le paysage. Comme elle dispose de deux coffres de volumes égaux, mais de disposition différente, l'un étant localisé à l'avant et l'autre à l'arrière, la Boxster devient une voiture très

**FEU VERT**
Performances sublimes (S),
équilibre parfait,
direction très précise, valeur de revente

**FEU ROUGE**
Visibilité réduite avec toit en place,
coût des options, habitabilité restreinte,
transmission TipTronic dépassée

**486**

| VÉHICULE D'ESSAI | |
| --- | --- |
| Version : | Boxster S |
| Emp/Lon/Lar/Haut(mm) : | 2 415/4 357/1 800/1 293 |
| Poids : | 1 355 kg |
| Coffre/Réservoir : | 150 litres / 64 litres |
| Nombre de coussins de sécurité : | 4 |
| Suspension avant : | indépendante, jambes de force |
| Suspension arrière : | indépendante, jambes de force |
| Freins av./arr. : | disque (ABS) |
| Antipatinage/Contrôle de stabilité : | oui / oui |
| Direction : | à crémaillère, assistée |
| Diamètre de braquage : | 11,0 m |
| Pneus av./arr. : | P235/40ZR18 / P265/40ZR18 |
| Capacité de remorquage : | non recommandé |

pratique pour un voyage à deux ou pour la conduite quotidienne. De ce côté, la conduite d'une Boxster dans la circulation dense est très facile puisque la commande de l'embrayage est souple et ne demande pas trop d'efforts. Il faut simplement apprendre à composer avec une visibilité qui n'est pas parfaite puisqu'elle est limitée vers les côtés arrière lorsque le toit souple est en place. Par ailleurs, il m'est arrivé de conduire une Boxster S en plein hiver québécois sans éprouver aucune difficulté, car elle était chaussée de pneus appropriés et que le système de contrôle de la stabilité est toujours redoutablement efficace. Ce qui frise l'hérésie pour certains, conduire une Porsche en hiver, est donc tout à fait possible et agréable, même si la très grande majorité des propriétaires de Porsche préfèrent remiser leur voiture pendant la froide saison.

Cependant, il faut éviter l'erreur suprême de choisir la boîte automatique TipTronic pour cette voiture. Loin d'être l'égale de la boîte S-Tronic de Audi, qui est en fait une boîte commandée électroniquement par le biais de deux embrayages, la TipTronic est une vulgaire automatique avec convertisseur de couple et boutons de commande au volant qui est loin d'être aussi au point sur le plan technique. Le retard accusé par Porsche dans la mise au point d'une nouvelle boîte plus efficace s'explique par le fait que les voitures de la marque se vendent bien et que Porsche est le constructeur automobile dont les profits sont les plus spectaculaires de l'industrie. Puisque les voitures se vendent bien, pourquoi investir dans le développement d'une nouvelle boîte ? En attendant qu'ils se mettent au boulot, commandez la vôtre avec l'excellente boîte manuelle.

Pour 2008, peu de changements ont été apportés à la Boxster dont la carrosserie a été légèrement retouchée. Les modifications les plus évidentes ont été faites du côté du pare-chocs avant et des phares. Le modèle 2009 présentera également des feux arrière réalisés avec des lumières de type LED. Ces transformations esthétiques seront aussi effectuées sur la prochaine version de la Cayman. La Boxster et sa variante S plus typée poursuivent donc leur route, pour notre plus grand plaisir.

**Gabriel Gélinas**

### MOTORISATION À L'ESSAI
Pneus d'origine MICHELIN

| | |
| --- | --- |
| Moteur : | H6 de 3,4 litres 24s atmosphérique |
| Alésage et course : | 93,0 mm x 78,0 mm |
| Puissance : | 295 ch (220 kW) à 6 250 tr/min |
| Couple : | 251 lb-pi (340 Nm) de 4 400 à 6 000 tr/min |
| Rapport poids/puissance : | 4,59 kg/ch (6,24 kg/kW) |
| Système hybride : | aucun |
| Transmission : | propulsion, manuelle 6 rapports |
| Accélération 0-100 km/h : | 5,5 s |
| Reprises 80-120 km/h : | 5,0 s |
| Freinage 100-0 km/h : | 36,6 m |
| Vitesse maximale : | 260 km/h |
| Consommation (100 km) : | super, 11,8 litres |
| Autonomie (approximative) : | 542 km |
| Émissions de CO2 : | 4 752 kg/an |

### GAMME EN BREF
| | |
| --- | --- |
| Échelle de prix : | 63 600 $ à 77 300 $ (2007) |
| Catégorie : | roadster |
| Historique du modèle : | 2ième génération |
| Garanties : | 4 ans/80 000 km, 4 ans/80 000 km |
| Assemblage : | Suttgart, Allemagne |
| Autre(s) moteur(s) : | H6 2,7l 245ch/201 lb-pi (10,9 l/100km) |
| Autre(s) rouage(s) : | aucun |
| Autre(s) transmission(s) : | automatique 5 rapports / manuelle 5 rapports |

### DANS LA MÊME CATÉGORIE
Audi TT - BMW Z4 - Chevrolet Corvette - Chrysler Crossfire - Mercedes-Benz SLK - Nissan 350Z

### DU NOUVEAU EN 2008
Pas de changement majeur

### NOS IMPRESSIONS
| | |
| --- | --- |
| Agrément de conduite : | 🚗 🚗 🚗 🚗 🚗 |
| Fiabilité : | 🚗 🚗 🚗 |
| Sécurité : | 🚗 🚗 🚗 ½ |
| Qualités hivernales : | 🚗 🚗 ½ |
| Espace intérieur : | 🚗 🚗 ½ |
| Confort : | 🚗 🚗 |

### LE CHOIX DE L'ÉQUIPE
Boxster S

Photos : Porsche

# UNE ÉVOLUTION LOGIQUE

Porsche a beau nous présenter les récents modèles du Cayenne 2008 comme étant ceux de la deuxième génération du sport utilitaire de Stuttgart, le nouveau Cayenne a plutôt fait l'objet d'un restylage avec l'ajout de nouveaux moteurs et des modifications apportées aux suspensions. La plate-forme et les principaux éléments du véhicule demeurent essentiellement inchangés.

Porsche a également choisi de lancer les trois modèles du Cayenne 2008 d'un même souffle. Les Cayenne, Cayenne «S» et Cayenne Turbo sont de retour pour le millésime 2008, Porsche ayant fait directement le saut de l'année modèle 2006 à 2008 tout en délaissant le modèle Turbo «S», du moins pour l'instant…Côté style, les designers ont opté pour un *look* plus agressif avec l'adoption de nouveaux phares et surtout d'une nouvelle disposition des prises d'air à l'avant. Le modèle Turbo se distingue des deux autres par sa prise d'air surdimensionnée et par l'ajout de bandes horizontales de lumières de type LED, imitant ainsi la 911 Turbo. L'adoption de nouveaux rétroviseurs latéraux de même que d'un nouvel aileron de toit et d'un diffuseur à l'arrière a également permis d'améliorer le cœfficient aérodynamique du Cayenne qui passe de 0,39 à 0,35.

### ENCORE PLUS DE PUISSANCE

Trois nouveaux moteurs équipent le Cayenne et tous offrent plus de puissance qu'auparavant grâce à l'augmentation de leurs cylindrées respectives, mais aussi grâce à l'adoption de l'injection directe d'essence. Ayant eu l'occasion de conduire les trois modèles, je peux vous préciser que l'on sent facilement l'augmentation de la puissance développée par le Cayenne, de même que le Cayenne «S» qui m'est

apparu comme le modèle le plus intéressant de la gamme. Bien sûr, rien ne peut égaler le Cayenne Turbo pour épater la galerie, mais sa puissance de 500 chevaux est difficilement exploitable dans un contexte nord-américain, hormis pour les accélérations vigoureuses. Tous les nouveaux modèles du Cayenne sont par ailleurs équipés d'un bouton «Sport» placé sur la console centrale, et qui agit directement sur l'accélérateur électronique en réduisant le temps de réponse à la commande d'ouverture des gaz, de même que sur la boîte de vitesses en commandant le passage des rapports en vue d'optimiser les accélérations, ainsi que sur les suspensions qui adoptent automatiquement des calibrations plus fermes.

### UN CHÂSSIS CONTRÔLÉ PAR ORDINATEUR

L'une des grandes nouveautés pour le Cayenne 2008 est l'arrivée du système PDCC (Porsche Dynamic Chassis Control) qui consiste en toute une panoplie de capteurs et de commandes électroniques agissant sur deux moteurs hydrauliques localisés sur les barres antiroulis afin diminuer le roulis en virage. Ainsi, un Cayenne équipé du PDCC, restera parfaitement de niveau en virage jusqu'à une accélération latérale de 0,65G. Ce système s'avère également très efficace pendant une manœuvre d'évitement d'obstacle en intervenant presque instantanément sur les barres

**FEU VERT**
Moteurs performants (sauf V6), tenue de route épatante,
freins performants, aptitudes hors-route,
capacité de remorquage

**FEU ROUGE**
Prix très élevés, silhouette discutable,
coût des options, puissance du moteur V6 moindre,
consommation élevée (Cayenne S et Cayenne Turbo)

## VÉHICULE D'ESSAI

| | |
|---|---|
| Version : | Cayenne S |
| Emp/Lon/Lar/Haut(mm) : | 2 855/4 798/1 928/1 699 |
| Poids : | 2 245 kg |
| Coffre/Réservoir : | 540 à 1 770 litres / 100 litres |
| Nombre de coussins de sécurité : | 6 |
| Suspension avant : | indépendante, jambes de force |
| Suspension arrière : | indépendante, jambes de force |
| Freins av./arr. : | disque (ABS) |
| Antipatinage/Contrôle de stabilité : | oui / oui |
| Direction : | à crémaillère, assistée |
| Diamètre de braquage : | 11,9 m |
| Pneus av./arr. : | P255/55R18 |
| Capacité de remorquage : | 3 500 kg |

## MOTORISATION À L'ESSAI

Pneus d'origine MICHELIN

| | |
|---|---|
| Moteur : | V8 de 4,8 litres 32s atmosphérique |
| Alésage et course : | 96,0 mm x 83,0 mm |
| Puissance : | 385 ch (287 kW) à 6 200 tr/min |
| Couple : | 369 lb-pi (500 Nm) à 3 500 tr/min |
| Rapport poids/puissance : | 5,83 kg/ch (7,93 kg/kW) |
| Système hybride : | aucun |
| Transmission : | intégrale, auto. mode man. 6 rapports |
| Accélération 0-100 km/h : | 6,6 s |
| Reprises 80-120 km/h : | 6,9 s |
| Freinage 100-0 km/h : | 38,0 m |
| Vitesse maximale : | 241 km/h |
| Consommation (100 km) : | super, 17,1 litres |
| Autonomie (approximative) : | 585 km |
| Émissions de CO$_2$ : | 7 008 kg/an |

## GAMME EN BREF

| | |
|---|---|
| Échelle de prix : | 58 900$ à 124 300$ (2007) |
| Catégorie : | utilitaire sport intermédiaire |
| Historique du modèle : | 2ème génération |
| Garanties : | 4 ans/80 000 km, 4 ans/80 000 km |
| Assemblage : | Leipzig, Allemagne |
| Autre(s) moteur(s) : | V6 3,6l Cayenne 290ch/273lb-pi |
| | biturbo |
| | V8 4,8l Cayenne Turbo 500ch/516lb-pi |
| Autre(s) rouage(s) : | aucun |
| Autre(s) transmission(s) : | manuelle 6 rapports |

## DANS LA MÊME CATÉGORIE

BMW X5 - Cadillac SRX - Mercedes-Benz Classe M - Land Rover Range Rover - Volkswagen Touareg Volvo XC90

## DU NOUVEAU EN 2008

Révisions esthétiques, moteurs plus puissants, transmissions plus robustes, nouvelles roues 21"

## NOS IMPRESSIONS

| | |
|---|---|
| Agrément de conduite : | 🚗 🚗 🚗 🚗 ½ |
| Fiabilité : | 🚗 🚗 🚗 ½ |
| Sécurité : | 🚗 🚗 🚗 🚗 |
| Qualités hivernales : | 🚗 🚗 🚗 🚗 |
| Espace intérieur : | 🚗 🚗 🚗 🚗 |
| Confort : | 🚗 🚗 🚗 🚗 |

## LE CHOIX DE L'ÉQUIPE

Cayenne S

antiroulis, permettant au Cayenne de conserver sa stabilité, même lors d'un brusque changement de direction. Le système PDCC confère également un meilleur niveau de confort au Cayenne, ce que j'ai apprécié durant la traversée de deux séries de dos-d'âne décalées l'une par rapport à l'autre. Au volant d'un Cayenne qui n'était pas nanti du PDCC, je me suis fait brasser avec vigueur, alors que le même trajet au volant d'un Cayenne équipé du PDCC donnait un tout autre résultat : la caisse du véhicule subissant les deux premières secousses des dos-d'âne pour revenir immédiatement à une assiette stable pour tout le reste du parcours. Tout simplement génial !

Paradoxalement, le PDCC rend le Cayenne plus efficace en conduite hors route en permettant le découplage complet des barres antiroulis, ce qui autorise alors un plus grand débattement des suspensions. Le PDCC se retrouve au catalogue des options pour tous les modèles, et même si le prix demandé peut sembler élevé à 4 890 dollars, je vous le conseille ardemment.

Comme toujours, Porsche continue d'accorder une grande importance à l'amélioration des systèmes de freinage de tous ses modèles, et le nouveau Cayenne ne fait pas exception à la règle. En effet, les freins développés conjointement par Porsche et Brembo pour les Cayenne «S» et Turbo sont composés d'étriers de type «monobloc» qui recouvrent presque 40 pour cent de la surface des disques avant du véhicule… Cependant, contrairement aux voitures sport de la marque qui peuvent être équipées de freins en composite de céramique, le Cayenne ne propose pas cette option qui est incompatible avec la conduite hors route.

C'est donc une évolution plutôt qu'une révolution pour ce modèle qui a permis à Porsche de doubler ses ventes en Amérique du Nord, et l'élément le plus intéressant des nouveaux modèles est sans contredit le système PDCC qui permet à des véhicules pesant entre 4 700 et 5 200 livres (2 130 et 2 358 kg) de se comporter quasiment comme d'authentiques voitures sportives.

**Gabriel Gélinas**

Photos : Porsche

# PORSCHE CAYMAN

# PLAISIR GARANTI

Après l'arrivée de la Cayman S en cours d'année 2006, ce fut au tour de la Cayman de prendre la route en 2007. Alors que la plupart des constructeurs lancent d'abord le modèle d'entrée de gamme d'une nouvelle voiture pour ensuite introduire la version plus performante, Porsche a choisi de faire exactement le contraire avec la Cayman, puisque le modèle S a précédé l'arrivée du modèle de base.

La simple Cayman doit donc composer avec un moteur qui livre 50 chevaux de moins que celui de la Cayman S, de même qu'avec une boîte manuelle comptant cinq vitesses plutôt que six. De plus, les suspensions ont des calibrations plus souples et les pneus sont d'un profil plus élevé. Tous ces éléments font en sorte que la Cayman est moins performante en accélération et en tenue de route que la Cayman S, mais qu'elle gagne un peu en confort, surtout lorsque l'on roule sur des routes dégradées.

Bien que son moteur soit moins performant, la livrée de la puissance demeure linéaire et le plaisir de conduire est toujours au rendez-vous quoiqu'à un degré moindre qu'avec la Cayman S qui est l'une des voitures les plus agréables à piloter à l'heure actuelle.

### UN CHÂSSIS HYPER RIGIDE
Si, tout comme moi, vous êtes d'avis que la Boxster S est la référence en matière de roadsters, vous serez estomaqué par les performances en tenue de route de la Cayman S, dont le châssis est deux fois plus rigide que celui de la Boxster S, grâce non seulement au toit fixe mais également à un longeron fixé derrière les deux sièges et reliant les deux côtés de la voiture.

Par ailleurs, je m'attendais à ce que la Cayman S soit beaucoup plus légère que la Boxster S, mais la différence entre les deux voitures n'est que de 5 kilos à l'avantage du coupé, le toit de toile de la Boxster S ne pesant presque rien et son mécanisme d'ouverture étant composé de pièces réalisées en magnésium, donc très légères. Conduire une Cayman S sur circuit relève du pur délice, tellement les réactions de la voiture sont à la fois incisives et immédiates. L'osmose entre voiture et conducteur se fait instantanément et permet littéralement au conducteur de sentir la route par le biais de la voiture.

En fait, le châssis est tellement rigide et les suspensions bien calibrées que l'on en vient rapidement à la conclusion que la Cayman S pourrait disposer d'un moteur encore plus puissant sans devoir subir d'importantes modifications, ce qui est le propre d'une voiture bien née.

### INSPIRATION PORSCHE 550
Côté style, la Cayman évoque le passé glorieux de la marque en sport automobile en adoptant une allure qui rappelle la Porsche 550 Coupé de 1953, avec laquelle la marque allemande remporta à la fois les 24 Heures du Mans ainsi que la célèbre Carrera Panamericana, reliant le Mexique du sud au nord. Certains qualifieront ainsi le style de la Cayman S de

**FEU VERT**
Tenue de route extraordinaire, freinage hallucinant, puissance moteur (S), voiture exclusive, boîte manuelle 6 vitesses (S)

**FEU ROUGE**
Coût des options, coûts d'utilisation élevés, puissance moteur (Cayman), boîte manuelle 5 rapports (Cayman), transmission TipTronic dépassée

**490**

«rétro», mais personnellement je trouve plutôt réussie l'intégration des éléments de design empruntés à la mythique 550.

À ce titre, le profil des ailes arrière est un élément particulièrement frappant puisque ces dernières sont surélevées d'un demi-pouce par rapport à celles de la Boxster S afin de mieux rejoindre la ligne de la lunette arrière. Par ailleurs, il est amusant de constater que les bas de caisse remontent vers l'arrière où la jonction avec les prises d'air ressemble à un étalage de bâtons de hockey…

En montant à bord, on retrouve immédiatement cet environnement typique des autres modèles de la gamme, mais la Cayman S séduit également par son côté pratique puisque le volume de chargement est de 410 litres, si on tient compte de la capacité du coffre avant jumelée à celle du volume accessible juste derrière les sièges. Aux fins de comparaison, ce volume de chargement est égal à celui du coffre d'une Honda Accord, ce qui est un exploit remarquable compte tenu de la vocation sportive de la Cayman S. Par ailleurs, cet atout ne manquera pas d'intéresser ceux et celles qui en feront ainsi leur voiture de tous les jours.

En fin de compte, laquelle choisir? Comme toujours, je suis d'avis que les variantes S des voitures Porsche sont les plus intéressantes, et la Cayman ne fait pas exception à cette règle, même si elle est passablement plus chère. Ce qui m'amène au dernier point plus négatif concernant l'acquisition d'une Porsche, soit son prix en dollars canadiens qui dépasse largement celui du prix en dollars américains, malgré la faible différence actuelle entre les deux devises. De ce côté, une correction rapide serait grandement appréciée, d'autant plus que Porsche continue d'engranger des profits spectaculaires qui lui permettent même d'envisager une prise de contrôle du groupe Volkswagen dans un scénario qui rappelle celui où la grenouille avale le bœuf.

**Gabriel Gélinas**

## VÉHICULE D'ESSAI

| | |
|---|---|
| Version : | Cayman S |
| Emp/Lon/Lar/Haut (mm) : | 2 415/4 371/1 800/1 306 |
| Poids : | 1 350 kg |
| Coffre/Réservoir : | 410 litres / 64 litres |
| Nombre de coussins de sécurité : | 4 |
| Suspension avant : | indépendante, jambes de force |
| Suspension arrière : | indépendante, jambes de force |
| Freins av./arr. : | disque (ABS) |
| Antipatinage/Contrôle de stabilité : | oui / oui |
| Direction : | à crémaillère, assistance variable |
| Diamètre de braquage : | n.d. |
| Pneus av./arr. : | P235/40ZR18 / P265/40ZR18 |
| Capacité de remorquage : | non recommandé |

## MOTORISATION À L'ESSAI

Pneus d'origine MICHELIN

| | |
|---|---|
| Moteur : | H6 de 3,4 litres 24s atmosphérique |
| Alésage et course : | 96,0 mm x 78,0 mm |
| Puissance : | 295 ch (220 kW) à 6 250 tr/min |
| Couple : | 251 lb-pi (340 Nm) de 4 400 à 6 000 tr/min |
| Rapport poids/puissance : | 4,58 kg/ch (6,22 kg/kW) |
| Système hybride : | aucun |
| Transmission : | propulsion, manuelle 6 rapports |
| Accélération 0-100 km/h : | 5,4 s |
| Reprises 80-120 km/h : | 5,0 s |
| Freinage 100-0 km/h : | 37,0 m (estimé) |
| Vitesse maximale : | 260 km/h |
| Consommation (100 km) : | super, 11,8 litres |
| Autonomie (approximative) : | 542 km |
| Émissions de $CO_2$ : | 4 752 kg/an |

## GAMME EN BREF

| | |
|---|---|
| Échelle de prix : | 69 600 $ à 87 790 $ |
| Catégorie : | coupé |
| Historique du modèle : | 1ière génération |
| Garanties : | 4 ans/80 000 km, 4 ans/80 000 km |
| Assemblage : | Valmet, Finlande |
| Autre(s) moteur(s) : | H6 2,7l 245ch/201lb-pi (10,1 l/100km) Cayman |
| Autre(s) rouage(s) : | aucun |
| Autre(s) transmission(s) : | automatique 6 rapports / manuelle 5 rapports |

## DANS LA MÊME CATÉGORIE

BMW Z4M coupe - Audi TT - Nissan 350Z

## DU NOUVEAU EN 2008

Pas de changement majeur

## NOS IMPRESSIONS

| | |
|---|---|
| Agrément de conduite : | 🚗🚗🚗🚗 |
| Fiabilité : | 🚗🚗🚗 |
| Sécurité : | 🚗🚗🚗🚗 |
| Qualités hivernales : | 🚗🚗🚗 |
| Espace intérieur : | 🚗🚗🚗🚗🚗 |
| Confort : | 🚗🚗🚗 |

## LE CHOIX DE L'ÉQUIPE

Cayman S

Photos : Porsche

**491**

# ROLLS-ROYCE PHANTOM / PHANTOM DROPHEAD COUPÉ

Rolls-Royce Phantom Drophead coupé

# L'EXCÈS À CIEL OUVERT

La voiture, qui brille sous les doux rayons du soleil de Toscane, est la nouvelle version cabriolet de la Rolls-Royce Phantom. Portant le nom approprié de Drophead Coupé, cette voiture est la suite logique de la voiture-concept 100EX – la toute première de l'histoire de la marque britannique – et elle s'adresse à une clientèle très limitée dont le style de vie va de pair avec le niveau stratosphérique de sa fortune personnelle.

**B**ien sûr, ces clients très riches n'ont pas à demander quel est le prix de la Drophead Coupé, mais précisons pour le reste des mortels la facture sera de l'ordre de 450 à 470 000 dollars américains, selon le choix des options... Et bien que l'idée d'une Rolls-Royce cabriolet ne soit pas récente, la Drophead Coupé incarne éritablement l'évolution moderne du concept selon lequel on peut agréablement joindre les notions de dolce vita et de vida loca. Élaborée sur une version modifiée de la plate-forme de la Phantom, la Drophead Coupé présente une configuration inusitée avec ses deux portes suicides, et retient la même motorisation, soit le moteur BMW V12 de 6,75 litres développant les 453 chevaux nécessaires pour animer cette voiture de 2 620 kilos. Ce qui ne l'empêche pas de réussir le sprint de 0 à 100 kilomètres/heure avec un chrono stupéfiant de 5,9 secondes.

### CONFORT SEREIN ET AGILITÉ SURPRENANTE

Au volant, on constate que la Drophead Coupé est une voiture étonnamment agile et agréable à conduire malgré son gabarit hors-norme. En fait, on croirait presque qu'elle plane littéralement au-dessus de la chaussée et la très grande précision de la direction inspire confiance. Le seul ajustement requis de la part du conducteur est d'apprendre à regarder autour et même au travers des piliers de toit en forme de « A » qui supportent le pare-brise, ce qui peut s'avérer problématique quand on doit négocier certains virages parfois très serrés que l'on retrouve à l'occasion sur les routes de la Toscane. De plus, la visibilité devient sérieusement limitée avec le toit souple en place, la capote elle-même créant alors deux très grands angles morts. Un autre défaut important est l'absence de sièges ventilés, maintenant présents dans plusieurs voitures luxueuses.

Ce n'est que lorsque le rythme s'accélère que la Drophead Coupé tend au roulis en virage, mais je doute fort que la plupart des propriétaires roulent assez vite pour s'en rendre compte! Compte tenu du poids de la voiture, la performance au freinage est également impressionnante, la Drophead Coupé s'immobilisant juste au-dessus de 40 mètres à partir d'une vitesse de 100 kilomètres/heure.

Le confort est tout simplement exquis, et la vie à bord est des plus agréables sur les routes italiennes où il est toujours possible de s'arrêter pour admirer le paysage en cassant la croûte, assis dans un confort relatif sur la banquette recouverte de tapis qui est créée par la découpe en deux morceaux du couvercle du coffre. La Drophead

**FEU VERT**
Prestige assuré, tenue de route surprenante,
freinage performant,
excellent confort

**FEU ROUGE**
Prix très élevé, dimensions hors normes,
consommation très élevée,
absence de sièges ventilés

Coupé est une voiture à quatre places, pas une 2+2, et l'accès aux places arrière est assez aisé, mais pour en sortir, cela requiert un peu plus d'agilité.

## INFLUENCE NAUTIQUE

Les concepteurs ont retenu l'option d'un toit souple, plutôt que d'un toit rigide rétractable, car cette proposition aurait forcé certains compromis en ce qui a trait au style de la voiture, qui s'apparente à celui d'un yacht de luxe, et aurait réduit le volume du coffre qui est de 315 litres avec le toit souple replié. L'analogie avec le monde nautique se poursuit avec le couvercle de toit réalisé en teck véritable, qui est offert en option et qui a été choisi par la très grande majorité des acheteurs jusqu'à maintenant. Toujours dans l'allure nautique, il y a les coutures subtiles des sièges en cuir et les tapis qui ne sont pas confectionnés en laine vierge d'agneau, mais bien en sisal, un matériau plus résistant.

Bien sûr, les clients qui trouvent l'habitacle trop spartiate à leur goût peuvent commander plus de bois ou de chrome, une peinture deux tons où même une *flying lady* en argent ou en or solide, afin de rehausser le facteur bling de leur Drophead personnalisée. Cela pourrait être le cas dans la région de Los Angeles, où Rolls-Royce a vendu plus de voitures l'an dernier que dans tout autre marché du monde. Cependant, ne vous attendez pas à voir des célébrités portées sur la cause environnementale, comme Leonardo DiCaprio, descendre d'une Drophead à la prochaine première d'un film, car la consommation de carburant s'est chiffrée à 19,2 litres aux 100 kilomètres...

La Drophead Coupé est donc une voiture très opulente qui permet à la marque de proposer une expérience de conduite plus décontractée à une clientèle très sélecte. D'ailleurs, cette dernière ne manquera pas d'apprécier l'exclusivité conférée par la production limitée de cette voiture qui sera construite au rythme d'environ 200 exemplaires par année, compte tenu du fait que l'assemblage de chaque voiture requiert plus de 360 heures de travail. Une version coupé à toit fixe devrait suivre prochainement, sa mise en production étant prévue pour la fin de 2008, alors qu'une nouvelle berline devrait voir le jour en 2009, Rolls-Royce s'affairant actuellement à doubler la capacité de production de ses installations de Goodwood.

**Gabriel Gélinas**

### VÉHICULE D'ESSAI

| | |
|---|---|
| Version : | Drophead Coupé |
| Emp/Lon/Lar/Haut (mm) : | 3 320/5 609/1 987/1 581 |
| Poids : | 2 620 kg |
| Coffre/Réservoir : | 315 litres / 80 litres |
| Nombre de coussins de sécurité : | 6 |
| Suspension avant : | indépendante, bras inégaux |
| Suspension arrière : | indépendante, multibras |
| Freins av./arr. : | disque (ABS) |
| Antipatinage/Contrôle de stabilité : | oui / oui |
| Direction : | à crémaillère, assistance variable |
| Diamètre de braquage : | 13,1 m |
| Pneus av./arr. : | P265/40R20 |
| Capacité de remorquage : | non recommandé |

### MOTORISATION À L'ESSAI

Pneus d'origine MICHELIN

| | |
|---|---|
| Moteur : | V12 de 6,8 litres 48s atmosphérique |
| Alésage et course : | 92,0 mm x 84,6 mm |
| Puissance : | 453 ch (338 kW) à 5 350 tr/min |
| Couple : | 531 lb-pi (720 Nm) à 3 500 tr/min |
| Rapport poids/puissance : | 5,78 kg/ch (7,87 kg/kW) |
| Système hybride : | aucun |
| Transmission : | propulsion, automatique 6 rapports |
| Accélération 0-100 km/h : | 5,9 s |
| Reprises 80-120 km/h : | 5,5 s |
| Freinage 100-0 km/h : | 40 m |
| Vitesse maximale : | 240 km/h |
| Consommation (100 km) : | super, 19,2 litres |
| Autonomie (approximative) : | 417 km |
| Émissions de $CO_2$ : | 7 248 kg/an |

### GAMME EN BREF

| | |
|---|---|
| Échelle de prix : | 450 000 $ à 470 000 $ (US) |
| Catégorie : | cabriolet/berline de grand luxe |
| Historique du modèle : | 7ième génération |
| Garanties : | 4 ans/km illimité, 4 ans/km illimité |
| Assemblage : | Goodwood, Angleterre |
| Autre(s) moteur(s) : | aucun |
| Autre(s) rouage(s) : | aucun |
| Autre(s) transmission(s) : | aucune |

### DANS LA MÊME CATÉGORIE

Bentley Azure et Arnage - Maybach 57/62

### DU NOUVEAU EN 2008

Modèle Drophead Coupé

### NOS IMPRESSIONS

| | |
|---|---|
| Agrément de conduite : | 🚗🚗🚗½ |
| Fiabilité : | 🚗🚗🚗🚗½ |
| Sécurité : | 🚗🚗🚗🚗 |
| Qualités hivernales : | 🚗🚗🚗 |
| Espace intérieur : | 🚗🚗🚗🚗½ |
| Confort : | 🚗🚗🚗🚗½ |

### LE CHOIX DE L'ÉQUIPE

Drophead Coupé

Photos : Rolls-Royce

# LE MEILLEUR EST À VENIR

La Saab 9-3 connaît sa première transformation depuis son lancement en 2002. Si vous aimez les changements spectaculaires, il se peut que vous soyez déçus. Si vous êtes rationnel comme le sont les ingénieurs de Trollhättan, vous aimerez ce qu'ils ont fait de la 9-3. À part quelques retouches à l'avant, les responsables de cette voiture ont concentré leurs efforts à la rendre encore meilleure qu'elle était. Et comme la 9-3 était déjà passablement réussie, ils ont dû travailler fort.

Il est également important de souligner que le fruit de leur labeur ne sera pas complètement apprécié ici puisque le centre de recherche de Saab a développé des moteurs fonctionnant au Super Éthanol et ceux-ci ne seront pas vendus sur notre continent. Au Québec par exemple, il y a une poignée de pompes à carburant E-15, inutile de rechercher les stations-service offrant du E-85. Mais nous vous en reparlerons un peu plus loin. Mieux vaut pour l'instant faire état des changements apportés à la carrosserie.

## L'INFLUENCE DE L'AERO X

Vous vous souvenez de la Saab Aero X? Je l'espère car cette voiture-concept ornait notre page couverture l'an dernier! Nous voulions illustrer le fait qu'une automobile pouvait être sportive et écologique à la fois. Ce coupé sport aux airs de voiture de science-fiction était propulsé par le même moteur V6 2,8 litres alimenté au BioPower ou éthanol E-85 utilisé sur tous les modèles de la nouvelle 9-3. En plus, l'Aero X a influencé les stylistes qui se sont inspirés de la partie avant de cette dernière pour remodeler la calandre et le pare-choc. La grille de calandre est ainsi plus accentuée tandis que le pare-choc comprend deux ouvertures plus importantes situées à chacune de ses extrémités. Au premier coup d'œil, on est porté à conclure que les changements ne sont pas si importants, mais comparez les deux voitures côte à côte et vous observerez une bonne différence. Parmi les autres modifications, il faut mentionner : un capot incurvé en forme de « U » – une autre caractéristique empruntée aux Saab classiques –, des retouches mineures aux formes des tôles, à la fenestration et aux feux arrière qui sont dorénavant givrés. D'autre part, les feux de route ont été redessinés et il sera possible de commander en option des phares au Xénon de type actif avec faisceau mobile afin de mieux éclairer la route. Au risque de me répéter, les changements ne sont pas spectaculaires pris individuellement, mais le résultat global est réussi.

L'habitacle n'a presque pas été modifié car il avait été amélioré l'an dernier, notamment avec l'arrivée d'un écran à affichage par cristaux liquides beaucoup plus grand qu'auparavant. Selon le modèle choisi – Linear, Vector et Aero –, la présentation est différente tout comme le volant. J'ai été en mesure de conduire des versions Aero seulement, et une fois assis sur un siège ultraconfortable, j'ai trouvé que le volant se prenait bien en main.

### DIESEL, INTÉGRALE ET ÉTHANOL

Si les stylistes ont été assez conservateurs, pour leur part, les ingénieurs n'ont pas chômé. Non seulement ont-ils développé un moteur V6 turbo pouvant être alimenté à l'éthanol E-85, mais ils ont continué le développement d'un moteur diesel de 1,9 litre d'une puissance de 180 chevaux en plus de modifier au BioPower le moteur Turbo 2,0 litres commercialisé sur notre continent. Et comme il leur restait un peu de temps, ils ont concocté un rouage intégral qui ne sera commercialisé qu'au cours de 2008 et qui pousse le système Haldex vers de nouveaux niveaux d'efficacité. Ce rouage intégral sera couplé à une version spéciale du moteur V6 2,8 litres dont la puissance sera de 280 chevaux. En passant, la version « ordinaire » de ce même V6 a été

portée à 250 chevaux. Dans tous les cas, la boîte manuelle à six rapports est de série tandis que l'automatique à six vitesses est optionnelle. Et ces moteurs sont offerts aussi bien sur la berline, le *hatchback* Combi que sur le cabriolet. Entre parenthèses, ce dernier a subi avec succès les tests de l'Insurance Institute for Highway Safety. Le seul autre cabriolet à mériter les meilleures notes a été une autre voiture suédoise, la Volvo C70.

Les caractéristiques générales du modèle précédent concernant la mécanique ont été conservées, notamment la suspension arrière de type « ReAxs » qui assure le pincement des pneus arrière en virage afin de réduire le plus possible le sous-virage dans les courbes serrées. Cette

# SAAB 9-3

astuce ajoute de beaucoup à l'agilité de cette voiture et le fait que le volant soit un peu trop assisté a moins d'importance.

Revenons au rouage intégral qui se fera attendre quelques mois. Comme il s'agit d'un système fourni par Haldex, ce mécanisme aura sans aucun doute un comportement semblable à celui des Volvo AWD. Les ingénieurs de Saab ne cachent pas ces origines similaires, mais soulignent aussi que les programmes de fonctionnement sont propres à Saab et que le fait de développer ce système à la suite de Volvo leur a permis d'y apporter plus de raffinement. La différence se trouve essentiellement dans le temps de réaction du transfert du couple, et également dans la grande polyvalence de traction entre des roues ayant différentes adhérences. Les combinaisons sont presque à l'infini. J'ai eu l'occasion de conduire une Combi AWD sur un circuit spécialement préparé pour mettre ce rouage à l'épreuve. Ce test était sans doute trop court, mais j'en ai conclu que la traction était excellente même lorsque la chaussée était détrempée, glissante ou en terre meuble. Il faudra cependant patienter plusieurs mois, car les 9-3 AWD et leur moteur V6 2,8 litres de 280 chevaux ne seront sur le marché nord-américain qu'au milieu de 2008... si j'ai bien compris le «swenglish» de l'ingénieur suédois nous présentant ce modèle.

### DOMMAGE

Bref, la nouvelle 9-3 revue et corrigée est une meilleure voiture que celle qu'elle remplace. Et s'il faut croire les discussions de «gars de chars» que sont mes confrères journalistes, la 9-3 est une voiture capable de combler les plus difficiles d'entre nous. La voiture est maniable, rapide et d'une tenue de route saine. La caisse a beau pencher plus que de

**FEU VERT**
Excellente tenue de route, sièges confortables, moteurs sophistiqués, version Combi à découvrir, bonne habitabilité

**FEU ROUGE**
Faible diffusion, dépréciation rapide, intégrale disponible en milieu d'année seulement, effet de couple dans le volant

**496**

| VÉHICULE D'ESSAI | |
| --- | --- |
| Version : | Berline Aero |
| Emp/Lon/Lar/Haut(mm) : | 2 675/4 636/1 753/1 443 |
| Poids : | 1 440 kg |
| Coffre/Réservoir : | 425 litres / 62 litres |
| Nombre de coussins de sécurité : | 4 |
| Suspension avant : | indépendante, jambes de force |
| Suspension arrière : | indépendante, multibras |
| Freins av./arr. : | disque (ABS) |
| Antipatinage/Contrôle de stabilité : | oui / oui |
| Direction : | à crémaillère, assistance variable |
| Diamètre de braquage : | 11,9 m |
| Pneus av./arr. : | P235/45R17 |
| Capacité de remorquage : | 990 kg |

raison dans les virages, la direction être un peu trop assistée et le temps d'attente du turbo parfois longuet, cette suédoise est agréable à conduire. De plus, ses notes de sécurité sont parmi les meilleures, non pas seulement pour le cabriolet mais pour la berline et la familiale itou.

Dans le cadre du lancement de la nouvelle 9-3, j'ai passé la majorité du temps à conduire une berline Aero à moteur V6 2,8 litres de 250 chevaux et cette combinaison s'est avérée très agréable. En outre, la plate-forme très rigide assure une grande stabilité tant en virage que dans les lignes droites. Si les accélérations du moteur sont nerveuses, un effet de couple se fait sentir dans le volant lorsqu'on enfonce l'accélérateur brusquement. Modulez la pression sur l'accélérateur et les choses seront plus civilisées. Enfin, les freins sont puissants tandis que la voiture possède tous les accessoires électroniques d'assistance au pilotage, dont un système de contrôle de stabilité latérale qui prévient les pertes de contrôle en détectant un dérapage éventuel et en intervenant avant que le conducteur perde la maîtrise du volant.

Il est toutefois dommage que Saab ne trouve pas le moyen de se faire justice dans notre pays. En premier lieu, les clients types de cette marque ne sont pas nécessairement les plus grands adeptes de General Motors qui est non seulement le proprio de la compagnie, mais qui distribue les Saab sur le marché canadien par l'entremise de son réseau Saturn. Même si les concessionnaires Saturn jouissent d'une excellente réputation en fait de qualité de service, plusieurs sont réticents. Car si l'excellence technologique a toujours démarqué ces voitures suédoises, leur manque de fiabilité de même qu'une dépréciation assez spectaculaire éloignent bien des acheteurs.

Ingénieurs et stylistes ont accompli leur travail, reste aux responsables de la mise en marché de convaincre les acheteurs de la valeur de ces voitures et de leur fiabilité, car les Saab ne sont plus aussi capricieuses que jadis. Peut-être l'arrivée des versions à moteur BioPower pourrait inciter plusieurs nouveaux acheteurs à adopter la solution de l'avenir, s'il faut en croire Knut Simonsson, directeur des ventes internationales chez Saab. Selon ce monsieur, le Super Éthanol ou E-85 permet de réduire de 30 à 50 grammes de $CO_2$ par kilomètre. De belles paroles que les gens voudraient bien croire, mais il faudra leur faire la preuve auparavant que ces Saab Bio sont aussi fiables que propres.

**Denis Duquet**

Photos : Saab

## MOTORISATION À L'ESSAI

| | |
| --- | --- |
| Moteur : | V6 de 2,8 litres 24s turbocompressé |
| Alésage et course : | 89,0 mm x 74,8 mm |
| Puissance : | 250 ch (186 kW) à 5 500 tr/min |
| Couple : | 258 lb-pi (350 Nm) à 2 000 tr/min |
| Rapport poids/puissance : | 5,76 kg/ch (7,83 kg/kW) |
| Système hybride : | aucun |
| Transmission : | traction, automatique 6 rapports |
| Accélération 0-100 km/h : | 7,5 s |
| Reprises 80-120 km/h : | 6,9 s |
| Freinage 100-0 km/h : | 39,0 m |
| Vitesse maximale : | 225 km/h |
| Consommation (100 km) : | super, 13,2 litres |
| Autonomie (approximative) : | 470 km |
| Émissions de $CO_2$ : | 5 136 kg/an |

## GAMME EN BREF

| | |
| --- | --- |
| Échelle de prix : | 35 950 $ à 60 490 $ |
| Catégorie : | berline sport/familiale/cabriolet |
| Historique du modèle : | 2ième génération |
| Garanties : | 4 ans/80 000 km, 5 ans/160 000 km |
| Assemblage : | Trollhättan, Suède et Graz, Autriche |
| Autre(s) moteur(s) : | 4L 2,0 l turbo 210 ch/221lb-pi (10,8 l/100km) |
| Autre(s) rouage(s) : | intégrale |
| Autre(s) transmission(s) : | manuelle 6 rapports / automatique 5 rapports |

## DANS LA MÊME CATÉGORIE

Audi A4 - BMW Série 3 - Cadillac CTS - Jaguar X-Type - Mercedes-Benz Classe C - Volvo S60

## DU NOUVEAU EN 2008

Modèles redessinés, version intégrale (mi-2008), nouvelle partie avant, Bio Power

## NOS IMPRESSIONS

| | |
| --- | --- |
| Agrément de conduite : | 🚗 🚗 🚗 🚗 |
| Fiabilité : | 🚗 🚗 🚗½ |
| Sécurité : | 🚗 🚗 🚗 🚗½ |
| Qualités hivernales : | 🚗 🚗 🚗 🚗 |
| Espace intérieur : | 🚗 🚗 🚗½ |
| Confort : | 🚗 🚗 🚗 🚗 |

## LE CHOIX DE L'ÉQUIPE

SportCombi Aero

# EN ATTENDANT

S'il faut croire les communiqués de presse de Saab, la 9-5 a connu de nombreux changements en 2007. On ose même parler de nouveau modèle, ce qui est beaucoup dire alors qu'on s'est contenté de simplifier la gamme, d'apporter des retouches à la carrosserie tout en bonifiant l'offre avec un équipement de série plus complet. Et puisque cette transformation a été tellement importante l'an dernier – j'ironise, bien entendu – il semble que les modifications pour 2008 sont plus que modestes. En fait, la grande nouvelle est que le système Onstar vient maintenant de série.

Il ne faut pas conclure pour autant que la 9-5 soit un véhicule rétrograde qui ne mérite aucune attention. Il doit toutefois affronter deux problèmes. Premièrement, sa plate-forme date de 1999 ce qui est très long dans ce secteur ultracompétitif. Deuxièmement, la 9-3 lui est supérieure en fait de performances, d'agrément de conduite et de polyvalence, tout en bénéficiant d'une refonte complète cette année. En effet, comme elle partage sa plate-forme avec la Chevrolet Malibu et l'Opel Astra qui changent du tout au tout, cette suédoise suit le cortège.

Mais revenons à notre 9-5 qui est commercialisée en tant que berline et familiale vendue sous le nom de Combi.

### ALLO ?

Je ne veux pas jouer les Jos Connaissant, mais de nos jours, la plupart des grands constructeurs se tournent vers leur passé pour y puiser l'inspiration des modèles à venir. Curieusement, Saab a inventé le *hatchback* et a été le premier constructeur à offrir un moteur turbo dans une voiture de série. Si le moteur de la 9-5 est un quatre cylindres turbocompressé de 2,3 litres d'une puissance de 260 chevaux, aucune version ne propose un hayon. À part la Combi qui est une familiale. Comme cette 9-5 manque de personnalité, une version à hayon pourrait insuffler un peu d'énergie à ce modèle.

Je suis persuadé que les dirigeants suédois de Saab sont convaincus des valeurs du *hatchback*, mais puisque cette compagnie est dans le giron de GM depuis quelques années et que les Américains ne sont pas épatés par cette configuration, il se peut que cela explique cette décision. Et un *hatchback* cinq portes viendrait sans doute porter ombrage à la Combi qui mérite un meilleur sort car sa polyvalence et son comportement routier sont à souligner. Par contre, les Volvo V70 et XC70, toutes nouvelles en 2008, dominent la catégorie.

Et pas besoin d'être un spécialiste pour constater que la silhouette ne peut être plus anonyme. Voir une 9-5 dans une salle de démonstration aux côtés d'une 9-3 nous porte à croire qu'il s'agit d'une voiture usagée !

Heureusement que l'habitacle est beaucoup plus original avec son tableau de bord inspiré par les avions de chasse que produit une division de Saab. C'est loin d'être traditionnel, mais il est facile de s'y habituer, et après quelques heures on se prend à se demander pourquoi les autres constructeurs n'ont pas une approche aussi rationnelle. Mais comme la

**FEU VERT**
Tenue de route, sièges confortables, prix compétitif, finition sérieuse, version familiale

**FEU ROUGE**
Silhouette rétro, temps de réponse du turbo, dépréciation rapide, modèle 9-3 plus intéressant, course du levier de vitesses imprécise (manuelle)

## VÉHICULE D'ESSAI

| | |
|---|---|
| Version : | Berline |
| Emp/Lon/Lar/Haut(mm) : | 2 703/4 836/1 792/1 454 |
| Poids : | 1 318 kg |
| Coffre/Réservoir : | 450 litres / 70 litres |
| Nombre de coussins de sécurité : | 4 |
| Suspension avant : | indépendante, jambes de force |
| Suspension arrière : | indépendante, multibras |
| Freins av./arr. : | disque (ABS) |
| Antipatinage/Contrôle de stabilité : | oui / oui |
| Direction : | à crémaillère, assistance variable |
| Diamètre de braquage : | 11,3 m |
| Pneus av./arr. : | P235/45R17 |
| Capacité de remorquage : | 1 588 kg |

## MOTORISATION À L'ESSAI

| | |
|---|---|
| Moteur : | 4L de 2,3 litres 16s turbocompressé |
| Alésage et course : | 90,0 mm x 90,0 mm |
| Puissance : | 260 ch (194 kW) à 5 300 tr/min |
| Couple : | 258 lb-pi (350 Nm) de 1 900 à 4 000 tr/min |
| Rapport poids/puissance : | 5,07 kg/ch (6,9 kg/kW) |
| Système hybride : | aucun |
| Transmission : | traction, automatique 5 rapports |
| Accélération 0-100 km/h : | 8,3 s |
| Reprises 80-120 km/h : | 6,3 s |
| Freinage 100-0 km/h : | 40,0 m |
| Vitesse maximale : | 210 km/h |
| Consommation (100 km) : | super, 12,3 litres |
| Autonomie (approximative) : | 569 km |
| Émissions de CO2 : | 4 848 kg/an |

## GAMME EN BREF

| | |
|---|---|
| Échelle de prix : | 43 900 $ à 47 000 $ |
| Catégorie : | berline de luxe/familiale |
| Historique du modèle : | 1ière génération |
| Garanties : | 4 ans/80 000 km, 5 ans/160 000 km |
| Assemblage : | Trollhättan, Suède |
| Autre(s) moteur(s) : | aucun |
| Autre(s) rouage(s) : | aucun |
| Autre(s) transmission(s) : | manuelle 5 rapports |

## DANS LA MÊME CATÉGORIE

Acura TL - Audi A6 - BMW Série 5 - Mercedes-Benz Classe E - Volvo S80

## DU NOUVEAU EN 2008

OnStar standard, quelques détails de présentation

## NOS IMPRESSIONS

| | |
|---|---|
| Agrément de conduite : | 🚗🚗🚗🚗 |
| Fiabilité : | 🚗🚗🚗½ |
| Sécurité : | 🚗🚗🚗🚗½ |
| Qualités hivernales : | 🚗🚗🚗🚗 |
| Espace intérieur : | 🚗🚗🚗🚗 |
| Confort : | 🚗🚗🚗🚗 |

## LE CHOIX DE L'ÉQUIPE

SportCombi avec ensemble sport

majorité fait plus dans la décoration intérieure que dans l'ergonomie, c'est Saab qui est reconnu pour dessiner des planches de bord excentriques. Il faut toutefois souligner que le climatiseur est un véritable tyran qui aime ne faire que son bon vouloir. J'ai eu beau tenter d'obtenir des résultats potables en choisissant des réglages manuels, en vain... Il suffit pourtant de régler la température désirée, d'appuyer sur la commande Auto et le système de climatisation se charge du travail avec efficacité. Oubliez les interventions personnelles !

## ORIGINALE QUAND MÊME

Dans cette catégorie, tous les concurrents ou presque proposent des moteurs cinq ou six cylindres en ligne, des V6 quand ce n'est pas un moteur V8. La 9-5 fait bande à part avec son moteur quatre cylindres turbo de 2,3 litres. Si on veut être cartésien, cela suffit amplement puisqu'il faut un peu plus de huit secondes pour boucler le 0-100 km/h et la consommation de carburant observée est d'environ 12,5 litres aux 100 km, ce qui est dans la moyenne des voitures de cette catégorie. Deux bémols cependant, la boîte manuelle est gérée par un levier de passage des rapports dont la course est longue et imprécise et le moteur exige du super.

Si vous êtes un fanatique de cette marque et que son caractère excentrique ou tout au moins son exclusivité vous intéresse, le meilleur choix dans cette gamme serait une version Combi dotée de la boîte automatique qui est beaucoup plus agréable d'utilisation. La berline est spacieuse et confortable, mais la familiale est d'une grande polyvalence tout en offrant une tenue de route similaire. Elle serait encore plus désirable si elle possédait une transmission intégrale comme la Volvo XC70, mais si vous désirez un véhicule à traction intégrale affichant l'écusson Saab, un seul choix s'offre à vous : la 9-7X, mais ça, c'est une autre histoire.

**Denis Duquet**

Photos : Saab

# SAAB 9-7X

# UNE AMÉRICANO-SUÉDOISE !

Lorsque certaines personnes ont pris connaissance de la 9-7X lors de son lancement il y a maintenant plus de deux ans, elles n'ont pu que s'écrier : «Qu'est-ce qui se passe à Trollhättan ? Dieu, est-ce possible que l'on puisse commander une Saab à moteur V8 ?» Et il ne s'agit là que des exclamations les plus polies... La raison de l'arrivée de ce gros VUS sur le marché répondait tout simplement aux besoins de cette marque afin de profiter du créneau très lucratif à l'époque pour les véhicules du genre.

Compte tenu des ressources financières passablement limitées de ce constructeur suédois et de la nécessité pour GM de réduire les dépenses, il était impossible de concevoir quelque chose à partir d'une feuille de papier blanc. La seule solution était de se baser sur un véhicule existant. Et les malheurs des uns font souvent le bonheur des autres puisqu'Oldsmobile venait de plier bagages et la Bravada, ou du moins sa plate-forme, devenait disponible. Les ingénieurs suédois ont alors retroussé leurs manches pour transformer cette américaine en suédoise. Et avant de continuer, je m'oppose fortement au fait que plusieurs rejettent cette Saab du revers de la main en prétextant qu'il s'agit d'une Chevrolet Trailblazer. On a utilisé la Bravada qui était fort différente de la Chevrolet. Non seulement sa suspension et des éléments de sa plate-forme l'associaient davantage à une automobile, mais son rouage intégral lui était exclusif.

### CONVERTIE
L'une des tâches les plus difficiles pour les ingénieurs est d'adapter à une marque un produit conçu pour être vendu sous une autre bannière dont la philosophie de design et de marketing n'est pas nécessairement la même. Il faut reconnaître que les responsables de la 9-7X ont accompli de l'excellent travail compte tenu des circonstances. En effet, dans

l'habitacle par exemple, il est impossible pour les designers de déplacer le volant, les buses de ventilation ainsi que la plupart des éléments mécaniques. Cela limite quelque peu la marge de manœuvre! Malgré tout, cette Saab d'origine américaine ressemble tout de même à une authentique Saab avec ses buses de ventilation dotées du petit bâtonnet de direction. La clé de contact est sur la console centrale tandis que l'ingénieux porte-gobelet articulé est également de la partie.

En plus, les sièges avant sont très confortables et offrent un bon support latéral. Le pédalier réglable permet d'adopter une meilleure position de conduite. La version essayée comportait des sièges avec sellerie de cuir et leur finition était impeccable. Malheureusement, les plastiques durs ne sont pas absents de l'habitacle... histoire de nous rappeler qu'il s'agit d'un produit GM !

Les stylistes ont réussi avec assez d'habileté à conjuguer les éléments visuels extérieurs propres à cette marque. Selon moi, la calandre avant est bien intégrée à l'ensemble, sans trop alourdir la silhouette ou avoir l'air de quelque chose de rapporté. Le fait de peindre le pilier D en noir allège la silhouette et le véhicule à l'air moins balourd.

**FEU VERT**
Choix de moteur, direction précise, habitacle cossu, sièges confortables, stable en virage

**FEU ROUGE**
Faible diffusion, dépréciation rapide, suspension parfois mal amortie, version Aero anchronique, moteur V8 6,0 l

**500**

## OUI MAIS!

Au chapitre de la mécanique, seules des modifications ont été apportées à la direction dont les points d'ancrage ont été rigidifiés, ainsi qu'à la suspension, revue en fait de fermeté. Ces changements s'avèrent positifs sur une route en bon état, car la direction est moins engourdie et le train avant réagit avec plus de fermeté. Malheureusement, cela devient un peu trop ferme sur mauvaise route. Mais au moins, la direction a beaucoup gagné en précision.

Je suis persuadé que si la 9-7X avait été destinée à un marché autre que celui de l'Amérique, le moteur de série aurait été le six cylindres en ligne de 4,2 litres d'une puissance de 285 chevaux, comme c'est le cas présentement. Mais on aurait sans doute ajouté un autre moteur au catalogue, probablement un six cylindres diesel.

Par contre, compte tenu de la vocation américaine de cette Saab, c'est un V8 de 5,3 litres de 300 chevaux qui est offert. Ce V8 est le moteur à tout faire chez GM: robuste, fiable et doté du système de gestion alternative des cylindres. Sa consommation est quasiment similaire à celle du six cylindres en ligne, mais sa capacité de remorquage est supérieure puisqu'elle est de 6 500 livres (2 948 kg), soit 1 000 livres (453 kg) de plus qu'avec le six cylindres. Mais la grosse différence réside dans son rendement. Son couple est non seulement supérieur, mais il se manifeste à plus bas régime, le rendant plus apte au remorquage. Par contre, vous avouerez avec moi qu'une Saab à moteur V8 est un oxymoron. Mais comme si ce n'était pas assez, la version Aero avec son moteur V8 6.0 litre de 390 chevaux vient hausser la donne.

Les ventes de cette Saab au Québec ne sont pas des plus spectaculaires. C'est facile à expliquer: la 9-7X ne correspond pas à ce que représente une Saab pour l'acheteur type de la marque. On a fait du bon travail mais en grande partie en ciblant le mauvais client. Elle est pourtant supérieure au GMC Envoy et au Chevrolet Trailblazer...

**Denis Duquet**

## VÉHICULE D'ESSAI

| | |
|---|---|
| Version: | 5.3i |
| Emp/Lon/Lar/Haut(mm): | 2 870/4 907/1 915/1 740 |
| Poids: | 2 169 kg |
| Coffre/Réservoir: | 1 127 à 2 268 litres / 83 litres |
| Nombre de coussins de sécurité: | 4 |
| Suspension avant: | indépendante, bras inégaux |
| Suspension arrière: | indépendante, multibras |
| Freins av./arr.: | disque (ABS) |
| Antipatinage/Contrôle de stabilité: | oui / oui |
| Direction: | à crémaillère, assistée |
| Diamètre de braquage: | 12,5 m |
| Pneus av./arr.: | P255/55R18 |
| Capacité de remorquage: | 2 948 kg |

### MOTORISATION À L'ESSAI

| | |
|---|---|
| Moteur: | V8 de 5,3 litres 16s atmosphérique |
| Alésage et course: | 96,0 mm x 92,0 mm |
| Puissance: | 300 ch (224 kW) à 5 200 tr/min |
| Couple: | 321 lb-pi (435 Nm) à 4 000 tr/min |
| Rapport poids/puissance: | 7,23 kg/ch (9,81 kg/kW) |
| Système hybride: | aucun |
| Transmission: | intégrale, automatique 4 rapports |
| Accélération 0-100 km/h: | 8,9 s (estimé) |
| Reprises 80-120 km/h: | 7,7 s (estimé) |
| Freinage 100-0 km/h: | 41,0 m (estimé) |
| Vitesse maximale: | 190 km/h |
| Consommation (100 km): | ordinaire, 14,7 litres |
| Autonomie (approximative): | 565 km |
| Émissions de CO2: | 6 240 kg/an |

### GAMME EN BREF

| | |
|---|---|
| Échelle de prix: | 49 295 $ à 52 805 $ |
| Catégorie: | utilitaire sport intermédiaire |
| Historique du modèle: | 1ère génération |
| Garanties: | 4 ans/80 000 km, 5 ans/160 000 km |
| Assemblage: | Moraine, Ohio, É-U |
| Autre(s) moteur(s): | 6L 4,2l 285ch/276lb-pi (15,8 l/100km) |
| | V8 6,0l 390ch/395lb-pi (0,0 l/100km) |
| Autre(s) rouage(s): | aucun |
| Autre(s) transmission(s): | aucune |

### DANS LA MÊME CATÉGORIE

Acura MDX - Ford Explorer - Jeep Commander - Mercedes-Benz Classe M - Toyota 4Runner

### DU NOUVEAU EN 2008

Version Aero, moteur V8 6,0 litres

### NOS IMPRESSIONS

| | |
|---|---|
| Agrément de conduite: | 🚗 🚗 🚗 ½ |
| Fiabilité: | 🚗 🚗 🚗 |
| Sécurité: | 🚗 🚗 🚗 🚗 ½ |
| Qualités hivernales: | 🚗 🚗 🚗 🚗 ½ |
| Espace intérieur: | 🚗 🚗 🚗 🚗 |
| Confort: | 🚗 🚗 🚗 🚗 |

### LE CHOIX DE L'ÉQUIPE

5.3i

Photos: Saab

# LA MÉTAMORPHOSE SE POURSUIT

Jamais une division de General Motors n'aura accompli autant de progrès en un an que la division Saturn. Après avoir végété pendant quelques années avec des véhicules au design insipide et à la mécanique poussive, la direction de Saturn se retrouve au volant d'une marque impressionnante. En fait, en mai 2007, le véhicule le plus ancien de la marque était la Sky, lancée une année plus tôt. Et pour compléter son offre et être compétitif dans la catégorie des compactes, Saturn a pris un raccourci qui risque de porter fruit.

En effet, au lieu de développer à grands frais une toute nouvelle voiture sans savoir pour autant quelle serait la réaction du public, les décideurs ont porté leur choix sur l'Opel Astra, un élégant *hatchback* qui connaît beaucoup de succès sur le marché européen. En deux temps, trois mouvements, Saturn se retrouve avec un véhicule gagnant dans ses salles de démonstration. Encore faut-il souligner que cette approche n'est pas sans risques.

**EUROPE VERSUS AMÉRIQUE**

Souvent, les gens qui visitent le continent européen reviennent impressionnés par les voitures qu'ils y ont vues, et se demandent pourquoi celles-ci ne sont pas importées en Amérique du Nord. Certains d'entre vous se souviennent que les constructeurs nord-américains ont parfois tenté l'expérience mais le succès n'a pas toujours été au rendez-vous. Il suffit de mentionner les Merkur XR4-Ti et Scorpio pour confirmer que les allemandes ne sont pas forcément bien accueillies... Chez General Motors, l'Opel GT distribuée dans les années 70 a eu une carrière assez courte. Bref, pour toutes sortes de raisons, l'importation de produits européens n'est pas un gage de succès, même si le modèle en question est fort populaire ailleurs.

Comme vous pouvez le constater sur les photos, l'Astra est un modèle élégant aussi bien dans sa version trois portes que cinq portes. Et vous avez bien lu, on parle ici d'un *hatchback*, une configuration qui ne plait pas nécessairement à nos amis, au sud de la frontière. Selon les premières impressions recueillies par les Québécois qui ont vu cette nouvelle Saturn, celle-ci risque d'être fort bien accueillie au Québec, c'est déjà ça de gagné.

Il faut également souligner que la division Saturn a pour mission de convaincre les acheteurs de voitures importées et de les ramener dans le giron de GM, une tâche certainement pas facile. Malgré tout, les ventes progressent et cette Astra a plus d'arguments pour persuader les futurs clients que la tristounette Ion, une berline qui semble avoir été dessinée pour les décourager.

Un dernier détail quant aux origines de cette voiture, elle est produite dans une usine Opel située à Anvers en Belgique. La qualité d'assemblage ne devrait pas causer de soucis puisque cette usine lutte pour obtenir le contrat de renouvellement pour la production de la prochaine génération de l'Astra.

### UN AIR DE FAMILLE

Si vous comparez un photo de l'Opel Astra avec celle de la Saturn du même nom, vous remarquerez une incroyable ressemblance entre les deux modèles qui sont pratiquement identiques, à l'exception de l'écusson de chaque marque. La similitude est telle que les stylistes de Saturn n'ont rien eu à faire pour qu'on associe l'Astra à cette division. En fait, la grille de calandre est pareille ou presque. La réponse à cette énigme est toute simple : Opel et Saturn sont associés dans la grande famille GM et se partagent aussi bien les mécaniques que le design. Par exemple, le cabriolet GT d'Opel est la Saturn Sky, tandis que l'Astra demeure l'Astra dans les deux camps.

La silhouette de ce modèle est très élégante et toujours à la mode, surtout le modèle trois portes. La gamme Opel comprend également l'Astra Twin Top, un cabriolet à toit rigide qui a mérité plusieurs prix et qui ferait un malheur sur notre continent. Mais ne devançons pas les choses...

Comme toutes les voitures de sa catégorie, elle est dotée d'une suspension avant à jambes de force et leviers triangulés, tandis que l'essieu arrière est constitué par une poutre de torsion demi-indépendante plus ou mois similaire à ce que nous propose la Toyota Corolla depuis des lunes. Donc, si vous critiquez cette configuration mécanique en la qualifiant de désuète, ne venez pas par la suite vanter celle de la Toyota ou de la Matrix !

# SATURN ASTRA

L'offre mécanique comprend également quatre freins à disque reliés à un système ABS offert de série alors que la direction est à assistance électrique. Puisque ce texte est écrit quelques mois avant le lancement de la version définitive pour l'Amérique du Nord, ces informations risquent d'être modifiées, mais les principaux éléments ne devraient pas changer. Chez Saturn, on a annoncé que le moteur choisi serait un quatre cylindres Ecotec 1,8 litre produisant 140 chevaux et couplé de série à une boîte manuelle à cinq rapports. Une transmission automatique à quatre rapports est offerte en option. Il est permis de s'interroger quant à la pertinence de ce choix étant donné que l'Astra propose un éventail de 11 moteurs, selon les marchés. Quoi qu'il en soit, il ne serait pas surprenant qu'une version Red Line de cette voiture soit commercialisée un peu plus tard avec le moteur 2,0 litres turbo de 240 chevaux!

Le modèle cinq portes sera doté de roues de 16 pouces mais il sera possible de commander en option des jantes de 17 pouces. Le trois portes peut être équipé de roues de 17 ou 18 pouces selon la gamme d'équipement choisie.

### ESSAI COCASSE

Quelque peu découragé de devoir attendre l'automne pour effectuer un essai routier de cette voiture en sol nord-américain et ainsi rater la date de tombée du *Guide 2008*, j'ai profité d'un voyage de presse en Allemagne pour emprunter la voiture d'un employé de l'hôtel, le fier propriétaire d'une Astra 2007 trois portes. Je remercie donc Karl Meissenbach de sa généreuse contribution. Ce résident de Bamberg était en stage à mon hôtel et s'est laissé convaincre de me confier son petit

---

**FEU VERT**
Silhouette du tonnerre, plateforme rigide, version *hatchback* pratique, comportement routier européen, équipement complet

**FEU ROUGE**
Fiabilité inconnue, essieu arrière demi indépendant, moteur de petite cylindrée, antipatinage et Stabilitrack en option sur le 5 portes

**504**

www.leguidedelauto.com

## VÉHICULE D'ESSAI

| | |
|---|---|
| Version : | Coupé |
| Emp/Lon/Lar/Haut (mm) : | 2 614/4 346/1 753/1 366 |
| Poids : | 1 285 kg |
| Coffre/Réservoir : | n.d. |
| Nombre de coussins de sécurité : | 6 |
| Suspension avant : | indépendante, jambes de force |
| Suspension arrière : | demi-ind., poutre déformante |
| Freins av./arr. : | disque (ABS) |
| Antipatinage/Contrôle de stabilité : | oui / oui |
| Direction : | à crémaillère, assistance magnétique |
| Diamètre de braquage : | 10,5 m |
| Pneus av./arr. : | P225/45R17 |
| Capacité de remorquage : | 630 kg |

## MOTORISATION À L'ESSAI
Pneus d'origine **MICHELIN**

| | |
|---|---|
| Moteur : | 4L de 1,8 litres 16s atmosphérique |
| Alésage et course : | 80,5 mm x 88,2 mm |
| Puissance : | 140 ch (104 kW) à 6 300 tr/min |
| Couple : | 126 lb-pi (171 Nm) à 3 800 tr/min |
| Rapport poids/puissance : | 9,18 kg/ch (12,48 kg/kW) |
| Système hybride : | aucun |
| Transmission : | traction, manuelle 5 rapports |
| Accélération 0-100 km/h : | 9,7 s |
| Reprises 80-120 km/h : | 8,7 s (4ème) |
| Freinage 100-0 km/h : | n.d. |
| Vitesse maximale : | 200 km/h (constructeur) |
| Consommation (100 km) : | ordinaire, 9,1 litres (estimé) |
| Autonomie (approximative) : | 500 km |
| Émissions de $CO_2$ : | n.d. |

## GAMME EN BREF

| | |
|---|---|
| Échelle de prix : | n.d. |
| Catégorie : | berline compacte/coupé |
| Historique du modèle : | 1ère génération |
| Garanties : | 3 ans/60 000 km, 5 ans/160 000 km |
| Assemblage : | Anvers, Belgique |
| Autre(s) moteur(s) : | aucun |
| Autre(s) rouage(s) : | aucun |
| Autre(s) transmission(s) : | automatique 4 rapports |

## DANS LA MÊME CATÉGORIE

Chevrolet Cobalt - Honda Civic - Hyundai Elantra - Mazda3 - Mitsubishi Lancer - Nissan Sentra - Pontiac G5 - Subaru Impreza - Toyota Corolla

## DU NOUVEAU EN 2008
Nouveau modèle

## NOS IMPRESSIONS

| | |
|---|---|
| Agrément de conduite : | 🚗 🚗 🚗 🚗 |
| Fiabilité : | Nouveau modèle |
| Sécurité : | 🚗 🚗 🚗 🚗 |
| Qualités hivernales : | 🚗 🚗 🚗 ½ |
| Espace intérieur : | 🚗 🚗 🚗 ½ |
| Confort : | 🚗 🚗 🚗 🚗 |

## LE CHOIX DE L'ÉQUIPE
Berline cinq portes

bijou ou la «Kleine Wunder» comme il l'appelait. En échange, il recevra un exemplaire du *Guide de l'auto 2008*. Malheureusement, son bolide était nanti d'un moteur 2,0 litres de 170 chevaux, et non pas du moteur qui sera vendu en Amérique. Mais cela m'a permis de me faire tout au moins une idée du comportement général de la voiture. Ce moteur boucle le 0-100 km en 8,7 secondes, comparativement au 1,8 litre qui prend une seconde de plus.

Bien que la chaussée n'était pas complètement sèche lors de ma courte promenade dans la banlieue de Francfort, j'ai pu réaliser que la plate-forme est rigide, moins que celle d'une Rabbit mais au moins l'égale d'une Civic. La boîte manuelle à cinq rapports était bien étagée quoique le passage des rapports soit quelque peu imprécis. Il faut souligner que ma voiture d'emprunt affichait plus de 7 000 km au compteur. Comme sur tout produit GM doté de la direction à assistance électrique, le feedback de la route est un peu trop filtré, mais rien pour diminuer l'agrément de conduite.

La tenue de route est fort satisfaisante et ce n'est qu'en négociant une courbe très serrée que la suspension arrière à poutre déformante m'a démontré ses limites. Et le propriétaire de la voiture qui m'accompagnait m'a également fait savoir que sa patience avait des limites... Il a retrouvé le sourire lorsque j'ai fait le plein de carburant de son Astra. C'était la moindre des choses ! Comme il manquait environ 30 litres dans son réservoir, cela m'a coûté quelques euros... Faites le calcul, 32 litres à 2,40 euros le litre, ça fait mal au portefeuille... Mais c'est avec plaisir que je me suis exécuté. En fait, le seul pépin lors cette petite aventure est que mon appareil photo était resté bien sagement dans ma chambre puisque ce test impromptu s'est décidé très rapidement.

Somme toute, cette prise de contact sommaire est encourageante. Non seulement la plate-forme est-elle rigide et le comportement routier sain, mais la finition est sérieuse malgré certains plastiques trop durs. Reste à savoir si le moteur 1,8 litre Ecotec sera à la hauteur. Il a au moins une bonne réputation.

Le produit est intéressant, la silhouette accrocheuse et la mécanique moderne. À présent, la direction de Saturn doit convaincre les acheteurs !

**Denis Duquet**

Photos : Saturn

# VOITURE DE L'ANNÉE DERNIÈRE

L'année dernière, non sans surprise, la Saturn Aura a remporté le titre convoité de Voiture de l'année, décerné par l'Association des journalistes automobiles du Canada (AJAC). La compétition était féroce et elle n'a pas reçu cet honneur pour ses beaux phares seulement. Son châssis particulièrement réussi, ses lignes très esthétiques, son moteur 3,6 litres et, finalement, l'ensemble de la voiture ont joué en sa faveur. Une voiture équilibrée, c'est ça! Une année a passé. Nous avons eu amplement le temps de conduire toutes les versions de l'Aura. Douze mois plus tard, mérite-t-elle toujours son titre?

Nous ne vous ferons pas languir… Oui! Elle le mérite toujours. Oui, nous avons toujours autant de plaisir à prendre son volant. Oui, la qualité de la finition s'est améliorée chez General Motors. Non, elle n'est pas encore parfaite! Cette année, la Saturn Aura propose pas moins de trois modèles qui, tout en étant physiquement semblables, diffèrent passablement côté mécanique.

Son V6 de 3,5 litres de 224 chevaux n'est pas des plus récents mais, malgré une certaine rugosité au repos, on ne peut lui chercher noise. Ses performances sont loin d'être décevantes et il est possible de franchir le sempiternel 0-100 km/h en moins de 10 secondes. Les reprises sont toutes aussi véloces Au chapitre de la consommation, par contre, ça se corse un peu. Ce moteur étant relié à une transmission à quatre rapports, l'absorption d'essence s'avère un peu élevée. D'ailleurs, sa consommation est à peine moins élevée que celle du moteur 3,6 litres de la version XR.

La XR, une version plus sportive de l'Aura et mieux équipée, mérite un très moderne V6 de 3,6 litres qui développe pas moins de 252 chevaux et presque autant de couple. Il assure à la berline des accélérations et des reprises franchement excitantes. On l'a accolé à une transmission

automatique à six rapports, ce qui permet d'abaisser la consommation et, comme nous le disions dans le paragraphe précédent, il ne consomme quasiment pas plus que le 3,5 litres. Seul bémol: 252 chevaux pour une traction (roues avant motrices), c'est beaucoup. L'effet de couple est donc très présent (en accélération vive, les roues avant cherchent à aller de gauche à droite), ce qui n'est pas le cas de la version XE.

## AURA GREEN LINE

Outre ces deux versions, il existe un modèle, dont le prix se situe à mi-chemin entre la XE et la XR, et qui se démarque par sa motorisation hybride. Il s'agit la Saturn Aura Green Line. Cette livrée «verte» compte sur un quatre cylindres Ecotec de 2,4 litres qui développe 164 chevaux et 159 livres-pied de couple. Son architecture est très semblable à celle du 2,4 litres ordinaire, mais les ingénieurs lui ont greffé un tandem moteur électrique/génératrice. Cet ensemble assiste le moteur à essence durant les accélérations et se recharge à partir de l'énergie générée par l'utilisation des freins. Lorsque le véhicule arrête, à un feu rouge par exemple, le moteur à essence cesse de fonctionner. Il s'agit d'un système efficace et peu coûteux à produire que l'on retrouve aussi sur le Saturn Vue. Mâté à une transmission à quatre rapports spécialement adaptée pour le 2,4 hybride, cet ensemble moteur/génératrice s'avère d'une

**FEU VERT**
Lignes réussies, excellent rapport qualité/prix,
habitacle confortable, moteurs bien adapté,
version hybride

**FEU ROUGE**
Finition souvent bâclée, effet de couple (3,6 litres),
système Stabilitrak un peu endormi (3,6 litres),
petite ouverture du coffre, freins peu performants

belle transparence tout en faisant de la douceur sa principale qualité. De plus, l'économie d'essence n'est pas une vaine promesse puisque nous avons obtenu une moyenne de 9,0 litres aux cent kilomètres lors de notre essai.

Toutes les Aura sont construites autour d'un châssis d'une belle rigidité et on y a accroché des suspensions MacPherson à l'avant et multibras à l'arrière. Il nous a semblé que celles de la XE étaient davantage axées sur le confort. En virage, la voiture sous-vire un peu, la caisse affiche un certain roulis mais pour en arriver là, il faut avoir, au préalable, mal jugé sa courbe ou désiré dépasser ses limites puisque conduite selon les règles de l'Art, l'Aura affiche un comportement routier tout à fait sain. À cet effet, veuillez prendre note que la tenue de cap à haute vitesse n'est pas des plus rassurantes. La XE roule sur des pneus de 17" tandis que la XR reçoit des pneus de 18" qui n'affectent que très légèrement le confort des occupants. Les freins sont à disque aux quatre roues et l'ABS fait partie de la dotation de base. Par contre, ils s'avèrent très justes en situation d'urgence et ceux de nos modèles d'essai avaient tendance à surchauffer rapidement.

## LE CLOU DE FINITION
La finition de l'habitacle de toutes les Aura que nous avons conduites ne péchait pas par excès de zèle. Après avoir enfin doté ses voitures de matériaux convenables, GM devrait maintenant s'attaquer à la finition! Un coin de tapis mal installé, un appuie-bras lâche et des garnitures de sièges qui se détachent, ça vous fait déchanter rapidement! Heureusement, GM a finalement compris qu'il faut une quantité minimum d'espaces de rangement, le système audio est de qualité et les jauges sont du plus bel effet la nuit venue. Le coffre s'avère de bonnes dimensions mais son ouverture est très petite, une malheureuse habitude qui semble se répandre dans l'industrie. Les dossiers des sièges arrière s'abaissent de façon 60/40 mais ils ne forment pas un fond plat. Parlant des sièges arrière, ils font preuve d'un certain confort et l'espace, autant pour les jambes que la tête, n'est pas compté.

Vendue à un prix très compétitif, la Saturn Aura mérite pleinement son titre de voiture de l'année. Même si la version XE avec son 3,5 litres semble moins intéressante, il ne faut pas se laisser influencer par les chiffres. Son manque de puissance est amplement compensé par son équilibre général. Quant à la Green Line, elle prouve que les véhicules hybrides peuvent présenter un bon rapport qualité/prix.

**Alain Morin**

Photos: Alain Morin

---

## SATURN AURA

### VÉHICULE D'ESSAI

OnStar de GM

| | |
|---|---|
| Version : | XE |
| Emp/Lon/Lar/Haut(mm) : | 2 852/4 851/1 786/1 464 |
| Poids : | 1 600 kg |
| Coffre/Réservoir : | 421 litres / 61 litres |
| Nombre de coussins de sécurité : | 6 |
| Suspension avant : | indépendante, jambes de force |
| Suspension arrière : | indépendante, multibras |
| Freins av./arr. : | disque (ABS) |
| Antipatinage/Contrôle de stabilité : | oui / oui |
| Direction : | à crémaillère, assistée |
| Diamètre de braquage : | 12,3 m |
| Pneus av./arr. : | P225/50R17 |
| Capacité de remorquage : | 454 kg |

### MOTORISATION À L'ESSAI

| | |
|---|---|
| Moteur : | V6 de 3,5 litres 12s atmosphérique |
| Alésage et course : | 99,0 mm x 76,0 mm |
| Puissance : | 224 ch (167 kW) à 5 900 tr/min |
| Couple : | 220 lb-pi (298 Nm) à 4 000 tr/min |
| Rapport poids/puissance : | 7,14 kg/ch (9,7 kg/kW) |
| Système hybride : | en série |
| Transmission : | traction, automatique 4 rapports |
| Accélération 0-100 km/h : | 9,8 s |
| Reprises 80-120 km/h : | 7,2 s |
| Freinage 100-0 km/h : | 42,7 m |
| Vitesse maximale : | n.d. |
| Consommation (100 km) : | ordinaire, 11,5 litres |
| Autonomie (approximative) : | 530 km |
| Émissions de $CO_2$ : | 4 608 kg/an |

### GAMME EN BREF

| | |
|---|---|
| Échelle de prix : | 25 355 $ à 31 320 $ |
| Catégorie : | berline intermédiaire |
| Historique du modèle : | 1ère génération |
| Garanties : | 3 ans/60 000 km, 5 ans/160 000 km |
| Assemblage : | Kansas City, Kansas, É-U |
| Autre(s) moteur(s) : | V6 3,6l 252ch/251lb-pi (11,9 l/100km) |
| | 4L 2,4l Hybride 164ch/159lb-pi (9,0 l/100km) Green Line |
| Autre(s) rouage(s) : | aucun |
| Autre(s) transmission(s) : | automatique 6 rapports |

### DANS LA MÊME CATÉGORIE

Chevrolet Malibu - Chrysler Sebring - Dodge Avenger - Ford Fusion - Honda Accord - Hyundai Sonata - Kia Magentis - Mazda6 - Mitsubishi Galant - Nissan Altima - Pontiac G6 - Toyota Camry

### DU NOUVEAU EN 2008
Version Green Line

### NOS IMPRESSIONS

| | |
|---|---|
| Agrément de conduite : |  |
| Fiabilité : | |
| Sécurité : | |
| Qualités hivernales : | |
| Espace intérieur : | |
| Confort : | |

### LE CHOIX DE L'ÉQUIPE
XE

**507**

# LA PUISSANCE D'UN NOM

Lorsqu'elle a amorcé ses activités en 1990, la marque Saturn, créée par General Motors, proposait une nouvelle façon de voir et de faire des automobiles. Outre les carrosseries en polymère dont elle a très bien su se servir au niveau marketing, Saturn présentait des voitures bien assemblées, fort modernes et, surtout, un service à la clientèle hors pair. Mais le temps, cet inexorable patron, s'est chargé de faire pâlir l'image de Saturn. Après avoir conservé beaucoup trop longtemps sa série SL, Saturn a eu beaucoup de difficultés à remonter la pente auprès des consommateurs. Mais le vent a récemment tourné. En 30 mois, toute la gamme Saturn aura été renouvelée!

Parmi ces nouveautés, on retrouve la très réussie berline intermédiaire Aura, le joli roadster Sky et le bien tourné multisegment Outlook. À venir, une réjouissante compacte appelée Astra. Et lors du renouvellement de la plupart de ses véhicules, Saturn ne s'est pas gêné pour aller piger dans sa filière allemande Opel. Cette fois, c'est le Opel Antara qui a donné naissance au Saturn Vue.

Les ingénieurs de Saturn n'ont jamais cessé de faire évoluer leur Vue. À tel point que les dernières années de la génération précédente ont montré un véhicule fiable et plus agréable à conduire. À la version de base s'est greffée une version sportive baptisée Red Line et une autre, encore plus intéressante puisqu'écologiquement amicale, le Green Line avec sa motorisation hybride.

### LE VUE REVU

Mais le temps était venu de passer à autre chose. Le Saturn Vue a donc été entièrement revu. Rien du nouveau Vue ne ressemble à l'ancien. Même les panneaux de polymère n'y sont plus. Tout à fait subjectivement, plusieurs personnes apprécient grandement le design du Vue et la qualité de l'assemblage semble avoir accompli des pas de géant.

Les ingénieurs ont retenu un châssis monocoque pour le nouveau Vue, sachant fort bien que 95% des propriétaires de ces VUS compacts n'iront jamais ailleurs que dans quelques pouces de neige. Pas moins de quatre motorisations différentes sont au menu du Vue. Il y a tout d'abord le quatre cylindres Ecotec 2,4 litres de 164 chevaux. Ce moteur en aluminium, de conception très moderne avec son double arbre à cames en tête et ses quatre soupapes par cylindre se sent un peu à l'étroit dans le Vue. Il est obligatoirement relié à une transmission automatique à quatre rapports et à la traction (roues avant motrices), et ses performances sont loin d'épater la galerie. Les accélérations et les reprises sont plutôt pénibles et on entend bien le moteur se plaindre chaque fois. Au moins, on ne remarque aucun effet de couple, cette triste manie qu'ont les tractions puissantes de tirer d'un bord ou de l'autre au moindre coup d'accélérateur. Si les performances et les capacités de remorquage ne représentent pas pour vous des points cruciaux, le quatre cylindres pourrait faire l'affaire. Par contre, le fait que la transmission ne compte que quatre rapports et que le moteur soit toujours sollicité devrait donner une moyenne de consommation pas très éloignée de celle du V6. Plus tard durant l'année, une transmission manuelle à cinq rapports sera disponible.

### V6, NEIGE ET ANTIROUILLE

Dans la génération précédente, Saturn proposait soit un quatre cylindre 2,2 litres ou un V6 3,5 litres d'origine Honda dans son Vue. Ce n'est plus le cas. Le 3,5 maintenant offert de série pour les versions plus dépouillées (XE) qui seront nanties de la traction intégrale est le même que celui qui équipe la Saturn Aura. Le principal avantage de ce moteur est d'être associé avec la transmission automatique à six rapports et de profiter de la traction intégrale à moindre coût. Le moteur le plus intéressant de la gamme est un V6 de 3,6 litres, provenant, lui aussi, de l'Aura. Il développe 250 chevaux et presque autant de couple. Sans donner des

ailes au Vue, ce moteur lui assure des performances très correctes avec un 0-100 km/h de 9,4 secondes tandis qu'il ne faut que huit secondes pile pour passer de 80 à 120 km/h. La transmission qu'on lui a octroyée est une automatique à six rapports très douce et possédant un mode manuel qui, dans notre véhicule d'essai, ne se montrait pas des plus empressés pour changer les rapports. Côté rouage d'entraînement, deux choix s'offrent au consommateur. Traction ou intégrale. Cette dernière n'exige aucune intervention du conducteur et est considérée par plusieurs comme une intégrale «detipeud'neige». Pourtant, lors du match comparatif entre VUS compacts dont vous pourrez lire les résultats dans la première partie de ce *Guide*, notre Vue à rouage intégral a passé sans trop d'hésitations dans un sentier qui nous a surpris par son

niveau de difficulté. D'ailleurs, si on regarde sous le Vue, on découvre d'imposants longerons (on découvre aussi qu'il n'y a pratiquement pas d'antirouille mais ça, c'est une autre histoire…) qui font la longueur du véhicule et qui lui assurent une excellente rigidité. Notez cependant qu'il ne s'agit pas d'un châssis à longeron comme une camionnette, mais plutôt d'un châssis monocoque supporté par des longerons. Nuance.

Un peu plus tard durant l'année, une version hybride, le Vue Green Line fera son apparition. En fait, il devrait s'agir de la même motorisation que celle de l'Aura. Nous parlons ici d'un ensemble moteur essence/moteur électrique/génératrice. Le moteur électrique et la génératrice assistent le moteur à essence lorsqu'il en a besoin. Dans l'Aura, le fonctionnement de ces éléments se montre des plus discrets et il aide à diminuer sensiblement la consommation. À l'autre bout du spectre, une version sportive Red Line devrait très bientôt débarquer chez les concessionnaires. On parle du moteur 3,6 litres et de divers éléments plus sportifs tels que suspensions révisées, pneus plus gros, etc.

## CONDUITE AMÉLIORÉE

Si le Saturn Vue fait peau neuve au niveau de la carrosserie et de la mécanique, on peut en dire autant pour les impressions de conduite. Premier choc; le châssis est rigide. Dans l'habitacle, on n'entend aucun bruit de caisse et le véhicule ne part pas de tous les côtés au moindre trou. Les suspensions se montrent beaucoup plus en contrôle et, en plus de procurer un confort surprenant, maintiennent le véhicule sur le bitume avec aplomb. Par contre, sur la version quatre cylindres, les suspensions nous ont paru un peu moins affirmées sans, toutefois, entraver la tenue de route. La direction, autrefois totalement déconnectée de la

**FEU VERT**
Lignes joliment dessinées, châssis solide, intégrale surprenante, finition améliorée, version hybride (à venir)

**FEU ROUGE**
Moteur 2,4 un peu juste, freins syndiqués, sièges peu confortables, volant non télescopique

| VÉHICULE D'ESSAI | |
|---|---|
| Version : | XE traction |
| Emp/Lon/Lar/Haut(mm) : | 2 707/4 576/1 850/1 704 |
| Poids : | 1 735 kg |
| Coffre/Réservoir : | 752 à 1 540 litres / 74 litres |
| Nombre de coussins de sécurité : | 6 |
| Suspension avant : | indépendante, jambes de force |
| Suspension arrière : | indépendante, multibras |
| Freins av./arr. : | disque (ABS) |
| Antipatinage/Contrôle de stabilité : | oui / non |
| Direction : | à crémaillère, assistance variable électrique |
| Diamètre de braquage : | 12,2 m |
| Pneus av./arr. : | P235/65R16 |
| Capacité de remorquage : | 680 kg |

réalité, a fait de beaux progrès. Ce n'est pas encore parfait (elle est toujours à assistance électrique) mais au moins, on sent qu'on a quelque chose entre les mains. Dans un monde parfait, nous n'aurions jamais besoin de freins. Malheureusement, il faut décélérer très souvent. Et «malheureusement» s'applique très bien dans le cas du Vue. S'il est un élément à améliorer dans ce véhicule, c'est bien le freinage. Les distances sont exagérément longues et l'ABS, qui n'est pas des plus discrets, en a plein les bras. Pourtant, le nouveau Vue possède des freins à disque aux quatre roues. Les ingénieurs ont dû oublier de lui dire…

Dire que l'habitacle a vécu des changements serait un euphémisme… L'accès à bord est très facile mais, une fois rendus, conducteur et passagers doivent composer avec des sièges plus ou moins confortables. Et tous s'entendent sur le maniement de la roulette du soutien lombaire, peu commode c'est le moins qu'on puisse dire! Les jauges sont faciles à consulter et toutes les commandes tombent naturellement sous la main. Un bémol cependant pour le bouton servant à actionner l'essuie-glace arrière, placé au tableau de bord. Son maniement n'est pas intuitif et, en plus, il est placé juste à côté du bouton servant à désactiver le système de contrôle de traction. Une simple distraction et, sur chaussée glacée, on se retrouve sans ce précieux allié…

La soute à bagages n'est pas la plus grande de sa catégorie mais son aménagement est réalisé avec professionnalisme. Le seuil de chargement se situe bas et à égalité avec le plancher, tandis que les dossiers des sièges arrière s'abaissent pour donner une plateforme plane. Le pneu de secours loge sous le tapis du coffre, un gros avantage lorsque vient le temps de changer une crevaison. Enfin, le hayon ouvre haut. Ceci est une excellente nouvelle pour les gens qui ont tendance à se péter le coco sur tous les mécanismes de coffre. Mais il s'agit d'une très mauvaise nouvelle pour les gens plus petits!

Lorsqu'est venu le temps de revoir de fond en comble leur véhicule utilitaire sport, les gens de Saturn ont sûrement envisagé l'adoption d'un nouveau nom. Après tout, ce n'est pas un petit nom qui fait hésiter les constructeurs américains. On rebaptise les modèles comme on jette un stylo lorsqu'il n'est plus bon. Pourtant, le Vue possédait une belle réputation et son nom n'était pas synonyme de maladie grave et infectieuse. Ainsi, le Vue est revenu. Et cette nouvelle génération a tout, elle aussi, pour réussir. Qualité de fabrication, agrément de conduite et prix justes. Il ne reste que la fiabilité à prouver mais, en général, les récents produits Saturn n'ont pas beaucoup péché à ce chapitre.

**Alain Morin**

## MOTORISATION À L'ESSAI

| | |
|---|---|
| Moteur : | 4L de 2,4 litres 16s atmosphérique |
| Alésage et course : | 88,0 mm x 98,0 mm |
| Puissance : | 164 ch (122 kW) à 6 300 tr/min |
| Couple : | 160 lb-pi (217 Nm) à 5 100 tr/min |
| Rapport poids/puissance : | 10,58 kg/ch (14,34 kg/kW) |
| Système hybride : | en série |
| Transmission : | traction, automatique 4 rapports |
| Accélération 0-100 km/h : | 12,5 s |
| Reprises 80-120 km/h : | 10,1 s |
| Freinage 100-0 km/h : | 44,0 m |
| Vitesse maximale : | 185 km/h (estimé) |
| Consommation (100 km) : | ordinaire, 11,5 litres (estimé) |
| Autonomie (approximative) : | 643 km |
| Émissions de CO2 : | n.d. |

## GAMME EN BREF

| | |
|---|---|
| Échelle de prix : | 25 193 $ à 35 906 $ |
| Catégorie : | utilitaire sport compact |
| Historique du modèle : | 2ième génération |
| Garanties : | 3 ans/60 000 km, 5 ans/160 000 km |
| Assemblage : | Ramos Arizpe, Mexique |
| Autre(s) moteur(s) : | V6 3,6l 250ch/243lb-pi (11,9 l/100km) |
| | 4L 2,4l 170ch/162lb-pi (9,0 l/100km) Green Line |
| | V6 3,5l 215ch/220lb-pi |
| Autre(s) rouage(s) : | intégrale |
| Autre(s) transmission(s) : | automatique 6 rapports |

## DANS LA MÊME CATÉGORIE

Ford Escape - Honda CR-V - Hyundai Tucson - Kia Sportage - Mazda Tribute - Mitsubishi Outlander - Toyota Rav4

## DU NOUVEAU EN 2008

Nouveau modèle, versions hybride et Red Line disponibles plus tard, transmission manuelle disponible plus tard

## NOS IMPRESSIONS

| | |
|---|---|
| Agrément de conduite : | 🚗🚗🚗🚗 |
| Fiabilité : | Nouveau modèle |
| Sécurité : | 🚗🚗🚗🚗 |
| Qualités hivernales : | 🚗🚗🚗½ |
| Espace intérieur : | 🚗🚗🚗🚗 |
| Confort : | 🚗🚗🚗🚗 |

## LE CHOIX DE L'ÉQUIPE

XR traction

Photos : Alain Morin

# JOIE DE VIVRE

Malgré les nombreux problèmes financiers affectant le marché automobile et plus particulièrement les pertes monétaires engendrées par la division Smart, la petite Fortwo s'est tout de même refait une beauté cette année afin de stimuler des ventes un peu trop stagnantes au goût des actionnaires. Elle sera dorénavant un accessoire branché, car en plus de sauver la planète, les nouveaux propriétaires afficheront leur style, comme certains le font en portant des vêtements griffés.

En fait, la principale raison de cette refonte découle des exigences de nos voisins du Sud qui verront arriver prochainement sur leur marché la petite coqueluche européenne. Il fallait alors la présenter adéquatement pour ne pas offusquer les Américains. On a donc laissé tomber (pour l'instant), la motorisation diesel pour se concentrer sur une version à essence d'une cylindrée d'un litre, ce qui représente 0,2 litre de plus que celle de l'ancienne motorisation diesel. Outre ce changement majeur, peu de gens verront les différences entre le nouveau et l'ancien modèle. Les concepteurs ayant travaillé sur la nouvelle version nous avoueront d'ailleurs qu'ils ne voulaient surtout pas altérer l'image originale de la microvoiture, celle qui est facilement identifiable partout où elle passe.

### MON CHER WATSON

L'œil perspicace remarquera cependant les nombreux changements apportés à la voiture. Tout d'abord, afin de permettre aux corpulents Américains de s'y sentir à l'aise, mais surtout de rencontrer les spécifications légales de sécurité américaines, les dimensions extérieures et intérieures de la Fortwo ont été augmentées. En longueur, la voiture gagne donc 195 mm (chaque millimètre est calculé!) qui sont répartis judicieusement entre les trois sections de la voiture. Vue de profil, la

section avant gagne 72 mm, l'empattement affiche 55 mm de plus et la partie arrière du coffre propose 68 mm supplémentaires. Malgré l'augmentation des dimensions du coffre, il faut tout de même encore voyager léger. Le dossier des sièges est maintenant réglable vers l'arrière et se penche vers l'avant pour faciliter l'accès au coffre. Le tableau de bord a également bénéficié d'une refonte majeure et arbore un style plus sobre et classique.

Sa présentation est fort bien réussie et les commandes sont disposées de façon plus ergonomique. La Fortwo dispose de nouvelles poignées de porte disposées horizontalement. On notera aussi la présence d'un capot amovible pour avoir accès aux quelques modules s'y logeant et donnant accès au réservoir de lave-glace. Smart a également corrigé une lacune importante en dotant la voiture d'un toit rétractable complètement automatisé. Il ne sera donc plus nécessaire de débarquer afin de terminer manuellement l'ouverture du toit.

### OLÉ !

L'autre point majeur ayant subi une attention toute particulière est sans aucun doute la transmission. Autrefois critiquée pour sa lenteur à changer les vitesses, elle est aujourd'hui… encore critiquée pour la même

**FEU VERT**
Moteurs plus puissants, transmission améliorée, espace intérieur plus généreux, présentation agréable, maniabilité ahurissante

**FEU ROUGE**
Consommation à la hausse, suspension ferme, sensible aux vents latéraux, reprises décevantes, entretien onéreux

## VÉHICULE D'ESSAI

| | |
|---|---|
| Version : | Cabriolet Pulse |
| Emp/Lon/Lar/Haut(mm) : | 1 867/2 695/1 559/1 542 |
| Poids : | 750 kg |
| Coffre/Réservoir : | 340 litres / 33 litres |
| Nombre de coussins de sécurité : | 4 |
| Suspension avant : | indépendante, jambes de force |
| Suspension arrière : | indépendante, multibras |
| Freins av./arr. : | disque/tambour (ABS) |
| Antipatinage/Contrôle de stabilité : | oui / oui |
| Direction : | à crémaillère, assistance variable |
| Diamètre de braquage : | 8,7 m |
| Pneus av./arr. : | P155/60R15 / P175/55R15 |
| Capacité de remorquage : | non recommandé |

chose ! Avouons cependant qu'il y a une nette amélioration et que le temps de passage des rapports est meilleur. Toutefois, s'étant fié aux informations préliminaires rapportées par les ingénieurs, on s'attendait à une amélioration beaucoup plus notable. Lors du lancement du nouveau modèle, nous avons testé la voiture dans différentes situations. Aucune surprise du côté de la suspension qui est encore aussi rigide.

On a également constaté que le vent latéral affecte toujours la voiture mais que sur l'autoroute, la Fortwo se débrouille admirablement bien en tenant la route de façon surprenante. Sa nouvelle vitesse de pointe (145 km/h) est atteinte avec facilité et la conserver ne tient pas de la folie, car les ingénieurs ont réussi à bien doser l'ensemble de la mécanique.

Les voies avant et arrière élargies jumelées à un plus grand empattement et un centre de gravité abaissé permettent d'atteindre un niveau de stabilité étonnant pour une si petite voiture. On s'est également attardé à limiter les bruits de vent et insonoriser adéquatement le compartiment moteur. L'ensemble est à ce point bien ficelé que l'on se surprend quelques fois à piloter la Smart comme un kart de course. C'est toutefois en ville que la Fortwo démontre tout son potentiel. Inutile de mentionner qu'elle se faufile fort bien dans la circulation et qu'elle se gare pratiquement n'importe où. Avec de telles dimensions, tout endroit devient accessible ! Il faut alors faire attention où l'on circule, car les policiers n'aiment guère voir une voiture sur le trottoir, ni dans un parc !

Il serait ridicule d'affirmer que la voiture impose le respect et qu'elle inspire la sécurité. Bien qu'elle ait passé avec succès tous les tests de collision, plusieurs conducteurs avoueront avoir une certaine crainte à la conduire. Et même avec quatre roues, deux portes et un volant, il est impensable de la comparer à d'autres sous-compactes. La Fortwo restera toujours une voiture marginale, originale mais agréable à conduire.

**Guy Desjardins**

## MOTORISATION À L'ESSAI

| | |
|---|---|
| Moteur : | 3L de 1 litre 12s atmosphérique |
| Alésage et course : | 72,0 mm x 81,8 mm |
| Puissance : | 61 ch (45 kW) à 5 800 tr/min |
| Couple : | 66 lb-pi (89 Nm) à 3 000 tr/min |
| Rapport poids/puissance : | 12,3 kg/ch (16,67 kg/kW) |
| Système hybride : | aucun |
| Transmission : | propulsion, séquentielle 5 rapports |
| Accélération 0-100 km/h : | 16,7 s |
| Reprises 80-120 km/h : | 16,3 s |
| Freinage 100-0 km/h : | 42,0 m |
| Vitesse maximale : | 145 km/h |
| Consommation (100 km) : | ordinaire, 6,1 litres |
| Autonomie (approximative) : | 541 km |
| Émissions de CO2 : | 2 240 kg/an |

## GAMME EN BREF

| | |
|---|---|
| Échelle de prix : | n.d. |
| Catégorie : | sous-compacte |
| Historique du modèle : | 2ième génération |
| Garanties : | 4 ans/80 000 km, 4 ans/80 000 km |
| Assemblage : | Hambach, France |
| Autre(s) moteur(s) : | 3L 1l 71ch/68lb-pi (6,1 l/100km) |
| | 3L 1l 84ch/89lb-pi (6,4 l/100km) |
| Autre(s) rouage(s) : | aucun |
| Autre(s) transmission(s) : | aucune |

## DANS LA MÊME CATÉGORIE
Aucune concurrence

## DU NOUVEAU EN 2008
Nouveau modèle

## NOS IMPRESSIONS

| | |
|---|---|
| Agrément de conduite : | 🚗 🚗 🚗 🚗 ½ |
| Fiabilité : | Nouveau modèle |
| Sécurité : | 🚗 🚗 🚗 🚗 |
| Qualités hivernales : | 🚗 🚗 ½ |
| Espace intérieur : | 🚗 🚗 🚗 |
| Confort : | 🚗 🚗 🚗 🚗 |

## LE CHOIX DE L'ÉQUIPE
Cabriolet Puls

Photos : Guy Desjardins

**513**

# SUBARU FORESTER

# TOUJOURS AU POSTE

Subaru impressionne la galerie avec ses designs de voitures de plus en plus raffinés. Jadis qualifiés de « boîtes carrées », les véhicules du constructeur japonais sont dorénavant beaucoup plus agréables à regarder. La Forester ne fait pas exception à cette règle et malgré son caractère à mi-chemin entre le pur VUS et la voiture familiale, elle affiche une allure dynamique et tout juste assez athlétique pour l'amener se promener dans les bois, avant une petite sortie mondaine à l'opéra. Oui, la Forester se présente bien, en plus d'être presque aussi efficace qu'un vrai 4X4.

Sur le marché depuis maintenant 10 ans, la Forester est la doyenne des véhicules multisegments. Pas surprenant alors de constater qu'en 2008, Subaru arrive avec une Forester d'une exemplaire « maturité ». La silhouette générale reste cependant la marque de commerce du véhicule. Elle se veut moins anonyme que par le passé et arbore des traits de carrosserie lui permettant de suivre la compétition. L'avant du véhicule fait désormais plus civilisé alors que la calandre ajoute une touche de classe. Les phares et le capot, remaniés l'an dernier, sont également plus homogènes.

### DU CHOIX EN PLUS

Cette année, la Forester est déclinée en versions X, XS et XT, la dernière se voulant la plus sportive de la famille. La version de base, la X, se détaille à près de 27 000 $ et offre le moteur 2,5 litres avec la traction intégrale. La XS, quant à elle, propose pour quelques dollars de plus le différentiel à glissement limité ainsi que des freins à disque à l'arrière. Et pour beaucoup plus de bidous, la XT vous amène dans les hautes sphères de l'efficacité avec son moteur BOXER de 2,5 litres à turbocompresseur, son allumage direct et son système VTD de distribution variable du couple. Ajoutez à cela des pneus de 17 pouces et une calandre plus agressive avec une entrée d'air sur le capot, et vous commencerez

à ressentir un peu plus ce que les pilotes de rallye vivent au volant de leur Subaru de compétition ! Évidemment, pas autant qu'au volant d'une Impreza WRX mais assez pour ne rien regretter de votre achat.

L'aspect pratique de la Forester est cependant ce qui nous a le plus surpris durant notre essai. Malgré son apparence anonyme, ce véhicule nous a émerveillés plus d'une fois. Son espace de chargement est agréablement spacieux et permet de transporter presque n'importe quoi, y compris un baril de whisky. Il faut dire que l'ouverture généreuse du hayon arrière permet un accès aisé et que la hauteur du toit, constante tout au long du véhicule autorise le transport de marchandises hors-norme. L'essai ultime a été réalisé pendant la deuxième semaine de juin, par une journée resplendissante, lors d'un voyage de pêche au lac Macpès, dans la région de Rimouski. Armés de notre bateau, attelé à la Forester, nous avons sillonné les nombreuses routes de gravier sans aucun problème et affronté les vallons avec tellement de facilité que nous en étions arrivés à chercher des obstacles plus ardus afin de vérifier les limites de la Forester. Celle-ci ne semble avoir peur de rien et la garde au sol tout de même élevée nous aura permis d'emprunter des sentiers jusqu'ici inexplorés par nos propres véhicules. Même Roger, irréductible fervent de produits américains et dénigreur de Subaru, s'est vu

**FEU VERT**
Silhouette agréable (2.5XT), traction intégrale légendaire,
performances étonnantes (2.5XT),
capacité de chargement

**FEU ROUGE**
Consommation élevée, embrayage difficile à doser en situations extrêmes,
commandes allergiques au froid, prix de la version XT élevé,
puissance juste (moteur sans turbo)

514

dans l'obligation d'avouer l'efficacité de la Forester. Il aurait bien aimé trouver quelque chose de négatif à dire outre le fait que les porte-gobelets sont mal positionnés. Sacré Roger!

## DE PLUS EN PLUS D'ADEPTES

Les propriétaires de Subaru sont des gens très fidèles et très émotifs quand vient le temps de louanger les véhicules de la marque. Et ils n'ont pas tout à fait tort. Oh, il y a bien eu ces histoires de moteurs qui cognent, mais il semblerait que ce soit chose du passé, du moins selon les représentants du constructeur! Les propriétaires de Subaru sont effectivement très loquaces pour vanter le produit. Certains vous parleront du moteur BOXER qui étonne par son efficacité. Un moteur à plat (c'est-à-dire dont les cylindres sont disposés à l'horizontale) qui est installé bas dans le compartiment moteur et qui permet d'obtenir un centre de gravité très avantageux au niveau de la stabilité du véhicule. L'encombrement est également plus faible que les moteurs dits standard et offre aussi plus de rigidité. On notera aussi que le moteur semble plus silencieux que la moyenne, ce qui est probablement dû aux vibrations réduites résultant de ce genre de moteur. Tout comme pour le moteur rotatif de Mazda, le moteur BOXER de Subaru émet un son assez particulier lorsqu'il est poussé à fond. Bien que certains, pour ne pas dire la plupart, des propriétaires de Subaru trouvent ce son agréable à l'oreille, on ne voudrait surtout pas les offusquer en disant que ça ressemble plus à un silencieux percé ou à un moteur qui rote. Et l'effet est encore plus audible si la voiture est équipée d'un silencieux de performance à faible restriction.

Malgré son style utilitaire sport et ses capacités hors route exemplaires, l'habitacle de la Forester laisse l'impression que l'on est plutôt au volant d'une familiale ordinaire. Outre la hauteur du toit plus élevée, la présentation intérieure n'a rien de bien spectaculaire. Elle est agréable à l'œil et l'effort mis par les designers pour offrir un produit au goût du jour est très réussi. Les matériaux choisis sont bien agencés entre eux et l'ergonomie des commandes a fait preuve d'une attention particulière. L'essai d'un véhicule similaire en plein mois de janvier nous aura cependant permis de constater à quel point les commandes de la radio et de la ventilation sont difficiles à manœuvrer par des températures sous les -25 degrés Celsius. Heureusement pour Subaru, le réchauffement de la planète est en cours!

**Guy Desjardins**

Photos : Subaru

### VÉHICULE D'ESSAI

| | |
|---|---|
| Version : | 2.5XT |
| Emp/Lon/Lar/Haut (mm) : | 2 525/4 485/1 735/1 585 |
| Poids : | 1 530 kg |
| Coffre/Réservoir : | 818 à 1 826 litres / 60 litres |
| Nombre de coussins de sécurité : | 4 |
| Suspension avant : | indépendante, jambes de force |
| Suspension arrière : | indépendante, jambes de force |
| Freins av./arr. : | disque (ABS) |
| Antipatinage/Contrôle de stabilité : | oui / oui |
| Direction : | à crémaillère, assistance variable |
| Diamètre de braquage : | 10,6 m |
| Pneus av./arr. : | P215/55R17 |
| Capacité de remorquage : | 1 087 kg |

### MOTORISATION À L'ESSAI

| | |
|---|---|
| Moteur : | H4 de 2,5 litres 16s turbocompressé |
| Alésage et course : | 99,5 mm x 79,0 mm |
| Puissance : | 224 ch (167 kW) à 5 600 tr/min |
| Couple : | 226 lb-pi (306 Nm) à 3 600 tr/min |
| Rapport poids/puissance : | 6,83 kg/ch (9,27 kg/kW) |
| Système hybride : | aucun |
| Transmission : | intégrale, automatique 4 rapports |
| Accélération 0-100 km/h : | 9,2 s |
| Reprises 80-120 km/h : | 8,6 s |
| Freinage 100-0 km/h : | 38,0 m |
| Vitesse maximale : | 210 km/h |
| Consommation (100 km) : | super, 10,7 litres |
| Autonomie (approximative) : | 561 km |
| Émissions de $CO_2$ : | 4 464 kg/an |

### GAMME EN BREF

| | |
|---|---|
| Échelle de prix : | 26 995 $ à 37 795 $ |
| Catégorie : | utilitaire sport compact |
| Historique du modèle : | 1ère génération |
| Garanties : | 3 ans/60 000 km, 5 ans/100 000 km |
| Assemblage : | Gunma, Japon |
| Autre(s) moteur(s) : | H4 2,5l 173ch/166lb-pi (12,0 l/100km) |
| Autre(s) rouage(s) : | aucun |
| Autre(s) transmission(s) : | manuelle 5 rapports |

### DANS LA MÊME CATÉGORIE

Dodge Nitro - Ford Escape - Honda CR-V - Hyundai Santa Fe - Jeep Liberty - Kia Sportage - Mitsubishi Outlander - Suzuki XL-7 - Toyota Rav4

### DU NOUVEAU EN 2008

Pas de changement majeur

### NOS IMPRESSIONS

| | |
|---|---|
| Agrément de conduite : | 🚗 🚗 🚗 🚗 |
| Fiabilité : | 🚗 🚗 🚗 ½ |
| Sécurité : | 🚗 🚗 🚗 🚗 |
| Qualités hivernales : | 🚗 🚗 🚗 🚗 🚗 |
| Espace intérieur : | 🚗 🚗 🚗 🚗 |
| Confort : | 🚗 🚗 🚗 🚗 |

### LE CHOIX DE L'ÉQUIPE

2.5XT

# L'ÉVOLUTION SE POURSUIT

Nous n'avons cessé de répéter dans les pages de cet ouvrage au fil des ans que la Subaru Impreza était l'un des bons achats de sa catégorie. Avec une mécanique moderne, une fabrication soignée, une transmission intégrale, le tout à prix très compétitif, cette voiture méritait qu'on s'y intéresse. Pourtant, plusieurs l'ignoraient en raison de sa silhouette assez anonyme. La nouvelle génération nous revient avec une mécanique plus ou moins similaire, mais avec des changements majeurs en fait de design.

Et c'est justement là que cette nouvelle génération soulève la controverse. Si la berline est l'objet de critiques positives, le nouveau *hatchback* cinq portes a fait hurler certains «subaristes», tandis que plusieurs lui trouvent un petit quelque chose de différent. Et les deux types de carrosserie proposent la version WRX, le modèle le plus sportif avec son moteur turbo de 224 chevaux. Ce modèle est d'ailleurs l'objet d'un texte à part.

### OUCHE! OUCHE!
Un mauvais plaisant avait déjà écrit que le studio de design de Subaru était constitué d'une boîte à suggestions placée à l'entrée de la cafétéria de l'usine tant le stylisme des voitures de la compagnie était moche! Il est vrai que certains modèles de la marque devraient être exhibés dans un musée des horreurs du monde automobile quelque part sur la planète. Cela dit, des progrès importants ont été réalisés au cours des dernières années.

La berline Impreza est quant à moi assez élégante et ses lignes bien équilibrées devaient en convaincre plusieurs. Ce n'est pas avant-gardiste, mais tout de même de notre époque

avec des lignes épurées et des feux arrière qui ne sont pas sans nous rappeler ceux de la Tribeca. Comme souligné précédemment, le *hatchback* est loin de faire l'unanimité. Personnellement, je n'ai rien contre le fait d'abandonner le style de la familiale pour un *hatchback* cinq portes dont la partie arrière est plus surélevée. Mais les critiques sont nombreuses au sujet de la silhouette qui a un petit air des années soixante.

Néanmoins, il est presque assuré que l'habitacle fera l'unanimité et cette fois, ce sera positif. Le tableau de bord est inspiré de celui de la Tribeca, et il est constitué de deux volutes ancrées sur la console centrale. Ces deux «sourcils» donnent plus de chaleur à l'ensemble. L'ergonomie a été privilégiée car tout est à la bonne place et facile d'accès. De plus, les espaces de rangement ne font pas défaut. Par exemple, ceux dans les garnitures de portière peuvent contenir une bouteille d'eau tandis que deux porte-gobelets sont placés entre les deux sièges.

Les cadrans sont de la bonne dimension et faciles à lire. Compte tenu de la vocation des véhicules, le compte-tours est à droite du réceptacle des instruments sur la 2,5i tandis qu'il est au centre sur la WRX. Une fois à bord, j'ai immédiatement remarqué le confort des sièges et leur excellent support pour les cuisses. Des bourrelets latéraux de bonne taille assurent un bon maintien dans les virages. Comme sur toutes les autres Subaru, la qualité des matériaux et la qualité d'assemblage sont impeccables. Enfin, l'ouverture des portières est nettement plus large que précédemment. Par contre, celle du coffre de la berline est petite. Amateurs de gros bagages, l'*hatchback* sera votre seule option.

## OPTION SAGESSE

Comme c'est toujours le cas lorsqu'un véhicule est appelé à être remplacé par une version plus moderne, le moulin à rumeurs s'emballe et les rumeurs les plus farfelues circulent. Et, bien entendu, c'est sur le web que les nouvelles les plus folles circulent. Si vous faites partie des personnes qui se sont laissées séduire par ces sirènes, la nouvelle Impreza doit vous décevoir quelque peu. Pourtant, il ne fallait pas s'attendre à

plus de la part d'un constructeur rationnel qui dispose déjà de bons éléments techniques. On a raffiné les éléments existants afin d'optimiser leur rendement et d'améliorer le comportement du véhicule.

La plate-forme est dorénavant plus rigide et l'empattement a été allongé de 9,5 cm tandis que la longueur hors tout est demeurée sensiblement la même. Cette modification a permis de réduire les porte-à-faux avant et arrière en plus d'augmenter l'habitabilité. Un autre changement majeur est l'utilisation d'une suspension arrière à doubles leviers triangulés afin de diminuer l'encombrement dans l'habitacle — sur le *hatchback* tout particulièrement — en plus d'offrir une voiture plus agile. L'utilisation d'acier plus léger et plus rigide explique que cette nouvelle venue soit

# SUBARU IMPREZA

plus légère. De plus, dans le but d'optimiser la rigidité, les glaces latérales sont dorénavant munies d'un pourtour, du nouveau chez ce constructeur qui a toujours privilégié les portières sans montant de glace.

Autre détail à souligner, les modèles de base sont dotés de freins arrière à tambour mais les 2.5i Sport et les WRX ont des disques aux quatre roues.

Les moteurs des modèles 2,5i et 2,5i Sport sont identiques en cylindrée à ceux utilisés sur les modèles 2007. La puissance passe toutefois de 173 chevaux à 170, et pourtant, il est plus performant. Cette année, grâce à des améliorations apportées à la culasse, aux arbres à cames et à la tubulure d'échappement, le couple optimal du moteur est produit à un régime inférieur, corrigeant du fait l'une des faiblesses de ce moteur Boxer. Et offrant par conséquent de meilleures accélérations et reprises. Quant au groupe propulseur de la WRX — voir le texte à son sujet —, il s'agit toujours d'un quatre cylindres de 2,5 litres turbocompressé. La puissance et le couple sont identiques aux versions 2007, soit 224 chevaux et 226 livres-pieds de couple. Par contre, cette puissance et ce couple sont produits à un régime inférieur, améliorant ainsi leur rendement et rehaussant l'agrément de conduite.

La boîte manuelle à cinq rapports est de série et elle s'est améliorée au fil des ans, passant de très mauvaise à bonne. Mais il faudrait de sérieuses améliorations pour lui conférer l'épithète de très bonne ou d'excellente. L'étagement s'est amélioré, mais la course du levier est toujours imprécise et l'enclenchement assez vague. Le système Hill Holder, un dispositif équipant les modèles à boîte manuelle permettant de repartir dans les

**FEU VERT**
Tableau de bord élégant, rouage intégral de série, version WRX, silhouette élégante (berline), prix compétitif

**FEU ROUGE**
Version *hatchback* controversée, suspension régulière souple, ouverture du coffre étroite (berline), transmission automatique 4 rapports

côtes, est de nouveau offert. Cet accessoire sera prisé des conducteurs qui n'aiment pas jouer du pédalier pour repartir sans ennui dans une côte.

La boîte automatique Sportshift fonctionne assez bien, mais avec un rapport de plus, elle serait encore mieux. Cette année, cette boîte manumatique propose les modes sport, économie ou manuelle, mais il lui manque un cinquième rapport. Soulignons au passage que le rouage intégral est différent selon la boîte de vitesses sélectionnée. La transmission manuelle est reliée à un différentiel central autobloquant à viscocoupleur tandis que l'automatique fait appel à un embrayage continuellement variable à disques multiples. Ce dernier système étant le plus sophistiqué des deux.

## UNE MEILLEURE ROUTIÈRE

L'Impreza de la génération précédente offrait un comportement routier correct, mais la voiture devenait fortement sous-vireuse dans les virages à long rayon. Les modifications apportées à la plate-forme ont permis de la rendre plus rigide et le fait d'abaisser le moteur de quelques millimètres a également eu des effets positifs. Et la suspension arrière toute nouvelle permet un encombrement moindre dans la soute à bagages, c'est vrai, mais elle a aussi pour effet d'améliorer la tenue de route.

La version 2,5i Sport que j'ai essayée, en configuration berline ou *hatchback*, s'est tiré d'affaire fort honorablement. Le couple du moteur atteignant son pic à plus bas régime. Les accélérations sont donc plus franches, mais ce sont surtout les reprises qui en ont profité. De plus, le roulis de caisse est beaucoup moins perceptible que précédemment tandis que la direction a gagné en précision. Sur ces routes sinueuses à souhait, la voiture épousait une trajectoire plus précise que si j'avais été au volant d'une Impreza 2007.

Et berline ou *hatchback*, la tenue de route était sensiblement la même. Et même si les freins sont apparus quelque peu spongieux à l'occasion, ils se sont révélés mieux modulés et plus puissants.

Bref, une voiture nettement supérieure à celle qu'elle remplace, et ce, à tous les points de vue. En outre, malgré les diatribes, la silhouette s'est améliorée. Mais la grande nouvelle, c'est que les prix demandés ont été réduits par rapport à la version précédente. Ce qui fait de ces Impreza l'un des meilleurs achats toute catégorie.

**Denis Duquet**

Photos : Denis Duquet

### SUBARU IMPREZA

### VÉHICULE D'ESSAI

| | |
|---|---|
| Version : | 2.5i berline |
| Emp/Lon/Lar/Haut(mm) : | 2 620/4 580/1 740/1 475 |
| Poids : | 1 385 kg |
| Coffre/Réservoir : | 320 litres / 64 litres |
| Nombre de coussins de sécurité : | 6 |
| Suspension avant : | indépendante, jambes de force |
| Suspension arrière : | indépendante, leviers triangulés |
| Freins av./arr. : | disque (ABS, EBD) |
| Antipatinage/Contrôle de stabilité : | non / non |
| Direction : | à crémaillère, assistance variable |
| Diamètre de braquage : | 10.6 m |
| Pneus av./arr. : | P205/55R16 |
| Capacité de remorquage : | 906 kg |

### MOTORISATION À L'ESSAI

| | |
|---|---|
| Moteur : | H4 de 2,5 litres 16s atmosphérique |
| Alésage et course : | 99,5 mm x 79,0 mm |
| Puissance : | 170 ch (127 kW) à 6 000 tr/min |
| Couple : | 170 lb-pi (231 Nm) à 4 400 tr/min |
| Rapport poids/puissance : | 8,15 kg/ch (11,08 kg/kW) |
| Système hybride : | aucun |
| Transmission : | intégrale, manuelle 5 rapports |
| Accélération 0-100 km/h : | 9,5 s |
| Reprises 80-120 km/h : | 9,0 s |
| Freinage 100-0 km/h : | 41,0 m |
| Vitesse maximale : | 190 km/h |
| Consommation (100 km) : | ordinaire, 10,7 litres |
| Autonomie (approximative) : | 598 km |
| Émissions de CO2 : | 4 464 kg/an |

### GAMME EN BREF

| | |
|---|---|
| Échelle de prix : | 20 695 $ à 24 895 $ |
| Catégorie : | berline compacte/familiale |
| Historique du modèle : | 3ième génération |
| Garanties : | 3 ans/60 000 km, 5 ans/100 000 km |
| Assemblage : | Gunma et Yajima, Japon |
| Autre(s) moteur(s) : | aucun |
| Autre(s) rouage(s) : | aucun |
| Autre(s) transmission(s) : | automatique 4 rapports |

### DANS LA MÊME CATÉGORIE

Acura CSX - Chevrolet Cobalt - Ford Focus - Honda Civic - Hyundai Elantra - Kia Spectra - Mazda3 - Toyota Corolla - Volkswagen Rabbit

### DU NOUVEAU EN 2008

Nouvelle carrosserie, version *hatchback*, nouveau tableau de bord

### NOS IMPRESSIONS

| | |
|---|---|
| Agrément de conduite : | 🚗 🚗 🚗 🚗 |
| Fiabilité : | 🚗 🚗 🚗 🚗 |
| Sécurité : | 🚗 🚗 🚗 🚗 |
| Qualités hivernales : | 🚗 🚗 🚗 🚗 ½ |
| Espace intérieur : | 🚗 🚗 🚗 |
| Confort : | 🚗 🚗 🚗 ½ |

### LE CHOIX DE L'ÉQUIPE

2,5i Berline

**519**

# ESPADRILLES ET BOTTES D'HIVER !

Que vous vouliez dévaliser les magasins, affronter une tempête de neige ou vous adonner à la course, la WRX est toujours en mesure de répondre à vos nombreux besoins. Et depuis son arrivée en 2002, bon nombre d'acheteurs l'ont compris. Seulement, la génération précédente commençait sérieusement à vieillir et la concurrence se faisait de plus en plus menaçante. Ainsi, pour ne pas perdre de son panache, la WRX se devait comme sa sœur l'Impreza, de se refaire une beauté. Voilà donc ce que les ingénieurs de Subaru nous proposent aujourd'hui.

**D**'entrée de jeu, sachez qu'au moment d'aller sous presse, aucune information relative à la future WRX STi n'était disponible. On nous la présentera certainement dans l'un des salons automobiles mondiaux, ce qui nous permettra alors de savoir à quelle voiture la prochaine Mitsubishi Evo X devra se mesurer. Mais en attendant, place à la WRX.

## OUI, ELLE EST BELLE !

Avouez-le, vous êtes sceptiques ! Eh bien, moi aussi, je l'étais ! À première vue, le style ne me plaisait pas vraiment. Puis, les nombreux groupes d'enthousiastes du modèle qui discutaient sur le web semblaient aussi être de mon avis. Soit on la trouvait insipide, soit on parlait carrément d'une laideur. À vous de juger ! Toutefois, après l'avoir contemplée pendant une journée entière, mon opinion négative surtout au sujet de la berline s'est vite dissipée. La WRX, quoi qu'on en dise, demeure une voiture racée et raffinée. Et qu'importe sous quel angle on l'observe, elle est fort jolie. On aurait peut-être souhaité quelque chose d'un peu plus original, mais il ne faut jamais trop en demander aux stylistes japonais. Car, la ressemblance entre la WRX cinq portes à la Mazdaspeed3 est flagrante.

Plus spacieuse, la WRX propose finalement un habitacle au goût du jour. Désormais, la présentation moderne et plus inspirante est caractérisée par un tableau de bord dont les deux côtés sont parfaitement symétriques par leurs formes. Des accents métalliques viennent orner cet habitacle qui, peu importe la couleur extérieure choisie, revêt le noir. Évidemment, la position de conduite est optimale principalement en raison de ce siège très bien galbé qui s'ajuste au gré du conducteur. En revanche, le passager aurait toutes les raisons du monde de se plaindre, puisque ce dernier se retrouve trop bassement installé. Une petite personne ou un enfant aura même du mal à voir à l'extérieur ! Et là, il n'y a pas de molette permettant de rehausser l'assise.

Côté équipement, l'habitacle n'est pas beaucoup plus généreux que par le passé. On lui ajoute certes un ordinateur de voyage, un volant télescopique (merci !) et une chaîne audio de meilleure qualité avec la radio satellite, mais vous n'y trouverez toujours pas de cuir, de sièges électriques ou même de toit ouvrant.

Mais au-delà des lignes et du confort de l'habitacle, l'acheteur d'une WRX veut d'abord savoir ce qui se passe sur la route. Et comme toujours,

**FEU VERT**
Qualités routières indéniables, puissance exaltante, qualités hivernales évidentes, voiture bien construite, prix à la baisse

**FEU ROUGE**
Boîte automatique mal adaptée, freinage spongieux siège du passager trop bas, ligne qui ne fait pas l'unanimité

c'est du bonbon. La voiture reprend essentiellement le même moteur que sa devancière, soit un quatre cylindres à plat turbocompressé de 224 chevaux. Vous constaterez donc qu'il n'y a effectivement aucune augmentation de puissance. Cependant, le couple maximal est offert à un régime beaucoup plus bas, ce qui a un impact direct sur les reprises. Ainsi, la voiture n'est pas plus rapide en accélération (ce qui est tout de même rapide!), mais prend moins de temps à effectuer l'exercice du 80-120 km/h.

La boîte manuelle à cinq rapports est drôlement plus intéressante que l'automatique, qui nous revient en 2008 après une absence d'un an. Et ce n'est pas parce qu'elle ne possède que quatre rapports, mais cette boîte retranche de moitié le plaisir ressenti au volant. On a beau proposer cette année un mode séquentiel et un mode sport qui modifie le ratio des rapports, il n'en demeure pas moins que WRX et automatique ne vont pas très bien ensemble.

## QUEL TALENT !

La majorité des éléments qui décevaient (si peu) sur l'ancien modèle en matière de conduite ont été corrigés mais on a en plus réussi à améliorer ce qui était déjà exceptionnel. Ainsi, la voiture profite d'un nouveau châssis encore plus rigide, et ça se sent. L'empattement allongé de 95 mm permet également plus de confort et une meilleure stabilité, alors que la direction plus rapide et précise assure une meilleure maniabilité. Mais surtout, il faut applaudir les ingénieurs qui ont réussi à abaisser le centre de gravité tout en élargissant les voies, de façon à permettre un meilleur aplomb, une tenue de route supérieure et un roulis diminué. Et vous devriez voir le résultat en virage, c'est à croire que la voiture est aimantée à la route! En fait, la seule note négative qui affectait aussi l'ancien modèle concerne le freinage. Il est toujours spongieux, peu puissant et probablement aussi peu endurant qu'avant. Voilà un point qu'il faudra corriger.

Une bonne nouvelle en terminant, sachez que toutes ces améliorations ne vous coûtent pas plus cher. Au contraire, Subaru a même réussi à baisser le prix de 2 500 $ par rapport à l'ancien modèle. À titre de comparaison, la WRX à cinq portes coûte donc 2 800 $ de plus qu'une Mazdaspeed3, qui performe aussi bien mais qui ne possède pas de traction intégrale pour profiter des joies de l'hiver...

**Antoine Joubert**

## VÉHICULE D'ESSAI

| | |
|---|---|
| Version : | WRX 5 portes |
| Emp/Lon/Lar/Haut(mm) : | 2 620/4 415/1 976/1 475 |
| Poids : | 1 425 kg |
| Coffre/Réservoir : | 538 à 1 257 litres / 64 litres |
| Nombre de coussins de sécurité : | 6 |
| Suspension avant : | indépendante, jambes de force |
| Suspension arrière : | indépendante, jambes de force |
| Freins av./arr. : | disque (ABS) |
| Antipatinage/Contrôle de stabilité : | oui / oui |
| Direction : | à crémaillère, assistance variable |
| Diamètre de braquage : | 10,6 m |
| Pneus av./arr. : | P205/50R17 |
| Capacité de remorquage : | 454 kg |

## MOTORISATION À L'ESSAI

| | |
|---|---|
| Moteur : | H4 de 2,5 litres 16s turbocompressé |
| Alésage et course : | 99,5 mm x 79,0 mm |
| Puissance : | 224 ch (167 kW) à 5 200 tr/min |
| Couple : | 226 lb-pi (306 Nm) à 2 800 tr/min |
| Rapport poids/puissance : | 6,36 kg/ch (8,64 kg/kW) |
| Système hybride : | aucun |
| Transmission : | intégrale, manuelle 5 rapports |
| Accélération 0-100 km/h : | 6,5 s |
| Reprises 80-120 km/h : | 4,6 s |
| Freinage 100-0 km/h : | 40,8 m |
| Vitesse maximale : | 240 km/h |
| Consommation (100 km) : | super, 10,9 litres |
| Autonomie (approximative) : | 587 km |
| Émissions de CO2 : | n.d. |

## GAMME EN BREF

| | |
|---|---|
| Échelle de prix : | 32 995 $ à 34 995 $ |
| Catégorie : | berline sport |
| Historique du modèle : | 2ième génération |
| Garanties : | 3 ans/60 000 km, 5 ans/100 000 km |
| Assemblage : | Yajima, Japon |
| Autre(s) moteur(s) : | aucun |
| Autre(s) rouage(s) : | aucun |
| Autre(s) transmission(s) : | automatique 4 rapports |

## DANS LA MÊME CATÉGORIE

Acura CSX Type S - Audi A3 - Dodge Caliber SRT4 - Honda Civic Si - Mazdaspeed3 - Mitsubishi Lancer Ralliart - Nissan Sentra SE-R - Volkswagen GTI

## DU NOUVEAU EN 2008

Nouveau modèle

## NOS IMPRESSIONS

| | |
|---|---|
| Agrément de conduite : | 🚗 🚗 🚗 🚗 ½ |
| Fiabilité : | Nouveau modèle |
| Sécurité : | 🚗 🚗 🚗 🚗 ½ |
| Qualités hivernales : | 🚗 🚗 🚗 🚗 ½ |
| Espace intérieur : | 🚗 🚗 🚗 ½ |
| Confort : | 🚗 🚗 🚗 ½ |

## LE CHOIX DE L'ÉQUIPE

WRX manuelle

Photos : Subaru

# POUR ROMPRE LE SECRET

Selon l'avis du président de Subaru Canada, M. Katsuhiro Yokoyama, la marque Subaru est l'un des secrets les mieux gardés de l'industrie automobile canadienne. Et le duo Legacy/Outback mérite donc d'être plus connu et par conséquent plus visible. Ce qui explique pourquoi l'édition 2008 de ces deux véhicules a été revue et corrigée afin d'améliorer la donne. Par la même occasion, la gamme de ces produits a été simplifiée et l'équipement de série bonifié, tandis que les prix de détail 2008 sont similaires à ceux de 2007.

Avant d'analyser les changements, il faut souligner que les ingénieurs sont demeurés fidèles aux caractéristiques qui démarquent ces voitures, notamment un moteur à cylindres à plat, une transmission intégrale symétrique et une excellente fiabilité anticipée. Et comme le veut la tradition chez ce constructeur, le style est classique.

### LES CHANGEMENTS

Il y a quelques années, la silhouette d'une Subaru était presque à coup sûr baroque, ou tout au moins en désaccord avec les canons esthétiques de son époque. De nos jours, les voitures de ce constructeur proposent des lignes plus conservatrices qu'autre chose. Personne ne s'en plaindra, car les acheteurs de Subaru sont davantage intéressés par les qualités pratiques de ces produits que par leur silhouette. Cela n'a pas empêché de modifier l'extérieur de ces deux modèles alors que toute la partie avant a été redessinée. En fait, « redessinée » est un bien grand mot même si la grille de calandre, les phares de routes, les feux avant, les rétroviseurs extérieurs et les pare-chocs ont été modifiés. Malgré ces changements, l'allure générale ressemble de près aux versions 2007. Par contre, au premier coup d'œil, les deux sont rajeunies. Sachez aussi que la Legacy

familiale est dorénavant une exclusivité canadienne puisque nos voisins du Sud ne peuvent choisir qu'entre la berline Legacy et l'Outback familiale.

Dans l'habitacle, le tableau de bord a été quelque peu révisé et le volant est tout nouveau : il est maintenant possible de le régler en hauteur et en profondeur. Mais sur la version 2,5 GT à boîte automatique, des commandes de passage de rapports y ont été ajoutées.

Ce serait mal connaître les ingénieurs de ce constructeur de penser qu'ils auraient laissé les stylistes et les responsables du marketing modifier l'apparence de ces véhicules sans pour autant apporter d'améliorations à la mécanique ! En tout premier lieu, le moteur quatre cylindres à plat de 2,5 litres offre dorénavant une courbe du couple plus homogène en raison de plusieurs modifications au jeu de soupapes et au système d'échappement. Le moteur six cylindres 3,0 litres, lui aussi un moteur boxer, bénéficie également d'une répartition plus efficace du couple. Des changements au système de combustion du carburant et d'évacuation des gaz ont permis de réduire la consommation de carburant, car ce H6 est un peu plus gourmand que la moyenne. Enfin, certains éléments de la suspension ont été revus, mais il s'agit de détails.

**FEU VERT**
Solidité éprouvée, plate-forme rigide, équipement plus complet, rouage intégral efficace, choix de moteurs

**FEU ROUGE**
Silhouette anonyme, moteur H 6 toujours gourmand, système SI-Drive moyennement pratique, changements modestes

**522**

## VÉHICULE D'ESSAI

| | |
|---|---|
| Version : | Berline 2.5i |
| Emp/Lon/Lar/Haut (mm) : | 2 670/4 700/1 730/1 425 |
| Poids : | 1 473 kg |
| Coffre/Réservoir : | 323 litres / 64 litres |
| Nombre de coussins de sécurité : | 6 |
| Suspension avant : | indépendante, jambes de force |
| Suspension arrière : | indépendante, multibras |
| Freins av./arr. : | disque (ABS, EBD) |
| Antipatinage/Contrôle de stabilité : | oui / oui |
| Direction : | à crémaillère, assistance variable |
| Diamètre de braquage : | 10,8 m |
| Pneus av./arr. : | P205/50R17 |
| Capacité de remorquage : | 1 224 kg |

## MOTORISATION À L'ESSAI

| | |
|---|---|
| Moteur : | H4 de 2,5 litres 16s atmosphérique |
| Alésage et course : | 99,5 mm x 79,0 mm |
| Puissance : | 170 ch (127 kW) à 6 000 tr/min |
| Couple : | 170 lb-pi (231 Nm) à 4 400 tr/min |
| Rapport poids/puissance : | 8,66 kg/ch (11,78 kg/kW) |
| Système hybride : | aucun |
| Transmission : | intégrale, manuelle 5 rapports |
| Accélération 0-100 km/h : | 10,2 s |
| Reprises 80-120 km/h : | 8,7 s |
| Freinage 100-0 km/h : | 40,2 m |
| Vitesse maximale : | 210 km/h |
| Consommation (100 km) : | super, 10,7 litres |
| Autonomie (approximative) : | 598 km |
| Émissions de CO2 : | 4 464 kg/an |

## GAMME EN BREF

| | |
|---|---|
| Échelle de prix : | 26 995 $ à 44 995 $ |
| Catégorie : | berline intermédiaire/familiale |
| Historique du modèle : | 3ième génération |
| Garanties : | 3 ans/60 000 km, 5 ans/100 000 km |
| Assemblage : | Lafayette, Indiana, É-U |
| Autre(s) moteur(s) : | H4 2,5l turbo 243ch/241lb-pi (12,3 l/100km) |
| | H6 3,0l 245ch/215lb-pi (12,2 l/100km) |
| Autre(s) rouage(s) : | aucun |
| Autre(s) transmission(s) : | automatique 4 rapports / automatique 5 rapports |

## DANS LA MÊME CATÉGORIE

Audi A4 Avant - BMW 325 Touring - Mazda6 - Saab 9-5 - Volkswagen Passat - Volvo V70 / XC70

## DU NOUVEAU EN 2008

Avant redessiné, équipement de série plus complet, nouveau volant, motorisation plus homogène

## NOS IMPRESSIONS

| | |
|---|---|
| Agrément de conduite : | 🚗 🚗 🚗 ½ |
| Fiabilité : | 🚗 🚗 🚗 ½ |
| Sécurité : | 🚗 🚗 🚗 🚗 ½ |
| Qualités hivernales : | 🚗 🚗 🚗 🚗 🚗 |
| Espace intérieur : | 🚗 🚗 🚗 🚗 |
| Confort : | 🚗 🚗 🚗 🚗 |

## LE CHOIX DE L'ÉQUIPE

Legacy 2.5 GT

## DU SOLIDE !

La famille Legacy/Outback a été modifiée du tout au tout il y a maintenant trois ans et la plate-forme n'a pas pris une ride. Et pour ceux qui se demandent pourquoi nous évaluons ces deux modèles simultanément, c'est parce que les différences se limitent surtout à la garde au sol, le choix des pneus et la présentation extérieure. Mécaniquement, c'est similaire ou presque sauf que le moteur six cylindres est réservé à l'Outback. Les deux modèles peuvent être commandés avec le système SI-Drive qui permet de régler le rendement du moteur et de la transmission selon la performance recherchée. La plupart du temps, le système sera automatiquement placé en mode « intelligent » afin d'optimiser la consommation de carburant. Le réglage Sport permet d'accélérer plus rapidement tandis que la position Sport Sharp ne devrait être sélectionnée que pour s'énerver derrière le volant !

Lors de la présentation de ces nouveaux modèles, j'ai piloté une Legacy familiale dotée du moteur 2,5 litres turbo, et le résultat est toujours impressionnant. Les changements d'ordre esthétique sont une affaire de goût, mais au chapitre de la conduite, ce modèle est homogène alors que ses 243 chevaux permettent de tirer un meilleur parti de la très rigide plate-forme. Même si des améliorations ont été apportées, le moteur 2,5 litres atmosphérique est correct, mais il faut encore planifier ses dépassements à l'avance. Le tableau de bord comprend certains ajustements qui font plus moderne, notamment une commande multifonction de la radio. En fait de conduite, la tenue de route est saine et la plate-forme est apparue très solide sur mauvaise route.

L'Outback possède les mêmes qualités routières et son centre de gravité plus élevé ainsi que ses pneus plus gros n'affectent pas l'agrément de conduite. Le rouage intégral nous a permis de rouler plus rapidement qu'avec une traction sur les routes non pavées. Le moteur 3,0 litres assure des performances similaires à celle du quatre cylindres 2,5 litres turbo mais avec plus de douceur.

Somme doute, ces deux Subaru ont connu des améliorations esthétiques et mécaniques qui permettent de raffiner encore davantage deux modèles déjà forts homogènes. Et même si l'Outback n'est pas un vrai 4X4, il est capable de se débrouiller quasiment partout.

**Denis Duquet**

Photos : Denis Duquet

# SUBARU TRIBECA

# JUSTE CE QU'IL FALLAIT

Lorsque Subaru a dévoilé le Tribeca en 2005, plusieurs s'inquiétaient du fait que le public serait sans doute partagé face à cette grille de calandre un peu spéciale qui faisait immédiatement songer à une Alfa Romeo. S'il est vrai que cette présentation était originale, c'est surtout le manque de vigueur du moteur et une transmission automatique réticente qui a rendu les acheteurs hésitants. Cette fois, les décideurs de la compagnie ont posé les gestes qu'il fallait dans le but d'harmoniser la silhouette et donner un peu de pep au moteur.

En plus de nombreuses améliorations et révisions, les responsables de la mise en marché ont simplifié l'offre en proposant trois modèles : base, Limited et Premier. Les deux premiers sont des versions cinq places, tandis que la Premium est nécessairement un modèle sept places doté de banquettes en cuir, d'une troisième rangée de sièges, d'un système de navigation et de divertissement. Il faut également souligner que toutes les Tribeca vendues au Canada arrivent de série avec des phares à décharge à haute intensité (HID) alors qu'aucun modèle vendu aux É.-U. n'en est équipé.

### AVANT REDESSINÉ

La première chose qui saute aux yeux, c'est que la controversée grille de calandre a pris le bord pour être remplacée par une autre nettement plus traditionnelle. En fait, il est facile de la confondre avec celle du Chrysler Pacifica. Malgré ce bémol, le résultat est positif, car cette grille rectangulaire a pour effet d'élargir la silhouette et rapprocher l'apparence de cette Subaru à un celle d'un VUS. Les stylistes en ont profité pour redessiner les ailes, le capot avant et les feux. En harmonie avec ce design, les rétroviseurs extérieurs sont nettement plus grands. Mais s'ils rehaussent l'esthétique, ceux-ci assurent surtout une meilleure vision pour le conducteur. En se dirigeant vers l'arrière, la glace de custode est

plus longue tandis que les feux arrière sont plus proéminents. Même si la Tribeca semblait avoir été dessinée pour passer pour un véhicule multisegment, elle se range cette fois dans le clan des VUS. Ce qui explique sans doute pourquoi le bouclier sous le hayon a été redessiné.

L'habitacle n'a nullement été modifié et c'est compréhensible puisque le tableau de bord a remporté plusieurs prix pour son design. C'est le statu quo. Par contre, les plastiques sont relativement durs pour un véhicule de cette catégorie. Différentes teintes de gris départagent les sections horizontales tandis qu'une bande en plastique de couleur titane traverse la planche de bord. Cet artifice ressemble trop à du plastique bon marché pour faire bonne impression. Toutefois, la finition est impeccable tout comme la qualité des matériaux des sièges et de la peinture extérieure.

### UN SIX CYLINDRES PLUS MUSCLÉ

Personnellement, je n'avais aucun problème avec l'esthétique de la grille de calandre, toute contestée soit-elle. Par contre, la puissance du moteur me dérangeait beaucoup plus, tout comme les hésitations de la boîte automatique cinq rapports. En roulant seul au volant d'une Tribeca, les 245 chevaux du moteur six cylindres à plat paraissaient

**FEU VERT**
Esthétique améliorée, traction intégrale efficace, finition impeccable, moteur plus puissant, boîte automatique améliorée

**FEU ROUGE**
Places arrière moyennes, plastiques à revoir, manque de *feedback* de la direction, certaines versions coûteuses

**524**

adéquats. Mais avec trois passagers et leurs bagages, la situation se détériorait... Quant à la boîte automatique, il fallait quasiment un sablier pour mesurer le temps des passages des rapports. OK! J'exagère! Mais ses hésitations étaient très perceptibles.

Heureusement pour la Tribeca, les ingénieurs de Subaru ont planché pour remédier à cette situation en augmentant le couple du moteur de 215 lb-pi à 247 lb-pi tandis que la puissance a été portée à 256 chevaux. C'est surtout l'augmentation du couple qui est l'amélioration la plus marquée car cela permet des accélérations plus franches. Autre bonne nouvelle, la boîte automatique a été reprogrammée afin d'éliminer ces hésitations entre les passages des rapports. Ces améliorations permettent de boucler le 0-100 km/h en 8,5 secondes et le 80-120 km/h en 7,2 secondes..

Je dois avouer avoir été impressionné par la première génération de la Tribeca lors de son lancement. Le véhicule proposait une silhouette originale, un habitacle luxueux alors que la présence du rouage intégral de Subaru garantissait sa polyvalence. Enfin, la marque était réputée pour la fiabilité de ses produits.

Malheureusement, pour les raisons énoncées précédemment, les impressions de conduite étaient mitigées.

Il est vrai que le nouveau moteur 3,6 litres est plus performant que le précédent, mais la grande nouvelle est qu'il travaille dorénavant en harmonie avec la boîte de vitesses. Les hésitations de jadis sont disparues. Par contre, en mode normal, le premier rapport demeure engagé fort longtemps, ce qui a pour effet d'augmenter le niveau sonore dans l'habitacle. En mode manumatique cependant, le passage des vitesses est rapide et sans à-coup. Le moteur pourrait profiter d'une vingtaine de chevaux supplémentaire, mais c'est nettement mieux qu'auparavant.

Sur la route, le véhicule est prévisible, neutre en virage et le roulis de caisse bien contrôlé. Quant à la direction, elle est quelque peu engourdie, mais de peu.

Somme toute, c'est un véhicule possédant les qualités propres à Subaru, et les améliorations apportées à l'édition 2008 permettent de le rendre beaucoup plus intéressant.

**Denis Duquet**

## VÉHICULE D'ESSAI

| | |
|---|---|
| Version : | Limited 7 passagers |
| Emp/Lon/Lar/Haut(mm) : | 2 749/4 865/1 878/1 720 |
| Poids : | 1 898 kg |
| Coffre/Réservoir : | 235 à 2 106 litres / 64 litres |
| Nombre de coussins de sécurité : | 6 |
| Suspension avant : | indépendante, jambes de force |
| Suspension arrière : | indépendante, leviers triangulés |
| Freins av./arr. : | disque (ABS, EBD) |
| Antipatinage/Contrôle de stabilité : | oui / oui |
| Direction : | à crémaillère, assistance variable |
| Diamètre de braquage : | 10,8 m |
| Pneus av./arr. : | P255/55R18 |
| Capacité de remorquage : | 906 kg |

## MOTORISATION À L'ESSAI

| | |
|---|---|
| Moteur : | H6 de 3,6 litres 24s atmosphérique |
| Alésage et course : | 92,0 mm x 91,0 mm |
| Puissance : | 256 ch (191 kW) à 6 000 tr/min |
| Couple : | 247 lb-pi (335 Nm) à 4 400 tr/min |
| Rapport poids/puissance : | 7,41 kg/ch (10,1 kg/kW) |
| Système hybride : | aucun |
| Transmission : | intégrale, auto. mode man. 5 rapports |
| Accélération 0-100 km/h : | 8,5 s |
| Reprises 80-120 km/h : | 7,2 s |
| Freinage 100-0 km/h : | 42,0 m |
| Vitesse maximale : | 225 km/h |
| Consommation (100 km) : | super, 13,3 litres (2007) |
| Autonomie (approximative) : | 481 km |
| Émissions de CO2 : | 5 568 kg/an |

## GAMME EN BREF

| | |
|---|---|
| Échelle de prix : | 41 995 $ à 52 495 $ |
| Catégorie : | multisegment |
| Historique du modèle : | 1ère génération |
| Garanties : | 3 ans/60 000 km, 5 ans/100 000 km |
| Assemblage : | Lafayette, Indiana, É-U |
| Autre(s) moteur(s) : | aucun |
| Autre(s) rouage(s) : | aucun |
| Autre(s) transmission(s) : | aucune |

## DANS LA MÊME CATÉGORIE

Chrysler Pacifica - Ford Taurus X - GMC Acadia - Nissan Murano - Volvo XC70

## DU NOUVEAU EN 2008

Nouvelle grille de calandre, carrosserie rafraîchie, moteur plus puissant, boîte automatique reprogrammée

## NOS IMPRESSIONS

| | |
|---|---|
| Agrément de conduite : | 🚗 🚗 🚗 🚗 |
| Fiabilité : | 🚗 🚗 🚗 🚗 |
| Sécurité : | 🚗 🚗 🚗 🚗 ½ |
| Qualités hivernales : | 🚗 🚗 🚗 🚗 🚗 |
| Espace intérieur : | 🚗 🚗 🚗 🚗 ½ |
| Confort : | 🚗 🚗 🚗 🚗 |

## LE CHOIX DE L'ÉQUIPE

Limited 5 passagers

Photos : Subaru

# SUZUKI GRAND VITARA

# UN SUZUKI PUR ET DUR

Si Suzuki nous a présenté depuis quelque temps certains véhicules partageant des composantes avec d'autres émules de chez GM, le Grand Vitara de son côté se veut un vrai Suzuki, pur et dur. Un essai prolongé du Grand Vitara nous aura permis de bien connaître ce véhicule, tant ses défauts que ses éléments positifs. Si la majeure partie de ses rivaux délaissent les capacités hors route au profit des compétences urbaines, le Grand Vitara demeure le type de véhicule qu'on aimerait avoir lorsque vient le temps de quitter les sentiers battus.

Remanié en 2006, le Grand Vitara s'inscrit dans un créneau en constante croissance, celui des VUS compacts. Le *Guide* vous présente d'ailleurs une évaluation complète de ce segment. Si plusieurs concurrents offrent un choix de moteurs incluant dans la majeure partie des cas un quatre et un six cylindres, Suzuki se contente d'une solution unique et équipe de série le Grand Vitara d'un moteur V6 de 2,7 litres développant 185 chevaux à 6 000 tr/min pour un couple de 184 lb-pi à 4 500 tr/min. Ce n'est certes pas le plus puissant des six cylindres, surtout si on le compare au RAV-4, mais en général, il s'acquitte bien de sa tâche. Ceux qui apprécient les plaisirs des boîtes manuelles seront bien servis puisque Suzuki dote son Grand Vitara de série d'une boîte manuelle à cinq rapports, alors qu'une boîte automatique s'avère optionnelle, ou de série selon la version.

### QUATRE ROUES MOTRICES EN PERMANENCE

Malgré ses aspirations, le Grand Vitara est un peu plus civilisé puisque Suzuki a abandonné son châssis de camionnette au profit d'un châssis monocoque. Quoi qu'il en soit, il demeure efficace en hors route, notamment en raison de son mode quatre roues motrices à prise permanente. En terme simple, les quatre roues reçoivent constamment une partie du couple alors que d'autres VUS, disposant d'un rouage intégral,

se comportent beaucoup plus comme des véhicules à traction. Si ce système offre une plus grande efficacité en hors route, il entraîne également une consommation plus élevée et c'est d'ailleurs le cas du Grand Vitara. Voilà peut-être son principal irritant.

Les amateurs de hors route extrême apprécieront son différentiel autobloquant, pouvant être verrouillé par une commande située sur le tableau de bord, et qui est aussi doté d'un mode gamme basse, *Low gear*. Proposé sur tous les modèles, sauf sur celui de base, cet élément équipe le Grand Vitara de capacités que peu de rivaux possèdent. Mais qui exploitera véritablement tout le potentiel d'un tel équipement ? Pratiquement personne. Voilà pourquoi la majeure partie de la concurrence délaisse ces systèmes au profit de composantes favorisant la conduite urbaine.

### AGRÉABLE À L'ŒIL

Je me souviens avoir été impressionné par les nouvelles lignes du Grand Vitara lors de son introduction. Malgré le temps qui file, il demeure au goût du jour grâce à ses lignes athlétiques. Le tout est incontestablement accrocheur. On note des phares antibrouillard à l'avant, deux cavités, intégrées au capot, qui imitent des ouïes et qui rappellent celles

 **FEU VERT**
Style réussi, habitacle soigné, bonnes capacités hors-route, prix compétitif, rigidité du châssis

 **FEU ROUGE**
Consommation élevée, hayon difficile à manipuler, boîte manuelle perfectible

| VÉHICULE D'ESSAI | |
| --- | --- |
| Version : | JLX Cuir |
| Emp/Lon/Lar/Haut (mm) : | 2 640/4 470/1 810/1 695 |
| Poids : | 1 625 kg |
| Coffre/Réservoir : | 691 à 1 951 litres / 66 litres |
| Nombre de coussins de sécurité : | 6 |
| Suspension avant : | indépendante, jambes de force |
| Suspension arrière : | indépendante, multibras |
| Freins av./arr. : | disque/tambour (ABS) |
| Antipatinage/Contrôle de stabilité : | oui / oui |
| Direction : | à crémaillère, assistée |
| Diamètre de braquage : | 11,2 m |
| Pneus av./arr. : | P225/70R16 |
| Capacité de remorquage : | 1 361 kg |

présentes sur les modèles des premières générations, des jantes d'allure sportive ainsi que des feux arrière stylisés et bien intégrés au design. Le seul petit désagrément, soulevé aussi par plusieurs essayeurs, se rapporte au hayon. D'une seule pièce, il s'ouvre sur le côté et il est relativement lourd à manipuler, notamment en raison de la présence du pneu de secours qui y est accroché. Un hayon en deux parties (la glace séparée s'ouvrant vers le haut) aurait été souhaitable.

## UN HABITACLE SOIGNÉ

Vendu à prix compétitif, par rapport à plusieurs autres rivaux japonais, le grand Vitara dispose d'une bonne liste d'équipements de série. On apprécie entre autres son système d'accès sans clé SmartPass, un équipement réservé à l'époque à des véhicules beaucoup plus dispendieux. Suzuki a fait du bon travail à l'intérieur puisqu'on remarque une certaine attention aux détails, et les matériaux utilisés donnent un aspect plus riche à l'habitacle. Malgré tout, il faut avouer que certains rivaux profitent d'une finition supérieure, mais l'effort demeure louable.

Sur la route, le Grand Vitara offre une conduite somme toute civilisée. Son V6 adopte un comportement sain, mais il ne faut pas s'attendre à des performances grisantes, surtout lorsqu'il est combiné à la boîte automatique. Les 11,5 secondes nécessaires pour boucler le 0-100 km/h le démontrent bien. On apprécie sa direction précise et sa suspension indépendante bien adaptée qui lui procure une conduite plus civilisée sur route. Son châssis fait preuve de rigidité alors que son habitacle profite d'une insonorisation améliorée.

Le Grand Vitara ne s'élève peut-être pas au premier rang dans son créneau, mais il ne se positionne pas non plus en queue de peloton. Quelque peu gourmand, on ne peut nier son prix abordable et son niveau d'équipement complet. Pour ceux qui comptent vraiment aller jouer dans la boue, voilà un véhicule qui a tout ce qu'il faut pour revenir sans trop d'encombres.

**Sylvain Raymond**

### MOTORISATION À L'ESSAI

| | |
| --- | --- |
| Moteur : | V6 de 2,7 litres 24s atmosphérique |
| Alésage et course : | 88,0 mm x 75,0 mm |
| Puissance : | 185 ch (138 kW) à 6 000 tr/min |
| Couple : | 184 lb-pi (250 Nm) à 4 500 tr/min |
| Rapport poids/puissance : | 8,78 kg/ch (11,95 kg/kW) |
| Système hybride : | aucun |
| Transmission : | 4X4, manuelle 5 rapports |
| Accélération 0-100 km/h : | 11,5 s |
| Reprises 80-120 km/h : | 12,0 s |
| Freinage 100-0 km/h : | 41,0 m |
| Vitesse maximale : | 182 km/h |
| Consommation (100 km) : | ordinaire, 13,0 litres |
| Autonomie (approximative) : | 508 km |
| Émissions de CO2 : | 5 472 kg/an |

### GAMME EN BREF

| | |
| --- | --- |
| Échelle de prix : | 25 595 $ à 30 745 $ |
| Catégorie : | utilitaire sport compact |
| Historique du modèle : | 1ière génération |
| Garanties : | 3 ans/60 000 km, 5 ans/100 000 km |
| Assemblage : | Iwata, Japon |
| Autre(s) moteur(s) : | aucun |
| Autre(s) rouage(s) : | intégrale |
| Autre(s) transmission(s) : | automatique 5 rapports |

### DANS LA MÊME CATÉGORIE

Ford Escape - Honda CR-V - Hyundai Tucson - Jeep Patriot - Kia Sportage - Mazda Tribute - Mitsubishi Outlander - Subaru Forester - Saturn Vue - Toyota Rav4

### DU NOUVEAU EN 2008

Pas de changement majeur

### NOS IMPRESSIONS

| | |
| --- | --- |
| Agrément de conduite : | 🚗🚗🚗🚗 |
| Fiabilité : | 🚗🚗🚗½ |
| Sécurité : | 🚗🚗🚗½ |
| Qualités hivernales : | 🚗🚗🚗🚗½ |
| Espace intérieur : | 🚗🚗🚗½ |
| Confort : | 🚗🚗🚗🚗 |

### LE CHOIX DE L'ÉQUIPE

JLX

Photos : Sylvain Raymond

# SUZUKI SX-4

# PROBLÈME DE CRÉDIBILITÉ

La marque Suzuki a beau avoir une excellente réputation pour ses motos, VTT et même pour les courses (rallyes), en Amérique, elle n'a toujours pas réussi à acquérir une véritable crédibilité au chapitre de l'automobile. La Suzuki Aerio, dévoilée en 2003, devait remédier à ce problème mais, pour des raisons que nous n'aborderons pas ici, elle n'a jamais livré la marchandise... Et Suzuki vient de la virer, pour faire plus de place à la SX-4, nettement supérieure.

Esthétiquement, la nouvelle Suzuki se rapproche passablement d'une Subaru Impreza qui aurait perdu quelques centimètres à l'arrière. Les versions JX et JLX, les plus huppées, reçoivent des moulures de bas de caisse qui entourent aussi les puits de roue. Cet artifice améliore considérablement le *look* mais nous y voyons une invitation à la rouille. Et la rouille, c'est comme une conjointe qui tient un pinceau dans les mains et nous regarde en souriant : moins on voit ça, mieux c'est...

L'habitacle aussi fait preuve d'originalité et de bon goût. Les plastiques montrent généralement une belle qualité et les différents panneaux sont bien assemblés. Les boutons de la climatisation et de la radio sont suffisamment gros pour être manipulés avec des gants d'hiver, ce qui n'empêche pas la radio de posséder une sonorité archiordinaire et la climatisation d'être difficilement modulable. C'est-à-dire qu'en plein hiver, avec un gros manteau sur le dos, vous avez le choix entre crever de chaleur ou être transi de froid. D'autres personnes n'ont pas connu ce type de problème, alors il faut sans doute mettre la faute sur l'andropause du journaliste... Parmi les autres notes discordantes, mentionnons que les commandes placées sur le volant ne sont pas éclairées et que les sièges chauffants ne sont pas disponibles, même en option.

L'espace habitable s'avère très vaste compte tenu du gabarit de la voiture. Les sièges avant se montrent confortables, mais ils gagneraient à être ajustables en hauteur et à mieux supporter les cuisses. Les passagers montant à l'arrière ne sont pas en reste puisque le dégagement pour les jambes et la tête est généreux. De plus, la place centrale est confortable ! Le hayon s'ouvre bien haut sur un bel espace de chargement malgré un seuil élevé. Il est possible de replier les sièges arrière pour augmenter substantiellement l'espace. Pour ce faire, il faut rattacher ces sièges au dossier des sièges avant à l'aide d'une courroie. Du raboudinage que ça s'appelle. L'insonorisation est réussie... à l'avant ! En effet, le bruit de l'échappement est très audible lorsqu'on est assis à l'arrière. Et comment passer sous silence les essuie-glaces d'origine qui ont autant d'aptitudes à se départir de la neige et de la glace qu'un Boeing à faire du slalom entre des poteaux de téléphone.

## TROIS MODES D'ENTRAÎNEMENT

Côté mécanique, un seul moteur est offert. Il s'agit d'un quatre cylindres de 2,0 litres qui développe 143 chevaux. Deux transmissions sont disponibles, soit une manuelle à cinq rapports ou une automatique à quatre rapports. Là où ça devient intéressant, c'est au niveau du rouage d'entraînement. La version de base de la SX-4 est une traction (roues

**FEU VERT**
Lignes agréables, système AWD performant, habitacle relativement spacieux, châssis solide, comportement routier sain

**FEU ROUGE**
Consommation décevante en AWD, valeur de revente à confirmer, antirouille d'usine mal appliqué, manuelle mal étagée pour autoroute, moteur plus ou moins bien adapté

## VÉHICULE D'ESSAI

| | |
|---|---|
| Version : | JLX AWD |
| Emp/Lon/Lar/Haut(mm) : | 2 500/4 115/1 730/1 575 |
| Poids : | 1 305 kg |
| Coffre/Réservoir : | 270 à 1 538 litres / 50 litres |
| Nombre de coussins de sécurité : | 6 |
| Suspension avant : | indépendante, jambes de force |
| Suspension arrière : | demi-ind., poutre déformante |
| Freins av./arr. : | disque/tambour (ABS) |
| Antipatinage/Contrôle de stabilité : | non / opt. |
| Direction : | à crémaillère, assistée |
| Diamètre de braquage : | 10,6 m |
| Pneus av./arr. : | P205/60R16 |
| Capacité de remorquage : | non recommandé |

## MOTORISATION À L'ESSAI

| | |
|---|---|
| Moteur : | 4L de 2,0 litres 16s atmosphérique |
| Alésage et course : | 84,0 mm x 90,0 mm |
| Puissance : | 143 ch (107 kW) à 5 800 tr/min |
| Couple : | 136 lb-pi (184 Nm) à 3 500 tr/min |
| Rapport poids/puissance : | 9,13 kg/ch (12,43 kg/kW) |
| Système hybride : | aucun |
| Transmission : | intégrale, automatique 4 rapports |
| Accélération 0-100 km/h : | 12,0 s |
| Reprises 80-120 km/h : | 9,5 s |
| Freinage 100-0 km/h : | 41,5 m |
| Vitesse maximale : | 180 km/h |
| Consommation (100 km) : | ordinaire, 9,9 litres |
| Autonomie (approximative) : | 505 km |
| Émissions de CO2 : | 4 128 kg/an |

## GAMME EN BREF

| | |
|---|---|
| Échelle de prix : | 15 995 $ à 23 575 $ (2007) |
| Catégorie : | berline compacte |
| Historique du modèle : | 1ière génération |
| Garanties : | 3 ans/60 000 km, 5 ans/100 000 km |
| Assemblage : | Magyar, Esztergom, Hongrie |
| Autre(s) moteur(s) : | aucun |
| Autre(s) rouage(s) : | traction |
| Autre(s) transmission(s) : | manuelle 5 rapports |

## DANS LA MÊME CATÉGORIE

Chevrolet Cobalt/Optra/HHR - Dodge Caliber -
Ford Focus - Honda Civic - Hyundai Elantra -
Kia Spectra - Mazda 3 - Mitsubishi Lancer -
Nissan Versa/Sentra - Pontiac G5/Vibe -
Subaru Impreza - Toyota Corolla/Matrix

## DU NOUVEAU EN 2008

Arrivée de la berline SX4 remplaçant l'Aerio,
contrôle de stabilité électronique optionnel

## NOS IMPRESSIONS

| | |
|---|---|
| Agrément de conduite : | 🚗🚗🚗🚗 |
| Fiabilité : | 🚗🚗🚗🚗 |
| Sécurité : | 🚗🚗🚗🚗 |
| Qualités hivernales : | 🚗🚗🚗🚗 |
| Espace intérieur : | 🚗🚗🚗🚗 |
| Confort : | 🚗🚗🚗½ |

## LE CHOIX DE L'ÉQUIPE

AWD

avant motrices). De leur côté, les JX et JLX sont dotées de la traction intégrale, optionnelle dans le cas de la JX. Et le plus beau, c'est que ce système peut être jumelé aussi bien à la transmission automatique qu'à la manuelle. Un commutateur, placé près du frein à main sur la console centrale, laisse le conducteur choisir entre les roues avant motrices, AWD ou Lock. Dans la première éventualité, bien entendu, ce sont les roues avant qui permettent au véhicule d'avancer. En mode AWD, la SX-4 devient une intégrale dont le fonctionnement est transparent. Enfin, le mode Lock permet de verrouiller le différentiel arrière. Ce mode se désactive dès que la voiture atteint 60 km/h. Essayé durant la première vraie bordée de neige de l'année, le mode AWD nous a prouvé son sérieux, d'autant plus que notre voiture était munie de bons pneus d'hiver. Ce système n'est pas aussi sophistiqué que ce que Subaru offre, mais il est tout de même drôlement efficace, à un coût bien moindre. N'oubliez pas de désactiver le mode AWD lorsqu'il n'est pas requis. La consommation d'essence s'en ressent passablement !

## AUTOMATIQUE OU MANUELLE ?

Le 2,0 litres est dérivé du 2,3 litres de l'Aerio. Ce moteur n'est pas des plus nerveux ni des plus doux. C'est lorsqu'il est arrimé à la manuelle qu'il se sent le plus à l'aise. Cette dernière est agréable à manipuler mais l'étagement du dernier rapport nous laisse perplexes. À 100 km/h, sur le cinquième rapport, le moteur tourne à 3 000 tours/minute, ce qui est beaucoup trop vite pour une voiture économique. Le fonctionnement de l'automatique fait preuve de douceur mais handicape un peu les performances. Sur la route, le comportement de la SX-4 démontre de belles aptitudes. En mode traction, la voiture affiche un certain sous-virage mais, à moins de pousser vraiment, ce n'est pas dérangeant. En mode AWD, la tenue de route est un peu plus neutre. Le système de stabilité ESP, emprunté à DaimlerChrysler, est optionnel sur la JLX uniquement.

Malgré ses quelques défauts, somme toute bénins, la Suzuki SX-4 est fort bien née. De plus, elle s'avère pratiquement une pionnière dans un créneau qui n'est presque pas encore occupé. Une version berline, présentée au Salon de l'auto de New York est sur le point d'être proposée au public. La partie arrière peut laisser perplexe, mais ce nouveau modèle devrait remplacer avec succès l'Aerio. La quoi ? On l'a déjà oubliée...

**Alain Morin**

Photos : Guy Desjardins

# TOYOTA 4RUNNER

# EN QUÊTE DE LA BOUE

Vous roulez à fond de train sur un chemin de gravier, les moustiques heurtent le grillage avant et le pare-brise. Vous avez roulé dans la boue et il y en a partout sur votre véhicule. Vous empruntez ce chemin simplement pour le risque et l'aventure dans le but de vous amuser à jouer les durs de dur. Comme vous aimez les défis, vous empruntez le chemin le plus difficile, le moins carrossable. À votre retour, vous ne lavez pas votre véhicule, pour qu'il puisse témoigner devant vos amis, de votre goût pour l'aventure.

Voilà ce que c'est que de rouler dans un 4Runner! Il est fort, costaud et robuste. Il est capable d'en prendre et il ne bronche devant rien. Installez un jeu de pneus pour la boue et vous aurez un des véhicules les plus compétents en la matière. Ce Toyota est un aventurier dans l'âme et il a tous les attributs pour vous emmener dans des endroits où d'autres échouent bien souvent. Mais bien qu'il ait beaucoup de qualités pour le hors route, il n'en demeure pas moins que sur la route, il demeure bien doux et docile.

### LE MEILLEUR DES DEUX MONDES

Pour vérifier à quel point le 4Runner a l'âme d'un aventurier, on n'a qu'à descendre une pente très abrupte pour tout comprendre. Si vous connaissez la manœuvre, vous savez à quel point il faut bien doser le freinage. Il ne faut surtout pas qu'il y ait blocage des roues sinon, vous risquez de vous retrouver dans une très fâcheuse position... Avec ce Toyota, vous n'avez pas à penser au freinage car il est pourvu d'un système électronique de descente. Vous n'avez qu'à enlever votre pied de la pédale de frein et le système va s'occuper électroniquement de tout le freinage et il fera en sorte que votre vitesse en descente n'excède pas 6 km/h. Un peu comme un frein moteur, il vous amènera bien doucement jusqu'en bas de la pente

et d'une manière nettement plus sécuritaire. Par contre, lors d'un passage en traverse de pente, les sièges n'offrent aucun support latéral et on doit tenir le volant bien serré. Pour être franc, les sièges devraient carrément être redessinés et mieux adaptés à ce type de condition.

Si dans le cas inverse vous tentez de gravir cette même pente et que vous immobilisez le 4Runner au beau milieu, vous pourrez repartir sans problème et sans qu'il y ait un risque que le véhicule se mette à reculer, car des capteurs intégrés aux freins vous permettent de démarrer sans recul. Si le système sent un léger patinage des roues, il actionnera légèrement les freins qui empêcheront le 4Runner de partir vers l'arrière.

Autre détail digne de mention : sur le modèle Limited, Toyota a installé une suspension pneumatique arrière à commande de hauteur. L'avantage de ce système est que si vous devez rouler dans un endroit très accidenté, vous pouvez augmenter la garde au sol du Toyota afin de mieux négocier l'obstacle. Ce système vous permet même d'abaisser le véhicule, ce qui vous facilitera la vie si vous désirez mettre des choses plus lourdes dans le compartiment arrière.

**FEU VERT**
Bonnes capacités hors-route, fiabilité enviable, très bonne valeur de revente, système 4RM efficace, bonne visibilité

**FEU ROUGE**
Tendance au roulis en virage, V8 trop gourmand, dégagement intérieur restreint, console centrale trop large, complexité du pneu de secours

Dans le but de protéger les composantes mécaniques, le 4Runner a un bouclier ventral de série.

Un des moteurs les plus prisés est le V8 i-Force de 4,7 litres à DACT et 32 soupapes. La puissance est réellement au rendez-vous, et il regorge de couple à bas régime, mais le prix à payer est une consommation presque indécente de 15 L aux 100 km. Cependant, il faut dire en sa faveur qu'il jouit d'une grande fiabilité. Si cette consommation est trop pour votre budget, alors allez-y avec le V6 de 4 L qui déploie tout de même 236 ch et 266 lb-pi à 4000 tr/min. Il n'offre pas autant de couple que le gros V8, mais pour une utilisation quotidienne, il fait l'affaire. Jointe à ces moteurs, on retrouve une transmission automatique à 5 rapports très efficace avec surmultipliée.

Ce Toyota est aussi pourvu d'un différentiel central Torsen avec dispositif de blocage qui répartit le couple entre le train avant et arrière, selon l'adhérence. Sur une ligne droite, il distribuera 40 % du couple aux roues avant et 60 % à l'arrière, et il modifiera aussi le couple en virage. Si une roue arrière devait se mettre à patiner, le rapport de couple serait modifié dans le but de compenser la perte de traction. Tout se fait automatiquement, sans que vous vous en rendiez compte!

La finition et la qualité d'assemblage sont impeccables. Tout est solide, bien fait et les composantes sont de qualité. Il faut environ 30 minutes d'utilisation pour craquer et tomber amoureux du 4Runner! Son seul inconvénient est qu'il est loin d'être donné... En contrepartie, on a droit à un véhicule fait pour l'aventure et cela autant sur la route que dans les sentiers ou la boue.

**Robert Jetté**

## VÉHICULE D'ESSAI

| | |
|---|---|
| Version : | SR5 V6 |
| Emp/Lon/Lar/Haut(mm) : | 2 790/4 805/1 910/1 800 |
| Poids : | 1 950 kg |
| Coffre/Réservoir : | 1 195 à 2 100 litres / 87 litres |
| Nombre de coussins de sécurité : | 2 |
| Suspension avant : | indépendante, leviers triangulés |
| Suspension arrière : | essieu rigide, ressorts elliptiques |
| Freins av./arr. : | disque (ABS) |
| Antipatinage/Contrôle de stabilité : | oui / oui |
| Direction : | à crémaillère, assistance variable |
| Diamètre de braquage : | 11,7 m |
| Pneus av./arr. : | P265/70R16 |
| Capacité de remorquage : | 2 268 kg |

## MOTORISATION À L'ESSAI

Pneus d'origine MICHELIN

| | |
|---|---|
| Moteur : | V6 de 4,0 litres 24s atmosphérique |
| Alésage et course : | 95,0 mm x 95,0 mm |
| Puissance : | 236 ch (176 kW) à 5 200 tr/min |
| Couple : | 266 lb-pi (361 Nm) à 4 000 tr/min |
| Rapport poids/puissance : | 8,26 kg/ch (11,21 kg/kW) |
| Système hybride : | aucun |
| Transmission : | 4X4, automatique 5 rapports |
| Accélération 0-100 km/h : | 9,6 s |
| Reprises 80-120 km/h : | 7,9 s |
| Freinage 100-0 km/h : | 42,0 m |
| Vitesse maximale : | 190 km/h |
| Consommation (100 km) : | ordinaire, 13,5 litres |
| Autonomie (approximative) : | 644 km |
| Émissions de CO2 : | 5 760 kg/an |

## GAMME EN BREF

| | |
|---|---|
| Échelle de prix : | 39 970 $ à 52 595 $ |
| Catégorie : | utilitaire sport intermédiaire |
| Historique du modèle : | 4ième génération |
| Garanties : | 3 ans/60 000 km, 5 ans/100 000 km |
| Assemblage : | Toyota City, Japon |
| Autre(s) moteur(s) : | V8 4,7l 260ch/306lb-pi (14,6 l/100km) |
| Autre(s) rouage(s) : | intégrale |
| Autre(s) transmission(s) : | aucune |

## DANS LA MÊME CATÉGORIE

Chevrolet Trailblazer - Ford Explorer - Honda Pilot - Hummer H3 - Jeep Grand Cherokee - Mitsubishi Endeavor - Nissan Pathfinder - Saab 9-7x

## DU NOUVEAU EN 2008

Pas de changement majeur

## NOS IMPRESSIONS

| | |
|---|---|
| Agrément de conduite : | 🚗 🚗 🚗 🚗 |
| Fiabilité : | 🚗 🚗 🚗 🚗 🚗 |
| Sécurité : | 🚗 🚗 🚗 🚗 ½ |
| Qualités hivernales : | 🚗 🚗 🚗 🚗 🚗 |
| Espace intérieur : | 🚗 🚗 🚗 🚗 ½ |
| Confort : | 🚗 🚗 🚗 🚗 |

## LE CHOIX DE L'ÉQUIPE

SR5 V6

Photos : Toyota

# À GRAND COUP DE CONFORT

La Toyota Avalon était méconnue. Il faudrait plutôt dire inconnue. Il y a trois ans, lors de sa refonte, les autorités de Toyota croyaient bien avoir enfin trouvé la clé du succès. Armée d'une silhouette plus moderne, d'une mécanique dynamique et d'un comportement routier plus affirmé, l'Avalon avait tout pour se faire connaître. Pourtant, encore aujourd'hui, nombre de personnes n'ont aucune espèce d'idée de ce qu'est une Avalon. Et vous savez de quoi retourne ce nom? En fait, Avalon est le nom du château du légendaire Roi Arthur. Comme dirait l'autre, c'est assez fort merci! Mais trêve d'historiette, découvrons ensemble ce qu'est l'Avalon, la voiture.

Tout d'abord, précisons que notre essai portait sur le modèle XLS. Mais puisque c'est le seul offert par Toyota, nous n'en ferons pas un plat. La dotation de base de l'Avalon mérite notre respect. Pour un prix de détail d'à peine plus de 40 000 $, la plus grosse berline de Toyota possède des sièges avant chauffants et réglables en huit positions, la climatisation automatique à deux zones, un système audio à neuf haut-parleurs, un volant télescopique, un système d'accès sans clé, un ouvre porte de garage intégré, un toit ouvrant électrique, sans oublier les sept coussins gonflables (frontaux, latéraux, rideaux et un pour les genoux du conducteur!). Toyota a tout de même réussi à proposer quelques niveaux de présentation différents. Pour environ 2 500 $ supplémentaires, l'ensemble «haut de gamme» apporte un système audio JBL Synthesis à 12 haut-parleurs, des essuie-glaces activés par la pluie et un volant garni de cuir et de bois. Il y a aussi la possibilité d'opter pour l'ensemble «haut de gamme avec navigation» qui, moyennant à peu près 3 500 dollars de plus que l'option précédente, apporte, en surplus, le système de navigation par satellite et des commandes de radio sur le volant. Ce dernier élément fait paraître Toyota un peu chiche quand on sait que des modèles bien moins dispendieux offrent, sans frais, ces boutons au volant. Il est possible de commander quelques accessoires en option mais ces mêmes accessoires se retrouvent dans les groupes ci-haut mentionnés.

## VERRA-T-ON UNE AVALON « TUNÉE » UN JOUR?

La Toyota Avalon ne s'adresse pas aux jeunes. Jeunes d'âge bien entendu, car on peut être jeune à tout âge… Il ne faut cependant pas se cacher qu'avec des concurrentes comme la Buick Lucerne et la Ford Taurus (autrefois Five-Hundred), on ne risque pas de voir les «casquettes à l'envers» demander une soumission pour une Avalon!

La clientèle visée par cette dernière saura apprécier l'habitacle aussi silencieux qu'un coffre-fort fermé (je n'ai jamais testé de coffre-fort mais j'imagine…) et vaste comme une cathédrale, et la qualité des matériaux et de la finition n'ont rien à envier à des berlines allemandes haut de gamme. Le tableau de bord est joliment dessiné mais mon genou droit l'a trouvé trop protubérant lors de l'entrée à bord. Les jauges électroluminescentes sont toujours du plus bel effet, surtout la nuit. Les espaces de rangement sont bien disposés mais les porte-gobelets ne s'ajustent pas à la dimension des contenants… Donc, si vous avez un verre trop étroit ou une canette trop petite, ça vacillera constamment. Les sièges font preuve d'un grand confort (on aurait été surpris du contraire) mais quelques personnes se sont plaintes, non sans raison, d'avoir de la difficulté à trouver la position de conduite idéale. Malheureusement, pour une voiture dont je vantais l'équipement il y a à peine quelques lignes, on ne retrouve pas

## FEU VERT
Fiabilité quasiment excessive, moteur doux et performant, habitacle silencieux, confort irréprochable, consommation raisonnable

## FEU ROUGE
Suspensions guimauve, sommeil assuré, direction légère, groupes d'options dispendieux, agrément de conduite laissé pour compte

**532**

## VÉHICULE D'ESSAI

| | |
|---|---|
| Version : | XLS |
| Emp/Lon/Lar/Haut(mm) : | 2 820/5 010/1 850/1 485 |
| Poids : | 1 615 kg |
| Coffre/Réservoir : | 408 litres / 70 litres |
| Nombre de coussins de sécurité : | 7 |
| Suspension avant : | indépendante, jambes de force |
| Suspension arrière : | indépendante, jambes de force |
| Freins av./arr. : | disque (ABS) |
| Antipatinage/Contrôle de stabilité : | oui / oui |
| Direction : | à crémaillère, assistance variable |
| Diamètre de braquage : | 11,5 m |
| Pneus av./arr. : | P215/55R17 |
| Capacité de remorquage : | 454 kg |

## MOTORISATION À L'ESSAI

| | |
|---|---|
| Moteur : | V6 de 3,5 litres 24s atmosphérique |
| Alésage et course : | 87,4 mm x 83,1 mm |
| Puissance : | 268 ch (200 kW) à 6 200 tr/min |
| Couple : | 248 lb-pi (336 Nm) à 4 700 tr/min |
| Rapport poids/puissance : | 6,03 kg/ch (8,2 kg/kW) |
| Système hybride : | aucun |
| Transmission : | traction, automatique 5 rapports |
| Accélération 0-100 km/h : | 7,4 s |
| Reprises 80-120 km/h : | 5,3 s |
| Freinage 100-0 km/h : | 40,0 m |
| Vitesse maximale : | 220 km/h |
| Consommation (100 km) : | ordinaire, 10,6 litres |
| Autonomie (approximative) : | 660 km |
| Émissions de CO2 : | 4 320 kg/an |

## GAMME EN BREF

| | |
|---|---|
| Échelle de prix : | 41 840 $ |
| Catégorie : | berline grand format |
| Historique du modèle : | 2ième génération |
| Garanties : | 3 ans/60 000 km, 5 ans/100 000 km |
| Assemblage : | Georgetown, Kentucky, É-U |
| Autre(s) moteur(s) : | aucun |
| Autre(s) rouage(s) : | aucun |
| Autre(s) transmission(s) : | aucune |

## DANS LA MÊME CATÉGORIE

Buick Allure/Lucerne - Chrysler 300 - Ford Taurus -
Hyundai Azera - Kia Amanti - Lexus ES350 -
Nissan Maxima

## DU NOUVEAU EN 2008

Aucun changement majeur

## NOS IMPRESSIONS

| | |
|---|---|
| Agrément de conduite : | 🚗 🚗 🚗 |
| Fiabilité : | 🚗 🚗 🚗 🚗 |
| Sécurité : | 🚗 🚗 🚗 ½ |
| Qualités hivernales : | 🚗 🚗 🚗 |
| Espace intérieur : | 🚗 🚗 🚗 🚗 ½ |
| Confort : | 🚗 🚗 🚗 🚗 ½ |

## LE CHOIX DE L'ÉQUIPE

XLS

---

de mémoire pour les sièges avant. Les places arrière combleront les plus difficiles, ou les plus grands, puisqu'ils y trouveront de l'espace en masse. De plus, les dossiers s'inclinent, ce qui provoque presque immédiatement le sommeil. Même la place centrale est confortable! Cependant, il faut noter que les dossiers de ces sièges ne s'abaissent pas pour agrandir le coffre. On trouve simplement une trappe à skis.

### RAPIDE ET ÉCONOMIQUE

Il ne faudrait pas perdre de vue que l'Avalon possède un châssis, un moteur et diverses autres composantes mécaniques! On ne retrouve qu'un seul moteur à la fiche technique de l'Avalon. Il s'agit d'un V6 de 3,5 litres utilisé à toutes les sauces chez Toyota/Lexus depuis quelques années. Ce V6 très moderne avec son calage variable intelligent des soupapes, son bloc en alu et son double arbre à cames fait 268 chevaux et 248 livres-pied de couple. Jamais il ne semble s'essouffler. Marié à une transmission automatique à cinq rapports avec mode manuel, ce moteur ne consomme que 10,6 litres aux cent kilomètres tout en offrant des performances très relevées. Cette transmission passe généralement ses rapports très doucement mais il arrive à l'occasion, qu'elle le fasse par à-coups.

Malgré des accélérations de *dragster*, la Toyota Avalon n'est pas sportive. Lorsqu'on appuie sur le champignon, l'effet de couple est bien senti. 268 chevaux pour une traction (roues avant motrices), c'est beaucoup, et en accélération, les roues cherchent à aller d'un bord comme de l'autre. Heureusement, le contrôle de la traction et celui de la stabilité latérale veillent au grain. Le volant se prend bien en main même si d'aucuns trouvent son diamètre trop grand. Mais c'est davantage le manque de sensation combiné à une légèreté sans égale qui caractérise la direction. Le châssis, très rigide, qui a servi de base pour les récentes Toyota Camry et Lexus ES350 s'avère une réussite. On y a accroché des suspensions favorisant le confort. D'ailleurs, les sièges ne retiennent pas suffisamment dans les courbes pour jouer les cowboys. De plus, lors de grands vents, la tenue de cap n'est pas idéale. Quant aux freins, on ne peut pas les accuser de zèle... Ils peuvent effectuer un arrêt d'urgence mais ils s'avouent vite vaincus. L'ABS se fait discret mais apparaît beaucoup trop tôt sur une surface meuble.

L'Avalon ne s'adresse à un public restreint mais qui sait apprécier chacune de ses qualités.

**Alain Morin**

Photos : Toyota

# TOYOTA CAMRY

# UN PEU PLUS DE SAVEUR

Depuis plusieurs années, la Camry demeure l'un des véhicules phares chez Toyota, s'inscrivant dans un créneau hautement compétitif, celui des berlines intermédiaires. On lui reconnaît sa qualité d'assemblage, sa bonne valeur de revente et son excellente fiabilité, même si Toyota commence à goûter à la médecine des grands au chapitre des campagnes de rappel. Remodelée l'an dernier, la Camry conserve ses nombreuses qualités, tout en offrant un style plus emballant et un peu plus d'inspiration derrière le volant.

Vous avez certainement lu par le passé nombre de critiques de la part des chroniqueurs en ce qui a trait aux lignes plutôt anonymes de la voiture et à son comportement un peu monotone. Je dois l'avouer, j'étais de cet avis jusqu'à ce que je prenne le volant de cette nouvelle génération. C'est un fait, Toyota a su corriger le tir en dotant la Camry de lignes diablement plus inspirantes, qui pour une fois, passent moins sous silence. On n'est tout de même pas passé d'un extrême à l'autre, mais la Camry a maintenant beaucoup moins à envier, au chapitre du style, à une Honda Accord ou une Mazda6.

On apprécie sa nouvelle grille avant, ses phares retravaillés et son style plus fluide. C'est principalement ses ailes évasées et plus larges qui donnent à la Camry un peu plus de muscles et de sportivité. Si la version de base possède un peu moins d'attraits, certaines versions en revanche revêtent encore plus de caractère en raison de l'ajout de jupes latérales, d'un béquet arrière et de jantes de dimension plus grande. La Camry s'éloigne ainsi peu à peu de son côté « pépère ».

## DEUX MOTORISATIONS

Si la Camry est offerte en quelques versions répondant au goût et surtout au budget de plusieurs, on note deux motorisations distinctes,

trois si on tient compte de la Camry hybride. On retrouve à la base un moteur quatre cylindres de 2,4 litres développant 158 chevaux. Ce n'est certes pas le plus puissant de sa catégorie, mais il se compare bien à la majeure partie des quatre cylindres de ses rivales, tout en ayant une consommation d'essence réduite et un prix d'achat plus abordable. Voilà le nerf de la guerre, car si plusieurs reconnaissent à la Camry toutes ses qualités, son prix d'achat généralement supérieur à plusieurs rivales aura tôt fait d'en décourager plusieurs. Bien souvent, le budget prime !

Pour ceux qui favorisent un peu plus les performances, un V6 de 268 chevaux est aussi offert. Grâce à cette motorisation, cette voiture devient l'une des plus puissantes de sa catégorie. On aime la fougue de ce moteur et ses reprises énergiques. Pour ce qui est de la Camry hybride, on la reconnaît par ses badges apposés sur la carrosserie et annonçant ses intentions de voiture plus verte. Utilisant à la base la même technologie que la Toyota Prius, la Camry hybride reçoit un groupe motopropulseur qui comprend un moteur à essence quatre cylindres de 2,4 litres de 187 chevaux combiné a un moteur électrique de 105 kilowatts. Voilà qui procure à cette Camry des performances dignes du modèle à moteur V6, mais avec une consommation de loin inférieure. J'ai obtenu une consommation moyenne de 6,5 L/100 km, pas mal pour

**FEU VERT**
Style amélioré, bon choix de moteurs, version hybride, habitacle soigné, plusieurs équipements de sécurité

**FEU ROUGE**
Prix plus élevé, conduite toujours aseptisée, version de base peu équipée, style trop près de Lexus

**534**

GUIDE DE L'AUTO 2008

www.leguidedelauto.com

| VÉHICULE D'ESSAI | |
|---|---|
| Version : | Camry hybride |
| Emp/Lon/Lar/Haut(mm) : | 2 775/4 805/1 820/1 460 |
| Poids : | 1 669 kg |
| Coffre/Réservoir : | 300 litres / 65 litres |
| Nombre de coussins de sécurité : | 7 |
| Suspension avant : | indépendante, jambes de force |
| Suspension arrière : | indépendante, multibras |
| Freins av./arr. : | disque (ABS) |
| Antipatinage/Contrôle de stabilité : | oui / oui |
| Direction : | à crémaillère, assistance variable |
| Diamètre de braquage : | 11,5 m |
| Pneus av./arr. : | P215/60R16 |
| Capacité de remorquage : | non recommandé |

une voiture de ce type. Et pour ceux qui se posent la question, eh non, il n'est pas néces-saire de brancher la voiture ! La recharge se fait par le moteur à essence ou par le moteur électrique lui-même lorsqu'on décélère ou quand on freine. Voici un bel exemple de récupération d'énergie. Outre sa motorisation unique, la Camry hybride est aussi celle qui reçoit la plus longue liste d'équipements de série. Tous les modèles héritent cependant d'une bonne liste d'équipements assurant la sécurité des passagers à bord.

### CONFORT ET SOUCIS DE QUALITÉ

À l'intérieur, on remarque un souci de qualité omniprésent ainsi que l'attention portée aux détails. Fidèle à l'ingénierie japonaise, chaque élément et contrôle a été soigneuse-ment pensé afin de faciliter leur compréhension et leur utilisation. Malgré une présen-tation un peu sobre, l'habitacle transmet bien un sentiment de qualité, élément fort apprécié des propriétaires. Les nombreux ajustements du siège et du volant nous per-mettent de trouver rapidement une bonne position de conduite. Les sièges s'avèrent confortables, et ce, même en conduite prolongée.

Sur la route, la Camry présente un comportement plus dynamique que les modèles de générations précédentes. On obtient un peu plus de sensation au volant, ce qui corrige plusieurs reproches faits par le passé. Malgré tout, on note toujours une suspension favorisant le confort de roulement, au détriment du comportement, et une direction invariablement un peu trop assistée. Cependant, ce comportement continuera de plaire à une certaine clientèle, tous les goûts étant dans la nature. Tous ne se réjouissent pas du comportement hautement sportif d'une Mazda6, à titre d'exemple. Quant à la version hybride, la puissance combinée des deux moteurs procure à la voiture des performances équivalentes à un V6. Le couple généreux typique aux moteurs électriques permet des reprises énergiques et de bons temps d'accélération.

Il faut le reconnaître, hormis une facture un peu plus salée, la Camry s'avère un choix drôlement intéressant, singulièrement en raison de sa nouvelle robe plus inspirante et de ses dynamiques un peu plus emballantes. Il reste certes encore quelques améliorations ici et là à apporter, mais les déceptions sont rares chez les propriétaires de Camry.

**Sylvain Raymond**

### MOTORISATION À L'ESSAI

Pneus d'origine — MICHELIN

| Moteur : | 4L de 2,4 litres 16s atmosphérique |
|---|---|
| Alésage et course : | n/a |
| Puissance : | 187 ch (139 kW) à 6 200 tr/min |
| Couple : | 138 lb-pi (187 Nm) à 4 700 tr/min |
| Rapport poids/puissance : | 8,93 kg/ch (12,09 kg/kW) |
| Système hybride : | en parallèle |
| Transmission : | traction, CVT |
| Accélération 0-100 km/h : | 8,6 s |
| Reprises 80-120 km/h : | 7,9 s |
| Freinage 100-0 km/h : | 42,1 m |
| Vitesse maximale : | 220 km/h |
| Consommation (100 km) : | ordinaire, 5,7 litres |
| Autonomie (approximative) : | 1 140 km |
| Émissions de CO2 : | 2 736 kg/an |

### GAMME EN BREF

| | |
|---|---|
| Échelle de prix : | 25 900 $ à 37 525 $ (2007) |
| Catégorie : | berline intermédiaire |
| Historique du modèle : | 6ième génération |
| Garanties : | 3 ans/60 000 km, 5 ans/100 000 km |
| Assemblage : | Georgetown, Kentucky, É-U |
| Autre(s) moteur(s) : | 4L 2,4l 158ch/161lb-pi (9,6 l/100km) |
| | V6 3,5l 268ch/248lb-pi (10,7 l/100km) |
| Autre(s) rouage(s) : | aucun |
| Autre(s) transmission(s) : | automatique 5 rapports / |
| | manuelle 5 rapports / automatique 6 rapports |

### DANS LA MÊME CATÉGORIE

Buick Allure - Chevrolet Malibu - Chrysler Sebring - Ford Fusion - Honda Accord - Hyundai Sonata - Mazda Mazda6 - Pontiac G6 - Volkswagen Passat

### DU NOUVEAU EN 2008

Clé intelligente (Hybrid), climatiseur deux zones (Hyrid)

### NOS IMPRESSIONS

| | |
|---|---|
| Agrément de conduite : | 🚗 🚗 🚗 ½ |
| Fiabilité : | 🚗 🚗 🚗 🚗 |
| Sécurité : | 🚗 🚗 🚗 🚗 |
| Qualités hivernales : | 🚗 🚗 🚗 🚗 |
| Espace intérieur : | 🚗 🚗 🚗 🚗 |
| Confort : | 🚗 🚗 🚗 🚗 |

### LE CHOIX DE L'ÉQUIPE

Camry LE V6

Photos : Sylvain Raymond

# TOYOTA COROLLA

# IRRÉPROCHABLE BANALITÉ...

Vous vous attendiez sans doute à ce que Toyota nous arrive pour l'année-modèle 2008 avec une toute nouvelle Corolla? Eh bien, moi aussi! Mais il semble que les dirigeants de la marque ont choisi d'étirer la carrière de cette génération pour une sixième année. Toutefois, la cuvée 2008 de la Corolla ne nous sera pas offerte toute l'année durant. En effet, la nouvelle génération, présentée comme modèle 2009 et dont les photos d'espions circulent sur le web, sera dévoilée d'ici quelques mois seulement, et sur le marché dès le printemps 2008.

M ais pour le moment, c'est donc dire que Toyota reconduit la Corolla sans modifications d'importance. En réalité, le seul changement pour 2008 concerne le groupe d'options SE (qui était offert sur le modèle CE en 2007), et qui est désormais remplacé par une édition 20e anniversaire, visant à commémorer l'ouverture de la première chaîne d'assemblage canadienne de la marque. Sinon, tout le reste demeure identique, c'est-à-dire d'une irréprochable banalité.

### NOS PARENTS L'ADORENT!

Il faut l'admettre, cette Corolla est d'un ennui certain. Et cela n'a rien de négatif, mais il faut savoir que l'acheteur de Corolla a généralement autant d'intérêt pour l'automobile que les inspecteurs de Transport Québec en avaient pour le viaduc de la Concorde! Et chose amusante, ma maman ainsi que le papa de notre collègue Alain Morin roulent tous deux dans une Corolla toute neuve! Voilà donc la preuve que notre passion pour l'automobile ne nous a pas été transmise par nos parents!

Papa Morin, qui cherchait sans doute à mettre un tant soit peu de piquant dans sa vie, a choisi la version S de la Corolla, laquelle se vêtit d'un aileron, de jupes aérodynamiques, de jantes d'alliage, de phares teintés et de feux antibrouillards. Plus jolie, cette version n'a bien sûr de

sportive que son apparence, mais j'admets que le résultat est fort séduisant. Sinon, en version CE ou LE, on obtient un produit dont l'allure est banale, à la limite du sympathique.

À bord, la Corolla plaît à plusieurs pour la position de conduite élevée qu'elle propose. Personnellement, j'aurais aimé un ajustement vertical de l'assise, mais il me faudra pour cela attendre la venue du nouveau modèle. En revanche, les sièges sont confortables et recouverts d'un tissu de qualité. Et à ceux qui souhaitaient une sellerie de cuir, sachez que Toyota a supprimé cette option pour 2008.

La planche de bord est pour sa part des plus classiques, à l'image des lignes extérieures. Sur certaines versions, l'éclairage électroluminescent des jauges vient légèrement égayer l'ambiance mais sinon, le degré de dynamisme à bord se compare presque à celui d'un corridor d'hôpital. Côté équipement, la Corolla est fidèle à sa réputation, c'est-à-dire un peu chiche. Par exemple, la version CE (la plus vendue), n'est pas pourvue d'essuie-glaces intermittents à cadence variable ou de pochettes de rangement au dos des sièges. Il faut pour cela choisir des modèles plus chics! Qui plus est, alors que la presque totalité des rivales arrive de série avec six sacs gonflables, Toyota ne les propose qu'en

**FEU VERT**
Fiabilité assurée, voiture confortable, qualité générale exceptionnelle, très faible appétit de carburant, faible dépréciation

**FEU ROUGE**
Ligne banale (CE, LE), agrément de conduite inexistant, où sont les six sacs gonflables?, freins ABS offerts sur modèles CE

option, sur la version la plus chère. Oh, et sachez également que les freins ABS sont absents sur le modèle CE, ce qui constitue une véritable aberration.

## LE PRIX DE L'ESSENCE, ON S'EN MOQUE !

Toujours équipée de son réputé moteur quatre cylindres VVT-i de 1,8 litre, la Corolla démontre une puissance très adéquate. Et tant la boîte manuelle que l'automatique exploite correctement la puissance disponible. Cependant, lorsque sollicité, le moteur chante plutôt fort, ce qui devient vite agaçant. Mais ne vous en faites pas, à vitesse d'autoroute, il sait se faire discret. Très peu gourmande, la Corolla vous permettra d'économiser davantage, grâce à notre cher gouvernement, puisqu'un montant de 1 000 $ sur votre achat vous sera crédité (si vous optez pour un modèle à boîte manuelle). En effet, suite à la loi adoptée par le gouvernement Harper qui autorise des rabais pour les voitures à très faibles émissions, la Corolla a été l'une des seules voitures non hybrides à s'y qualifier (le gouvernement s'est basé sur les cotes obtenues par *Énerguide*). Personnellement, je vous dirais que cette loi est stupide et mal appliquée, car elle ne règle en rien nos problèmes environnementaux, mais pour l'acheteur d'une Corolla, c'est une bonne nouvelle.

Sur la route, la Corolla n'est pas la plus agile. À ce niveau, Civic, Mazda 3 et Lancer font nettement mieux. Équilibrée, elle propose cependant un comportement prévisible, voire sécurisant, malgré un important roulis en virage. Et pour le confort, c'est sans doute l'une des meilleures. Mais si la Corolla n'est pas la plus passionnante des berlines compactes, elle sait se faire grandement apprécier au quotidien. La voiture est maniable (merci au petit diamètre de braquage), bien suspendue et pourvue d'un système de freinage adéquat. Qui plus est, sa qualité d'assemblage est irréprochable, tout comme sa fiabilité légendaire.

Vous l'aurez donc compris, on ne se procure pas une Corolla pour épater ses voisins. Au contraire, ils risquent même de vous trouver sans personnalité ! Mais si ce qui vous importe se résume par les mots fiabilité, économie de carburant, qualité de construction et faible dépréciation, vous cognez à la bonne porte. Et n'ayez crainte, ce n'est pas parce que le modèle est appelé à changer sous peu que la valeur de votre voiture dépréciera davantage.

**Antoine Joubert**

Photos : Sylvain Raymond

### VÉHICULE D'ESSAI

| | |
|---|---|
| Version : | LE |
| Emp/Lon/Lar/Haut(mm) : | 2 600/4 530/1 700/1 485 |
| Poids : | 1 155 kg |
| Coffre/Réservoir : | 385 litres / 50 litres |
| Nombre de coussins de sécurité : | 2 |
| Suspension avant : | indépendante, jambes de force |
| Suspension arrière : | demi-ind., poutre déformante |
| Freins av./arr. : | disque/tambour (ABS, EBD) |
| Antipatinage/Contrôle de stabilité : | non / non |
| Direction : | à crémaillère, assistée |
| Diamètre de braquage : | 10,7 m |
| Pneus av./arr. : | P195/65R15 |
| Capacité de remorquage : | non recommandé |

### MOTORISATION À L'ESSAI

| | |
|---|---|
| Moteur : | 4L de 1,8 litre 16s atmosphérique |
| Alésage et course : | 79,0 mm x 81,5 mm |
| Puissance : | 126 ch (94 kW) à 6 000 tr/min |
| Couple : | 122 lb-pi (165 Nm) à 4 200 tr/min |
| Rapport poids/puissance : | 9,17 kg/ch (12,42 kg/kW) |
| Système hybride : | aucun |
| Transmission : | traction, automatique 4 rapports |
| Accélération 0-100 km/h : | 10,2 s |
| Reprises 80-120 km/h : | 8,7 s |
| Freinage 100-0 km/h : | 42,2 m |
| Vitesse maximale : | 190 km/h |
| Consommation (100 km) : | ordinaire, 7,8 litres |
| Autonomie (approximative) : | 641 km |
| Émissions de CO2 : | 3 264 kg/an |

### GAMME EN BREF

| | |
|---|---|
| Échelle de prix : | 15 785 $ à 21 900 $ |
| Catégorie : | berline compacte |
| Historique du modèle : | 10ème génération |
| Garanties : | 3 ans/60 000 km, 5 ans/100 000 km |
| Assemblage : | Cambridge, Ontario, Canada |
| Autre(s) moteur(s) : | aucun |
| Autre(s) rouage(s) : | aucun |
| Autre(s) transmission(s) : | manuelle 5 rapports |

### DANS LA MÊME CATÉGORIE

Chevrolet Cobalt - Ford Focus - Honda Civic - Hyundai Elantra - Kia Spectra - Mazda 3 - Mitsubishi Lancer - Nissan Sentra - Pontiac G5 - Saturn Astra - Suzuki SX4 - Volkswagen Rabbit

### DU NOUVEAU EN 2008

Édition 20e anniversaire, sellerie de cuir optionnelle discontinuée

### NOS IMPRESSIONS

| | |
|---|---|
| Agrément de conduite : | 🚗 🚗 ½ |
| Fiabilité : | 🚗 🚗 🚗 🚗 ½ |
| Sécurité : | 🚗 🚗 🚗 |
| Qualités hivernales : | 🚗 🚗 🚗 🚗 |
| Espace intérieur : | 🚗 🚗 🚗 ½ |
| Confort : | 🚗 🚗 🚗 ½ |

### LE CHOIX DE L'ÉQUIPE

CE édition 20e anniversaire

**537**

# GROSSE BÉBELLE

La vague rétro qui a secoué le monde de l'automobile ces dernières années a pris bien des tangentes. Les Chrysler PT Cruiser et Chevrolet HHR reprennent avec plus ou moins d'exactitude les formes des véhicules d'antan. Il y a aussi eu les Ford Thunderbird, Volkswagen New Beetle et Mini Cooper qui, en plus de moderniser des lignes très connues, ont perpétué un nom célèbre. Dans cette vague nostalgique, le Toyota FJ Cruiser fait un peu bande à part. Il marie deux noms forts populaires auprès des amateurs de hors-route (Toyota FJ40 et Toyota Land Cruiser) tout en adoptant une carrosserie basée sur le Land Cruiser.

**B**ref, le Toyota FJ Cruiser possède des lignes uniques, qu'on ne risque pas de confondre avec aucun autre véhicule construit sur la Terre. Avec sa calandre aussi distinctive que celle d'un Jeep, son toit blanc (peu importe la couleur de la carrosserie) et son style taillé à la scie à chaîne, le FJ Cruiser ne passe pas inaperçu. De plus, ses dimensions ont de quoi impressionner. À voir la hauteur de la garde au sol, les gros pneus et son allure de baroudeur, le FJ Cruiser crie son indestructibilité. Et pour faire encore plus original, Toyota a pourvu son FJ de portes arrière suicides (elles ouvrent à l'envers) et de trois petits essuie-glaces.

### UN VRAI *TRUCK*

Assemblé sur le châssis, raccourci pour l'occasion, des camionnettes Toyota Tacoma, le FJ Cruiser reçoit un seul moteur. Il s'agit d'un V6 de 4,0 litres de 239 chevaux et 278 livres-pied de couple qui peut être associé à deux transmissions, soit une manuelle à six rapports ou une automatique à cinq rapports. Sur un véhicule aussi visiblement axé vers la conduite hors route, Toyota n'allait pas servir de la petite bière. Lorsque la transmission automatique équipe le véhicule, ce dernier est pourvu d'une intégrale à temps partiel très robuste. Quand les conditions de la route ou du champ sont idéales, seules les roues arrière sont motrices. Au simple toucher d'un bouton, le conducteur peut embrayer les quatre roues. Il

peut aussi engager une gamme basse si la situation en hors route devient critique. Avec cette automatique, il est possible de verrouiller le différentiel arrière (il s'agit malheureusement d'une option). Lorsque le véhicule est équipé de la transmission manuelle, on retrouve un rouage quatre roues motrices permanentes doté d'une gamme haute (Hi) et d'une gamme basse (LO). D'ailleurs, le levier actionnant ces gammes est beaucoup plus facile à manipuler que celui du Jeep Wrangler, par exemple. En plus, il est possible d'engager un mécanisme qui permet de faire avancer le FJ Cruiser sans l'embrayage. Ceci est fort utile quand, en situation de hors route extrême, on doit se servir des deux pieds, l'un pour le frein et l'autre pour l'accélérateur. Avec une garde au sol élevée (245 mm) et des angles d'approche (34 degrés) et de départ (31 degrés) bien au-delà de ce que la plupart des 4x4 offrent, le FJ Cruiser, ne s'en laisse pas imposer.

Mais s'il s'avère une véritable bête des champs, le Toyota FJ Cruiser se montre beaucoup moins à l'aise sur la route. En effet, le centre de gravité élevé et des suspensions visiblement calibrées pour la conduite en terrain très accidenté s'unissent pour donner beaucoup de roulis au moindre coup de volant. En outre, la direction, en plus d'afficher trop de légèreté, est assez empotée, ce qui devient un avantage en hors route quand les pneus heurtent un obstacle et que s'ensuit un brutal retour de

**FEU VERT**
Style unique, bonne motorisation, qualités en hors route indéniables, finition de haut niveau, habitacle bien pensé

**FEU ROUGE**
Comportement routier pauvre, freins très justes, consommation excessive, direction empotée, places arrière à éviter

## VÉHICULE D'ESSAI

| | |
|---|---|
| Version : | Manuelle groupe B |
| Emp/Lon/Lar/Haut(mm) : | 2690/4670/1905/1830 |
| Poids : | 1946 kg |
| Coffre/Réservoir : | 790 à 1892 litres / 72 litres |
| Nombre de coussins de sécurité : | 2 |
| Suspension avant : | indépendante, bras inégaux |
| Suspension arrière : | essieu rigide, ressorts hélicoïdaux |
| Freins av./arr. : | disque (ABS, EBD) |
| Antipatinage/Contrôle de stabilité : | oui / oui |
| Direction : | à crémaillère, assistance variable |
| Diamètre de braquage : | 12,7 m |
| Pneus av./arr. : | P265/70R17 |
| Capacité de remorquage : | 2268 kg |

## MOTORISATION À L'ESSAI

| | |
|---|---|
| Moteur : | V6 de 4,0 litres 24s atmosphérique |
| Alésage et course : | 94,0 mm x 95,0 mm |
| Puissance : | 239 ch (178 kW) à 5200 tr/min |
| Couple : | 278 lb-pi (377 Nm) à 3800 tr/min |
| Rapport poids/puissance : | 8,14 kg/ch (11,06 kg/kW) |
| Système hybride : | aucun |
| Transmission : | 4RM, manuelle 6 rapports |
| Accélération 0-100 km/h : | 10,1 s |
| Reprises 80-120 km/h : | 8,6 s |
| Freinage 100-0 km/h : | 44,0 m |
| Vitesse maximale : | 175 km/h |
| Consommation (100 km) : | super, 13,5 litres |
| Autonomie (approximative) : | 533 km |
| Émissions de CO2 : | 5760 kg/an |

## GAMME EN BREF

| | |
|---|---|
| Échelle de prix : | 29990$ à 37410$ |
| Catégorie : | utilitaire sport intermédiaire |
| Historique du modèle : | 1ère génération |
| Garanties : | 3 ans/60000 km, 5 ans/100000 km |
| Assemblage : | Hamura, Tokyo |
| Autre(s) moteur(s) : | aucun |
| Autre(s) rouage(s) : | aucun |
| Autre(s) transmission(s) : | automatique 5 rapports |

## DANS LA MÊME CATÉGORIE

Hummer H3 - Jeep Wrangler - Land Rover LR2

## DU NOUVEAU EN 2008

Pas de changement majeur

## NOS IMPRESSIONS

| | |
|---|---|
| Agrément de conduite : | 🚗🚗🚗½ |
| Fiabilité : | 🚗🚗🚗🚗 |
| Sécurité : | 🚗🚗🚗🚗 |
| Qualités hivernales : | 🚗🚗🚗🚗½ |
| Espace intérieur : | 🚗🚗🚗🚗 |
| Confort : | 🚗🚗🚗 |

## LE CHOIX DE L'ÉQUIPE

Groupe B

---

volant. Comme on peut s'en rendre compte, le FJ Cruiser apprécie beaucoup plus les grosses roches que les belles autoroutes. Nous ne vous surprendrons pas si nous affirmons que les freins du FJ n'ont rien d'ahurissant, car ils peinent à stopper la masse de près de 2000 kilos. Voilà qui est peu rassurant lorsqu'une remorque de 2268 kilos (5000 livres) maximum est accrochée au FJ. Mais une petite craie rose fait bien paraître un grand tableau noir… Curieusement, le confort à bord du FJ Cruiser est loin d'être aussi désastreux que ce qu'on pourrait s'imaginer. Certes, nous ne sommes pas en présence d'une Toyota Avalon, mais le FJ se montre beaucoup plus facile à vivre que le Jeep Wrangler, qui nous sert d'exemple encore une fois.

### ORIGINALITÉ EN DEDANS COMME EN DEHORS

Dans l'habitacle, l'originalité se poursuit. Tout d'abord, à peu près tout est lavable à grande eau, même les sièges, un atout pour un véhicule qu'on risque souvent de salir. Comme sur tout produit Toyota, la qualité de l'assemblage ne laisse place à aucune improvisation et les plastiques sont de belle qualité. Heureusement, car il y en a beaucoup! Ensuite, le tableau de bord, avec une partie centrale de même couleur que celle de la carrosserie, est très différent de tout ce que fait Toyota. Alors que les autres produits de la marque japonaise affichent un design très subtil, celui du FJ semble gossé à la hache. Ça sent la robustesse. En option, on retrouve un jeu de trois cadrans (boussole, thermomètre et indicateur d'angle) planté sur le dessus du tableau de bord. C'est d'un chic fou!

Quand vient le temps de trimballer les bicyclettes ou tout le matériel de pêche ou d'alpinisme, le FJ Cruiser répond présent. La grande porte arrière avec pentures à gauche s'ouvre sur un vaste espace de chargement tout de plastique et de caoutchouc. Les dossiers des sièges arrière (dont le confort est relatif), s'abaissent pour former un fond presque plat. Parmi les douceurs, la vitre arrière s'ouvre séparément et la porte peut être barrée en position ouverte. Aussi, on retrouve dans la partie arrière une prise de courant 115 volts.

Le FJ Cruiser, avec sa gueule particulière, sa consommation excessive, ses qualités hors route très poussées et ses qualités sur la route moins poussées n'est pas fait pour tout le monde. Il est même surprenant qu'on en voie autant sur nos routes. Le ministère des Transports devrait y voir un message…

**Alain Morin**

Photos : Toyota

# LA LOI DU PLP

Le Toyota Highlander a connu beaucoup de succès depuis son arrivée sur le marché en 2001. Il faisait partie de cette vague de VUS développés à partir de la plate-forme d'une automobile. Ceci permettait de commercialiser un véhicule plus confortable, offrant une bonne tenue de route et ayant une économie de carburant raisonnable. Dans le but de mieux cibler les besoins des futurs acheteurs, on a demandé le *feedback* des propriétaires actuels. Et cela a été pris en ligne de compte pour la nouvelle cuvée.

En général, les gens se sont déclarés très satisfaits, mais ils souhaiteraient que la silhouette ait des lignes plus agressives, que les pneus soient plus gros et que l'habitabilité soit meilleure. En plus de pouvoir compter sur une seconde rangée de sièges plus confortables. Pour faire suite à ces informations, les ingénieurs ont établi une ligne de pensée pour le développement du modèle 2008. Trois éléments ont dicté leur travail : puissance, liberté et polyvalence.

### CRÉDO DE TROIS LETTRES

Les améliorations apportées au modèle 2008 reposent donc sur ces trois éléments. Concernant la puissance, les ingénieurs ont augmenté la force du moteur. Le moteur V6 3,5 litres produit 270 chevaux, soit 55 de plus que le moteur de 3,5 litres qu'il remplace. Il demeure couplé à une boîte manumatique à cinq rapports. Toujours dans le but de combler les demandes en fait de puissance, il faut noter l'utilisation de pneus plus gros, à savoir des 17 pouces sur le modèle de base ou des 19 pouces sur d'autres versions. La silhouette est dorénavant plus agressive tandis que la présentation du tableau de bord est moins terne.

L'aspect liberté intègre des éléments assurant une meilleure efficacité en conduite hors route. Cela inclut des angles d'attaque et de départ plus importants, des systèmes d'assistance électronique à la conduite hors route et une meilleure capacité de remorquage. Cette dernière est passée de 3 500 à 5 000 livres. Quant aux accessoires pour faciliter les excursions dans la nature, mentionnons un système d'assistance de descente, un mécanisme assistant les départs dans les côtes et un système de stabilité latérale. Bref, cet aspect liberté signifie que le pilote est libre d'aller où il veut. Du moins en théorie.

Finalement, l'élément sans doute le plus simple à exécuter est la polyvalence. En effet, puisque le véhicule est plus long de 96 mm tandis que l'empattement a progressé de 75 mm. La capacité de la soute à bagages une fois les sièges abaissés est de 2 700 litres. En comparaison, le Highlander 2007 en proposait 2 282 litres. Par contre, quand la troisième rangée est abaissée, il ne reste que 290 litres, soit 10,3 pieds cubes. Pour sept personnes à bord, c'est peu. Et je parle de sept personnes parce que la banquette médiane peut accueillir deux personnes dans des sièges capitaines ou un troisième occupant par l'entremise d'un module amovible qui se remise dans un espace prévu à cet effet lorsqu'il n'est pas utilisé. Si le système est ingénieux, je doute fort que le passager assis au centre soit bien confortable.

**FEU VERT**
Moteur plus puissant, fiabilité rassurante anticipée,
bonne habitabilité, rouage intégral de série,
nombreux modèles

**FEU ROUGE**
Direction trop assistée, agrément de conduite mitigé,
certains groupes d'options onéreux,
dimensions à la hausse

**540**

## VÉHICULE D'ESSAI

| | |
|---|---|
| Version : | Limited |
| Emp/Lon/Lar/Haut(mm) : | 2 790/4 785/1 910/1 760 |
| Poids : | 1 960 kg |
| Coffre/Réservoir : | 290 à 2 700 litres / 72,5 litres |
| Nombre de coussins de sécurité : | 7 |
| Suspension avant : | indépendante, jambes de force |
| Suspension arrière : | indépendante, jambes de force |
| Freins av./arr. : | disque (ABS) |
| Antipatinage/Contrôle de stabilité : | oui / oui |
| Direction : | à crémaillère, assistance magnétique |
| Diamètre de braquage : | 11,8 m |
| Pneus av./arr. : | P245/55R19 |
| Capacité de remorquage : | 2 268 kg |

## MOTORISATION À L'ESSAI

Pneus d'origine MICHELIN

| | |
|---|---|
| Moteur : | V6 de 3,5 litres 24s atmosphérique |
| Alésage et course : | n/a |
| Puissance : | 270 ch (201 kW) à 6 200 tr/min |
| Couple : | 248 lb-pi (336 Nm) à 4 700 tr/min |
| Rapport poids/puissance : | 7,26 kg/ch (9,85 kg/kW) |
| Système hybride : | en parallèle |
| Transmission : | intégrale, automatique 5 rapports |
| Accélération 0-100 km/h : | 7,9 s |
| Reprises 80-120 km/h : | 7,1 s |
| Freinage 100-0 km/h : | 41,0 m |
| Vitesse maximale : | 180 km/h |
| Consommation (100 km) : | ordinaire, 12,3 litres (estimé) |
| Autonomie (approximative) : | 589 km |
| Émissions de CO2 : | n.d. |

## GAMME EN BREF

| | |
|---|---|
| Échelle de prix : | 39 650$ à 49 000$ |
| Catégorie : | utilitaire sport intermédiaire |
| Historique du modèle : | 2ième génération |
| Garanties : | 3 ans/60 000 km, 5 ans/100 000 km |
| Assemblage : | Kyushu, Japon |
| Autre(s) moteur(s) : | aucun |
| Autre(s) rouage(s) : | aucun |
| Autre(s) transmission(s) : | aucune |

## DANS LA MÊME CATÉGORIE

Buick Enclave - GMC Acadia - Ford Edge - Mazda CX 9 - Saturn Outlook - Mitsubishi Endaevor

## DU NOUVEAU EN 2008

Nouveau modèle, moteur plus puissant, dimensions plus importantes

## NOS IMPRESSIONS

| | |
|---|---|
| Agrément de conduite : | 🚗 🚗 🚗 ½ |
| Fiabilité : | 🚗 🚗 🚗 🚗 ½ |
| Sécurité : | 🚗 🚗 🚗 🚗 |
| Qualités hivernales : | 🚗 🚗 🚗 🚗 |
| Espace intérieur : | 🚗 🚗 🚗 🚗 ½ |
| Confort : | 🚗 🚗 🚗 🚗 ½ |

## LE CHOIX DE L'ÉQUIPE

Sport

---

Finalement, le hayon arrière est motorisé tandis que la lunette peut dorénavant s'ouvrir indépendamment de l'autre. Et elle se referme automatiquement quand le hayon est soulevé.

## LA TRANQUILLITÉ MÊME

S'il est vrai que les accélérations sont plus vives et le châssis plus rigide, ne vous attendez pas à vous retrouver au volant d'un véhicule bien excitant en fait de pilotage. À part la version Sport dont la suspension plus ferme et les roues de 19 pouces ont une influence positive sur l'agrément de conduite, les autres modèles sont assez soporifiques, merci. Et la direction à assistance électrique ne fait rien pour arranger les choses. Si elle est à peine correcte à vitesse de croisière, elle est nettement surassistée à basse vitesse. Il n'y a alors pratiquement aucune sensation de la route. La cabine est fort bien isolée des bruits extérieurs et la suspension généralement calibrée en fonction du confort. Cette Toyota tout usage tient bien la route alors que son moteur V6 est non seulement doux, mais d'un rendement assez exceptionnel. Soulignons au passage, que le Highlander utilise une plate-forme dérivée de celle de la dernière génération de la Camry, à l'exception de la suspension arrière qui est à jambes de force sur le VUS.

Pour le reste, c'est du Toyota tout craché avec une finition impeccable et des espaces de rangement un peu partout. Et j'allais oublier, tous les modèles ont une caméra de recul et un écran témoin placé au centre du tableau de bord. Pas nécessaire de commander le dispendieux système de navigation pour l'obtenir. Et en parlant d'onéreux, l'un des modèles que j'ai conduits lors de la présentation avait un prix de détail suggéré de 54 995$. Sur une note plus positive, le prix de la version de base est de 39 650$. Et ce, tout en proposant un équipement plus complet, un moteur plus puissant et sept coussins gonflables. Si ce détail vous préoccupe, vous serez heureux d'apprendre que le Highlander est assemblé à l'usine de Kyushu au Japon et qu'il a été développé dans le cadre du nouveau programme : «Customer First» dont le but est d'améliorer la qualité du produit. Comme si ce dernier point était nécessaire chez ce constructeur! Enfin, la version hybride avec moteur semblable à celui de la Camry Hybride sera livrée à la fin de l'automne 2007.

**Denis Duquet**

# EN ATTENDANT LA RELÈVE

Lorsque nous avons élaboré la première ébauche du plan du *Guide de l'auto 2008*, nous avions alloué quatre pages à ce duo américano-japonais croyant que la nouvelle version serait des nôtres avant la publication de l'ouvrage. Puis, les semaines se sont succédé et aucune nouvelle ne transpirait quant à l'arrivée des nouveaux modèles. Pas plus du côté de la Toyota Corolla qui prête sa plate-forme et sa mécanique à nos deux petits multisegments. Conclusion : il faudra encore patienter.

**M**ais contrairement aux rumeurs qui ont couru pendant un certain temps, ces deux modèles seront reconduits et plusieurs prototypes fortement camouflés ont été observés près des pistes d'essais des deux constructeurs. Ce qui explique en même temps pourquoi les modèles 2008 nous offrent les versions les plus populaires et abandonnent les groupes d'options moins demandés. Après tout, il ne faut pas que les approvisionnements soient trop élevés lorsque la relève fera son apparition !

**JUSTE CE QU'IL FAUT**

Même si ces deux modèles n'ont pas bouleversé le marché lors de leur arrivée en 2003, leur concept demeure l'un des plus intelligents que l'on puisse trouver. Plus grosses qu'une familiale habituelle, plus petites qu'une fourgonnette tout en possédant l'agilité d'une compacte, la Pontiac Vibe tout comme la Matrix peuvent être utilisées à toutes les sauces ou presque. Il est certain que les 126 chevaux du moteur quatre cylindres de 1,8 litre ne permettent même pas de remorquer une tente-roulotte, mais il est fiable et consomme peu. Par ailleurs, leur toit surélevé assure une grande capacité de chargement. Pourvu que les objets transportés ne soient pas trop lourds. Bref, ce sont des fourre-tout sur roues qui sont appréciés pour leur polyvalence et le faible appétit de leur moteur.

En dépit de leur vocation utilitaire, leur silhouette est tout de même élégante. À ce chapitre, la quasi-totalité des gens trouve la Pontiac plus « funkée » tandis que la Matrix est plus austère. Toutefois, dans l'habitacle, c'est blanc bonnet et bonnet blanc puisque la planche de bord est similaire, à l'exception de l'écusson de la marque sur le moyeu du volant. Et même si le concept date de quelques années, il est toujours aussi spectaculaire.

Pas difficile non plus de reconnaître le coup de crayon des stylistes de Pontiac dans la conception de cet ensemble qui est élégant et relativement pratique. Par contre, le volant est positionné loin du pilote et celui-ci doit tendre les bras pour l'agripper.

L'habitacle est très pratique puisque les sièges arrière, moyennement confortables se rabattent à plat et le dossier du siège du passager avant se replie complètement vers l'avant. Ajoutez à cela une lunette de hayon qui s'ouvre et vous pouvez transporter de longs objets. Petite ombre au tableau : le plancher de la soute à bagages est recouvert d'un plastique qui se raye facilement en plus d'être très glissant... Et même si la Vibe est assemblée aux États-Unis et la Matrix au Canada, la qualité d'assemblage et des matériaux est quasiment identique tout comme la fiabilité

 **FEU VERT**
Silhouette toujours élégante, mécanique fiable, habitacle polyvalent, bonne habitabilité, bonne valeur de revente

**FEU ROUGE**
Essieu arrière rigide, automatique 4 rapports, sensible aux vents latéraux, modèle en fin de carrière

| | |
|---|---|
| Version : | Vibe |
| Emp/Lon/Lar/Haut(mm) : | 2 600/4 350/1 775/1 965 |
| Poids : | 1 254 kg |
| Coffre/Réservoir : | 428 à 1 506 litres / 50 litres |
| Nombre de coussins de sécurité : | 2 |
| Suspension avant : | indépendante, jambes de force |
| Suspension arrière : | demi-ind., poutre déformante |
| Freins av./arr. : | disque/tambour (ABS opt.) |
| Antipatinage/Contrôle de stabilité : | non / non |
| Direction : | à crémaillère, assistée |
| Diamètre de braquage : | 11,2 m |
| Pneus av./arr. : | P205/55R16 |
| Capacité de remorquage : | 680 kg |

**MOTORISATION À L'ESSAI**

| | |
|---|---|
| Moteur : | 4L de 1,8 litre 16s atmosphérique |
| Alésage et course : | 79,0 mm x 91,5 mm |
| Puissance : | 126 ch (94 kW) à 6 000 tr/min |
| Couple : | 122 lb-pi (165 Nm) à 4 200 tr/min |
| Rapport poids/puissance : | 9,95 kg/ch (13,48 kg/kW) |
| Système hybride : | aucun |
| Transmission : | traction, automatique 4 rapports |
| Accélération 0-100 km/h : | 10,1 s |
| Reprises 80-120 km/h : | 9,4 s |
| Freinage 100-0 km/h : | 42,3 m |
| Vitesse maximale : | 165 km/h |
| Consommation (100 km) : | ordinaire, 8,3 litres |
| Autonomie (approximative) : | 602 km |
| Émissions de CO2 : | 3 552 kg/an |

**GAMME EN BREF**

| | |
|---|---|
| Échelle de prix : | 17 200 $ à 24 985 $ |
| Catégorie : | familiale |
| Historique du modèle : | 1ère génération |
| Garanties : | 3 ans/60 000 km, 5 ans/100 000 km |
| Assemblage : | Fremont, Californie, É-U |
| Autre(s) moteur(s) : | aucun |
| Autre(s) rouage(s) : | aucun |
| Autre(s) transmission(s) : | manuelle 5 rapports |

**DANS LA MÊME CATÉGORIE**

Chevrolet HHR - Chevrolet Optra - Chrysler PTCruiser - Ford Focus - Kia Spectra - Mazda 3 - Suzuki SX-4

**DU NOUVEAU EN 2008**

Aucun changement , nouveau modèle en 2009

**NOS IMPRESSIONS**

| | |
|---|---|
| Agrément de conduite : | 🚗 🚗 🚗 ½ |
| Fiabilité : | 🚗 🚗 🚗 🚗 |
| Sécurité : | 🚗 🚗 🚗 ½ |
| Qualités hivernales : | 🚗 🚗 🚗 🚗 |
| Espace intérieur : | 🚗 🚗 🚗 ½ |
| Confort : | 🚗 🚗 🚗 ½ |

**LE CHOIX DE L'ÉQUIPE**

Matrix

---

mécanique. Ce qui n'empêche pas la Toyota de posséder une meilleure valeur de revente. Donc, en tant que véhicule d'occasion il ne faut pas ignorer la Vibe, moins chère et mieux équipée d'origine.

## BUZZ BUZZ

Si Mazda utilise l'onomatopée vroom-vroom pour décrire le caractère sportif de sa gamme de modèles, il est plus approprié de parler de buzz-buzz en ce qui concerne le moteur quatre cylindres de 1,8 litre qui tourne sous le capot de ces deux voitures. Et pour tourner, il tourne! Non pas qu'il atteigne des régimes moteurs excessifs, mais c'est qu'il est très occupé à faire avancer les 1 254 kg du véhicule. Ces régimes plus élevés que la moyenne se traduisent par un niveau sonore accru dans l'habitacle, surtout lorsqu'il faut grimper une côte. Il ne faut pas s'en inquiéter par rapport à la fiabilité et à la longévité de l'engin puisque cette mécanique est très solide. Si vous choisissez la boîte manuelle à cinq rapports, vous serez passablement occupé à passer les rapports. Par ailleurs, l'automatique à quatre vitesses est relativement douce, mais le niveau sonore monte d'un cran.

Malgré un centre de gravité plus élevé que la berline Corolla, la tenue de route est saine et sans surprise. Par contre, le profil élevé est plus vulnérable aux vents latéraux, mais c'est tout de même dans la moyenne acceptable. La suspension arrière à poutre déformante est correcte lorsque la chaussée est en bon état, mais elle a plus de difficulté à atténuer les chocs causés par la rencontre des nombreux trous et bosses qui parsèment nos routes... Il ne faut pas dramatiser non plus puisque cette suspension est semblable à celle de la Corolla. Mais puisqu'il s'agit d'un petit monospace, cette aire ouverte joue le rôle d'un résonateur et la perception des bruits provoqués par ces chocs est plus grande.

Reconduites pour quelques mois encore en attendant la venue des nouvelles éditions qui seront toujours dérivées de la Corolla, nos deux polyvalentes ont vu leur nombre d'options être simplifié. Pour les gens qui aiment économiser et qui sont à la recherche d'un véhicule pratique avant tout, ce sera l'occasion de faire un bon achat. Comme la Vibe et surtout la Matrix semblent être appréciées également par les voleurs, il est recommandé d'opter pour un système antivol efficace.

**Denis Duquet**

# TOYOTA PRIUS

Voiture économique

# L'ANTI HUMMER

De nos jours, les Hummer sont presque automatiquement cités lorsqu'on veut dénoncer les véhicules pollueurs. Et quand on veut donner un exemple d'automobile politiquement correcte en matière de réduction des gaz à effet de serre, c'est la Prius qui est portée aux nues. Ces deux exemples sont souvent fournis par des personnes qui n'achèteront ni l'un, ni l'autre... Toutefois, bien qu'elle soit plus écologique qu'un Hummer, cette Toyota à faible pollution a des choses à se faire pardonner.

Il faut néanmoins féliciter le constructeur d'avoir osé aller de l'avant dans son projet de véhicules hybrides, ce qui a permis de sensibiliser le grand public aux possibilités de ces automobiles consommant moins, et dont les gaz d'échappement sont plus propres.

### SILHOUETTE À PART

Alors que la plupart des autres hybrides sur le marché se contentent d'abriter une mécanique d'avant-garde sous le capot d'un véhicule à la silhouette ordinaire, la Prius ne se gêne pas pour faire bande à part. Ce gros *hatchback* a l'air d'avoir été dessiné pour le marché de 2015, mais il circule sur nos routes depuis plusieurs années déjà. Et même si sa silhouette n'est pas laide, elle ne semble pas plaire à beaucoup de personnes. Sauf à celles et ceux qui veulent qu'on remarque à tout prix qu'ils conduisent une automobile différente.

Hors de ces considérations d'ordre esthétique, il est important de souligner que son cœfficient de traînée est de 0,27, ce qui a une incidence directe sur la réduction de la consommation de carburant. De plus, la présence d'un hayon arrière ajoute à la polyvalence de la Prius en assurant de pouvoir transporter les objets les plus encombrants. D'ailleurs, l'habitabilité de cette Toyota peut difficilement être prise en

défaut. Bien qu'elle soit beaucoup plus courte qu'une Camry, elle laisse presque autant d'espace à ses occupants. Et la large fenestration est également à souligner. Par contre, les sièges avant sont plats, moyennement confortables, en plus d'offrir un support latéral très minimal. Et si le siège arrière permet à des personnes de grande taille de s'y trouver à l'aise, son assise est trop basse et son rembourrage assez mince.

Le dessinateur de la planche de bord n'a pas voulu être en reste avec celui qui a conçu la carrosserie, du moins au chapitre de l'originalité. Tout d'abord, il a placé les cadrans indicateurs au centre, ce qui demeure encore aujourd'hui l'exception plutôt que la règle. En plus, un large écran tactile sert de centre de commande et d'information. Il n'y a pas un conducteur de Prius qui ne s'amuse pas à afficher le tableau illustrant le fonctionnement du groupe propulseur. Des animations nous informent si c'est le moteur électrique, le moteur à essence ou une combinaison des deux qui se charge de propulser notre voiture écologique.

Si ce gadget est ingénieux, les commandes nécessitent un certain temps pour qu'on s'y acclimate puisque les concepteurs ont

**FEU VERT**
Faible pollution, consommation parcimonieuse, excellente habitabilité, mécanique sophistiquée, rectitude politique garantie

**FEU ROUGE**
Prix élevé, agrément de conduite très moyen, freinage à revoir, ergonomie énigmatique

## VÉHICULE D'ESSAI

| | |
|---|---|
| Version : | version unique |
| Emp/Lon/Lar/Haut(mm) : | 2 700/4 445/1 725/1 475 |
| Poids : | 1 335 kg |
| Coffre/Réservoir : | 456 litres / 45 litres |
| Nombre de coussins de sécurité : | 2 |
| Suspension avant : | indépendante, jambes de force |
| Suspension arrière : | demi-ind., poutre déformante |
| Freins av./arr. : | disque (ABS) |
| Antipatinage/Contrôle de stabilité : | oui / opt. |
| Direction : | à crémaillère, assistance variable |
| Diamètre de braquage : | 10,4 m |
| Pneus av./arr. : | P185/65R15 |
| Capacité de remorquage : | non recommandé |

## MOTORISATION À L'ESSAI

| | |
|---|---|
| Moteur : | 4L de 1,5 litre 16s hybride |
| Alésage et course : | 75,0 mm x 84,7 mm |
| Puissance : | 110 ch (82 kW) à 5 000 tr/min (essence + élect) |
| Couple : | 82 lb-pi (111 Nm) à 4 200 tr/min (essence) |
| Rapport poids/puissance : | 12,14 kg/ch (16,48 kg/kW) |
| Système hybride : | en parallèle |
| Transmission : | traction, CVT |
| Accélération 0-100 km/h : | 10,9 s |
| Reprises 80-120 km/h : | 8,1 s |
| Freinage 100-0 km/h : | 44,4 m |
| Vitesse maximale : | 170 km/h |
| Consommation (100 km) : | essence/élect., 4,0 litres |
| Autonomie (approximative) : | 1 125 km |
| Émissions de CO2 : | 1 968 kg/an |

## GAMME EN BREF

| | |
|---|---|
| Échelle de prix : | 31 280 $ à 38 710 $ |
| Catégorie : | berline compacte |
| Historique du modèle : | 2ième génération |
| Garanties : | 3 ans/60 000 km, 5 ans/100 000 km |
| Assemblage : | Toyota City, Japon |
| Autre(s) moteur(s) : | aucun |
| Autre(s) rouage(s) : | aucun |
| Autre(s) transmission(s) : | aucune |

## DANS LA MÊME CATÉGORIE

Honda Civic hybride

## DU NOUVEAU EN 2008

Pas de changement majeur, modifications de détail

## NOS IMPRESSIONS

| | |
|---|---|
| Agrément de conduite : | 🚗 🚗 🚗 ½ |
| Fiabilité : | 🚗 🚗 🚗 🚗 ½ |
| Sécurité : | 🚗 🚗 🚗 🚗 |
| Qualités hivernales : | 🚗 🚗 🚗 |
| Espace intérieur : | 🚗 🚗 🚗 🚗 |
| Confort : | 🚗 🚗 🚗 ½ |

## LE CHOIX DE L'ÉQUIPE

Version unique

---

développé trois moyens de commander la radio ou la climatisation : sur l'écran tactile, par une commande placée sous celui-ci ou sur le moyeu du volant !

## LA COMPLEXITÉ RENDUE FACILE !

La Prius est équipée d'un rouage hybride de type parallèle qui consiste en un moteur à combustion interne et en un moteur électrique qui peuvent fonctionner individuellement ou ensemble. Par opposition au système en série, alors que le moteur électrique est placé entre le moteur et la transmission de type continuellement variable et n'intervient qu'en certaines circonstances. Cette Toyota compte donc sur un moteur quatre cylindres de 1,5 litre de 75 chevaux et sur un moteur électrique. Mais ce qui importe, ce ne sont pas les 67 chevaux de ce dernier qui font toute la différence, mais bien son couple de 295 lb-pi. qui vient s'ajouter au 82 lb-pi du moteur à essence. Celui-ci joue également le rôle de génératrice en rechargeant la batterie servant à alimenter le moteur électrique.

Lors du lancement du moteur de cette berline, il y a toujours cette surprise initiale lorsqu'on tourne la clé de contact et que le moteur ne démarre pas ! Pourtant, le témoin « Go » nous informe qu'on peut rouler. Et si on n'appuie pas ou peu sur l'accélérateur, les premiers mètres seront parcourus en mode électrique. Par la suite, le moteur à essence entre en jeu et la Prius se conduit presque normalement !

Il est à souligner que le mot « presque » a son importance, car cette Toyota ne propose qu'un comportement routier très moyen, un agrément de conduite sous la normale et une certaine instabilité à haute vitesse. De plus, les freins sont dotés d'un système de récupération d'énergie, mais ils manquent de progressivité et contribuent à cette sensation d'incertitude lorsqu'on freine. Il aurait été bon que Toyota investisse un peu plus dans le développement du châssis. Il est évident que le gros du budget a été consacré au groupe propulseur.

Il ne faut pas s'étonner si les ventes de ce modèle ont ralenti, surtout aux États-Unis, après une première flambée en 2006 qui a incité le constructeur à hausser la production de la Prius. Avec pour résultat que les réserves sont maintenant bien garnies et que les concessionnaires sont plus enclins à parler affaires avec les clients potentiels. Compte tenu du prix de détail suggéré qui est passablement corsé, ce n'est pas une mauvaise nouvelle.

**Denis Duquet**

Photos : Toyota

# DIGNE D'UN CONTE

Sous ses airs angéliques de bonne petite entreprise qui participe à l'effort mondial de réduction des émissions nocives, Toyota cache souvent une main longue, maigre, velue aux ongles noirs et acérés... C'est sans doute cette main qui préside à la création de véhicules de plus en plus gros. Quoi qu'il en soit, lorsque Toyota a présenté son RAV4 de troisième génération, personne n'a été surpris de constater qu'il avait gagné en grosseur, en puissance, en convivialité et, bien entendu, en prix.

**M**entionnons tout d'abord que le RAV4 se situe, dans l'échelle hiérarchique de Toyota, à la base des véhicules utilitaires. Plus compact que les Highlander, 4Runner, Sequoia et le caricatural FJ Cruiser, le RAV4 est aussi le plus abordable. Cependant, tout est une question de relativité. Voyons-y de plus près...

La plupart des gens n'ont d'yeux que pour les versions les plus huppées, peu importe le véhicule. Le *Guide de l'auto*, dans sa grande magnanimité, vous présente, en premier lieu, le très moderne V6 de 3,5 litres utilisé à toutes les sauces chez Toyota et Lexus. Les 269 chevaux du RAV4 ont de quoi réjouir le pied droit. Les accélérations et les reprises approchent celles de voitures sport tandis que la consommation étonne. En effet, nos tests ont démontré une moyenne de 11,1 litres aux cent kilomètres, ce qui est digne de mention. La transmission automatique à cinq rapports effectue un excellent boulot et semble toujours se trouver sur le bon rapport au moment désiré.

## LE ROTURIER

Lorsqu'un moteur V6 est proposé, la plupart des consommateurs oublient d'envisager le quatre cylindres. Snobisme, ignorance, désir ou besoin légitime de puissance? Peu importe, ils manquent parfois une

belle occasion! Dans le cas du RAV4, le quatre cylindres 2,4 litres de 166 chevaux se fait plus ou moins discret. Discret, car ses performances s'avèrent nettement en retrait (le 0-100 km/h, par exemple, demande trois secondes de plus que le V6). Moins discret puisque la sonorité du moteur en plein travail devient plutôt envahissante. Mais c'est surtout à bas régime que la puissance fait le plus défaut. L'automatique à quatre rapports seulement gagnerait à posséder un rapport supplémentaire. Malgré la différence de puissance, la version quatre cylindres ne consomme qu'un litre de moins aux cent kilomètres.

Il ne faut cependant pas cracher sur ce dernier modèle pour autant. À moins d'avoir à remorquer jusqu'à 3 500 kilos, la capacité de 1 500 kilos du modèles quatre cylindres est suffisante pour bien des gens. De plus, les cent kilos de moins du modèle quatre cylindres le rendent plus maniable et plus agréable à conduire. Je sais que ce n'est pas très important, mais il se pourrait que les quatre mille dollars de moins qu'il commande ( 4 cyl. de base contre V6 de base) pèsent un peu dans la balance lors d'un achat, non?

Qu'il s'agisse du quatre cylindres ou du V6, le rouage intégral est de mise.

**FEU VERT**
Rouage intégral sérieux, bonne capacité de remorquage, ergonomie bien étudiée, fiabilité assurée, confort de première classe

**FEU ROUGE**
Moteurs trop (V6) ou pas assez (4L) puissants, version traction non disponible au Canada, prix intimidants, antirouille appliqué au compte-gouttes, moteur quatre cylindres très juste

## VÉHICULE D'ESSAI

| | |
|---|---|
| Version : | Base 4cyl |
| Emp/Lon/Lar/Haut(mm) : | 2 660/4 600/1 815/1 745 |
| Poids : | 1 562 kg |
| Coffre/Réservoir : | 678 à 2 073 litres / 60 litres |
| Nombre de coussins de sécurité : | 6 |
| Suspension avant : | indépendante, jambes de force |
| Suspension arrière : | indépendante, multibras |
| Freins av./arr. : | disque (ABS) |
| Antipatinage/Contrôle de stabilité : | oui / oui |
| Direction : | à crémaillère, assistance variable électrique |
| Diamètre de braquage : | 12,0 m |
| Pneus av./arr. : | P225/65R17 |
| Capacité de remorquage : | 1 587 kg |

## MOTORISATION À L'ESSAI

| | |
|---|---|
| Moteur : | 4L de 2,4 litres 16s atmosphérique |
| Alésage et course : | n/a |
| Puissance : | 166 ch (124 kW) à 6 000 tr/min |
| Couple : | 165 lb-pi (224 Nm) à 4 000 tr/min |
| Rapport poids/puissance : | 9,41 kg/ch (12,8 kg/kW) |
| Système hybride : | aucun |
| Transmission : | intégrale, automatique 4 rapports |
| Accélération 0-100 km/h : | 11,4 s |
| Reprises 80-120 km/h : | 8,0 s |
| Freinage 100-0 km/h : | 41,0 m |
| Vitesse maximale : | 185 km/h |
| Consommation (100 km) : | ordinaire, 10,1 litres |
| Autonomie (approximative) : | 594 km |
| Émissions de CO2 : | 4 368 kg/an |

## GAMME EN BREF

| | |
|---|---|
| Échelle de prix : | 29 400 $ à 38 440 $ (2007) |
| Catégorie : | utilitaire sport compact |
| Historique du modèle : | 3ième génération |
| Garanties : | 3 ans/60 000 km, 5 ans/100 000 km |
| Assemblage : | Toyota City, Japon |
| Autre(s) moteur(s) : | V6 3,5l 269ch/246lb-pi (11,1 l/100km) |
| Autre(s) rouage(s) : | aucun |
| Autre(s) transmission(s) : | automatique 5 rapports |

## DANS LA MÊME CATÉGORIE

Chevrolet Equinox - Ford Escape - Honda CR-V - Hyundai Santa Fe - Kia Sorento - Land Rover Freelander - Mazda Tribute - Mitsubishi Outlander - Pontiac Torrent - Saturn VUE - Suzuki Grand Vitara

## DU NOUVEAU EN 2008

Pas de changement majeur

## NOS IMPRESSIONS

| | |
|---|---|
| Agrément de conduite : | 🚗 🚗 🚗 ½ |
| Fiabilité : | 🚗 🚗 🚗 🚗 ½ |
| Sécurité : | 🚗 🚗 🚗 🚗 |
| Qualités hivernales : | 🚗 🚗 🚗 🚗 |
| Espace intérieur : | 🚗 🚗 🚗 🚗 |
| Confort : | 🚗 🚗 🚗 🚗 |

## LE CHOIX DE L'ÉQUIPE

Sport V6

## POLYVALENCE

Par contre, il faut noter que les versions six cylindres sont mieux nanties pour conduire hors route. En effet, pour obtenir le HAC (commande d'assistance de démarrage en pente) et le DAC (commande d'assistance en descente), il faut obligatoirement choisir le V6. Ces dispositifs contrôlent le couple ou les freins pour optimiser la montée ou la descente des côtes dont le coefficient de friction serait plus faible que la normale. Toutes les versions proposent, de série, la commande active du couple (non, il ne s'agit pas de faire une activité sociale pour faire plaisir à sa bien-aimée). Ce système verrouille le différentiel arrière. Avec l'aide de tous ces systèmes, le RAV4 ne peut prétendre au titre « Trail Rated » mais il peut rapidement semer un Honda CR-V dans un sentier boueux. Sur une chaussée sèche, 95 % du couple est envoyé aux roues avant.

Peu importe que le capot cache quatre ou six cylindres, le RAV4 n'a rien pour faire jouir l'amateur de conduite sportive. La tenue de route se situe dans la bonne moyenne de ce type de véhicules, mais le premier virage négocié un peu trop vite fera prendre conscience des limites du RAV4. Heureusement, le contrôle de stabilité, le régulateur de traction, les freins ABS, l'assistance au freinage et le répartiteur de force de freinage font tous partie de l'équipement de série.

L'habitacle du RAV4 s'avère esthétiquement très réussi. Le tableau de bord fait preuve d'ergonomie et celle-ci a été soignée. Par contre, je n'ai jamais trouvé les sièges de ce véhicule très confortables. Ceux d'en arrière sont assez durs mais ils ont la particularité de glisser longitudinalement sur environ 25 cm, tandis que leur dossier s'incline passablement, ce qui facilite le roupillon. L'espace de chargement est assez grand et le seuil se trouve bas. Le RAV4 ne possède pas de hayon mais plutôt une porte dont les pentures sont à droite. Ce type de porte est plus désagréable à utiliser s'il y a, par exemple, une voiture stationnée derrière soi. Mais, plus important, la vitre ne s'ouvre pas indépendamment, ce qui s'avère problématique si vous désirez transporter quelque chose de vraiment long (2x4, planche à repasser, etc.)

Toyota mise sur sa réputation en matière de fiabilité et sur une valeur de revente supérieure pour pouvoir offrir un RAV4 dont les prix sont plutôt salés. La compétition dans ce créneau est féroce et les propositions quelquefois alléchantes...

**Alain Morin**

Photos : Toyota

# TOYOTA SEQUOIA

# TOUT POUR NE PAS EN VENDRE !

Le Sequoia, depuis quelque temps, constitue un handicap pour les concessionnaires, qui ne veulent tout simplement plus en garder en stock. Pourquoi ? Parce qu'il semble que le constructeur fasse tout pour ne pas en vendre ! À preuve, Toyota n'a apporté au vieillissant Sequoia aucun changement au cours des dernières années, choisissant plutôt d'éliminer le modèle SR5 pour nous laisser que la version Limited, dont la facture au Canada dépasse les 65 000 $. Et pendant ce temps, au sud de notre frontière, on propose le même produit, pour 20 000 $ de moins. Si ça, ça ne s'appelle pas faire exprès...

**M**ais au-delà d'une stratégie de vente canadienne qui frise le ridicule, le Sequoia est un produit qui n'est tout simplement plus dans le coup. Sa conception vétuste décourage ceux qui recherchent le VUS pleine grandeur le plus cool alors que les autres rebroussent chemin en regardant le chiffre magique au bas de l'étiquette de la vitre. Pendant ce temps, GM et Ford vendent respectivement 12 fois et 7 fois plus de leurs Tahoe/Yukon et Expedition. Et dites-vous que ces chiffres ont été compilés avant le renouvellement de ces deux modèles, soit en 2006, ce qui signifie que l'écart est encore plus grand cette année ! Vous conviendrez donc que ce n'est parce qu'il n'y a plus de marché pour ces mastodontes...

**DISCRET MALGRÉ SES 2 400 KILOS !**
Qu'à cela ne tienne, puisque le constructeur est sur le point de nous présenter un tout nouveau Sequoia, qui sera bien sûr dérivé de la dernière camionnette pleine grandeur Tundra. En attendant, il faut se contenter d'un véhicule qui n'est certes pas dépourvu de qualités, mais qui n'a plus la capacité de concurrencer les meneurs nord-américains.

À commencer par sa ligne, vous constaterez qu'il est presque impensable de penser qu'un mastodonte puisse passer à ce point inaperçu. C'est

à croire que le mandat initial était de créer la plus imposante des voitures familiales ! Naturellement, la présence des marchepieds et des passages de roue lui donne un air un peu plus camion, mais pour de la virilité, mieux vaut chercher ailleurs.

Esthétiquement, la planche de bord est sans doute l'élément qui nous laisse le plus deviner l'âge du véhicule. Et encore, pour un véhicule qui a été lancé en 2001, je ne peux pas dire que cet habitacle était même à ce moment, très moderne. En bref, il s'agit d'une planche de bord de camionnette, aussi simple que peu ergonomique, à laquelle on a tout simplement ajouté une console centrale. Cette dernière incorpore plusieurs espaces de rangement, ainsi qu'un certain nombre de boutons servant notamment à l'abaissement électrique de la lunette arrière ou à l'activation d'une prise électrique.

Bien sûr, cet autobus contient facilement sept passagers. Seulement, sachez que seuls les occupants des deux premières rangées, qui bénéficient chacun d'un siège capitaine, auront droit au grand confort. Car vous verrez que la troisième banquette, même si elle peut accueillir trois personnes sans broncher, est d'un total inconfort.

**FEU VERT**
Moteur performant, rouage intégral efficace, qualité de construction irréprochable, excellente habitabilité, fiabilité rassurante

**FEU ROUGE**
Prix ultra corsé, consommation trop élevée, conception vétuste, stabilité routière aléatoire, liste d'équipement d'une autre époque

**548**

## ÉQUIPEMENT COMPLET, POUR UN 2001 !

Contrairement à toute concurrence, le Sequoia ne propose aucun système de navigation, de communication ou de caméra de recul. Ne comptez même pas profiter du système Bluetooth ou d'un lecteur mp3, ces caractéristiques figurent aussi sur la liste des absents... Bref, tous les gadgets derniers cris qui se retrouvent dans les modèles à la conception plus récente ne sont pas offerts dans le Sequoia, et ce, même si on en demande plus de 65 000 $ !

Mécaniquement, le V8 de 4,7 litres développant 273 chevaux fait du bon boulot. Ses performances sont correctes et son rendement est exempt de tout commentaire négatif. En revanche, la consommation d'essence est très élevée et même supérieure à celle des Tahoe et Expedition qui ont l'avantage de pouvoir remorquer des charges 30 % plus lourdes.

Sur la route, le Sequoia n'a certainement pas l'agilité de ses rivaux. On le sent solide et très bien assemblé, ce qui est le cas, mais tout le reste déçoit. D'abord, son centre de gravité élevé et sa grande sensibilité aux vents latéraux réduisent la stabilité générale du véhicule. Il faut donc avec le Sequoia apprendre à calmer ses ardeurs, surtout en virage. Ensuite, sachez que le véhicule est muni d'un système de freinage qui n'est malheureusement pas en mesure de convenir à un tel poids. Alors, imaginez le résultat lorsque vous remorquez une caravane de 5 000 livres ! C'est l'échauffement et la perte d'efficacité assurée. Ajoutez à cela une direction passablement floue, ce qui par conséquent engendre une mauvaise maniabilité, et vous obtenez absolument tout ce qui caractérisait les VUS d'une autre époque. En fait, seules les aptitudes hors route de ce véhicule impressionnent, ce qui n'affecte qu'une infime partie de la clientèle.

Alors oui, pour répondre à la question de plusieurs, je vous accorde que ce véhicule est fiable et bien construit. Mais la fiabilité n'est pas le seul facteur qui importe et le Sequoia en est la preuve vivante. Bref, si vous en avez que pour les produits Toyota, attendez la prochaine génération qui nous arrivera d'ici un an. Sinon, GM et Ford proposent chacun un produit nettement plus convaincant, à tout point de vue.

**Antoine Joubert**

Photos : Toyota

## TOYOTA SEQUOIA

### VÉHICULE D'ESSAI

| | |
|---|---|
| Version : | Limited |
| Emp/Lon/Lar/Haut (mm) : | 3 000/5 180/2 005/1 925 |
| Poids : | 2 413 kg |
| Coffre/Réservoir : | 787 à 2 084 litres / 100 litres |
| Nombre de coussins de sécurité : | 6 |
| Suspension avant : | indépendante, bras inégaux |
| Suspension arrière : | indépendante, multibras |
| Freins av./arr. : | disque (ABS) |
| Antipatinage/Contrôle de stabilité : | oui / oui |
| Direction : | à crémaillère, assistance variable |
| Diamètre de braquage : | 12,9 m |
| Pneus av./arr. : | P265/65R17 |
| Capacité de remorquage : | 2 812 kg |

Pneus d'origine MICHELIN

### MOTORISATION À L'ESSAI

| | |
|---|---|
| Moteur : | V8 de 4,7 litres 32s atmosphérique |
| Alésage et course : | 94,0 mm x 84,0 mm |
| Puissance : | 273 ch (204 kW) à 5 400 tr/min |
| Couple : | 314 lb-pi (426 Nm) à 3 400 tr/min |
| Rapport poids/puissance : | 8,84 kg / ch (12 kg / kW) |
| Système hybride : | aucun |
| Transmission : | 4X4, automatique 5 rapports |
| Accélération 0-100 km/h : | 7,6 s |
| Reprises 80-120 km/h : | 7,1 s |
| Freinage 100-0 km/h : | 43,0 m |
| Vitesse maximale : | 195 km/h |
| Consommation (100 km) : | ordinaire, 15,7 litres |
| Autonomie (approximative) : | 637 km |
| Émissions de CO2 : | 6 768 kg/an |

### GAMME EN BREF

| | |
|---|---|
| Échelle de prix : | 65 100 $ |
| Catégorie : | utilitaire sport grand format |
| Historique du modèle : | 1ière génération |
| Garanties : | 3 ans/60 000 km, 5 ans/100 000 km |
| Assemblage : | Princeton, Indiana, É-U |
| Autre(s) moteur(s) : | aucun |
| Autre(s) rouage(s) : | aucun |
| Autre(s) transmission(s) : | aucune |

### DANS LA MÊME CATÉGORIE

Chevrolet Tahoe - Chrysler Aspen - Dodge Durango - Ford Expedition - GMC Yukon - Hummer H2 - Nissan Armada

### DU NOUVEAU EN 2008

Pas de changement majeur

### NOS IMPRESSIONS

| | |
|---|---|
| Agrément de conduite : | 🚗🚗🚗 |
| Fiabilité : | 🚗🚗🚗🚗 |
| Sécurité : | 🚗🚗🚗🚗🚗 |
| Qualités hivernales : | 🚗🚗🚗🚗🚗 |
| Espace intérieur : | 🚗🚗🚗🚗🚗 |
| Confort : | 🚗🚗🚗🚗 |

### LE CHOIX DE L'ÉQUIPE

Limited

**549**

# TOYOTA SIENNA

# LES PARFAITS

Je suis persuadé que certains d'entre vous ont déjà eu comme voisin ou comme ami une personne parfaite en tout point. Boulot payant, horaire très variable, gazon toujours fraîchement coupé, voitures bien propres et j'en passe, bref, vous saisissez le type ! Pourtant, ces personnes sont la plupart du temps tellement bien organisées et prévoyantes qu'elles deviennent malheureusement un peu trop prévisibles, voire plates à vivre. Même si tout le monde rêve d'avoir des voisins exemplaires, il est quelques fois bien d'en avoir d'autres, un peu plus extravertis, pour mettre de l'action dans le quartier.

Parallèlement, dans le cas des fourgonnettes, il est bien difficile pour les constructeurs de se démarquer du lot. Sept passagers, deux portes coulissantes, un système de divertissement DVD et des sièges arrière se rabattant dans le plancher sont des caractéristiques standards dans ce créneau. Certaines fourgonnettes offriront alors des sièges médians se rabattant dans le plancher uniquement alors que d'autres proposeront des portes coulissantes incorporant des glaces pouvant s'abaisser. Que reste-t-il donc d'exclusif permettant de distinguer la Sienna ? Outre sa fiabilité et sa construction solide, seul son design attirera de potentiels acheteurs. Car il faut bien l'avouer, la Sienna 2008 a un aspect extérieur assez réussi et principalement en version XLE.

## LISTE D'ÉPICERIE

Arrivé chez le concessionnaire, le paternel aura tôt fait de s'informer des caractéristiques de la Sienna afin de la comparer aux autres modèles de la concurrence. Évidemment, tout ce qui est imaginable est disponible, pourvu que votre portefeuille vous le permette... Cependant, cela ne veut pas dire que tout est parfait. Sur notre voiture d'essai, le modèle CE, l'habitacle abonde de matières plastiques au fini trop «plastique». Il faut également mentionner que les commandes de la radio sont

beaucoup trop éloignées du conducteur pour un usage fréquent. Le rangement, très abondant à l'avant, se limite à quelques porte-gobelets aux places médianes et à l'arrière. Quant à la banquette arrière, elle est un peu simpliste et son rembourrage trop peu généreux... D'ailleurs, il ne faut pas passer sous silence la grande force nécessaire à la manipulation des sièges pour libérer l'espace de chargement. Notons finalement que le hayon arrière demande beaucoup de dégagement à l'ouverture et que lui aussi pourrait être moins lourd à manipuler.

Évidemment, la Sienna offre de nombreux avantages malgré ces quelques irritants. La présentation intérieure est très classique tout en affichant un design épuré. L'emplacement du levier de vitesse se veut agréable à l'utilisation et nous donne l'impression de conduire une petite européenne plutôt qu'une grosse fourgonnette. L'espace disponible pour les passagers s'avère très généreux autant pour ceux à l'avant que pour ceux des rangées arrière. Et pour prendre une petite bouffée d'air, sachez que les portes coulissantes ont des vitres qui s'abaissent, détail très anodin à première vue mais combien rassurant pour ceux souffrant de claustrophobie ! L'abondante fenestration nous octroie une visibilité sans reproche dans toutes les directions et les grands rétroviseurs permettront de faire marche arrière sans rien heurter.

**FEU VERT**
Fiabilité légendaire, valeur de revente élevée, comportement honnête, espace passager énorme, style extérieur réussi

**FEU ROUGE**
Agrément de conduite mitigé, sièges arrière lourds, finition trop plastique, moteur bruyant, direction molle

**550**

## MÉCANIQUE DE MOINE

Voilà pour la partie « excitante » de l'essai, passons maintenant à la mécanique. Quelques mots suffisent pour la décrire : discrète, efficace et sans histoire. En fait, la plupart des produits Toyota sont affligés du même manque de passion à la conduite. Certes la mécanique est exemplaire, le produit est fiable mais pour l'excitation, on repassera. Mentionnons tout d'abord qu'il n'y a qu'un seul moteur, le V6 de 3,5 litres et qu'il se retrouve autant dans la version de base à 30 000 $ que dans celle haut de gamme à plus de 55 000 $. Les performances sont honnêtes, sans plus. Les accélérations sont évidemment beaucoup plus longues et ardues avec 8 personnes à bord, mais resteront dans la moyenne des autres fourgonnettes. Poussée à fond en accélération, la Sienna est bruyante, même à vitesse de croisière sur l'autoroute. Si le silence est important pour vous, soyez rassuré, le modèle XLE est plus douillet à l'oreille. Les voyages seront également très appréciés grâce au confort de la suspension, cette dernière étant plutôt axée sur la douceur de roulement que sur les performances sportives. D'ailleurs, la direction suit la même ligne de pensée en proposant une assistance très... « assistée » ! Ce qui s'avère très pratique en conduite urbaine devient agaçant à vitesse plus élevée, ayant constamment besoin de corriger le cap pour maintenir la fourgonnette dans le droit chemin. Le solide châssis est sans reproche, les seuls bruits proviendront des sièges arrière qui laissent s'échapper quelques cliquetis ici et là. Malgré le fait qu'une fourgonnette n'ait pas été conçue afin de favoriser les performances, il est toujours agréable de pousser quelque peu la machine pour voir sa réaction. Dans le cas de la Sienna, le roulis s'est avéré tout de même limité en virage serré. Par contre, la mollesse de la direction se fait sentir alors que le derrière du véhicule a tendance à se dérober et passer devant. Néanmoins, le comportement est prévisible et l'usage quotidien de votre Sienna ne vous amènera heureusement pas sur un circuit fermé.

Le marché de la fourgonnette s'épuise, et la disparition de la Freestar chez Ford et l'abandon prochain des fourgonnettes de la General Motors le confirment. La Sienna est une fourgonnette honnête qui convient aux familles plus fortunées, car avec trois enfants, le foin si chèrement gagné est investi ailleurs...

**Guy Desjardins**

Photos : Toyota

### VÉHICULE D'ESSAI

| | |
|---|---|
| Version : | CE 8 passagers |
| Emp/Lon/Lar/Haut (mm) : | 3 030/5 105/1 965/1 750 |
| Poids : | 1 895 kg |
| Coffre/Réservoir : | 1 240 à 4 219 litres / 79 litres |
| Nombre de coussins de sécurité : | 6 |
| Suspension avant : | indépendante, bras inégaux |
| Suspension arrière : | essieu rigide, ressorts hélicoïdaux |
| Freins av./arr. : | disque/tambour (ABS) |
| Antipatinage/Contrôle de stabilité : | oui / oui |
| Direction : | à crémaillère, assistée |
| Diamètre de braquage : | 11,2 m |
| Pneus av./arr. : | P215/65R16 |
| Capacité de remorquage : | 1 588 kg |

### MOTORISATION À L'ESSAI

Pneus d'origine MICHELIN

| | |
|---|---|
| Moteur : | V6 de 3,5 litres 24s atmosphérique |
| Alésage et course : | 94,0 mm x 83,1 mm |
| Puissance : | 266 ch (198 kW) à 5 600 tr/min |
| Couple : | 245 lb-pi (332 Nm) à 3 600 tr/min |
| Rapport poids/puissance : | 7,12 kg/ch (9,67 kg/kW) |
| Système hybride : | aucun |
| Transmission : | traction, automatique 5 rapports |
| Accélération 0-100 km/h : | 9,8 s |
| Reprises 80-120 km/h : | 8,1 s |
| Freinage 100-0 km/h : | 45,0 m |
| Vitesse maximale : | 200 km/h |
| Consommation (100 km) : | ordinaire, 11,7 litres |
| Autonomie (approximative) : | 675 km |
| Émissions de CO2 : | 4 848 kg/an |

### GAMME EN BREF

| | |
|---|---|
| Échelle de prix : | 31 200 $ à 51 375 $ (2007) |
| Catégorie : | fourgonnette |
| Historique du modèle : | 2ième génération |
| Garanties : | 3 ans/60 000 km, 5 ans/100 000 km |
| Assemblage : | Georgetown, Kentucky, É-U |
| Autre(s) moteur(s) : | aucun |
| Autre(s) rouage(s) : | intégrale |
| Autre(s) transmission(s) : | aucune |

### DANS LA MÊME CATÉGORIE

Chevrolet Uplander - Chrysler Town&Country - Dodge Grand Caravan - Honda Odyssey - Hyundai Entourage - Kia Sedona - Nissan Quest - Pontiac Montana SV6

### DU NOUVEAU EN 2008

Pas de changement majeur

### NOS IMPRESSIONS

| | |
|---|---|
| Agrément de conduite : | 🚗 🚗 🚗 ½ |
| Fiabilité : | 🚗 🚗 🚗 🚗 ½ |
| Sécurité : | 🚗 🚗 🚗 🚗 |
| Qualités hivernales : | 🚗 🚗 🚗 🚗 |
| Espace intérieur : | 🚗 🚗 🚗 🚗 |
| Confort : | 🚗 🚗 🚗 🚗 |

### LE CHOIX DE L'ÉQUIPE

CE AWD

# TOYOTA SOLARA

# MÊME TOYOTA PEUT SE TROMPER!

Depuis quelques mois, les agences de nouvelles n'ont que de bons mots à écrire au sujet de Toyota. Toyota par ci, Toyota par là, selon ces journalistes, ce constructeur ne peut qu'augmenter ses parts de marché, réaliser des profits records et être considéré comme sans faute. Je suis désolé de dégonfler cette baudruche, mais ces mêmes personnes ignorent certainement l'existence de la Solara, car cette auto est la preuve que même Toyota peut commettre des erreurs!

E t même une publication jugée sans préjugé comme le Consumer Reports lui décerne la mention «Recommandée», tout en soulignant que la version cabriolet ne possédait pas toute la rigidité nécessaire et que la suspension n'était pas sportive. Mais le bien-fondé de cette recommandation doit certainement découler de la fiabilité de la mécanique et rien d'autre. Une chose est certaine, si cette nomination est basée sur la silhouette ou le comportement routier, c'est que les gens de cette publication ont de sérieux troubles de la vue et n'ont pas sérieusement conduit cette auto.

## LA CLARTÉ VIBRANTE !

Si vous comprenez sur la signification de cette expression, je vous prie de nous le faire savoir, car nous n'avons pas encore réussi à élucider ce mystère... Tout d'abord, comment peut-on faire vibrer la clarté? En second lieu, comment est-il possible d'associer une philosophie de design avec une telle expression? Si les résultats de ce leitmotiv en fait de stylisme sont parfois positifs, la Camry par exemple ou encore le nouveau Tundra, force est d'admettre que la Solara ne passe pas le test.

Puisque la silhouette de cette voiture paraît assez réussie, je suis certain que vous vous imaginez que je charrie. Et pourtant! Nonobstant cette silhouette, sachez que c'est autre chose sur la route alors que les proportions ne semblent pas correctes. C'est un peu comme si le logiciel de design avait fait défaut. Et cette impression est encore plus accentuée avec le cabriolet qui n'est pas trop mal avec la capote baissée. Mais remontez cette dernière, et vous avez l'une des silhouettes les plus déséquilibrées qui soient...

L'habitacle est plus élégant avec une console verticale de couleur titane qui contraste harmonieusement avec le gris très foncé de la planche de bord qui est traversée par des appliques en bois. Pour donner une petite touche d'exclusivité, les stylistes ont placé trois cadrans indicateurs au centre du tableau de bord, juste au-dessus des deux buses de ventilation qui superposent à leur tour les commandes de la radio et de la climatisation. C'est un peu chargé pour la partie supérieure et trop sobre pour le bas. De bonnes notes toutefois pour la présentation spectaculaire des cadrans indicateurs à affichage électroluminescent, qui sont par ailleurs ultrafaciles à consulter.

Comme toute Toyota qui se respecte, la qualité des matériaux et la finition ne s'attirent aucun commentaire négatif. Par contre, les places arrière, si elles sont assez généreuses, ne sont pas

**FEU VERT**
Mécanique fiable, cabriolet disponible,
finition exemplaire, sièges avant confortables

**FEU ROUGE**
Direction engourdie, suspension trop souple,
passage des rapports lents, cabrio manque de rigidité,
silhouette controversée (cabriolet)

**552**

particulièrement confortables. Peu importe le modèle, il faut être assez agile pour y accéder. Il ne faut pas non plus être claustrophobe, car la ceinture de caisse élevée réduit beaucoup la visibilité latérale.

### DOUCEUR ET MOLLESSE

Les lignes arrondies de la caisse, une mécanique empruntée à la Camry de la génération précédente, et une suspension souple sont les ingrédients pour se retrouver au volant d'une auto conçue davantage pour les promenades sur les grands boulevards que pour se griser de courbes serrées enfilées à vive allure.

Je respecte les goûts des gens qui préfèrent une suspension souple, une insonorisation poussée et une fiabilité à toute épreuve, tout en se souciant assez peu de l'agrément de conduite, des performances et de la tenue de route. Il est toutefois important de souligner que la Solara ne brille pas tellement sur la route. Bonne nouvelle cependant, le moteur quatre cylindres de 2,4 litres a été abandonné. Il peinait pour déplacer cette masse de plus de 1 500 kg. Ce moteur n'équipait d'ailleurs que la version de base du coupé, car il était vraiment incapable d'assurer des performances dignes de ce nom sur le modèle cabriolet qui ne pouvait être commandé qu'avec le moteur V6 3,3 litres de 210 chevaux. Et encore, c'est un peu juste. Toujours à propos du cabriolet, la plate-forme est étonnamment souple, ce qui est la source de bruits de caisse assez nombreux, chose inhabituelle pour un produit fabriqué par Toyota. Le coupé n'est pas un modèle de rigidité, mais c'est tout de même plus acceptable.

Cette année encore, la Solara n'est pas appelée à une grande diffusion. Par contre, elle sera appréciée par la personne qui trouve ses lignes harmonieuses et qui privilégie le confort avant l'agrément de conduite.

**Denis Duquet**

### VÉHICULE D'ESSAI

| | |
|---|---|
| Version : | SLE V6 Coupé |
| Emp/Lon/Lar/Haut(mm) : | 2 720/4 890/1 815/1 425 |
| Poids : | 1 550 kg |
| Coffre/Réservoir : | 390 litres / 70 litres |
| Nombre de coussins de sécurité : | 6 |
| Suspension avant : | indépendante, jambes de force |
| Suspension arrière : | indépendante, multibras |
| Freins av./arr. : | disque (ABS) |
| Antipatinage/Contrôle de stabilité : | oui / oui |
| Direction : | à crémaillère, assistance variable |
| Diamètre de braquage : | 11,1 m |
| Pneus av./arr. : | P215/55R17 |
| Capacité de remorquage : | non recommandé |

### MOTORISATION À L'ESSAI

| | |
|---|---|
| Moteur : | V6 de 3,3 litres 24s atmosphérique |
| Alésage et course : | 88,4 mm x 96,0 mm |
| Puissance : | 210 ch (157 kW) à 5 600 tr/min |
| Couple : | 220 lb-pi (298 Nm) à 3 600 tr/min |
| Rapport poids/puissance : | 7,38 kg/ch (10 kg/kW) |
| Système hybride : | aucun |
| Transmission : | traction, automatique 5 rapports |
| Accélération 0-100 km/h : | 8,3 s |
| Reprises 80-120 km/h : | 6,4 s |
| Freinage 100-0 km/h : | 41,4 m |
| Vitesse maximale : | 220 km/h |
| Consommation (100 km) : | ordinaire, 11,5 litres |
| Autonomie (approximative) : | 609 km |
| Émissions de $CO_2$ : | 4 608 kg/an |

### GAMME EN BREF

| | |
|---|---|
| Échelle de prix : | 36 975 $ à 39 900 $ |
| Catégorie : | coupé/cabriolet |
| Historique du modèle : | 2ième génération |
| Garanties : | 3 ans/60 000 km, 5 ans/100 000 km |
| Assemblage : | Georgetown, Kentucky, É-U |
| Autre(s) moteur(s) : | aucun |
| Autre(s) rouage(s) : | aucun |
| Autre(s) transmission(s) : | aucune |

### DANS LA MÊME CATÉGORIE

Chrysler Sebring - Honda Accord - Mitsubishi Eclipse

### DU NOUVEAU EN 2008

Aucun changement majeur, modèle en fin de cycle

### NOS IMPRESSIONS

| | |
|---|---|
| Agrément de conduite : | 🚗🚗🚗 |
| Fiabilité : | 🚗🚗🚗🚗🚗 |
| Sécurité : | 🚗🚗🚗🚗 |
| Qualités hivernales : | 🚗🚗🚗 |
| Espace intérieur : | 🚗🚗🚗½ |
| Confort : | 🚗🚗🚗½ |

### LE CHOIX DE L'ÉQUIPE

Sport V6

Photos : Toyota

# TOYOTA YARIS

Voiture économique

# VRAIMENT ÉCONOMIQUE?

Toyota ne s'est jamais caché de vouloir devenir le constructeur automobile numéro un de la planète. Et il est en bonne voie d'y parvenir. Cependant, pour accéder à ce rang suprême, il lui faut le marché américain. Et la partie n'est pas gagnée. Les campagnes de rappel se succèdent, nuisant ainsi à l'image de la marque. De plus, le service à la clientèle de certains concessionnaires, aux É.-U. surtout, n'est pas de nature à encourager les ventes. Enfin, les immenses véhicules, autrefois si prisés en Amérique du Nord ont moins la cote. Toyota, soit dit en passant, vient de lancer un des plus gros pick-up de l'histoire… La Yaris, en attendant une Corolla qui tarde à venir, constitue une bouée de sauvetage.

La Yaris se présente en deux modèles, soit un mignon *hatchback* (je sais, ce n'est pas tout le monde qui sera d'accord avec l'adjectif choisi…) et une plus classique berline. La version *hatchback*, la première à avoir été dévoilée au public il y a désormais deux ans, est proposée en versions trois et cinq portes. À mon humble avis, les lignes de la livrée cinq portes sont plus harmonieuses et améliorent grandement l'accès aux places arrière. Pourtant, la longueur du véhicule demeure la même, c'est-à-dire courte! Les designers de Toyota ont vraiment fait un boulot extraordinaire en réussissant à créer un habitacle suffisamment grand pour que les gens s'y installant ne se croient pas dans un aquarium… À cause de la hauteur du toit, le dégagement pour la tête s'avère plus que suffisant. Par contre, la largeur du véhicule laisse à désirer, surtout en hiver alors que les pelures s'accumulent sur les occupants. Frottage de bras garanti! La position de conduite se trouve facilement et le confort des sièges, sans être phénoménal, se montre convenable malgré une assise pas assez profonde. À l'arrière, les sièges sont peu accueillants et la place centrale ne doit servir que pour faire suer un ami qui vous doit de l'argent. Ces dernières remarques s'appliquent aussi pour la berline qui, par contre, accorde un peu plus de dégagement pour les jambes.

## AGRANDIR PAR L'INTÉRIEUR

La Yaris berline, de facture plus classique, prône le même engagement envers le dégagement. En dotant la Yaris d'un coffre séparé de l'habitacle, les dimensions ont gagné en longueur (47,5 cm, ce qui n'est pas rien!) tandis que l'empattement fait 9 cm de plus. Ce sont les jambes, autant à l'avant qu'à l'arrière, qui profitent le plus de cet accroissement. Le fait d'avoir un coffre séparé de l'habitacle constitue un gros plus pour plusieurs personnes. Malgré ses 365 litres, il est toujours intéressant de savoir qu'on peut baisser les dossiers des sièges arrière pour augmenter l'espace de chargement. Dans la version *hatchback*, contre toute logique, quelques modèles n'offrent pas les dossiers rabattables 60/40. À ce moment, le dossier s'abaisse d'un morceau. Par contre, le *hatchback* propose un tableau de bord qui regorge de beaucoup plus d'espaces de rangement que celui de la berline, ce qui est un peu curieux, étant donné que les deux tableaux de bord se ressemblent beaucoup. Parmi les autres différences, mentionnons les commandes de chauffage et de climatisation, placées différemment et plus intuitives dans la version berline. Les deux planches de bord accueillent des jauges électroluminescentes situées en plein centre. Plusieurs personnes sont absolument incapables d'avoir «rien» devant le volant tandis que d'autres s'y habituent en un clin d'œil. En aucun cas, cependant, on ne

## FEU VERT
Habitabilité surprenante, moteur généralement économique, finition haut de gamme, valeur de revente, citadine dans l'âme

## FEU ROUGE
Moins à l'aise sur autoroute, consommation quelquefois exagérée (voir texte), absence de jauge de température du moteur, bruits de vent, direction légère

## VÉHICULE D'ESSAI

| | |
|---|---|
| Version : | *Hatchback* 5 portes LE |
| Emp/Lon/Lar/Haut(mm) : | 2 460/3 825/1 695/1 525 |
| Poids : | 1 052 kg |
| Coffre/Réservoir : | 229 à 950 litres / 42 litres |
| Nombre de coussins de sécurité : | 2 |
| Suspension avant : | indépendante, jambes de force |
| Suspension arrière : | demi-ind., poutre déformante |
| Freins av./arr. : | disque/tambour (ABS opt.) |
| Antipatinage/Contrôle de stabilité : | non / non |
| Direction : | à crémaillère, assistée |
| Diamètre de braquage : | 9,4 m |
| Pneus av./arr. : | P175/65R14 |
| Capacité de remorquage : | non recommandé |

## MOTORISATION À L'ESSAI

| | |
|---|---|
| Moteur : | 4L de 1,5 litre 16s atmosphérique |
| Alésage et course : | 75,0 mm x 84,7 mm |
| Puissance : | 106 ch (79 kW) à 6 000 tr/min |
| Couple : | 103 lb-pi (140 Nm) à 4 200 tr/min |
| Rapport poids/puissance : | 9,92 kg/ch (13,49 kg/kW) |
| Système hybride : | aucun |
| Transmission : | traction, manuelle 5 rapports |
| Accélération 0-100 km/h : | 11,5 s |
| Reprises 80-120 km/h : | 11,7 s |
| Freinage 100-0 km/h : | 41,0 m |
| Vitesse maximale : | 180 km/h |
| Consommation (100 km) : | ordinaire, 6,9 litres |
| Autonomie (approximative) : | 609 km |
| Émissions de CO2 : | 3 024 kg/an |

## GAMME EN BREF

| | |
|---|---|
| Échelle de prix : | 13 000 $ à 19 530 $ (2007) |
| Catégorie : | berline compacte/*hatchback* |
| Historique du modèle : | 1ière génération |
| Garanties : | 3 ans/60 000 km, 5 ans/100 000 km |
| Assemblage : | Nagakusa, Japon |
| Autre(s) moteur(s) : | aucun |
| Autre(s) rouage(s) : | aucun |
| Autre(s) transmission(s) : | automatique 4 rapports |

## DANS LA MÊME CATÉGORIE

Chevrolet Aveo - Honda Fit - Hyundai Accent - Kia Rio - Nissan Versa - Pontiac Wave - Suzuki Swift+ - Volkswagen Golf/Jetta City

## DU NOUVEAU EN 2008

Aucun changement majeur

## NOS IMPRESSIONS

| | |
|---|---|
| Agrément de conduite : | 🚗 🚗 🚗 ½ |
| Fiabilité : | 🚗 🚗 🚗 🚗 ½ |
| Sécurité : | 🚗 🚗 🚗 |
| Qualités hivernales : | 🚗 🚗 🚗 ½ |
| Espace intérieur : | 🚗 🚗 🚗 ½ |
| Confort : | 🚗 🚗 🚗 |

## LE CHOIX DE L'ÉQUIPE

3 portes CE

---

trouve de jauge de température du moteur. Décevant. Et en aucun cas on ne peut vanter les mérites extraordinaires du système audio de base… Peu importe la configuration de la Yaris, la visibilité tout autour n'est jamais cauchemardesque. La finition fait preuve d'un professionnalisme dont plusieurs berlines de luxe seraient fières.

### ESSENTIELLEMENT URBAINE

La Yaris fait appel à un quatre cylindres de 1,5 litre de 106 chevaux et 103 livres-pied de couple. Une transmission manuelle à cinq rapports livre, d'office, la marchandise aux roues avant. Moyennant un supplément, on peut obtenir une automatique à quatre rapports. Les performances du moteur, entre vous et moi, n'ont rien pour vous briser les vertèbres mais, comme on dit chez les motards «ça fait la job». Surtout en milieu urbain où il permet à la voiture de se faufiler dans le trafic comme un témoin devant le juge Gomery. Sur la grand-route, par contre, la Yaris se montre moins à l'aise puisque fort sensible aux vents latéraux. Mais n'ayez crainte, on n'a pas encore trouvé de Yaris couchée sur le côté ! La transmission manuelle montre un guidage précis même si la course est très longue. L'automatique, malgré un fonctionnement sans problèmes, ampute le plaisir de conduire ainsi que plusieurs chevaux du moteur… qui n'en a déjà pas de trop ! Si l'on achète une Yaris, c'est que la consommation d'essence s'avère un point crucial. Conduite avec modération, la consommation est réjouissante. Par contre, dès qu'on sollicite un peu son moteur ou qu'on a la brillante idée d'amener trois copains dans Charlevoix, la Yaris requiert une bonne dose de carburant.

Sur la route, le comportement de la Yaris ne surprend guère. Les accélérations et les reprises sont correctes pour la catégorie et bruit du moteur est bien contenu, sauf à haut régime. L'accélérateur électronique peut décontenancer au début, surtout avec la transmission manuelle alors qu'il faut moduler l'embrayage. Lancée sans retenue dans une courbe, la petite Toyota affiche un sous-virage prononcé, caractéristique des tractions (roues avant motrices). La direction n'est pas des plus vives ni des plus précises mais elle ne diffère pas tellement de ses compétitrices à ce chapitre. Les freins n'ont pas un mordant exceptionnel mais ils font correctement leur boulot.

Malgré son image de pimpante sous-compacte économique, la Yaris, autant *hatchback* que berline, demeure une aubaine à condition de ne pas se laisser tenter par les versions plus équipées.

**Alain Morin**

Photos : Toyota

Volkswagen Jetta city

# OH QUE OUI !

Quelle belle stratégie de marketing que d'offrir à une clientèle historiquement amoureuse des produits Volkswagen, une voiture aujourd'hui accessible à laquelle plusieurs ne pouvaient autrefois que rêver! Car ils sont nombreux, très nombreux, ces jeunes et moins jeunes au budget serré qui se procurent désormais ces Golf et Jetta vendues à rabais. Les concessionnaires, heureux de voir réapparaître une clientèle perdue depuis la disparition de la Fox, peinent même à fournir à la demande! C'est tout dire!

**B**ien sûr, voilà le côté rose de la chose. Cependant, mettez-vous dans la peau des actuels propriétaires de Golf et Jetta âgées de quatre ou cinq ans, qui doivent composer avec le fait que la valeur de leur voiture a soudainement chuté dramatiquement, eux qui ont de surcroît dû payer une somme beaucoup plus élevée pour conduire une voiture à peu de choses près identique! Et je ne vous parle pas ici des problèmes de fiabilité de certains de ces modèles, qui se sont avérés de véritables cauchemars sur roues! Avec ces propriétaires, je compatis…Toutefois, je vous rassure tout de suite, les problèmes de fiabilité qui affectaient ces modèles auraient en grande majorité été réglés et ne devraient plus survenir avec les modèles City.

C'est donc pour ramener au bercail une clientèle moins fortunée, mais non pas moins passionnée de voitures, que Volkswagen Canada (aujourd'hui indépendant des États-Unis) a choisi de prolonger la production de la quatrième génération des Golf/Jetta. Car il faut le dire, ces voitures ne sont pas offertes chez nos voisins du Sud, et n'auraient probablement pas non plus été amenées de ce côté-ci de la frontière si le Québec n'avait pas existé! Voilà une preuve que le constructeur reconnaît finalement l'amour des automobilistes québécois pour la marque et qu'il prend en considération les requêtes des concessionnaires!

## UNE SEULE FORMULE SIMPLE

On nous les proposait autrefois avec plusieurs motorisations, plusieurs types de carrosserie et en plusieurs versions. Et bien aujourd'hui, ce n'est plus le cas. Vous avez le choix entre la Golf City et la Jetta City, point final. Et pour les différencier des modèles plus âgés, Volkswagen n'a eu qu'à apposer sur le coffre un petit logo «City», histoire de signifier aux autres automobilistes que vous êtes parmi ceux qui ont fait un bon marché! L'œil averti ou connaisseur de produits Volkswagen saura toutefois reconnaître la Jetta à ses phares teintés et sa grille de calandre à ailettes noires, ou encore la Golf à ses nouvelles couleurs. Car oui, elle nous est maintenant offerte avec un vrai choix de couleurs! D'autres changements esthétiques affectant la calandre et la partie arrière seraient aussi prévus pour les modèles 2008, qui seront dévoilés à la fin septembre, mais au moment d'écrire, il était impossible d'en savoir davantage.

Évidemment, à ce prix, il ne faut pas s'attendre à bénéficier d'un équipement très riche. Oui, elle nous propose le volant télescopique, le siège à hauteur réglable et le lecteur CD à six haut-parleurs, mais le reste figure sur la liste des options. N'ayez crainte toutefois, parce que Volkswagen a su créer des groupes d'options à prix très honnêtes, vous

**FEU VERT**
Facture alléchante, bel agrément de conduite, excellent comportement routier, finition intérieure irréprochable, confort étonnant

**FEU ROUGE**
Fait rager les anciens acheteurs, consommation élevée, moteur bruyant, fiabilité à prouver

## VÉHICULE D'ESSAI

| | |
|---|---|
| Version : | Golf City |
| Emp/Lon/Lar/Haut(mm) : | 2 511/4 189/1 735/1 444 |
| Poids : | 1 246 kg |
| Coffre/Réservoir : | 400 litres / 55 litres |
| Nombre de coussins de sécurité : | 4 |
| Suspension avant : | indépendante, jambes de force |
| Suspension arrière : | demi-ind., poutre déformante |
| Freins av./arr. : | disque (ABS) |
| Antipatinage/Contrôle de stabilité : | opt. / opt. |
| Direction : | à crémaillère, assistée |
| Diamètre de braquage : | 10,9 m |
| Pneus av./arr. : | P195/65R15 |
| Capacité de remorquage : | 454 kg |

## MOTORISATION À L'ESSAI

Pneus d'origine MICHELIN

| | |
|---|---|
| Moteur : | 4L de 2,0 litres 16s |
| Alésage et course : | 82,5 mm x 92,8 mm |
| Puissance : | 115 ch (86 kW) à 5 200 tr/min |
| Couple : | 122 lb-pi (165 Nm) à 2 600 tr/min |
| Rapport poids/puissance : | 10,83 kg/ch (14,66 kg/kW) |
| Système hybride : | aucun |
| Transmission : | traction, manuelle 5 rapports |
| Accélération 0-100 km/h : | 10,4 s |
| Reprises 80-120 km/h : | 7,7 s |
| Freinage 100-0 km/h : | 39,2 m |
| Vitesse maximale : | 190 km/h |
| Consommation (100 km) : | ordinaire, 9,8 litres |
| Autonomie (approximative) : | 561 km |
| Émissions de CO2 : | 4 128 kg/an |

## GAMME EN BREF

| | |
|---|---|
| Échelle de prix : | 14 900 $ à 16 700 $ |
| Catégorie : | hatchback |
| Historique du modèle : | 4ième génération |
| Garanties : | 4 ans/80 000 km, 5 ans/100 000 km |
| Assemblage : | Curitiba, Brésil |
| Autre(s) moteur(s) : | aucun |
| Autre(s) rouage(s) : | aucun |
| Autre(s) transmission(s) : | automatique 4 rapports |

### DANS LA MÊME CATÉGORIE - GOLF CITY

Chevrolet Aveo - Honda Fit - Hyundai Accent - Kia Rio - Nissan Versa - Pontiac Wave - Suzuki Swift+ - Toyota Yaris

### DU NOUVEAU EN 2008

Retouches esthétiques à la carrosserie, détails d'aménagement intérieur, nouvelle boîte automatique

### NOS IMPRESSIONS

| | |
|---|---|
| Agrément de conduite : | 🚗 🚗 🚗 🚗 |
| Fiabilité : | 🚗 🚗 ½ |
| Sécurité : | 🚗 🚗 🚗 🚗 |
| Qualités hivernales : | 🚗 🚗 🚗 ½ |
| Espace intérieur : | 🚗 🚗 🚗 🚗 |
| Confort : | 🚗 🚗 🚗 🚗 |

### LE CHOIX DE L'ÉQUIPE

Golf City

---

permettant par exemple de profiter d'un groupe électrique complet, d'un climatiseur, des sièges et de rétroviseurs chauffants ou encore d'un toit ouvrant électrique. Même les accessoires de sécurité comme les sacs gonflables latéraux et le contrôle de stabilité sont offerts.

On critiquait pour 2007 le fait que la radio avait était relocalisée vers le bas, ce qui éliminait du même le compartiment du rangement qui se trouvait à cet endroit. Aussi, l'accoudoir rabattable tant apprécié brillait par son absence. Toutefois, il semblerait que ces détails seraient aussi réglés pour 2008 (encore une fois merci aux relationnistes de Volkswagen Canada qui considèrent finalement nos critiques!). La présentation est pour sa part toujours aussi actuelle et de bon goût, alors que la qualité d'assemblage comme des matériaux est sans reproche. Derrière le volant, on apprécie cet éclairage violacé très agréable ainsi que le fait que chaque contrôle soit éclairé, le soir venu. Prenant place sur un siège ferme et très bien galbé, le conducteur bénéficie d'une position de conduite optimale et d'un excellent confort. À l'arrière aussi, le confort est notable, mais les grandes jambes souhaiteront que l'occupant du siège avant soit très petit! Quant au coffre, il est plus spacieux et mieux fini que celui de toutes les rivales.

### TOUJOURS LE MÊME 2,0 LITRES

C'est l'infatigable quatre cylindres de 2,0 litres et 115 chevaux qui se cache toujours sous le capot de ces voitures. Il n'est pas discret, pas très performant et un peu rugueux mais, comme on dit en mauvais français, il fait la job. Très fiable, ce moteur n'est cependant pas moins performant que la moyenne des ses rivaux se trouvant sous le capot de voitures sous-compactes. Son seul véritable défaut est d'être plus gourmand que la moyenne, lui qui consomme environ 9,5 litres aux 100 kilomètres. Sur la route, ces deux allemandes brillent de tous leurs feux. Ces routières ridiculisent en fait toutes les Fit, Yaris, Versa et Accent de ce monde au chapitre de la stabilité, de la tenue de route, du confort et du freinage. L'agrément de conduite est également très relevé, mais il est vrai que le moteur se fait vivement entendre à haute vitesse.

Elles ne sont pas très modernes, mais les City répondent magnifiquement à la demande des conducteurs québécois.

*Antoine Joubert*

Volkswagen Golf city

Photos : Volkswagen

# LE VENT DE L'AURORE

Avec la EOS, Volkswagen entre dans le bal des coupés-cabriolets à toit rigide, une catégorie qui était autrefois la chasse gardée des marques de luxe. Aujourd'hui, plusieurs constructeurs proposent cette configuration, même sur la petite deux places Nissan Micra vendue sur le marché européen. La EOS remplace donc la défunte Golf Cabrio, et le nouveau modèle emprunte plusieurs composantes à la Golf actuelle mais également à la Passat.

Le moins que l'on puisse dire, c'est que Volkswagen s'est lancé un défi de taille avec la conception d'un toit rigide rétractable, le plus complexe de l'industrie à l'heure actuelle : cinq panneaux, moteurs hydrauliques et capteurs en tous genres, et fonctionnement entièrement automatique !

En effet, une seule pression sur le bouton de commande est requise pour activer un ballet mécanique d'environ trente secondes qui transforme ce coupé en cabriolet ou vice versa. Volkswagen peut également se targuer d'avoir réussi l'exploit d'intégrer un toit ouvrant coulissant à commande électrique dans le panneau principal du toit, ce qui permet au conducteur de profiter d'un toit ouvrant habituel en mode coupé.

Pendant mon essai de la EOS, je n'ai relevé aucun problème au sujet du fonctionnement du toit rigide rétractable comme tel, mais j'ai constaté que l'habitacle n'était pas parfaitement étanche avec le toit en place lors d'un passage dans un lave-auto sans contact. Il arrive parfois que des jets d'eau pénètrent dans l'habitacle d'une décapotable à toit souple, mais dans le cas d'un coupé-cabriolet à toit rigide, cela ne m'était jamais arrivé auparavant avec les modèles en provenance de chez BMW(Série 3 Cabrio), Volvo (C70) et Pontiac (G6 Cabriolet).

## CONSIDÉRATIONS PRATIQUES

Pour ce qui est des considérations pratiques, précisons que l'espace requis pour accueillir un toit de ce type est nécessairement plus vaste que celui d'un toit souple ordinaire, et dans le cas de la EOS, le volume du coffre passe ainsi de 300 litres en mode coupé à 210 litres en mode cabriolet, ce qui est surprenant.

Les passagers assis à l'arrière trouveront cependant que l'espace accordé pour les jambes est un peu juste, et que les dossiers sont un peu trop droits pour assurer un grand confort.

Sur le plan technique, le châssis de la EOS est beaucoup plus rigide que celui de la défunte Golf Cabrio ou de la New Beetle Cabrio, mais j'ai tout de même noté quelques bruits de caisse lors d'un parcours sur des routes dégradées, la EOS n'étant pas sans faille à cet égard. De plus, le fait que les 90 kilos du toit rigide rétractable logent dans la partie supérieure du coffre affecte le centre de gravité de la EOS qui est plutôt élevé, ce qui n'autorise pas une conduite sportive sur routes sinueuses. Il faut plutôt s'en tenir à la première vocation de la EOS : une voiture agréable à conduire à deux sur une petite route tranquille à des vitesses laissant admirer le paysage.

**FEU VERT**
Moteur bien adapté, boîte DSG efficace, modèle original, prix avantageux

**FEU ROUGE**
Toit pas parfaitement étanche, fiabilité à démontrer, coffre peu pratique, coût des options

## UNE MOTORISATION ÉVOLUÉE

Là où la EOS marque des points, c'est du côté de sa motorisation évoluée qui est assurée par la conjonction du moteur 4 cylindres de 2,0 litres turbocompressé de 200 chevaux à la boîte séquentielle DSG (Direct Shift Gearbox) développée par Audi ou à une boîte manuelle ordinaire à six rapports. Compte tenu de sa vocation de véhicule de promenade, la EOS est mieux servie par la boîte DSG qui permet à la fois une conduite en mode automatique ou le passage manuel des rapports avec sélecteurs au volant.

Malgré le fait que Volkswagen présente cette boîte avec l'appellation TipTronic utilisée depuis longtemps par ce constructeur allemand, il est important de préciser qu'elle n'a rien à voir avec la boîte automatique avec sélecteurs au volant que l'on retrouve sur les autres modèles de la marque.

En effet, la boîte DSG est une boîte séquentielle à double embrayage infiniment plus avancée sur le plan technique et qui autorise des passages plus rapides des rapports, sans perte de puissance durant les accélérations, tout en synchronisant parfaitement le régime-moteur à la vitesse de la voiture lors des rétrogradages. Cette boîte séquentielle figure au catalogue des options (1 400 dollars), tout comme plusieurs équipements et accessoires qui peuvent facilement faire grimper la facture à un montant supérieur à quarante-trois mille dollars...

L'habitacle affiche une belle qualité de finition, et même si la EOS emprunte la planche de bord de la Rabbit, les concepteurs ont pris soin de l'habiller de touches de chrome à certains endroits afin de donner un aspect luxueux à ce nouveau modèle. Longtemps affectée par une réputation peu enviable au chapitre de la fiabilité, discrédit dont elle souffre encore, Volkswagen se doit de satisfaire parfaitement sa clientèle afin de remonter la pente, et malheureusement, le bilan de la EOS n'est pas parfait...

**Gabriel Gélinas**

### VÉHICULE D'ESSAI

| | |
|---|---|
| Version : | 2,0T |
| Emp/Lon/Lar/Haut(mm) : | 2 578/4 407/1 791/1 443 |
| Poids : | 1 618 kg |
| Coffre/Réservoir : | 300 litres / 55 litres |
| Nombre de coussins de sécurité : | 4 |
| Suspension avant : | indépendante, jambes de force |
| Suspension arrière : | indépendante, multibras |
| Freins av./arr. : | disque (ABS) |
| Antipatinage/Contrôle de stabilité : | oui / oui |
| Direction : | à crémaillère, assistance variable |
| Diamètre de braquage : | 10,9 m |
| Pneus av./arr. : | P235/45R17 |
| Capacité de remorquage : | non recommandé |

### MOTORISATION À L'ESSAI

Pneus d'origine MICHELIN

| | |
|---|---|
| Moteur : | 4L de 2,0 litres 16s turbocompressé |
| Alésage et course : | 82,5 mm x 92,8 mm |
| Puissance : | 200 ch (149 kW) à 5 100 tr/min |
| Couple : | 207 lb-pi (281 Nm) de 1 800 à 5 000 tr/min |
| Rapport poids/puissance : | 8,09 kg/ch (11,01 kg/kW) |
| Système hybride : | aucun |
| Transmission : | traction, auto. mode man. 6 rapports |
| Accélération 0-100 km/h : | 7,5 s |
| Reprises 80-120 km/h : | 5,6 s |
| Freinage 100-0 km/h : | 36,0 m |
| Vitesse maximale : | 232 km/h |
| Consommation (100 km) : | super, 10,3 litres |
| Autonomie (approximative) : | 534 km |
| Émissions de $CO_2$ : | 4 224 kg/an |

### GAMME EN BREF

| | |
|---|---|
| Échelle de prix : | 36 900 $ à 38 300 $ |
| Catégorie : | coupé-cabriolet |
| Historique du modèle : | 1ière génération |
| Garanties : | 4 ans/80 000 km, 4 ans/80 000 km |
| Assemblage : | Setubal, Portugal |
| Autre(s) moteur(s) : | aucun |
| Autre(s) rouage(s) : | aucun |
| Autre(s) transmission(s) : | manuelle 6 rapports |

### DANS LA MÊME CATÉGORIE

Chrysler Sebring - Ford Mustang - Mini Cooper - Mitsubishi Eclipse/Spyder - Toyota Solara - Volvo C70

### DU NOUVEAU EN 2008

Radio satellite Sirius optionnelle

### NOS IMPRESSIONS

| | |
|---|---|
| Agrément de conduite : | 🚗 🚗 🚗 |
| Fiabilité : | 🚗 🚗 🚗 |
| Sécurité : | 🚗 🚗 🚗 🚗 |
| Qualités hivernales : | 🚗 🚗 🚗 ½ |
| Espace intérieur : | 🚗 🚗 🚗 ½ |
| Confort : | 🚗 🚗 🚗 ½ |

### LE CHOIX DE L'ÉQUIPE

2,0T

Photos : Volkswagen

# VOLKSWAGEN RABBIT

# UNE APPROCHE À TROIS VOIES

La gamme des Rabbit comporte trois modèles au Québec, et tous ont des appellations distinctes. C'est donc un choix entre une Golf City, une Rabbit ou une GTI qui attend l'acheteur. Comme elles sont toutes très différentes et que le prix demandé varie du simple au double, il faut trouver sa voie dans le labyrinthe des modèles compacts de la marque allemande.

En Europe, Volkswagen commercialise des modèles plus petits que l'actuelle Rabbit, qui ont pour noms Lupo et Polo, et que les concessionnaires d'ici souhaitent pouvoir vendre afin de livrer une concurrence plus efficace aux voitures sud-coréennes. Mais la décision de Volkswagen a été toute autre. Plutôt que de jouer la carte de la nouveauté en amenant ici des modèles populaires sur le marché européen, la haute direction a décidé de ramener les anciens modèles Golf et Jetta, de les dépouiller pour ce qui est de l'équipement de série et de les vendre à rabais. Mais cette action a également eu pour effet de littéralement tuer le marché des Golf et Jetta d'occasion, pour le plus grand déplaisir des propriétaires qui ont acheté une Golf ou une Jetta à plein prix, avant l'arrivée des modèles City, et qui ont vu la valeur de revente de leur voiture fondre comme neige au soleil. Comme programme de fidélisation de la clientèle, on peut difficilement faire pire...

La Golf City est donc la voie du faible budget et les équipements proposés en option, l'ajout du climatiseur coûtant 1 350 dollars et le groupe comprenant le télédéverouillage et les vitres électriques, exigeant un déboursé additionnel de plus de 700 dollars. La Golf City est assemblée au Mexique et, comme son moteur 4 cylindres de 2,0 litres date de plusieurs années déjà, il est loin d'être à la page sur le plan technique.

Pour plus d'informations, notre collègue Antoine Joubert a écrit un texte sépaé sur le Golf et Jetta city.

### LA VOIE DU MILIEU

Déclinée en modèles à trois et cinq portes et désormais assemblée en Allemagne plutôt qu'au Mexique, la Rabbit affiche une allure familière et paraît même plus petite que le modèle Golf City, alors que ses dimensions sont en fait légèrement supérieures. La dotation de série est très étoffée puisqu'on y retrouve la climatisation, le régulateur de vitesse, six coussins gonflables, l'antipatinage, les freins ABS, un volant qui est à la fois télescopique et inclinable, un groupe électrique complet ainsi qu'un système audio à dix haut-parleurs. La motorisation a également été revue, le vétuste 4 cylindres de 110 chevaux faisant maintenant place au 5 cylindres de 2,5 litres et 170 chevaux que l'on retrouvait déjà sous le capot de la Jetta. Fort d'un couple de 177 livres-pied, ce moteur est très bien adapté à la Rabbit qui est remarquablement à l'aise en ville ou sur l'autoroute. Il faut toutefois composer avec les vibrations caractéristiques d'un moteur qui compte un nombre impair de cylindres, plus présentes au volant de la Rabbit que de la Jetta. Malgré l'accroissement de la puissance, on ne note pas d'améliorations importantes en ce qui a trait aux performances, le nouveau modèle ayant gagné près de

**FEU VERT**
Équipement complet, moteurs bien adaptés,
bon comportement routier,
performances élevés de la GTI

**FEU ROUGE**
Fiabilité à démontrer, prix élevé (GTI),
consommation élevée,
coût des primes d'assurances (GTI)

**560**

GUIDE DE L'AUTO 2008

www.leguidedelauto.com

| POSTES | CANADA |
|---|---|
| CANADA | POST |

| Port payé si posté au Canada | Postage paid if mailed in Canada |
|---|---|
| Correspondance-réponse d'affaires | Business Reply Mail |
| 7026579 | 01 |

1000057474-J4Y0E4-BR01

LE MONDE DE L'AUTO
190-3755 JAVA PL
BROSSARD QC   J4Y 9Z9

## VÉHICULE D'ESSAI

| | |
|---|---|
| Version : | 5 portes |
| Emp/Lon/Lar/Haut(mm) : | 2 578/4 210/1 759/1 479 |
| Poids : | 1 393 kg |
| Coffre/Réservoir : | 400 litres / 55 litres |
| Nombre de coussins de sécurité : | 4 |
| Suspension avant : | indépendante, jambes de force |
| Suspension arrière : | indépendante, multibras |
| Freins av./arr. : | disque (ABS) |
| Antipatinage/Contrôle de stabilité : | opt. / opt. |
| Direction : | à crémaillère, assistance variable |
| Diamètre de braquage : | 10,9 m |
| Pneus av./arr. : | P195/65R15 |
| Capacité de remorquage : | 454 kg |

## MOTORISATION À L'ESSAI

Pneus d'origine MICHELIN

| | |
|---|---|
| Moteur : | 5L de 2,5 litres 20s atmosphérique |
| Alésage et course : | 82,5 mm x 92,8 mm |
| Puissance : | 170 ch (127 kW) à 5 000 tr/min |
| Couple : | 177 lb-pi (240 Nm) à 3 750 tr/min |
| Rapport poids/puissance : | 8,19 kg/ch (11,14 kg/kW) |
| Système hybride : | aucun |
| Transmission : | traction, manuelle 5 rapports |
| Accélération 0-100 km/h : | 8,6 s |
| Reprises 80-120 km/h : | 8,6 s (4ième) |
| Freinage 100-0 km/h : | 38,0 m |
| Vitesse maximale : | 190 km/h |
| Consommation (100 km) : | ordinaire, 10,7 litres |
| Autonomie (approximative) : | 514 km |
| Émissions de CO2 : | 4 368 kg/an |

## GAMME EN BREF

| | |
|---|---|
| Échelle de prix : | 19 990 $ à 22 390 $ |
| Catégorie : | hatchback |
| Historique du modèle : | 5ième génération |
| Garanties : | 4 ans/80 000 km, 4 ans/80 000 km |
| Assemblage : | Wolfsburg, Allemagne |
| Autre(s) moteur(s) : | 4L 2.0l 200ch/207lb-pi (10,1 l/100km) GTI |
| Autre(s) rouage(s) : | aucun |
| Autre(s) transmission(s) : | automatique 6 rapports |

## DANS LA MÊME CATÉGORIE

Ford Focus - Honda Civic - Hyundai Elantra - Mazda 3 Sport - Mitsubishi Lancer - Nissan Sentra - Pontiac Pursuit Toyota Corolla

## DU NOUVEAU EN 2008

Moteur 2,5 plus puissant, radio satellite Sirius optionnel

## NOS IMPRESSIONS

| | |
|---|---|
| Agrément de conduite : | 🚗🚗🚗🚗 |
| Fiabilité : | 🚗🚗🚗 |
| Sécurité : | 🚗🚗🚗🚗 |
| Qualités hivernales : | 🚗🚗🚗🚗 |
| Espace intérieur : | 🚗🚗🚗🚗 |
| Confort : | 🚗🚗🚗½ |

## LE CHOIX DE L'ÉQUIPE

Boîte manuelle

---

100 kilos par rapport à la devancière. Le comportement routier est exemplaire puisque la Rabbit est dotée à la fois d'un châssis très rigide et de suspensions indépendantes fort bien calibrées. L'agrément de conduite est donc au rendez-vous surtout lorsqu'on choisit des jantes en alliage de 16 pouces.

### LE GRAND SPORT

Le moteur de la GTI profite à la fois de l'injection directe de carburant et de la turbocompression, ce qui lui permet de livrer 200 chevaux et surtout 207 livres-pied de couple dès les 1 800 tours/minute. Les accélérations sont donc linéaires, la GTI ne souffrant aucunement d'un délai de réponse à l'accélérateur qui a souvent été le propre des moteurs turbocompressés dans le passé. Au volant de la GTI, on a carrément l'impression de disposer d'un V6 plutôt que d'un 4 cylindres turbo. La boîte DSG (Direct Shift Gearbox) développée par Audi est optionnelle sur la GTI et permet de retrancher quelques dixièmes au chrono enregistré pour le sprint de 0 à 100 kilomètres/heure, pour ceux qui préfèrent qu'un ordinateur fasse le travail à leur place. Le châssis étant particulièrement rigide, les calibrations des suspensions conjuguent facilement tenue de route et confort, ce qui en fait une voiture très agréable à conduire au quotidien, que l'on soit tenté de la pousser un peu sur une route sinueuse ou de se rendre tranquillement à la maison après une journée de travail. Parmi les bémols, relevons son prix élevé et le coût des primes d'assurances qui attendent les acheteurs.

La fiabilité aléatoire des modèles Volkswagen dans le passé et la qualité du service offert par les concessionnaires de la marque variant grandement d'un établissement à l'autre, tout cela fait en sorte qu'il est gênant de recommander l'achat d'une Volkswagen, même si les qualités dynamiques de ces voitures sont bonnes et que l'agrément de conduite est au rendez-vous. C'est dommage pour Volkswagen, mais comme la réputation de la marque a été entachée pendant une longue période, pour commencer à faire évoluer la perception des consommateurs, il faut faire la preuve hors de tout doute que les problèmes ont été corrigés. Personne n'a de mal à justifier son choix d'une voiture japonaise à ses parents et amis, mais dans le cas d'une Volkswagen c'est souvent plus difficile à faire...

**Gabriel Gélinas**

Photos : Alain Morin

# VOLKSWAGEN JETTA

# ELLE CONTINUE SUR SA LANCÉE

La Jetta, entièrement revue en 2006, demeure la vedette de Volkswagen, auprès de la toujours très populaire Rabbit. Dernièrement, les ventes de la Jetta ont connu une légère baisse, principalement à cause du retrait du fort populaire (et avec raison!) moteur diesel, appelé TDI par les intimes. Mais puisqu'un diesel encore plus sophistiqué et plus propre arrivera dès le printemps prochain, la popularité de la Jetta ne s'en portera que mieux. De plus, on attend une version familiale, fort bien tournée. Décidément, on n'a pas fini de parler de la Jetta!

Outre la familiale à venir, deux versions de la Jetta s'offrent au consommateur. On retrouve tout d'abord le modèle 2,5 et le 2,0T. Il y a aussi la GLI qui reprend le moteur et l'architecture de la 2,0T mais en y ajoutant des suspensions plus fermes. Le nom des deux modèles, vous l'aurez deviné, provient de la cylindrée des deux moteurs. Le premier est un cinq cylindres en ligne de 2,5 litres dont la puissance a été augmentée de vingt chevaux cette année pour un total de 170. Le couple, lui, a fait un gain de 7 chevaux pour désormais afficher 177 livres-pied. Bien que nous n'ayons pu mettre la main sur une 2,5 revigorée avant la date de tombée du présent *Guide*, on peut affirmer sans craindre de se tromper que cette augmentation de la puissance aura surtout pour effet d'améliorer les performances au départ. La douceur de ce moteur 2,5 litres a rapidement fait oublier l'insipide 2,0 litres des générations précédentes. Le deuxième moteur est un quatre cylindres 2,0 litres turbocompressé. Sa puissance et son couple restent les mêmes que ceux de l'an dernier, soit 200 chevaux et 207 livres-pied. Même si ce 2,0T n'équipe qu'environ 25% des Jetta vendues au Canada, il n'en demeure pas moins qu'il s'agit d'un excellent moteur. Le temps de réponse du turbo est pratiquement nul alors que son sifflement en pleine accélération fait plaisir à entendre. Par contre, à bas régime, on souhaiterait parfois un peu plus de couple. Ces

deux moteurs, toutefois, ne brillent pas par leur consommation d'essence… En plus, le 2,0T demande, de préférence, de l'essence super, comme tous les moteurs à taux de compression élevé.

Deux moteurs, quatre transmissions! Le 2,5 utilise, de série, une manuelle à cinq rapports pour relayer sa puissance aux roues avant. On retrouve aussi une automatique à six rapports avec mode manuel. Le 2,0T, lui, compte sur une manuelle à six rapports ou sur une automatique à six rapports avec mode manuel mais de type DSG, beaucoup plus rapide puisqu'il utilise deux embrayages différents, un pour les rapports pairs, l'autre pour les rapports impairs. Les deux manuelles, comme la plupart des manuelles de Volkswagen, se manipulent aisément et leur embrayage se veut très progressif.

### CONDUITE INSPIRÉE

Comme c'est devenu la norme chez Volkswagen, le châssis est très robuste. On y a accroché des suspensions à la fois fermes et confortables, deux adjectifs opposés que pratiquement seuls les Allemands peuvent réunir avec succès. La tenue de route de la Jetta s'avère un peu moins affirmée que dans les générations précédentes (sauf pour le modèle GLI, plus sportif) mais elle est bien au-delà de ce dont le

**FEU VERT**
Retour de la familiale et du TDI au printemps 2008, tenue de route affirmée, transmission automatique DSG performante, châssis robuste, coffre immense

**FEU ROUGE**
Plaisir de conduite un zest amoindri, pneus d'origine à bannir, fiabilité toujours en dilettante, essuie-glaces capricieux (voir texte), consommation décevante

**562**

conducteur «normal» devrait avoir besoin. Lorsque poussée à fond, la Jetta sous-vire un peu avant que les systèmes de contrôle de la traction et de la stabilité latérale n'interviennent doucement. Cependant, même lorsque ces béquilles sont désactivées, la Jetta se révèle toujours facile à maîtriser. La direction, si elle a perdu un peu de son *feedback* à travers les différentes générations, demeure une référence. La tenue de cap impressionne même sur une chaussée bosselée. Rarement peut-on ressentir un tel sentiment de confiance au volant d'une automobile! En passant, il faut louanger le rayon de braquage, très court. Quant aux freins, malgré une pédale quelquefois spongieuse, ils effectuent un boulot sensationnel.

Une voiture a beau coller à la route comme une tapisserie vieille de vingt ans colle à son mur, elle se doit d'être vivable au quotidien. Parlez-en à un propriétaire de Lamborghini! Sur une des deux Jetta essayées récemment, la finition extérieure laissait à désirer. Sur l'autre modèle, par contre, c'était «top nickel». Parmi les fausses notes, mentionnons les essuie-glaces qui ne se soulèvent pas lorsqu'ils sont en position «repos». Pour les soulever quand vient le temps de les dégager de la glace ou de la neige, il faut les actionner et les stopper à mi-course. Selon un ami, la solution à ce problème coûte environ 20000$... soit l'ajout d'un garage!

### QUE DE BONNES NOTES... ET QUELQUES BÉMOLS

Dans l'habitacle, la qualité des matériaux alliée à une finition sans reproche et un design austère, mais de bon goût, donnent l'impression d'être dans un véhicule beaucoup plus dispendieux. Le volant se prend bien en main, la position de conduite se trouve toute seule et l'instrumentation se bleuit joliment la nuit venue. Les sièges ont sans doute été conçus par les ingénieurs des suspensions puisqu'ils sont aussi fermes que confortables! Mais la roulette qui actionne le support lombaire a dû être inventée par un physiothérapeute en manque de travail tant elle est malaisée d'utilisation. Les sièges arrière proposent un confort correct, sans plus, tandis que l'espace est plutôt compté. Les dossiers s'abaissent pour agrandir le coffre dont le seuil de chargement est un peu élevé. Si son ouverture n'est pas très grande, le coffre, par contre, pourrait contenir deux cathédrales. Et, fait inusité dans une industrie où prévalent les systèmes électroniques hyper sophistiqués et où les astuces les plus délirantes sont employées pour faire rêver les acheteurs, le coffre de la Jetta possède un endroit où déposer le bidon de lave-glace!

**Alain Morin**

Photos: Volkswagen

VOLKSWAGEN JETTA

## VÉHICULE D'ESSAI

| | |
|---|---|
| Version: | Berline 2,5 |
| Emp/Lon/Lar/Haut(mm): | 2 578/4 554/1 781/1 459 |
| Poids: | 1 465 kg |
| Coffre/Réservoir: | 500 litres / 55 litres |
| Nombre de coussins de sécurité: | 6 |
| Suspension avant: | indépendante, jambes de force |
| Suspension arrière: | indépendante, multibras |
| Freins av./arr.: | disque (ABS) |
| Antipatinage/Contrôle de stabilité: | opt. / opt. |
| Direction: | à crémaillère, assistance variable électrique |
| Diamètre de braquage: | 10,9 m |
| Pneus av./arr.: | P195/65R16 |
| Capacité de remorquage: | 454 kg |

## MOTORISATION À L'ESSAI

| | |
|---|---|
| Moteur: | 5L de 2,5 litres 20s atmosphérique |
| Alésage et course: | 82,5 mm x 92,5 mm |
| Puissance: | 170 ch (127 kW) à 5 700 tr/min |
| Couple: | 177 lb-pi (240 Nm) à 4 250 tr/min |
| Rapport poids/puissance: | 8,62 kg/ch (11,72 kg/kW) |
| Système hybride: | aucun |
| Transmission: | traction, manuelle 5 rapports |
| Accélération 0-100 km/h: | 8,2 s (constructeur) |
| Reprises 80-120 km/h: | 6,5 s (estimé) |
| Freinage 100-0 km/h: | 38,5 m |
| Vitesse maximale: | 209 km/h |
| Consommation (100 km): | ordinaire, 10,7 litres |
| Autonomie (approximative): | 514 km |
| Émissions de CO2: | 4 368 kg/an |

## GAMME EN BREF

| | |
|---|---|
| Échelle de prix: | 23 475 $ à 33 395 $ (2007) |
| Catégorie: | berline compacte |
| Historique du modèle: | 5ième génération |
| Garanties: | 4 ans/80 000 km, 4 ans/80 000 km |
| Assemblage: | Puebla, Mexique |
| Autre(s) moteur(s): | 4L 2l 200ch/207lb-pi (10,1 l/100km) 2,0T |
| Autre(s) rouage(s): | aucun |
| Autre(s) transmission(s): | auto. mode man. 6 rapports / manuelle 6 rapports |

## DANS LA MÊME CATÉGORIE

Acura CSX - Ford Focus - Honda Civic - Mazda 3 - Mitsubishi Lancer - Nissan Sentra - Pontiac G6 - Subaru Impreza - Toyota Corolla

## DU NOUVEAU EN 2008

Moteur 2,5 litres plus puissant, quelques détails de présentation

## NOS IMPRESSIONS

| | |
|---|---|
| Agrément de conduite: | 🚗 🚗 🚗 🚗 |
| Fiabilité: | 🚗 🚗 🚗 ½ |
| Sécurité: | 🚗 🚗 🚗 🚗 |
| Qualités hivernales: | 🚗 🚗 🚗 🚗 |
| Espace intérieur: | 🚗 🚗 🚗 🚗 |
| Confort: | 🚗 🚗 🚗 ½ |

## LE CHOIX DE L'ÉQUIPE

2.0T

**563**

# VOLKSWAGEN NEW BEETLE

# VIEILLIR, C'EST PAS DRÔLE...

S'il est une chose que le temps n'efface pas, ce sont bien les années. Certaines personnes, malgré tout, savent vieillir en beauté tandis que d'autres sont moins fortunées. La Volkswagen New Beetle, si elle était un être humain, ferait partie de la deuxième catégorie. Dire qu'elle ne fait plus tourner les têtes comme avant, serait un euphémisme. De plus, les New Beetle, à cause de leur capot vulnérable aux roches et autres inconvénients de la route provenant des autres véhicules, semblent vieillir plus vite que d'autres voitures car elles semblent plus «maganées». Pourtant, cette voiture a encore beaucoup à offrir.

A unecertaine époque, où la New Beetle méritait son appellation «New»... Cependant, contre toute attente, la Nouvelle Coccinelle semble connaître un regain de vie puisque, selon les chiffres de Volkswagen, elle se vend plus en 2007 (au moment d'écrire ces lignes) qu'à pareille date l'année dernière (du moins pour la version coupé), et ce, malgré le fait que la version TDI (Diesel) ne soit plus offerte. Ce retrait fut, d'ailleurs, LA nouveauté de l'année dernière! Malgré tout, les chiffres de vente demeurent très faibles, par rapport aux gros vendeurs que sont les Passat et Jetta.

Il est même assez surprenant que Volks continue à produire une voiture qui, dans sa configuration actuelle, est vouée à une mort lente. Souhaitons-lui de la morphine pour ne pas trop souffrir. Que voulez-vous que Volkswagen fasse avec cette voiture, dont le design, très près de celui de la version originale, ne peut changer radicalement? Volks ne peut quand même pas créer une New Beetle familiale ou une New Beetle quatre portes puisqu'il n'y en avait pas à l'époque de la première génération.

### UN SEUL MOTEUR... MAIS TOUT UN!

La New Beetle revient donc en 2008 sans changements majeurs, à moins que vous considériez qu'un tapis qui mesure cinq centimètres de moins

soit une nouveauté extraordinaire. On retrouve donc les deux mêmes modèles (coupé et cabriolet) et un seul moteur, soit le cinq cylindres 2,5 litres qui, contrairement à la Jetta, ne connaît pas d'augmentation de sa puissance cette année. Ce moteur développe 150 chevaux et 170 livres-pied de couple. Les accélérations et reprises s'avèrent désormais convaincantes même si elles ne font pas de la New Beetle une catapulte. De toute façon, nous ne croyons pas que le profil d'acheteurs d'une New Beetle privilégie une conduite de type *street racing*! Ce moteur de 2,5 litres (situé à l'avant, contrairement aux «vraies» Beetle du temps, alors qu'il était placé à l'arrière) peut être associé à une transmission manuelle à cinq rapports ou, en option, à une automatique à six rapports pour relayer la puissance aux roues avant (habituellement, c'est la transmission manuelle qui compte le plus de rapports mais chez Volks, on fait rarement les choses comme les autres!)

La transmission manuelle, comme sur tous les produits Volkswagen, se manipule comme un charme et l'embrayage, un peu dur pour certains, fait preuve d'une excellente modularité. Quant à l'automatique, outre quelques passages de rapports saccadés (du moins sur notre voiture d'essai), son comportement n'a rien à se reprocher. Le châssis du coupé (pour le Cabrio c'est une autre histoire) fait honneur à la réputation de Volks,

**FEU VERT**
Ligne toujours aussi agréable, moteur 2,5 litres bien adapté, très bonne tenue de route, capote du cabriolet réussie, places avant spacieuses

**FEU ROUGE**
Châssis moins rigide (Cabrio), cabrio très peu pratique, places arrière exigües, fiabilité reste à prouver, avenir sombre

**564**

avec une rigidité fort bienvenue. On a accroché à ce châssis des suspensions indépendantes à l'avant et demi indépendantes à poutre de torsion à l'arrière. Un peu sèches, ces suspensions effectuent toutefois parfaitement leur boulot qui est de maintenir les roues en contact avec le sol. À cet effet, notons que la tenue de route s'avère de loin supérieure à ce dont la plupart des conducteurs ont besoin. La voiture prend bien un peu de roulis (un beau terme technique pour dire qu'elle penche!), mais les pneus s'accrochent au bitume avec une énergie belle à voir. La direction, de la même école, fait toujours montre de précision et d'un *feedback* étonnant. Les freins, à disque aux quatre roues, immobilisent la voiture avec autorité et l'ABS est bien dosé et très discret même si la pédale, en cas de freinage d'urgence, était un peu trop molle. Comme sur toute voiture moderne qui se respecte, la New Beetle offre, de série, un système de stabilité latérale ainsi qu'un contrôle de traction.

## LE STYLE, ÇA SE PAIE

Si les lignes de la version coupé récoltent encore quelques sourires, c'est surtout la décapotable, qui racole le mieux. L'exécution de son toit en toile fait très professionnel mais au niveau pratique, c'est la nullité suprême. Tout d'abord, ce toit, lorsque mis en place, détruit la jolie ligne de la New Beetle. Et quand il est baissé, il bloque royalement la visibilité vers l'arrière puisqu'il loge sur le dessus du coffre! Parlant de coffre, celui de la Cabrio est tellement petit que j'ai entendu deux acariens se battre pour savoir lequel allait pouvoir y monter. Je vous jure… Enfin, le châssis est nettement moins rigide que dans le coupé.

Le coupé, lui, propose toujours une excellente visibilité mais les vitres pourraient être plus étanches aux bruits. Si les places avant sont très spacieuses, on ne peut en dire autant de celles en arrière. À moins d'être sourd, aveugle, muet, amputé des bras et des jambes, je ne vois pas qui pourrait apprécier la randonnée! D'un autre côté, et c'est valide pour les deux modèles, la nuit venue, le tableau de bord se pare d'un bleu absolument superbe.

À moins que les designers de Volkswagen nous arrivent avec une New Beetle sérieusement remaniée, sans altérer l'essence du modèle original, nous ne voyons pas comment la Coccinelle actuelle pourrait vivre aussi longtemps que sa devancière. Mais puisqu'elle fait encore le bonheur de plusieurs personnes et qu'elle a encore de la passion dans le corps, laissons-la vivre en paix.

**Alain Morin**

Photos : Volkswagen

## VÉHICULE D'ESSAI

| | |
|---|---|
| Version : | Coupé 2.5L |
| Emp/Lon/Lar/Haut(mm) : | 2 509/4 091/1 724/1 502 |
| Poids : | 1 308 kg |
| Coffre/Réservoir : | 300 litres / 55 litres |
| Nombre de coussins de sécurité : | 4 |
| Suspension avant : | indépendante, jambes de force |
| Suspension arrière : | demi-ind., poutre déformante |
| Freins av./arr. : | disque (ABS) |
| Antipatinage/Contrôle de stabilité : | oui / opt. |
| Direction : | à crémaillère, assistée |
| Diamètre de braquage : | 10,9 m |
| Pneus av./arr. : | P205/55R16 |
| Capacité de remorquage : | 350 kg |

## MOTORISATION À L'ESSAI

| | |
|---|---|
| Moteur : | 5L de 2,5 litres 20s atmosphérique |
| Alésage et course : | 82,5 mm x 92,8 mm |
| Puissance : | 150 ch (112 kW) à 5 000 tr/min |
| Couple : | 170 lb-pi (231 Nm) à 3 750 tr/min |
| Rapport poids/puissance : | 8,72 kg/ch (11,89 kg/kW) |
| Système hybride : | aucun |
| Transmission : | traction, manuelle 5 rapports |
| Accélération 0-100 km/h : | 9,2 s |
| Reprises 80-120 km/h : | 7,2 s |
| Freinage 100-0 km/h : | 39,0 m |
| Vitesse maximale : | 190 km/h |
| Consommation (100 km) : | ordinaire, 10,4 litres |
| Autonomie (approximative) : | 529 km |
| Émissions de $CO_2$ : | 4 080 kg/an |

## GAMME EN BREF

| | |
|---|---|
| Échelle de prix : | 22 780 $ à 29 190 $ (2007) |
| Catégorie : | coupé/cabriolet |
| Historique du modèle : | 2ème génération |
| Garanties : | 4 ans/80 000 km, 4 ans/80 000 km |
| Assemblage : | Puebla, Mexique |
| Autre(s) moteur(s) : | aucun |
| Autre(s) rouage(s) : | aucun |
| Autre(s) transmission(s) : | automatique 6 rapports |

## DANS LA MÊME CATÉGORIE

Chrysler PTCruiser - Mini Cooper - Mitsubishi Eclipse / Spyder

## DU NOUVEAU EN 2008

Pas de changement majeur

## NOS IMPRESSIONS

| | |
|---|---|
| Agrément de conduite : | 🚗🚗🚗½ |
| Fiabilité : | 🚗🚗🚗 |
| Sécurité : | 🚗🚗🚗🚗 |
| Qualités hivernales : | 🚗🚗🚗½ |
| Espace intérieur : | 🚗🚗🚗 |
| Confort : | 🚗🚗🚗½ |

## LE CHOIX DE L'ÉQUIPE

Coupé

# LE LUXE ABORDABLE

L'an dernier, lors d'un match comparatif mettant en vedette huit voitures de luxe avec rouage intégral, la Volkswagen Passat s'était fort bien débrouillée. Malgré son prix très élevé, le deuxième en ordre d'importance, elle s'était classée en cinquième position. Une meilleure finition extérieure et une transmission automatique un peu plus vive lui auraient permis de gagner au moins deux positions. Mais, dans l'ensemble, tous les essayeurs avaient été ravis par cette voiture qui allie charme et robustesse comme pas une.

La Volkswagen Passat, joliment redessinée en 2006, se présente en deux modèles, soit berline et familiale. Les deux versions affichent des lignes très classiques qui ne se démoderont pas de sitôt. Il faut reconnaître que l'entreprise allemande entend, avec sa Passat, jouer dans les ligues majeures. Sa grille avant chromée, sensible aux moindres chocs, lui donne beaucoup de classe même si elle alourdit inutilement la ligne. Les feux arrière reprennent ceux de la plus prolétaire Jetta mais s'avèrent mieux intégrés que sur cette dernière. Quant à la familiale, elle demeure, selon notre humble avis et en toute objectivité, une des plus belles présentement offertes sur le marché. En plus, elle se montre incroyablement pratique.

### DEUX BONS MOTEURS

Deux moteurs se retrouvent au catalogue de la Passat. Nous vous présentons tout d'abord l'excellent moteur quatre cylindres 2,0 litres turbo de 200 chevaux et 207 livres-pied de couple. Ce moteur, très moderne, réalise des performances fort adéquates et le temps de réponse du turbo est quasiment nul. Mieux encore, il consomme moins que le V6, l'autre moteur offert par Volks pour la Passat. Le 2,0 litres turbo ne peut être associé qu'à la traction (roues avant motrices) alors que deux transmissions sont proposées. Il s'agit d'une manuelle à six

rapports ou d'une automatique à six rapports aussi, plus populaire. Cette dernière transmission possède un mode manuel, fort utile lorsque vous tirez une remorque de 454 kg maximum. L'autre moteur est un V6 de 3,6 litres. Ses 280 chevaux ne font pas de la Passat une GT, mais ils lui permettent d'effectuer des départs et des dépassements au-delà de la plupart des attentes. Ce 3,6 litres ne peut recevoir que la transmission automatique à six rapports, toujours avec mode manuel. Jusqu'à l'an dernier, il était possible d'associer ce moteur à la traction ou au rouage intégral 4Motion. Pour 2008, cependant, il ne peut s'acoquiner qu'avec l'intégrale. Ce rouage, fabriqué par Haldex, assure à la Passat une tenue de route de haut calibre tout en augmentant le niveau de sécurité durant la blanche saison. Pour en terminer avec la partie «mécanique» de cet essai, mentionnons que la Passat n'aura pas droit, contrairement à la Jetta, au moteur diesel au cours de l'année à venir. Souhaitons qu'un jour nous puissions avoir droit au moteur diesel 5,1 litre qui équipe la Passat BlueMotion, dévoilée au dernier Salon de Genève.

Comme sur tous les produits Volkswagen, la rigidité du châssis ne peut être prise en défaut. Les suspensions font preuve d'un bel équilibre entre tenue de route et confort, tandis que la direction, très précise et procurant un bon *feedback*, semble rendre la Passat plus agile qu'elle ne

**FEU VERT**
Familiale des plus pratiques, coffre de la berline immense, rouage 4Motion sérieux, direction bien dosée, matériaux de qualité

**FEU ROUGE**
Grille avant vulnérable, V6 n'est plus disponible avec la traction, aucun moteur diesel prévu, versions luxeueuses trop dispendieuses, fiabilité toujours en quête d'absolution

l'est en réalité. À noter que si le volant fait preuve d'un bon *feedback*, il a tout de même perdu un peu de cette qualité lors de la refonte de 2006. Une chose est sûre : la tenue de cap, peu importe la vitesse et l'état de la chaussée, est de loin supérieure à bon nombre de voitures de luxe.

Volkswagen a donné à sa Passat une technologie de pointe, autant au niveau de la sécurité active (avant un impact) qu'au niveau de la sécurité passive (pendant et après un impact). Outre les six coussins gonflables habituels (frontaux, latéraux et rideaux), il est possible d'opter pour des coussins protégeant le thorax. Mais avant que l'inévitable se produise, une foule de capteurs auront tenté de replacer la voiture dans le droit chemin Et on peut compter sur des freins à disque puissants même si, sur certains modèles essayés, la pédale affichait une mollesse peu rassurante de prime abord.

### DE L'ESPACE EN MASSE

L'habitacle, fidèle à la tradition germanique, est imprégné de classicisme et de sobriété mais sans jamais tomber dans l'austérité. La finition est digne de mention, l'ergonomie peut difficilement être prise en défaut et les matériaux font preuve de qualité. Le volant, ajustable en hauteur comme en profondeur, se prend bien en main et contribue à l'impression de solidité de la voiture. Dans le domaine du confort, mentionnons que les sièges avant font leur part mais qu'ils ne retiennent pas terriblement en virage. Si l'habitacle vous semble vaste, allez faire un tour dans le coffre de la berline ! Oh wow ! Après trois jours de marche, je n'en avais toujours pas fait le tour… mais c'est vrai que je ne marche pas vite. Et il me faudrait une journée de plus pour la familiale ! Mieux encore, les dossiers des sièges arrière s'abaissent pour former un fond plat et ajouter ainsi quelques jours supplémentaires de marche ! Soulignons que l'aménagement du coffre, de l'un ou l'autre modèle, a fait l'objet de recherches plus poussées et il permetranger correctement un bidon de lave-glace ! Du jamais vu !

La Volkswagen Passat s'avère, certes, une voiture bien pensée, agréable à piloter et sécuritaire. Par contre, il ne faut pas trop s'exciter le crayon sur la liste des options pour se retrouver avec une voiture de plus de 50 000 $. Parlant de dollars, il faut savoir que le prix des pièces est quelquefois très élevé chez Volkswagen. Quant à la fiabilité, la bête noire de Volkswagen, celle de la Passat ne semble pas trop problématique. Mais il faudra attendre quelques années pour lui donner notre absolution inconditionnelle.

**Alain Morin**

Photos : Guy Desjardins

## VÉHICULE D'ESSAI

| | |
|---|---|
| Version : | Familiale 2,0T |
| Emp/Lon/Lar/Haut(mm) : | 2 709/4 780/1 820/1 472 |
| Poids : | 1 573 kg |
| Coffre/Réservoir : | 400 à 1 010 litres / 70 litres |
| Nombre de coussins de sécurité : | 6 |
| Suspension avant : | indépendante, jambes de force |
| Suspension arrière : | indépendante, multibras |
| Freins av./arr. : | disque (ABS) |
| Antipatinage/Contrôle de stabilité : | oui / opt. |
| Direction : | à crémaillère, assistance variable |
| Diamètre de braquage : | 10,9 m |
| Pneus av./arr. : | P215/55R16 |
| Capacité de remorquage : | 454 kg |

Pneus d'origine MICHELIN

## MOTORISATION À L'ESSAI

| | |
|---|---|
| Moteur : | 4L de 2 litres 16s turbocompressé |
| Alésage et course : | 82,5 mm x 92,8 mm |
| Puissance : | 200 ch (149 kW) à 5 100 tr/min |
| Couple : | 207 lb-pi (281 Nm) de 1 800 à 5 000 tr/min |
| Rapport poids/puissance : | 7,87 kg/ch (10,7 kg/kW) |
| Système hybride : | aucun |
| Transmission : | traction, automatique 6 rapports |
| Accélération 0-100 km/h : | 8,4 s |
| Reprises 80-120 km/h : | 5,5 s |
| Freinage 100-0 km/h : | 41,0 m |
| Vitesse maximale : | 208 km/h |
| Consommation (100 km) : | super, 10,3 litres |
| Autonomie (approximative) : | 680 km |
| Émissions de $CO_2$ : | 4 224 kg/an |

## GAMME EN BREF

| | |
|---|---|
| Échelle de prix : | 29 770 $ à 47 015 $ (2007) |
| Catégorie : | berline intermédiaire/familiale |
| Historique du modèle : | 5ième génération |
| Garanties : | 4 ans/80 000 km, 4 ans/80 000 km |
| Assemblage : | Emden, Allemagne |
| Autre(s) moteur(s) : | V6 3,6l 280ch/265lb-pi (12,8 l/100km) |
| Autre(s) rouage(s) : | intégrale |
| Autre(s) transmission(s) : | manuelle 6 rapports |

## DANS LA MÊME CATÉGORIE

Audi A4 - BMW Série 3 - Chevrolet Malibu - Dodge Magnum - Honda Accord - Hyundai Sonata - Jaguar X-Type - Mazda6 - Nissan Altima - Saab 9-3 - Toyota Camry - Volvo S40 / V50

## DU NOUVEAU EN 2008

V6 livrable seulement avec 4Motion, système navigation optionnel pour 2,0T, jantes d'alliage et siège conducteur électrique de série

## NOS IMPRESSIONS

| | |
|---|---|
| Agrément de conduite : | 🚗 🚗 🚗 🚗 |
| Fiabilité : | 🚗 🚗 🚗 ½ |
| Sécurité : | 🚗 🚗 🚗 🚗 |
| Qualités hivernales : | 🚗 🚗 🚗 🚗 ½ |
| Espace intérieur : | 🚗 🚗 🚗 🚗 ½ |
| Confort : | 🚗 🚗 🚗 🚗 |

## LE CHOIX DE L'ÉQUIPE

3.6L 4Motion

# LA MINI-TOUAREG

Décidément, les choses semblent s'améliorer chez Volkswagen! Après avoir tergiversé pendant des années à savoir si on devait importer tel ou tel modèle de la gamme européenne sur notre continent, en voilà deux en moins de deux ans. J'avoue que les modèles City sont plus du réchauffé qu'autre chose, mais ils sont de bonnes valeurs. Par contre, l'arrivée du Tiguan plus tard dans l'année est une très bonne nouvelle. Cela devrait permettre à VW de profiter de l'engouement du public pour la catégorie.

P résentement, la seule présence de ce constructeur dans le camp des VUS est attestée par le Touareg, un gros quatre pattes reconnu pour ses capacités en conduite hors route, du moins généralement, et pour son prix élevé. Pourtant, ce n'est pas faute de modèles puisque VW commercialise déjà de petits véhicules multisegments sur divers marchés. C'est ainsi que le Cross Golf et le Touran auraient sans doute fait leur place au soleil en Amérique. Mais quand on doit rebaptiser la Golf en Rabbit pour tenter d'intéresser les acheteurs américains, il est certain que la direction du constructeur de Wolfsburg a hésité à se lancer dans la lutte.

Mais, cette fois, on croit avoir la recette gagnante avec le Tiguan.

### FORMAT COMPACT
Ce nouveau venu est dérivé de la plate-forme multimodèles PQ46 qui fait appel à celle de la Passat et incorpore également des éléments de la Golf/Rabbit. Les dimensions de la carrosserie sont plus ou moins semblables à celle du Honda CR-V. En fait, il est 93 mm plus court que la Honda tout en étant presque aussi haut et large. Au chapitre de la silhouette, il ne faut pas se surprendre si les stylistes se sont inspirés du Touareg. Après tout, c'est une histoire de famille.

L'habitacle est bien réussi avec des matériaux de qualité égale à ceux utilisés sur la Rabbit et la Jetta. La pièce de résistance de la planche de bord est l'écran central d'affichage cerclé d'une bande métallique et intégrant quatre buses de ventilation, deux de chaque côté. Deux cadrans circulaires cohabitent avec les autres cadrans dans une nacelle avec, entre les deux, un centre d'information. Le même que celui utilisé sur plusieurs produits VW et Audi. Bref, les inconditionnels de la marque se sentiront en pays connu. De plus, l'habitabilité est impressionnante pour un véhicule de cette catégorie.

### SPORT & STYLE
Sur le marché européen, le Tiguan sera commercialisé en différentes versions et l'acheteur aura le choix parmi plusieurs moteurs, dont le spectaculaire moteur quatre cylindres *twincharger* de 1,4 litre produisant 168 chevaux, ce qui est impressionnant compte tenu de la cylindrée. En outre, une version spécialement adaptée à une conduite hors route, un Outback germanique si vous voulez, sera également distribué en Europe.

Pour ce qui est de l'Amérique, les choses seront plus simples. Au lieu de se voir proposer cette version spéciale à vocation tout-terrain, ce sera une autre qui sera appelée «Sport & Style». Bref, une présentation

**FEU VERT**
Transmission intégrale efficace, habitacle pratique, moteur éprouvé, silhouette réussie

**FEU ROUGE**
Arrivée au printemps 2008, prix inconnu, fiabilité inconnue, absence de moteur diesel (données préliminaires)

plus ville que campagne et davantage en harmonie avec l'utilisation anticipée sur notre continent.

Le seul moteur offert sera l'excellent quatre cylindres 2,0 litres turbocompressé dont les 200 chevaux font toujours sentir leur présence. Il pourra être commandé avec la boîte manuelle à six rapports ou l'automatique équipée du même nombre de vitesses. Au printemps 2008, lors des débuts du Tiguan sur le marché canadien, seule la transmission intégrale sera disponible. Ce rouage a été développé par Haldex et sera identifié comme le 4Motion par VW. Il s'agirait d'un système de toute dernière génération. À cela s'ajoutent une direction à assistance électromécanique et un frein d'urgence à commande électronique.

Je n'ai pas eu la chance de conduire ce véhicule avant la date de tombée du *Guide*, mais les indiscrétions d'un confrère journaliste américain m'ont appris que le Tiguan est doté d'une plate-forme très rigide et qu'il a de très bonnes manières sur la route. De plus, il a été impressionné par les capacités de cette VW lorsque la route faisait place à un sentier ou que le sentier aboutissait dans le désert. Ce collègue a eu l'occasion de conduire un véhicule de développement et son verdict est positif dans l'ensemble.

À nouveau, Volkswagen nous arrive avec un produit intéressant, dont les prestations sur route semblent bonnes et qui sera capable de tenir son bout une fois hors route. D'autre part, le moteur 2,0 litres turbo a fait ses preuves et s'avère l'un des meilleurs sur le marché. En outre, au cours des deux dernières années, la fiabilité de la plupart des modèles VW s'est grandement améliorée.

Espérons que ce constructeur poursuivra sur cette voie et ne trouvera pas le moyen de tout gâcher, comme c'est souvent arrivé par le passé. Mais, cette fois, il semble être sur une lancée gagnante.

**Denis Duquet**

## VÉHICULE D'ESSAI
### DONNÉES PRÉLIMINAIRES

| | |
|---|---|
| Version : | Tiguan |
| Emp/Lon/Lar/Haut(mm) : | n.d./4 427/1 850/1 684 |
| Poids : | n.d. |
| Coffre/Réservoir : | n.d. / n.d. |
| Nombre de coussins de sécurité : | n.d. |
| Suspension avant : | n.d. |
| Suspension arrière : | n.d. |
| Freins av./arr. : | disque (ABS) |
| Antipatinage/Contrôle de stabilité : | oui / oui |
| Direction : | à crémaillère, assistée |
| Diamètre de braquage : | n.d. |
| Pneus av./arr. : | n.d. |
| Capacité de remorquage : | n.d. |

## MOTORISATION À L'ESSAI

| | |
|---|---|
| Moteur : | 4L de 2 litres 16s turbocompressé |
| Alésage et course : | 81,9 mm x 94,0 mm |
| Puissance : | 200 ch (149 kW) à 5 500 tr/min |
| Couple : | 207 lb-pi (281 Nm) à 4 700 tr/min |
| Rapport poids/puissance : | n.d. |
| Système hybride : | aucun |
| Transmission : | intégrale, automatique 6 rapports |
| Accélération 0-100 km/h : | 8,6 s (estimé) |
| Reprises 80-120 km/h : | 7,4 s (estimé) |
| Freinage 100-0 km/h : | n.d. |
| Vitesse maximale : | 190 km/h (estimé) |
| Consommation (100 km) : | super, n.d. |
| Autonomie (approximative) : | n.d. |
| Émissions de CO2 : | n.d. |

## GAMME EN BREF

| | |
|---|---|
| Échelle de prix : | n.d. |
| Catégorie : | utilitaire sport compact |
| Historique du modèle : | 1ière génération |
| Garanties : | 4 ans/80 000 km, 4 ans/80 000 km |
| Assemblage : | n.d. |
| Autre(s) moteur(s) : | aucun |
| Autre(s) rouage(s) : | aucun |
| Autre(s) transmission(s) : | manuelle 6 rapports |

## DANS LA MÊME CATÉGORIE

Dodge Nitro - Ford Escpape - Honda CR-V -
Hyundai Santa Fe - Mitsubishi Outlander - Nissan Rogue -
Subaru Forester - Suzuki Grand Vitara - Toyota Rav4

## DU NOUVEAU EN 2008

Nouveau modèle

## NOS IMPRESSIONS

| | |
|---|---|
| Agrément de conduite : | n.d. |
| Fiabilité : | Nouveau modèle |
| Sécurité : | n.d. |
| Qualités hivernales : | n.d. |
| Espace intérieur : | n.d. |
| Confort : | n.d. |

## LE CHOIX DE L'ÉQUIPE

Modèle de base

Photos : Volkswagen

# LA LUNE ET LE MIEL

Volkswagen est surtout reconnue pour ses Rabbit, Jetta et Passat. On oublie trop souvent que ce manufacturier allemand, aussi propriétaire de Audi, sait y faire quand il s'agit de démontrer son expertise dans le domaine du haut de gamme. Le Volkswagen Touareg, petit «cousin» du Porsche Cayenne fait preuve de beaucoup plus de retenue au chapitre du style tout en étant bien plus abordable que ledit cousin. Pourtant, on croise beaucoup plus de Cayenne sur nos routes que de Touareg. La logique et la volonté d'impressionner les voisins sont deux concepts totalement incompatibles…

Le Touareg se présente en deux versions, VR6 et V8. Après avoir essayé la version VR6, le V8, malgré sa noblesse, se révèle moins intéressant. D'une cylindrée de 4,2 litres, il ne développe pas moins de 350 chevaux et un couple de 324 livres-pied. Voilà qui est amplement suffisant pour évacuer le 0-100 en quelque huit secondes et pour remorquer 3 500 kilos (7 700 livres). La douceur de ce moteur est proverbiale, de même que sa consommation démesurée de 17,2 litres aux cent pour le combiné ville-route. Le VR6 de 3,6 litres s'avère certes moins puissant avec ses 280 chevaux et 265 livres-pied de couple mais sa consommation plus raisonnable (15,1 litres aux 100 km tout de même !) nous incite à le privilégier, d'autant plus qu'il peut remorquer autant que le V8. Ayant gagné plusieurs chevaux et plus de couple par rapport à l'ancien 3,2, il ne prend qu'une demi-seconde de plus que le 4,2 pour parcourir le 0-100. Nos voisins américains ont droit à un V10 diesel de 310 chevaux mais la décision de ne pas importer ce modèle au Canada s'explique par l'arrivée prochaine (dans la mesure où début 2009 est «prochain» pour vous !) d'un V6 3,0 litres diesel ultrapropre, mieux adapté à notre marché. Les deux moteurs proposés chez nous sont associés à une transmission automatique à six rapports avec mode manuel. Cette boîte fonctionne de façon tout à fait transparente et possède même un mode Sport qui maintient les révolutions du moteur plus élevées pour plus de performances.

### ROUTE, HORS ROUTE ET PISTE
Si nous parlons de conduite hors route, les noms Jeep, Land Rover et Hummer viennent immédiatement à l'esprit des gens. Pourtant, le Touareg est encore une fois victime de son nom. Son rouage intégral 4Xmotion est l'un des plus sophistiqués qui soient. En plus de posséder une gamme basse, il est possible de verrouiller le différentiel central ou, en option, les différentiels central et arrière. Il y a même la possibilité de hausser la garde au sol de 80 mm (3"), pour une hauteur maximale de 300 mm, si le véhicule est équipé de la suspension pneumatique ajustable. Dans une virée effectuée lors d'un événement organisé par Volkswagen l'été passé, il était évident que le Touareg, même équipé de la suspension pneumatique et du différentiel arrière bloquant ne possédait pas les mêmes aptitudes qu'un Hummer par exemple, surtout en montée sur de la grosse roche concassée. Les pneus, de simples Continental quatre saisons, sont peut-être à blâmer. Mais, en général, le Touareg s'est montré fort compétent et peut en donner plus que ce que 95 % des acheteurs ne lui demanderont jamais.

**FEU VERT**
Moteurs performants, lignes équilibrées,
capacités hors-route, habitacle confortable,
équipement généreux

**FEU ROUGE**
Consommation désolante (V8), prix élevés,
poids important, moteur V8 plus ou moins utile,
fiabilité pas encore parfaite

## VÉHICULE D'ESSAI

| | |
|---|---|
| Version : | V6 |
| Emp/Lon/Lar/Haut (mm) : | 2 855/4 754/1 928/1 726 |
| Poids : | 2 332 kg |
| Coffre/Réservoir : | 900 à 2 000 litres / 100 litres |
| Nombre de coussins de sécurité : | 8 |
| Suspension avant : | indépendante, leviers triangulés |
| Suspension arrière : | indépendante, multibras |
| Freins av./arr. : | disque (ABS) |
| Antipatinage/Contrôle de stabilité : | oui / oui |
| Direction : | à crémaillère, assistée |
| Diamètre de braquage : | 11,6 m |
| Pneus av./arr. : | P255/60R17 |
| Capacité de remorquage : | 3 500 kg |

## MOTORISATION À L'ESSAI

Pneus d'origine
MICHELIN

| | |
|---|---|
| Moteur : | V6 de 3,6 litres 24s atmosphérique |
| Alésage et course : | 89,0 mm x 96,4 mm |
| Puissance : | 280 ch (209 kW) à 6 200 tr/min |
| Couple : | 265 lb-pi (359 Nm) de 2 500 à 5 000 tr/min |
| Rapport poids/puissance : | 8,33 kg/ch (11,32 kg/kW) |
| Système hybride : | aucun |
| Transmission : | intégrale, auto. mode man. 6 rapports |
| Accélération 0-100 km/h : | 8,5 s |
| Reprises 80-120 km/h : | 6,8 s |
| Freinage 100-0 km/h : | 40,0 m |
| Vitesse maximale : | 210 km/h |
| Consommation (100 km) : | super, 15,1 litres |
| Autonomie (approximative) : | 662 km |
| Émissions de CO2 : | 7 104 kg/an |

## GAMME EN BREF

| | |
|---|---|
| Échelle de prix : | 49 975 $ à 64 775 $ |
| Catégorie : | utilitaire sport intermédiaire |
| Historique du modèle : | 1ière génération |
| Garanties : | 4 ans/80 000 km, 5 ans/100 000 km |
| Assemblage : | Bratislava, Slovaquie |
| Autre(s) moteur(s) : | V8 4,2l 350ch/324lb-pi (17,2 l/100km) |
| Autre(s) rouage(s) : | aucun |
| Autre(s) transmission(s) : | aucune |

## DANS LA MÊME CATÉGORIE

Acura MDX - Audi Q7 - BMW X5 - Cadillac SRX - Infiniti FX35/45 - Land Rover LR3 - Lexus RX350 - Lincoln MKX - Mercedes-Benz Classe M - Porsche Cayenne

## DU NOUVEAU EN 2008

Moteurs plus puissants, révisions esthétiques, nouvelles couleurs, nouveaux sièges avant, groupes d'options revus

## NOS IMPRESSIONS

| | |
|---|---|
| Agrément de conduite : | 🚗 🚗 🚗 🚗 |
| Fiabilité : | 🚗 🚗 🚗 |
| Sécurité : | 🚗 🚗 🚗 🚗 |
| Qualités hivernales : | 🚗 🚗 🚗 🚗 ½ |
| Espace intérieur : | 🚗 🚗 🚗 🚗 ½ |
| Confort : | 🚗 🚗 🚗 |

## LE CHOIX DE L'ÉQUIPE

V6

---

Sur la route, le Touareg, six ou huit cylindres, fait preuve d'un comportement routier très relevé. En fait, il n'y a guère de différence entre la conduite des deux modèles. L'habitacle s'avère toujours silencieux même lors d'accélérations intempestives. Il est même possible de conduire cette grosse caisse de plus de 2 300 kilos de façon presque sportive. Poussé un peu plus que de raison, le Touareg demeure étonnamment stable et ne démontre que très peu de roulis. Bien entendu, la liste des équipements de sécurité suffirait à remplir la moitié du présent *Guide* mais il convient de mentionner que le système de stabilité latérale vous ramène autoritairement dans le droit chemin. La direction est précise et possède un *feedback* très bien dosé.

### CHANGEMENTS SOMME TOUTE MINEURS

Pour 2008, le Touareg a droit à quelques changements mineurs. La partie avant a été modifiée pour permettre l'utilisation de la nouvelle signature de Volkswagen, soit la calandre chromée (chrome brossé sur les modèles V8) qui s'intègre mieux, selon mon humble avis, à la grosse carrosserie du Touareg qu'aux Passat et Jetta. Aussi, de nouvelles couleurs ont été ajoutées. Le Touareg bénéficie d'une finition de haut calibre, autant à l'extérieur qu'à l'intérieur. La visibilité ne cause pas vraiment de problèmes. Les nombreux boutons et commandes tombent sous la main mais lorsqu'il fait froid, on aimerait que les boutons rotatifs du chauffage répondent plus rapidement.

Les espaces de rangement sont suffisants à l'avant (il faut avouer que plus il y en a, plus on les remplit…) tandis que l'espace de chargement s'avère très accueillant. Le seuil de chargement est bas et les dossiers des sièges arrière s'abaissent pour former un fond plat. Par contre, leur manipulation n'est pas des plus aisées et une amélioration aurait été appréciée.

Aussi raffiné, luxueux et confortable que ses concurrents que sont les BMW X5, Acura MDX et Mercedes-Benz ML, et affichant des aptitudes sportives malgré son poids trop élevé, le Touareg bénéficie de très bons moteurs et de capacités hors route impressionnantes. De plus, sa fiabilité s'est améliorée. Mais pourquoi faut-il qu'il consomme autant ?

**Alain Morin**

# EN PLEIN DANS LE MILLE!

La compagnie Volvo n'a jamais vraiment connu beaucoup de succès avec ses voitures compactes. Malgré d'indéniables qualités esthétiques et dynamiques, le tandem S40 et V50 a une présence assez symbolique sur notre marché. Aussi, l'annonce d'un coupé *hatchback* encore plus petit qu'une S40 a fait hausser les sourcils. Pourtant, cette nouvelle venue est un succès sur toute la ligne.

N'allez pas croire que mon enthousiasme est uniquement basé sur le fait que cette voiture a été dessinée par Simon Lamarre, un designer québécois exilé à Göteborg. Il est vrai qu'elle a fière allure, mais c'est l'ensemble de la voiture qui est réussi. Et il est certain que la plus petite automobile suédoise sur notre marché connaîtra une belle carrière. D'autant plus que son prix est très compétitif compte tenu de la qualité de la fabrication et des prestations routières.

Puisque cette nouvelle venue emprunte sa plate-forme et sa mécanique aux S40, V50 et même au cabriolet C70, des économies de développement ont été réalisées et le client en bénéficie. Et le fait de raccourcir une plate-forme, comme c'est le cas avec la C30, a toujours un effet positif au chapitre de la rigidité et permet d'optimiser la tenue de route.

Mais avant de parler de mécanique et de tenue de route, il est intéressant de souligner que ce modèle a presque été conçu par accident. En 2001, alors que Peter Horbury était le responsable du design de Volvo, celui-ci demanda à Simon Lamarre de travailler sur un concept de petite voiture qui répondrait aux attentes de la clientèle ciblée et scrutée à la loupe par l'intermédiaire de plusieurs études de marché. Ces futurs clients recherchaient une voiture d'allure stylisée, avec un intérieur au *look* sportif, offrant des performances intéressantes. Tout ceci en plus d'exiger un système audio de qualité et quelques gadgets à la mode ! Et il fallait que le coffre puisse avaler au moins deux gros sacs de golf.

Se basant sur le véhicule concept SCC de Volvo, Simon produisit un modèle pleine grandeur en moins d'un mois : la future C30 avait vu le jour. Et les retouches au projet initial ont été quasiment inexistantes. Mieux encore, Simon Lamarre se voyait non seulement chargé du stylisme, mais devenait également responsable du projet. Bref, la C30, c'est ni plus ni moins le projet de Simon du début à la fin.

### UNE ALLURE QUI SÉDUIT

Il est facile d'associer ce *hatchback* à Volvo car il respecte les incontournables critères de design de la marque comme la grille de calandre rectangulaire, l'épaule des parois latérales de même que les feux arrière avec leur partie inférieure cristalline qui encadrent le hayon arrière. Sa silhouette est accrocheuse, sensuelle même en raison de la douceur de ses angles. Mais le tout s'enchaîne harmonieusement pour créer une silhouette audacieuse, dynamique même. Souvent objet de distraction ou embêtement pour les stylistes, l'essuie-glace arrière s'intègre fort bien à l'ensemble et contribue même à donner plus de caractère. Le hayon est de forme trapézoïdale et permet d'équilibrer entre la largeur de la caisse et la partie plus étroite du pavillon. Par contre, si vous ne placez pas le cache-bagages lorsque vous déposez des objets ans le coffre, ce hayon devient pratiquement une vitrine pour les cambrioleurs.

La C30 se reconnaît donc au premier coup d'œil comme étant une Volvo authentique, ce qui n'a pas toujours été le cas avec certains nouveaux modèles dévoilés par le passé, la S60 entre autres.

La filiation avec les autres modèles de la marque est également perceptible à l'intérieur. En fait, la similitude est très forte avec les planches de bord des S40 et V50, notamment la console centrale flottante. Cette console verticale en arc-boutant semble être adoptée par tous les nouveaux modèles car elle se retrouve aussi sur la S80. Et comme sur les deux autres compactes de la famille, la planche de bord est passablement dénudée. Mais moins est mieux que trop en la matière. Et malgré la vocation relativement économique de cette auto, la qualité des matériaux est supérieure à la moyenne à l'exception du volant qui ne cadre pas avec cet environnement. Par contre, son boudin assure une bonne prise en main. Tant qu'à critiquer, ajoutons que l'accoudoir central arrière fait un peu bon marché et manque de robustesse. Au chapitre des places arrière,

la plupart des voitures de ce gabarit ne gâtent pas tellement les occupants de ces sièges. Sur la C30, non seulement ces places sont-elles constituées de deux sièges individuels, mais ceux-ci sont confortables tandis que l'espace pour la tête et les coudes est généreux. Une caractéristique digne de mention si on considère que la C30 est 22 cm plus courte qu'une S40. Les places avant sont confortables et l'espace coude-jambes-tête est plus qu'adéquat.

## ÉLÉMENTS MÉCANIQUES CONNUS

Le moteur de base est de même origine que la plate-forme. Il s'agit d'un moteur quatre cylindres de 2,4 litres d'une puissance de 168 chevaux et couplé à une boîte manuelle à cinq rapports. La version la plus sportive est pour sa part dotée d'un moteur cinq cylindres 2,5 litres produisant 218 chevaux. Cette fois, la boîte manuelle possède un rapport de plus. Cependant, seule la boîte manumatique à cinq vitesses est optionnelle sur les deux versions. Pour compléter, soulignons que la direction est électrohydraulique, que la suspension arrière est indépendante et les freins sont à disque aux quatre roues, tandis que les systèmes de sécurité sont omniprésents. En plus de coussins frontaux et latéraux, les rideaux de sécurité sont également de série. Les systèmes WHIPS anti coup de lapin et SIPS de protection latérale sont de série. En cours d'année, la voiture pourra être équipée de détecteurs de présence latérale ou BLISS qui vous indiquent si un conducteur roule dans un angle mort. Notons en terminant que l'antipatinage et le mécanisme de stabilité latérale sont aussi de série. Après tout, c'est une Volvo!

## AUCUNE POSSIBILITÉ D'ERREUR

Mon essai de la C30 s'est déroulé en deux temps. Mon premier contact

**FEU VERT**
Silhouette accrocheuse, tenue de route équilibrée, choix de moteurs, excellente habitabilité, sécurité assurée

**FEU ROUGE**
Bagages à la vue de tous, pourquoi pas un diesel?, repose-pied peu pratique, appuie-coude central arrière à revoir, certaines options onéreuses

## VÉHICULE D'ESSAI

| | |
|---|---|
| Version : | 2,4i |
| Emp/Lon/Lar/Haut(mm) : | 2 640/4 252/1 782/1 447 |
| Poids : | 1 331 kg |
| Coffre/Réservoir : | 364 litres / 60 litres |
| Nombre de coussins de sécurité : | 6 |
| Suspension avant : | indépendante, jambes de force |
| Suspension arrière : | indépendante, multibras |
| Freins av./arr. : | disque (ABS) |
| Antipatinage/Contrôle de stabilité : | oui / oui |
| Direction : | à crémaillère, assistance variable |
| Diamètre de braquage : | 10,6 m |
| Pneus av./arr. : | P205/55R16 |
| Capacité de remorquage : | Non recommandé |

## MOTORISATION À L'ESSAI

| | |
|---|---|
| Moteur : | 5L de 2,4 litres 24s atmosphérique |
| Alésage et course : | n/a |
| Puissance : | 168 ch (125 kW) à 6000 tr/min |
| Couple : | 170 lb-pi (231 Nm) à 4400 tr/min |
| Rapport poids/puissance : | 7,92 kg/ch (10,73 kg/kW) |
| Système hybride : | aucun |
| Transmission : | traction, automatique 5 rapports |
| Accélération 0-100 km/h : | 8,8 s |
| Reprises 80-120 km/h : | 7,9 s |
| Freinage 100-0 km/h : | 38,9 m |
| Vitesse maximale : | km/h |
| Consommation (100 km) : | 10,6 litres |
| Autonomie (approximative) : | 566 km |
| Émissions de $CO_2$ : | n.d. |

## GAMME EN BREF

| | |
|---|---|
| Échelle de prix : | 27 495 $ à 31 995 $ |
| Catégorie : | coupé |
| Historique du modèle : | 1ière génération |
| Garanties : | 4 ans/80 000 km, 4 ans/80 000 km |
| Assemblage : | Gand, Belgique |
| Autre(s) moteur(s) : | 5L 2,5l 218ch/ 236lb-pi (11,3 l/100km) T5 |
| Autre(s) rouage(s) : | aucun |
| Autre(s) transmission(s) : | manuelle 5 rapports / manuelle 6 rapports |

## DANS LA MÊME CATÉGORIE

Audi A3 - Mini Cooper - Volkswagen GTI

## DU NOUVEAU EN 2008

Nouveau modèle

## NOS IMPRESSIONS

| | |
|---|---|
| Agrément de conduite : | 🚗 🚗 🚗 🚗 ½ |
| Fiabilité : | 🚗 🚗 🚗 🚗 |
| Sécurité : | 🚗 🚗 🚗 🚗 🚗 |
| Qualités hivernales : | 🚗 🚗 🚗 🚗 |
| Espace intérieur : | 🚗 🚗 🚗 🚗 |
| Confort : | 🚗 🚗 🚗 🚗 |

## LE CHOIX DE L'ÉQUIPE

T5

s'est effectué lors du lancement, cela va de soi, et les modèles essayés étaient tous propulsés par le moteur 2,5 litres turbo, d'une puissance de 218 chevaux. Ce qui m'a permis de boucler le test du 0-100 km/h en 7,4 secondes, ce qui est pas mal pour la catégorie.

Un moteur nerveux c'est bien, mais un châssis rigide et une tenue de route saine, c'est encore mieux. Et la C30 se tire fort bien d'affaire à ces deux chapitres puisque le châssis est d'une grande rigidité et que la tenue de route est très prévisible. La voiture sous-vire passablement, mais sans que l'équilibre général soit perturbé. Il faut toutefois raconter qu'une légère bruine est venue arroser la route lors de notre premier essai réalisé dans les Baléares et la voiture glissait sérieusement des quatre roues. Mauvais pneumatiques ? Conditions du moment vraiment hors du commun ? Routes recouvertes d'un asphalte ultraglissant ? Impossible de savoir. Mais sur le sec, la C30 est docile, sa direction précise et l'assistance de la direction adéquate bien qu'un peu trop généreuse de ses efforts, mais c'est quand même bien. Par contre, le diamètre de braquage est très long et les virages en U sont parfois difficiles. Avec ses pneus de 17 pouces et son groupe sport avec suspension raffermie et surbaissée, la version à boîte manuelle essayée enchaînait donc les virages avec aplomb, mais sans pour autant être un tape-cul, la suspension est ferme, mais juste ce qu'il faut pour une sportive. La boîte manuelle bien étagée est facile à manipuler, bien que le point de friction de l'embrayage soit un peu haut.

L'autre 2,5T essayée possédait une boîte automatique et était dotée de la suspension habituelle. Une combinaison qui plaira à la majorité. Ni trop souple, ni trop raide, elle assure une bonne tenue de route et un niveau de confort correct. Le nombre de groupes d'accessoires pour chaque modèle est élaboré, tandis que quelques options individuelles, dont la boîte automatique, le toit ouvrant ou encore le système de navigation permettront aux gens de personnaliser leur C30.

De retour à Montréal, l'essai d'un modèle de base avec moteur 2,4 litres de 168 chevaux a permis d'en venir aux mêmes conclusions. La performance est moins spectaculaire, mais ce sera grandement adéquat pour une bonne majorité d'acheteurs recherchant une C30 se vendant pour environ 30 000 $.

Deux essais plus tard, il faut en arriver à cette conclusion : cette nouvelle venue touche la cible en plein centre. Toutes nos félicitations à Simon Lamarre !

**Denis Duquet**

Photos : Denis Duquet

# UN BEL EFFORT !

Je me souviens encore du moment où j'ai pour la première fois aperçu la C70, alors qu'elle faisait ses débuts en tant que modèle 1998. Je n'avais eu pour elle rien de moins qu'un véritable coup de foudre, tant pour ce qu'elle était que pour ce qu'elle apportait à la marque suédoise. Mais hélas, peu d'acheteurs ont semblé être du même avis. Le coupé, généralement en déclin à ce moment, a par sa faible popularité obligé les concepteurs à présenter peu de temps après, un élégant cabriolet qui en était dérivé. Mais là encore, le succès n'a guère été plus convaincant…

En ramenant ce modèle en 2006, Volvo avait donc tout un défi à relever. D'une part, il fallait séduire la clientèle avec une belle carrosserie, pouvant répondre aux besoins du plus grand nombre d'acheteurs possible, puis il fallait que le tout soit compétitif face à la concurrence déjà bien établie. Et ceci était bien sûr sans compter le fait qu'il fallait convaincre les concessionnaires de la pertinence du modèle, eux qui avaient dû supporter les C70 d'ancienne génération invendues pendant plusieurs mois. C'est ainsi que les ingénieurs ont eu l'idée de concevoir un véhicule adoptant la formule du deux pour un, c'est-à-dire pouvant offrir à la fois les avantages d'un coupé avec le charme du cabriolet.

### EST-CE VRAIMENT LA SOLUTION ?

Depuis l'arrivée l'an dernier de la C70, bon nombre de cabriolets dotés d'un toit rigide rétractable ont vu le jour. On peut notamment penser à la BMW de Série 3, à la Volkswagen Eos ou même à la Chrysler Sebring. Bref, il semble que ce type de configuration soit désormais très à la mode. Mais après avoir conduit la totalité des voitures dotées de ce type de toit, je me demande réellement s'il s'agit d'une solution idéale. Dans tous les cas, et cela inclut la C70, on doit composer avec un surplus de poids considérable, une étanchéité discutable et une symphonie de craquements et bruits de caisse. Et si dans le cas de la C70, on réussit à

offrir une ligne aussi élégante à ciel ouvert que couvert, il en va autrement pour certaines rivales. En un mot, le sentiment de sécurité apporté par la présence d'un toit rigide se paie au prix de nombreuses concessions. Car il faut savoir qu'en plus, un toit de ce genre n'est ni plus isolé ni plus insonorisé qu'une capote souple de qualité, comme on retrouve aujourd'hui sur la quasi-totalité des décapotables.

Ceci étant dit, le coupé-cabriolet C70 est loin d'être la pire exécution du genre. Il est d'ailleurs surprenant de voir la voiture pendant qu'on la décapote : les trois panneaux s'emboîtant les uns sur les autres, presque de façon chorégraphique. Mais au-delà du spectacle, la voiture cache sous une ligne totalement charmante un concept ingénieux qui permet, malgré l'importance du volume utilisé par le toit, d'obtenir quatre places assises et un volume de chargement raisonnable. Plus élégante que sportive, la ligne typiquement Volvo évoque bien que le confort et le côté pratique n'ont pas été négligés.

Et en se glissant à bord, on le constate au premier contact, à commencer par ces sièges divinement sculptés qui font honneur à la réputation du constructeur en la matière. La planche de bord n'a pour sa part rien de bien surprenant, pour quiconque aurait fait connaissance avec un produit

---

**FEU VERT**
Habitacle confortable, très belle qualité de finition, ligne élégante, toit rigide bien conçu, chaîne Dynaudio exceptionnelle

**FEU ROUGE**
Effet de couple agaçant, agrément de conduite décevant, nombreux craquements (toit rigide), rapport poids/puissance défavorable

Volvo au cours des cinq dernières années. On y retrouve une instrumentation classique et bien disposée, des commandes simples à utiliser ainsi que cette désormais célèbre console flottante, très belle mais pas nécessairement des plus pratiques. C'est qu'en fait, même si cette dernière nous donne droit à une bonne ergonomie, elle limite l'espace accordé aux compartiments de rangement.

### T5 SEULEMENT

La C70 ne nous est offerte qu'avec le moteur cinq cylindres turbocompressé de 227 chevaux, utilisé dans une panoplie d'autres modèles Volvo. Vous ne pourrez donc pas opter pour un modèle 2.4i qui aurait pu être moins onéreux, pas plus que pour un modèle à moteur six cylindres. Le cinq cylindres turbo est heureusement un moteur agréable, tant pour sa sonorité que pour son couple généreux à bas régime. Néanmoins, le poids supplémentaire de la C70 par rapport à celui d'une S40 (doté du même moteur) se fait vite remarquer, les accélérations étant moins fougueuses et la consommation étant sensiblement plus élevée. Avec un modèle à boîte manuelle, prévoyez une moyenne approximative de 12 litres aux 100 kilomètres.

Souple, le moteur ne refuse jamais d'être malmené. La boîte manuelle est également agréable et bien étagée. Cependant, la C70 n'est pas une voiture avec laquelle on tente de jouer les Schumacher. Certes, la tenue de route est excellente, mais la voiture est handicapée par une direction peu communicative qui affiche en plus un important cercle de braquage. En accélération, un agaçant effet de couple se fait sentir, nous faisant du même coup remarquer que le débattement des amortisseurs est peut-être un peu trop important. Bien sûr, cela n'empêche pas la voiture d'être confortable et éminemment agréable lorsque décapotée, mais l'on s'adresse ici bien plus aux adeptes de boulevardières qu'aux sportifs.

Bref, on ne se procure pas la C70 pour le pur plaisir de conduire. Son toit rigide, qui sera sûrement l'élément décisionnel de plusieurs n'est à mon sens pas non plus sa plus grande qualité, quoiqu'il permet à la voiture de se différencier des Audi A4, Mercedes-Benz CLK et Saab 9-3 concurrentes. En revanche, l'acheteur adepte de grand confort en quête d'une bonne expérience sensorielle sera séduit à coup sûr. Oh, et en terminant, si vous êtes du genre à vous laisser tenter par quelques options, le système avec haut-parleurs Dynaudio est sans doute la première à cocher…

**Antoine Joubert**

Photos : Volvo

## VÉHICULE D'ESSAI

| | |
|---|---|
| Version : | T5 |
| Emp/Lon/Lar/Haut(mm) : | 2 640/4 582/2 025/1 400 |
| Poids : | 1 731 kg |
| Coffre/Réservoir : | 170 à 362 litres / 60 litres |
| Nombre de coussins de sécurité : | 7 |
| Suspension avant : | indépendante, jambes de force |
| Suspension arrière : | indépendant, multibras |
| Freins av./arr. : | disque (ABS) |
| Antipatinage/Contrôle de stabilité : | oui / oui |
| Direction : | à crémaillère, assistée |
| Diamètre de braquage : | 12,7 m |
| Pneus av./arr. : | P235/45R17 |
| Capacité de remorquage : | 900 kg |

### MOTORISATION À L'ESSAI
Pneus d'origine MICHELIN

| | |
|---|---|
| Moteur : | 5L de 2,5 litres 20s turbocompressé |
| Alésage et course : | 83,0 mm x 93,2 mm |
| Puissance : | 227 ch (169 kW) à 5 000 tr/min |
| Couple : | 236 lb-pi (320 Nm) de 1 500 à 5 000 tr/min |
| Rapport poids/puissance : | 7,54 kg/ch (10,25 kg/kW) |
| Système hybride : | aucun |
| Transmission : | traction, manuelle 6 rapports |
| Accélération 0-100 km/h : | 8,0 s |
| Reprises 80-120 km/h : | 7,2 s |
| Freinage 100-0 km/h : | 40,0 m |
| Vitesse maximale : | 195 km/h |
| Consommation (100 km) : | super, 11,3 litres |
| Autonomie (approximative) : | 549 km |
| Émissions de CO2 : | 4 560 kg/an |

### GAMME EN BREF

| | |
|---|---|
| Échelle de prix : | 56 795 $ |
| Catégorie : | cabriolet |
| Historique du modèle : | 2ième génération |
| Garanties : | 4 ans/80 000 km, 4 ans/80 000 km |
| Assemblage : | Gothenburg, Suède |
| Autre(s) moteur(s) : | aucun |
| Autre(s) rouage(s) : | aucun |
| Autre(s) transmission(s) : | automatique 5 rapports |

### DANS LA MÊME CATÉGORIE

Audi A4 Cabriolet - BMW Série 3 - Mercedes-Benz CLK - Saab 9-3 Cabriolet

### DU NOUVEAU EN 2008

Puissance passe à 227 chevaux, nouvelles garnitures intérieures, horloge repositionnée, volant gainé de cuir de série

### NOS IMPRESSIONS

| | |
|---|---|
| Agrément de conduite : | 🚗 🚗 🚗 ½ |
| Fiabilité : | 🚗 🚗 ½ |
| Sécurité : | 🚗 🚗 🚗 🚗 ½ |
| Qualités hivernales : | 🚗 🚗 🚗 🚗 |
| Espace intérieur : | 🚗 🚗 🚗 🚗 |
| Confort : | 🚗 🚗 🚗 ½ |

### LE CHOIX DE L'ÉQUIPE

T5 boîte manuelle

VOLVO S40 / V50

# REMISE À JOUR

Après que la première génération de modèles compacts de Volvo ait été reçue assez froidement, une refonte complète lancée en 2005 a permis au constructeur suédois d'établir les fondements d'une nouvelle clientèle. Il est vrai que les acheteurs n'ont pas fait la queue chez les concessionnaires pour se procurer une S40 ou une V50, mais force est d'admettre que les gens qui ont choisi l'une ou l'autre de ces Volvo ne le regrettent pas. En fait, c'est plutôt le prix de ces voitures qui fait hésiter les gens.

C ette année, le temps était venu de réviser quelque peu ces modèles. Toutefois, il s'agit d'une simple révision cosmétique afin de les harmoniser avec les nouveaux véhicules de la gamme. Sur le plan mécanique, c'est quasiment le statu quo.

### UN AIR DE FAMILLE

La direction de Volvo est assez honnête pour parler d'une révision esthétique et ne tente pas de nous convaincre qu'ils ont tout changé. La S40 reçoit des modifications qui lui confèrent la même présentation visuelle que la S80, tandis que la V50 fait de même afin d'émuler la nouvelle V70. Sur la berline, le nez et les phares sont nouveaux, et la grille de calandre est plus grande. Quant à la prise d'air sous ce même pare-choc avant, elle s'étend dorénavant sur toute la largeur. À l'arrière, le pare-choc a été redessiné et il accueille des réflecteurs de position, et les feux arrière ont été modifiés et comprennent maintenant des témoins de freinage à diodes. Une bande de chrome masquant la poignée d'ouverture du coffre donne plus de relief à la présentation. Et, gros changement, les embouts des tuyaux d'échappement sont nouveaux.

Il va de soi que les modifications sont similaires sur la familiale, sauf qu'en plus les longerons du porte-bagages sont argentés ou noirs. Dans l'habitacle, il est possible de commander des appliques en bois mat, alors que les acheteurs scandinaves pourront se payer une version avec des sièges en tissu vert, mais pas un vert ordinaire… vert «dégueu»! Heureusement que cette atrocité ne viendra pas en Amérique! S'il était autrefois difficile de tirer avantage du vide-poche de la console centrale, sachez qu'il a été redessiné. Comme sur la version précédente, l'écran de navigation est rétractable et se dresse au-dessus de la planche de bord. Cela fait quelque peu science-fiction. Par contre, cet écran est parfois pénible à lire, sans compter que les commandes d'activation et de réglage sont placées derrière le moyeu du volant, un positionnement qui n'est pas idéal.

### BONNES ROUTIÈRES

Plusieurs reprochent à ce duo de se vendre trop cher compte tenu des dimensions. C'est un problème de perception car on ne réussit pas à départager la qualité des éléments d'avec les dimensions. En fait, en matériaux seulement, la différence de coût de fabrication entre une compacte et une intermédiaire est inférieur à 1 000 $.

Quoi qu'il en soit, ces deux voitures proposent un habitacle confortable pour les places avant, les sièges offrant un bon support latéral et

**FEU VERT**
Silhouette améliorée, moteur T5 plus puissant, bonne tenue de route, sécurité poussée, sièges confortables

**FEU ROUGE**
Faible diffusion, fiabilité inégale, prix corsé, habitabilité moyenne

www.leguidedelauto.com

lombaire, et une cote de sécurité active et passive supérieure à la moyenne. Il faut de plus retenir que les deux sont d'excellentes routières en fait de tenue de route, de freinage et de stabilité à haute vitesse. Cependant, leur suspension sera jugée ferme par plusieurs. Mais peu importe! En virage, elles sont stables. D'autre part, le *feedback* de la route est quelque peu gommé par une direction légèrement engourdie.

Le moteur de base est un cinq cylindres de 2,5 litres d'une puissance de 168 chevaux. Admettons que c'est correct, mais il doit travailler assez fort lorsqu'on tente de conduire en sportif. Toutefois, il fait l'affaire si vous vous contentez de suivre le flot de la circulation. Pour les conducteurs plus pressés, la puissance du moteur cinq cylindres turbo de 2,5 litres a été portée de 218 chevaux à 227 chevaux. Cela ne transforme pas une S40 ou un V50 en voiture de course, mais cela assure des accélérations et surtout des reprises ayant plus de mordant.

Pour 2008, le système de contrôle de traction et de stabilité latérale (DSTC) est offert en équipement de série sur tous les modèles, et la transmission intégrale est optionnelle. Contrairement aux versions antérieures, le système BLIS est disponible en option. Cet accessoire quasiment futuriste permet de détecter la présence d'un véhicule dans l'angle mort du conducteur. Une caméra est placée dans le pilier de chaque rétroviseur extérieur et détecte les véhicules en proximité latérale. Un témoin lumineux avertit le pilote de se méfier.

Parmi les autres options, il y a le système audio Dynaudio avec amplificateur de 650 watts et 12 haut-parleurs. Et, signe des temps, une prise permet d'enficher un câble de jonction pour y brancher un iPod ou tout autre appareil de type MP3.

Compte tenu de l'efficacité de cette plate-forme et de l'homogénéité de la mécanique comme de la tenue de route, on ne peut tenir rigueur à Volvo de n'avoir apporté que quelques retouches esthétiques et révisé la liste de l'équipement de série.

**Denis Duquet**

## VÉHICULE D'ESSAI

| | |
|---|---|
| Version : | V50 T5 AWD |
| Emp/Lon/Lar/Haut(mm) : | 2 640/4 521/1 770/1 458 |
| Poids : | 1 619 kg |
| Coffre/Réservoir : | 776 à 1 772 litres / 57 litres |
| Nombre de coussins de sécurité : | 6 |
| Suspension avant : | indépendante, jambes de force |
| Suspension arrière : | indépendante, multibras |
| Freins av./arr. : | disque (ABS) |
| Antipatinage/Contrôle de stabilité : | opt. / opt. |
| Direction : | à crémaillère, assistance variable |
| Diamètre de braquage : | 10,6 m |
| Pneus av./arr. : | P205/55R16 |
| Capacité de remorquage : | 900 kg |

## MOTORISATION À L'ESSAI

Pneus d'origine MICHELIN

| | |
|---|---|
| Moteur : | 5L de 2,5 litres 20s turbocompressé |
| Alésage et course : | 83,0 mm x 93,2 mm |
| Puissance : | 227 ch (169 kW) à 5 000 tr/min |
| Couple : | 236 lb-pi (320 Nm) de 1 500 à 4 800 tr/min |
| Rapport poids/puissance : | 7,13 kg/ch (9,69 kg/kW) |
| Système hybride : | aucun |
| Transmission : | intégrale, manuelle 6 rapports |
| Accélération 0-100 km/h : | 7,1 s |
| Reprises 80-120 km/h : | 5,4 s |
| Freinage 100-0 km/h : | 38,0 m |
| Vitesse maximale : | 210 km/h |
| Consommation (100 km) : | super, 12,2 litres |
| Autonomie (approximative) : | 467 km |
| Émissions de CO2 : | 4 992 kg/an |

## GAMME EN BREF

| | |
|---|---|
| Échelle de prix : | 31 495 $ à 41 495 $ |
| Catégorie : | berline sport/familiale |
| Historique du modèle : | 2ième génération |
| Garanties : | 4 ans/80 000 km, 4 ans/80 000 km |
| Assemblage : | Gand, Belgique |
| Autre(s) moteur(s) : | 5L 2,4l 168ch/170lb-pi (10,9 l/100km) 2,4i |
| Autre(s) rouage(s) : | traction |
| Autre(s) transmission(s) : | manuelle 5 rapports/ automatique 5 rapports |

## DANS LA MÊME CATÉGORIE

Acura TL - Audi A4 - BMW Série 3 - Mercedes-Benz Classe B - Saab 9-3 - Volkswagen Passat

## DU NOUVEAU EN 2008

Nouvelle grille de calandre, phares avant, moteur T5 plus puissant

## NOS IMPRESSIONS

| | |
|---|---|
| Agrément de conduite : | 🚗 🚗 🚗 🚗 |
| Fiabilité : | 🚗 🚗 🚗 ½ |
| Sécurité : | 🚗 🚗 🚗 🚗 ½ |
| Qualités hivernales : | 🚗 🚗 🚗 🚗 |
| Espace intérieur : | 🚗 🚗 🚗 🚗 |
| Confort : | 🚗 🚗 🚗 🚗 |

## LE CHOIX DE L'ÉQUIPE

V50 T5

**VOLVO S40 / V50**

**579**

# L'ANTI VOLVO ?

Complexés les Suédois de chez Volvo ? Il semble bien qu'ils ont réagi après s'être fait accuser pendant des décennies de produire de grosses boîtes carrées efficaces mais peu excitantes à conduire. Et cette réaction a trouvé son point culminant avec la S60. Les stylistes affectés à cette berline ont fait l'impossible pour la démarquer de tout ce qui avait été conçu auparavant. Sous la férule du Britannique Peter Forsbury, ils ont concocté ce coupé quatre portes se voulant sportif d'allure.

Les responsables de ce modèle s'étaient tellement convaincus de leur mission qu'ils nous parlaient de Volvo comme d'une marque à caractère sportif depuis des générations ! Cette volte-face n'a pas toujours été bien accueillie, d'autant plus que ce constructeur se vantait depuis des générations de fabriquer les voitures les plus efficaces en matière de sécurité et pas nécessairement d'être les plus sportives. Malgré cet écart de conduite, la philosophie traditionnelle de la marque n'a pas été modifiée tandis que la S60 joue toujours les sportives.

## PRIORITÉ AU STYLISME

Comme mentionné précédemment, la S60 avait pour mission de changer la perception de la marque auprès des gens qui ignoraient ce produit. Les designers ont donc eu l'idée de l'affubler d'une carrosserie plus sportive, proposant la silhouette d'un coupé et le caractère pratique d'une berline. Si Mercedes-Benz a réussi un coup de maître avec la CLS, c'est moins heureux du côté de Göteborg alors que la partie arrière s'amenuise très rapidement, créant un déséquilibre visuel important. De plus, pour s'installer à l'arrière, il faut être souple et ne pas être trop grand car, une fois assis, le dégagement pour la tête est moyen tout au plus. Toujours pour souligner le caractère spécial de la S60, on a opté pour des feux arrière de grandes dimensions, un peu semblables à ceux

de la première S80. C'est pas mal sur cette dernière, mais moins harmonieux sur la S60 en raison du dessin de la ligne de toit.

Par contre, l'habitacle est dans la plus pure tradition Volvo avec des sièges avant presque parfaits proposant un confort et un support supérieurs à la moyenne. En plus, le tableau de bord est sobre, bien aménagé et d'une ergonomie de bon aloi. Je suis moins impressionné par le design de l'articulation du levier de vitesse qui fait un peu surchargé, cette grosse boule argentée étant de trop en fonction du reste du décor. Bref, malgré ce léger bémol, toutes les qualités qui ont fait apprécier cette marque au fil des années comme la qualité de l'assemblage, des plastiques et de la finition sont présentes dans la S60.

## AU PAYS DU TURBO

Les ingénieurs suédois aiment la turbocompression plus que dans tout autre pays. Selon eux, pas besoin d'une grosse cylindrée pour obtenir des performances. Aussi bien chez Saab que chez Volvo, les moteurs turbo font la loi ! Sur la S60, le moteur le plus utilisé est un cinq cylindres en ligne turbocompressé de 2,5 litres d'une puissance de 208 chevaux, couplé à une boîte manumatique à cinq rapports. Cette puissance peut sembler un peu juste sur une voiture de cette grosseur,

**FEU VERT**
Sécurité assurée, sièges confortables, moteurs adéquats, boîte automatique

**FEU ROUGE**
Places arrière difficiles d'accès, abandon version R, silhouette vieillotte, direction engourdie, fiabilité inégale

## VÉHICULE D'ESSAI

| | |
|---|---|
| Version : | S60 2.5T AWD |
| Emp/Lon/Lar/Haut(mm) : | 2 715/4 603/1 813/1 428 |
| Poids : | 1 656 kg |
| Coffre/Réservoir : | 394 litres / 68 litres |
| Nombre de coussins de sécurité : | 8 |
| Suspension avant : | indépendante, jambes de force |
| Suspension arrière : | indépendante, multibras |
| Freins av./arr. : | disque (ABS) |
| Antipatinage/Contrôle de stabilité : | oui / oui |
| Direction : | à crémaillère, assistance variable |
| Diamètre de braquage : | 11,8 m |
| Pneus av./arr. : | P205/55R16 |
| Capacité de remorquage : | 1 500 kg |

mais un peu comme le moteur turbo 2,0 litres de Audi, la réaction du moteur est instantanée et la puissance toujours au rendez-vous. À moins de vouloir courir des rallyes ou rouler constamment chargé, ce cinq cylindres fait le travail. Il est également offert avec une transmission intégrale faisant appel au système Haldex dont l'efficacité n'est plus à prouver. Par contre, ce modèle est plus lourd, environ 75 kg, ce qui nuit quelque peu à son équilibre général et à sa maniabilité.

Vous admettrez avec moi que 208 chevaux, ce n'est pas terrible pour une berline qui veut jouer les sportives. Ce qui explique la présence dans la gamme de la S60 de la T5 équipée d'un moteur cinq cylindres en ligne monté transversalement d'une puissance de 257 chevaux et d'une boîte manuelle à six rapports. La T5 peut sembler être un modèle de rêve combinant sportivité et le caractère pratique de la marque. Pourtant, il ne m'emballe pas trop en raison d'un moteur affecté d'un certain temps de réponse du turbo, tandis que la boîte de vitesses à six rapports est affligée d'un embrayage pas nécessairement sportif... Et comme il s'agit d'une traction, un effet de couple est ressenti dans le volant. Par contre, le comportement routier est rassurant à défaut d'être sportif.

La R60 se voulait le modèle de haute performance de la marque avec un moteur de 2,5 litres, déployant 300 chevaux grâce à un méga turbo. En équipement de série, il proposait une boîte manuelle à six rapports et l'intégrale. La boîte manumatique à cinq rapports était optionnelle. Sans tenir compte du temps de réponse du turbo, cette S60 était très, très rapide tandis que son comportement routier devait satisfaire les plus audacieux. Par contre, tous les modèles R que j'ai conduits laissent entendre des craquements et des cliquetis, preuve que les 300 chevaux sollicitaient la rigidité de la plate-forme. Ce qui explique sans doute sa disparation en 2008.

Malgré ses airs de rebelle par rapport aux autres voitures de la marque, la S60 est une authentique Volvo en raison de sa solidité, de sa sécurité et de son confort, tout en offrant une conduite un peu plus sportive.

**Denis Duquet**

## MOTORISATION À L'ESSAI

Pneus d'origine
MICHELIN

| | |
|---|---|
| Moteur : | 5L de 2,5 litres 20s turbocompressé |
| Alésage et course : | 83,0 mm x 93,3 mm |
| Puissance : | 208 ch (155 kW) à 5 000 tr/min |
| Couple : | 236 lb-pi (320 Nm) de 1 500 à 4 500 tr/min |
| Rapport poids/puissance : | 7,96 kg/ch (10,82 kg/kW) |
| Système hybride : | aucun |
| Transmission : | intégrale, auto. mode man. 5 rapports |
| Accélération 0-100 km/h : | 7,2 s |
| Reprises 80-120 km/h : | 7,6 s |
| Freinage 100-0 km/h : | 40,5 m |
| Vitesse maximale : | 250 km/h |
| Consommation (100 km) : | super, 11,7 litres |
| Autonomie (approximative) : | 581 km |
| Émissions de CO2 : | 4 752 kg/an |

## GAMME EN BREF

| | |
|---|---|
| Échelle de prix : | 40 995 $ à 47 995 $ |
| Catégorie : | berline de luxe |
| Historique du modèle : | 1ière génération |
| Garanties : | 4 ans/80 000 km, 4 ans/80 000 km |
| Assemblage : | Gand, Belgique |
| Autre(s) moteur(s) : | 5L 2,4l turbo 257ch/258lb-pi (10,9 l/100km) 2,4i |
| Autre(s) rouage(s) : | traction |
| Autre(s) transmission(s) : | manuelle, 6 rapports |

## DANS LA MÊME CATÉGORIE

Acura TL - Audi A4 - BMW Série 3 - Buick Lucerne - Infiniti M45 - Jaguar X-Type - Lexus IS - Mercedes-Benz Classe C - Saab 9-5

## DU NOUVEAU EN 2008

Modèle R abandonné, réorganisation de contenu

## NOS IMPRESSIONS

| | |
|---|---|
| Agrément de conduite : | 🚗 🚗 🚗 🚗 |
| Fiabilité : | 🚗 🚗 🚗 |
| Sécurité : | 🚗 🚗 🚗 🚗 ½ |
| Qualités hivernales : | 🚗 🚗 🚗 🚗 |
| Espace intérieur : | 🚗 🚗 🚗 ½ |
| Confort : | 🚗 🚗 🚗 🚗 |

## LE CHOIX DE L'ÉQUIPE

2.5T AWD

Photos : Volvo

# LE CONFORT ENTRE DEUX CHAISES

La Volvo S80 évolue dans une catégorie sans pitié. Audi A6, BMW série 5, Infiniti M, Mercedes-Benz Classe E et Lexus GS se livrent une lutte acharnée à grands coups d'électronique et de chevaux-vapeur. L'an dernier, Volvo a débarqué sur le champ de bataille avec une nouvelle S80. L'entreprise suédoise a beau insuffler de la puissance à sa voiture vedette et lui embarquer de l'informatique à n'en plus finir, reste que c'est au chapitre de la sécurité qu'elle marque des points.

**M**entionnons tout d'abord que si la S80 a été entièrement revue l'année dernière… ça ne paraît pratiquement pas! On a certes arrondi un angle ici, retouché un rayon là, peaufiné un détail, camouflé une ride mais le résultat ne dépayse pas, au contraire. L'épaulement de la partie arrière (le renflement si caractéristique des Volvo) a été adouci. En gros, la S80 conserve donc ses lignes. Certains huent, d'autres applaudissent. Cependant, la grille avant mérite mieux que cette grosse plaque de plastique, moulée à même la calandre, qui vient briser l'harmonie. Curieusement, elle est invisible sur la photo fournie par Volvo!

**BEAUTÉ RARE**

Là où tous s'entendent, c'est sur le design de l'habitacle. Surtout lorsque présenté dans sa version couleur beige sable du plus bel effet malgré une incorrigible tendance à se salir. Le tableau de bord, un modèle d'ergonomie (le petit bonhomme du système de ventilation, entre autres!), fait preuve d'une réelle recherche stylistique qui, heureusement, n'a pas sombré dans la caricature. Les lignes s'avèrent douces et inspirent le calme. La console flottante, une exclusivité Volvo, ajoute au modernisme même s'il est toujours très difficile d'avoir accès aux petits objets placés derrière. Et que dire des sièges! D'une rare beauté, ils sont

aussi très confortables et invitent aux longues randonnées. Même ceux situés à l'arrière possèdent ces attributs.

Deux moteurs sont proposés pour la S80. Un V6 de 3,2 litres et un V8 de 4,4 litres sont associés d'office avec une transmission automatique à six rapports et un rouage intégral. Le 3,2 litres offre 235 chevaux, ce qui n'est pas mal pour une voiture de plus de 1 600 kilos. Le V8 de 4,4 litres, par contre, déplace la S80 avec une aisance peu commune. Et la sonorité de ce moteur, lorsqu'on tourne la clé de contact, plait aux oreilles mécaniquement musicales. En revanche, en pleine accélération, son grondement sourd devient plus aigu et moins intéressant. Et, encore moins intéressant, le passage à la pompe… Notre essai d'un modèle V8 s'est soldé par une consommation de 15,2 litres aux cent kilomètres, ce qui est loin des données du constructeur qui se targue d'une moyenne de 11,3. Au moins, les deux moteurs fonctionnent à l'essence ordinaire. La transmission effectue son travail avec douceur. Il est possible de changer manuellement les rapports en jouant du levier mais on se lasse rapidement. Le rouage intégral envoie majoritairement le couple vers les roues avant, mais dès qu'une de ces roues perd de l'adhérence, le couple est dirigé vers l'arrière jusqu'à concurrence de 50%.

**FEU VERT**
Tableau de bord réussi, sièges impeccables, moteur V8 puissant, essence régulière, suspensions ajustables (Four-C)

**FEU ROUGE**
V8 gourmand, fiabilité reste à confirmer, ouverture coffre petite, anti-dérapage autoritaire, sportivité un peu à la traîne

## MODE SPORT

Notre S80 d'essai était muni de l'optionnel «Four-C Active Chassis». En fait, il s'agit d'un système de suspensions semi-actives qui s'ajustent au pilotage, à la route et à la voiture, et ce, 500 fois par secondes. Ce système interagit aussi avec l'antidérapage, le moteur, les freins et la direction. Il est aussi possible pour le conducteur de choisir entre trois modes, soit «confort», «sport» et «advanced». Les différences observées entre les divers modes n'étaient pas aussi marquées que sur une V70R essayée en 2006. Néanmoins, ce système s'avère très efficace et j'ai passé une bonne partie de ma semaine d'essai sur le mode «sport», un habile compromis.

La S80 affiche, à la limite, un comportement sous-vireur mais ne donne jamais l'impression d'être dépassée par les événements, aidée en cela par les Pirelli PZero Rosso 18 pouces de notre voiture. À tout événement malheureux, vous pouvez compter sur des freins puissants et une multitude de béquilles électroniques pour vous sortir d'impasse. En parlant de freinage, il faut mentionner qu'une accélération vive après un arrêt d'urgence donne l'impression que le rouage intégral «glisse» un court moment. Sans être agréable, cette situation ne semble pas dramatique. Le volant, un zest trop grand à mon goût, propose un bon *feedback*.

Depuis plusieurs décennies, Volvo rime avec sécurité. Et la S80 ne fait pas exception à la règle. Outre les huit coussins gonflables, les freins ABS et le système antidérapage, on retrouve un système optionnel appelé BLIS (Blind Sport Information System) qui, par l'entremise de petites caméras placées sous les rétroviseurs extérieurs, avise le conducteur qu'il y a des voitures placées dans son angle mort. Ce système s'avère très efficace, peut-être trop… Avec ce type de béquille, bien des personnes ne prendront plus la peine de tourner la tête pour bien vérifier. Par contre, un bouton d'ouverture d'urgence dans le coffre aurait été le bienvenu…

La Volvo S80 est une réussite à plus d'un point de vue. Pourtant, encore une fois, la marque suédoise ne devrait attirer que les consommateurs déjà vendus à la marque. Les autres préfèreront une voiture plus sportive (Audi, BMW) ou plus confortable (Mercedes-Benz) ou plus fiable (Infiniti, Lexus). Mais pour l'ergonomie, le niveau de sécurité et l'habitacle, la S80 ne part pas perdante.

**Alain Morin**

Photos : Volvo

### VÉHICULE D'ESSAI

| | |
|---|---|
| Version : | V8 |
| Emp/Lon/Lar/Haut (mm) : | 2 835/4 851/1 861/1 493 |
| Poids : | 1 742 kg |
| Coffre/Réservoir : | 422 litres / 70 litres |
| Nombre de coussins de sécurité : | 8 |
| Suspension avant : | indépendante, jambes de force |
| Suspension arrière : | indépendante, ressorts hélicoïdaux |
| Freins av./arr. : | disque (ABS) |
| Antipatinage/Contrôle de stabilité : | oui / oui |
| Direction : | à crémaillère, assistée |
| Diamètre de braquage : | 11,2 m |
| Pneus av./arr. : | P245/0R18 |
| Capacité de remorquage : | 1 500 kg |

### MOTORISATION À L'ESSAI

Pneus d'origine MICHELIN

| | |
|---|---|
| Moteur : | V8 de 4,4 litres 32s atmosphérique |
| Alésage et course : | 94,0 mm x 79,5 mm |
| Puissance : | 311 ch (232 kW) à 5 950 tr/min |
| Couple : | 325 lb-pi (441 Nm) à 3 950 tr/min |
| Rapport poids/puissance : | 5,6 kg/ch (7,61 kg/kW) |
| Système hybride : | aucun |
| Transmission : | intégrale, auto. mode man. 6 rapports |
| Accélération 0-100 km/h : | 7,3 s |
| Reprises 80-120 km/h : | 5,6 s |
| Freinage 100-0 km/h : | 40,0 m |
| Vitesse maximale : | 209 km/h |
| Consommation (100 km) : | ordinaire, 15,2 litres |
| Autonomie (approximative) : | 461 km |
| Émissions de $CO_2$ : | 6 480 kg/an |

### GAMME EN BREF

| | |
|---|---|
| Échelle de prix : | 54 995 $ à 64 995 $ |
| Catégorie : | berline de luxe |
| Historique du modèle : | 2ième génération |
| Garanties : | 4 ans/80 000 km, 4 ans/80 000 km |
| Assemblage : | Torslanda, Suède |
| Autre(s) moteur(s) : | 6L 3,2l 235ch/236lb-pi (12,0 l/100km) |
| Autre(s) rouage(s) : | aucun |
| Autre(s) transmission(s) : | aucune |

### DANS LA MÊME CATÉGORIE

Audi A6 - BMW Série 5 - Buick Lucerne - Cadillac STS - Infiniti M45 - Jaguar S-Type - Lexus GS - Lincoln MKZ - Saab 9-5

### DU NOUVEAU EN 2008

Pas de changement majeur

### NOS IMPRESSIONS

| | |
|---|---|
| Agrément de conduite : | 🚗 🚗 🚗 🚗 |
| Fiabilité : | 🚗 🚗 🚗 ½ |
| Sécurité : | 🚗 🚗 🚗 🚗 ½ |
| Qualités hivernales : | 🚗 🚗 🚗 🚗 |
| Espace intérieur : | 🚗 🚗 🚗 🚗 |
| Confort : | 🚗 🚗 🚗 🚗 ½ |

### LE CHOIX DE L'ÉQUIPE

V8

# POUR RÉSISTER À LA TENDANCE

Aujourd'hui, la tendance est aux VUS. Et qu'on les appelle 4x4, utilitaires, multisegments ou autres, ils séduisent parce qu'ils proposent du style, du volume et un sentiment de sécurité supérieur à celui de toute autre voiture. Le constructeur Volvo le sait d'ailleurs très bien, puisque sa XC90 est depuis quelque temps son produit le plus populaire. Néanmoins, il existe de ces clients pour qui la mode est secondaire. Ils désirent conduire un véhicule qui leur plaît à eux, et qui répond à tous leurs besoins en matière de confort, d'espace, de performances et de luxe.

Les familiales de Série 70 sont bien sûr la réponse à cette clientèle. Et non, je ne dis pas que ces voitures ne sont pas à la mode, mais dans les riches banlieues où pleuvent les Range Rover et autres BMW X5, la Volvo familiale n'est pas celle que l'on remarque. Et ça, l'acheteur d'une V70 ou XC70 n'en a rien à foutre!

Pour 2008, le constructeur suédois nous propose donc une toute nouvelle génération de sa populaire familiale. Et on ne parle pas que d'un rafraîchissement, mais bien d'un véhicule entièrement repensé, malgré les apparences. Je dis malgré les apparences parce qu'il est vrai que le changement esthétique n'est pas radical. Mais cette clientèle friande du luxe et de confort est généralement conservatrice et ne désire pas se faire bousculer par un design trop avant-gardiste. N'oublions pas qu'ici, nous ne sommes pas chez BMW...

### VARIATION SUR LE STYLE
Plus élégante et raffinée, la gamme 70 mérite selon moi de grands éloges au niveau du style. Autant le propriétaire du modèle d'ancienne génération sera heureux de constater que sa

voiture demeure actuelle, autant le nouvel acheteur appréciera les nombreuses mais parfois discrètes distinctions de cette nouvelle génération.

D'abord, la XC70 délaisse ce regard de raton laveur en éliminant pare-chocs et calandre noirs au profit de la couleur assortie. Seuls deux cadrages au bas du pare-choc avant viennent se ceinturer de noir. En revanche, on nous propose sur les deux modèles des contours de fenêtre peints en noir, la V70 recevant en plus un jonc chromé ceinturant le tout. Vue de dos, on ne peut non plus passer sous silence ces feux qui s'élargissent en descendant, ainsi que les cinq lettres qui composent le nom de la marque, bien séparées les unes des autres, un peu comme c'était le cas il y a plus de trente ans.

La Série 70 nous propose le même tableau de bord que celui de sa grande sœur, la S80. Je vous l'accorde, ce n'est pas très original, mais comme ce dernier est un exemple en matière de style et d'ergonomie, je ne vois rien de mal à le réutiliser. C'est donc un poste de conduite noble et bien présenté qui se trouve devant le conducteur. Selon la version choisie, accents métalliques ou boiseries véritables et de bon goût viennent personnaliser l'habitacle. On peut également choisir entre plusieurs teintes intérieures, dont certaines proposent deux tons contrastants du plus bel effet. La désormais classique console flottante est aussi au rendez-vous, laquelle est couverte de commandes servant à la ventilation, au système audio ou aux autres éléments de confort. Au bout de celle-ci vient finalement se loger le levier de vitesse encadré d'une plaque d'aluminium brossé.

Tout l'étalage esthétique intérieur ne peut toutefois faire le poids devant le sentiment qui nous envahit en s'asseyant sur ces sièges au confort royal. À ce niveau, force est d'admettre que Volvo a toujours la touche. Ce ne sont pas les plus fermes ni les plus enveloppants, et ils ne sont pas signés d'une marque prestigieuse, mais qu'est-ce qu'ils sont confortables ! Et la même remarque est applicable aux places arrière, qui concèdent de surcroît plus d'espace pour les jambes. Le coffre aussi prend du volume, soit 60 litres supplémentaires. Il s'avère donc spacieux et pratique. Non seulement on l'a doté d'un plateau coulissant facilitant le chargement, mais on s'assure aussi que les malfaiteurs ne puissent avoir accès à son contenu. En effet, lorsque le plateau est en place et que le hayon est verrouillé, il est impossible de soulever ledit plateau.

Passablement généreux, l'équipement des V70 et XC70 laisse malgré tout place à beaucoup d'options. Système Dynaudio à douze haut-parleurs, régulateur de vitesse adaptatif, assistance au stationnement, sièges de cuir perforé et sièges d'appoint pour enfants sont tous offerts au catalogue, moyennant un supplément. Bref, il faudra que le futur propriétaire prenne le temps de bien réfléchir aux options à choisir, à moins bien sûr que la lourdeur du chèque ne l'affecte pas.

## AU REVOIR, CINQ CYLINDRES…

La XC70 se voit attribuée un moteur six cylindres de série. Par conséquent, il faut dire adieu au vénérable cinq cylindres. Certes, ce moteur apportait un certain charme et une marque de différenciation à la voiture, mais les performances n'étaient plus en mesure de faire concurrence à la rivalité.

Avec un cylindre de plus, je vous dirais cependant que la puissance n'est pas encore stupéfiante. Oui, c'est mieux, mais on sent que le moteur travaille passablement fort pour trimbaler la carcasse de cette Volvo. Heureusement qu'il est jumelé à une boîte automatique à six rapports qui permet d'exploiter au maximum la puissance disponible. D'une cylindrée de 3,2 litres, ce moteur désormais bien connu chez Volvo étonne néanmoins par sa souplesse et sa discrétion. Sa consommation d'essence n'est pas encore établie, mais on estime une moyenne oscillant autour de 12,5 litres aux 100 kilomètres.

La V70 qui nous arrivera un peu plus tard (en février) sera également dotée de série du six cylindres de 3,2 litres. En sa version T6 (qui elle, sera disponible à l'été 2008), elle sera toutefois pourvue d'un autre six cylindres, cette fois turbocompressé et développant 282 chevaux. Jumelée à un rouage intégral Haldex, cette voiture se rapproche dangereusement de la défunte V70R concernant la puissance.

Pour une conduite vraiment dynamique, l'option du système de gestion de suspension 4C est de rigueur. Ce système offre au conducteur un choix de trois modes, privilégiant soit le confort, la conduite sportive ou les deux. Mais dans tous les cas, sachez que la voiture possède une bien

**FEU VERT**
Moteur plus puissant, niveau de sécurité élevé, habitacle confortable, intégrale performante (XC70)

**FEU ROUGE**
Fiabilité toujours questionnable, modifications plus ou moins évidentes, consommation exagérée, entretien dispendieux

meilleure suspension, qui absorbe mieux les chocs (surtout la XC70). Le roulis en virage est donc moins prononcé et la stabilité routière ne s'en porte que mieux.

Je préfère le comportement plus dynamique de la V70 à celui de la XC70, plus «absorbant». Toutefois, il semble que la majorité des acheteurs ne soient pas de mon avis, puisqu'il se vend plus du double de XC70, et ce, peu importe le pays. Le côté plus intéressant est le fait que cette XC70 soit capable de se comporter hors route comme la plupart des VUS. Lors du lancement du véhicule, Volvo nous a d'ailleurs permis de la mettre à l'épreuve sur des sentiers carrément impossibles d'accès pour des voitures. Le système de rouage intégral efficace et la garde au sol élevée, accompagnés d'un système électronique de contrôle en descente, m'ont donc confirmé une fois de plus le savoir-faire de cette voiture. Et je ne vous détaillerai pas la longue liste des caractéristiques de sécurité de cette Volvo, sinon en vous mentionnant qu'il s'agit probablement de l'une des voitures les plus sûres au monde.

## AVIS AUX CONSOMMATEURS

Dernièrement, j'ai rencontré plusieurs personnes ayant visité un concessionnaire Volvo. Leurs commentaires étaient similaires : ces gens étaient tous fort insatisfaits. Je me remémore souvent l'énoncé d'une personne de mon entourage qui désirait acheter (et non pas magasiner) une XC90 et qui s'est rendue chez un concessionnaire pour en faire l'acquisition. Son expérience a été tellement négative (après 20 minutes d'attente, il n'avait toujours pas été servi par un vendeur) que monsieur roule aujourd'hui en RX350, car chez Lexus, le service est aussi inclus dans l'achat! Voilà donc un problème (et ce n'est pas un cas isolé), qu'il vous faudra régler, dirigeants de chez Volvo. Car vous avez beau offrir une nouvelle Série 70 franchement réussie, encore faut-il que la clientèle soit en mesure de bien se faire servir!

Un petit mot en terminant, nous avons eu la chance lors de notre essai de la XC70 de prendre le volant de la version D5 vendue en Europe. Une vraie merveille, rien de moins. Je ne sais pas ce qu'attendent les dirigeants pour importer ce modèle turbodiesel, dont le succès serait assuré chez nous, mais lorsqu'on peut économiser 35 % de carburant tout en bénéficiant d'une puissance quasi similaire au six cylindres et d'un couple immensément plus généreux, la question me semble personnellement évidente. N'êtes-vous pas d'accord?

**Antoine Joubert**

Photos : Denis Duquet

### VÉHICULE D'ESSAI

| | |
|---|---|
| Version : | XC70 3,2 |
| Emp/Lon/Lar/Haut(mm) : | 2 815/4 838/2 119/1 604 |
| Poids : | 1 891 kg |
| Coffre/Réservoir : | 944 à 2 042 litres / 70 litres |
| Nombre de coussins de sécurité : | 6 |
| Suspension avant : | indépendante, jambes de force |
| Suspension arrière : | indépendante, multibras |
| Freins av./arr. : | disque (ABS) |
| Antipatinage/Contrôle de stabilité : | oui / oui |
| Direction : | à crémaillère, assistance variable |
| Diamètre de braquage : | 10,6 m |
| Pneus av./arr. : | P215/65R16 |
| Capacité de remorquage : | n.d. |

### MOTORISATION À L'ESSAI

Pneus d'origine MICHELIN

| | |
|---|---|
| Moteur : | V6 de 3,2 litres 24s atmosphérique |
| Alésage et course : | n.d. |
| Puissance : | 235 ch (175 kW) à 6 200 tr/min |
| Couple : | 236 lb-pi (320 Nm) à 3 200 tr/min |
| Rapport poids/puissance : | 8,05 kg/ch (10,93 kg/kW) |
| Système hybride : | aucun |
| Transmission : | intégrale, automatique 6 rapports |
| Accélération 0-100 km/h : | 8,5 s (estimé) |
| Reprises 80-120 km/h : | 7,5 s (estimé) |
| Freinage 100-0 km/h : | 39,0 m (estimé) |
| Vitesse maximale : | 200 km/h (estimé) |
| Consommation (100 km) : | ordinaire, 14,4 litres (constructeur) |
| Autonomie (approximative) : | 486 km |
| Émissions de CO2 : | n.d. |

### GAMME EN BREF

| | |
|---|---|
| Échelle de prix : | 43 000 $ à 48 000 $ |
| Catégorie : | multisegment |
| Historique du modèle : | 1ère génération |
| Garanties : | 4 ans/80 000 km, 4 ans/80 000 km |
| Assemblage : | n.d. |
| Autre(s) moteur(s) : | 6L 3l 282ch/295lb-pi (V70, à venir) |
| Autre(s) rouage(s) : | aucun |
| Autre(s) transmission(s) : | aucune |

### DANS LA MÊME CATÉGORIE

Audi A4 Avant - BMW 325 Touring - Dodge Magnum - Jaguar X-Type - Saab 9-5 - Subaru Outback

### DU NOUVEAU EN 2008

Nouveau modèle

### NOS IMPRESSIONS

| | |
|---|---|
| Agrément de conduite : | 🚗 🚗 🚗 🚗 |
| Fiabilité : | Nouveau modèle |
| Sécurité : | 🚗 🚗 🚗 🚗 🚗 |
| Qualités hivernales : | 🚗 🚗 🚗 🚗 |
| Espace intérieur : | 🚗 🚗 🚗 🚗 |
| Confort : | 🚗 🚗 🚗 🚗 |

### LE CHOIX DE L'ÉQUIPE

XC70

# POLITIQUEMENT CORRECT?

Depuis des années, Volvo est un constructeur responsable qui privilégie la sécurité, l'environnement et le recyclage. Cette marque jouit d'ailleurs d'une image très positive auprès de la population. Par exemple, au cinéma, la Volvo est la voiture pilotée par les «bons». Il est donc curieux de constater que la XC90, un VUS, soit le modèle le plus populaire de cette marque en Amérique. Alors que la catégorie est de moins en moins politiquement correcte en fonction de la sensibilisation contre le réchauffement global.

La XC90 est un VUS certes, mais il ne faut pas nécessairement l'associer avec la majorité des autres véhicules de cette catégorie qui sont dérivés des camionnettes depuis des lunes. Il faut toujours se souvenir que ce constructeur est dirigé par des ingénieurs qui ont préséance sur les responsables de la commercialisation, et il n'était pas question de renier les credos propres à Volvo depuis des décennies pour tenter l'aventure dans la catégorie des utilitaires sport.

### OUI MAIS!

Lorsque les ingénieurs de Volvo ont reçu pour mission de développer un VUS, ils n'ont donc pas sauté de joie. D'autant plus que le projet prévoyait une version sept places, une idée qui était loin de plaire à ces inconditionnels de la sécurité puisque les occupants de la troisième rangée se trouvaient très près de la zone d'impact en cas de collision arrière. Par ailleurs, le centre de gravité élevé augmentait les risques de retournement. Ils se sont alors attaqués à la tâche en développant l'une de carrosseries monocoques les plus solides sur le marché. Ils ont utilisé des aciers très rigides afin d'assurer la résistance voulue en cas de capotage. De plus, des longerons longitudinaux ultrarobustes ont rendu la XC90 tout aussi sécuritaire que les berlines de cette marque. D'ailleurs, lors du lancement de ce modèle, les journalistes ont été invités à assister à une simulation de capotage devant démontrer les qualités de sécurité de ce VUS.

Cette Volvo est également dotée de rideaux latéraux qui se déploient sur toute la longueur de l'habitacle, d'un ingénieux système anticapotage qui intervient en ralentissant le véhicule et en utilisant les freins de façon sélective lorsque des capteurs détectent un roulis de caisse trop important. Mais il y a plus que la sécurité passive et active. Ce gros tout-terrain est aussi muni d'un rouage intégral Haldex dont la toute nouvelle mouture permet une intervention plus rapide que précédemment.

### NIPPON OU SCANDINAVE?

Lors de son lancement, la première génération de ce véhicule a reçu beaucoup d'éloges à propos de sa silhouette, de la polyvalence de son habitacle et de sa tenue de route. Par contre, les critiques ont été abondantes au chapitre de la motorisation. Le moteur le plus puissant, un six cylindres monté transversalement, offrait des performances moindres que celle du moteur cinq cylindres développant moins de chevaux.

Depuis 2006, cette lacune a été corrigée avec l'arrivée d'un V8 de 4,4 litres monté transversalement et spécialement développé par

**FEU VERT**
Moteur V8, sécurité passive, multiples groupes d'options, bonne tenue de route, habitacle confortable

**FEU ROUGE**
Roulis en virage, 3e rangée de sièges pour enfants seulement, capacité de remorquage limitée (6 cyl), fiabilité inégale, consommation élevée

### VÉHICULE D'ESSAI

| | |
|---|---|
| Version : | V8 5 passagers |
| Emp/Lon/Lar/Haut(mm) : | 2 857/4 807/1 898/1 784 |
| Poids : | 2 036 kg |
| Coffre/Réservoir : | 249 à 2 639 litres / 80 litres |
| Nombre de coussins de sécurité : | 8 |
| Suspension avant : | indépendante, jambes de force |
| Suspension arrière : | indépendante, multibras |
| Freins av./arr. : | disque (ABS) |
| Antipatinage/Contrôle de stabilité : | oui / oui |
| Direction : | à crémaillère, assistance variable |
| Diamètre de braquage : | 12,5 m |
| Pneus av./arr. : | P235/65R18 |
| Capacité de remorquage : | 2 250 kg |

### MOTORISATION À L'ESSAI

Pneus d'origine MICHELIN

| | |
|---|---|
| Moteur : | V8 de 4,4 litres 32s atmosphérique |
| Alésage et course : | 94,0 mm x 79,5 mm |
| Puissance : | 311 ch (232 kW) à 5 850 tr/min |
| Couple : | 325 lb-pi (441 Nm) à 3 900 tr/min |
| Rapport poids/puissance : | 6,55 kg/ch (8,89 kg/kW) |
| Système hybride : | aucun |
| Transmission : | intégrale, automatique 6 rapports |
| Accélération 0-100 km/h : | 8,7 s |
| Reprises 80-120 km/h : | 7,2 s |
| Freinage 100-0 km/h : | 42,9 m |
| Vitesse maximale : | 200 km/h |
| Consommation (100 km) : | super, 16,2 litres |
| Autonomie (approximative) : | 494 km |
| Émissions de $CO_2$ : | 6 480 kg/an |

### GAMME EN BREF

| | |
|---|---|
| Échelle de prix : | 50 995 $ à 69 195 $ |
| Catégorie : | multisegment |
| Historique du modèle : | 1ère génération |
| Garanties : | 4 ans/80 000 km, 4 ans/80 000 km |
| Assemblage : | Torslanda, Suède |
| Autre(s) moteur(s) : | 6L 3,2l 235ch/236lb-pi (13,9 l/100km) |
| Autre(s) rouage(s) : | aucun |
| Autre(s) transmission(s) : | aucune |

### DANS LA MÊME CATÉGORIE

Cadillac SRX - Infiniti FX35/45 - Mercedes-Benz Classe R - Subaru Tribeca

### DU NOUVEAU EN 2008

Aucun changement majeur, nouvelles roues, groupes d'options modifiés

### NOS IMPRESSIONS

| | |
|---|---|
| Agrément de conduite : | 🚗 🚗 🚗 🚗 |
| Fiabilité : | 🚗 🚗 🚗 ½ |
| Sécurité : | 🚗 🚗 🚗 🚗 🚗 |
| Qualités hivernales : | 🚗 🚗 🚗 🚗 |
| Espace intérieur : | 🚗 🚗 🚗 ½ |
| Confort : | 🚗 🚗 🚗 🚗 ½ |

### LE CHOIX DE L'ÉQUIPE

V8 5 passagers

Yamaha pour s'insérer à la perfection sous le capot de la Volvo. Ce moteur souple et puissant relié à une boîte automatique à six rapports permet de déplacer sans problème les 2 036 kg de la XC90. Il est difficile de trouver à redire quant à la performance de la transmission qui est bien étagée et qui fonctionne sans à-coup. Ce moteur V8 n'est pas le choix unique puisqu'un nouveau moteur est au catalogue depuis l'an dernier : un six cylindres de 3,2 litres et 235 chevaux, ce qui est suffisant pourvu que vous ne soyez pas obligé de tracter une remorque. L'habitacle est typique aux autres Volvo : des matériaux de qualité, un design sobre, une ergonomie quasiment exemplaire et des sièges confortables. La banquette médiane est douillette elle aussi et le dégagement pour la tête est bon. Par contre, les sièges de la troisième rangée sont uniquement réservés à de jeunes enfants ou à de petits adultes.

Curieusement, malgré sa popularité, les acheteurs de XC90 ne l'utilisent pas nécessairement pour des excursions hors route. La plupart des propriétaires se limitent à des routes enneigées ou recouvertes de gravier au plus. Les personnes désireuses d'aller plus loin dans la nature optent pour la XC70 qui est plus agile.

Avec ses dimensions imposantes et son centre de gravité plus élevé, le XC 90 n'est pas conçu pour un style de conduite débridé. Par contre, la tenue de route est sans surprise et, malgré un roulis de caisse marqué, ce véhicule est stable sous toutes les conditions et son confort sera apprécié en tout temps. En terminant, le rouage intégral Haldex est transparent et il intervient rapidement lorsque les roues avant perdent leur adhérence. Et si les choses se gâtent, les multiples systèmes électroniques d'assistance à la conduite vous remettront dans le droit chemin.

**Denis Duquet**

Photos : Volvo

CADILLAC · CHEVROLET · DODGE · FORD · GMC · HONDA · LINCOLN · MAZDA · NISSAN · TOYOTA

Cadillac Escalade EXT

# PAS JUSTE BEAU !

Puisque nous sommes tout seuls, bien cachés entre deux pages, je vais vous confier un secret : à peu près personne n'achète un Avalanche pour les gros travaux. Ce n'est pas qu'il ne peut pas travailler dur ! Comme on dit par chez nous « y peut en prendre ». Mais sa boîte relativement courte (5'3'') et sa carrosserie de « dimanche après-midi à la plage » ne prédisposent pas les gens à l'utiliser comme bête de somme. De plus, sa version luxueuse, le Cadillac Escalade EXT, fait encore plus bon chic, bon genre !

Sous le gros capot de l'Avanlanche, deux V8 trouvent loyer (mais pas en même temps…). Tout d'abord, un 5,3 litres de 320 chevaux et 340 livres-pied de couple. Ce moteur à essence fait partie de la catégorie E85, c'est-à-dire qu'il peut accepter un mélange de 15 % d'éthanol et 85 % d'essence si vous dénichez une station-service offrant ce produit ! L'autre V8 est un 6,0 litres qui développe la bagatelle de 366 chevaux et 380 livres-pied de couple. La cavalerie peut sembler énorme mais il ne faut pas oublier que l'Avalanche est un véhicule de plus de 2 500 kilos. En mode deux roues motrices, notre consommation d'essence s'est maintenue à 16,1 litres aux cent kilomètres, ce qui n'est pas rien, d'autant plus que nous avions le pied droit très sage ! C'est même un peu plus que ce que dit Transport Canada. Au moins, vous pouvez vous fier à l'ordinateur de bord, très précis sur la consommation moyenne de notre alcoolo peu écolo.

La puissance de ces deux moteurs est acheminée vers les roues via une transmission automatique à quatre rapports. Le fonctionnement de cet organe mécanique s'avère très doux et sa fiabilité ne fait pas de doute. Cependant, un rapport supplémentaire réduirait la consommation. Même si l'Avalanche est aussi vendu en configuration propulsion, la plupart des acheteurs lui préfèrent le 4x4. En fait, en optant pour ce dernier

modèle, plusieurs options s'offrent au conducteur. En mode 2RM, seules les roues arrière participent au combat entre la force d'inertie et le déplacement du véhicule. En mode Auto, le couple est acheminé aux roues arrière sauf si l'ordinateur de bord détecte une variation dans la vitesse de rotation des pneus. Il s'agit d'un mode intégral traditionnel. Deux modes 4RM sont proposés, soit 4high pour rouler en quatre roues motrices (comme un 4x4) ou 4low, ce qui démultiplie le rapport et permet une conduite en quatre roues motrices dans des endroits difficiles. Enfin, en mode Neutre, il est possible de remorquer l'Avalanche derrière un motorisé, par exemple. Un essai dans un champ boueux a peut-être sali la belle robe du camion mais nous a convaincus de ses capacités hors route. Seule la bavette, située sous le pare-choc avant nous apparaît fragile et ne devrait pas tenir le coup longtemps contre un banc de neige.

Sur la route, l'Avalanche se comporte une camionnette moderne, c'est-à-dire pratiquement comme une automobile ! La conduite s'avère quasiment feutrée, sans doute grâce à une direction peu précise et trop assistée. Le confort n'a rien à envier à une berline de taille moyenne. Bien entendu, l'insonorisation fait partie des points forts du véhicule. Là où le comportement rappelle les bonnes vieilles camionnettes, c'est

**FEU VERT**
Silhouette gracieuse, confort garanti, intégrale très professionnelle, marchepieds très utiles, puissance généreuse

**FEU ROUGE**
Consommation d'enfer, comportement peu sportif, gabarit encombrant, espace habitable un peu restreint, portières lourdes

lorsqu'on tente de jouer les matamores! Le roulis est considérable, les sièges n'offrent à peu près aucun support latéral et les pneus crient leur désarroi à qui veut bienles entendre.

## BOÎTE À SURPRISE!

Si l'Avalanche ne peut compter sur un coffre placé sous le plancher comme le Ridgeline, il possède d'autres atouts. Par exemple, sa boîte de chargement est recouverte d'un panneau qui permet le transport d'objets dans la plus stricte confidentialité. En fait, il s'agit de trois panneaux qui se manipulent aisément puisqu'ils sont aussi légers que résistants. De chaque côté, sur le dessus des parois latérales, on retrouve deux coffres profonds mais peu larges qui se verrouillent. Mais ce qui surprend le plus, c'est le «Midgate» qui, comme son nom l'indique si bien, se veut une barrière centrale. C'est une cloison entre l'habitacle et la boîte de chargement qui peut être enlevée pour agrandir l'espace de chargement. Son maniement est simple, efficace et fiable.

Ce «Midgate» donne sur un habitacle très réussi où les plastiques de qualité côtoient une instrumentation complète et lisible. Pourtant, malgré la grosseur du véhicule, l'espace intérieur n'est pas si abondant qu'on serait porté à le croire. Le siège du conducteur, par exemple, n'a pas beaucoup de recul, ce qui pourrait agacer les grandes personnes. Les espaces de rangement, fidèles à la tradition Chevrolet, ne sont pas légion. Notre LTZ possédait le désormais indispensable écran DVD pour les passagers arrière. Mais cet écran, lorsqu'il est déployé, bloque la vue du conducteur vers l'arrière.

## ET LE CADILLAC ESCALADE EXT, LUI?

Comme nous le mentionnions plus tôt, l'Escalade EXT est une version luxueuse de l'Avalanche. Seul un V8 de 6,2 litres trouve refuge sous son capot. Ce moteur développe 403 chevaux et 417 livres-pied de couple, ce qui lui garantit l'exclusivité due à Cadillac! Tandis que le prolétaire Avalanche n'a droit qu'à une transmission automatique à quatre rapports, celle du Escalade EXT en compte deux de plus, assurant ainsi une plus grande quiétude dans l'habitacle mais, surtout, une consommation moins effrénée. Seul le rouage intégral est proposé.

Esthétiquement très réussis, les Chevrolet Avalanche et Cadillac Escalade EXT profitent de l'engouement du public pour les camionnettes d'allure sportive. Si l'Avalanche plaît aux retraités, l'Escalade EXT, lui, semble attirer les yo et les souteneurs de tout acabit...

**Alain Morin**

Photos : Cadillac

## VÉHICULE D'ESSAI

| | |
|---|---|
| Version : | Avalanche LTZ 4RM |
| Emp/Lon/Lar/Haut(mm) : | 3 302/5 621/2 010/1 945 |
| Longueur de caisse/Poids : | 1 609 mm / 2 560 kg |
| Coffre/Réservoir : | n.d. / 119 litres |
| Nombre de coussins de sécurité : | 6 |
| Suspension avant : | indépendante, ressorts hélicoïdaux |
| Suspension arrière : | essieu rigide, ressorts hélicoïdaux |
| Freins av./arr. : | disque (ABS) |
| Antipatinage/Contrôle de stabilité : | oui / oui |
| Direction : | à crémaillère, assistée |
| Diamètre de braquage : | 13,1 m |
| Pneus av./arr. : | P275/55R20 |
| Capacité de remorquage : | 3 629 kg |

## MOTORISATION À L'ESSAI

| | |
|---|---|
| Moteur : | V8 de 5,3 litres 16s atmosphérique |
| Alésage et course : | 96,0 mm x 92,0 mm |
| Puissance : | 320 ch (231 kW) à 5 200 tr/min |
| Couple : | 340 lb-pi (454 Nm) à 4 200 tr/min |
| Rapport poids/puissance : | 8,26 kg/ch (11,23 kg/kW) |
| Système hybride : | aucun |
| Transmission : | 4RM, automatique 4 rapports |
| Accélération 0-100 km/h : | 11,3 s |
| Reprises 80-120 km/h : | 7,8 s |
| Freinage 100-0 km/h : | 45,1 m |
| Vitesse maximale : | 180 km/h |
| Consommation (100 km) : | ordinaire, 15,4 litres |
| Autonomie (approximative) : | 773 km |
| Émissions de CO2 : | 6 288 kg/an |

## GAMME EN BREF

| | |
|---|---|
| Échelle de prix : | 40 020 $ à 54 375 $ |
| Catégorie : | camionnette grand format |
| Historique du modèle : | 2ième génération |
| Garanties : | 3 ans/60 000 km, 5 ans/160 000 km |
| Assemblage : | Silao, Mexique |
| Autre(s) moteur(s) : | V8 6,0l 366ch/380lb-pi (16,3 l/100km) |
| | V8 6,2l 403ch/417lb-pi (17,7 l/100km) Escalade EXT |
| Autre(s) rouage(s) : | propulsion, intégrale |
| Autre(s) transmission(s) : | automatique 6 rapports |

## DANS LA MÊME CATÉGORIE

Dodge Ram - Ford F-150 - Lincoln Mark LT

## DU NOUVEAU EN 2008

Rideaux gonflables latéraux de série

## NOS IMPRESSIONS

| | |
|---|---|
| Agrément de conduite : | 🚗🚗🚗 |
| Fiabilité : | 🚗🚗🚗🚗 |
| Sécurité : | 🚗🚗🚗🚗 |
| Qualités hivernales : | 🚗🚗🚗🚗 |
| Espace intérieur : | 🚗🚗🚗🚗 |
| Confort : | 🚗🚗🚗🚗 |

## LE CHOIX DE L'ÉQUIPE

LS 4RM

Chevrolet Colorado

# L'ANTI-RANGER !

Voilà un petit camion méconnu qu'il me faut évaluer plus sérieusement, me disais-je en parlant du Chevrolet Colorado. Car je n'avais pas eu la chance jusqu'à tout récemment de mettre la main sur cette camionnette. Ainsi, jusque-là, ceux qui me demandaient mon opinion sur le sujet avaient comme réponse qu'il s'agissait d'une camionnette immensément plus moderne que le Ford Ranger, mais aussi plus cher. Et aujourd'hui, comme suite à l'essai effectué avec une version démesurément équipée, mon constat demeure sensiblement le même...

**M**ais avant de se lancer sur le sujet, il faut savoir que cette camionnette compacte n'a comme seule concurrente directe que le Ford Ranger, dont le prix substantiellement bas permet de lui pardonner bien des vices. Tous les autres constructeurs ont soit choisi de passer à la catégorie supérieure (celle des intermédiaires), ou simplement d'abandonner le marché, en raison d'une clientèle de moins en moins nombreuse. Ce créneau en déclin n'était donc peut-être pas celui dans lequel GM aurait dû miser au moment de renouveler le S-10, mais il est aujourd'hui un peu tard pour s'apitoyer sur les «j'aurais donc dû!». Bref, la question toute simple qu'il faut se poser avec cette camionnette est de savoir si le prix supplémentaire exigé par rapport au Ranger vaut la peine d'être déboursé. Car il faut le dire, nous avons ici affaire avec un véhicule dont la conception est environ vingt ans plus jeune que celle de son rival...

### UN VRAI CHOC !

Je ne vous mentirai pas, le Colorado est un produit qui peut être fort intéressant, à condition bien sûr de demeurer raisonnable dans le choix de ses options. Car si vous optez pour presque tout ce qui se trouve dans le guide de commandes, c'est probablement parce que vous n'avez pas à payer pour votre véhicule. Voulez-vous savoir à combien se détaillait le véhicule qui m'a été prêté ? Tenez-vous bien, il affichait un PDSF (prix de détail suggéré du fabricant) de 44 530 $. Laissez-moi vous dire que j'ai eu tout un choc ! Je conduisais un Colorado coûtant plus cher qu'un Avalanche LS ! Mais bon, un tel véhicule doté d'un toit ouvrant, de sièges en cuir chauffants à commande électrique, d'un changeur multi-CD et tout le tra-la-la, ce n'est peut-être pas nécessaire...

En examinant par la suite la fiche technique, j'ai conclu qu'il était tout de même possible de s'en sortir à bon compte. Jamais le Colorado n'égalera la facture du Ranger, mais tel n'est pas son mandat. Car dans l'ensemble, il est facile de déduire que le Chevrolet est un produit beaucoup plus actuel. D'accord, ses lignes n'ont peut-être rien de bien original, mais on voit bien qu'il y a un souci du détail. À preuve, cette camionnette propose une multitude de groupes d'options et de configurations permettant à l'acheteur d'opter pour le véhicule répondant le plus à ses besoins, tant en matière d'esthétisme que de praticité.

À bord, il n'y a rien non plus qui soit bien innovateur. La planche de bord est simple et bien disposée alors que la présentation est on ne peut plus classique. Bref, si vous êtes de ceux qui apprécient le côté avant-gardiste d'un véhicule, vous ne cognez pas à la bonne porte. Derrière le volant,

**FEU VERT**
Grand choix de configurations, châssis moderne, comportement routier rassurant, habitacle bien aménagé

**FEU ROUGE**
Pas de V6, facture qui grimpe rapidement, grand diamètre de braquage, style conservateur

**594**

le conducteur a droit à un bien meilleur confort que chez Ford. Qu'il s'agisse de la banquette ou des baquets, l'assise est confortable et le dégagement est supérieur. On souhaiterait peut-être plus de soutien au niveau des cuisses, mais je n'ai pas besoin de vous dire qu'on ne parle pas ici d'une voiture sport! Et bonne nouvelle, le Colorado a un nombre suffisant d'espaces de rangement, ce que son rival ne fait pas.

## PAS DE V6?

Aussi curieux que cela puisse paraître, GM ne propose aucun V6 dans cette camionnette. Voilà une décision qui demeure encore aujourd'hui une énigme à mon esprit. Ici, vous avez donc le choix entre un 4 cylindres développant 185 chevaux ou un 5 cylindres récemment remanié déployant 242 chevaux. Naturellement, la deuxième option fournit de meilleures performances et surtout plus de couple, mais la consommation d'essence est conséquente... Pour répondre à la question de plusieurs, vous consommerez avec ce dernier un peu moins que le plus gros V6 du Ranger, mais tout de même environ 14,5 litres aux 100 kilomètres. En revanche, la capacité de remorquage est limitée à 4 000 livres, ce qui n'est guère intéressant pour un véhicule de ce type.

Le Colorado n'offre évidemment pas le confort d'une camionnette comme l'Avalanche, mais face au Ranger, c'est presque une limousine. Le véhicule est plus stable, plus maniable et nettement plus agréable en utilisation quotidienne. Vous n'aurez donc pas l'impression de conduire de la machinerie, mais bien un véhicule moderne et polyvalent. Même avec l'option de la suspension hors route, vous aurez droit à un bon amortissement. Et en virage aussi, le véhicule est plus stable. Le roulis demeure, mais le train arrière n'a, contrairement au Ford, rien de délinquant. Seule note négative, le cercle de braquage est très important, dépassant même celui de certaines camionnettes pleine grandeur.

Vous souhaitez remorquer de grosses charges? Le Colorado n'est pas pour vous. Vous désirez épater la galerie? Il n'est pas non plus pour vous! Toutefois, si vos besoins vous dirigent vers une camionnette compacte, et que vous êtes prêt à débourser un peu plus pour conduire un véhicule plus actuel et plus confortable que le Ranger, ce Chevrolet s'offre à vous.

**Antoine Joubert**

Photos : Chevrolet

www.leguidedelauto.com

---

## VÉHICULE D'ESSAI

OnStar de GM Canada

| | |
|---|---|
| Version : | LT Cabine double 4RM |
| Emp/Lon/Lar/Haut (mm) : | 3 200/5 260/1 742/1 723 |
| Longueur de caisse/Poids : | 1 048 mm / 1 886 kg |
| Coffre/Réservoir : | n.a. / 72 litres |
| Nombre de coussins de sécurité : | 2 |
| Suspension avant : | indépendante, barres de torsion |
| Suspension arrière : | essieu rigide, ressorts elliptiques |
| Freins av./arr. : | disque/tambour (ABS) |
| Antipatinage/Contrôle de stabilité : | non / non |
| Direction : | à crémaillère, assistée |
| Diamètre de braquage : | 13,5 m |
| Pneus av./arr. : | P265/75R15 |
| Capacité de remorquage : | 1 814 kg |

## MOTORISATION À L'ESSAI

| | |
|---|---|
| Moteur : | 5L de 3,7 litres 20s atmosphérique |
| Alésage et course : | 95,5 mm x 102,0 mm |
| Puissance : | 242 ch (180 kW) à 5 600 tr/min |
| Couple : | 242 lb-pi (328 Nm) à 2 800 tr/min |
| Rapport poids/puissance : | 7,79 kg/ch (10,6 kg/kW) |
| Système hybride : | aucun |
| Transmission : | 4X4, automatique 4 rapports |
| Accélération 0-100 km/h : | 8,7 s |
| Reprises 80-120 km/h : | 7,7 s |
| Freinage 100-0 km/h : | 41,0 m |
| Vitesse maximale : | 185 km/h |
| Consommation (100 km) : | ordinaire, 15,2 litres |
| Autonomie (approximative) : | 474 km |
| Émissions de CO2 : | 6 384 kg/an |

## GAMME EN BREF

| | |
|---|---|
| Échelle de prix : | 21 135 $ à 34 255 $ |
| Catégorie : | camionnette intermédiaire |
| Historique du modèle : | 1ère génération |
| Garanties : | 3 ans/60 000 km, 5 ans/160 000 km |
| Assemblage : | Shreveport, Louisiane, É-U |
| Autre(s) moteur(s) : | 4L 2,9l 185ch/195lb-pi (14,3 l/100km) |
| Autre(s) rouage(s) : | propulsion |
| Autre(s) transmission(s) : | manuelle 5 rapports |

## DANS LA MÊME CATÉGORIE

Dodge Dakota - Ford Ranger - Mazda Série B - Nissan Frontier - Toyota Tacoma

## DU NOUVEAU EN 2008

Pas de changement majeur

## NOS IMPRESSIONS

| | |
|---|---|
| Agrément de conduite : | 🚗 🚗 🚗 |
| Fiabilité : | 🚗 🚗 🚗 ½ |
| Sécurité : | 🚗 🚗 ½ |
| Qualités hivernales : | 🚗 🚗 🚗 ½ |
| Espace intérieur : | 🚗 🚗 🚗 |
| Confort : | 🚗 🚗 🚗 ½ |

## LE CHOIX DE L'ÉQUIPE

LS Cabine allongée 4RM

Chevrolet Silverado

# UN TITRE BIEN MÉRITÉ

Depuis leur lancement à l'automne 2006, les Chevrolet Silverado et GMC Sierra ont cumulé les honneurs de toutes sortes, le Silverado méritant le titre de camionnette nord-américaine de l'année. Des essais de plusieurs versions nous ont permis de conclure que ces trophées n'ont pas été usurpés. Ce duo a progressé sous tous les aspects, et comme plusieurs autres nouveaux véhicules récemment lancés par ce constructeur, il semble que le géant de Detroit a enfin compris que la qualité paye.

Je sais qu'il est curieux de parler de design pour un véhicule de travail, mais il faut se souvenir que les propriétaires de camionnettes utilisent celles-ci en grande partie pour leur utilisation personnelle, et ils ne sont pas insensibles à des formes plus attrayantes. Et ajoutons que nombre de ces véhicules servent à remorquer la roulotte des adeptes du camping motorisé. Mais contrairement à Ford et Toyota qui ont opté pour une silhouette nettement plus avant-gardiste, retenant peu d'éléments visuels avec les modèles antérieurs, Chevrolet et GMC ont adopté une approche plus conservatrice en choisissant un design évolutif. C'est plus moderne certes, mais en étroite relation avec le modèle précédent. La grille de calandre propre à chaque marque a été conservée, tandis que les parois latérales sont plus tendues et les passages de roue davantage en relief. Selon plusieurs, les stylistes qui ont dessiné le Sierra ont eu le coup de crayon plus heureux, ce qui n'empêche pas le Silverado de tirer son épingle du jeu. Détail important à souligner, la qualité de l'assemblage est meilleure. Les interstices entre les panneaux de caisse sont plus droits et minimisés. La qualité des matériaux est également supérieure, surtout dans l'habitacle.

Le tableau de bord a gagné en esthétique et en ergonomie. Certains reprochent au radio d'être similaire à celui de tous les autres produits GM, un reproche un peu farfelu puisque cette méthode est adoptée par tous les autres constructeurs. Ce radio propose une bonne sonorité et la possibilité de commander le radio satellite est un avantage. Deux tableaux de bord sont au catalogue, l'un ou l'autre étant disponibles en fonction du modèle choisi. L'un est presque directement emprunté au Yukon ou au Tahoe, et se veut plus urbain que l'autre destiné aux versions moins huppées. Par contre, ce dernier me semble mieux convenir à une camionnette. Le plus important à retenir est que la qualité des plastiques est bonne, la position de conduite correcte et l'ergonomie pratiquement exemplaire. Les places arrière du modèle à cabine multiplace sont également plus spacieuses et plus confortables.

## LE FRUIT DE L'EXPÉRIENCE

Si les grosses camionnettes des constructeurs nord-américains dament le pion à leurs concurrentes asiatiques, c'est en grande partie en raison de la grande expérience de Detroit dans cette catégorie. Il est plus facile pour les nippons de dessiner une belle camionnette, de l'équiper d'un moteur puissant que d'offrir aux acheteurs éventuels les caractéristiques qu'ils recherchent. Et force est d'admettre que la clientèle des acheteurs de camionnettes est très fidèle à une marque. Surtout aux États-Unis, où l'on est un gars de GM, de

**FEU VERT**
Silhouette rajeunie, chassis rigide,
habitacle moderne, matériaux de qualité,
choix de moteurs

**FEU ROUGE**
Boîte automatique 4 rapports, volant non réglable en profondeur,
suspension Z60 très ferme,
modèle de base dépouillé

Ford ou de Dodge presque pour la vie ! Ce qui justifie les déboires des constructeurs japonais dans cette catégorie.

Mais fidélité ou pas, le produit se doit de répondre aux attentes et le tandem Silverado/Sierra est grandement amélioré dans sa nouvelle mouture. Le châssis de type échelle a été renforcé, et l'utilisation de poutres fermées explique en grande partie cette rigidité qui fait des merveilles pour la capacité de charge et le confort. Cela a permis aux ingénieurs de réviser la géométrie des suspensions, tandis que l'arrivée d'une direction plus précise vient ajouter à l'agrément de conduite.

## HO LES MOTEURS !

Mais le secret d'une bonne camionnette demeure son moteur et sa transmission. La nouvelle génération des gros camions de GM est assez bien pourvue en la matière avec une gamme de moteurs allant du V6 4,3 litres au gros V8 6,0 litres de 367 chevaux. Cependant, le V8 de 5,3 litres est le choix de la majorité aussi bien en raison de sa puissance de 315 chevaux que de sa consommation plus que raisonnable pour un tel véhicule. Tous ces engins sont couplés à une boîte automatique à quatre rapports dont la robustesse est bien connue.

L'acheteur peut choisir entre cinq types de suspension afin d'obtenir un produit adapté à ses besoins. Sur les versions d'essai qui était toutes équipées de la suspension Z85, le comportement routier s'est avéré supérieur à la moyenne tant au chapitre du confort, de la tenue de route que de la maniabilité. Par contre, la colonne de direction n'est réglable qu'en hauteur, ce qui risque de déplaire à certains. Il est également important de préciser que les freins sont moins spongieux que précédemment, mais qu'ils sont plus puissants.

À part un certain conservatisme concernant le design, cette nouvelle génération de camionnettes de GM possède tous les attributs pour répondre aux besoins des utilisateurs qui préfèrent un produit fonctionnel et solide, plutôt que de se laisser séduire par un design plus audacieux, mais pas toujours en harmonie avec une utilisation parfois intense.

**Denis Duquet**

Photos : Alain Morin

## VÉHICULE D'ESSAI

| | |
|---|---|
| Version : | LT 4RM Extended Cab |
| Emp/Lon/Lar/Haut (mm) : | 3 645/5 844/2 029/1 872 |
| Longueur de caisse/Poids : | 1 999 mm / 2 388 kg |
| Coffre/Réservoir : | n.a. / 128 litres |
| Nombre de coussins de sécurité : | 4 |
| Suspension avant : | indépendante, barres de torsion |
| Suspension arrière : | essieu rigide, ressorts elliptiques |
| Freins av./arr. : | disque/tambour (ABS) |
| Antipatinage/Contrôle de stabilité : | oui / oui |
| Direction : | à crémaillère, assistée |
| Diamètre de braquage : | n.d. |
| Pneus av./arr. : | P265/70R17 |
| Capacité de remorquage : | 3 856 kg |

## MOTORISATION À L'ESSAI

| | |
|---|---|
| Moteur : | V8 de 5,3 litres 16s atmosphérique |
| Alésage et course : | 96,0 mm x 92,0 mm |
| Puissance : | 315 ch (235 kW) à 5 200 tr/min |
| Couple : | 338 lb-pi (458 Nm) à 4 400 tr/min |
| Rapport poids/puissance : | 7,58 kg/ch (10,29 kg/kW) |
| Système hybride : | aucun |
| Transmission : | 4X4, automatique 4 rapports |
| Accélération 0-100 km/h : | 8,2 s |
| Reprises 80-120 km/h : | 7,5 s |
| Freinage 100-0 km/h : | 39,3 m |
| Vitesse maximale : | 175 km/h |
| Consommation (100 km) : | ordinaire, 15,0 litres |
| Autonomie (approximative) : | 853 km |
| Émissions de CO2 : | 6 240 kg/an |

## GAMME EN BREF

| | |
|---|---|
| Échelle de prix : | 23 520 $ à 54 190 $ |
| Catégorie : | camionnette grand format |
| Historique du modèle : | 2ième génération |
| Garanties : | 3 ans/60 000 km, 5 ans/160 000 km |
| Assemblage : | Oshawa, Ontario, Canada |
| Autre(s) moteur(s) : | V8 4,8l 295ch/305lb-pi (15,7 l/100km) |
| | V6 4,3l 195ch/260lb-pi (15,0 l/100km) |
| | V8 6l 367ch/375lb-pi (16,3 l/100km) |
| Autre(s) rouage(s) : | propulsion |
| Autre(s) transmission(s) : | aucune |

## DANS LA MÊME CATÉGORIE

Dodge Ram - Ford F-150 - Nissan Titan - Toyota Tundra

## DU NOUVEAU EN 2008

Aucun changement majeur

## NOS IMPRESSIONS

| | |
|---|---|
| Agrément de conduite : | 🚗 🚗 🚗 🚗 |
| Fiabilité : | Nouveau modèle |
| Sécurité : | 🚗 🚗 🚗 🚗 |
| Qualités hivernales : | 🚗 🚗 🚗 ½ |
| Espace intérieur : | 🚗 🚗 🚗 🚗 |
| Confort : | 🚗 🚗 🚗 🚗 |

## LE CHOIX DE L'ÉQUIPE

1 500 caisse régulière

# UN PICK-UP À LA DOUZAINE

2008 marque une année clé pour le Dakota qui a récemment subi des transformations majeures. Ce dernier se déclinera en 12 configurations différentes pour le marché canadien, alors que nos voisins du Sud auront droit à un éventail encore plus élargi de modèles. De plus, le nouveau Dakota devient le premier véhicule de la marque à recevoir un tout nouveau moteur V8 que l'on retrouvera dans plusieurs autres véhicules 2008 des marques Dodge et Jeep.

**D**ans ce créneau où la concurrence s'appelle Chevrolet Colorado, GMC Canyon, Ford Ranger et Toyota Tacoma, le Dakota se distingue toujours en offrant le seul moteur V8 de la catégorie. La puissance accrue de son V8 de 4,7 litres est maintenant chiffrée à 302 chevaux, ce qui représente une amélioration de 31 pour cent par rapport au modèle précédent. Le couple a également été augmenté à 329 livres-pied.

Dodge présente ce moteur V8 comme étant tout nouveau, mais c'est inexact puisque seulement 30 pour cent de ses pièces sont nouvelles et que les autres ont fait l'objet de certaines améliorations. Tout comme les moteurs Hemi, ce V8 de 4,7 litres est équipé de deux bougies d'allumage par cylindre, d'un taux de compression plus élevé ainsi que de bielles et de pistons allégés. De plus, la commande des gaz ne se fait pas par un procédé mécanique, mais bien par l'intervention d'un système électronique de type « Drive-by-wire ».

Fait à noter, ce V8 est également capable de consommer le carburant E85, mélange d'essence et d'éthanol, et que l'on retrouve plus facilement aux États-Unis que chez nous. Le V6 de 3,7 litres de 210 chevaux et 235 livres-pied de couple est toujours au programme pour le modèle

d'entrée de gamme qu'est le Dakota ST et pour le SXT qui représente le modèle supérieur pour lequel il est toutefois possible de commander le V8. Le même scénario se répète dans le cas du SLT, le sommet de la pyramide pour le Dakota. Il faut noter que le moteur V6 peut être jumelé à une boîte manuelle à six vitesses ou à une boîte automatique à quatre rapports, alors que le V8 n'est livrable qu'avec une boîte automatique à cinq rapports.

## TROIS LIVRÉES

Ces trois modèles (ST, SXT et SLT) existent tous en version à deux ou quatre roues motrices et en configuration à cabine allongée, ou encore en configuration « Crew Cab » avec quatre véritables portières. C'est ce qui explique les 12 permutations réalisables pour le Dakota, sans compter l'ajout de groupes d'options permettant encore plus de flexibilité quant au choix proposé à l'acheteur ! Parmi les options intéressantes, on retrouve un ingénieux système de boîtes de rangement dépliables qui logent sous les sièges arrière des modèles à configuration « Crew Cab », et qui permettent de transporter des objets du véhicule au garage où à la maison. C'est un petit détail, mais cela illustre jusqu'à quel point les concepteurs de Dodge mettent souvent de l'avant de nouveaux gadgets pouvant sembler

**FEU VERT**
Suspension fort bien équilibrée, nouveau moteur V8 de 4,7 litres, habitabilité adéquate, polyvalence des agencements

**FEU ROUGE**
Confort relatif aux places arrière, direction peu précise, pneumatiques de base (16"), consommation élevée à prévoir (V8)

| VÉHICULE D'ESSAI | |
|---|---|
| Version : | SXT 4x4 à cabine double |
| Emp/Lon/Lar/Haut(mm) : | 3 335/5 558/1 887/1 730 |
| Longueur de caisse/Poids : | 1 625 mm / 2 726 kg |
| Coffre/Réservoir : | n.d. / 83 litres |
| Nombre de coussins de sécurité : | 6 |
| Suspension avant : | indépendante, bras inégaux |
| Suspension arrière : | demi-ind., poutre déformante |
| Freins av./arr. : | disque/tambour (ABS) |
| Antipatinage/Contrôle de stabilité : | non / non |
| Direction : | à crémaillère, assistée |
| Diamètre de braquage : | 13,4 m |
| Pneus av./arr. : | P265/70R17 |
| Capacité de remorquage : | 3 175 kg |

anodins, mais qui se révèlent très pratiques en usage courant. Jusqu'à maintenant, c'était surtout du côté des minifourgonnettes que ce phénomène se manifestait, mais voilà qu'il se propage désormais aux camionnettes. Aussi offert en option, un système de rails avec taquets pour la benne de chargement qui permet de mieux fixer ou retenir la charge à bord.

## SUR LA ROUTE
Le comportement routier du Dakota varie grandement selon sa motorisation. Alors que les modèles à deux roues motrices sont dotés de suspensions aux calibrations plus souples qui assurent un confort adéquat, ceux qui sont à quatre roues motrices ont une tendance plus marquée au sautillement du train arrière sur routes dégradées à cause des calibrations plus fermes retenues pour leurs suspensions. La différence est à ce point frappante que l'on croirait presque être au volant de deux véhicules complètement différents ! Évidemment, les modèles équipés du V8 offrent un agrément de conduite plus élevé en raison du niveau supérieur de couple et de puissance. De ce côté, il est intéressant de pouvoir disposer d'un véhicule qui fournit autant de puissance mais dont le gabarit lui permet quand même de circuler aisément en ville.

Les changements apportés au Dakota sont reflétés par sa nouvelle allure plus sportive. De ce côté, c'est très simple à décrire : tout ce qui se trouve à l'avant du pare-brise a été redessiné. L'aspect général ressemble donc moins à la camionnette pleine grandeur Ram et beaucoup plus au récent véhicule sport utilitaire Nitro. La présentation intérieure a également été revue, et malheureusement, nous avons encore et toujours droit à des plastiques de qualité inférieure pour la conception de la planche de bord et de la console centrale, bref rien de neuf sous le soleil vu de cet angle.

Comme précédemment, le Dakota continue de faire cavalier seul en tant que camion de taille intermédiaire pouvant être équipé d'un V8. Cet élément lui a valu beaucoup de succès dans le passé, et l'histoire devrait se répéter avec le modèle 2008.

**Gabriel Gélinas**

### MOTORISATION À L'ESSAI

| | |
|---|---|
| Moteur : | V8 de 4,7 litres 16s atmosphérique |
| Alésage et course : | 93,0 mm x 86,5 mm |
| Puissance : | 302 ch (225 kW) à 4 600 tr/min |
| Couple : | 329 lb-pi (446 Nm) à 3 600 tr/min |
| Rapport poids/puissance : | 9,03 kg/ch (12,28 kg/kW) |
| Système hybride : | aucun |
| Transmission : | propulsion, automatique 5 rapports |
| Accélération 0-100 km/h : | 8,2 s (estimé) |
| Reprises 80-120 km/h : | 8,2 s (estimé) |
| Freinage 100-0 km/h : | 41,3 m (estimé) |
| Vitesse maximale : | 190 km/h (estimé) |
| Consommation (100 km) : | ordinaire, 15,6 litres (estimé) |
| Autonomie (approximative) : | 532 km |
| Émissions de CO2 : | 5 760 kg/an |

### GAMME EN BREF

| | |
|---|---|
| Échelle de prix : | 25 695 $ à 36 895 $ |
| Catégorie : | camionnette intermédiaire |
| Historique du modèle : | 2ième génération |
| Garanties : | 3 ans/60 000 km, 5 ans/100 000 km |
| Assemblage : | Warren, Michigan, É-U |
| Autre(s) moteur(s) : | V6 3,7l 210ch/235lb-pi (13,7 l/100km) |
| Autre(s) rouage(s) : | 4X4 |
| Autre(s) transmission(s) : | manuelle 6 rapports / automatique 4 rapports |

### DANS LA MÊME CATÉGORIE
Ford Explorer Sport Trac - Nissan Frontier - Toyota Tacoma

### DU NOUVEAU EN 2008
Retouches esthétiques, tableau de bord révisé, nouveau V8 4,7 litres

### NOS IMPRESSIONS

| | |
|---|---|
| Agrément de conduite : | 🚗🚗🚗🚗 |
| Fiabilité : | 🚗🚗🚗🚗 |
| Sécurité : | 🚗🚗🚗🚗 |
| Qualités hivernales : | 🚗🚗🚗 |
| Espace intérieur : | 🚗🚗🚗🚗 |
| Confort : | 🚗🚗🚗🚗 |

### LE CHOIX DE L'ÉQUIPE
SXT

Photos : Alain Morin

# DODGE RAME FORT

Il est très difficile pour quelqu'un qui n'est pas un initié aux gros pickups de comprendre ce marché très particulier. En fait, il est tellement spécialisé que les concessionnaires Dodge, Ford ou Chevrolet ont tous au moins un représentant dédié aux camionnettes. C'est d'ailleurs l'une des raisons qui expliquent les débuts très pénibles en Amérique du Nord de Toyota et Nissan dans ce domaine. Ils devaient débaucher des vendeurs des autres manufacturiers et les défections ont été rares. Et puis, un gars de Dodge, c'est un gars de Dodge et il faudrait le torturer pour qu'il mette le pied dans un Ford, un Chevrolet ou pire, un véhicule japonais !

Jusqu'à tout récemment, Chevrolet, Ford et Dodge se battaient à armes à peu près égales. Cette année, Chevrolet a dévoilé un tout nouveau Silverado, incroyablement raffiné qui est venu brouiller les cartes. Mais le Dodge Ram possède bien d'autres atouts dans sa manche, en commençant par une gamme ultra complète, allant de la camionnette habituelle au MegaCab ultragéant. Il y a même eu, il y a deux ans, un modèle sport SRT-10. Si vous avez eu la chance d'en acquérir un, conservez-le. Il vaudra son pesant d'or un jour !

**PETIT, GROS, ÉNORME**

Pour son gros Ram, Dodge ouvre la mise avec un V6 de 3,7 litres. Ce moteur de 215 chevaux n'est pas recommandé pour les gros travaux. Mais si les performances ne sont pas votre tasse de thé et si vous n'avez pas à transporter de lourdes charges, ce moteur pourrait être un choix intéressant, d'autant plus qu'il consomme moins que les autres tout en pouvant recevoir une charge de 1750 livres, soit plus que les autres moteurs car le véhicule est moins lourd. C'est au niveau de la capacité de remorquage que ça se gâte ! Mais il y a tellement de rapports de pont différents que rien ne vaut une bonne discussion avec un représentant. Ce V6 n'est livré qu'avec les roues arrière motrices. On retrouve aussi un V8 de 4,7 litres à essence développant 235 chevaux et 300 livres-pied

de couple. Si vous n'avez pas à effectuer de travaux majeurs quotidiennement, ce moteur pourrait bien être un choix avisé. Ce même moteur peut être configuré de façon à engloutir (et le verbe est bien choisi) de l'éthanol E85 (85 % d'éthanol, 15 % d'essence). Mais le moteur de prédilection est assurément le Hemi 5,7 litres. Il déploie 345 chevaux et un couple impressionnant de 375 livres-pied. En plus de se sentir aussi à l'aise sur une autoroute que le lièvre qui a élu domicile dans mon jardin, il peut exécuter des travaux très durs sans rouspéter. Il y a d'autres moteurs encore plus axés sur le travail, comme le turbo diesel Cummings 6,7 litres turbodiesel mais il faut alors se diriger vers la série 2500, qui n'entre pas dans le mandat du *Guide de l'auto*.

Et nous n'avons même pas abordé le chapitre des cabines ! On retrouve la cabine habituelle, avec ses deux portières bien ordinaires et le Quad Cab de quatre portes. Mais il faut compter aussi sur le MegaCab, la grande nouveauté de 2006. Cette camionnette (ce camion, devrions-nous dire !) possède un habitacle des plus confortables et les places arrière peuvent facilement accueillir trois travailleurs bien bedonnants, revêtus de leurs habits d'hiver et jamais ils ne se frotteront les coudes. Ça ne ferait pas très macho… Et il ne faudrait pas non plus oublier les vacanciers qui doivent remorquer des *fifth wheel* ou des bateaux qui

**FEU VERT**
Version MegaCab utile pour certaines utilisations, bon choix de moteurs, habitacle luxueux, solidité confirmée, lignes encore dans le coup

**FEU ROUGE**
Moteurs V8 assoiffés moteur V6 réservé aux petits travaux, dimensions encombrantes, accès à bord pas facile, direction floue

pèsent souvent plus de 10 000 livres, et ce, sur de très longues distances. Ce MegaCab est offert dans les séries 1 500, 2 500 et 3 500.

## AU JOUR LE JOUR

Travailler avec un pickup et vivre avec tous les jours sont deux choses bien différentes. Une camionnette, aussi capable soit-elle, se doit d'être conviviale. En général, la finition des Ram est très bonne même si, à l'occasion, on découvre des interstices plus ou moins constants et quelques soudures plus ou moins bien finies. Le moteur loge dans un espace incroyablement grand, à tel point qu'un V8 5,7 litres y semble tout petit! Heureusement, le pare-choc avant est recouvert de caoutchouc pour permettre d'y monter pour effectuer l'entretien par exemple sans l'égratigner. À l'arrière, mentionnons que la porte de chargement est très lourde et qu'une barre de torsion, à la manière du Ford F150, serait appréciée. De plus, on ne retrouve aucun recouvrement d'usine qui protégerait la peinture de la boîte. Avant de terminer ce rapide tour extérieur, soulignons le fait que nous n'avons pu dégager le pneu de secours qu'au prix de multiples efforts et de quelques mots religieusement choisis... Une démonstration avant de quitter le concessionnaire pourrait vous épargner bien des maux et des mots. L'assistance routière aussi...

L'accès à l'habitacle n'est pas des plus aisés, surtout sur les versions 4x4 et des marchepieds sont à prévoir. Les sièges se révèlent confortables et leur tissu est recouvert d'un protecteur appelé YES Essential qui semble être la huitième merveille du monde à en croire les discours dithyrambiques de DaimlerChrysler. Les places arrière de notre Ram QuadCab n'étaient pas très confortables à cause d'un dossier trop carré. Par contre, l'espace pour les jambes est la tête est suffisant.

Le Dodge Ram 1500 est un pickup et demande à être conduit de façon appropriée (comme tous les types de véhicules, à bien y penser...). La direction n'est pas très précise et plutôt déconnectée, le roulis est considérable, les distances de freinage sont correctes pour une camionnette mais on sent que l'ABS en a plein les capteurs.

Même si la ligne générale du Ram est la même depuis 1994 (rappelez-vous l'onde de choc qu'avait provoquée sa calandre suprêmement agressive), les ingénieurs de Dodge ont su le faire évoluer avec goût. Mais le Ford F150 et, surtout, le nouveau Chevrolet Silverado lui font une lutte féroce. Un match à finir!

**Alain Morin**

Photos : Dodge

www.leguidedelauto.com

## VÉHICULE D'ESSAI

| | |
|---|---|
| Version : | 1500 SLT QuadCab 4X4 boîte 6'3" |
| Emp/Lon/Lar/Haut (mm) : | 3 569/5 784/2 019/1 928 |
| Longueur de caisse/Poids : | 1 905 mm / 2 424 kg |
| Coffre/Réservoir : | n.d. / 98 litres |
| Nombre de coussins de sécurité : | 4 |
| Suspension avant : | indépendante, bras inégaux |
| Suspension arrière : | essieu rigide, ressorts elliptiques |
| Freins av./arr. : | disque (ABS) |
| Antipatinage/Contrôle de stabilité : | non / non |
| Direction : | à crémaillère, assistée |
| Diamètre de braquage : | 14,0 m |
| Pneus av./arr. : | P275/60R20 |
| Capacité de remorquage : | 3 856 kg |

## MOTORISATION À L'ESSAI

| | |
|---|---|
| Moteur : | V8 de 5,7 litres 16s atmosphérique |
| Alésage et course : | 99,5 mm x 90,9 mm |
| Puissance : | 345 ch (257 kW) à 5 400 tr/min |
| Couple : | 375 lb-pi (509 Nm) à 4 200 tr/min |
| Rapport poids/puissance : | 7,03 kg/ch (9,54 kg/kW) |
| Système hybride : | aucun |
| Transmission : | 4X4, automatique 5 rapports |
| Accélération 0-100 km/h : | 9,7 s |
| Reprises 80-120 km/h : | 7,8 s |
| Freinage 100-0 km/h : | 43,0 m |
| Vitesse maximale : | 180 km/h |
| Consommation (100 km) : | ordinaire, 16,6 litres |
| Autonomie (approximative) : | 590 km |
| Émissions de CO2 : | 6 816 kg/an |

## GAMME EN BREF

| | |
|---|---|
| Échelle de prix : | 26 995 $ à 46 935 $ |
| Catégorie : | camionnette grand format |
| Historique du modèle : | 2ième génération |
| Garanties : | 3 ans/60 000 km, 5 ans/100 000 km |
| Assemblage : | Satillo, Mexique, St-Louis MO et Warren MI, É-U |
| Autre(s) moteur(s) : | V6 3,7l 215ch/235lb-pi (13,5 l/100km) V8 4,7l 310ch/330lb-pi (17,3 l/100km) |
| Autre(s) rouage(s) : | propulsion |
| Autre(s) transmission(s) : | CVT / manuelle 6 rapports / automatique 4 rapports |

## DANS LA MÊME CATÉGORIE

Chevrolet Silverado - Ford F-150 - GMC Sierra - Nissan Titan - Toyota Tundra

## DU NOUVEAU EN 2008

Révision du moteur V8 de 4,7l, boîtier de transfert standard sur SLT et SXT 4x4, réorganisation de certains groupes d'option

## NOS IMPRESSIONS

| | |
|---|---|
| Agrément de conduite : | 🚗 🚗 🚗 🚗 |
| Fiabilité : | 🚗 🚗 🚗 🚗 |
| Sécurité : | 🚗 🚗 🚗 ½ |
| Qualités hivernales : | 🚗 🚗 🚗 |
| Espace intérieur : | 🚗 🚗 🚗 ½ |
| Confort : | 🚗 🚗 🚗 🚗 |

## LE CHOIX DE L'ÉQUIPE

1 500 SLT Quad Cab 4X4 HEMI

# UN PEU DE TOUT

Bien que le Sport Trac soit visuellement une camionnette, ses propriétaires s'en servent d'avantage pour leurs loisirs que pour le travail. Avec sa caisse de 5 pieds recouverte d'un panneau protecteur et ses quatre portes, le véhicule s'avère idéal pour les voyages de pêche en groupe. Il est effectivement rare de voir un entrepreneur en construction opter pour ce type de véhicule. Sur les chantiers, un F-150 est plutôt de mise. Non, le Sport Trac, c'est pour ceux qui veulent à la fois 4 vraies places, 4 roues motrices, une allure sportive et pour la seule fois où ils en auront besoin, une caisse.

A u Québec, ce type de véhicule n'a pas tellement la cote si l'on se fie aux chiffres de ventes rapportés par le constructeur. La majeure partie de la production est plutôt destinée à nos voisins du Sud qui sont très friands de ce type de produit. Avec l'arrivée massive des multisegments et la popularité grandissante des petites familiales économiques, jumelées à la hausse du prix du pétrole, il n'est pas difficile de comprendre pourquoi le marché des VUS et des camionnettes est en baisse. Reste seulement quelques irréductibles défenseurs de la marque Ford pour miser sur la popularité du Sport Trac.

### SPORTIF DU DIMANCHE

Le Sport Trac à moteur V8 dépense beaucoup de carburant, on s'en doute. Toutefois les plus suspicieux seront surpris de constater à quel point cette consommation se situe tout de même à un niveau raisonnable. De nouvelles technologies, de nombreux ajustements et des matériaux plus légers auront contribué à abaisser la cote de consommation de cette grosse cylindrée. Elle ne sera cependant jamais en deçà d'un moteur à six cylindres et pour l'utilisation limitée qu'en fait monsieur Tout le monde, il faut avouer que ça fait cher du kilomètre... Alors, si on ne s'adonne qu'à de simples activités de plein air (par exemple transporter sa bicyclette ou ses

patins à roues alignées), pourquoi ne pas opter pour la version V6 qui s'acquitte parfaitement de la tâche ?

Bien que le Sport Trac pèse plus de 2 100 kg, la tenue de route est tout de même très surprenante et le véhicule agréablement agile. Évidemment, en ligne droite sur autoroute, la douceur du moteur V8 et le poids du véhicule permettent une trajectoire quasi sans reproche où le vent n'a aucune emprise. Son caractère plus sportif que le F-150 lui permet d'éliminer partiellement le roulis qui est somme toute très limité malgré la hauteur de la caisse. Il faut dire que les suspensions indépendantes travaillent admirablement bien et que la direction est précise et suffisamment assistée. Évidemment, pas question de se lancer sur le circuit Gilles Villeneuve et d'espérer battre le record de piste, car une camionnette restera une camionnette malgré tout l'effort mis à lui donner un caractère sportif ! Chaque nouvelle année amène d'ailleurs son lot d'améliorations, et rendre une camionnette plus sportive s'avère une pratique courante chez les constructeurs si l'on se fie aux demandes des clients. Alors, comparé aux camionnettes vendues durant les années 80, on peut sans aucun doute affirmer que le Sport Trac est très sportif ! Le mot «sportif» étant toutefois utilisé à toutes les sauces, il serait plus sage d'opter pour une Mustang à moteur V8 si vous voulez un comportement «vraiment» sportif !

**FEU VERT**
Sièges confortables, véhicule polyvalent,
moteur V8 puissant, châssis rigide,
style distinctif

**FEU ROUGE**
Freinage mou, visibilité 3/4 et arrière limitées,
panneau de caisse désagréable, ergonomie intérieure discutable,
caisse trop courte

## DESTINATION FLORIDE

Lors de notre randonnée à bord du Sport Trac, nous avons constaté à quel point les sièges avant sont confortables. Les ajustements sont nombreux et les multiples commandes au volant (incluant la ventilation) nous permettent de rester bien calés au fond du siège pendant toute la durée de notre escapade. La présence d'un moteur V8 est une douce musique à l'oreille et chaque occasion d'appuyer sur l'accélérateur est un moment de pure extase, alors que la transmission rétrograde pour faire rugir tous les chevaux de l'engin. Arrivé sur l'autoroute, la vitesse de croisière est rapidement atteinte et l'insonorisation s'avère surprenante, les bruits de roulement étant fort bien atténués. Après plusieurs heures sur de longues lignes droites, les sorties d'autoroute viennent à chaque fois nous rappeler qu'on est au volant d'une camionnette. Au moment d'emprunter la courbe et à l'instant même où l'on applique les freins, une petite voix nous chuchote à l'oreille : «Calme-toi le pompon, c'est pas un char ça!». C'est que le poids du véhicule, la mollesse de la pédale de frein et le roulis trahissent quelque peu l'inscription «Sport» sur le panneau arrière de la caisse.

Heureusement, le beau-frère (un inconditionnel de la marque Ford) nous fera remarquer à quel point il est beau ce 4X4. Garde au sol intéressante, cabine aux portes arrière bien intégrées, porte-bagages sur le toit et panneau recouvrant la caisse arrière font réellement bien paraître le véhicule et le distinguent assurément de la concurrence. Mentionnons cependant que le couvercle de la caisse est assez lourd à manipuler et que sa serrure est drôlement placée, sur le dessus du panneau. Pas très pratique en hiver, d'autant plus que la serrure n'est pas automatisée et qu'elle utilise une clé additionnelle. Et que dire des marchepieds dont il faut maîtriser parfaitement la technique de sortie du véhicule pour ne pas salir ses pantalons?

Il n'est pas sorcier de comprendre pourquoi le Sport Trac n'est pas des plus populaires sur le marché. Cependant, pour quelqu'un qui désire une caisse de chargement, un coffre à l'abri des intempéries, des places arrière, un rouage à quatre roues motrices et une allure sportive, le Sport Trac est le véhicule idéal. On pourrait être réticent à l'acheter seulement pour sa consommation, mais dites-vous bien qu'une version V6 est offerte et que la consommation du V8 est somme toute très raisonnable pour cette catégorie de véhicule.

**Guy Desjardins**

Photos: Guy Desjardins

### VÉHICULE D'ESSAI

| | |
|---|---|
| Version : | Limited V8 4x4 |
| Emp/Lon/Lar/Haut(mm) : | 3 315/5 339/1 872/1 826 |
| Longueur de caisse/Poids : | 1 260 mm / 2 174 kg |
| Coffre/Réservoir : | n.d. / 85 litres |
| Nombre de coussins de sécurité : | 4 |
| Suspension avant : | indépendante, bras inégaux |
| Suspension arrière : | essieu rigide, ressorts elliptiques |
| Freins av./arr. : | disque (ABS) |
| Antipatinage/Contrôle de stabilité : | oui / oui |
| Direction : | à crémaillère, assistée |
| Diamètre de braquage : | 12,5 m |
| Pneus av./arr. : | P235/65R18 |
| Capacité de remorquage : | 3 011 kg |

### MOTORISATION À L'ESSAI

| | |
|---|---|
| Moteur : | V8 de 4,6 litres 24s atmosphérique |
| Alésage et course : | 90,2 mm x 90,0 mm |
| Puissance : | 292 ch (218 kW) à 5 750 tr/min |
| Couple : | 300 lb-pi (407 Nm) à 3 950 tr/min |
| Rapport poids/puissance : | 7,45 kg/ch (10,11 kg/kW) |
| Système hybride : | aucun |
| Transmission : | 4X4, automatique 6 rapports |
| Accélération 0-100 km/h : | 7,8 s |
| Reprises 80-120 km/h : | 6,6 s |
| Freinage 100-0 km/h : | 40,2 m |
| Vitesse maximale : | 190 km/h |
| Consommation (100 km) : | ordinaire, 15,6 litres |
| Autonomie (approximative) : | 545 km |
| Émissions de CO2 : | 6 360 kg/an |

### GAMME EN BREF

| | |
|---|---|
| Échelle de prix : | 32 099$ à 40 699$ |
| Catégorie : | camionnette intermédiaire |
| Historique du modèle : | 2ième génération |
| Garanties : | 3 ans/60 000 km, 5 ans/100 000 km |
| Assemblage : | Louisville, Kentucky, É-U |
| Autre(s) moteur(s) : V6 4,0l 210ch/254lb-pi (13,6 l/100km) | |
| Autre(s) rouage(s) : | propulsion |
| Autre(s) transmission(s) : | automatique 5 rapports |

### DANS LA MÊME CATÉGORIE

Chevrolet Colorado - Dodge Dakota - GMC Canyon - Honda Ridgeline - Nissan Frontier - Toyota Tacoma

### DU NOUVEAU EN 2008

Pas de changement majeur

### NOS IMPRESSIONS

| | |
|---|---|
| Agrément de conduite : | 🚗 🚗 🚗 ½ |
| Fiabilité : | 🚗 🚗 🚗 🚗 🚗 |
| Sécurité : | 🚗 🚗 🚗 🚗 🚗 |
| Qualités hivernales : | 🚗 🚗 🚗 🚗 ½ |
| Espace intérieur : | 🚗 🚗 🚗 🚗 🚗 |
| Confort : | 🚗 🚗 🚗 ½ |

### LE CHOIX DE L'ÉQUIPE

XLT V8 4.6 4X4

**FORD** EXPLORER SPORT TRAC

**603**

# FORD F-150 / LINCOLN MARK LT

Lincoln Mark LT

# FORD MAINTIENT LE CAP

Pendant des années, que dis-je, des décennies, la compagnie Ford pouvait compter sur les ventes records de sa grosse camionnette F-150, le véhicule le plus vendu en Amérique et dans le monde. Ce qui permettait d'engranger des profits respectables. Pourtant, il aura fallu la hausse du prix de l'essence pour faire vaciller ce colosse en même temps que tous les gros VUS, l'autre produit de pointe de Ford. Petit à petit, la situation se rétablit et ces véhicules sont toujours demandés. Mieux encore, ils s'améliorent.

Il est difficile pour la direction d'un constructeur de transformer un produit qui est un chef de file. C'est ce qui se produit dans le cas de cette camionnette dont les modifications sont plutôt mineures et visent à la raffiner et la rendre plus compétitive face à une clientèle de plus en plus affûtée. Et il en est de même pour le Lincoln Mark LT, la version grand luxe de ce populaire outil de travail.

### TEXAS CADILLAC
Même si la Cadillac est produite par General Motors, les Américains identifient toujours une camionnette ultraluxueuse et équipée de tous les accessoires comme étant une Cadillac du Texas, étant donné que les Texans apprécient le luxe et les camionnettes. N'en déplaise à General Motors, la vraie Cadillac du Texas est le Lincoln Mark LT. Non seulement ce camion de série F arbore l'incontournable grille chromée servant à distinguer les Lincoln, mais son équipement privilégie le luxe avant le travail. Cette approche peut paraître contradictoire au Québec, mais au Texas et dans certains autres États américains, c'est ce qu'il y a de plus branché. « Un gros truck » avec des sièges en cuir, un tableau de bord de berline et un robuste moteur V8 de 5,4 litres, c'est le pied pour bien des *ranchers*.

Comme sur nos routes ce modèle est aussi rare que des ovnis dans le ciel du Québec, il semble que ce n'est pas notre marché qui justifie sa présence dans le catalogue de Lincoln. Quoi qu'il en soit, son comportement routier et ses caractéristiques générales sont similaires au Ford dont il est dérivé. Pour 2008, le Mark LT bénéfice de toutes les modifications du F-150. Par contre, sa suspension a été; assouplie par rapport à 2007 afin d'améliorer le niveau de confort. Enfin, parmi les options, soulignons la possibilité de commander des roues chromées en alliage de 20 pouces.

### L'OFFRE S'ÉTOFFE
Sur le marché depuis quelques années dans sa mouture actuelle, le F-150 est un produit qui a atteint sa maturité. Une multitude de versions sont au catalogue et cette offre s'élargit encore cette année. Comme toujours, il est possible de choisir entre trois cabines différentes : ordinaire, super ou bien multiplace. Si les changements dans l'habitacle sont mineurs, la caisse de chargement peut être équipée du nouveau système de gestion du cargo. Ce système est installé à l'usine et comprend des glissières et des longerons mobiles permettant de mieux disposer les charges en fonction de leurs dimensions. Sur certain modèles, il sera

 **FEU VERT**
Choix de moteurs, choix de modèles, excellente valeur de revente, finition sérieuse, système CMS (Cargo Management System)

 **FEU ROUGE**
Lincoln Mark LT de prix élevé, dimensions encombrantes, rayon de braquage important, moteurs gourmands, silhouette prend de l'âge

**604**

également possible d'opter pour la Mid-Box, un espace de chargement placé à la proue de la caisse et qui comprend une solide porte de chaque côté de celle-ci. Cette porte est à paroi double et se verrouille à l'aide de la clé de la cabine.

Parmi les autres innovations, on pourra dorénavant commander une caméra de recul dont l'écran est dans le rétroviseur intérieur. C'est simple, et pratique. Et cela n'a pas obligé les ingénieurs à redessiner le tableau de bord pour y nicher l'écran témoin. La caméra pour sa part est située dans l'espace réservé au mécanisme d'ouverture de la porte à battant. Et au sein d'une pléthore de modèles, d'accessoires et de combinaisons d'options, se trouvent des roues de 22 pouces. C'est du pneu, ça, monsieur! Imaginez le coût de remplacement...

La publicité de Ford vante la capacité de remorquage du F-150 qui est la meilleure de sa catégorie. Cela varie toutefois d'un moteur à l'autre et il est certain que les modèles propulsés par le V6 de 4,2 litres d'une puissance de 202 chevaux n'a pas la même capacité, pas plus que le moteur V8 de 4,6 litres. Il faudra cocher l'option V8 de 5,4 litres qui, avec ses 300 chevaux, vous permettra de tracter tout près de 4 000 kg. Comme plusieurs, je souhaite l'arrivée d'une boîte automatique à six rapports, ce qui diminuera quelque peu la consommation de ce trio de moteurs, le 5,4 litres notamment. Il faut toujours se contenter d'une boîte automatique à quatre rapports qui fonctionne bien. Ajoutons au passage que le moteur V6 est livré de série avec une boîte manuelle à cinq rapports.

La robustesse de ce camion n'est plus à faire et son constructeur affirme que ce modèle est celui qui comprend le plus grand nombre d'unités encore sur la route, ayant plus de 600 000 kilomètres au compteur. Des chiffres qui expliquent sa popularité. Par contre, en conduite quotidienne pour une utilisation familiale, son encombrement risque d'en intimider plusieurs, d'autant plus qu'il a été dessiné pour paraître plus gros. Mais on ne discute pas avec le succès!

**Denis Duquet**

Photos : Ford

## VÉHICULE D'ESSAI

| | |
|---|---|
| Version : | Lariat Limited 4x4 SuperCab |
| Emp/Lon/Lar/Haut(mm) : | 3 670/5 837/2 004/1 920 |
| Longueur de caisse/Poids : | 1 981 mm / 2 442 kg |
| Coffre/Réservoir : | n.d. / 102 litres |
| Nombre de coussins de sécurité : | 2 |
| Suspension avant : | indépendante, bras inégaux |
| Suspension arrière : | essieu rigide, ressorts elliptiques |
| Freins av./arr. : | disque (ABS) |
| Antipatinage/Contrôle de stabilité : | oui / non |
| Direction : | à crémaillère, assistée |
| Diamètre de braquage : | 13,0 m |
| Pneus av./arr. : | P265/60R18 |
| Capacité de remorquage : | 3 583 kg |

## MOTORISATION À L'ESSAI

Pneus d'origine MICHELIN

| | |
|---|---|
| Moteur : | V8 de 5,4 litres 16s atmosphérique |
| Alésage et course : | 90,2 mm x 105,9 mm |
| Puissance : | 300 ch (224 kW) à 5 000 tr/min |
| Couple : | 365 lb-pi (495 Nm) à 3 750 tr/min |
| Rapport poids/puissance : | 8,14 kg/ch (11,05 kg/kW) |
| Système hybride : | aucun |
| Transmission : | 4X4, automatique 4 rapports |
| Accélération 0-100 km/h : | 11,0 s |
| Reprises 80-120 km/h : | 9,4 s |
| Freinage 100-0 km/h : | 43,4 m |
| Vitesse maximale : | 190 km/h |
| Consommation (100 km) : | ordinaire, 17,1 litres |
| Autonomie (approximative) : | 596 km |
| Émissions de CO2 : | 7 200 kg/an |

## GAMME EN BREF

| | |
|---|---|
| Échelle de prix : | 22 999 $ à 46 194 $ |
| Catégorie : | camionnette grand format |
| Historique du modèle : | 7ème génération |
| Garanties : | 3 ans/60 000 km, 5 ans/100 000 km |
| Assemblage : | Oakville, Ontario, Canada |
| Autre(s) moteur(s) : | V6 4,2l 202ch/260lb-pi (15,1 l/100km) |
| | V8 4,6l 248ch/294lb-pi (15,8 l/100km) |
| Autre(s) rouage(s) : | propulsion |
| Autre(s) transmission(s) : | manuelle 5 rapports |

## DANS LA MÊME CATÉGORIE

Chevrolet Silverado - Dodge Ram - GMC Sierra - Nissan Titan - Toyota Tundra

## DU NOUVEAU EN 2008

Caméra de recul, système d'arrimage dans la caisse, nouvelles versions

## NOS IMPRESSIONS

| | |
|---|---|
| Agrément de conduite : | 🚗 🚗 🚗 🚗 |
| Fiabilité : | 🚗 🚗 🚗 🚗 |
| Sécurité : | 🚗 🚗 🚗 🚗 |
| Qualités hivernales : | 🚗 🚗 🚗 🚗 ½ |
| Espace intérieur : | 🚗 🚗 🚗 🚗 |
| Confort : | 🚗 🚗 🚗 🚗 |

## LE CHOIX DE L'ÉQUIPE

XL Super Crew

# FORD RANGER / MAZDA SÉRIE B

Ford Ranger

# LES BIENFAITS DU TEMPS

Force est d'admettre que la catégorie des camionnettes compactes n'est pas la plus en vogue par les temps qui courent... En raison de cette vague de «plus c'est gros, meilleur c'est», les camions compacts ont tous pris du coffre, à deux exceptions : le duo Ford Ranger/Mazda Série B et le tandem Chevrolet Colorado/GMC Canyon qui sont demeurés des compactes. Les Dodge Dakota, Nissan Frontier et Toyota Tacoma sont devenus plus gros, plus puissants... et aussi plus chers. Pourtant, le Ranger cartonne plus que jamais.

Il est vraiment curieux de constater que la camionnette Ford progresse au chapitre des ventes alors que sa dernière modification remonte à plusieurs années et que sa silhouette trahit fortement son âge. Le secret est bien simple : le constructeur offre une bonne valeur à un prix très compétitif.

### DU SOLIDE À BAS PRIX

Il faut tout d'abord souligner que le Ranger le moins cher se vend pour environ 17 000 $ et on peut commander le modèle à cabine allongée avec une bonne liste d'accessoires aux alentours de 20 000 $. Pas pire ! Pas pire ! comme le dirait un animateur de radio sportive bien connu...

La cabine du Ranger ne déborde pas de luxe, mais il faut avouer que les matériaux sont de qualité, l'assemblage soigné tandis que la disposition des instruments et des commandes est logique. Je n'ai pas parlé de design et de style puisque dans ce cas-ci, personne n'est influencé par ce facteur. Au fil des années, on a modifié certains éléments ici et là, mais tous ne se sont pas harmonisés à la perfection. Par exemple, il faudra vivre avec le plastique relativement luisant de la planche de bord. Et ne comptez pas sur le Super Cab pour transporter votre famille. À moins que votre progéniture ne soit très petite, personne ne sera confortable

sur ces strapontins arrière qui ne servent qu'à dépanner et encore, pas pour aller bien loin. Cet espace servira surtout de rangement.

Trois moteurs sont au catalogue : un quatre cylindres et deux moteurs V6. Notre réflexe serait d'ignorer le moteur quatre cylindres de 2,3 litres, mais ce serait faire fausse route. À moins d'avoir à remorquer quelque chose de lourd, ce quatre en a dedans avec une puissance de 143 chevaux, soit cinq de moins que le moteur V6 3,0 litres. Ce dernier n'est pas particulièrement intéressant et seul son couple supérieur au 2,3 litres explique sa présence au catalogue. Le V6 de 4,0 litres de 207 chevaux s'avère le choix le plus avisé. Le quatre cylindres est une combinaison encore plus économique lorsqu'il est couplé à la boîte manuelle à cinq rapports. Mais oubliez tout projet d'en faire une camionnette à conduite sportive ! Cette boîte en est une de camion avec des rapports en conséquence et une course de levier qui semble interminable. Si vous roulez majoritairement dans la circulation, la boîte automatique à cinq rapports est plus pratique.

Sur la route, le Ranger suit son petit bonhomme de chemin sans causer d'émotions fortes à son conducteur ou l'irriter. Les moteurs sont quelque peu bruyants en accélération, leur consommation pourrait être meilleure,

 **FEU VERT**
Éléments mécaniques bien adaptés, plate-forme robuste, capacité de remorquage surprenante, finition et présentation rehaussées

 **FEU ROUGE**
Train arrière récalcitrant, silhouette complètement dépassée, moteur V6 de 3,0l vétuste, assise arrière d'appoint (Strapontins)

**606**

| VÉHICULE D'ESSAI | |
| --- | --- |
| Version : | Ranger 4RM Cabine double XL |
| Emp/Lon/Lar/Haut (mm) : | 3 193/5 171/1 763/1 694 |
| Longueur de caisse/Poids : | 1 846 mm / 1 633 kg |
| Coffre/Réservoir : | n.a. / 74 litres |
| Nombre de coussins de sécurité : | 2 |
| Suspension avant : | indépendante, barres de torsion |
| Suspension arrière : | essieu rigide, ressorts elliptiques |
| Freins av./arr. : | disque/tambour (ABS) |
| Antipatinage/Contrôle de stabilité : | non / non |
| Direction : | à crémaillère, assistée |
| Diamètre de braquage : | 13,2 m |
| Pneus av./arr. : | P235/75R15 |
| Capacité de remorquage : | 1 406 kg |

**MOTORISATION À L'ESSAI**

| | |
| --- | --- |
| Moteur : | V6 de 4,0 litres 12s atmosphérique |
| Alésage et course : | 100,3 mm x 84,3 mm |
| Puissance : | 207 ch (154 kW) à 5 250 tr/min |
| Couple : | 238 lb-pi (323 Nm) à 3 000 tr/min |
| Rapport poids/puissance : | 7,89 kg/ch (10,74 kg/kW) |
| Système hybride : | aucun |
| Transmission : | 4X4, automatique 5 rapports |
| Accélération 0-100 km/h : | 9,2 s |
| Reprises 80-120 km/h : | 8,4 s |
| Freinage 100-0 km/h : | 44,0 m |
| Vitesse maximale : | 175 km/h |
| Consommation (100 km) : | ordinaire, 15,7 litres |
| Autonomie (approximative) : | 471 km |
| Émissions de CO2 : | 6 672 kg/an |

**GAMME EN BREF**

| | |
| --- | --- |
| Échelle de prix : | 15 399 $ à 25 099 $ |
| Catégorie : | camionnette intermédiaire |
| Historique du modèle : | 2ième génération |
| Garanties : | 3 ans/60 000 km, 5 ans/100 000 km |
| Assemblage : | Edison NJ, St-Paul MN, Twin Cities MN et Louisville KY, É-U |
| Autre(s) moteur(s) : | V6 3,0l 148ch/180lb-pi (13,1 l/100km) 4L 2,3l 143ch/154lb-pi (11,2 l/100km) Mazda |
| Autre(s) rouage(s) : | propulsion |
| Autre(s) transmission(s) : | manuelle 5 rapports |

mais personne ne s'en plaindra. Il se dégage de cette camionnette une impression de solidité. Par contre, l'essieu arrière est rétif sur mauvaise route et les secousses de la chaussée sont ressenties dans le volant. Quant au comportement routier, il est sans surprise, à la condition que la route soit moyennement carrossable. Frappez une section garnie de « planche à laver » et vous devrez vous cramponner au volant.

Mais le grand secret est le fait que cette camionnette s'est peaufinée au fil des années et est devenue un véhicule simple, solide, fiable et capable de s'adapter à toutes les tâches. Il faut ajouter que le Super Cab offre une boîte de chargement de six pieds et le modèle à cabine ordinaire une boîte de sept pieds.

Il est possible de commander à prix raisonnable une version 4X4 dont le différentiel arrière est de type Torsen. Simple et efficace, ce mécanisme est également robuste.

### ET LA SÉRIE B ?

Tandis que Ford fait une forte campagne de commercialisation avec un modèle Ranger qui se vend très bien, en fait même plus qu'il y a une décennie, la camionnette de Série B de Mazda continue sa carrière placidement. Il faut savoir que le constructeur d'Hiroshima s'est maintenu dans le secteur de la camionnette non pas pour devenir un joueur de premier plan, mais davantage pour conserver des clients à la recherche d'une camionnette et qui iraient ailleurs si Mazda n'en proposait pas une. En fin de compte, Série B ou Ranger, il n'y a que l'écusson qui change. Il est vrai que la calandre de la Mazda est différente, que la présentation de l'habitacle est plus recherchée et que les sièges sont meilleurs, mais pour le reste c'est blanc bonnet et bonnet blanc. On y retrouve les mêmes rouages d'entraînement que sur le Ranger.

Par contre, plusieurs acheteurs refusent toujours de négocier avec un constructeur américain et préféreront faire affaire avec une marque japonaise, histoire de se rassurer quant à la qualité du service. Quant aux autres, ils pourront se convaincre qu'ils conduisent une nipponne pure et dure alors qu'il s'agit d'un Ranger déguisée en Mazda… Mais à bien y penser, ce n'est pas une mauvaise affaire puisque le Ranger est solide comme un roc, donc la Série B aussi.

**Jean Léon**

### DANS LA MÊME CATÉGORIE

Chevrolet Colorado - Dodge Dakota - GMC Canyon - Nissan Frontier - Toyota Tacoma

### DU NOUVEAU EN 2008

Changements mineurs

### NOS IMPRESSIONS

| | |
| --- | --- |
| Agrément de conduite : | 🚗 🚗 🚗 |
| Fiabilité : | 🚗 🚗 🚗 🚗 |
| Sécurité : | 🚗 🚗 🚗 |
| Qualités hivernales : | 🚗 🚗 🚗 🚗 ½ |
| Espace intérieur : | 🚗 🚗 🚗 |
| Confort : | 🚗 🚗 🚗 |

### LE CHOIX DE L'ÉQUIPE

Cab Plus Dual Sport 4,0

Photos : Denis Duquet

# UN SUCCÈS BIEN MÉRITÉ

Je me demande bien de quoi sont nourris les ingénieurs de cette firme nippone pour toujours réussir à lancer un produit gagnant. Ils arrivent invariablement avec quelque chose de différent et d'innovateur, le Honda Ridgeline en est un exemple. Tout est bien réfléchi et mûri avant d'aboutir sur les planchers des concessionnaires, pour être certain que le véhicule soit apprécié du public. Dans le cas du Ridgeline, ils ont encore vu juste et pratiquement tous les chroniqueurs automobiles louangent cette camionnette.

Je me rappelle très bien de mon impression quand j'ai fait l'essai de cette camionnette pour la première fois, lors du lancement de presse officiel. À ce moment, ils disaient qu'ils redéfiniraient notre manière de penser en ce qui a trait à ce type de véhicule, et qu'en plus, ils le feraient avec un seul moteur de 6 cylindres. Plusieurs journalistes n'ont rien dit, mais tous ont pensé la même chose. «Qu'est-ce qu'ils ont mangé ce matin pour nous dire ça?» Il était insensé d'aller se battre contre de grosses camionnettes américaines avec un simple moteur V6!

Quelques heures plus tard, après l'avoir essayé, cette pensée s'est tout simplement dissipée. Ils venaient de gagner leur pari et ils nous ont tous convaincus. Depuis, nous voyons de plus en plus de Ridgeline sur la route.

### MOTEUR IMPRESSIONNANT

Comme dans le domaine de la moto ou de la course, il ne suffit plus d'avoir un gros bloc-moteur pour le rendre plus performant. Nous avons simplement qu'à regarder les motos de cylindrée de 600 cc d'aujourd'hui pour comprendre. Toute cette équation s'applique dans le cas du V6 en aluminium, VTEC à SACT de 3,5 litres qui est le cœur du Ridgeline. Grâce au contrôle électronique des 24 soupapes et à un système d'admission bien pensé, ce moteur respire plus librement et permet d'exploiter au maximum les 247 chevaux qu'il génère. Il est associé à une transmission automatique à cinq rapports avec refroidisseur, ce qui lui permet de tirer une remorque sans que la transmission rende l'âme après ses efforts.

En parlant de sa capacité de remorquage, lors d'un essai, nous avons attaché une remorque de 5 000 lb ou 2 800 kg et le Ridgeline l'a tirée avec une facilité qui en ferait baver plus d'un. Mieux, il réussissait à accélérer plus rapidement qu'une camionnette pourvue d'un gros V8 déployant plus de puissance. Malgré un poids si lourd derrière, le passage des rapports se faisait toujours avec douceur.

Un autre aspect assez inusité est que le cadre monocoque est suspendu sur une suspension entièrement indépendante au lieu d'un traditionnel essieu rigide. Curieuse décision, mais très efficace sur les sols très accidentés, car chacune des roues travaille indépendamment. Autre point digne de mention, puisque le châssis est 20 pour cent plus rigide qu'un cadre habituel, je me suis retrouvé avec une roue gauche dans les airs et le Ridgeline fortement incliné vers la droite. Malgré tout, je pouvais ouvrir la porte sans aucun effort. Je n'aurais pu tenter cette expérience

**FEU VERT**
Rigidité de la caisse, comportement routier sain, bonne capacité de remorquage, qualité d'assemblage

**FEU ROUGE**
V6 seulement, caisse de 6' seulement, sillhouette peu banale, certaines commandes mal placées

avec toutes les camionnettes… Un autre avantage d'un cadre aussi rigide est que la tenue de route est nettement plus prévisible et le confort accru pour un véhicule de ce genre, ce qui donne presque l'impression de conduire une Honda Accord et non un pick-up.

Notez cet élément pratique et original : le coffre est intégré dans le fond de la caisse ! Il peut contenir bien au sec l'équivalent de 2 sacs de golf, des casques, des vêtements de VTT ou autre. La caisse de chargement est en composite et peut supporter chocs et impacts.

### PRESQUE UNE AUTO
Sur la route, le Ridgeline a un comportement très sain et silencieux. En fait, on a beaucoup plus l'impression de conduire une voiture qu'une camionnette. Il est très agile et comme il n'est aucunement encombrant, il est très facile de le garer dans le stationnement d'un centre commercial. Je tiens aussi à souligner qu'il n'y a aucun sautillement du train arrière quand la caisse est vide ou dans les virages.

Par ailleurs, le roulis est très bien maîtrisé. L'habitacle est moderne, confortable et on jouit d'un très bon dégagement. Les sièges, quant à eux, procurent un très bon niveau de confort.

Parmi toutes les camionnettes sur le marché, le Ridgeline est celui qui surprend le plus, car bien qu'à première vue, il ne semble pas être en mesure de faire face à ses concurrents, on constate que la situation est toute autre quand on le conduit ou que l'on s'en sert pour le travail. Tout ce qu'il fait, il le fait bien et avec facilité. Pour ce qui est de la fiabilité et de la qualité d'assemblage, c'est du Honda tout craché et il devrait en plus, conserver une très bonne valeur de revente.

**Robert Jetté**

## VÉHICULE D'ESSAI

| | |
|---|---|
| Version : | EX-L |
| Emp/Lon/Lar/Haut(mm) : | 3 100/5 253/1 938/1 808 |
| Longueur de caisse/Poids : | 1 524 mm / 2 059 kg |
| Coffre/Réservoir : | 241 litres / 83 litres |
| Nombre de coussins de sécurité : | 6 |
| Suspension avant : | indépendante, jambes de force |
| Suspension arrière : | indépendante, multibras |
| Freins av./arr. : | disque (ABS, EBD) |
| Antipatinage/Contrôle de stabilité : | oui / oui |
| Direction : | à crémaillère, assistance variable |
| Diamètre de braquage : | 12,9 m |
| Pneus av./arr. : | P245/65R17 |
| Capacité de remorquage : | 2 268 kg |

## MOTORISATION À L'ESSAI
Pneus d'origine MICHELIN

| | |
|---|---|
| Moteur : | V6 de 3,5 litres 24s atmosphérique |
| Alésage et course : | 89,0 mm x 93,0 mm |
| Puissance : | 247 ch (184 kW) à 5 750 tr/min |
| Couple : | 245 lb-pi (332 Nm) à 4 500 tr/min |
| Rapport poids/puissance : | 8,34 kg/ch (11,31 kg/kW) |
| Système hybride : | aucun |
| Transmission : | intégrale, automatique 5 rapports |
| Accélération 0-100 km/h : | 9,4 s |
| Reprises 80-120 km/h : | 8,4 s |
| Freinage 100-0 km/h : | 42,0 m |
| Vitesse maximale : | 193 km/h |
| Consommation (100 km) : | ordinaire, 14,4 litres |
| Autonomie (approximative) : | 576 km |
| Émissions de CO2 : | 6 000 kg/an |

## GAMME EN BREF

| | |
|---|---|
| Échelle de prix : | 35 820 $ à 45 220 $ |
| Catégorie : | camionnette intermédiaire |
| Historique du modèle : | 1ère génération |
| Garanties : | 3 ans/60 000 km, 5 ans/100 000 km |
| Assemblage : | Alliston, Ontario, Canada |
| Autre(s) moteur(s) : | aucun |
| Autre(s) rouage(s) : | aucun |
| Autre(s) transmission(s) : | aucune |

## DANS LA MÊME CATÉGORIE
Chevrolet Colorado - Dodge Dakota - Ford F-150 - Nissan Frontier - Toyota Tacoma

## DU NOUVEAU EN 2008
Pas de changement majeur

## NOS IMPRESSIONS

| | |
|---|---|
| Agrément de conduite : | 🚗🚗🚗🚗 |
| Fiabilité : | 🚗🚗🚗🚗 |
| Sécurité : | 🚗🚗🚗🚗½ |
| Qualités hivernales : | 🚗🚗🚗🚗½ |
| Espace intérieur : | 🚗🚗🚗🚗½ |
| Confort : | 🚗🚗🚗🚗 |

## LE CHOIX DE L'ÉQUIPE
EX-L

Photos : Honda

# FORT DOUÉ

Il est indéniable que Nissan s'y connaît en camionnettes compactes. En fait, ce constructeur a même inventé cette catégorie il y a quelques décennies. Malheureusement, les difficultés sur le plan financier au cours des années 90 nous avaient valu un Frontier bien timide, vendu uniquement avec un moteur quatre cylindres, les finances de ce constructeur ne permettant pas le développement d'un nouveau V6. Les choses ont bien changé et la nouvelle génération du Frontier dévoilée en 2005 a permis de replacer les choses.

N on seulement les efforts de jadis ont été relégués aux oubliettes, mais ce nouveau Frontier en offre beaucoup.

Les spécialistes des camionnettes vous diront qu'un camion vaut ce que vaut son châssis. Force est d'admettre que ce Nissan est bien né, car son châssis de type échelle est une version plus petite de celui de l'énorme Titan. Comme ce dernier est solide comme le roc, le fait de réduire ses dimensions et de l'adapter à un modèle plus petit ne peut qu'avoir des effets bénéfiques. En fait, le Frontier est l'un des meilleurs de sa catégorie à ce chapitre.

### LE 4 OU LE 6 ?

Un bon châssis c'est bien, mais il faut également que la motorisation soit adéquate. Le moteur le plus puissant est un V6 4,0 litres d'une puissance de 261 chevaux et d'un couple de 281 lb-pi. Il peut être optionnellement jumelé à une boîte automatique à cinq rapports tandis qu'une boîte manuelle à six rapports est de série. La version King Cab est équipée de série du moteur quatre cylindres de 2,5 litres qui n'est offert qu'avec le modèle deux roues motrices. Avec ses 152 chevaux, ce moteur peut suffire si vous n'avez pas l'intention de

remorquer quelque chose de lourd ou de charger la caisse plus qu'il ne le faut.

Les stylistes ont voulu que la silhouette nous fasse savoir que c'est un costaud : la grille de calandre est similaire à celle du gros Titan avec ses piliers chromés inclinés, et pour donner une impression de largeur, les passages de roue sont proéminents. De plus, un support de toit à la tubulure impressionnante semble en mesure de transporter des objets lourds. Détails à ne pas négliger pour la catégorie, la caisse de chargement est protégée par un recouvrement protecteur pulvérisé à l'usine tandis que le système d'arrimage Utili-Track à manetons réglables en alliage d'aluminium offre beaucoup de possibilités pour arrimer une charge. Ce système comprend également des partitions et des caisses de rangement modulaires.

La version à cabine double et moteur V6 peut être équipée d'un rouage intégral à commande électronique dont l'utilisation est on ne peut plus facile : il suffit de tourner un bouton placé en bas de la console verticale pour passer de deux à quatre roues motrices et en mode démultiplié. Et les angles d'attaques et de départ de même que la garde au sol vous permettront de vraiment utiliser cette camionnette en conduite hors

**FEU VERT**
Châssis rigide, moteur puissant, cabine spacieuse, robustesse assurée, design de circonstance

**FEU ROUGE**
Finition inégale, consommation élevée, certains bruits de caisse, plastiques durs dans l'habitacle

route, pas seulement sur les routes enneigées ou glacées. Bref, la table est mise pour une expérience de conduite intéressante. Un conseil avant de passer votre commande : ignorez le marchepied tubulaire figurant sur la liste des options, cet accessoire est non seulement d'une utilité douteuse mais souillera votre pantalon à coup sûr.

## BEL ÉQUILIBRE

Même si le seuil est élevé, une poignée du côté du conducteur comme du passager avant permet de faciliter l'accès à bord. Une fois en place, le confort des bancs est sans doute la première chose qui nous frappe. Ensuite, c'est la présentation du tableau de bord qui est moins austère que sur les produits nord-américains par exemple. Suivent les rayons du volant garnis d'appliques en aluminium brossé, de même que la console centrale en relief qui donne un indéniable cachet à cet intérieur. Certains trouvent que la texture du plastique pourrait être plus raffinée, mais c'est affaire de goût et il faut se souvenir que nous sommes à bord d'une camionnette. Les commandes de la climatisation sont de gros boutons faciles à opérer, même avec des moufles. Par contre, je suis moins épaté par les commandes de la radio, surtout le mode de sélection des postes : ces derniers sont répartis non pas par bande mais selon nos choix. Sur la bande 1 par exemple, il peut y avoir des stations FM et AM. C'est parfois irritant de tenter de trouver la bonne station.

Sur la route, la direction est un peu trop démultipliée et le train arrière est quelques fois rétif sur une mauvaise route, mais c'est généralement mieux que la plupart des modèles concurrents. De plus, le conducteur a l'impression d'être au volant de quelque chose de solide, ce qui semble être une certitude. Soulignons au passage que la version 4X4 offre beaucoup en fait d'assistance au pilotage avec l'antipatinage aux quatre roues, un différentiel arrière à blocage électronique en plus d'un mécanisme de contrôle de démarrage en descente et d'assistance au démarrage en côte. Autant d'éléments qui rendent la conduite hors route nettement moins stressante.

Bref, le Frontier de Nissan est l'une des camionnettes compactes les plus homogènes de sa catégorie et sa rassurante fiabilité est à considérer. Toutefois, il faut noter que la consommation de 14,9 litres aux 100 km du moteur V6 n'est pas à négliger en cette période de fluctuation des prix du litre d'essence.

**Denis Duquet**

Photos : Denis Duquet

## VÉHICULE D'ESSAI

| | |
|---|---|
| Version : | SE cab double caisse allongée |
| Emp/Lon/Lar/Haut (mm) : | 3 200/5 574/1 850/1 745 |
| Longueur de caisse/Poids : | 1 511 mm / 2 060 kg |
| Coffre/Réservoir : | n.d. / 80 litres |
| Nombre de coussins de sécurité : | 2 |
| Suspension avant : | indépendante, multibras |
| Suspension arrière : | essieu rigide, ressorts elliptiques |
| Freins av./arr. : | disque (ABS, EBD) |
| Antipatinage/Contrôle de stabilité : | oui / non |
| Direction : | à crémaillère, assistance variable |
| Diamètre de braquage : | 12,4 m |
| Pneus av./arr. : | P265/70R16 |
| Capacité de remorquage : | 2 858 kg |

## MOTORISATION À L'ESSAI

| | |
|---|---|
| Moteur : | V6 de 4,0 litres 24s atmosphérique |
| Alésage et course : | 95,5 mm x 92,0 mm |
| Puissance : | 261 ch (195 kW) à 5 600 tr/min |
| Couple : | 281 lb-pi (381 Nm) à 4 000 tr/min |
| Rapport poids/puissance : | 7,89 kg/ch (10,73 kg/kW) |
| Système hybride : | aucun |
| Transmission : | 4X4, automatique 5 rapports |
| Accélération 0-100 km/h : | 9,0 s |
| Reprises 80-120 km/h : | 7,4 s |
| Freinage 100-0 km/h : | 41,0 m |
| Vitesse maximale : | 195 km/h |
| Consommation (100 km) : | ordinaire, 14,9 litres |
| Autonomie (approximative) : | 537 km |
| Émissions de CO2 : | 6 240 kg/an |

## GAMME EN BREF

| | |
|---|---|
| Échelle de prix : | 24 448 $ à 39 748 $ |
| Catégorie : | camionnette intermédiaire |
| Historique du modèle : | 3ème génération |
| Garanties : | 3 ans/60 000 km, 5 ans/100 000 km |
| Assemblage : | Smyrna, Tenessee, É-U |
| Autre(s) moteur(s) : | 4L 2,5l 152ch/171lb-pi (12,6 l/100km) |
| Autre(s) rouage(s) : | propulsion |
| Autre(s) transmission(s) : | manuelle 6 rapports |

## DANS LA MÊME CATÉGORIE

Chevrolet Colorado - Dodge Dakota - Ford Ranger - GMC Canyon - Mazda Série B - Toyota Tacoma

## DU NOUVEAU EN 2008

Aucun changement majeur, modifications d'options et de couleurs

## NOS IMPRESSIONS

| | |
|---|---|
| Agrément de conduite : | 🚗 🚗 🚗 🚗 |
| Fiabilité : | 🚗 🚗 🚗 ½ |
| Sécurité : | 🚗 🚗 🚗 🚗 |
| Qualités hivernales : | 🚗 🚗 🚗 🚗 ½ |
| Espace intérieur : | 🚗 🚗 🚗 🚗 |
| Confort : | 🚗 🚗 🚗 🚗 ½ |

## LE CHOIX DE L'ÉQUIPE

SE cabine double

# LES GÈNES D'UN BRONTOSAURE

Tout comme le brontosaure qui terrorisait son entourage à l'ère des dinosaures et qui devait manger sans cesse, le Titan a une stature presque aussi imposante et affectionne beaucoup les pompes à essence. Et il a surtout beaucoup de puissance et un gabarit quasiment hors-norme. En fait, ils ont beaucoup de points en commun et quand je pense à ce camion, c'est précisément l'image d'un brontosaure qui me vient à l'esprit. Mais n'ayez pas peur, le Titan est docile comme tout !

Comme je le disais, le Titan est très gourmand en essence. J'ai réalisé un essai de 6 800 km à bord de ce mastodonte et en plus, c'était durant la période ou le prix de l'essence à la pompe dépassait les 1,15 $ le litre. Avec une consommation moyenne excédant quelquefois les 21 litres aux cent kilomètres, je peux vous dire que le compte de dépense en a pris un coup !

### GROS V8

L'explication pour cette consommation élevée provient du gros V8 de 5,6 litres avec DACT et 32 soupapes qui développe une puissance de 317 ch et 385 lb-pi de couple. Sa puissance titanesque combinée avec le poids imposant du véhicule le rend particulièrement gourmand. À part ce défaut non négligeable, ce moteur impressionne tout simplement quand vient le moment de tirer une remorque, d'ailleurs il peut tracter sans broncher un poids de 9 200 lb, ce qui le rend idéal pour ceux qui doivent traîner un bateau ou tout autre gros objet.

L'accélération et les reprises sont plus qu'adéquates et la transmission à 5 rapports travaille avec douceur et précision. À ce chapitre, cette boîte est supérieure à celles proposées par la concurrence dont les changements de rapports sont plus bruyants à cause de la grande dimension

des pièces internes. Notez que la boîte automatique est pourvue d'un mode de remorquage, ce qui permet de déployer le plus de couple possible à plus bas régime. Les autres attributs du groupe motopropulseur sont que vous bénéficiez d'une boîte de transfert permettant de rouler en 4RM avec possibilité d'employer la plage « Lo » et de bloquer électroniquement le pont arrière.

Un des points forts du Titan est sans aucun doute le bon calibrage des amortisseurs. En général, ce type de véhicule a souvent tendance à faire sentir un talonnage de l'arrière, car les amortisseurs doivent être en mesure de pouvoir rouler avec beaucoup de poids dans la caisse. Par contre, lorsque la boîte est vide, on sent toujours un sautillement et si on passe sur une bosse, le train arrière décroche plus facilement. Mais pour ce qui est du Titan, ce sautillement est réduit à un niveau minimal, ce qui lui confère une plus grande stabilité sur les terrains accidentés, tout en conservant un très bon niveau de confort. Il étonne aussi par la douceur de roulement et quand j'effectuais de longs trajets, jamais je ne me sentais fatigué. J'ai particulièrement aimé mon expérience de conduite durant la période hivernale et lors de tempêtes. J'ai été confronté en Beauce à une grosse tempête de neige et le Titan m'a impressionné. Malgré les conditions difficiles, je pouvais

### FEU VERT
Moteur très puissant, bonne capacité de remorquage, conduite prévisible, agilité surprenante, silhouette tape à l'œil

### FEU ROUGE
Consommation titanesque, finition parfois douteuse, un seul choix de moteur, absence de marches-pieds de série, porte basculante très haute

**612**

## VÉHICULE D'ESSAI

| | |
|---|---|
| Version : | SE King Cab 4X4 |
| Emp/Lon/Lar/Haut(mm) : | 3 550/5 704/2 019/1 945 |
| Longueur de caisse/Poids : | 2 010 mm / 2 391 kg |
| Coffre/Réservoir : | n.d. / 106 litres |
| Nombre de coussins de sécurité : | 2 |
| Suspension avant : | indépendante, bras inégaux |
| Suspension arrière : | essieu rigide, ressorts elliptiques |
| Freins av./arr. : | disque (ABS, EBD) |
| Antipatinage/Contrôle de stabilité : | oui / opt. |
| Direction : | à crémaillère, assistance variable |
| Diamètre de braquage : | 14,0 m |
| Pneus av./arr. : | P265/70R18 |
| Capacité de remorquage : | 4 264 kg |

## MOTORISATION À L'ESSAI

| | |
|---|---|
| Moteur : | V8 de 5,6 litres 32s atmosphérique |
| Alésage et course : | 98,0 mm x 92,0 mm |
| Puissance : | 317 ch (236 kW) à 5 200 tr/min |
| Couple : | 385 lb-pi (522 Nm) à 3 400 tr/min |
| Rapport poids/puissance : | 7,54 kg/ch (10,26 kg/kW) |
| Système hybride : | aucun |
| Transmission : | 4X4, automatique 5 rapports |
| Accélération 0-100 km/h : | 7,8 s |
| Reprises 80-120 km/h : | 6,2 s |
| Freinage 100-0 km/h : | 44,2 m |
| Vitesse maximale : | 185 km/h |
| Consommation (100 km) : | ordinaire, 17,7 litres |
| Autonomie (approximative) : | 599 km |
| Émissions de CO2 : | 7 296 kg/an |

## GAMME EN BREF

| | |
|---|---|
| Échelle de prix : | 33 498 $ à 51 498 $ |
| Catégorie : | camionnette grand format |
| Historique du modèle : | 1ère génération |
| Garanties : | 3 ans/60 000 km, 5 ans/100 000 km |
| Assemblage : | Canton, Mississippi, É-U |
| Autre(s) moteur(s) : | aucun |
| Autre(s) rouage(s) : | propulsion |
| Autre(s) transmission(s) : | aucune |

## DANS LA MÊME CATÉGORIE

Chevrolet Silverado - Dodge Ram -
Ford F-150 - Toyota Tundra

## DU NOUVEAU EN 2008

Version à empattement allongé,
quelques retouches esthétiques

## NOS IMPRESSIONS

| | |
|---|---|
| Agrément de conduite : | 🚗 🚗 🚗 🚗 |
| Fiabilité : | 🚗 🚗 🚗½ |
| Sécurité : | 🚗 🚗 🚗 🚗 |
| Qualités hivernales : | 🚗 🚗 🚗½ |
| Espace intérieur : | 🚗 🚗 🚗 🚗½ |
| Confort : | 🚗 🚗 🚗 🚗 |

## LE CHOIX DE L'ÉQUIPE

SE Cab double 4X4

maintenir une bonne vitesse sans avoir peur d'un dérapage. De plus, le système antipatinage fait bien son travail. Tous les ingrédients sont là pour affronter sereinement les pires conditions météorologiques.

Pour ce qui est de l'habitacle, six personnes de bonne stature peuvent confortablement s'y assoir. Mais ce monstre est haut sur pattes et, comme il n'est pas équipé de marche-pieds, les plus petites personnes ou les enfants ont plus de difficulté à entrer dans le véhicule. Je ne comprends pas pourquoi les gens de Nissan ne se donnent pas la peine d'installer un marchepied de série. Même moi qui fait 1,85 m, j'avais de la difficulté à grimper dans la cabine et à en descendre! En hiver, j'ai perdu pied en descendant et croyez-moi, on tombe de haut...

Les commandes sont à portée de la main et comme elles sont grosses, on n'a pas de misère à les localiser durant la conduite. Les sièges procurent un bon support latéral et on jouit d'un énorme appuie-bras qui s'ouvre et qui peut accueillir une foule de choses, tellement son espace de rangement est volumineux. Mon camion d'essai était pourvu d'une caisse de 6 pieds recouverte d'un enduit vaporisé qui protège la surface tout en étant antidéra-pant. De plus, sur certaines versions, un système de rails d'arrimage Utili-track, permet de pouvoir sécuriser ce qui se trouve dans la caisse plus efficacement. Nissan offre même des équipements différents qui s'attachent à ce système comme une rallonge de caisse par exemple.

Le Titan est imposant et il peut sembler à première vue intimidant, mais comme il a de bonnes manières sur la route, on oublie rapidement cet aspect. Son agilité dans les endroits serrés est supérieure à la moyenne et c'est la même chose pour la conduite quo-tidienne. Mais assurez-vous d'avoir le porte-monnaie bien garni à cause de sa soif pour le pétrole. C'est dommage que les gens de Nissan ne proposent pas un plus grand choix de moteurs incluant un V8 un peu moins gourmand... Malgré cela, les ingénieurs de ce manufacturier ont fait leurs devoirs et ont réussi à mettre sur le marché un pick-up très convivial, en plus d'être très puissant, et d'avoir une bonne tenue de route.

**Robert Jetté**

Photos : Alain Morin

# DU PANACHE !

La gourmandise de Toyota ne cesse de croître, et rien ne peut plus l'empêcher d'être le numéro un mondial. Et quoi de mieux pour gruger des parts de marché que de foncer dans le créneau des camionnettes qui représente un très gros morceau de l'industrie automobile ? Pour séduire de plus en plus les Américains, Toyota s'est lancé dans les courses de camion de la Série Craftman de NASCAR. L'énorme visibilité que ces courses procurent et le fait que Toyota domine avec Mike Skinner ont de quoi inquiéter les constructeurs américains.

C'est vrai que Toyota n'a pas eu la vie facile à ses débuts sur ce marché. Les Américains demeuraient convaincus qu'une camionnette devait être purement américaine. Jouer dans ce territoire attirait souvent les moqueries et pour cette raison, Toyota ne connaissait pas de succès. Mais ce constructeur sait à quel point ce marché est lucratif, et il a mis beaucoup d'efforts à développer le Tacoma, une camionnette intermédiaire qui n'est pas dépourvue d'atouts.

## CHOIX MULTIPLE

La silhouette plaisante du Tacoma ainsi que le choix de cabines et de styles devraient faciliter la tâche des acheteurs. Le choix le plus judicieux est le modèle avec la caisse allongée, d'une longueur de six pieds, qui permettra de profiter de plus polyvalence. Si par contre, vous désirez attirer les regards, jetez un coup d'œil au modèle X-Runner qui est équipé d'éléments sportifs comme la fausse prise d'air sur le capot ainsi que de jupes de bas de caisse qui lui confèrent une allure vraiment plus agressive et tape-à-l'œil. Selon les dires des ingénieurs, ce dernier serait en mesure de faire le 0-100 km/h en 7 secondes avec son V6 et sa boîte de vitesses manuelle, mais nous vérifierons ces dires quand nous aurons la chance d'en faire l'essai.

Deux moteurs s'offrent à vous, soit le 4 cylindre à DACT et 16 soupapes qui génère 159 chevaux, ou bien le V6 de 4 litres à DACT et 24 soupapes qui produit 236 chevaux et 266 lb-pi de couple à 4 000 tr/min. Si vous n'utilisez pas votre camionnette pour effectuer de gros travaux, le 4 cylindre fera l'affaire, mais disons que les performances sont un peu justes, car le Tacoma est tout de même assez lourd. Pour tous les autres, le V6 est beaucoup plus fort et plaisant et en plus, il n'est pas trop gourmand en matière de consommation d'essence avec 13,8 L aux 100 km. C'est très raisonnable pour un véhicule de la sorte.

Au chapitre des transmissions, là aussi vous avez amplement le choix. Si vous désirez une transmission automatique, une à 4 rapports et une autre à 5 rapports sont disponibles, mais si vous préférez une transmission manuelle, alors, il y a celle à 5 rapports qui est mieux adaptée pour les travaux plus lourds. D'autre part, si vous faites beaucoup de route, vous avez la possibilité de choisir celle qui a 6 rapports, mais curieusement, aucun refroidisseur de transmission n'est disponible à moins de payer un surplus. En outre, il est installé seulement sur les modèles à 4RM avec moteur 6 cylindres.

**FEU VERT**
Silhouette agréable, fiabilité enviable, choix de modèles, V6 puissant, finition de haut niveau

**FEU ROUGE**
Peu de dégagement à l'avant, refroidisseur de transmission optionel, modèle de luxe coûteux, espace arrière restreint, suspension parfois sèche

## TAILLE INTERMÉDIAIRE

Le cadre repose sur une suspension avant à double fourchette, et en ce qui a trait au train arrière, on parle d'un essieu rigide avec ressorts à lames. Bien qu'une suspension arrière de la sorte cause des sautillements de l'arrière sur les bosses, dans le cas du Tacoma, cet effet n'est pas trop présent. Il lui en faut même beaucoup pour qu'il y ait un décrochage en virage. Il demeure très stable. En territoire accidenté, il faut par contre faire face à une certaine fermeté qui peut devenir inconfortable, mais encore là, je parle de conditions extrêmes. Quant à la version X-Runner, elle est équipée d'amortisseurs Bilstein qui ont fait leurs preuves en course.

Comme il est légèrement plus corpulent qu'une camionnette compacte, on s'attendrait à un intérieur plus spacieux. Cinq personnes peuvent s'y asseoir, mais elles ne doivent pas avoir la taille de joueurs de football... La finition est sans reproche, ce qui est typique de ce constructeur. Les sièges sont un peu fermes et la grosseur de la console centrale vient gruger un peu d'espace destiné aux jambes

Lors d'un essai dans le désert californien, j'ai été en mesure de vérifier ses capacités lors de conditions plus difficiles et il s'est bien tiré d'affaire. La garde au sol est adéquate et quand les conditions devenaient vraiment plus exigeantes, je n'avais qu'à enclencher le mode « LO » pour maximiser le couple à bas régime. L'angle d'attaque à l'avant lui permet de descendre une pente abrupte sans qu'il y ait du dommage à la partie avant et surtout, j'avais droit à un bon dosage en matière de puissance. Autant sur la route qu'en conditions hors route, le Tacoma est solide et compétent.

Cette camionnette est douée et n'a peur de rien. En plus, c'est un exemple en matière de robustesse et de fiabilité. Sans oublier que la valeur de revente sera excellente. Toyota commence à compliquer l'existence des constructeurs américains!

**Robert Jetté**

### VÉHICULE D'ESSAI

| | |
|---|---|
| Version : | X-Runner Access Cab 4X2 |
| Emp/Lon/Lar/Haut (mm) : | 3 246/5 286/1 835/1 670 |
| Longueur de caisse/Poids : | 1 866 mm / 1 583 kg |
| Coffre/Réservoir : | n.d. / 80 litres |
| Nombre de coussins de sécurité : | 2 |
| Suspension avant : | essieu rigide, multibras |
| Suspension arrière : | essieu rigide, ressorts elliptiques |
| Freins av./arr. : | disque/tambour (ABS, EBD) |
| Antipatinage/Contrôle de stabilité : | non / non |
| Direction : | à crémaillère, assistée |
| Diamètre de braquage : | 14,2 m |
| Pneus av./arr. : | P255/45R18 |
| Capacité de remorquage : | 1 587 kg |

### MOTORISATION À L'ESSAI

| | |
|---|---|
| Moteur : | V6 de 4,0 litres 24s atmosphérique |
| Alésage et course : | 95,0 mm x 95,0 mm |
| Puissance : | 236 ch (176 kW) à 5 200 tr/min |
| Couple : | 266 lb-pi (361 Nm) à 4 000 tr/min |
| Rapport poids/puissance : | 6,71 kg/ch (9,1 kg/kW) |
| Système hybride : | aucun |
| Transmission : | propulsion, manuelle 6 rapports |
| Accélération 0-100 km/h : | 7,3 s |
| Reprises 80-120 km/h : | 6,2 s |
| Freinage 100-0 km/h : | 40,3 m |
| Vitesse maximale : | 175 km/h |
| Consommation (100 km) : | ordinaire, 13,5 litres |
| Autonomie (approximative) : | 593 km |
| Émissions de CO2 : | 5 760 kg/an |

### GAMME EN BREF

| | |
|---|---|
| Échelle de prix : | 22 760 $ à 39 080 $ |
| Catégorie : | camionnette intermédiaire |
| Historique du modèle : | 3ième génération |
| Garanties : | 3 ans/60 000 km, 5 ans/100 000 km |
| Assemblage : | Georgetown KY et Fremont CA, É-U |
| Autre(s) moteur(s) : | 4L 2,7l 159ch/180lb-pi (10,1 l/100km) |
| Autre(s) rouage(s) : | 4RM |
| Autre(s) transmission(s) : | automatique 4 rapports / automatique 5 rapports / manuelle 5 rapports |

### DANS LA MÊME CATÉGORIE

Chevrolet Colorado - Dodge Dakota - Honda Ridgeline - Nissan Frontier

### DU NOUVEAU EN 2008

Pas de changement majeur

### NOS IMPRESSIONS

| | |
|---|---|
| Agrément de conduite : | 🚗 🚗 🚗 🚗 |
| Fiabilité : | 🚗 🚗 🚗 🚗 🚗½ |
| Sécurité : | 🚗 🚗 🚗 🚗 |
| Qualités hivernales : | 🚗 🚗 🚗 |
| Espace intérieur : | 🚗 🚗 🚗 🚗 |
| Confort : | 🚗 🚗 🚗 🚗 |

### LE CHOIX DE L'ÉQUIPE

4X4 Cabine double

Photos : Toyota

# TOYOTA TUNDRA

# LE GÉANT DU TEXAS

Le premier camion pleine grandeur de Toyota, le T-100, dévoilé en 1993 fut un échec. Entre autres faiblesses, il n'était pas assez gros. Son successeur, et premier Tundra lancé en 2000, avait cette fois les dimensions requises en plus de proposer un moteur V8 plus puissant. Malgré tout, l'accueil du public a été assez mitigé. Alors, la direction a décidé de jouer le grand jeu en dévoilant en janvier 2007 la plus grosse camionnette de classe 1500 sur le marché. Se pourrait-il que cette fois, le Tundra soit devenu trop gros?

C'est ce que semblent croire certains activistes prônant l'élimination des gros mastodontes sur nos routes. Lors du dernier Salon de l'auto de New York en avril, ils ont déployé une bannière sur la face du Jarvitz Center pour protester contre le Tundra qu'ils jugent offensant contre l'environnement en raison de ses dimensions et de sa consommation de carburant.

### CONÇU ET FABRIQUÉ AUX É.-U.

Un peu à l'instar des voitures de course Toyota participant à la Coupe Nextel de NASCAR, le Tundra est presque 100% américain à l'exception de son écusson affiché sur le capot. Il s'agit selon les dires des ingénieurs de Toyota Canada du «plus nord-américain des produits de la marque étant assemblés à San Antonio au Texas, en plus d'une conception et d'un design venant également de notre continent. Le nouveau Tundra a été conçu et développé pour nos besoins et pour les clients des États-Unis et du Canada. »

Ce qui devrait expliquer en grande partie les dimensions vraiment supérieures à tous les concurrents et l'offre de trois configurations de cabine: ordinaire, double et multiplace. Les stylistes ont eu le coup de crayon heureux: la silhouette a pour effet d'accentuer la grosseur du camion, mais ce gros mastodonte possède une certaine élégance. À l'exception sans doute de la version à cabine multiplace dont la partie avant semble démesurément longue par rapport à la caisse de chargement. Par contre, la cabine est plus spacieuse, surtout aux places arrière dont les bancs se replient afin de favoriser le remisage d'objets. En fait, même un claustrophobe patenté s'y trouvera à l'aise! De bonnes notes également pour le tableau de bord qui combine l'élégance de celui d'une auto au design d'un véhicule de travail. Comme il fallait s'y attendre sur un produit Toyota, la qualité des matériaux et de l'assemblage est impeccable. Par contre, la version antérieure du Tundra a porté ombrage à l'excellente réputation de fiabilité de Toyota avec des rappels portant sur des pièces maîtresses de la direction et de la suspension. On nous promet que cela ne sera pas le cas avec la nouvelle génération.

Terminons ce tour du propriétaire avec le panneau de la caisse de chargement qui est contrebalancé afin de faciliter l'ouverture et la fermeture de celle-ci. Et si la marche arrière vous intimide, il vous sera possible de commander une caméra de recul.

### SOLIDE MAIS ASSOIFFÉ!

Comme la plupart des grosses camionnettes, le nouveau Tundra est

**FEU VERT**
Finition impeccable, silhouette moderne, transmission six rapports, trois choix de cabine, habitacle confortable

**FEU ROUGE**
Moteurs gourmands, dimensions encombrantes, faible diffusion, options onéreuses

## VÉHICULE D'ESSAI

| | |
|---|---|
| Version : | Double Cab |
| Emp/Lon/Lar/Haut(mm) : | 3 700/5 810/2 030/1 930 |
| Longueur de caisse/Poids : | 2 000 mm / 2 375 kg |
| Coffre/Réservoir : | n.d. / 100 litres |
| Nombre de coussins de sécurité : | 4 |
| Suspension avant : | indépendante, bras inégaux |
| Suspension arrière : | essieu rigide, ressorts elliptiques |
| Freins av./arr. : | disque (ABS, EBD3670) |
| Antipatinage/Contrôle de stabilité : | non / non |
| Direction : | à crémaillère, assistée |
| Diamètre de braquage : | 13,4 m |
| Pneus av./arr. : | P255/70R18 |
| Capacité de remorquage : | 3 670 kg |

## MOTORISATION À L'ESSAI

Pneus d'origine — MICHELIN

| | |
|---|---|
| Moteur : | V8 de 4,7 litres 32s atmosphérique |
| Alésage et course : | 94,0 mm x 84,0 mm |
| Puissance : | 271 ch (202 kW) à 5 400 tr/min |
| Couple : | 313 lb-pi (424 Nm) à 3 400 tr/min |
| Rapport poids/puissance : | 8,76 kg/ch (11,93 kg/kW) |
| Système hybride : | aucun |
| Transmission : | 4X4, automatique 5 rapports |
| Accélération 0-100 km/h : | 8,1 s |
| Reprises 80-120 km/h : | 8,0 s |
| Freinage 100-0 km/h : | 41,0 m |
| Vitesse maximale : | 190 km/h |
| Consommation (100 km) : | ordinaire, 15,4 litres |
| Autonomie (approximative) : | 649 km |
| Émissions de CO2 : | 6 624 kg/an |

## GAMME EN BREF

| | |
|---|---|
| Échelle de prix : | 25 255 $ à 55 105 $ (2007) |
| Catégorie : | camionnette grand format |
| Historique du modèle : | 4ème génération |
| Garanties : | 3 ans/60 000 km, 5 ans/100 000 km |
| Assemblage : | Princeton IN et San Antonio TX, É-U |
| Autre(s) moteur(s) : | V8 5,7l 381ch/401lb-pi (16,8 l/100km) |
| Autre(s) rouage(s) : | propulsion |
| Autre(s) transmission(s) : | automatique 6 rapports |

## DANS LA MÊME CATÉGORIE

Chevrolet Silverado - Dodge Ram - Ford F-150 - GMC Sierra - Nissan Titan

## DU NOUVEAU EN 2008

Nouveau modèle

## NOS IMPRESSIONS

| | |
|---|---|
| Agrément de conduite : | 🚗 🚗 🚗 ½ |
| Fiabilité : | Nouveau modèle |
| Sécurité : | 🚗 🚗 🚗 🚗 |
| Qualités hivernales : | 🚗 🚗 🚗 🚗 |
| Espace intérieur : | 🚗 🚗 🚗 🚗 🚗 |
| Confort : | 🚗 🚗 🚗 🚗 🚗 |

## LE CHOIX DE L'ÉQUIPE

Version cabine régulière

équipé d'un châssis de type à échelle à poutre refermée pour obtenir plus de rigidité. Pour le reste, la configuration mécanique est similaire à celle des autres avec une suspension avant à double bras triangulaire et ressorts hélicoïdaux tandis que la suspension arrière est à ressorts elliptiques. Toutefois, la disposition de ces derniers a été revue afin d'améliorer le confort de roulement lorsque le camion n'est pas chargé.

Selon Toyota, le seul élément qui a été repris de la version précédente est le moteur V8 4,7 litres d'une puissance de 271 chevaux. Il est couplé à une boîte automatique à cinq rapports. Ce moteur est de série sur les modèles à cabine ordinaire et double. Un autre moteur est au catalogue, il s'agit d'un gros moteur V8 de 5,7 litres produisant 381 chevaux. Il est associé à une boîte automatique à six rapports, elle aussi toute nouvelle pour ce modèle 2008. Celle-ci permet au moteur plus puissant de compter sur une plus faible consommation que le «petit moteur». Puisque le moteur le plus puissant est également le plus économique en carburant, le choix sera facile à faire pour plusieurs.

Toujours au chapitre de la motorisation et de la consommation de carburant, ces deux V8 sont gourmands, très gourmands même. Lors de la présentation en janvier 2007, la consommation observée a été de 21 litres aux 100 km avec deux personnes à bord et une caisse de chargement vide. Un autre test avec la cabine multiplace Crewmax a été encore plus désespérant car nous avons enregistré 23,5 litres aux 100 km avec un parcours mi-route, mi-ville. Accrochez une remorque à ce Tundra et la facture de carburant risque de gâcher votre voyage ou tout au moins amocher votre carte de crédit ! Un test plus récent m'a permis d'obtenir une consommation de 16,4 litres au 100 km. C'est plus rassurant mais encore plus élevé que la cote officielle.

Ce gros Toyota offre une suspension confortable, une tenue de route dans la bonne moyenne et son freinage est sans surprise. Par contre, les Chevrolet Silverado et GMC Sierra proposent un agrément de conduite supérieur et consomment moins... Et ce duo en plus du Dodge Ram et du Ford Série F peut être commandé avec un moteur diesel de plus faible consommation.

Curieusement, cette camionnette japonaise «Made in USA» pêche par excès de dimension et de consommation. Une fois encore, Toyota a surpassé ses concurrents nord-américains, mais pas pour les bonnes raisons...

**Denis Duquet**

Photos : Toyota

**617**

ALFA ROMEO · ASTON MARTIN · FORD · HUMMER · HYUNDAI · INFINITI · KIA · NISSAN · PONTIAC · SCION

# ALFA ROMEO

## BRERA

Maintenant que la décision a été prise et confirmée concernant un retour de la marque italienne Alfa Romeo en sol nord-américain, il ne nous reste plus qu'à identifier les modèles qui viendront nous rendre visite. Selon certaines sources, il appert que l'on cible trois modèles bien distincts, qui connaissent beaucoup de succès sur le vieux continent. Tout d'abord, nous retrouvons le modèle 159, une berline intermédiaire de luxe et l'envoûtante BRERA disponible en versions coupé et cabriolet. Voilà un dossier à suivre en 2008, pour un retour chez nous en 2009, coïncidant ainsi avec les célébrations du centième anniversaire de la marque.

Photo : Alfa Romeo

# ASTON MARTIN

## RAPIDE

Photos :

Photo : Aston Martin

«My name is Martin, Aston Martin Rapide. On dit que je suis à la fois le plus beau et le plus prestigieux coupé quatre portes au monde. Mes gènes sont ceux de la puissante Aston Martin DB9, dont la plate-forme tout en aluminium et surtout ultrapolyvalente, autorise des versions plus étendues. Sous mon long capot se cache un foudroyant moteur V12 de 6,0 L ne développant rien de moins que 480 chevaux. Le tout associé à une boîte manuelle ou séquentielle à six vitesses. Au Canada, mon prix devrait s'établir autour des 230 000 $, et même à ce prix, je ne serai pas la plus dispendieuse des voitures Aston Martin. Oh! j'allais oublier de mentionner que j'aimerais devenir la prochaine voiture de service de Sir James Bond...»

# FORD

## FLEX

La fourgonnette traditionnelle vient d'être abandonnée par le constructeur Ford et remplacée par un nouveau véhicule de type multisegment, la Ford Flex. Ses lignes rejoignent celles du véhicule-concept Fairlane, dévoilé au Salon de New York en 2006. De formes très angulaires, hautes et allongées, il est indéniable que sa silhouette ne pourra faire l'unanimité. Ce véhicule peut accueillir jusqu'à sept passagers, dans un habitacle grand luxe et disposant des technologies les plus extravagantes. Son moteur est un V6 de 3,5 litres dont la puissance annoncée s'établira autour des 260 chevaux. La Flex sera vendue en versions à traction avant ou à traction intégrale. Sa commercialisation est prévue pour le printemps 2008.

# HUMMER

## H2 HYDROGEN

Tandis que le vénérable Hummer Alpha (H1) est sur le point de rendre l'âme, tous les efforts sont conjugués chez GM, pour s'assurer que ses rejetons H2 et H3, plutôt énergivores, lui survivent. Ainsi, afin de mieux faire face aux montées de lait des pétrolières et aux normes environnementales de plus en plus sévères, le fabricant annonce un programme vert très audacieux. Ce dernier prévoit que le modèle H2 pourra utiliser de l'éthanol (E85) à compter de l'an prochain, comme pour le H3, en 2010. Un modèle H4 plus petit et moins gourmand est attendu pour cette même année. Dès 2011, ces véhicules possèderont des motorisations diesel.

# HYUNDAI

## ARNEJS

Il a été dévoilé au Salon de Paris en 2006 et depuis ce véhicule concept ne cesse de faire des petits… Dans un premier temps, il a donné naissance à la Kia Cee'd déjà distribuée en sol européen. La Cee'd cinq portes sera accompagnée dès l'an prochain d'une familiale appelée Sporty Wagon. À ces versions, Hyundai vient d'ajouter en Europe, son modèle i30 aux lignes similaires. Mais plus près de nous, nous venons tout juste d'apprendre que dès le printemps prochain, la gamme Hyundai Elantra s'enrichira d'une élégante version à cinq portières appelée Touring, toujours dérivée de la Arnejs. Sa silhouette devrait normalement hériter des formes de la Kia Cee'd.

# *INFINITI*

## EX 35

L'an prochain, nous vous reparlerons de l'Infiniti EX 35 dans nos pages d'essai ! En effet, l'EX, dessiné au Japon, prendra le chemin de la production dès la fin de 2007. Remplacera-t-il le FX qui commence à dater ? Nous vous le dirons dans un an ! Pour l'instant, nous pouvons seulement affirmer que les dimensions du EX sont un tantinet plus petites que celles du FX. Comme pour plusieurs autres produits Infiniti et Nissan, la plate-forme FM sera de mise faisant du EX une intégrale. Peu d'informations au sujet de la mécanique ont suinté des documents de l'entreprise, mais on sait déjà qu'il s'agira d'un V6 de 3,5 litres relié à une transmission automatique à cinq rapports.

Photo : Infiniti

# *KIA*

## MOJAVE

Photo : Kia

Le géant sud-coréen Hyundai qui dispose également de la marque Kia est revenu à la charge en 2007 en réaffirmant son intention d'introduire en sol nord-américain un camion pleine grandeur. Ce dernier serait développé par les ingénieurs du groupe Kia, sur la base du camion-concept Mojave dévoilé au Salon de Chicago en 2004. Une fois la décision prise, les deux marques bénéficieraient de leur propre camion et pourraient hériter de nouveaux moteurs aux technologies plus raffinées que ceux offerts présentement. Toutefois, il est fort peu probable que l'on puisse côtoyer ces derniers avant l'année-modèle 2011…

# NISSAN

## GT-R

Photo : Nissan

Dévoilée à Tokyo en 2005, sous forme de concept très près du modèle de série, la Nissan Skyline GT-R, une voiture hautes performances mythique en sol nippon, s'apprête à conquérir le marché mondial, y compris celui de l'Amérique du Nord. Aux dernières nouvelles, la version dite de route sera dévoilée au Salon de Tokyo en octobre prochain. Sa livraison chez les concessionnaires est prévue pour le printemps 2008. Cette bombe sur quatre roues disposera d'une motorisation V8 qui pourrait développer au bas mot quelque 450 chevaux. Il est également question d'une version moins redoutable avec un V6. La GT-R sera un coupé sport à traction intégrale.

# PONTIAC

## G8

Les nouveaux produits Pontiac ont trouvé leur point G! Tout d'abord, ce fut la Pontiac Sunfire qui devint la G5, suivie par la Grand Am qui devient la G6. L'an prochain ce sera au tour de la vénérable Pontiac Grand Prix à être remplacée par la G8. Cette dernière sera une voiture à propulsion conçue autour des éléments mécaniques de la Holden Commodore et construite en Australie. La motorisation de base sera un V6 de 3,6 L déployant 261 chevaux, tandis que le V8 de 6,0 L délivrera une puissance diabolique de 362 chevaux. La voiture arrivera chez les concessionnaires à compter de janvier prochain.

Photo : Pontiac

# SCION

## Xb

Photo : Scion

Présentement, Toyota est le seul constructeur automobile au monde à offrir une gamme complète de véhicules destinée principalement à une jeune clientèle, distribuée sous la marque Scion. Un exercice de mise en marché tout ce qu'il y a de plus simple de la part de ce constructeur. Ainsi, il suffit de savoir que ce dernier dispose de la marque japonaise Daihatsu et que les produits Scion ne sont rien d'autre que des véhicules Daihatsu, portant l'écusson Scion. Mais si nous vous parlons pour la xième fois de ces véhicules inexistants sur le marché canadien, c'est tout simplement une façon de rappeler aux dirigeants de Toyota que bon nombre de Québécois seraient ravis de pouvoir se procurer un de ces véhicules aux dimensions plus que raisonnables autrement que par l'importation privée…

**623**

Achevé d'imprimer au Canada
sur les presses de l'imprimerie Québécor World St-Jean Inc. en août 2007.